r

Knaur.

Im Knaur Taschenbuch Verlag sind bereits
folgende Bücher der Autorin erschienen:
Das Geheimnis der Hebamme
Die Spur der Hebamme
Die Entscheidung der Hebamme
Der Fluch der Hebamme

Über die Autorin:
Sabine Ebert wurde in Aschersleben geboren, ist in Berlin aufgewachsen und hat in Rostock Sprach- und Lateinamerikawissenschaften studiert. In ihrer Wahlheimat Freiberg arbeitete sie als Journalistin für Presse, Funk und Fernsehen. Sie schrieb einige Sachbücher zur Freiberger Regionalgeschichte, doch berühmt wurde sie mit ihren historischen Romanen, die alle zu Bestsellern wurden.

SABINE
EBERT

Blut
und Silber

ROMAN

KNAUR TASCHENBUCH VERLAG

FSC
www.fsc.org
MIX
Papier aus ver-
antwortungsvollen
Quellen
FSC® C014496

Ergänzte Taschenbuchausgabe April 2011
Knaur Taschenbuch.
Copyright © 2009 bei Knaur Verlag
Ein Unternehmen der Droemerschen Verlagsanstalt
Th. Knaur Nachf. GmbH & Co. KG, München.
Ein Projekt der AVA international GmbH
Autoren- und Verlagsagentur www.ava-international.de
Alle Rechte vorbehalten. Das Werk darf – auch teilweise –
nur mit Genehmigung des Verlages wiedergegeben werden.
Redaktion: Ilse Wagner
Umschlaggestaltung: ZERO Werbeagentur, München
Umschlagabbildung: Frau: plainpicture / Arcangel
Schlacht: bridgeman / A Battle Scene: possibly James Scott,
Duke of Monmouth at the Siege of Maastricht in 1673 (oil on
canvas), Wyck, Jan (1640–1700) / © Victoria Art Gallery, Bath and
North East Somerset Council / The Bridgeman Art Library
Druck und Bindung: GGP Media GmbH, Pößneck
Printed in Germany
ISBN 978-3-426-63836-1

2 4 5 3 1

DRAMATIS PERSONAE

Aufstellung der wichtigsten handelnden Personen. Historische Persönlichkeiten sind mit einem * gekennzeichnet.

Freiberg

Ulrich von Maltitz*, *Ritter des Meißner Markgrafen Friedrich von Wettin und Kommandant der Burg*

Niklas von Haubitz*, *Anführer des Heeres zur Verteidigung der Stadt*

Markus, *Hauptmann der Wachen von Burg Freiheitsstein*

Jan, *sein Bruder*

Sibylla, *eine Gauklerin*

Christian, *ein Gassenjunge*

Nikol Weighart*, *Bürgermeister, Silberschmied*

Katharina, *seine Frau*

Jenzin*, *Ratsherr und Apotheker*

Änne, *sein Mündel*

Beata, *Jenzins Frau*

Hans Lobetanz*, *ihr Neffe und Geselle*

Wilhelm, *Jenzins Großknecht*

Hannemann Lotzke*, *Ratsherr und Gewandschneider*

Johannes Lotzke*, *sein Sohn*

Conrad Marsilius*, *Ratsherr und Stadtphysicus*

Clementia, *seine Magd*

Dittrich Beschorne*, *Ratsherr und Rechtsgelehrter*

Berlewin*, *Ratsherr und Zunftmeister der Freiberger Kramerinnung*

Heinrich von Frauenstein*, *Ratsherr und Waffenschmied*

Dittrich von Schocher*, *Ratsherr und Weinhändler*

Conrad von Rabenstein*, *Ratsherr und Tuchhändler*

Gottfried von der Bobritzsch*, *Ratsherr und Kürschner*

Jenzin Burner*, *Ratsherr und Schmelzmeister*

Conrad Stoian*, *Ratsherr und Grubeneigner*

Veit Haberberger, *Besitzer einer Schmelzhütte*
Menachim ben Jakub, *Rabbi der jüdischen Gemeinde*
Friedemar, *Bergmeister*
Eberhard von Isenberg, *königlicher Burgkommandant in Freiberg unter Adolf von Nassau*
Reinold von Bebenburg, *einer seiner Nachfolger unter Albrecht von Habsburg*
Hildegard, *Witwe des früheren Burgvogtes*
Jakob und Gerald, *ihre Söhne*
Roland, *Ulrichs Knappe*
Clemens, *Pater der Marienkirche*
Hartmann, *ein Blaufärber*
Herrmann und Claus, *Wachen vom Petritor*
Gero und Otto, *Freiberger Stadtwachen*

Hochadel und Geistlichkeit
König Adolf von Nassau*
Friedrich von Wettin*, genannt der Freidige, *Markgraf von Meißen*
Diezmann*, *sein jüngerer Bruder, Markgraf der Lausitz*
Albrecht von Habsburg*, *nach Adolfs Abwahl und Tod zum König gewählt*
Wenzel II*, *König von Böhmen*
Jutta von Habsburg*, *seine Frau*
Herzog Heinrich von Braunschweig-Grubenhagen*, *Schwager Friedrichs*
Heinrich von Görz-Tirol*, *Herzog von Kärnten, weiterer Schwager Friedrichs*

Eisenach
Albrecht von Wettin*, *Landgraf von Thüringen und Vater Friedrichs*
Elisabeth von Lobdeburg-Arnshaugk*, *seine Frau und Mutter der gleichnamigen Frau Friedrichs*

Elisabeth von Lobdeburg-Arnshaugk* (die Jüngere), *ihre Tochter und spätere Gemahlin Friedrichs*

Rudolf von Vargula*, *Truchsess des Landgrafen Albrecht*

Herrmann von Goldacker*, *Marschall des Landgrafen*

Gunther von Schlotheim*, *Schenk des Landgrafen*

Albrecht von Sättelstedt*, *Verwalter der Landgrafen*

Lena, *eine Magd*

Franz, *ihr Sohn*

weitere handelnde Personen

Reinhard von Hersfeld*, Tylich* und Theodor von Honsberg*, Hertwig von Hörselgau*, Reinhard von Seweschin*, Ritter von Markgraf Friedrich

Meinhard*, *Bischof von Meißen*

Heinrich von Nortenberg*, *Befehlshaber des königlichen Heeres vor Lucka*

Friedrich von Schönburg*, *Anführer der Pleißnischen Reichsstädte in der Schlacht bei Lucka*

PROLOG

*H*äuser brannten lichterloh, Menschen rannten schreiend davon, während sich eine nicht enden wollende Schar Bewaffneter wie ein schwarzer, todbringender Strom in die Stadt ergoss ...

Schweißgebadet schreckte Änne aus dem Schlaf und krachte mit dem Kopf gegen den schweren Apothekertisch, unter dem sie wie jede Nacht auf einem Strohsack schlief. Doch den Schmerz nahm das Mädchen kaum wahr. Zu verstörend war das Traumbild gewesen – und zu wirklich.

Es geschah oft, dass sie nachts schlecht träumte: von dem unbarmherzigen Vormund, bei dem sie lebte, seit ihre Eltern tot waren, von seiner keifenden Frau, der sie es nie recht machen konnte, und seinem bösartigem Neffen. Aber dieser Traum war unglaublich schlimmer gewesen.

Hastig schlug Änne ein Kreuz. Ihr Herz klopfte wild, als wollte es aus der Brust springen. Fröstelnd zog sie sich die zerschlissene Decke enger um die Schultern. Es hatte schon lange mehr keinen so strengen Winter gegeben. An den Wänden der Kammer glitzerten Eiskristalle, auch wenn sie das in der Dunkelheit kaum erkennen konnte.

Angestrengt lauschte sie, ob irgendjemand ihren Schreckensschrei gehört hatte und aufgewacht war. Wenn sie das Haus aus dem Schlaf weckte, würde der Vormund sie gnadenlos verprügeln. Und er war stark, der Meister Jenzin. Von seinen Schlägen würde ihr Gesicht wieder eine ganze Woche geschwollen und verfärbt sein.

Aber es blieb still im Haus des Apothekers. Also war es wohl am klügsten, sich wieder unter der Decke zu verkriechen und zu beten, dass sie sich irrte.

Wenn ihr der Alptraum in dieser Klarheit schon zum dritten Mal erschienen war, konnte das nur eines bedeuten: Es stimmte, was der Oheim ihr Tag für Tag vorhielt.

Sie stammte tatsächlich aus einem verfluchten Geschlecht. Verflucht, weil sich die Männer durch ihren Mut immer wieder zu viele gefährliche Feinde machten und die Frauen mit der Gabe des zweiten Gesichts gezeichnet waren – was den einen wie den anderen den vorzeitigen Tod einbrachte.

Doch wenn das stimmte, bedeutete dies auch, dass sich die Schreckensbilder aus ihrem Traum erfüllen würden!

Jene, die sie gerade noch vor Augen hatte, und auch die anderen: drei Köpfe vor den Toren der Stadt aufgespießt … und der Obere Markt voller Blut, das den frisch gefallenen Schnee rot färbte, umsäumt von Verwundeten und Gefangenen, die fassungslos auf die enthaupteten Leichname ihrer Gefährten starrten …

Würde tatsächlich noch diesen Winter ein sengendes, mordendes Heer in Freiberg wüten? Vielleicht sogar schon morgen oder übermorgen?

Je länger Änne zitternd dalag und in die Finsternis starrte, viel zu aufgewühlt und verängstigt, um wieder einschlafen zu können, umso stärker wuchs in ihr die Gewissheit. Noch ehe der Schnee schmolz, würde eine grausame Macht die Stadt erobern und Ströme von Blut vergießen. Blut von Menschen, die sie kannte. Und niemand konnte das Verhängnis abwenden.

ERSTER TEIL

DIE BELAGERTE STADT

ch habe ein ganz dummes Gefühl.«

Das hätte Ritter Ulrich von Maltitz nicht erst aussprechen müssen. Seine misstrauische Miene und die Unruhe, mit der er immer wieder zur Tür blickte, die schief in den Angeln hing und bei jeder Bewegung laut knarrte, sagten genug.

Er hatte noch nicht einmal den schneebedeckten Umhang abgelegt. Die schmelzenden Flocken ließen sein schulterlanges Haar schwarz wirken.

»Meint Ihr das Essen, das uns dieser schmierige Wirt bringt, sofern er es je fertigbekommt?«, antwortete der Markgraf von Meißen mit verhaltenem Spott, während er es sich auf einer Bank bequem machte und die langen Beine ausstreckte, die vom anstrengenden Ritt durch die strenge Kälte des Winters steif geworden waren.

Der König hatte Friedrich von Wettin hierher in die Reichsstadt Altenburg beordert, und wenn es nach ihm ginge, dürfte dieser den Markgrafentitel gar nicht mehr führen. Denn Adolf von Nassau, vor dreieinhalb Jahren zum Regenten gewählter Niemand unter den Reichsfürsten, erhob Anspruch auf die Mark Meißen. Obwohl das Fürstengericht noch nicht die Acht über den Meißner gesprochen hatte, galt Friedrich schon so gut wie geächtet, als Rebell, der sich dem König mit dem Schwert entgegenstellte, um seinen Besitz zu wahren. Oder das, was davon übrig war, nachdem sein verschwenderischer Vater auf leichtsinnige Weise den größten Teil seiner Ländereien verschleudert hatte. Dabei war es keine zehn Jahre her, dass dessen Vater über fünf Fürstentümer herrschte!

»Ihr wisst genau, was ich meine«, antwortete Ulrich von Maltitz ungestüm und vergaß dabei für einen Augenblick den respektvollen Ton, den er seinem Lehnsherrn schuldete. »Wenn Ihr auf meinen Rat hörtet, wären wir nie hierhergekommen. Das riecht nach einem Hinterhalt, nach Verrat!«

Der dunkelhaarige Ritter Anfang dreißig legte den Umhang ab und ließ ihn achtlos auf die Bank sinken, ohne die Tür aus den Augen zu lassen. Dann trat er sogar einen Schritt in den Gang hinaus, um hinunter in die Schankstube des Wirtshauses zu spähen, in dem sie Quartier genommen hatten. Rauchschwaden vom Herdfeuer und der Lärm der Zecher drangen in die größte der oberen Kammern, wo ein paar Schankmägde die Tafel für die hohen Gäste aufgestellt hatten. Doch niemand schien sich die altersschwache Holztreppe hinaufzuwagen.

Krachend ließ Ulrich die Tür wieder hinter sich zufallen und blieb stehen, die Hand am Schwert.

»Wollt Ihr etwa dem König so viel Unehrenhaftigkeit unterstellen?«, ermahnte ihn der Markgraf mit hochgezogenen Augenbrauen, immer noch eher spöttisch als streng.

Friedrich war achtunddreißig Jahre alt und weder der dichtende Schöngeist wie sein Großvater, den man »den Erlauchten« nannte, noch der verlebte Verschwender wie sein Vater. Er war nüchtern, zupackend und entschlossen. Und er teilte das Misstrauen des Maltitzers, eines seiner engsten Vertrauten, was die Möglichkeit betraf, der König habe sie nur hierherbeordert, um den Gegner beiseiteschaffen zu lassen, auch wenn er es sich nicht anmerken ließ. Es gab keinen Verhandlungsstoff. Adolf von Nassau wollte die Mark Meißen, und Friedrich war nicht bereit, sie herzugeben. So war der Stand der Dinge.

Doch der König hatte sein Heer gen Meißen in Bewegung gesetzt und auf dem Weg dorthin bereits zum zweiten Mal binnen kurzem Thüringen verwüsten lassen. Friedrich wollte nicht, dass die Angst und Schrecken verbreitende Streitmacht des Nassauers nun auch noch Meißen und Freiberg, seine reiche Silberstadt, in Schutt und Asche legte. Deshalb war er nach Altenburg geritten, so groß die Gefahr eines Hinterhaltes auch sein mochte. Er durfte nichts unversucht lassen, um seinem Land den Krieg zu ersparen.

Ulrich schnaubte verächtlich. »Der König! Was für ein König

ist das schon? Ein Schwächling, einer, der sich die Stimmen der Fürsten bei der Wahl gegen den Habsburger mit leeren Versprechungen erkauft hat, weil er weder Land noch Geld besitzt. Und deshalb stiehlt er es – von Euch und Euerm Bruder!«

Friedrich hätte König sein sollen, dachte Ulrich wütend. Sein Großvater gleichen Namens war der letzte große Stauferkaiser, und schon als Zwölfjährigem hatte man ihm die Kaiserwürde angetragen, ohne dass er sie je erringen konnte. Friedrich III., König von Jerusalem und Sizilien, Herzog von Schwaben, Landgraf zu Thüringen und Pfalzgraf zu Sachsen – das sollten seine Titel sein, von der Herrschaft über die Mark Meißen ganz zu schweigen! Und die wollte ihm Adolf von Nassau nun auch noch nehmen.

Der Markgraf beugte sich leicht vor, nun mit strengem Gesichtsausdruck. »Es grenzt an Hochverrat, was Ihr da von Euch gebt!«, ermahnte er seinen Ritter mit gesenkter, gefährlich anmutender Stimme. »Hütet Eure Zunge! Und zur Übung beginnt Ihr damit besser sofort, noch bevor wir morgen auf die Männer des Königs treffen!«

Die Gesichtszüge des Maltitzers verschlossen sich, er sank auf ein Knie. »Vergebt mir, mein Fürst«, murmelte er und verbiss sich die Bemerkung, sie könnten sich glücklich preisen, wenn sie erst am nächsten Tag und nicht schon heute Nacht auf die Männer des Königs treffen würden.

»Nun steht schon auf und setzt Euch zu uns«, lenkte der Markgraf ein. Mit knapper Geste wies er auf den Platz zwischen sich und den anderen Rittern, die sich bereits an die Tafel gesetzt hatten und ebenfalls zur Tür blickten – allerdings eher in Erwartung des Wirtes mit Braten und Wein statt eines Kommandos gedungener Meuchelmörder.

Ulrich von Maltitz zögerte. Der lange Ritt bei scheußlichem Schneegestöber hatte auch ihm die letzten Kräfte abverlangt, seine Beinmuskeln zitterten immer noch vor Anspannung, und die Aussicht, sich setzen zu können, war mehr als verlockend, zumal einer der Knechte ein Kohlebecken aufgestellt hatte, das wenigstens im Umkreis von zwei, drei Schritten wohlige Wärme verbreitete. Doch er konnte sich nicht setzen, ohne das lange Schwert abzulegen, und ebenso wenig wollte er – eingeklemmt zwischen den Kampfgefährten – mit dem Rücken zur Tür hocken.

»Wenn Ihr erlaubt, bleibe ich stehen und behalte den Gang im Auge.«

Friedrich seufzte schicksalsergeben. »Ihr seid übervorsichtig. Aber tut, was Ihr nicht lassen könnt!«

Der kurze Blick, den er mit Ulrich wechselte, sagte allerdings etwas anderes: Wie erleichtert der Markgraf über die Vorsicht seines Vertrauten war, zu der es hinreichend Anlass gab.

Es klopfte, erst zaghaft, dann stärker. Ulrich riss die Tür auf. Erschrocken fuhr die mit zwei schweren Krügen beladene Schankmagd zurück, als sie sich plötzlich dem blanken Schwert eines Ritters gegenübersah. Von Maltitz fragte sich, wie sie wohl angeklopft hatte – mit dem Ellbogen oder mit der Fußspitze?

Etwas von dem Wein war durch ihre hastige Bewegung auf ihr grobgewebtes Kleid geschwappt, doch das schien sie gar nicht wahrzunehmen. Ihre schreckensweiten Augen waren von der scharfen Waffe wie gebannt. Ulrich ließ das Schwert sinken und trat einen Schritt zurück.

Die Frau, deren Gesicht vor Hitze gerötet war und kleine Schweißperlen auf der Stirn und über den zusammengekniffenen Lippen aufwies, knickste rasch erst vor ihm, dann tief vor dem Markgrafen. »Ich bringe Wein. Wenn es den edlen Herren beliebt?«

Auf Friedrichs Zeichen hin goss sie erst ihm den Becher voll, dann seinen Rittern: nach Ulrich von Maltitz auch Reinhard von Hersfeld, den Brüdern Tylich und Theodor von Honsberg, Rudolf von Falkenstein, Reinhard von Seweschin und dem Jüngsten, Hertwig von Hörselgau. Die anderen Männer hatte Ulrich bei den Pferden und um das Wirtshaus herum postiert. Friedrichs Gefolge war klein, aber sorgfältig ausgewählt unter den besten seiner kampferprobten Ritter.

»Ihr gestattet!« Nach der wortlosen Zustimmung des Markgrafen nahm Ulrich dessen Becher und kostete vor.

Wein, wirklich.

»Ziemlich sauer, aber nicht vergiftet, wie es scheint.«

Ulrich reichte den Becher zurück.

Die Magd warf ihm heimlich einen beleidigten Blick zu und stellte den Wein vor dem Markgrafen ab. Dann schenkte sie aus dem zweiten Krug Bier an die niederen Gefolgsleute aus.

Als sie damit fertig war, knickste sie erneut und ging.

Friedrich hob seinen Becher. »Möge Gott uns morgen beistehen!«

»Amen!« Die anderen tranken ihm stehend zu.

Und möge Gott uns auch diese Nacht beistehen, dachte Ulrich bei sich, während er einen kräftigen Schluck nahm.

Wieder klopfte es, und eine weitere Schankmagd brachte ein großes Brett mit Brot, Käse, Schinken und Speck. »Der Braten ist gleich fertig, lässt der Wirt ausrichten«, erklärte sie.

Niemand antwortete ihr. Die Ritter, hungrig und durchgefroren, brachen auf Friedrichs einladende Geste Stücke von dem noch warmen Brotlaib, zogen ihre Essmesser und schnitten dicke Scheiben von Käse, Schinken und Speck ab. Mit Erlaubnis ihres Fürsten durften sie heute die Regel für höfische Mahle vernachlässigen, nach der als maßlos betrachtet wurde, wer das Brot aß, bevor die Hauptspeisen aufgetragen waren.

Die letzte Rast auf dem Weg hierher lag lange zurück.

Wenn auch die Herberge am Markt verräuchert war und Aussehen und Kleidung des Wirtes wenig vertrauenerweckend wirkten – das noch dampfende Brot schmeckte köstlich, der Schinken war gut geräuchert, der Käse würzig.

Die Männer begannen, sich zu entspannen und lautstark zu unterhalten.

Feuchte Schwaden stiegen von ihren Kleidern auf, die der Schnee durchnässt hatte. Doch allmählich wurde es warm im Raum, und ihre Kleider und Haare begannen zu trocknen.

»Wenn Ihr erlaubt, Hoheit!«

Johannes Lotzke, ein junger Freiberger, bot sich an, für Friedrich und seine Ritter Wein nachzuschenken, denn die Knappen waren zur Wache bei den Pferden eingeteilt worden.

Aufmunternd nickte Friedrich dem jungen Mann mit dem rötlichen Haar zu, den er erst kürzlich in sein Gefolge aufgenommen hatte und der ihm durch seinen Diensteifer und seine Klugheit aufgefallen war. Sein Vater, ein Gewandschneider und einer der Freiberger Ratsherren, hatte ihn geschickt, damit er dem Markgrafen diene, höfisches Benehmen lerne und bis zu seiner Verheiratung etwas von der Welt sehe.

»Sag, junger Lotzke, wann soll die Hochzeit sein?«, fragte breit grinsend Rudolf von Falkenstein, ein älterer Ritter mit derbem Humor, der offensichtlich einen Spaß mit dem Freiberger Burschen plante.

»Nach Pfingsten, Herr«, antwortete Johannes, während seine Ohren in verräterischem Rot aufleuchteten. Er kannte die Ritter inzwischen gut genug, um zu ahnen, dass sich der Falkensteiner einen Scherz auf seine Kosten erlauben wollte.

»Und, ist sie hübsch, deine Braut?«

»Ich denke schon«, murmelte Johannes mit gesenktem Kopf, scheinbar ganz darin vertieft, die Becher der Ritter nachzufüllen.

»Er denkt es!« Rudolf schlug sich auf die Schenkel und sah grinsend zu seinen Tischnachbarn. »Aber sicher scheint er nicht zu sein. Hast sie wohl noch nicht näher in Augenschein genommen?«

Johannes erwiderte nichts. Wenn er die Wahrheit sagte, nämlich dass er bis über beide Ohren in seine Zukünftige verliebt war, die jüngere Tochter des Tuchers, es aber um nichts in der Welt wagen würde, sich ihr vor der Brautnacht auch nur auf fünf Schritte zu nähern, würde der Falkensteiner nicht nur Späße auf seine, sondern auch auf ihre Kosten treiben. Und das wollte er verhindern.

Überhaupt – die Hochzeitsnacht … Der Gedanke daran ließ ihn noch verlegener werden.

Das schien der stets zu Späßen aufgelegte Falkensteiner zu erraten. »Mir scheint, unser junger Freiberger ist recht schüchtern, was Frauen betrifft. Er braucht wohl noch ein bisschen Anleitung, bevor er vor die Kirchentür tritt, damit er seine hübsche Braut vollends zufriedenstellen kann. Was meint ihr?«

Wieder wandte er sich an die anwesenden Ritter. »Lassen wir dem Wirt ausrichten, er möge unserem Freund hier Gesellschaft für die Nacht besorgen? Aber keine Jungfrau, sondern eine mit Erfahrung. Am besten einen richtig alten Drachen. Dann lernt er schon einmal, was ihn in der Ehe erwartet, wenn er nicht von Anfang an aufpasst …«

Die anderen lachten schallend. Es war ein gutmütiger Spott, dennoch war Johannes mittlerweile vom Hals bis zu den Haarwurzeln rot angelaufen. Vergeblich suchte er nach einer Entgegnung, aber ihm fiel nichts Passendes ein. Außerdem hätte er sowieso nichts sagen dürfen, ohne dazu aufgefordert zu werden. Also betete er stumm, dass der Falkensteiner seine Ankündigung nicht wahr machte.

Der Markgraf wollte etwas Beschwichtigendes sagen, um den jungen Mann aus seiner Verlegenheit zu erlösen, doch er kam nicht dazu.

Ulrich von Maltitz' energisches »Still!« dröhnte dazwischen. Mit erhobenem Arm, leicht vorgebeugt, sah der misstrauische Ritter aus der schmalen Fensterluke, dann stürzte er zur Tür und riss sie auf. »Bewaffnete! Sie kommen hierher!«, brüllte er nach einem kurzen Blick hinab. »Zieht die Schwerter!«

Noch während seiner Worte sprangen die Männer auf, griffen nach den Waffen und gruppierten sich um ihren Fürsten.

Aus den ebenerdigen Räumen drangen erschrockene Rufe, gebrüllte Befehle, das Krachen umstürzender Bänke. Während die Ziege, die der Wirt gleich neben der Schankstube hielt, angstvoll meckerte, polterten schwere Tritte die Treppe herauf.

»Ihr müsst nach oben fliehen!«, rief der Maltitzer dem Markgrafen zu und wies auf die Luke zum Dach, bevor er den schweren Riegel vorschob. »Es sind mehr als zwei Dutzend. Wir können Euch nicht gegen sie alle verteidigen.«

Auch Friedrich zog sein Schwert und blickte auf seine Männer. »Nein. Wir erwarten sie hier. Gott steh uns bei.«

Schon zerbarst die marode Tür unter einen wuchtigen Hieb oder Tritt von draußen. Bewaffnete drängten durch die Öffnung, um sofort von vier Meißner Rittern mit dem Schwert in Empfang genommen zu werden.

Der Raum war so klein und vor allem so niedrig, dass sie kaum ausholen konnten.

Den ersten Angreifer enthauptete Ulrich mit einem einzigen Hieb, einen weiteren streckte Reinhard von Hersfeld nieder. Doch über die Leichname ihrer gefallenen Kumpane hinweg drängten immer mehr Angreifer in die Kammer. Die Männer an der Tür mussten ein paar Schritte in das Innere zurückweichen. Nun bildeten die sieben Ritter einen schützenden Halbkreis um ihren Fürsten. Wohl ein Dutzend Angreifer – allesamt mit dem königlichen Adler auf dem Wappenrock – stürmten auf sie ein. Doch die Meißner hielten stand, auch wenn ihr Halbkreis immer enger wurde.

Bald sah Ulrich nur noch Blut um sich, erkannte, dass der Falkensteiner tödlich getroffen zu Boden ging und zwei ihrer bewaffneten Reitknechte seinen Platz einnahmen. Der junge Hertwig schrie neben ihm auf und sackte zusammen, die Rechte über eine heftig blutende Wunde am linken Oberarm pressend. Ulrich schob ihn rasch hinter sich und trat vor, um den nächsten Angreifer niederzustrecken.

Seitlich von ihm krachte und prasselte es – ein paar Angreifer hatten die Fachen aus Lehm und Stroh durchgetreten und zwängten sich nun aus dem Nebenraum durch das Ständerwerk, um von der Seite anzugreifen.

Fast im gleichen Augenblick drängten vier ihrer eigenen Leute, die er unten als Wache postiert hatte, durch die Tür.

Ulrich blieb weder Zeit noch ausreichend Sicht, um die Feinde zu zählen, die deutlich in der Überzahl waren. Das änderte sich bald. Die Reisigen hatten inzwischen mehrere Gegner in einen Kampf nahe der Tür verwickelt. Die anderen standen den mittlerweile nur noch fünf Meißner Rittern und dem Markgrafen gegenüber, der längst selbst mitkämpfte, Schwert und Surkot voller Blut, mit schnellen, geschickten Hieben auf die Gegner einschlagend.

Allmählich ließ der Kampflärm nach. Von den Angreifern waren nur noch drei übrig, mit denen sich Ulrich, Tylich und Reinhard erbitterte Zweikämpfe lieferten.

Ulrichs Gegner war ein Bulle von einem Kerl, mit Oberarmen wie Schenkeln. Er focht einen plumpen Stil und verließ sich ganz auf seine Kraft. Mit aller Macht drückte er seine Klinge auf die des Kontrahenten, doch Ulrich entzog sich ihm mit einer geschickten Bewegung und strich ihm im nächsten Augenblick das Schwert über die Kehle. Wie ein gefällter Baum stürzte der Bulle zu Boden und riss im Fallen das Kohlebecken um.

Geistesgegenwärtig griff Ulrich nach dem Krug und goss das Bier über die glühenden Stücke, wo es zischend verdampfte. Die restliche Glut trat er hastig aus. Das trockene Gebälk würde brennen wie Zunder, so dass nicht nur sie selbst Gefahr liefen, in den Flammen umzukommen, sondern halb Altenburg in Brand geraten konnte, sollte in der Kammer ein Feuer ausbrechen.

Ulrich vergewisserte sich mit einem Blick, dass seine Gefährten zurechtkamen, und wollte sich zu Friedrich umdrehen. In diesem Augenblick gellte ein markerschütternder Schrei.

Der Maltitzer fuhr herum und erstarrte. Unter den totgeglaubten Gegnern hatte sich einer aufgerappelt und stürzte mit gezogenem Schwert von hinten auf den Markgrafen. Friedrich bemerkte ihn zu spät, erst als der junge Lotzke warnend aufschrie. Die todbringende Klinge fuhr direkt auf ihn zu; keiner seiner Ritter war nahe genug, um einzugreifen. Immer noch schreiend, warf sich der Freiberger zwischen die Waffe und den Fürsten.

Verblüfft starrte der Angreifer auf den zusammensackenden Körper, während der Markgraf unversehrt vor ihm stand. Sein Zögern wurde ihm zum Verhängnis: Im nächsten Augenblick war Ulrich von Maltitz heran und trieb dem Attentäter das Schwert tief in die Brust. Dann zog er seine Waffe wieder heraus und stieß den Leichnam mit einem Fußtritt beiseite, der vor ihm zu Boden plumpste. »Seid Ihr unversehrt, mein Fürst?«, fragte er atemlos und voller Sorge.

»Ja, dank dieses Jungen«, antwortete Friedrich düster. Vorsichtig ließ er den durchbohrten Körper des Freibergers zu Boden sinken, aus dessen Wunde ein Schwall Blut geströmt war.

Ulrich atmete tief durch und sah sich in der Kammer um.

Der Kampf war beendet, der Boden mit Leichnamen übersät, seine Gefährten voller Blut. Hertwig versuchte, mit einem abgerissenen Ärmel seine Wunde abzubinden, Tylich blutete heftig am Oberschenkel, und der alte Falkensteiner lag mit gespaltenem Schädel nahe der Tür. Ihn hatten sie ganz verloren, ihn und den jungen Freiberger, auf den sein Vater und seine Braut nun vergeblich warten würden.

Von Maltitz schlug ein Kreuz. »Gott erbarme sich ihrer armen Seelen.«

Dann stand er auf. »Wir müssen weg, sofort. Ich weiß nicht,

ob wir alle erwischt haben oder ob jemand entkommen ist, der Verstärkung holt.«

Niemand widersprach. Er befahl den Reisigen, die Leichen der beiden Gefallenen mitzunehmen, damit ihnen ein christliches Begräbnis zuteilwerden konnte, und ließ Tylichs Wunde in aller Eile notdürftig verbinden.

Dann stürmten sie hinaus, immer noch die blanken Schwerter in der Hand. Niemand stellte sich ihnen in den Weg. Angesichts des Kampfgetümmels waren die Gäste des Wirtshauses längst davongerannt.

Die Knappen hatten bereits die Pferde für eine rasche Flucht gesattelt.

Roland, Ulrichs Knappe, trat auf seinen Herrn zu. »Drei von den Wachen haben sie erschlagen. Die anderen sind hochgerannt, um Euch zu helfen«, berichtete er. Selbst in dem trüben Licht konnte Ulrich erkennen, dass der Sechzehnjährige kreidebleich war.

Die Reisigen holten nun auch die Leichname der gefallenen Wachen und banden sie auf die Packpferde. Dann saßen alle auf und ritten, so schnell sie konnten, durch die Dämmerung. Bald würden die Stadttore geschlossen, und sie säßen in Altenburg fest, den Mordgesellen des Königs ausgeliefert. Doch sie hatten Glück. Das Tor in der Nähe des Wirtshauses war noch nicht geschlossen.

Erschrocken drückten sich die Menschen in die Mauernischen oder flüchteten in die Häuser, als sie den wilden Reitertrupp kommen sahen und hörten. Im Galopp sprengten die Meißnischen aus der Stadt und in die einbrechende Nacht hinaus.

Sie mochten wohl zehn oder zwölf Meilen weit gekommen sein, als Friedrich Befehl gab zu halten. Sie rasteten am Rande eines Waldes, allerdings nur kurz und ohne ein Feuer zu entzünden, denn sie konnten nicht sicher sein, etwaige Verfolger abgehängt zu haben. Der Mond, der den Schnee leuchten ließ, sorgte für ausreichend Helligkeit.

»Ich schätze, die Verhandlungen sind damit beendet«, knurrte Ulrich mit finsterer Miene und griff in den verharschten Schnee, um das verkrustete Blut der Attentäter von seinen Händen zu wischen.

»Das war eine offene Kriegserklärung!«, sagte Reinhard von Seweschin schroff, der Älteste unter Friedrichs Rittern. »Adolf hat einen Präzedenzfall geschaffen – einen Fürsten, den er unter Zusage freien Geleits zu sich beorderte, überfallen zu lassen. Vielleicht bringt das endlich auch die anderen Fürsten gegen ihn auf.«

»Vielleicht«, meinte Ulrich mit Blick auf Friedrich nachdenklich. »Werden die Fürsten zusehen, wie der von ihnen gewählte König die Waffen gegen die eigenen Vasallen, das eigene Volk richtet? Wenn er *Euch* Titel, Land und Leben nehmen will, könnte er das ebenso mit jedem von ihnen tun.«

Der Markgraf schüttelte kaum erkennbar den Kopf. »In einem habt Ihr beide recht: Jetzt ist der Krieg unausweichlich. Adolf wird sein Heer von Plünderern und Brandstiftern in die Mark Meißen schicken. Und als Erstes werden sie versuchen, Freiberg zu erobern. Der König will das Silber, damit wäre er viele Sorgen los.«

Friedrich sah nun direkt zu Ulrich. »Aber es besteht keine Hoffnung auf Hilfe. Mag auch Albrecht von Habsburg Anspruch auf den Thron erheben – er wird unter den Fürsten keinen offenen Verbündeten für eine neue Königswahl finden. Noch nicht.«

Dann wandte sich Friedrich dem Hersfelder zu. »Reinhard, reitet los zu Niklas von Haubitz; er soll seine Truppen, so schnell es geht, nach Freiberg führen, um die Stadt zu verteidigen. Ulrich, Ihr reitet dorthin und warnt sie. Ich vertraue Euch das Kommando über Burg Freiheitsstein an. Wir brauchen das Silber, um Truppen aufzustellen, mit denen wir gegen das königliche Heer antreten. Sonst werden viele Menschen sterben. Das wäre das Ende des Hauses Wettin und das Ende der Hoffnung auf Frieden in der Mark.«

FREIBERG, JANUAR 1296

Verzweifelt kämpfte sich die schmale Gestalt durch den Schnee, stemmte sich mit letzter Kraft gegen den eisigen Wind, der durch die Überreste des zerrissenen Kleides fuhr, die Fetzen flattern ließ und Eiskörner gegen die nackte Haut peitschte.

Noch ein Schritt. Und noch einer. Wie viele mochten es sein bis zum rettenden Stadttor? Hundert? Zweihundert? Schon waren in der Dämmerung die dunklen Konturen der Wehrtürme zu sehen, zeichnete sich vage durch das Schneetreiben die starke Stadtmauer ab, der schützende Wall um Freiberg.

Etwas rann ihr die Beine hinab. Sie war zu schwach, um nachzusehen, ob es Blut war. Ihr Körper verwehrte jede andere Bewegung als das dumpfe Vorwärtsgehen. Und ihr Bewusstsein weigerte sich, durch den Anblick noch einmal die schrecklichen Erinnerungen heraufzubeschwören, die Todesschreie und die rohe Gewalt.

Ich muss weiter, dachte sie verzweifelt. Denn nach dem Sterben wird es keine Erlösung für mich geben, nur die schlimmsten Qualen der Hölle. Auch wenn ich mich gewehrt habe und Todesangst statt Wollust empfand – es war Sünde, und kein Priester wird mich davon freisprechen.

Noch ein Schritt. Und noch einer.

Als hätten sich die Elemente gegen ihr letztes bisschen Lebenswillen verschworen, heulte der Wind stärker auf, fegte Wehen wie feine Schleier über das freie Feld vor ihr, ließ Wirbel kreiseln, nahm ihr den Atem und die Sicht auf die rettenden Mauern.

Sie wusste, wenn sie jetzt der Schwäche nachgab und sich in den Schnee sinken ließ, würde sie nie wieder aufstehen.

Also setzte sie trotzig einen Fuß vor den anderen, eine tiefe Spur durch den Schnee furchend, die der Sturm schon nach ein paar Schritten wieder verwehte und zu einer kaum sichtbaren Mulde verharmloste.

Sie wollte leben. Sie musste die anderen warnen.

Für einen Augenblick verharrte sie mitten in der Bewegung und lauschte. Täuschte sie der heulende Wind, oder waren das wirklich schon die Glocken, die ankündigten, dass die Tore zur Stadt geschlossen würden?

Der Verstand sagte ihr: Du kommst zu spät. Sie werden die Stadt schließen, und du wirst vor dem Tor im Schnee erfrieren. Aber schneller gehen konnte sie nicht. Also setzte sie weiter einen Schritt vor den anderen in der irrsinnigen Hoffnung, man würde sie doch erhören und einlassen.

Sorgfältig verschloss Jan, einer der jungen Burschen von Freibergs Wachmannschaft, den seine Kameraden manchmal Waghals und manchmal Sturkopf riefen, das Peterstor. Gleich würde einer der Ratsherren kommen, heute wohl Conrad Marsilius, der Stadtphysicus, und den großen Schlüssel an sich nehmen. Kein Störenfried sollte die Bürger aus ihrem wohlverdienten Schlaf aufwecken, kein Gesindel sie des Nachts belästigen. Und morgen, nach Tagesanbruch, würde man bei Licht besehen können, wer Einlass begehrte.

»Gott sei gepriesen, wieder ein Tag, ohne dass die Truppen des Königs hier angerückt sind«, meinte neben ihm Hartmann, ein Blaufärber, der für diese Nacht zum Wachdienst am Peterstor eingeteilt war und dessen Name in krassem Widerspruch zu der schmächtigen Gestalt mit dem ängstlichen Wesen stand.

Der Handwerker rieb sich vor Kälte oder aus Erleichterung die von der Arbeit verfärbten Hände. »Wer weiß, ob sie überhaupt hierherkommen. Ich kann mir nicht vorstellen, dass bei diesem strengen Winter jemand in den Krieg zieht.«

Darauf würde ich nicht wetten, dachte Jan und fuhr sich mit der Rechten durch den hellen Lockenschopf, wie er es meistens unbewusst tat, wenn ihn etwas beschäftigte. Doch er schwieg, um den Blaufärber, der sich vor seinem eigenen Schatten zu fürchten schien, nicht noch mehr zu verängstigen.

»Bei dem Wetter jagt man doch keinen Hund vor die Tür«, plapperte der Schmächtige weiter. »Schnell, zurück ins Wachhaus, ans Feuer!«

Wortlos ging Jan voran. Der Blaufärber hätte ja nicht mitkommen müssen; das Tor hätte er auch allein verschließen können. Aber er hatte förmlich darauf bestanden, mit stolzgeschwellter Brust, so etwas Bedeutendes tun zu können oder zumindest dabei zu sein. Drinnen im Wachhaus würden ihn seine Kameraden hoffentlich vom Geschwätz des Färbers befreien, damit er sich seinen eigenen Gedanken hingeben konnte.

Die Königlichen waren auch heute nicht gekommen. Aber ebenso wenig die Verstärkung, die jener Ritter von Maltitz versprochen hatte, der im Auftrag des Markgrafen das Kommando über die Burg übernommen hatte. Wo, um alles in der Welt, blieb nur Niklas von Haubitz mit seinem sehnlich erwarteten Heer? Oder waren beide Streitmächte schon aufeinandergestoßen, so dass der Stadt Belagerung und Krieg erspart blieben? Zumindest, falls Niklas gesiegt hatte. Sonst wären sie ohne Rettung der rheinischen Söldnerschar des Königs ausgeliefert, über die die Leute die wildesten Geschichten erzählten, von Sengen und Morden, Plündern und Brandschatzen.

Die Männer in der Wachstube – je zur Hälfte ausgebildete Wachen und Stadtbürger, die reihum zu nächtlichen Diensten eingeteilt waren – sahen kaum auf, als die beiden den Raum wieder betraten. Angesichts der Kriegsgefahr waren die Wachmannschaften verstärkt und alle neununddreißig Türme bemannt worden.

»Man möchte wirklich keinen Hund vor die Tür jagen bei dem Wetter«, meinte nun auch Herrmann, der älteste und erfahrenste unter den Wachleuten am Peterstor.

Jan trat ans Feuer und hielt die klammen Hände über die Flammen. Gleich würde er wieder in die Kälte müssen, den Turm hinauf, um Ausschau zu halten. Bei dem Schneetreiben und in der einsetzenden Nacht würde zwar nicht viel zu sehen sein, aber die Ankunft eines starken Heeres konnte ihm nicht entgehen. Wer weiß, ob der König seine Truppen nicht sogar in der Dunkelheit gegen die Stadt schickte, deren Silberreichtum ihn locken musste wie Honig den Bären.

Er sandte noch einen bedauernden Blick auf das Feuer, dann ging er zur Treppe, die im Innern des Turmes hinaufführte.

»Ich komme mit«, verkündete der Blaufärber seufzend und kam damit Herrmanns Weisung zuvor.

Oben angekommen, ignorierte Jan die Litanei des mageren Männleins, lehnte sich weit vor, um durch den schmalen Mauerspalt zu blicken, und kniff die Augen zu Schlitzen zusammen.

Täuschte ihn das Schneetreiben, oder kam da tatsächlich ein dunkler Schatten auf das Tor zu?

Wer, um alles in der Welt, würde sich nachts bei diesem Frost und eisigen Wind über die Ebene wagen, wo doch das Tor verschlossen war und niemand mehr Einlass fand? Die Regel war unumstößlich, zur Sicherheit der Stadt und ihrer Bewohner. Kein Bettler und keine Hure würden bei solcher Kälte nachts vor dem Eingang zur Stadt lagern, statt sich im Wald, in einem verlassenen Gehöft oder sonst wo einen Unterschlupf zu suchen, um nicht zu erfrieren. Und wer Geld besaß, nahm sowieso in einer der Herbergen vor der Stadt für die Nacht Quartier. Die Sache kam ihm merkwürdig vor.

Inzwischen war der Schemen an die Pforte heran und hämmerte dagegen.

»Das Tor ist verschlossen«, rief Jan hinunter. Der Wind trug seine Worte fort, aber ein paar Fetzen mussten angekommen sein. Die Gestalt hob den Kopf und rief etwas zu ihm hinauf. Für einen Moment ließ das Heulen des Sturms nach und beruhigte sich das wilde Schneetreiben. Nun konnte Jan erkennen, dass dort unten eine Frau stand, ohne Umhang, nur mit einem Schaffell über den Schultern, mit unbedecktem Haar, das zerrissene Kleid krampfhaft über der Brust zusammenhaltend.

»…önigs Truppen … morgen hier …«, wehte ihre ersterbende Stimme zu ihm herauf.

Auch Hartmann, der aus dem nächsten Mauerspalt geblickt hatte, musste das mitbekommen haben. »Eine Hure. Die will sich bloß interessant machen, damit wir sie doch noch reinlassen«, meinte er abfällig.

Dann entblößte ein Windstoß ihre Beine. Er sah das weiße Fleisch und leckte sich nervös die Lippen. Vielleicht würde sich die Hure gefällig erweisen, wenn sie sie einließen. Sein eigenes Weib war alt, mürrisch und im Bett nicht zu gebrauchen. Schon stellte er sich vor, wie er mit seinen blauen Händen die Brüste der Hure umklammern würde, die bestimmt so weiß waren wie das, was er gerade von ihrem Körper zu sehen bekommen hatte. Der Blaufärber wurde ganz aufgeregt bei diesem Gedanken, sein Mund war mit einem Mal ganz trocken. Ob er wohl den anderen dazu bringen konnte, entgegen den Regeln noch einmal das Tor zu öffnen?

Als Hartmann sich umdrehte, merkte er, dass Jan schon auf dem Weg nach unten war. Hat also auch Appetit auf das Täubchen, der Bursche, dachte er und lachte meckernd vor sich hin.

Zu seiner Enttäuschung ging Jan nicht gleich zum Tor, sondern blieb in der Wachstube stehen. »Herrmann, du musst entscheiden, ob wir noch einmal jemanden einlassen«, forderte er den Älteren auf und unterrichtete ihn mit wenigen Worten. Zu dritt gingen sie hinaus zum Tor.

»Wer da?«, rief Herrmann der Unbekannten zu, laut genug,

damit seine tiefe Stimme durch das Gebälk dringen konnte. »Und was weißt du vom Heer des Königs?«

»… nah …«, war alles, was sie von der kraftlosen Antwort hören konnten.

Jan und Herrmann sahen einander an. »Sie kommt aus der Richtung, aus der wir das feindliche Heer erwarten. Sie könnte denen in die Hände gefallen und entflohen sein«, gab der Jüngere zu bedenken. »Vielleicht bringt sie wichtige Neuigkeiten. Wenn wir sie nicht hereinlassen, ist sie morgen früh erfroren.«

Herrmann nickte zustimmend. »Ratsherr Conrad hat den Schlüssel schon geholt. Lauf ihm nach!«

Dann rief er laut durch das dicke Holz: »Weib, geh zum Erlwinschen Tor! Dort wird man dich einlassen, ausnahmsweise, trotz der späten Stunde.«

Von draußen kam keine Bestätigung.

Es kostete Jan einige Mühe, den graubärtigen Stadtphysicus zu überzeugen, das Erlwinsche Tor noch einmal zu öffnen.

»Keiner kommt mehr in die Stadt nach dem Abendläuten«, schnappte der für seine Schroffheit bekannte Arzt und wandte sich schon ab, um weiterzugehen.

»Uns droht Krieg! Wir müssen wissen, wie weit das königliche Heer an die Stadt herangekommen ist. Oder soll ich zum Kommandanten der Burg gehen, damit er Euch Order erteilt?«, beharrte Jan dreist und stellte unter Beweis, dass er den Spottnamen »Sturkopf« nicht umsonst trug.

Es war zwar fraglich, ob man ihn zum Burgkommandanten vorlassen würde, aber sein älterer Bruder war der Hauptmann der Wache und würde ihn schon anhören.

Conrad Marsilius musterte den vorwitzigen Burschen wortlos. Dann wies er mit einem stummen Seufzer Richtung Erlwinsches Tor. »Gehen wir. Aber schnell! Ich werde dringend bei einem Kranken erwartet.«

Am Haupttor, dem einzigen, das in besonderen Fällen auch nachts noch einmal geöffnet wurde, unterrichteten sie die dortigen Wachen, dann zog der Ratsherr sein schweres Schlüsselbund hervor und öffnete die Ausfallpforte neben dem Tor einen Spaltbreit.

Hastig spähte Jan hinaus. Niemand war zu sehen.

Hatte es die Unbekannte nicht mehr bis hierher geschafft, oder war es doch ein Hinterhalt?

»Ich gehe sie suchen«, sagte er und vergewisserte sich, dass sein Dolch griffbereit unter dem Umhang steckte. Dann stemmte er sich gegen die Tür, hinter der sich eine Wehe türmte, und zwängte sich hinaus.

Der Wind blies immer noch unbarmherzig eisige Böen über die Ebene; dichte Schneewehen schränkten die Sicht auf ein paar Schritte ein.

Das ist ein Winter, der uns sogar die Wölfe bis an die Stadtmauer treiben könnte, dachte Jan, zog seinen Umhang enger um sich und blickte suchend nach links und rechts. Niemand zu sehen. Also blieb ihm nichts anderes, als über die Brücke und am Graben entlang der hohen Mauer zum Peterstor zu stapfen. Normalerweise kein allzu weiter Weg, nicht einmal eine halbe Meile, aber diesmal angesichts des Wetters und der Unmengen Schnees eine kraftraubende Strecke.

Er entdeckte sie erst, als er schon bis auf wenige Schritte vor dem anderen Tor war: zusammengebrochen im Schnee liegend, den halbnackten Arm der rettenden Pforte entgegengestreckt. Der Wind ließ ihr offenes Haar wehen, doch nichts verriet, ob die reglose Gestalt noch lebte oder inzwischen erfroren war.

Jan vergeudete keine Zeit damit, das mitten im Schneetreiben ergründen zu wollen. Rasch lud er sich den eiskalten Körper über die Schulter und bedeckte den schmalen Leib mit seinem Umhang. Er hoffte, seine eigene Körperwärme würde helfen, die Frau am Leben zu halten.

Zurück am Erlwinschen Tor, pochte er kräftig gegen die Ausfallpforte und rief das Losungswort. Die Tür wurde erneut einen Spaltbreit geöffnet. Erst nachdem sich jemand mit ängstlichem Blick vergewissert hatte, dass da draußen wirklich Jan Waghals stand, wurde er hastig eingelassen.

Mit seiner Last über der Schulter ging er ins Wachhaus, ohne auf Hartmanns ungeduldige Fragen zu antworten, und bettete die ohnmächtige oder tote Fremde – eine junge Frau, wie sich nun zeigte, vielleicht sogar noch unverheiratet angesichts der unbedeckten dunklen Locken – vorsichtig auf den Lehmboden, nahe am Feuer.

»Sie sieht aus wie eine Eisfee, so weiß …«, wisperte andächtig Claus, der Jüngste unter den Torwachen. »Sogar ihre Wimpern und Augenbrauen sind voller Eis. Erinnert ihr euch noch an die Geschichten, die im letzten Sommer dieser reisende Händler erzählte? Von dem Reich weit oben im Norden, wo das Land ewig von Schnee bedeckt ist, die Bären weißes Fell haben, und wo Riesen und andere Ungetüme ihr Unwesen treiben?«

»Unsinn«, knurrte Herrmann. »Es gibt keine weißen Bären. Und Feen haben keine Würgemale.«

»Vielleicht musste sie mit den nordländischen Ungeheuern kämpfen, um zu uns zu gelangen?«, beharrte Claus.

Herrmann ignorierte den Einwand. »Lebt sie noch?«, fragte er Jan. Der Arzt war längst fort, er musste zu seinem Kranken gegangen sein.

Als Jan zu keinem klaren Ergebnis kam, überwand er seine Scheu und legte seine Hand zwischen ihre Brüste, um nach dem Herzschlag zu suchen. Er spürte, wie sich der Brustkorb schwach hob und senkte, und sah erleichtert auf. »Sie lebt.«

Die Eiskristalle an ihren Wimpern waren geschmolzen und rannen die Schläfen hinab, so dass es aussah, als ob die Fremde weinte.

Schon holte ihn die Ratlosigkeit wieder ein. Was tat man mit halberfrorenen Weibern, noch dazu, wenn ihre Kleider zerrissen waren und mehr als genug Haut entblößten, um die Gedanken der Männer auf Abwege zu bringen? Zumal ihm von den Älteren ständig vorgeworfen wurde, nichts anderes als Mädchen im Kopf zu haben.

Als hätte die Unbekannte sein stummes Flehen erraten, schlug sie plötzlich die Augen auf. Sie blickte verwirrt um sich, öffnete den Mund, als ob sie etwas sagen oder fragen wollte, doch plötzlich verzerrte sie das Gesicht vor Schmerz und begann, krampfartig Hände und Füße zu schütteln.

»Meine Hände! Meine Hände!«, schrie sie. »Es tut so weh! Helft mir!«

»Sie ist *doch* eine Eisfee – und nun schmilzt sie. Nehmt sie weg vom Feuer!«, rief Claus und bekreuzigte sich.

Jan zog sie von der Feuerstelle, aber nicht, weil er dem Jüngeren glaubte, sondern weil er sich erinnerte, wie sehr es schmerzte, wenn er seine nach einer Wache halberfrorenen Gliedmaßen zu nah über dem Feuer erwärmte. Warum hatte er nicht gleich daran gedacht?

Und wo blieb nur der Stadtphysicus?

Er versuchte, der Fremden Hände und Arme zu reiben, doch das schien alles noch schlimmer zu machen. Schließlich nahm er ihre krampfhaft zuckenden Hände zwischen seine. »Ruhig, nur ruhig. Es wird gleich besser.«

Erst als der Schmerz anscheinend nachließ und die hektisch flatternden Bewegungen aufhörten, wagte er, ihr etwas zu trinken einzuflößen.

Herrmann allerdings fand, nun sei es genug der Rücksichtnahme. »Wer bist du, und was treibt dich bei diesem Wetter in die Nacht?«, fragte er ungeduldig. »Weißt du etwas vom Heer des Königs?«

Die Fremde blickte erneut irritiert um sich, dann hakte sich ihr Blick an Herrmann fest. Erst allmählich schien sie zu begreifen, wo sie war und was der Fragesteller von ihr wollte.

Voller Scham über ihr Äußeres raffte sie den Umhang fester um sich, den Jan über sie gelegt hatte, zog die Beine an und kauerte sich unter dem wärmenden Filz zusammen.

»Ich heiße Sibylla«, begann sie, um sofort wieder zu stocken. Sibylla war nicht ihr wirklicher Name, den hatte sie längst vergessen, doch diesen Namen hatten ihr die Fahrensleute gegeben, mit denen sie durchs Land gezogen war. Aber die Gaukler – für sie ihre Familie – waren alle tot, erschlagen von den Männern des Königs.

Sie konnte die Bilder nicht verscheuchen, sah jeden Einzelnen noch einmal vor ihren Augen sterben.

Samson, den Riesen, hatten die Bewaffneten als Ersten niedergemacht, damit er ihnen nicht gefährlich werden konnte. Dann ließen sie Andres so lange mit seinen bunten Bällen jonglieren, bis der erste Ball zu Boden fiel, um ihm zur Strafe und zu ihrem Spaß einen Arm abzuschlagen. Höhnisch hatten sie den Verblutenden aufgefordert, mit einer Hand zu jonglieren, und als er das nicht tat, schlugen sie ihm auch den anderen Arm ab. Als Andres tot war, schnitten sie den Kindern die Kehlen durch, die sonst immer die Pfennige der Zuschauer einsammelten und nun angesichts des Mordens nicht aufhören wollten zu schreien. Die alte Delia, die Sibylla das Lesen aus der Hand beigebracht hatte, erstachen sie, als sie sich schützend vor die Kleinen werfen wollte. Und dann waren nur noch Honza, der Spielmann, und sie übrig.

»Los, sing uns was vor«, hatte ihn unter dem Grölen seiner Kumpane einer aufgefordert. »Wir lassen dich leben, solange du uns nicht langweilst.«

Und Honza, ihr Liebster, hatte um sein und ihr Leben gesungen. Reim um Reim, grobe Possen, deftige Späße, während die verrohten Kerle ums Lagerfeuer saßen und soffen und die wiederkehrenden Verse mitgrölten. Sibylla sah an seinen Augen, dass er verzweifelt versuchte, die Männer davon abzuhalten, über sie herzufallen. Doch sie wussten beide, dass ihr

Schicksal besiegelt war wie das ihrer toten Gefährten. Selbst mit den derbsten Späßen würde Honza die Bewaffneten nicht mehr lange aufhalten können.

»Jetzt gib mir mal die Melodie vor«, hatte bald einer von ihnen gerufen und war auf sie zugegangen, während er zur Belustigung seiner Kumpane anstößig das Becken vor- und zurückbewegte.

»Komm, sei nett zu mir, Schätzchen, dann tu ich deinem Spielmann nichts.«

Es musste wohl der Anführer des Trupps sein, der da breitbeinig auf sie zukam, stiernackig, einen Wolfspelz über der Schulter, mit übelriechendem Atem und bösem Grinsen, während seine Kumpane grölten und ihn anfeuerten.

Sibylla warf ihrem Liebsten einen letzten verzweifelten Blick zu, mit dem sie ihn beschwor, sich nicht einzumischen. Lieber wollte sie erdulden, was ihr bevorstand, als ihn auch noch sterben zu sehen.

Doch während ihr der Anführer mit einem Ruck das Kleid herunterriss, war Honza schreiend auf ihn zugestürmt, die Laute wie eine Keule schwingend. Er kam nicht weit, jemand stieß ihm einen Dolch in die Brust. Noch während der Spielmann zu Boden sackte, war ein Zweiter aufgesprungen und schlug ihm den Kopf ab. Als der enthauptete Leichnam den schmutzig getrampelten Schnee rot färbte, trat der Mörder an ihn heran und hieb dem Toten auch noch die Hände ab.

»Jetzt versuch mal, in der Hölle zu spielen«, knurrte er, während die Männer um ihn herum lachten.

Der Mann packte Sibylla brutal an den Haaren und drehte ihren Kopf so, dass sie den verstümmelten Leichnam ihres Liebsten sehen musste.

»Jetzt zu dir!«, fuhr er sie an und stieß sie zu Boden.

Sibylla wusste nicht mehr, wie viele Männer über sie hergefallen waren; irgendwann war sie ohnmächtig geworden. Dass die anderen sie für tot hielten, rettete ihr das Leben. Als die

Bewaffneten, müde und berauscht vom Bier und ihren Untaten, eingeschlafen waren, kam sie vor Kälte schlotternd zu sich, stahl ein verfilztes Schaffell und kroch davon, mühsam, obwohl ihr jeder Zoll ihres Körpers schmerzte.

Sie wusste nicht, wie sie es geschafft hatte, dem Heerlager zu entkommen, und schon gar nicht, wie sie noch so weit hatte laufen können, bis hierher, bis nach Freiberg, ohne zu erfrieren. Die Bewohner der Dörfer, durch die sie unterwegs gekommen war, hatten sie vertrieben, manchmal sogar mit Knüppeln oder Heugabeln.

»Huren und Lumpenpack können wir hier nicht brauchen!«, hatten sie ihr mehr als einmal nachgeschrien.

Vielleicht wäre ihr zu anderer Jahreszeit mehr Mitleid entgegengebracht worden. Aber in diesem harten Winter mussten die Dörfler befürchten, selbst Hungers zu sterben.

Die ungeduldige Stimme Herrmanns riss Sibylla aus der Schreckensstarre, in die sie die Erinnerungen versetzt hatten.

Sie fuhr zusammen und räusperte sich.

»Ich heiße Sibylla«, wiederholte sie mit heiserer Stimme. »Die Truppen des Königs haben mich und meine Gefährten gefangen genommen. Wir sind … waren … Spielleute und fielen ihnen in die Hände, als uns ein Gastgeber an sie auslieferte, um selbst in Ruhe gelassen zu werden.«

Was ihm aber nicht viel genützt hatte, denn auch sein Besitz war rücksichtslos geplündert worden.

»Eine Gauklerin, eine unehrlich Geborene!« Hartmann stöhnte auf. »Und dafür solch ein Aufruhr mitten in der Nacht?«

»Mir ist es gleichgültig, ob sie eine Gauklerin ist oder die Königin von Saba, wenn sie uns Auskunft geben kann, wo das Heer des Nassauers steht«, wies Herrmann ihn unwirsch zurecht und richtete seinen Blick auffordernd auf Sibylla.

»Sie müssen jetzt keine zehn Meilen von hier Richtung Chemnitz sein. Morgen sind sie hier«, sagte sie.

Herrmann ließ sich berichten, was Sibylla noch wusste.

»Es tut mir leid, aber bevor du dich ausruhen kannst, musst du mit mir auf die Burg, zum Kommandanten. Kannst du aufstehen?«

»Darüber entscheide ich«, hörten sie hinter sich eine knurrige Stimme. Sie fuhren herum, um finster von Conrad Marsilius angestarrt zu werden, den niemand von seinem Krankenbesuch hatte zurückkehren hören. Der Tasselmantel und der Bart des Arztes waren voller Schnee, sein graues Haar vom Sturm zerzaust. »Und dreht euch gefälligst weg, während ich sie untersuche!«

Die Wachen gehorchten.

Bedächtig ging der Stadtphysicus auf Sibylla zu, griff beruhigend nach ihren Händen, musterte sie mit unbewegter Miene, dann schlug er den Umhang auseinander und sah, womit er gerechnet hatte.

Nachdem er sie mit sanften Händen untersucht hatte, zog er ein Wachstäfelchen aus seiner Pilgertasche, ritzte mit einem dünnen Stab etwas hinein und gab es Jan.

»Das soll der Apotheker für sie zubereiten.«

Dem Ratsherrn und Arzt war klar, dass diese Patientin ihn nicht bezahlen konnte. Aber niemand würde ihm nachsagen können, er helfe ihr nur aus Mitleid, einer durch und durch weiblichen und somit schwächenden Eigenschaft. Die Apothekenverordnung, die der letzte Stauferkaiser, der Großvater des Meißner Markgrafen, erlassen hatte, schrieb vor, die Armen unentgeltlich zu behandeln. Und wenn sie so wichtige Informationen für den Burgkommandanten hatte, dann sollte der sich darum kümmern, dass der Apotheker bezahlt wurde.

Jan steckte das Wachstäfelchen ein, half der Geschundenen, die bei seiner Berührung zurückzuckte, vorsichtig auf und überließ ihr seinen Umhang. Sie hatten keine Zeit, ein Kleid zu besorgen.

Ulrich von Maltitz war trotz der späten Stunde noch nicht zu Bett gegangen. Er hatte aus alter Gewohnheit Rüstkammer und Proviantlager der Freiberger Burg Freiheitsstein überprüft, darauf geachtet, dass die Burgbesatzung beim Bier nicht über die Stränge schlug, die Wehrgänge abgeschritten und mit den Männern dieses oder jene Wort gewechselt, um sich von ihrer Kampfbereitschaft zu überzeugen.

Den Burgvogt hatte er bei seiner Ankunft auf dem Sterbelager vorgefunden. Nicht einmal Aderlässe konnten dessen Fieber senken, so dass Ulrich sofort das alleinige Kommando übernehmen musste. Am nächsten Morgen konnte er nur noch der trauernden Witwe und ihren Söhnen, zwei jungen Rittern, sein Beileid aussprechen.

Doch er hatte eine gute Mannschaft auf Freiheitsstein vorgefunden: fünf Dutzend Ritter, die teils auf der Burg, teils mit ihren Familien im vorgelagerten Stadtviertel wohnten, dem Burglehn, und noch einmal so viele Wachen unter dem Kommando eines überraschend jungen, aber tüchtigen Hauptmanns namens Markus.

Nun herrschte Stille innerhalb der Mauern, die gelegentlich vom Wiehern eines Pferdes oder Kläffen eines Hundes unterbrochen wurde. Nur wenn man genau hinhörte, war dann und wann ein leises Geräusch zu hören, wenn die Wachen einander trafen und ein paar Worte miteinander wechselten.

Ulrich hielt es nicht auf seinem Platz. Mit dem Becher in der Hand ging er zur Fensterluke und starrte hinaus in die Dunkelheit.

Wo blieb nur Niklas von Haubitz mit seinen Truppen?

Und warum war seit Tagen nicht einer ihrer Kundschafter zurückgekehrt? Sie konnten doch nicht alle dem Gegner in die Hände gefallen sein. Nicht einmal ein paar Bauern, die vor dem feindlichen Heer geflohen waren, brachten Nachricht.

War keiner von ihnen durch den Schnee gekommen? Hatten die Männer des Königs niemanden am Leben gelassen?

Oder war am Ende gar kein Heer gen Freiberg in Marsch? Es gab nicht wenige in der Stadt, die das glaubten oder zumindest hofften. Ulrich gehörte nicht dazu. Diesem König konnte und wollte er nicht trauen. Mochten dessen Anhänger ihn auch als gewandt, liebenswürdig und tapfer bezeichnen – in seinen Augen verkörperte Adolf von Nassau alles, was ein König *nicht* sein sollte: Er war ehrlos, gierig und gnadenlos gegenüber seinen Vasallen, seinem eigenen Volk.

Und da er im Meißner Markgrafen unter allen Wettinern denjenigen sah, der ihm am ehesten gefährlich werden konnte, war er entschlossen, ihn völlig zu entmachten. Der Schlüssel dazu war Freiberg – die Silberstadt, deren Reichtum legendär war; so unermesslich, dass die Freiberger sogar das Portal ihrer größten Kirche vergolden ließen.

Doch so stark befestigt Freiberg auch sein mochte – die eisige Jahreszeit machte es verwundbar. Die zugeschneiten Gräben um die Mauer konnten nicht geflutet werden, die neun Teiche, die wie eine Kette vor dem Teil der Stadtmauer angelegt worden waren, hinter dem sich die Burg befand, waren zugefroren, so dass die Angreifer jetzt nur noch den Graben und die Mauer zu überwinden hatten.

Gerüchten zufolge sollte der König zehntausend Männer hierherführen, die von allen gefürchteten Söldner vom Rhein. Das waren doppelt so viele, wie Freiberg Bewohner zählte, selbst wenn man die Bergleute und die Juden hinzurechnete, die vor den Stadtmauern lebten.

Sollten es wirklich zehntausend sein, war er nicht sicher, wie lange er Freiberg gegen diese Übermacht verteidigen konnte. Schon die Überzahl der Gegner könnte die Standhaftigkeit der Stadtbürger ins Wanken bringen.

Sie würden jeden Mann zur Verteidigung brauchen, sonst waren sie verloren, selbst wenn Niklas von Haubitz noch *vor* dem feindlichen Heer auftauchte.

Ulrich hörte Schritte die Treppe heraufpoltern, dann klopfte jemand heftig an seine Tür. Noch bevor er wusste, wer Einlass begehrte, war dem Ritter klar, dass er eine wichtige Nachricht bringen würde.

Statt der bisherigen Ruhelosigkeit verspürte er auf einmal Gelassenheit. Sie hatten getan, was sie konnten, um sich vorzubereiten: die Vorräte aufgestockt, die Wachen verstärkt, die Waffen geschärft und Steine zurechtgelegt, um die Stadttore zumauern zu können.

Er war bereit für den Kampf. Das Warten konnte er nicht länger ertragen. Er wollte Rache für den schändlichen Überfall in Altenburg, Rache für seinen Kampfgefährten Rudolf von Falkenstein und jenen jungen Freiberger, der sich zwischen den Markgrafen und das todbringende Schwert geworfen hatte, Rache dafür, dass der König den Meißner Markgrafen zum Gesetzlosen machen wollte, obwohl das Haus Wettin seit Generationen treu zur Krone stand.

Markus, der junge Hauptmann der Wache, trat auf seinen Ruf hin ein. Auch er schien noch nicht geschlafen zu haben. Sein hellbraunes Haar war mit einem Lederstreifen zusammengebunden wie am Tag, Kleidung und Ausrüstung waren vollständig und wirkten nicht so, als seien sie gerade in aller Eile wieder angelegt worden.

»Zwei Wachen vom Peterstor haben jemanden aufgelesen, der behauptet, geradewegs den Königlichen entkommen zu sein«, erklärte er ohne Umschweife.

Herrmann und Jan wollten vor Ulrich niederknien, doch er wies sie mit einer Handbewegung an, gleich zur Sache zu kommen. Wenn er ihre Gesichter richtig deutete, hatten sie keine Zeit zu verlieren.

Mit unbewegter Miene hörte er zu, was die Männer berichteten.

Dann befahl er Sibylla herein, die auf Anweisung von Markus draußen gewartet hatte. Krampfhaft den geliehenen Umhang zusammenklammernd, versuchte sie eine Verbeugung. Doch dabei wäre sie vor Schwäche beinahe umgefallen, hätte Markus sie nicht aufgefangen und am Arm gestützt.

»Weißt du, wie weit das Heer des Königs entfernt ist und wie viele Männer der König hierherführt?«, fragte Ulrich, während er Sibylla aufmerksam musterte.

Der Anblick der zu Tode erschöpften jungen Frau, die vor ihm kniete, mit Würgespuren am Hals, von Schlägen geschwollenem Gesicht, zerrissenem Kleid und zerkratzten Händen, zeigte überdeutlich, was die Freiberger von den gefürchteten Truppen des Nassauers zu erwarten hatten.

Wären die Spuren des Leides nicht gewesen, hätte sie als Frau sein Interesse wecken können. Sie war unverkennbar eine Schönheit gewesen, bevor die Königlichen ihr das angetan hatten, feingliedrig, mit fast durchscheinender Haut, üppigen schwarzen Locken und dunklen Augen. Doch nun würde sie wohl auf lange Zeit die Nähe eines Mannes nicht ertragen können, dachte er bedauernd. Dabei musste sie einen bemerkenswerten Überlebenswillen besitzen, wenn sie es geschafft hatte, sich in diesem Zustand und durch das Schneetreiben allein nach Freiberg durchzuschlagen.

»Sie werden morgen hier sein, Herr«, sagte Sibylla mit brüchiger Stimme.

Dann zögerte sie, und ihr Blick schweifte ab. »Ich kann Euch keine genaue Zahl sagen. Aber es sind viele, wohl etliche Tausend, mehr, als ich je auf einmal gesehen habe.«

»Hast du etwas darüber gehört, was sie vorhaben?«

»Ja, Herr.« Wieder stockte Sibylla und senkte den Blick. »Sie prahlten mit den Schandtaten, die sie vorhaben, wenn sie Freiberg erst eingenommen haben, und wie sie sich das Silber aus den Truhen der Kaufleute holen. Einer wollte wetten, es würde keine drei Tage dauern, bis das Ultimatum des Königs angenommen sei. Dafür« – sie wirkte auf einmal verunsichert und wankte leicht – »würden Krebs und Katze schon sorgen. Hab's nicht verstanden. Aber niemand wollte dagegensetzen.«

Ulrich runzelte die Stirn. Natürlich wurde vor der Schlacht immer viel geprahlt unter Männern. Es war wichtig, sie glauben zu lassen, dass sie siegreich aus dem Kampf hervorgehen würden. Aber Freiberg in nur drei Tagen bezwingen? Das konnte bloß zweierlei bedeuten.

Entweder war Adolfs Streitmacht noch größer als befürchtet und hatte neuartige Belagerungsmaschinen, wie gemunkelt wurde. Das könnten »Krebs« und »Katze« sein.

Oder der König wollte den Ratsherren anbieten, ihre Stadt für reichsfrei zu erklären. Dann wäre Freiberg direkt dem König unterstellt. Das passte damit zusammen, dass Adolf die Markgrafschaft sowieso als erledigtes Lehen einziehen wollte.

Wie treu standen die Freiberger Ratsherren zu ihrem Fürsten?

Nicht ohne Mitgefühl musterte Ulrich Sibylla, die nun die Hände über dem zusammengekrümmten Leib verkrampft hielt und deren Augen fiebrig zu glänzen schienen.

Dann wandte er sich an Markus, von dem er wusste, dass er auch ein hervorragender Reiter war. »Reite nach Osten, jetzt gleich, Niklas von Haubitz entgegen. Seine Streitmacht kann nicht mehr weit sein. Sie müssen die Nacht durchmarschieren, damit sie noch vor dem König die Stadt erreichen. Nimm dir zwei deiner besten Männer und Pferde zum Wechseln mit.«

Markus nickte knapp und wollte gehen, um sofort aufzubrechen, doch Ulrich hielt ihn zurück.

»Sag den Wachen Bescheid, damit sie ihre Aufmerksamkeit verdoppeln! Aber niemandem sonst«, befahl er noch. »Ich will, dass die anderen morgen ausgeruht sind. Und jemand soll jetzt gleich den Bürgermeister, den Bergmeister und den Anführer der Leute vom Judenberg zu mir bringen.«

Markus nickte erneut und ging zur Tür, nachdem er Herrmann ein Zeichen gegeben hatte, ihn zu begleiten.

Als Jan ihm folgen wollte, hielt Ulrich ihn zurück.

»Wie ist dein Name?«

»Jan, Herr.«

»Ein Böhme?«, fragte Ulrich mit leicht zusammengekniffenen Augen. Bei den Böhmen war es üblich, aus dem Namen »Johannes« einen »Jan« zu machen.

»Meine Mutter stammt aus Böhmen«, gab Jan Auskunft und strich sich verlegen durch den Lockenschopf. »Aber mein Vater war ein Freiberger Bürger, ein Zimmerer. Sie leben beide nicht mehr.«

»Und da hast du beschlossen, statt der Axt lieber das Schwert zu schwingen?«, meinte Ulrich nicht ohne Sympathie für den jungen Mann.

»Es lag nahe«, antwortete der junge Mann mit verlegenem Grinsen. »Mein Bruder ist der Hauptmann der Wache.«

Erst bei diesen Worten wurde Ulrich die Ähnlichkeit zwischen den beiden bewusst. Sie war ihm nur im schwachen Kerzenlicht nicht aufgefallen. Vielleicht hatte er sich auch davon ablenken lassen, dass dieser Bursche hier wohl erst Mannesalter erreicht hatte und blondes Haar trug, sein wohl fünf Jahre älterer Bruder hingegen braunes.

»Sprichst du die Sprache der Böhmen?«

»Ja, Herr. Mutter hat sie uns beigebracht.«

Dann sollte ich ihn mit zum Markgrafen nehmen, falls er die Belagerung überlebt, dachte Ulrich. Wir müssen bald mit dem böhmischen König verhandeln, der ebenfalls ein Auge auf die Mark Meißen geworfen hat, und da kann es nicht schaden, jemanden dabeizuhaben, der sich unbemerkt ein bisschen unter dessen Leuten umhört.

Vorausgesetzt, dass ich selbst die Belagerung überlebe, fügte er in Gedanken an.

»Gut gemacht, Jan Böhme, sich in der Dunkelheit noch einmal vor das Tor zu wagen«, lobte er den jungen Mann.

»Bevor du zurück zum Peterstor gehst, begleite die Frau zum Apotheker. Wir wollen doch nicht, dass sie zum Dank für die Warnung am Fieber eingeht. Dann bring sie zurück auf die Burg. Eine Schlafstatt wird sich für sie finden.«

Jan zögerte. »Wenn Ihr erlaubt, Herr ... ein Vorschlag.«
Ungeduldig forderte Ulrich von Maltitz den jungen Burschen auf zu sprechen.

»Zum Haushalt des Apothekers Jenzin, des Ratsherren, gehört ein Mädchen ... sein Mündel ...«
Erschrocken sah er, dass der Gesichtsausdruck des Burgkommandanten abweisend wurde. Hastig sprach er weiter, um nicht in Verdacht zu geraten, den Ritter mit Weibergeschichten zu belästigen.

»Sie kennt sich sehr gut damit aus, Salben und Tinkturen zu mischen und Verbände anzulegen. Vielleicht wäre es gut, wenn ich sie gleich auf die Burg mitbringe. Dann kann sie dem Feldscher zur Hand gehen, wenn wir angegriffen werden und es Verletzte gibt.«

Mit der zynischen Abgeklärtheit durch jahrelange Kampferfahrung dachte Ulrich: Wenn wir angegriffen werden, lassen Kräuter abgeschlagene Gliedmaßen nicht nachwachsen. Sofern wir überhaupt Zeit haben, uns um die Verletzten zu kümmern. Und dann müssen wir uns sorgen, wie wir den Gefallenen ein christliches Begräbnis zuteilwerden lassen, wo doch das Erdreich drei Ellen tief gefroren ist. Das einzig Gute an dieser Jahreszeit: Es ist zu kalt, um Seuchen fürchten zu müssen. Doch diese düsteren Gedanken behielt er für sich. Wer weiß, vielleicht konnte ihnen das Mädchen ja wirklich von Nutzen sein.

»Gut. Ich bespreche das morgen selbst mit dem Ratsherrn.«
Jan gab sich alle Mühe, seine Enttäuschung nicht zu zeigen. Er hätte Änne gern noch diesen Abend aus der Reichweite des für seine Strenge bekannten Apothekers geholt. Nicht etwa, weil er sie liebte. Dafür war sie viel zu unscheinbar: stets nur in verschlissenes Leinen gehüllt, das Haar unter einem Tuch verborgen und nicht selten mit einem blau geschlagenen Auge oder einer dick geschwollenen Wange. Er kannte niemanden, der so durch und durch verängstigt war wie sie. Außerdem gab

es unschöne Gerüchte über ihre Herkunft. Er sah sie oft, wenn sie in der wärmeren Jahreszeit durch sein Tor ging, um Kräuter zu sammeln oder nach seltenen Wurzeln zu graben. Sie war nicht hübsch, aber sie hatte ein gutes Herz. Er wäre heute vielleicht ein Krüppel, hätte sie sich nicht letzten Herbst von sich aus um eine schwärende Wunde an seiner Schwerthand gekümmert. Außerdem tat sie ihm leid. Es war nicht zu übersehen, dass der Apotheker sie nicht besonders gut behandelte. Heute war das Mädchen wie von Hunden gehetzt durch die Gassen gerannt. Etwas musste vorgefallen sein, wofür Jenzin sie sicher bestrafen würde, und das wollte Jan verhindern.

Vielleicht kam er noch zur rechten Zeit.

Mit einer Verbeugung verabschiedete er sich vom Burghauptmann, half Sibylla auf und ging mit ihr hinaus.

Als Ulrich allein war, ging er zum Fenster, starrte erneut aus der schmalen Luke ins Dunkle und wartete auf den Bürgermeister, den Bergmeister und den Rabbiner.

Im Dunkel der Nacht

Der Apotheker Jenzin, zu dem Jan Sibylla im Auftrag des Burgkommandanten führte, war in diesem Augenblick so sehr beschäftigt, dass er das Hämmern an seiner Tür gar nicht hörte.

»Ich werde dich lehren, was es heißt, nicht zu gehorchen!«, schrie er die zusammengekauerte Gestalt an, die die Arme schützend um den Kopf gelegt hatte.

Doch der hochgewachsene, hagere Apotheker ließ sich davon nicht abhalten. Er packte sein Mündel grob am Arm und zerrte es auf die Beine. Zufrieden sah er, dass sich auf der linken Wange des Mädchens flammend rot der Abdruck seiner Hand abzeichnete. Er drehte sie mit dem Gesicht zur Wand und griff nach der Gerte, die er im Gürtel stecken hatte, stolz auf sich und seine Voraussicht, dass er sie wohl brauchen würde.

»Runter mit dem Fetzen!«, brüllte er und zerrte am Halsausschnitt ihres Kleides. Dann besann er sich gerade noch rechtzeitig, dass seine Frau wohl wieder tagelang schelten und maulen würde, wenn er das Kleid dieser unnützen Fresserin zerriss, auch wenn es schon fadenscheinig und viele Male geflickt war, und ließ los. Ein zynisches Grinsen zog über sein Gesicht.

»Ich hab mir's anders überlegt. Los, zur Bank, und hoch mit dem Rock.«

»B…itte, Meister, n…icht!« Stammelnd vor Angst und mit Tränen in den Augen wandte sich Änne zu ihm um.

»Zur Bank!«, wiederholte Jenzin, nun mit gefährlich leiser Stimme. »Und wenn ich fertig bin, wirst du vor mir niederknien, mir demütig versprechen, künftig dem Willen der Kunden zu gehorchen, und mir für meine Güte danken. Für die Güte, die ich dir zuteilwerden lasse, obwohl« – nun hob der große Mann im schwarzen Gewand wieder die Stimme – »du aus einem verfluchten Geschlecht stammst.«

Das Mädchen zitterte am ganzen Leib aus Furcht vor den Schlägen und aus Scham angesichts der Vorstellung, sich vor dem Vormund entblößen zu müssen.

»Wird's bald!«

Mit winzigen, schleppenden Schritten ging Änne zur Bank, auf der Jenzin auch seinen Gesellen und die jungen Knechte verprügelte. Sie kniete nieder und beugte sich vor. Aber sie unternahm keine Anstalten, den Rock hochzuschlagen, so sehr schämte sie sich.

Wofür nur strafte sie Gott so? Sie versuchte doch von früh bis in die Nacht, es ihrem Vormund und seiner Familie recht zu tun; ohne sie wären die Kästchen, Dosen und Flaschen mit heilenden Kräutern und Tinkturen leer, und der Meister müsste die Zutaten für teures Geld von einem Kräutersammler kaufen. Und wenn diese Arbeit getan war, schuftete sie wie eine Magd, um die Tische zu scheuern oder Wasser zu schleppen. Doch was sie auch tat, sie erntete nur Schläge. Es musste wohl stimmen, sie war verflucht wie ihre Vorfahren.

»Es ist nicht r… recht, w…as er von mir verlangt hat. Es ist S… Sünde«, wagte sie, vor Angst stotternd, einen letzten verzweifelten Versuch, die Strafe abzuwenden.

»Das entscheidest nicht du«, fauchte Jenzin und stieß sie grob über die Bank. »Wenn der Zunftmeister der Kramer von dir erwartet, dass du ihm ein bisschen entgegenkommst, dann hast du das zu tun! Oder willst du, dass er dem Rat eine Visitation meiner Apotheke vorschlägt, die mich teures Geld kosten würde?«

Mehr noch als die Kosten einer Visitation fürchtete Jenzin allerdings, jemand könnte feststellen, dass seine Alraunen, die er angeblich unter Lebensgefahr ausgegraben hatte und granweise für teures Geld verkaufte, nicht echt, sondern aus Rüben geschnitzt waren. Und von Berlewin, dem Zunftmeister der Kramer, dem er als Zunftmitglied unterstellt war, auch wenn sie beide Ratsherren waren, fühlte er sich belauert wie eine Maus von der Katze. Mit ihm durfte er es sich nicht verderben.

»Soll ich vielleicht mein Apothekenprivileg verlieren, so dass bald jeder hier Arzneien verkaufen kann?«, fuhr er drohend fort. »Dann müsste ich dich hinauswerfen, und du kannst ins Hurenhaus ziehen und allen feilbieten, wovor du dich bei Meister Berlewin drücken wolltest.«

Mit einem Ruck schlug er ihr das fadenscheinige Kleid über den Kopf. Doch als er die bloßen Beine und die Rundungen ihrer Hüften sah, musste er schlucken.

Der Kramer hatte es wohl vor ihm bemerkt – das dürre Ding kam in ein Alter, wo etwas mit ihr anzufangen war. Wie hatte ihm das nur entgehen können? Sie war wirklich zu unscheinbar in ihren Lumpen.

Er musste überlegen, wie er es einrichten konnte, sie als Erster zu besteigen, ohne dass seine Frau Wind davon bekam. Die würde jetzt bestimmt schon wieder lauschen. Allein der Gedanke daran ließ seine jäh aufsteigende Erregung in sich zusammenfallen.

Also musste er sich für den Moment damit begnügen, dem Wechselbalg den zarten Hintern blutig zu schlagen, so dass sie eine Woche lang nicht sitzen konnte.

Änne schrie vor Schmerz, als der Apotheker auf sie eindrosch, bis ihre Stimme brach und in ein klägliches Wimmern und Schluchzen überging.

»Jetzt knie vor mir nieder«, forderte Jenzin schließlich, während er mit selbstgefälliger Miene die blutig gewordene Gerte an Ännes Rocksaum abwischte. Er würde sich doch damit nicht das gute Tuch seines Gewandes verderben.

Wankend und mit tränenüberströmtem Gesicht befolgte das Mädchen seinen Befehl. Jede ihrer vorsichtigen Bewegungen ließ die aufgeplatzte Haut wie Feuer brennen.

»Küss mir die Hand und danke mir für die Fürsorge, die ich einem nutzlosen Ding wie dir zuteilwerden lasse!«

Änne starrte auf die dunkel behaarte Pranke, die ihr entgegengestreckt wurde und die sie so oft geschlagen hatte, und fühlte Entsetzen und Ekel in sich aufsteigen.

Herr, hilf mir aus meiner Not!, betete sie stumm, sonst schlägt er mich tot.

Das Auftauchen des Großknechtes rettete sie vor Jenzins nächstem gewalttätigen Ausbruch.

»Meister, draußen ist jemand, der behauptet, der Burgkommandant habe ihn zu Euch geschickt. Er bringt eine Frau, die dringend Arznei benötigt.«

Ungehalten drehte sich der Apotheker zu Wilhelm, seinem Knecht. »Um diese Zeit noch?«

»Ja, und er sagt, es sei sehr wichtig.«

Der Knecht – Ännes heimlicher Verbündeter, auch wenn er

ihr nur selten wirklich helfen konnte – hatte natürlich wie alle im Haus mitbekommen, in welchen Schwierigkeiten das Mädchen steckte, und zwinkerte ihr hinter Jenzins Rücken aufmunternd zu.

»Hoch mit dir und ab in die Offizin!«, knurrte der Hausherr sein Mündel an, das unweigerlich den Atem angehalten hatte. Wie es aussah, schickte der Herr ihr doch Rettung. Wenigstens für diesen Augenblick, bis die Kundschaft bedient war. Sie gab sich keinen falschen Hoffnungen hin: Ihr Vormund war noch nicht fertig mit ihr.

Wankend stand sie auf und wischte sich die triefende Nase und die tränenfeuchten Wangen am Ärmel ab. Sie spürte, wie das Leinen des Unterkleides auf den blutigen Striemen festklebte, und versuchte, sich noch vorsichtiger zu bewegen – vergeblich.

Ob wirklich ein Vertrauter des neuen Burgkommandanten so spät in der Nacht in die Apotheke gekommen war? Oder ob Wilhelm das nur behauptet hatte, um der Sache Dringlichkeit zu verleihen? Ihn würde Jenzin nicht schlagen, das tat er nie, denn Wilhelm war noch größer als er und stark wie ein Ochse.

Jan und Sibylla konnten Ännes Schmerzensschreie hören, während sie auf den Apotheker warteten. Sibylla wurde noch blasser, denn sofort waren die Erinnerungen an die vorangegangene Nacht mit schrecklicher Klarheit wieder lebendig geworden.

Jan hingegen wäre am liebsten losgestürmt, um Jenzin in den Arm zu fallen und sich mit ihm zu schlagen, von Mann zu Mann. Aber das durfte er nicht. Abgesehen davon, dass der Apotheker ein Ratsherr war und er nur eine einfache Wache – dem Hausvater stand es zu, Lehrlinge, Knechte oder auch die jüngeren Familienmitglieder zu verprügeln, wenn sie nicht gehorchten. Nur konnte sich Jan nicht vorstellen, dass die durch und durch verängstigte Änne ohne Not etwas tun würde, das den Zorn ihres Vormundes heraufbeschwor.

So presste er die Fingernägel in die Handballen, um sich zurückzuhalten, bis sich dort dunkle Halbmonde abzeichneten. Endlich verstummten die Schreie. Jan atmete auf.

Jetzt erst begann er, sich in dem geheimnisvollen Laden umzusehen, den er noch nie zuvor betreten hatte. Normalerweise wurden Arzneien durch das vordere Fenster von Meister Jenzins Haus verkauft, doch das war nachts mit Holzläden verschlossen. Er wusste, dass Jenzins Gesinde Anweisung hatte, besonders einflussreiche Kunden – und dazu mochte jemand zählen, der im Auftrag des Burgkommandanten kam – in die Offizin zu geleiten, sollte das Geschäft schon geschlossen sein.

Im ganzen Raum hing der intensive Duft von Kräutern. An den Wänden waren nicht weniger als ein Dutzend Bretter befestigt, auf denen hölzerne Gefäße mit merkwürdigen Symbolen darauf nebeneinanderstanden. Auf einem schweren Eichentisch waren mehrere Mörser mit Pistillen, zwei verschieden große Waagen und ein Kästchen mit Gewichten aufgereiht. Hier wurden wohl die Arzneien zubereitet.

Jan kam nicht dazu, sich weiter umzusehen, denn Jenzin – hochrot und mit einem merkwürdigen Gesichtsausdruck – trat in Begleitung seines bulligen Großknechtes herein.

Als der Apotheker den jungen Wachposten und neben ihm die immer noch desolat wirkende Sibylla sah, verwandelte sich sein Gesichtsausdruck von Dienstbarkeit und Unterwürfigkeit zu leichter Verachtung.

»Der Burgkommandant befiehlt, dieser Frau unverzüglich eine Eurer Arzneien zuzubereiten«, sagte Jan, so forsch er konnte.

»Ich brauche die Rezeptur!«, forderte der hagere Apotheker und streckte ungeduldig die Hand nach dem Wachstäfelchen mit den Verordnungen des Arztes aus. Laut dem Gesetz des letzten Stauferkaisers durfte er nur nach den Anweisungen des Arztes Medikamente zubereiten.

»Los, beweg dich, faules Ding«, knurrte er Änne an, die ihm mit vorsichtigen Schritten in die Offizin gefolgt war, und las vor, was sie verwenden sollte: Frauenmantel, Schafgarbe, Kamille und Bibernelle.

Ohne danach suchen zu müssen, holte Änne die verlangten Zutaten aus den Dosen aus den Regalen, wog die nötigen Mengen ab, schürte das Feuer unter einem kleinen Kessel, überbrühte die Kräuter mit siedendem Wasser und seihte sie durch ein Leinentuch. Doch so flink sie auch ihre Hände bewegte – es war nicht zu übersehen, dass sie den Rest des Körpers starr hielt, nur vorsichtige Schritte machte und trotzdem Schmerzen empfand.

Wütend starrte Jan zu Jenzin hinüber. Wie es aussah, hatte dieser Bock dem Mädchen doch tatsächlich den Hintern blutig geschlagen. Wer weiß, was er ihr noch alles antat, ganz abgesehen von der rot angelaufenen und geschwollenen Wange. Das zahl ich ihm heim!, schwor er sich.

Änne hatte indes unter gesenkten Lidern Sibylla gemustert. Deren Aussehen und die Rezeptur verrieten ihr, was der einst wohl schönen Fremden widerfahren sein musste. Als sie ihr auf den Wink ihres mürrischen Vormundes hin den abgefüllten Sud übergab, tauschten die beiden jungen Frauen einen Blick aus, jede voll Mitgefühl für das Elend der anderen.

Auch wenn sie das zu Leidensgefährtinnen und heimlichen Verbündeten machte, so erkannte Sibylla den entscheidenden Unterschied zwischen ihnen, als sie in Ännes Augen sah: Darin war jegliche Hoffnung erloschen – wenn es überhaupt je welche gegeben hatte.

Ulrich war in Gedanken ganz bei den Neuigkeiten, die ihm die fremde junge Frau berichtet hatte, während er auf den Bürgermeister, den Bergmeister und den Anführer der Juden wartete.

Es dauerte eine Weile, bis jemand die drei angesehenen Männer in seine Kammer führte. Wahrscheinlich, weil der Rabbiner, der mit seiner Gemeinde auf dem »Judenberg« vor den Stadtmauern lebte, erst durch das Erlwinsche Tor geleitet werden musste.

Den Bürgermeister Nikol Weighart, ein geschickter Silberschmied und charakterfester Mann, den die Ratsherren im Vorjahr gewählt hatten, und den breitschultrigen Bergmeister Friedemar, vom Markgrafen in dieses Amt gesetzt, kannte Ulrich schon. Deshalb erforschte er das von schlohweißem Haar umrahmte zerfurchte Gesicht des Rabbis, als sich die Gerufenen vor ihm verneigten.

Menachim ben Jakub heißt er, wusste der Maltitzer, und als der alte Mann sich aufrichtete, fing Ulrich seinen Blick auf. Er sah ein Paar auffallend klare Augen, von unzähligen Fältchen umgeben, aus denen Güte und Trauer gleichzeitig sprachen.

Dieser Menachim weiß, warum er gerufen wurde, dachte Ulrich. Doch letztlich warteten sie alle schon seit Tagen auf die Hiobsbotschaft.

Er wusste auch, dass der Jude aufgrund der Regeln seines Glaubens nichts von dem essen oder trinken würde, was er ihm anbot. Um dem anderen zu ersparen, unhöflich zu wirken, ließ er an keinen der zu ihm Gerufenen heißen Würzwein oder Bier ausschenken. Sie hatten ohnehin keine Zeit zu verlieren, nicht einen Augenblick.

Mit einer Geste lud er die Männer ein, Platz zu nehmen. Aus drei Augenpaaren las er die ungeduldige Bitte, er möge sagen, weshalb sie mitten in der Nacht hierhergeholt wurden.

»Wir alle hatten gehofft und gebetet, das Schlimmste möge uns erspart werden. Doch nun haben wir Gewissheit. Morgen wird das Heer des Königs hier eintreffen«, erklärte Ulrich.

Menachim schloss nach diesen Worten kurz die Lider, der Bürgermeister wurde bleich, der Bergmeister schlug ein Kreuz. Dann legte er seine schwielige Hand auf den Knauf des Schwertes, das er als Zeichen seines Standes tragen durfte, auch wenn Ulrich Zweifel hatte, ob Friedemar damit wirklich umgehen konnte.

»Sprecht, Bürgermeister!«, ermutigte der Burgkommandant den Silberschmied, der offenbar etwas sagen wollte.

Nikol Weighart straffte sich. »Soll ich heute Nacht noch Bauleute zusammenrufen lassen, damit sie die Stadttore zumauern?«

Ulrich überlegte nur kurz. Die Tore mussten gesichert werden, sonst würde sich die Stadt keinen Tag halten. Aber er hoffte immer noch, dass die Streitmacht des Markgrafen vor der des Königs eintraf.

»Ich will keinen nächtlichen Aufruhr in der Stadt. Lasst die Bürger schlafen. Die Handwerker sollen morgen in aller Frühe damit beginnen. Fangt bei den westlichen Toren an, das Meißner bleibt offen, bis Ihr anderslautende Order von mir bekommt. Ich setze darauf, dass Niklas von Haubitz noch rechtzeitig mit seinen Truppen eintrifft.«

Erleichterung zog über das Gesicht des Bürgermeisters.

»Und lasst morgen früh die Ratsherren zusammenrufen. Ich will gleich nach der Frühmesse mit dem Rat sprechen.«

Der Silberschmied verneigte sich zustimmend.

Dann wandte sich Ulrich dem Bergmeister zu. »Sorgt dafür, dass die Bergleute morgen früh nicht zu den Gruben gehen, sondern unverzüglich in der Stadt Schutz suchen. Sie sollen ihr wichtigstes Werkzeug mitbringen.«

Die Siedlung der Bergleute befand sich außerhalb der Stadtbefestigung, östlich des Donatstores. Ulrich wollte nicht nur, dass das Gezähe und die aufwendig herzustellenden Gerätschaften der Schmelzer erhalten blieben, sondern baute darauf, dass die Bergleute notfalls auch mit ihren schweren Hämmern und Keilhauen Freiberg verteidigen würden.

Bergmeister Friedemar räusperte sich. »Ihr wisst, dass jeder Eigner seine Grube verliert, wenn dort länger als drei Tage nicht gearbeitet wird?«, wandte er zögernd ein. »So will es das markgräfliche Gesetz seit Anbeginn des Bergbaus hier.«

Ulrich verzog den Mund zu einem sarkastischen Lächeln.

»Falls der König nur kommt, um die Huldigung der Ratsherren entgegenzunehmen, dann können Eure Leute schon übermorgen wieder unbesorgt in ihren Gruben arbeiten. Doch Krieg schafft eigene Gesetze. Im Krieg fürchtet um Euer Leben, nicht um Eure Gruben.«

Niemand erwiderte etwas, dennoch zögerte Ulrich einen Moment, ehe er sich dem Rabbiner zuwandte.

»Menachim ben Jakub, Ihr müsst Eure Leute gleich morgen früh hierherführen, damit sie innerhalb der Stadtmauern geschützt sind.«

Der Judenberg südlich der ummauerten Stadt war die erste Ansiedlung, auf die Adolfs aus Richtung Chemnitz anrückende Streitmacht vor Freiberg treffen würde. Und nach dem Ruf, den sich seine Söldner mittlerweile nicht nur bei ihren Raubzügen in Thüringen erworben hatten, war zu befürchten, dass sie die Häuser plünderten und niederbrannten.

Der Rabbi nickte bedächtig, ohne ein Wort zu sagen.

»Nehmt nur das Nötigste mit«, fuhr Ulrich fort. »Eure heiligen Schriften, alles an Proviant, was ihr tragen könnt, das Vieh, warme Kleidung. Es wird ohnehin schwierig werden, euch alle unterzubringen.«

Seit der Großvater des jetzigen Meißner Markgrafen, Heinrich der Erlauchte, einen Erlass verkündet hatte, der die Juden unter seinen ausdrücklichen Schutz stellte und ihnen umfassende Rechte und Freiheiten einräumte, war die Siedlung am Judenberg beträchtlich gewachsen und umfasste mittlerweile mehr als dreihundert Menschen. Es hatte sich herumgesprochen, dass Juden in der Mark Meißen willkommen waren, während sie in etlichen anderen Gegenden verfolgt, zur Zwangstaufe gezwungen oder gar bei Pogromen erschlagen oder verbrannt wurden.

Wo er diese dreihundert unterbringen konnte, darüber hatte Ulrich in den vorangegangenen Tagen lange gegrübelt und mit dem Bürgermeister beraten.

»Ich habe die Kornhäuser für Eure Leute räumen lassen. Ihr selbst und Eure Familie könnt in mein Haus im Burglehen einziehen, es steht leer.«

Die Hälfte der Kornvorräte hatte Ulrich inzwischen auf die Burg bringen lassen, die andere Hälfte den Kirchen und Klöstern zur sicheren Verwahrung und zur Verteilung im Notfall gegeben.

Höflich verneigte sich der weißbärtige Rabbi. »Der Herr danke Euch für Eure Güte«, sagte er mit überraschend kraftvoller Stimme. »Doch ich werde bei meiner Gemeinde bleiben. Gemeinsam werden wir den Allmächtigen um Schutz und Rettung bitten.«

Diese Antwort überraschte Ulrich nicht, im Gegensatz zu den nächsten Worten.

»Wenn es Euch recht ist, schicke ich Euch dreißig kräftige Männer, die bei der Verteidigung der Stadt helfen«, fuhr Menachim zu Ulrichs Erstaunen fort.

Der Rabbi blickte ihm direkt in die Augen und breitete die Arme aus. »Auch wenn wir keine Waffen tragen dürfen – sie können helfen, Sturmleitern abzuwehren oder Pech zu sieden, solange sie nur den Sabbat einhalten. Ein paar unserer Frauen werden für sie kochen und ihnen Essen bringen.«

Nun lächelte Menachim. »Ihr wundert Euch wohl darüber, Herr. Aber wenn es ums Überleben ihrer Familie geht, wird eine jüdische Mutter zur Löwin. Und geht es jetzt nicht um unser aller Überleben?«

»Ich danke Euch«, sagte Ulrich, dann zum Bürgermeister und zum Bergmeister gewandt: »Auch Euch. Ein paar von meinen Leuten werden Euch sicher nach Hause geleiten.«

Niemand durfte ohne triftigen Grund und ohne Geleucht nachts durch die Stadt, schon gar nicht, während ein feindliches Heer anrückte. »Betet, dass der Herr Seine schützende Hand über uns hält. Und dann versucht zu schlafen. Es wird wohl vorerst die letzte ruhige Nacht sein, die uns vergönnt ist.«

Keiner der drei Würdenträger kam in seinem Haus zur Ruhe. Menachims Frau fing an zu weinen, als er ihr von der Order des Burgkommandanten erzählt hatte, dann packte sie ohne ein Wort die Sachen zusammen.
Der Bergmeister war Witwer, in seinem Haus lebten nur ein paar Mägde und Knechte. Er ließ sich einen Krug Bier bringen und starrte nachdenklich vor sich hin, den Kopf auf die Hände gestützt.
Katharina, die Frau des Bürgermeisters, wurde blass angesichts der schlechten Nachricht.
»Jetzt wirst du die Leute wirklich kennenlernen«, sagte sie leise und griff nach seiner Hand. »In der Not zeigt jeder sein wahres Gesicht.«

VERSTÄRKUNG

Am Morgen war das Wetter umgeschlagen. Das Schneegestöber hatte aufgehört, auf die verschneite Landschaft schien die Sonne herab und brachte Eiskristalle zum Funkeln.
Doch niemand hatte Augen für diese Pracht.
Die Nachricht vom anrückenden Heer des Königs hatte die Freiberger aufgescheucht und sorgte schon am frühen Morgen für hektische Geschäftigkeit.
Die meisten von ihnen hatten bis zu diesem Tag die Möglichkeit weit von sich gewiesen, der König könne ihre Stadt angreifen, und abgesehen davon unerschütterlich auf den Schutz der starken Mauern vertraut. Schließlich hatte noch niemand ihre reiche, wehrhafte Stadt eingenommen. Doch nun rich-

teten sich selbst diejenigen auf eine lange Belagerung ein, die nicht daran geglaubt hatten. An den Marktständen gab es Gedränge wie sonst nur bei dem großen Jahrmarkt einen Tag nach Jacobi. Jeder versuchte, sich mit so viel Vorrat einzudecken, wie er zu bekommen vermochte, Männer vernagelten Fensteröffnungen und füllten lederne Eimer mit Wasser zum Löschen für den Fall, dass Brandpfeile ihr Haus oder das des Nachbarn in Flammen setzten.

An den westlich gelegenen Stadttoren waren Bauleute dabei, die hölzernen Pforten mit schon bereitliegenden schweren Steinen zu sichern, die sie zu einer dicken Mauer aufschichteten. Das Peterstor, auf das das feindliche Heer zuerst zumarschieren würde, war bereits mit einer drei Ellen breiten Schicht aus übereinandergesetzten Steinen verschlossen – schwere Platten aus Gneis, aus dem auch die Stadtmauer selbst bestand.

Während die Glocken läuteten, brannten in den Gotteshäusern so viele Kerzen wie nie zuvor, gestiftet von Bürgern, die den Allmächtigen um Rettung vor dem gefürchteten Heer des Königs baten.

In den Kirchen und in der Burgkapelle standen die Menschen Schlange, um ihre Sünden zu beichten und vergeben zu lassen, bevor es vielleicht zu spät dafür war.

Ulrich konnte sich in dem Gedränge nur mit Mühe den Weg ins Rathaus bahnen. Doch für die paar Schritte von der Burg zum Oberen Markt hätte es nicht gelohnt, ein Pferd satteln und warm laufen zu lassen.

Wenn ihm sonst jedes Mal angesichts seiner Kleidung und seines Schwertes respektvoll Platz gemacht wurde, so schienen ihn diesmal die meisten Leute in ihrer hektischen Geschäftigkeit kaum wahrzunehmen. Überall sah er Menschen rennen, Dinge hin und her schleppen. Frauen schrien hysterisch nach ihren Kindern, umarmten weinend ihre Männer oder Brüder, die zum Wachdienst eingeteilt worden waren, als müssten sie sich jetzt schon für immer von ihnen verabschieden.

Vielleicht war es tatsächlich ein Abschied für immer. Wenn das Heer des Königs sofort angriff, würden die Freiberger noch vor dem Ende dieses Tages die ersten Toten zu beklagen haben.

Ein paar Gassenjungen versuchten, das Durcheinander für Streiche oder kleine Diebstähle auszunutzen.

Ulrich packte solch einen zerlumpten, dreckverschmierten mageren Burschen am Ohr, der einer schnaufenden dicken Bürgersfrau heimlich einen gefrorenen Haufen Hundekot in den Korb schmuggeln wollte. Unter dem harten Griff und dem strengen Blick des Burgkommandanten erlosch das hämische Grinsen des Jungen, der vielleicht zehn Jahre zählen mochte und feuerrote Haare hatte.

Schicksalsergeben ließ er das unappetitliche Fundstück in den von unzähligen Fußstapfen schmutzig gewordenen Schnee fallen.

»Hast du nichts Besseres im Sinn?«, herrschte Ulrich ihn an. »Jede Hand wird gebraucht, also verschwinde zu deinen Eltern und mach dich nützlich!«

»Hab keine«, murmelte der Junge und setzte eine zerknirschte Miene auf.

Nun erst bemerkte der Ritter, dass die magere Gestalt vor ihm einen Klumpfuß hatte. Vielleicht war der Junge deshalb ausgesetzt oder aus dem Haus gejagt worden.

»Melde dich auf der Burg! Sag, ich hätte dich geschickt. Die Wachen sollen dir Arbeit in der Küche oder in den Ställen zuweisen. Dafür bekommst du ein Frühstück.«

»Ja, Herr«, erwiderte der Bursche, während seine Miene blitzschnell von Erleichterung angesichts ausfallender Strafe zu Begeisterung über die versprochene Mahlzeit wechselte.

»Wie heißt du?«, fragte Ulrich den mageren Jungen, bevor er ihn losließ.

»Hab keinen Namen«, erwiderte der zu Ulrichs Verblüffung. Schon lief er los Richtung Burg, wobei er trotz seines verkrüppelten Fußes erstaunlich schnell war.

Vom Oberen Markt aus sah Ulrich, wie die Bergleute und die Juden schwerbeladen durch das Erlwinsche Tor strömten. Bald würde wohl kaum noch jemand durch die überfüllten Gassen kommen.

Die zwölf Ratsherren erwarteten ihn bereits und erhoben sich, als der Burgkommandant die mit üppigen Schnitzereien und farbenprächtigen Ornamenten an den Balken verzierte Ratsstube im Dinghaus am Obermarkt betrat.

Ulrich erwiderte die Grüße mit knappem Nicken, dann ergriff er sofort das Wort.

»Ehrenwerte Consuln! Es gibt zuverlässige Nachricht, dass noch heute das Heer des Königs vor Freiberg aufmarschiert. Wir haben uns auf diese Situation vorbereitet, so gut wir konnten. Meine Männer sind kampfbereit. Nun tragt Ihr Euern Teil dazu bei, dass Freiberg standhält. Schickt alle Männer auf die Burg, die alt genug sind, ihre Stadt mit der Waffe in der Hand zu verteidigen. Geht selbst mit gutem Beispiel voran und schickt uns Eure Söhne und Eure Knechte. Sorgt dafür, dass die Bewohner Ruhe bewahren, die Flüchtlinge ein Dach über dem Kopf finden und die Vorräte an Proviant mit Bedacht eingeteilt werden.«

Eine Pause trat ein, und Ulrich musterte nacheinander die zwölf Ratsherren, die vor ihm saßen: mit prachtvollen Tasselscheiben an den pelzverbrämten Umhängen, Ringen an den Fingern und Kappen aus Biberfell. Ja, Freiberg war reich. Aber in ein paar Tagen könnten die Stadt niedergebrannt und ihre Bürger tot oder völlig verarmt sein.

Sein Blick blieb an Hannemann Lotzke hängen, dem er erst vor ein paar Tagen die Nachricht vom Tod seines Sohnes hatte überbringen müssen. Der Gewandschneider schien ihm seitdem um einiges abgemagert, und als Ulrich von den Söhnen sprach, war er völlig in sich zusammengesunken.

»Wo bleibt das Heer des Fürsten? Wo bleibt Niklas von Haubitz?«, fragte unwirsch Berlewin, der Zunftmeister der Kramer, ein kleiner, rundlicher Mann mit Halbglatze.

Noch bevor Ulrich antworten konnte, hämmerte es an der Tür. Ohne auf ein »Herein« zu warten, stürzte der Ratsdiener atemlos in den Raum.

»Ein Heer marschiert auf die Stadt zu!«, rief er mit sich überschlagender Stimme und japste nach Luft.

»Aus welcher Richtung?«, herrschte Ulrich ihn an. Wenn der Kerl schon so unverfroren hereinplatzte, sollte er wenigstens genau berichten.

Der Bote stutzte. »Es nähert sich dem Meißner Tor«, sagte er, und noch während seiner Worte begriff er beschämt den Sinn von Ulrichs Frage.

Wenn dies nicht ein Hinterhalt war, so musste es sich bei den Anrückenden um die längst erwartete Verstärkung handeln.

»Da habt Ihr die Antwort«, erklärte Ulrich den Ratsherren mit Blick auf den Kramer. »Ich muss los. Tut Eure Pflicht!«

Er hätte lieber noch manches mit dem Rat geklärt, dem er nicht durchweg traute. Doch nun musste er sich davon überzeugen, dass es tatsächlich die erwartete Verstärkung war, die da anrückte, Niklas begrüßen und dessen Männer auf der Burg unterbringen.

»Sorgt dafür, dass das Meißner Tor zugemauert wird, wenn die Streitmacht des Markgrafen in der Stadt ist«, instruierte er den Bürgermeister, der nickte und den Ratsdiener herbeiwinkte, um ihm die nötigen Anweisungen zu geben.

Schon in der Tür, wandte sich Ulrich noch einmal um. »Meister Jenzin, rasch auf ein Wort!«

Der Apotheker fuhr zusammen. Auf dem Gesicht des Salbenkochers erkannte der Burgkommandant die gut verborgene Spur schlechten Gewissens.

»Man sagte mir, in Euerm Haus lebt ein Mädchen, das sich gut mit Kräutermixturen auskennt. Könnt Ihr sie uns zur Unterstützung auf die Burg schicken? Es werden womöglich bald eine Menge Verwundeter zu behandeln sein.«

Ulrich, ein guter Menschenkenner und aufmerksamer Beobachter, sah, wie die Erleichterung auf Jenzins Gesicht zögerndem Unwillen wich.

»Sie ist ein dummes, unnützes Ding und wird Euch kaum helfen können.«

»Ich habe anderes gehört. Aber wenn Ihr sie als unnütz betrachtet, könnt Ihr sie fraglos leicht entbehren«, beendete der Burgkommandant die Debatte. »Schickt sie gleich zu mir.«

Dann ging er hinaus, um dem Heer entgegenzureiten, das sich von Nordosten her näherte.

Für einen Augenblick herrschte Ruhe in der Ratsstube. Nur das Verhallen von Ulrichs Schritten und der dumpfe Lärm, der von draußen durch die hölzernen Fensterläden drang, durchbrachen die Stille.

Dittrich von Schocher, der Weinhändler, erhob als Erster seine dunkle Stimme. »Haltet Ihr es wirklich für klug, dass wir uns gegen das Heer des Königs stellen – des *von Gott gewollten* Königs?«

Die Reaktion der anderen verriet, dass jeder von ihnen auf diesen Einwand gewartet hatte und froh war, dass ein anderer die heikle Angelegenheit angesprochen hatte.

»Freiberg hat immer treu zum Hause Wettin gestanden. Unsere Stadt verdankt ihm ihr Entstehen und Blühen. Das können wir nicht mit Verrat vergelten«, widersprach Nikol Weighart entschieden.

»Ihr müsst so reden, Meister Nikol«, entgegnete der Kramer Berlewin herablassend. »Aber ist Friedrich überhaupt noch Markgraf? Hat ihm der König nicht die Mark Meißen aberkannt und als Reichslehen eingezogen? In Gottes Ordnung steht der König über dem Markgrafen. Wenn wir uns dem König widersetzen, werden wir es alle bitter büßen.«

»Vom König haben wir keine Gnade zu erwarten – nicht einmal, wenn wir ihn sofort einlassen«, entgegnete der graubärtige Stadtphysicus Conrad Marsilius schroff. »Habt Ihr nicht gehört, welche Greuel sein Heer in Thüringen begangen hat? Glaubt Ihr, er wird uns verschonen? Er kommt hierher wegen des Silbers, wie schon so etliche Räuber in früherer Zeit.«

»Ihr nennt den König, unseren obersten weltlichen Herrn, einen Räuber?«, brüllte der Weinhändler und stemmte sich von seinem Platz hoch. »Das ist Hochverrat!«

»Ein König soll gerecht über sein Land herrschen und seine Untertanen schützen. Doch was tut Adolf von Nassau? Schaut nach Thüringen, und dann wisst Ihr, was uns erwartet«, entgegnete Conrad Marsilius heftig, während er sich ebenfalls erhob.

»Beruhigt Euch, und setzt Euch beide wieder hin!«, ermahnte Nikol Weighart streng seine aufgebrachten Räte. »Jetzt ist nicht der Zeitpunkt, übereinander herzufallen und zu streiten.«

Dabei dachte er voller Bitterkeit, wie sehr seine Frau gestern Nacht recht gehabt hatte.

»Wir müssen entscheiden, ob wir uns dem König widersetzen oder ihm die Stadt übergeben, wie er es fordern wird«, erklärte Jenzin selbstgefällig. Mit Blick auf den Kramermeister fügte er unsicher an: »Es könnte durchaus von Vorteil sein, reichsfrei zu werden und nur noch einen Herrn zu haben.«

»Aber er wäre ein schlechter Herr! Er wird nicht eher Ruhe geben, bis er jeden Pfennig aus der Münze und unseren Truhen geholt hat«, mischte sich nun der Rechtsgelehrte Dittrich Beschorne ein.

»Wenn er die Stadt mit Gewalt einnehmen lässt, wird es uns noch schlechter ergehen. Dann fließt Blut in Strömen. Den ersten Toten hat es schon gegeben«, erinnerte der Kramermeister und richtete seinen Blick auf Hannemann Lotzke.

Der schluckte und sah in die Runde. »Mein Sohn starb durch

gedungene Meuchelmörder des Königs. Und diesem König wollt Ihr Freiberg ausliefern?«, fragte er voller Bitterkeit. »Was glaubt Ihr, habt Ihr von ihm zu erwarten? Glaubt Ihr tatsächlich, er würde Wort halten, wenn er erst die Schlüssel zur Stadt in der Hand hat?«

»Euer Sohn starb, Meister Lotzke – wofür?«, antwortete ihm der dürre Tuchhändler Conrad von Rabenstein aufbrausend. »Nun ist meine Tochter Witwe, noch ehe sie den Brautkranz trug.«

»Es ist jetzt nicht die Zeit zu streiten«, wiederholte Nikol Weighart, diesmal mit donnernder Stimme.

Die Ratsherren, die ihren Bürgermeister noch nie so laut hatten rufen hören, verstummten.

»Wenn der König mit seinem Heer vor Freiberg steht und seine Forderungen stellt, werden wir darüber beraten. Jetzt gilt es, die Stadt gegen ein Heer von Mördern und Plünderern zu befestigen.«

Er stand auf und wies zur Tür. »Ihr habt gehört, was der Kommandant gesagt hat. Also geht und tut Eure Pflicht!«

Mit Riesenschritten stürmte Ulrich von Maltitz zur Burg. Nun bereute er doch, nicht zu Pferd gekommen zu sein. Einem Berittenen hätten die hektisch durcheinanderrennenden Menschen sofort Platz gemacht.

Am Tor erwartete ihn sein Knappe schon mit dem gesattelten Pferd. Rolands Gesicht leuchtete vor freudiger Aufregung. »Sie kommen gerade noch rechtzeitig! Inzwischen müssten sie fast auf eine Meile an die Stadtmauer heran sein.«

Ulrich widerstand der Versuchung, sofort loszureiten. Zuerst wollte er sich einen Überblick vom Bergfried der Burg aus verschaffen. »Komm mit und sieh es dir selbst an!«, forderte er seinen Knappen auf.

Die Männer auf dem Burghof machten ihnen bereitwillig Platz. Oben angelangt, hielt Ulrich den Atem an.

Ja, es war eine Streitmacht, die sich der Stadt näherte und nun nur noch eine halbe Meile vom Meißner Tor entfernt war. An der Spitze erkannte er den Rappen und den blau-weißen Wappenrock des Haubitzers mit der gespaltenen Lilie in der Mitte, daneben Reinhard von Hersfeld mit dem Meißnischen Banner, dem schwarzen Löwen auf goldenem Grund.

Doch warum waren es so wenige Männer, die ihnen folgten? Es konnten nicht mehr als zweihundert sein, überschlug der Kommandant mit geschultem Blick. Voran wohl fünf Dutzend Berittene, der Rest Fußvolk.

Mit diesen paar Mann Verstärkung die Stadt gegen eine Streitmacht von zehntausend verteidigen?

Auch Rolands Euphorie war schlagartig verflogen. »Nur so wenige?«, sagte er, und auf seinem Gesicht breitete sich Fassungslosigkeit aus.

»Wir müssen froh sein über jeden einzelnen Kämpfer auf unserer Seite«, sagte Ulrich schroffer als gewollt und stieg wieder hinab.

Gemeinsam mit dreien seiner Ritter preschte er zum Meißner Tor, Niklas von Haubitz entgegen.

»Der Markgraf schickt uns Hilfe. Lasst sie ein, und dann mauert das Tor zu!«, rief er den Handwerkern zu, die dort neben den aufgeschichteten Steinhaufen auf diesen Befehl warteten.

Sie mussten nicht mehr weit reiten, der Anführer der markgräflichen Streitmacht war inzwischen mit seinen Männern schon dicht an das Meißner Tor herangekommen.

Ulrich zügelte seinen Fuchshengst und lenkte ihn neben den Rappen seines alten Kampfgefährten.

»Ich war nie so froh, dich zu sehen«, stieß er aus und stemmte sich halb aus dem Sattel, um Niklas erleichtert die Hand auf die Schulter zu legen.

Von Haubitz – schon mehr als fünfzig Jahre alt, müde und abgekämpft – verzog das Gesicht zu einem angedeuteten Grinsen, das schnell wieder erlosch.

»Dein Hilferuf erreichte uns, kaum dass wir unser Lager eingerichtet hatten. Wir sind die ganze Nacht durchmarschiert.«

»Gut gemacht!«, rief Ulrich von Maltitz dem jungen Hauptmann zu, der dicht hinter Niklas ritt.

Ulrich wendete sein Pferd, um neben Niklas und Reinhard zurück in die Stadt zu reiten.

»Ist das alles, was du an Männern sammeln konntest?«, fragte er leise.

Niklas' Gesicht verdüsterte sich noch mehr. »Friedrich steht auf verlorenem Posten. Meißen ist längst auf die Seite des Königs übergewechselt. Wenn Freiberg nicht standhält, sind wir verloren.«

»Werden es die Fürsten tatsächlich hinnehmen, wenn der König seine schwere Hand auf verlehnte Ländereien legt und mit Eisen und Feuer immer mehr Macht zusammenrafft?«, fragte Ulrich zweifelnd, eingedenk der Worte des Markgrafen während ihrer nächtlichen Rast nach der Flucht aus Altenburg. »Er versucht, ein ganzes Königsland mitten im Reich zu schaffen. Dabei werden sie doch nicht tatenlos zusehen?«

Die Menschen links und rechts des Weges grüßten hoffnungsfroh die anrückenden Kämpfer, als sie durch das Meißner Tor in die Stadt ritten. Von allen Seiten waren Segenswünsche und Dankesrufe zu hören, Hochrufe auf Markgraf Friedrich, der die bedrängte Stadt nicht im Stich ließ.

Doch Niklas schien nichts davon zu bemerken. »Das ist unsere einzige Hoffnung – dass die Fürsten so etwas *nicht* hinnehmen, weil sie um den eigenen Einfluss und die eigenen Gebiete fürchten.«

Er zögerte einen Moment, dann sprach er so leise, dass ihn nur Ulrich hören konnte. »Gerüchten nach sollen einige von ihnen sogar laut darüber nachdenken, dass wenn sie einen König wählen können, sie ihn auch wieder abwählen können, sofern er seinen Eid nicht erfüllt. Allen voran natürlich der Habsburger, der selbst gern die Krone will. Aber gerüchteweise wollen auch der Erzbischof von Mainz und Wenzel von Böhmen umschwenken.«

Verblüfft wandte Ulrich sein Gesicht dem anderen zu. »Den König *abwählen?!* Das hat es noch nie gegeben! Nein, darauf dürfen wir nicht hoffen. Wir müssen es selbst austragen, notfalls mit unserem Blut.«

Sie hatten die Burg erreicht und passierten Zugbrücke und Tor. Dort erwartete sie mit finsterer Miene einer der älteren Ritter der Burgbesatzung.

»Gerade ist einer unserer Kundschafter zurückgekommen«, informierte er den Burgkommandanten und den Anführer von Friedrichs Heer. »Adolfs Streitmacht ist keine fünf Meilen von hier entfernt.«

Der Burghof war bereits so voll von gerüsteten Männern, dass Niklas Not hatte, die Seinigen hineinzuführen.

Nicht nur die komplette Burgbesatzung erwartete hier unter Waffen den Einsatzbefehl. Vor der Rüstkammer standen Stadtbürger dichtgedrängt, um Armbrüste, Spieße oder einfache Schwerter in Empfang zu nehmen. Etliche hatten ihre Waffen schon erhalten und versuchten nun mit unterschiedlichem Geschick, sich damit vertraut zu machen. Neben ihnen war eine Gruppe Bergleute versammelt, an der Kleidung und den Keilhauen zu erkennen, mit denen sie sich bewaffnet hatten.

»Macht Platz!«, brüllte Markus, ohne in dem Gewimmel recht gehört zu werden. Doch die Burgbesatzung rückte angesichts der hereinströmenden Verstärkung von sich aus zusammen.

Ulrich schickte Niklas' Männer in die Halle und befahl, ihnen zu essen und zu trinken zu geben. Mancher der Neuankömmlinge verzichtete darauf und legte sich lieber gleich in eine Ecke, um nach dem anstrengenden Nachtmarsch wenigstens ein paar Augenblicke schlafen zu können.

Unter denen, die Brot austeilten, entdeckte der Maltitzer auch den rothaarigen Gassenjungen, den er am Morgen hierhergeschickt hatte.

Als dieser ihn sah, drückte er rasch die letzten Kanten einem graubärtigen Kämpfer in die Hand, rannte auf den Burgkommandanten zu und warf sich vor ihm auf die Knie.

»Bitte, Herr, schickt mich nicht wieder in die Küche! Lasst mich kämpfen!«

Verblüfft starrte Ulrich auf den Burschen, dessen Augen vor Begierde leuchteten, sich nützlich zu machen. Vielleicht war es das erste Mal, dass der Junge mit dem verkrüppelten Fuß nicht wie ein Ausgestoßener behandelt wurde.

Noch ist es nicht so weit, dass wir auch die Halbwüchsigen auf die Türme oder in die Wehrgänge schicken müssen, dachte er. Aber das kann heute Abend schon anders aussehen.

»Dein Beitrag am Kampf ist es, dafür zu sorgen, dass die Kämpfer dem Feind nicht mit leerem Bauch entgegentreten müssen«, herrschte er den Jungen an, obwohl ihm dessen Schneid gefiel.

Als er die Enttäuschung auf dem von Sommersprossen übersätem Gesicht sah, fragte er: »Hast du immer noch keinen Namen?«

Verblüfft über den Themenwechsel, meinte der Junge: »Die meisten rufen mich Rotfuchs, Herr.«

»Das ist kein Name für einen Mann.«

Ulrich winkte Markus zu sich. »Hier ist ein namenloser Mitstreiter. Womöglich noch nicht einmal getauft. Das muss vor dem Kampf unbedingt erledigt werden. So viel Zeit bleibt noch. Dann komm mit ihm zum Peterstor.«

Für den Rotschopf würde sich schon Verwendung als flinker Bote finden.

Leicht belustigt trotz seiner Müdigkeit und der angespannten Lage, legte Markus dem Jungen den Arm auf die Schulter. »Dann los. Wir werden dir einen richtigen Heldennamen aussuchen.«

»Georg, nach dem Drachentöter und Schutzpatron der Ritter«, schlug der Bursche begeistert vor.

»Das ist vielleicht ein bisschen hoch gegriffen für einen Gassenjungen«, widersprach Markus grinsend. »Wie wäre es mit Siegfried? Hm, der ist zum Schluss durch Weiberrache umgekommen. Auch nicht gut. Was hältst du von Christian?«

»Das ist doch kein Heldenname!«, hörte Ulrich den Jungen protestieren, als sich die beiden durch das Gewimmel Richtung Kapelle entfernten.

»Aber ja, hier in Freiberg sogar ein ganz besonderer ...«

Ulrich schickte einen Boten zum Bürgermeister, damit sie gemeinsam das königliche Heer empfangen konnten, und bat Niklas von Haubitz, ihn zum Peterstor zu begleiten.

Wie betäubt stand Änne inmitten der vielen Menschen auf dem Burghof. Sie wusste nicht, bei wem sie sich melden sollte, nachdem Meister Jenzin zu ihrer Überraschung befohlen hatte, sie solle hier auf Weisung des Burgkommandanten dem Feldscher zur Hand gehen.

»Gnade dir Gott, wenn Klagen über dich kommen«, hatte der Vormund sie angeherrscht. »Sofort, wenn du dort nicht mehr gebraucht wirst – und das wird bald sein, du unnützes Ding! –, kommst du wieder hierher und erledigst deine liegengebliebene Arbeit.«

All die vielen bis an die Zähne bewaffneten Männer machten ihr Angst. Sie wirkten so grimmig und beschäftigt, dass sie nicht wagte, einen von ihnen zu fragen, wo der Feldscher zu finden sei. In dem Durcheinander konnte sie auch niemanden entdecken, den sie kannte, um sich danach zu erkundigen.

So stand sie nun frierend im Schnee, nur in dem dünnen Kleid, Holzpantinen und mit dem vielfach geflickten Tuch, das sie um die Schultern geschlungen hatte.

Fröstelnd trat sie von einem Bein aufs andere, versuchte, die klammen Hände mit ihrem Atem zu wärmen, und zupfte hin und wieder vorsichtig am Rock, der an den blutigen Streifen festklebte. Die kurze Nacht hatte sie auf dem Bauch liegend zugebracht. Doch es war viel zu kalt, um auf eine Zudecke zu verzichten. So musste sie am Morgen ihr Unterkleid von den Wunden losreißen, und die kaum verschorften Striemen begannen erneut zu bluten.

Sie wurde beiseitegeschubst, jemand herrschte sie an: »Steh hier nicht im Weg rum, Mädchen!«, und sie fühlte sich immer hilfloser.

Plötzlich hörte sie hinter sich eine bekannte Stimme.

»Jetzt bist du also getauft und trägst den Namen eines großen Kämpfers.«

Änne drehte sich um und sah Jan in Begleitung seines älteren Bruders, mit dem sie noch nie ein Wort gewechselt hatte, weil er einen wichtigen Posten bekleidete und meistens ziemlich beschäftigt wirkte. Ein hinkender rothaariger Junge war bei ihnen. Den kannte sie ebenfalls, obwohl sie auch mit ihm noch nie gesprochen hatte. Manchmal, wenn der Meister sie mit Aufträgen durch die Stadt schickte, beobachtete sie den Rotschopf dabei, wie er üppigen Matronen und feisten Bürgern einen Streich spielte. Einmal hatte sie sogar zugesehen, wie er ihrem Vormund von hinten eine Handvoll Schuppen und Innereien vom Fischstand in den Kragen schüttete. Sie hatte ihn nur verstohlen angeblickt und den Finger auf den Mund gelegt zum Zeichen dafür, dass sie nichts verraten würde, während der eitle Ratsherr fluchend und schimpfend den Unrat von seinem kostbaren Tasselmantel zu wischen versuchte.

»Änne!«, begrüßte Jan sie freudestrahlend. »Schau nur, gerade haben mein Bruder und ich einen richtigen Kerl aus diesem Strolch gemacht. Der Kaplan hat ihn getauft, und nun hat er einen Namen.«

»Christian«, verkündete der Rotschopf stolz. »So hieß der Ritter, der Freiberg gegründet hat. Ein tapferer Mann und wahrer Held, der mutig in den Tod ging, um die Menschen zu retten, die zu schützen er geschworen hatte.«

Änne fuhr zusammen, als sie den Namen hörte. Wussten Jan und sein Bruder denn nicht, dass jener Christian einem verfluchten Geschlecht entstammte, genau wie sie?

Jan verstand ihre erschrockene Miene falsch. Er glaubte, sie fürchte sich, weil er sie unbeabsichtigt daran erinnert hatte, dass sie heute noch alle sterben konnten.

»Hab keine Angst. Hier auf der Burg bist du sicherer als irgendwo sonst«, meinte er rasch und versuchte, sie aufzumuntern. »Sieh nur, so viele bis an die Zähne bewaffnete Männer – alle zu deinem Schutz.«

Als sie nicht reagierte, wurde er ernst. »Hier kann dich dein Vormund nicht schlagen.«

Beschämt senkte Änne den Blick, wobei sie vermied, Markus anzusehen, dessen Gesicht sich zusehends verfinsterte. »Weißt du, wo ich den Feldscher finde? Ich soll mich bei ihm melden«, fragte sie schüchtern.

»Das war mein Vorschlag. Ich dachte, so bist du vor dem strengen Meister Jenzin sicher.«

»Der Feldscher ist bei der Rüstkammer«, mischte sich Markus ungeduldig ein. Sie mussten zum Peterstor, noch heute konnte sich ihr Schicksal entscheiden, und sein leichtlebiger Bruder hatte wieder einmal nur Mädchen im Sinn.

Er zeigte zur Rüstkammer, dann gab er Jan einen Schubs. »Wir müssen zum Tor, schon vergessen?«, ermahnte er den Jüngeren grimmig.

Änne bedankte sich, nun vollständig eingeschüchtert, und wollte gehen.

»Vielleicht kannst du vorher noch nach Sibylla sehen!«, rief Jan ihr nach. »Die junge Frau, die ich gestern Nacht zu dir gebracht habe. Ich glaube, sie hilft den Mägden, Essen auszuteilen.«

Die Fremde scheint ihm wirklich am Herzen zu liegen, dachte

Änne und verspürte dabei einen Stich. Aber sie würde sowieso nie einen Mann finden, geschweige denn einen guten. Sie war bettelarm und ohne Aussicht auf eine Mitgift. Und sie war verflucht wie jener Christian, dessen Namen der Rotschopf nun trug. Wie Christian und Marthe – ihre Vorfahren.

Ängstlich versuchte sie, sich in dem Gewühl zur Küche durchzuarbeiten, ohne ständig von den durcheinandereilenden Bewaffneten geschubst und angerempelt zu werden.

Sie blickte sich ein letztes Mal nach Jan um und hörte ihn noch zu dem rothaarigen Burschen sagen: »Vorwärts! Bald kannst du beweisen, ob du deinen neuen Namen auch verdienst.« Dann hatte sie die drei aus den Augen verloren.

Auf dem Weg zum Peterstor nahm sich Markus seinen Bruder erbarmungslos vor. »Was hast du dir dabei gedacht, Jenzins Mündel auf die Burg zu holen?«, fuhr er ihn an.

»Vielleicht werden wir heute schon angegriffen, da können wir dort niemanden brauchen, der sich vor seinem eigenen Schatten fürchtet! Und du grins nicht so und lauf schon vor!« Nun bekam auch der Bursche, der jetzt Christian hieß, sein Fett weg.

Der Rotschopf setzte sofort eine ernste Miene auf und rannte los. Markus war sicher, dass er schon im nächsten Augenblick wieder frech grinste.

»Wieso?«, entrüstete sich Jan. »Sie hat mehr Ahnung von Kräutern und Tinkturen als dieser Jenzin und ist dem Feldscher bestimmt eine Hilfe. Du solltest froh sein über meinen Einfall!«

Markus schnaubte. »Und wenn sie vor lauter Furcht schreit oder losrennt und die Leute noch mehr durcheinanderbringt? Sie traut sich doch so schon kaum, ein Wort zu sagen. Da soll sie Verletzte bergen und die schrecklichsten Wunden behandeln, während wir vielleicht beschossen werden? Sie wird uns nur im Weg sein und zusätzlich Schwierigkeiten machen. Das ist kein Ort für jemanden wie sie. Außerdem bringst du sie in Gefahr. Hast du das schon bedacht, kleiner Bruder? Willst du schuld sein, wenn sie morgen tot ist?«

Jan wollte widersprechen, doch nach diesen Worten blieb ihm die Entgegnung im Hals stecken. Mit einem Mal fand er seine Idee doch nicht mehr so gut. Er hatte Änne helfen wollen. Aber nun war es nicht mehr zu ändern. Der Burgkommandant hatte entschieden.

»Sie ist tüchtig, glaube mir, auch wenn sie nicht viel redet«, murmelte er beklommen. »Vielleicht zeigt sie erst so richtig, was sie taugt, wenn sie außer Reichweite ihres verkommenen Vormundes ist.«

»Dein Wort in Gottes Ohr«, knurrte Markus wenig überzeugt.

Das Ultimatum des Königs

Von der zinnenbewehrten halbkreisförmigen Mauer aus Stein, die das Peterstor umgab, blickte Ulrich auf das von Westen anrückende Heer. Neben ihm standen Niklas von Haubitz, der es abgelehnt hatte, sich wie seine Männer in der Halle zum Schlafen zu legen, und Bürgermeister Nikol Weighart, hinter ihnen Markus sowie Jan und Herrmann von der Torwache.

Auf dem ganzen südwestlichen Abschnitt der Mauer hatten sich Bewaffnete versammelt und starrten mit finsteren Mienen den anrückenden Feinden entgegen.

Zunächst war es nur ein schmaler Streifen, der sich am Horizont dunkel abzeichnete, doch bald konnten die Beobachter Einzelheiten ausmachen; zuerst die Reiterei mit dem königlichen Banner voran, dem schwarzen Adler auf goldenem Grund. Ihr folgten eine schier endlose Menge an Fußvolk und schwerbeladene Wagen, von denen wohl etliche die in Teile zerlegten Belagerungsmaschinen beförderten.

Der Schnee schluckte jedes Geräusch, so dass es schien, als nähere sich lautlos eine Armee von Geistern. Und es mussten wirklich zehntausend sein, wenn nicht mehr.

Erst als die Spitze des Heeres unmittelbar vor dem Torbogen stand, hörten sie das Schnauben der Pferde, das Klirren von Metall und eine herrische Stimme, die befahl: »Öffnet das Tor und übergebt die Schlüssel zur Stadt! Der König begehrt Einlass.«

»Wenn der König als Gast kommt, so ist er uns willkommen. Doch ohne sein Heer!«, rief Ulrich hinunter. »Und die Schlüssel zur Stadt gehören nicht uns, sondern dem Markgrafen von Meißen. Ohne sein Einverständnis dürfen wir sie niemandem übergeben.«

Der Rufer, nach Kleidung und Banner der Marschall des Königs, reckte demonstrativ die Faust nach oben. »Es gibt keinen Markgrafen von Meißen. Titel und Lehen sind erloschen. Freiberg gehört dem König. Wenn ihr nicht auch verfemt sein wollt wie der Gesetzlose Friedrich, öffnet das Tor!«

Ulrich sah kurz hinüber zu Nikol Weighart, der bleich, aber entschlossen neben ihm stand.

Dann rief er hinunter: »Mir ist nichts davon bekannt, dass das Fürstengericht die Acht über Friedrich ausgesprochen hat.«

»Wie solltet Ihr auch davon wissen, Maltitz, wo Ihr doch eigentlich in Altenburg hättet sterben sollen«, höhnte der Marschall, ein hochgewachsener Mann in farbenprächtigem Wappenrock.

Nun teilte sich die Schar der Berittenen vor dem Tor, um den König höchstpersönlich in Begleitung eines Dutzends kostbar gekleideter Ritter vorzulassen.

Die glanzvolle Erscheinung des Nassauers, sein edles Pferd und die prächtige Rüstung standen in krassem Widerspruch zu seinen unerbittlichen Worten. »Übergebt mir die Schlüssel zur Stadt, oder ich mache Freiberg dem Erdboden gleich. Ihr habt Bedenkzeit bis morgen früh.«

Ohne eine Antwort abzuwarten, lenkte Adolf von Nassau seinen Hengst um. Mit dem Arm gab er der Streitmacht das Zeichen, ihm vom Süden der Stadt entlang der Mauer Richtung Nordosten zu folgen, vorbei am Judenviertel, um dann auf der Anhöhe vor dem Donatstor Stellung zu beziehen, von der man eine Übersicht über die Stadt und ihre Befestigungsanlagen hatte.

»Ruft die Ratsherren zusammen«, sagte Ulrich zu Nikol Weighart. »Und die ehrenwerten Männer des Bergschöppenstuhls. Sie müssen von dem Ultimatum erfahren.«

Er selbst beschloss, vom Turm des Donatstores aus zu beobachten, wie sich das königliche Heer auf der gegenüberliegenden Anhöhe einrichtete, die – wie Ulrich wusste – eine von Schnee bedeckte Halde war.

Mit Drohungen oder hämischen Bemerkungen gegen die Hüter der Stadt zogen die Bewaffneten an ihm vorbei. Und wie Ulrich befürchtet hatte, gingen schon bald die ersten Häuser im Judenviertel in Flammen auf.

Bald erreichte die Spitze des Zuges den Hügel. Die Absicht der Belagerer war klar. Von hier aus hatten sie nicht nur einen guten Überblick und konnten Wurfgeschosse gezielt und wirkungsvoll in die Stadt schleudern. Weil dies ein Gebiet mit vielen Gruben war, ließen sich auch Huthäuser und überdachte Scheidebänke als Unterkünfte nutzen.

Friedemar, der Bergmeister, trat mit finsterer Miene neben ihn und sah zu, wie die Männer des Königs begannen, die Reste des Grubenholzes zusammenzuklauben, die nicht in die Stadt geschafft worden waren, um damit das Erlwinsche Tor zu versperren. Bald brannten ein paar heftig qualmende Feuer. Dann gingen die Belagerer daran, Holz aus den Gruben zu holen, Fahrten und Grubenstöcke, die die Stollen abstützen sollten.

»Das«, sagte Friedemar mit grimmiger Genugtuung und verschränkte die Arme vor der Brust, »könnte ihnen zum Verhängnis werden.«

Ulrich begann zu ahnen, was der Bergmeister erwartete, und sah gespannt hinüber. Die Anhöhe, auf der nun ein Teil des Heeres Quartier bezog, schloss sich unmittelbar an die derzeit genutzten Gruben an und war über mehrere Generationen von Bergleuten durchfahren worden. Sie war voller Stollen und Schächte, und niemand vermochte zu sagen, wie lange das Erdreich unter der Halde stabil bleiben würde, wenn erst die Grubenstöcke herausgebrochen waren.

Er hatte den Gedanken kaum zu Ende gebracht, als es auch schon passierte. Erst begann das Erdreich langsam nachzugeben, dann plötzlich sackte es weg. Krachend fiel die Halde in sich zusammen, und die Lawine von Steinen und Geröll riss auch den Marschall und etliche seiner Männer mit sich. Zwei schwerbeladene Karren folgten ihnen laut rumpelnd in die Tiefe.

Für einen Moment waren die Gegner vor Entsetzen wie gelähmt. Dann rannten alle auseinander, fort von den nachsackenden Rändern. Kommandos wurden gebrüllt, bis sich schließlich in wilder Eile der Rest des Heeres samt den Pferden und Trosskarren zurückzog, weg von der Unglücksstelle und den trügerischen, vom Bergbau durchlöcherten Hügeln.

»Gott hat unsere Gebete erhört!«, stieß einer der Männer hinter Ulrich erleichtert aus, und die anderen jubelten und wiederholten seine Worte.

Einer nach dem anderen fielen sie auf die Knie, um dem Allmächtigen für die unerwartete Hilfe zu danken.

»Es ist noch nicht vorbei«, sagte Ulrich scharf. Augenblicklich trat Stille ein. Er bedeutete dem Bergmeister, ihm zu folgen. Gemeinsam gingen sie zum Oberen Markt, um mit den vierundzwanzig Consuln – Ratsherren und die Herren des Bergschöppenstuhls, den Markgraf Friedrich vor einigen Jahren eingerichtet hatte – über das Ultimatum des Königs zu beraten.

Der Feldscher, ein stämmiger Kahlkopf mit finsterer Miene und vernarbtem Gesicht, hatte Änne kritisch gemustert, als sie sich bei ihm meldete. Doch er brummte zufrieden, als sie ihm den Kasten mit Arzneien zeigte, die sie mit Jenzins Erlaubnis hatte mitnehmen dürfen.

»Setz dich dorthin und reiß Leinen in Streifen«, wies er sie an und zeigte mit dem Kopf in eine Ecke der Kammer. Dort war zu Ännes Überraschung Sibylla bereits mit dieser Arbeit beschäftigt.

»Wie geht es dir?«, fragte sie die Fremde schüchtern.

»Jedenfalls kann *ich* schon wieder sitzen«, meinte Sibylla trotz ihrer eigenen Verletzungen mit sanftem Spott, als Änne im Stehen begann, die Leinenbahnen auseinanderzureißen.

Änne schwieg. Schließlich fragte sie leise: »Hast du Angst zu sterben?«

»Nein.« Die Antwort kam ohne Zögern.

Im Tod sehe ich meine Gefährten wieder, dachte Sibylla, meinen Liebsten, und all die Schmach und der Schmerz sind vergessen. Sofern Spielleute in den Himmel kamen, was die Geistlichkeit bestritt. Doch sie glaubte fest an Gottes Erbarmen und hatte am Morgen in der Kapelle ein inbrünstiges Gebet für die Seelen ihrer toten Freunde gesprochen.

»Manchmal denke ich auch, es wäre besser, tot zu sein. Eigentlich denke ich das fast immer. Nur vorm Höllenfeuer hab ich Angst«, wisperte Änne mit gesenktem Kopf.

Verwundert sah Sibylla auf das magere Mädchen, das kaum vierzehn oder fünfzehn Jahre zählen konnte.

Dass sie von diesem Apotheker schlecht behandelt wurde, vermochte selbst ein Blinder zu erkennen. Aber wieso glaubte sie, dass sie in die Hölle kam?

Änne sank noch mehr in sich zusammen, als Sibylla ihr genau diese Frage stellte. Sie schluckte und zögerte, bis sie schließlich gestand: »Ich stamme aus einem verfluchten Geschlecht.«

»Dein Vormund ist ein gemeiner Kerl. Nur, weshalb solltest

du für seine Missetaten büßen?«, widersprach Sibylla leidenschaftlich.

Mutlos ließ Änne die Hände mit den Leinenstreifen in den
Schoß sinken. »Nicht er ist verflucht, ich bin's. Er hat mich
nur aus Barmherzigkeit und Christenpflicht bei sich aufgenommen, als meine Eltern starben.«

»Warum sollte dein Geschlecht verflucht sein?«, fragte Sibylla
hartnäckig. Sie wollte unbedingt die Jüngere trösten, die ihr
gestern mit so geschickten Händen geholfen hatte und dabei
selbst ein geschundenes Wesen war. Sie überlegte schon, ihr
mit irgendeiner ausgedachten Wahrsagung die Sache mit dem
Fluch auszureden. Am Ende waren alle Prophezeiungen reine
Phantasie, so hatte sie es von der alten Delia gelernt, die
eigentlich Hanne hieß, diesen Namen aber nicht klangvoll
genug für ihr Gewerbe fand.

»Schau den Menschen auf die Hände und erzähl ihnen etwas
von langen Lebenslinien, das wollen sie hören«, hatte die ge-
wiefte Alte oft genug gesagt. »Aber vor allem schau ihnen ins
Gesicht! Dort liest du alles, was du wissen musst: ob sie eitel
sind, gierig, mutlos oder verliebt. Oder alles zusammen. Und
dann sag ihnen, was sie sich wünschen. Umso freigiebiger
werden sie dich bezahlen.«

Änne stiegen Tränen in die Augen.

»Ein verfluchtes Geschlecht«, wiederholte sie so leise, dass
Sibylla es kaum hören konnte. »Meine Vorfahren waren die
Begründer von Freiberg, Christian und Marthe, eine Heilerin.
Es heißt, sie seien beide außergewöhnlich tüchtig gewesen – so
sehr, dass sie bald die Aufmerksamkeit vieler Feinde auf sich
zogen und vernichtet wurden.« Änne schluckte, bevor sie
noch leiser weitersprach. »Und so ging es bisher jedem ihrer
Nachfahren: erst durch große Tüchtigkeit zu Ansehen gekommen, dann grausam ermordet oder in Armut oder Schande gestorben …«

»Wenn das so ist, hast du doch nichts zu befürchten«, sagte

Sibylla, die zu Ännes Erstaunen nicht entsetzt von ihr abrückte, sondern leise lachte.

Sanft hob die Wahrsagerin Ännes gesenkten Kopf an und wischte ihr die Tränen ab.

»Schau dich an in deinem Prachtstaat«, sagte sie lächelnd und strich über Ännes zerschlissenes graues Kleid. »Ich würde nicht gerade sagen, dass du derzeit in höchstem Ansehen stehst.«

Nun musste Änne doch lächeln, wenn auch mühsam und unter Tränen.

»Ich wünsche mir nur, dass es nicht weh tut«, sagte sie nach kurzem Schweigen.

»Was? Das Sterben?«

Sibyllas Lächeln erlosch. Ihr Blick verhärtete sich. »Im Krieg gibt es keine schmerzlose Art zu sterben.«

Am liebsten hätte sie sich beide Hände auf die Ohren gepresst, denn mit einem Mal hörte sie wieder die Schreie ihrer Gefährten, als sie von den Männern des Königs erschlagen oder erstochen wurden, das merkwürdig gurgelnde Geräusch, mit dem die Kinder an ihrem eigenen Blut erstickten.

»Ich weiß«, wisperte Änne. Sie zögerte, dann sprach sie so leise, dass sich Sibylla zu ihr hinüberbeugen musste. »Manchmal träume ich davon. Ich sehe die Stadt brennen, ich sehe Bewaffnete, die sich nachts einschleichen und dann plündernd und mordend durch die Gassen ziehen. Ich sehe Menschen sterben, die ich kenne …«

Fröstelnd zog sie die Schultern hoch, während diesmal Sibylla betroffen schwieg.

Vermochte dieses verängstigte Mädchen tatsächlich, was sie, die Wahrsagerin, nicht vermochte – in die Zukunft zu blicken? Aber wahrscheinlich war es nur Furcht vor dem, was sie erwartete, wenn die Männer des Königs die Stadt einnahmen. Solche Alpträume hatte wohl jeder, vor dessen Stadt ein zehntausend Mann starkes Heer stand.

Die Ratsstube am Obermarkt war diesmal übervoll, denn nicht nur die zwölf Ratsherren waren auf Ulrichs Aufforderung erschienen, sondern auch das Dutzend Männer, die in Friedrichs Auftrag über die Angelegenheiten der Bergleute entschieden und richteten.

Bislang hatten vor allem die Ratsherren gesprochen, und der Burgkommandant besaß genug Menschenkenntnis, um zu erkennen, dass sie diese Argumente schon früher in seiner Abwesenheit ausgetauscht hatten.

Während vor allem der Bürgermeister, der Stadtphysicus und Hannemann Lotzke, immer noch voll hilfloser Trauer über den Tod seines Sohnes, energisch dafür eintraten, dem Markgrafen die Treue zu halten, plädierten Kramermeister Berlewin, Weinhändler Dittrich Schocher und Tucher Conrad von Rabenstein dafür, dem König die Stadt zu übergeben. Der zwielichtige Apotheker drehte sein Fähnlein nach dem Wind und versuchte, es allen recht zu machen.

»Meister Beschorne, wie beurteilt Ihr als Rechtsgelehrter die Lage?«, fragte der Bürgermeister nun.

Augenblicklich trat Ruhe ein, alle Blicke richteten sich auf den Advokaten.

»Man kann wohl trefflich darüber streiten, ob es einerseits rechtens ist, dass Friedrich die Markgrafschaft nicht in direkter Linie, sondern von seinem Neffen erbt, und andererseits der König die Markgrafschaft einfach so einzieht«, erklärte Dittrich Beschorne gelassen, während er die Fingerspitzen aneinanderlegte und seine Hände beinahe unter den weiten Ärmeln seines schwarzen Gewandes verschwanden. »Für den Markgrafen spricht: Es gab keinen König zu jener Zeit, als die Mark Meißen mit dem überraschenden Tod des jungen Friedrich Tuta verwaiste. Was unser Fürst tat, gebot die Lage – das Lehen zu übernehmen, das seit zweihundert Jahren dem Hause Wettin gehört, und den Menschen in diesen schwierigen Zeiten, wo das Raubgesindel überhandnimmt, Schutz angedeihen zu lassen.«

Der Gelehrte lehnte sich zurück und breitete die Hände aus. »Was den Rest betrifft, so ist die Angelegenheit völlig klar. Das Fürstengericht hat noch nicht die Acht über Markgraf Friedrich gesprochen. Er hat uns die Schlüssel zur Stadt überlassen, also dürfen wir sie auch nicht ohne seine Zustimmung übergeben.«

Nach einer kurzen, aber wirkungsvollen Pause fuhr Dittrich Beschorne fort: »Es gibt dazu juristische Präzedenzfälle. Der bedeutendste liegt schon mehr als hundert Jahre zurück; damals, als der große Kaiser Friedrich Rotbart Krieg gegen Heinrich den Löwen, den Welfenherzog, führte. Obwohl Heinrich schon in Acht und Oberacht gefallen war, gewährte der Kaiser den Bürgern von Lübeck Gelegenheit, erst die Erlaubnis ihres einstigen Herrn einzuholen, bevor sie die Stadt übergaben. Danach wurde Lübeck wieder in Gnade aufgenommen.«

Aber Friedrich von Hohenstaufen war ein großer Kaiser, ein Mann von edler Gesinnung, dachte Ulrich von Maltitz zynisch. Und Adolf von Nassau ist ein kleiner König, der sein Wort nicht hält.

Am liebsten hätte er die Debatte abgebrochen. Doch er durfte die Ratsherren nicht übergehen. Es ging um Wohl und Wehe der Stadt, um Leben und Tod ihrer Bewohner. Wenn sie sich nicht ergaben, würde auf jeden Fall Blut fließen. Aber es war trügerisch zu glauben, dass *kein* Blut floss, falls Adolf morgen früh die Schlüssel zur Stadt bekam.

Wenn er diese Entscheidung als Burgkommandant allein traf, würde die Bürgerschaft nicht geschlossen hinter ihm stehen.

»Advokaten«, hörte Ulrich den Weinhändler leise murren, der dabei ein Gesicht schnitt, als würde er Essig und nicht Wein verkaufen. »Die erklären stets die Welt so, dass einem am Ende schwindlig davon wird.«

»Sprecht laut, Meister Schocher, wenn Ihr Einwände habt«, ermahnte der Bürgermeister.

»Wo ist der Markgraf überhaupt? Warum ist er nicht hier, bei uns, wenn wir in Gefahr sind, wo er sich doch sonst so oft in Freiberg aufhält? Warum schickt er uns nur ein paar Männer?«, forderte der rundliche Kramermeister laut vom Burgkommandanten zu wissen.

Dass Berlewin diese Frage überhaupt und noch dazu in diesem Ton stellte, bewies Ulrich, dass hier jemand in Gedanken schon den Herrn gewechselt hatte.

»Markgraf Friedrich ist zu seinem Bruder Diezmann in die Lausitz geritten, um von ihm militärischen Beistand zu erbitten«, erklärte der Burgkommandant.

Diese Antwort sorgte für Aufregung und hoffnungsfrohe Mienen unter den Consuln.

»Warum habt Ihr das nicht gleich gesagt?«, brachte der Apotheker erleichtert hervor.

Weil ich nicht daran glaube, dass Diezmann helfen wird, dachte Ulrich bitter, ohne es auszusprechen. Die Brüder – listig vom Vater gegeneinander ausgespielt – waren seit Jahren zerstritten. Während Friedrich vom König faktisch entmachtet war, besaß der jüngere Diezmann außer der Lausitz auch die Zusage seines Vaters, in Thüringen mitzuregieren. Er würde sich nicht mit dem König anlegen und alles riskieren.

Einer der Bergschöppen wollte das Wort ergreifen, doch gellende Schreie übertönten ihn.

»Was ist da los?«, fragte Nikol Weighart und erhob sich brüsk, um aus dem schmalen Fenster zu sehen.

Licht flackerte in der Dunkelheit.

Der kriegserfahrene Maltitzer hatte bereits an dem zischenden Geräusch erkannt, was draußen vor sich ging.

Hastig stand er auf.

»Der König wartet nicht auf Eure Antwort!«, rief er, griff nach dem Schwert, das er an der Tür abgestellt hatte, und gürtete es mit raschen, geübten Griffen. »Er hat mit dem Beschuss der Stadt begonnen!«

Entrüstet schrien die Versammelten auf. Dann folgten sie ihm in planloser Hast nach draußen und nahmen fassungslos das schaurige Bild auf, das sich ihnen bot.

Von allen Seiten flogen flammende Geschosse durch die Nacht, schlugen in Gassen oder Dächer ein, während Menschen panisch schreiend hin und her rannten oder wie gelähmt vor Angst dastanden, bis sie von anderen vorwärtsgetrieben oder umgerannt wurden.

Der Stadtphysicus fand als Erster von den Ratsherren wieder zu einem klaren Gedanken.

»Schickt die Verwundeten nach St. Marien, zu Pater Clemens! Dort richte ich das Lazarett ein«, rief Marsilius Ulrich zu und lief, seine Instrumente zu holen. Der nickte kurz zum Zeichen, dass er verstanden hatte, und rannte ebenfalls los, um die Verteidigung der Burg zu übernehmen.

DIE FEUERNACHT

*K*rachend und zischend schlug ein Feuerball Ulrich direkt vor die Füße. Nur seine im Kampf ausgebildeten Reflexe ermöglichten es ihm, knapp auszuweichen. Eine Frau prallte gegen ihn, die ein brüllendes Kind auf dem Arm trug und selbst in panischer Angst kreischte.

Er packte sie kurz bei den Armen und sah ihr fest in die Augen. »Lauf nach St. Petri!«, schrie er und drehte sie kurzerhand um, so dass sie das steinerne Gotteshaus direkt vor sich sah. Endlich schien sie zu begreifen und hastete los.

Die wenigen Schritte bis zur Burg genügten Ulrich, um zu erkennen, dass die Mehrzahl der Stadtbewohner vor Entsetzen über den Angriff wie gelähmt war.

Zwischen schreienden und wehklagenden, ziellos hin und her rennenden Menschen hindurch bahnte er sich den Weg.

Sie haben wirklich nicht geglaubt, dass Adolf es tun würde,

dachte er zornig und verächtlich zugleich. Sie vertrauten auf die Ehrenhaftigkeit des Königs und wähnten sich hinter ihren starken Mauern in Sicherheit.

Doch er konnte auch sehen, dass viele der Vorkehrungen, die er getroffen hatte, nun Nutzen zeigten. Wo Dächer in Flammen standen, waren die dazu eingeteilten Zimmerer und Bergleute dabei, das brennende Gebälk, Stroh oder Holzschindeln mit Äxten und Keilhauen auseinanderzureißen.

Die Gefahr eines Stadtbrandes war die größte bei diesem Angriff. Wenn das Feuer von einem Haus zum anderen übergriff, saßen sie alle innerhalb der Mauern in einer tödlichen Falle.

»Die Verletzten nach St. Marien!«, rief er einem Mann zu, der Kleidung nach ein Handwerker, der eine reglose Frau auf den Armen trug und suchend um sich blickte.

Auf der Burg fand er alles vor wie erwartet. Friedrichs Ritter und Markus' Wachen wussten, was zu tun war, und bewiesen Disziplin.

In dichter Reihe standen sie gerüstet hinter den Zinnen: vorn die Ritter in Kettenhemden und Plattenröcken, um Angreifer mit dem Schwert in Empfang zu nehmen, sollten sie sich über Sturmleitern nach oben wagen, zwischen ihnen Markus' Bogenschützen mit Brustpanzern aus gehärtetem Leder oder kurzen Kettenhemden, und dahinter mit Armbrüsten oder Spießen bewaffnete Stadtbürger. Armbrustbolzen konnten im Gegensatz zu Pfeilen auch ohne lange Übung abgeschossen werden.

Rasch stieg Ulrich auf den nördlichen Wehrturm, um sich von dort aus einen Überblick zu verschaffen.

Adolf hatte keine Zeit verloren.

Während Ulrich noch mit den Ratsherren diskutierte, ob sie kapitulieren sollten oder nicht, war der König mit seinem Heer zurückgekehrt und hatte die ganze Stadt umzingelt. Auch wenn die Gegner noch nicht direkt vor den Mauern standen, sondern etwa zweihundert Schritt hinter den Wällen und den

Schutzteichen – keine Maus würde mehr durchkommen. Aus allen Richtungen flogen brennende Kugeln mit feurigen Schweifen in die Stadt.

»Sollen wir zurückschießen?«, fragte Markus, der mit entschlossener Miene an Ulrichs Seite trat.

»Nein«, befahl dieser grimmig. »Wir warten. Sie stehen noch außer Reichweite der Bogen und Armbrüste. Die Schützen sollen sich Pfeile und Bolzen für später aufheben, wenn die Angreifer näher sind.«

Aber vorerst rückte niemand gegen die Mauern vor, den sie mit gezielten Schüssen außer Gefecht setzen konnten. Adolfs Streitmacht beschränkte sich darauf, aus sicherer Entfernung Steine und Feuer auf die widersetzliche Silberstadt zu schleudern.

Der nächtliche Angriff sollte die Einwohner zermürben. Im Dunkeln wirkten die flammenden Geschosse noch unheimlicher als bei Tageslicht, erhellten die an vielen Stellen entstandenen Brandherde die eiskalte Nacht, während die aus dem Schlaf gerissenen Bürger erschöpft und verängstigt die Feuer einzudämmen versuchten.

Wie lange würde es dauern, bis die wohlgenährten Freiberger demoralisiert waren und sich in der Hoffnung auf Milde ergaben?

Ulrich fragte sich auch, wie das feindliche Heer so schnell die Wurfmaschinen hatte zusammenbauen können. Wahrscheinlich waren alle geeigneten Männer sofort dafür eingesetzt worden, statt zuerst ein Lager zu errichten. Der König hatte es offensichtlich sehr eilig. Entweder fürchtete er einen erneuten Einsturz in dem ihm unbekannten Bergbaurevier, oder er glaubte, er brauche gar kein richtiges Lager, weil er morgen schon in die Stadt einziehen würde.

Ein gewaltiger Aufprall erschütterte den Abschnitt der Mauer, auf dem sie standen. Trotz des Kampflärms hörten sie einen Schauer Steine nach unten prasseln.

Was für eine Wurfkraft!, dachte Ulrich besorgt. Hoffentlich hält die Mauer stand.

Ohne sich etwas von seiner Besorgnis ansehen zu lassen, drehte er sich zu Markus um. »Es lässt uns vor dem Femegericht besser aussehen, wenn wir nicht auf sie schießen. Vorerst.« Dem jungen Hauptmann musste klar sein, dass sie alle beide als Verräter hingerichtet würden, weil sie sich mit Waffengewalt dem König widersetzten, sollten sie gefangen genommen werden.

Wieder schlug ein Geschoss krachend gegen die Burgmauer und ließ sie erzittern. Selbst die Männer auf dem Turm spürten das Beben.

»Aber wenn sie mit Rammen und Sturmleitern kommen, schlagt sie zurück!«, brüllte Ulrich.

Er hatte die Worte kaum ausgesprochen, da ging eine Flammenkugel laut zischend und polternd auf das Dach der Stallungen nieder und rollte hinab auf den Hof. Statt im niedergetrampelten Schnee zu erlöschen, züngelten einige Flammen an einem der Stallpfosten hoch. Pferde wieherten angstvoll.

»Bringt die Pferde zur Ruhe«, wies Markus zwei seiner Männer an, die sofort losliefen.

Einmal mehr war Ulrich zufrieden über die Umsicht und Entschlossenheit des Hauptmannes. Die Brandgeschosse konnten ihnen auf der Burg vorerst nicht viel antun, sämtliche Dächer der hier errichteten Gebäude waren mit Bleiplatten gedeckt. Aber ein paar Dutzend aus Furcht vor Lärm und Feuer durchgehende Pferde würden gewaltige Verwirrung stiften.

Rechts von ihnen krachte es erneut, er hörte mehrere Männer vor Schmerz brüllen. Ulrich unterdrückte den Impuls, dorthin zu laufen, um den Verwundeten zu helfen. Es waren genug Kämpfer da, um sie zum Feldscher zu tragen und ihre Plätze einzunehmen. Er musste jetzt hierbleiben und das Kommando geben, wann seine Männer zurückschießen sollten.

Es geht beunruhigend schnell, bis die Triboks wieder einsatzbereit sind, dachte Ulrich.

Markus schien den gleichen Gedanken zu haben. »Ich könnte ein paar meiner Männer nehmen und diejenigen ausschalten, die oben die Seilrollen einhängen«, bot er an. »Das sind leichte Ziele. Wir lassen uns im Schutz der Dunkelheit mit Seilen die Mauer hinab und schleichen bis an die Wehrteiche. Ihr müsst nur dafür sorgen, dass wir danach wieder hochgezogen werden.«

Verblüfft starrte Ulrich auf den jungen Mann. Das war tollkühn! Doch die Gefahr war zu groß, dass keiner von ihnen lebend zurückkam.

»Ich brauche dich hier dringender«, sagte er nach kurzem Zögern und legte seine Hand auf die Schulter des Hauptmanns.

Überall in der Stadt sahen sie nun Feuer auf Dächern und in Gassen. Im lodernden Schein der Flammen versuchten die Menschen, zu löschen, zu bergen, zu retten, was ihnen von ihrer Habe geblieben war.

Ein Steinbrocken von gewaltiger Größe schlug laut krachend in die Einfassung des Brunnens auf dem Burghof. Die Umrandung zerbarst, die Trümmer polterten hinab in den Brunnenschacht.

Ulrich zwang sich, Ruhe zu bewahren. Den Brunnen, das wusste er, hatten Bergleute abgeteuft, wie sie es nannten, wenn sie einen Schacht in die Erde trieben. Er reichte tief in den Bergsporn hinein, auf dem die Burg stand. Sollte er verschüttet sein, würden ihn Meister Friedemars Leute instand setzen. Hauptsache, jetzt fing nichts an zu brennen.

Als hätte der Teufel seine Gedanken gelesen, krachte der nächste Feuerball auf das Dach der Zainegießerei, wo tagsüber die Silberstreifen gegossen wurden, aus denen in der markgräflichen Münze Pfennige entstanden. Die flammende Kugel zersprang beim Aufprall in mehrere Stücke, das größte wurde gegen das hölzerne Tor der Rüstkammer geschleudert. Wieder rannten ein paar Männer dorthin, um zu verhindern, dass das ausgetrocknete Gebälk Feuer fing.

Das nächste Steingeschoss fuhr genau in diese Gruppe hinein. Drei Männer blieben reglos liegen, die anderen duckten sich oder rannten weg, um gleich wieder zurückzukehren und die Flammen auszutreten.

Wir haben die ersten Toten, dachte Ulrich beklommen. Gott sei ihrer Seelen gnädig! Wie viele wird es heute Nacht wohl noch in der Stadt geben?

Er sah zwei Frauengestalten geduckt über den Burghof hasten, hin zu den Getroffenen, und dann die reglosen Körper in das Gebäude zerren, wo normalerweise die Pfennige geprägt wurden. Trotz der Dunkelheit glaubte er, die Gauklerin zu erkennen, die in der Nacht zuvor vom Anrücken des Heeres berichtet hatte. Dann musste die schmale Gestalt mit dem Kopftuch an ihrer Seite wohl die Tochter des Apothekers sein. Oder dessen Mündel, korrigierte er sich, erstaunt darüber, dass sich die zwei in dieser Situation hinauswagten, um die Männer zu bergen, von denen niemand wissen konnte, ob sie noch lebten.

Der Feldscher kam aus dem Haus, fuchtelte mit einem Arm herum, um auf sich aufmerksam zu machen, und rief etwas über den Hof. Noch mehr Verletzte wurden ins Prägehaus getragen.

Und das, dachte Ulrich bitter, ist erst der Anfang.

Erst als der Morgen graute, wurde der Beschuss eingestellt.

Die Männer auf dem Wehrturm sahen einander an. Was plante der König als Nächstes?

»Jemand soll sie im Auge behalten und mir sofort Bescheid geben, wenn sich etwas regt«, wies Ulrich von Maltitz den Hauptmann an. Markus, müde und mit eingefallenem Gesicht wie alle anderen, aber immer noch voll grimmiger Entschlossenheit, nickte zum Zeichen, dass er verstanden hatte.

Ulrich warf einen letzten Blick auf die Stadt, die nicht zur

Ruhe kam. Es brannte zwar nirgendwo mehr lichterloh, doch von mehreren Stellen stiegen weiße Rauchsäulen auf. In den Reihen der eng aneinanderliegenden Dächer klafften Lücken. Mindestens drei Dutzend Häuser hatten nur noch verkohlte oder eingerissene Balken statt Schindeln oder Stroh. Überall sah er Menschen als dunkle Punkte durch die verschneiten Gassen hetzen.

Er gab Befehl, dass die Hälfte der Bewaffneten ihren Posten verlassen sollte, um sich zu essen und zu trinken geben zu lassen und – falls möglich – zu schlafen; Markus, Reinhard und Niklas von Haubitz mit seinen Männern zuerst, denn die hatten bereits die zweite schlaflose Nacht hinter sich.

Unten kam ihm Hildegard, die Witwe des früheren Burgvogts, entgegen. Wortlos reichte sie ihm einen Krug Bier als Erfrischung. Trotz der Kälte war er wie ausgedörrt und trank.

»Schickt die Männer zum Essen in die Halle. Ich hab die Mägde Hirsebrei kochen lassen. Schlafen konnte sowieso keiner angesichts dieser Teufelei«, sagte sie und bekreuzigte sich hastig.

Beeindruckt von ihrer Tüchtigkeit, sah er sie genauer an. Bisher hatte er nur ihre Trauer wahrgenommen, doch nun erkannte er, dass sie durchaus gewohnt und fähig war, das Burggesinde auch in Notzeiten anzuleiten.

»Habt Dank für Eure Tüchtigkeit«, sagte er anerkennend.

Sie zuckte nur mit den Schultern. »Jeder tut, was er muss«, antwortete sie, nahm ihm den leeren Krug ab und ging zur Halle.

Der Burghof war voller Steinsplitter, eine halbe Wand des Backhauses eingestürzt und – was wirklich übel war – die Schmiede zertrümmert. Gotteslästerlich fluchend, klaubte der Schmied zusammen, was von seinem Werkzeug noch zu retten war. Ulrich befahl einem halben Dutzend Männer, ihm zu helfen und dafür zu sorgen, dass er so schnell wie möglich seine

Arbeit wiederaufnehmen konnte. Waffen mussten geschärft und Schäden an den Rüstungen ausgebessert werden.

Dafür sah er erleichtert, dass der Brunnen nach wie vor zu funktionieren schien. Eine Magd zog gerade den zweiten Eimer Wasser hoch. Um sicherzugehen, warf er einen Blick in den Schacht und erblickte als dunkel glänzendes Rund den Wasserspiegel.

Dann lenkte er seine Schritte zum Prägehaus, dem notdürftig eingerichteten Lazarett für die Burgbesatzung, weil in der Halle kein Platz mehr dafür war.

Die beiden Frauen, die er dem Feldscher als Hilfe zugeteilt hatte, schienen ihn gar nicht zu bemerken. Eine von ihnen, die Kräuterkundige, drückte einem Verwundeten ein streng riechendes Tuch über Nase und Mund – wahrscheinlich mit irgendeinem Betäubungsmittel getränkt, während die Gauklerin auf seinem Brustkorb kniete, um ihn festzuhalten. Das war auch bitter nötig, denn der Mann schrie markdurchdringend und bäumte sich auf, während der Feldscher ihm den hoffnungslos zermalmten rechten Arm abtrennte. Mit geübten Griffen schnitt er rasch das Fleisch mit einem scharfen Messer herunter, dann setzte er die Knochensäge an.

Plötzlich verstummten die Schreie.

Ulrich trat näher. »Ist er tot?«

Vorsichtig legte die kleine Apothekerin die Finger an den Hals des Schwerverwundeten. »Nein, nur ohnmächtig. Das ist wohl das Beste für ihn.«

Darin gab Ulrich ihr recht, denn gerade griff der Feldscher nach einem rotglühenden Kautermesser und versuchte, den Blutfluss durch Ausbrennen zum Versiegen zu bringen.

Als er fertig war, kletterte Sibylla von dem Körper herab.

Jetzt erst besannen sich die zwei Frauen, wer vor ihnen stand, und knieten nieder. Ulrich sah ihre erschöpften Gesichter, die blutverschmierten Kleider und Hände, das Grauen in ihren Augen.

Er gebot ihnen aufzustehen.

»Zwei tüchtige Weibsbilder, die Ihr mir geschickt habt«, meldete sich der Feldscher zu Wort. »Jammern nicht, fallen nicht in Ohnmacht, sondern packen mit an. Und die da« – er deutete auf Änne – »kennt sich nicht nur mit Kräutern aus. Wenn Ihr mal Bedarf haben solltet, würde sie Euch, ohne mit der Wimper zu zucken, eine Hand oder ein Bein amputieren und die Hautlappen so fein säuberlich zusammennähen, als bestickte sie ein Altartuch.«

Galgenhumor, erkannte Ulrich, aber ehrliches Lob.

»Wie viele Tote und Verletzte?«

Der Feldscher wies mit dem Kinn zur Linken, wo mehrere reglose Körper nebeneinanderlagen. Eine mitfühlende Seele hatte ihnen die Hände über der Brust gefaltet. Allen bis auf einem, dem eine Hand fehlte. Doch nicht an der Amputation schien er gestorben; sein Kopf war blutüberströmt.

»Drei Tote, Gott erbarme sich ihrer Seelen«, gab der Feldscher mit rauher Stimme Auskunft. »Dazu der hier« – er deutete auf den Mann, dessen Arm er gerade abgenommen hatte, wobei sich Ulrich zwang, nicht zu dem blutigen Klumpen Fleisch auf dem Erdboden zu sehen –, »ein paar Leichtverletzte, die schon wieder auf ihren Posten sind, und diese beiden.«

Nun erst sah Ulrich in dem Halbdunkel zwei Männer an der Wand lehnen, der eine die Brust, der andere einen Arm mit einem Verband umwickelt, durch den schon wieder Blut sickerte.

»Wie geht es euch?«, fragte er.

»Denen fehlt bloß ein kräftiger Schluck Bier und ein Tritt in den Hintern, dann sind sie wieder einsatzbereit«, brummte der Feldscher hinter ihm.

Beide Verletzte versuchten, sich hochzustemmen, als sie sich solchermaßen vor dem Burgkommandanten bloßgestellt fühlten.

»Bleibt sitzen«, bedeutete Ulrich ihnen. »Ich lasse euch etwas zu essen bringen. Und euch auch«, meinte er dann, zum Feldscher und seinen beiden Gehilfinnen gewandt. »Gute Arbeit.«

Ulrichs Knappe kam ins Prägehaus gestürzt. »Der König hat einen Reiter zum Erlwinschen Tor geschickt. Sie wollen verhandeln.«

Dann lasst mal hören, was er uns anzubieten hat, dachte Ulrich grimmig und stapfte hinaus, um sich von Roland seinen Fuchshengst satteln zu lassen.

Jemand hatte den Bürgermeister holen lassen, der kurz nach Ulrich das Erlwinsche Tor erreichte. Nach und nach kamen auch die Ratsherren herbei, manche hastig, andere bemüht, trotz aller Besorgnis und Furcht noch einen Rest Würde auszustrahlen.

»Das war ein Vorgeschmack!«, schrie ein stämmiger, aufgedunsen wirkender Ritter mit üppig verziertem Wappenrock in den Farben des Königs, wahrscheinlich sein neuer Marschall. Fünf Ritter in kaum schlichter gehaltenen Kleidern begleiteten ihn. »Ein Vorgeschmack darauf, was euch erwartet, wenn ihr euerm König den Gehorsam verweigert.«

»Die Demonstration war eindeutig. Nach dieser Nacht weiß auch der Letzte, was wir von diesem König zu erwarten haben«, rief Ulrich von den Zinnen herab.

Dieses Tor war als einziges von den fünf Stadttoren nicht zugemauert, sondern mit dicken Balken gesichert. Er hätte durch die schmale Ausfallpforte hinausgehen können, die vergleichsweise leicht zu räumen war, um mit dem Marschall des Königs zu sprechen, doch er wäre nicht zu Pferd durch die kleine Pforte gekommen. Und er dachte nicht im Traum daran, zu Fuß mit jemandem zu verhandeln, der zu Pferde saß – in solch eine demütigende Position wollte er sich nicht begeben. Also standen sie hier und schrien sich gegenseitig an.

»Der König bietet Freiberg Reichsfreiheit an, wenn es kapituliert«, verkündete der Marschall lautstark. »Die Stadt ist dann nur noch ihm unterstellt. Widersetzt ihr euch, wird Freiberg niedergebrannt. Und für jeden Tag, den ihr zögert, verlangt er hundert Mark Silber als Buße. Ihr habt so lange Bedenkzeit, wie ich brauche, um einmal um die Stadt zu reiten und eure lädierten Mauern in Augenschein zu nehmen.«

Der Marschall lachte. »Dabei suchen wir die Stelle aus, an der wir durchbrechen. Dann gnade euch Gott!«

Er stieß die Faust drohend in die Luft, lachte erneut und wendete sein Pferd. »Überlegt gut. Und schnell. Ich bin bald zurück!«, rief er noch, ehe er seinem Hengst die Sporen gab und davonritt, gefolgt von seinen Begleitern.

Ulrich von Maltitz drehte sich zum Bürgermeister um, der von fünf Ratsherren umgeben war.

»Uns bleibt keine Zeit, das in aller Ruhe im Rat zu erörtern. Wie groß sind die Schäden?«

»Die Mauer hält stand, auch an den Toren. Ausreichend Männer sind schon dabei, die Schäden auszubessern und das Mauerwerk zu verstärken, wo es beschädigt ist«, berichtete der Silberschmied. »Halten Eure Männer stand?«

»Ja«, erklärte Ulrich, ruhig und fest. »Tausend Bewaffnete – Ritter, Wachen, Reisige und Stadtbürger – sind die ganze Mauer entlang verteilt, um die Angreifer in Empfang zu nehmen. Noch einmal dreihundert sichern die Burg als letzte Zuflucht außer den Kirchen, sollte die Mauer brechen.«

»Sie wird nicht brechen«, versicherte Nikol Weighart. »Dafür steht die Bürgerschaft.« Er sah nacheinander zu den fünf Ratsherren neben sich, die zustimmend nickten.

»Und Ihr wollt nicht über das Angebot des Königs nachdenken?«, vergewisserte sich Ulrich.

»Wir haben heute Nacht gesehen, wie sehr wir dem Wort des Königs trauen können«, erklärte Nikol bitter. »Solange wir noch hoffen können, dass der Markgraf und sein Bruder unserer Stadt zu Hilfe kommen, vertrauen wir lieber ihm.«

»Ich will Euch nicht belügen. Wir sollten nicht zu sehr darauf hoffen, dass sich Diezmann an die Seite seines Bruders und damit gegen den König stellt«, erklärte Ulrich unumwunden.

Der Bürgermeister wirkte wenig überrascht von diesem Eingeständnis. »Ich weiß. Und selbst falls Fürst Diezmann Truppen schickt, wird es Tage oder gar Wochen dauern, bis sie hier sind. Aber ohne Erlaubnis des Markgrafen darf ich dem König die Stadt nicht übergeben.«

Niemand von den Ratsherren widersprach.

»Dann mit Gott!«

»Ja. Gott schütze und segne Euch und Eure Männer.«

Schweigen senkte sich über die Runde. Unwillkürlich hielt jeder Ausschau, wann der Beauftragte des Königs wieder in Sichtweite kam.

Ulrich wandte sich dem hageren, schwarzgekleideten Apotheker zu. »Meister Jenzin, auf ein Wort!«

Der so Angesprochene fuhr wie ertappt zusammen.

Entweder er fürchtet, ich beschwere mich über das Mädchen, oder – und das scheint mir wahrscheinlicher – er argwöhnt, ich fordere einen weiteren Gefallen von ihm, dachte Ulrich.

»Euer Mündel ist uns eine große Hilfe auf der Burg. Könnt Ihr uns und dem Stadtphysicus Nachschub an Arzneien zukommen lassen?«

Angesichts von Jenzins Zögern fügte er hinzu: »Ihr werdet selbstverständlich dafür bezahlt. Nicht wahr, Meister Nikol?«

Der Bürgermeister nickte zustimmend. Sie waren in einer Notlage, und die Verwundeten mussten versorgt werden, da feilschte man nicht um Geld.

»Ich schicke Euch jemanden, der Bescheid gibt, was wir benötigen.«

»Selbstverständlich«, bequemte sich Jenzin endlich zu einer Antwort. Er wirkte unentschlossen, fast furchtsam. Ulrich spürte, wie seine Verachtung für den Salbenkocher wuchs.

»Da!« Dittrich Beschorne, der Rechtsgelehrte, zeigte auf die sechs dunklen Punkte, die sich von Norden her rasch näherten.

»Ich denke, wir können darauf verzichten, uns noch einmal von diesem Mann verhöhnen zu lassen«, erklärte der Bürgermeister, machte demonstrativ kehrt und stieg die schmale Steintreppe hinab.

Das ist mutig, dachte Ulrich beeindruckt und folgte ihm.

Doch hinter sich hörte er eine Stimme wispern: »Ob das klug war? Wir hätten um mehr Zeit verhandeln müssen.«

»Die wäre uns nicht gewährt worden«, entgegnete Dittrich Beschorne laut von hinten. »Ihr habt ihn gehört! Und so schnell bekommen wir den Rat nicht zusammen.«

Der Beauftragte des Königs schien rasch zu begreifen, dass keine Antwort auch eine Antwort war.

»Das werdet ihr bald bitter bereuen!«, brüllte er hinter den dicken Mauern, als er niemanden mehr sehen konnte; nur noch die Verteidiger, die mit Schwertern und Bögen zwischen den Zinnen standen. »Auf Knien werdet ihr um Gnade flehen!«

Ulrich sah hinüber zu Nikol Weighart, der keine Miene verzog. Sie wussten beide, dass die Drohung nur zu schnell wahr werden konnte. Selbst wenn die Männer standhielten, die Mauern standhielten – die meisten Städte wurden nicht durch eine lange Belagerung oder mit Wurfmaschinen eingenommen, sondern durch Verrat. Und davor gab es keinen Schutz.

Der Kommandant ritt nicht gleich zurück zur Burg, sondern lenkte seinen Hengst kurz vor dem Tor nach rechts, zur Marienkirche im Burglehen, der größten und prächtigsten Kirche der Stadt. Schon von weitem sah er, dass das prachtvolle, weithin berühmte goldene Portal von St. Marien durch den nächtlichen Angriff Schaden genommen hatte. Etliche der vergoldeten Säulen und farbenprächtigen Figuren im Gewände waren von Ruß geschwärzt. Ein alter Kirchendiener, dem Tränen in den Augen standen, mühte sich, die schwarzen Schlieren mit einem Lappen abzuwischen.

Drinnen fand Ulrich Conrad Marsilius übernächtigt und vor sich hin schimpfend vor. Angesichts des Burgkommandanten unterbrach der Arzt seinen mürrischen Monolog.

»Ein Dutzend Tote; wir haben sie nach hinten geschafft«, berichtete er. »Und noch einmal so viele, von denen ich nicht weiß, ob sie durchkommen.«

»Was braucht Ihr an Hilfe, Meister Stadtphysicus?«, fragte er.

»Leute? Arzneien? Ich will dem Ratsherrn Jenzin eine Liste schicken.«

»Der weiß selbst, was ich hier brauche«, knurrte der Arzt. »Und Helfer? Die ich hatte, sind entweder vor Angst fortgerannt, als sie das Blut sahen, oder haben mit ihren zitternden Händen mehr Schaden angerichtet als gutgemacht. Von der Sorte brauche ich keine mehr, besten Dank! Jemand soll bei den Franziskanern und den Predigenden Brüdern nachfragen, ob die Mönche mir Verstärkung schicken können. Und bei den Büßerinnen im Magdalenenkloster!«

Mit einer wegwerfenden Geste ließ sich der Arzt auf ein Strohbündel sinken; wer weiß, woher er das haben mochte. Er rieb sich müde über das bärtige Gesicht. »Das ist erst der Anfang, nicht wahr? Aber wenn das der Anfang ist, will ich nicht darüber nachdenken, wie das Ende aussehen wird.«

GESTÄNDNISSE

*E*rschöpft lehnte sich Änne an die Wand. Am liebsten wäre sie einfach an Ort und Stelle niedergesunken, um zu schlafen. Doch sie wusste nicht, ob sie hier bleiben sollte – oder, besser gesagt, bleiben durfte. Denn sie würde gern bleiben, auch wenn grauenvoll war, was sie diese Nacht erlebt hatte und alles hatte tun müssen.

Sonst sammelte sie Kräuter und kochte Sude, statt ins Fleisch zu schneiden, was ihr unter normalen Umständen gar nicht zustand. Und sie bekam zwar Schläge, doch sie wurde nicht mit tödlichen Steinsalven und Feuer beschossen. Aber so schrecklich es auch war, die Wunden zu sehen, das viele Blut, die Schmerzensschreie der Männer zu hören – sie hatte heute Nacht etwas bewirkt und Leben gerettet. Dafür war sie sogar gelobt worden; zum ersten Mal überhaupt, seit sie zurückdenken konnte.

Wie aufs Stichwort kam der Burgkommandant erneut auf das Prägehaus zu. Obwohl auch er diese Nacht keinen Schlaf gefunden haben konnte, ließ er sich seine Müdigkeit nicht anmerken. Seine Haltung war straff, sein Gesicht ernst wie immer. Diesmal richtete er sein Wort direkt an Änne, nachdem er sie kurz gemustert hatte.

»Geh nach Hause, zieh dir ein sauberes Kleid an, und dann bring uns die Arzneien, die dein Vormund bereitgelegt hat. Ich habe das vorhin mit ihm abgesprochen.«

Änne stockte für einen Augenblick der Atem. Beschämt senkte sie den Kopf. Sie rieb ihre blutverkrusteten Hände, als könnte sie die Finger dadurch sauber bekommen, und betrachtete verstohlen ihr restlos verdorbenes Kleid. Es war nicht nur mit Blut und Ruß verschmiert, sondern nun fehlte auch noch ein Ärmel, den sie abgerissen hatte, als gerade kein Verbandszeug zur Hand war. Jetzt sah man von ihrer Haut viel mehr, als sich gehörte, denn das Unterkleid saß so knapp, dass sie kaum mehr hineinpasste und die Unterarme nur noch zur Hälfte von Stoff bedeckt waren. Wie würde erst die Meisterin schelten!

Beklommen versuchte sie, mit einer Hand die bloße Haut zu verbergen.

»Ist etwas?«, fragte Ulrich ungeduldig, als sie weder antwortete noch loslief.

»Sie wird wohl kein zweites Kleid haben«, antwortete Sibylla an ihrer Stelle.

Änne wäre am liebsten vor Scham im Boden versunken.

»Stimmt das?«, fragte Ulrich streng, der noch bestens die mit Eichhörnchenfell verbrämten kostbaren Gewänder des Apothekers vor Augen hatte. Doch wenn er bei Licht besah, in welche unscheinbaren Fetzen Jenzin sein Mündel gehüllt hatte, dann mochte die Wahrsagerin wohl recht haben.

»Ich bin es nicht wert«, flüsterte Änne tonlos, was sie Tag für Tag in ihrem freudlosen Heim vorgehalten bekam.

»Hört nicht auf sie, Herr«, mischte sich Sibylla erneut ein und strich sich die Locken zurück. »Ihr Vormund ist ein garstiger Mensch und bleut ihr solchen Unsinn ein. Das tut er, damit sie nicht auf die Idee kommt, davonzulaufen und anderswo ihr Glück zu versuchen mit dem, was sie kann. Dann müsste er nämlich die ganze Arbeit selbst verrichten, der feine Herr Apotheker.«

Interessiert sah Ulrich zu Sibylla. Solche Töne von einer Frau?

»Geht beide und wascht euch das Blut ab. Lasst euch saubere Kleider von der Witwe des Burgvogtes geben. Dann gehst du« – er richtete seinen strengen Blick auf Änne – »und holst alles an Medizin, was wir brauchen. Bring die Hälfte gleich zu Meister Marsilius nach St. Marien. Und du« – damit wandte er sich an Sibylla – »meldest dich in meiner Kammer, wenn du umgekleidet bist.«

Sibylla fuhr zusammen, als sie diese Worte hörte, was Ulrich nicht entging.

Was wollte der Burgkommandant von ihr?

Sie hoffte, es war nicht das, wonach es klang, denn eigentlich beeindruckte der dunkelhaarige Ritter sie, so entschlossen, wie er dem König und dessen Heer trotzte.

Doch am Ende war er auch nur ein Kerl. Vielleicht sollte sie lieber nicht hoffen, dass er besser war als die anderen, anders als diejenigen, die vor zwei Nächten über sie hergefallen waren.

Während Ulrich mit großen Schritten hinauslief, nahm sie heimlich das scharfe Messer an sich, mit dem der Feldscher dem Verletzten den Arm abgetrennt hatte.

Begeistert starrte Jenzins Großknecht Wilhelm auf Änne und das Kleid, das sie auf der Burg erhalten hatte. Es war zwar nicht neu und auch nur aus schlichtem waidblauem Leinen, doch längst nicht so abgetragen wie alles, was sie bisher im Haus ihres Vormunds bekommen hatte.

Dann zog er sie weg von der Tür, hinter der sie Jenzin und dessen Frau Beata wusste. »Warte lieber noch einen Augenblick. Sie streiten schon die ganze Zeit.«

»Du bist verletzt«, flüsterte sie und deutete auf die übel aussehenden Brandwunden an seinen Händen. »Wie ist das passiert? Warte, ich verbinde sie dir.«

»Hab dem Gürtler geholfen, als sein Dach in Flammen stand.«

Änne hatte schon gesehen, dass auch das Haus ihres Nachbarn, eines Gürtlermeisters mit sechs Kindern, bis auf das Erdgeschoss niedergebrannt oder niedergerissen war. Wo mochte er inzwischen mit seiner Familie, dem Lehrjungen und dem Gesinde untergekommen sein?

Plötzlich wurde die Tür von innen aufgerissen. »Lauscher! Hab ich es mir doch gedacht!«, schrie Jenzins kleine, rundliche Frau mit ihrer schrillen Stimme.

Sie bedachte den Großknecht mit einem boshaften Blick aus den Augen, die tief ins Gesicht eingesunken waren, dann zerrte sie Änne in die Kammer.

»Seht euch doch einmal die hier an, herausgeputzt wie eine feine Dame!«, keifte sie und schubste Änne in die Mitte des Raumes. »Hast es dir wohl mit Hurendiensten verdient heute Nacht auf der Burg, während wir hier um unser Leben zitterten?«

Änne schluckte und schwieg, wie immer, wenn sie in diesem

Haus beschimpft wurde. Man würde sie weder anhören noch ihr glauben, sondern sie nur erneut verprügeln, wenn sie widersprach. Auf einmal schmerzten die verkrusteten Striemen auf ihrer Haut wieder furchtbar.

»Ich sehe nicht ein, dass die ganze Burgbesatzung sie haben kann, aber ich nicht«, maulte Jenzins Neffe Hans, der Geselle. Obwohl ihm sein Onkel verboten hatte, dem Mündel nachzustellen – »Zieh nicht noch einen Fluch auf *unser* Geschlecht!«, hatte ihn Jenzin ermahnt –, versuchte er nur zu gern, nach Ännes Brüsten zu greifen oder mit seiner Hand unter ihren Rock zu fahren, wenn er sich unbeobachtet glaubte. Bisher verdankte sie es einer großen Portion Glück und dem Eingreifen des wachsamen Großknechtes, dass er sein Ziel noch nicht erreicht hatte. Jede Nacht stellte sie Tiegel und Mörser an der Tür zur Offizin auf, damit sie sofort hörte, wenn sich jemand hereinschleichen wollte. Doch sie wusste, lange würde sie ihm nicht mehr entkommen. Ihm oder einem von Jenzins einflussreichen Kunden, denen sie gehorchen sollte.

Sie fand sie alle gleichermaßen widerwärtig – sowohl den Kramermeister als auch den liederlichen Gesellen, der sich lieber im Hurenhaus und bei Tanz und Wein die Zeit vertrieb, statt den Beruf seines Oheims zu erlernen. Das hatte ihm den Spottnamen Hans Lobetanz eingetragen. Doch in diesem Haus durfte der Spitzname nicht einmal hinter vorgehaltener Hand genannt werden, wollte man nicht den Zorn des Apothekerpaares auf sich ziehen.

»Schweig, wir haben jetzt andere Sorgen als deine Hurerei!«, fauchte die dicke Meisterin ihren schlaksigen Neffen an. Dann wandte sie sich wieder Änne zu.

»Was hast du gehört, Lauscherin?«, schnappte sie.

»Nichts«, beteuerte Änne ängstlich und hoffte, dass man ihr glauben würde. »Ich bin gerade erst gekommen. Der Burgkommandant schickt mich, ich soll Arzneien holen. Er sagt, er habe es so mit Euch vereinbart, Meister.«

»Oh, der *Burgkommandant*«, äffte Beata sie nach. »Verkehrst jetzt wohl nur noch mit hohen Herrschaften und nicht mit einfachen Bürgersleuten wie uns. Hat *er* dich so herausgeputzt – der Herr Burgkommandant?«

Ohne eine Antwort abzuwarten, drehte sich Beata zu ihrem Mann um. »Und wird er dich bezahlen für all die kostbaren Arzneien, der *Herr Burgkommandant!?*«

»Das wird er«, versicherte Jenzin mit selbstgefälliger Miene. Dann fuhr er Änne an: »Hol, was er will, und dann verschwinde! Und denk ja nicht, dass wir dich nutzloses Balg weiter durchfüttern, während du dich auf der Burg herumtreibst! Verdien dir dort dein Brot auf die Art, die du am besten verstehst!«

Zu seinem Neffen gewandt, fauchte er: »Und du gehst mit ihr in die Offizin und schreibst alles genau auf, was sie mitnimmt!«

»Aber gern, Oheim«, meinte Hans Lobetanz mit abgründigem Lächeln, stand aufreizend langsam auf und folgte Änne.

Beklommen stand Sibylla vor dem Burgkommandanten. Würde sie jetzt bezahlen müssen für die Rettung und das neue Kleid?

Ulrich musterte sie kurz, legte sich eine Hand in den Nacken und rieb sich über die verspannten Halsmuskeln. Er musste dringend ein wenig schlafen vor dem nächsten Angriff. Diese Nacht würden sie wohl wieder keine Ruhe finden. Und diesmal würden die Söldner des Königs wahrscheinlich auch mit Leitern gegen die Mauern stürmen. Dann stand ihnen ein Kampf Mann gegen Mann bevor.

»Du kannst dich setzen«, sagte er zu Sibylla und deutete auf den Platz gegenüber. »Und das Messer aus dem Ärmel nehmen, ehe du dich selbst damit verletzt. Hier wird dir niemand etwas tun.«

Mit einer Mischung aus Verlegenheit und Trotz holte sie die Waffe hervor und legte sie neben sich.

Sie hatte ihn wohl unterschätzt. Er wusste, wo man Waffen verbarg – schließlich war er sein Leben lang für den Kampf ausgebildet worden. Und sie hatte ihn wohl auch unterschätzt, was seine Absichten betraf, worüber sie erleichtert war.

Sie hatten einen gemeinsamen Feind. Sibylla wollte Rache, Rache für ihre ermordeten Gefährten.

Ob wohl irgendwo ein Eheweib auf den Burgkommandanten wartete? Und wenn ja – ob diese Frau ihm etwas bedeutete?

»Wie gut bist du im Wahrsagen?«, unterbrach er ihre Gedanken.

Sie holte tief Luft. Was würde er hören wollen?

»Ich mag Euch nicht belügen«, sagte sie schließlich. »Ich kann weder aus den Sternen noch aus den Handlinien die Zukunft voraussehen. Ich beobachte die Menschen und sage, was sie hören wollen.«

»Das ist in etwa das, was ich erwartet habe«, erklärte er und rieb sich wieder die Nackenmuskeln, während er keinen Blick von ihr ließ. »Ich schätze deine Ehrlichkeit. Du sollst meine Männer nicht belügen, wenn sie von dir die Zukunft vorhergesagt wissen wollen. Aber mach ihnen Mut.«

»Das werde ich«, versprach sie sofort.

»Gut«, sagte er – und dann, nach einigem Zögern: »Du bist für ein Weib außergewöhnlich tapfer. Jede andere Frau, die ich kenne, wäre zerbrochen.«

Seit er Sibylla zum ersten Mal gesehen hatte, musste er an eine Begebenheit denken, die einige Jahre zurücklag. Die Nichte eines seiner Gefolgsleute war entführt und geschändet worden. Er selbst hatte dafür gesorgt, dass der Übeltäter gefasst und getötet wurde. Doch das Mädchen hatte das Erlebte nie verwinden können. Auch im Kloster, wo sie nach zähem Verhandeln und nur für eine großzügige Mitgift aufgenommen war, fand sie keinen Frieden, sondern dämmerte in zunehmend wirrem Geisteszustand vor sich hin.

»Was blieb mir denn für eine Wahl?«, fragte Sibylla und lachte bitter auf. »Ich konnte nur aufstehen und irgendwie weiterleben – oder liegen bleiben und verrecken wie krankes Vieh. Wir Fahrensleute sind zäh; unser Leben als unehrlich Geborene ist hart.«

Ulrich wandte den Blick für einen Moment von ihr ab, dann sagte er: »Geh und versuch, ein wenig zu schlafen. Der nächste Angriff kann jeden Augenblick beginnen.«

Sibylla jedoch zögerte.

»Vielleicht … weiß Änne etwas über die Zukunft«, meinte sie stockend. »Zu ihren Vorfahren gehört der Begründer Freibergs; sein Eheweib hatte der Legende nach das zweite Gesicht, ebenso viele der nachfolgenden Frauen aus dieser Linie, allesamt Heilerinnen. Fragt Jan danach, Herr, er weiß mehr darüber.«

Ulrich beschloss, diesen Rat zu ignorieren. Er hatte jetzt keine Zeit für Märchen und Legenden.

Mit bösem Lächeln ging Jenzins Neffe auf Änne zu, nachdem er die Tür zur Offizin hinter sich geschlossen hatte.

»Wir könnten schon alle heute Nacht sterben. Da wäre es doch wirklich eine Verschwendung, wenn ich dich nicht vorher gehabt hätte.«

Änne wich zurück, bis sie mit dem Rücken an die Bretter mit den Kräutervorräten stieß.

Hans folgte ihr gehässig grinsend nach. »Und solltest du noch Jungfrau sein, so, wie du dich anstellst, wäre es doch erst recht eine Verschwendung …«

»Bitte, junger Herr … lasst mich gehen!«

Ihn anzuflehen war alles, was Änne vermochte. Die Härte und abgrundtiefe Verachtung, mit der sie all die Jahre in diesem Haus behandelt worden war, hatten nie den Gedanken an Ungehorsam oder gar Widerstand in ihr aufkommen lassen. Daran konnten auch die Ereignisse der letzten Nacht nichts ändern.

Ungerührt ging Hans Lobetanz immer näher auf sie zu.

»Los, komm her. Und heb deinen Rock. Ich will sehen, ob du da schon Haare hast ...«

Sein boshaftes Lachen ließ sie vor Angst erstarren.

»Hast du nicht gehört?!«, sagte er, nun drohend.

Er nahm vom Tisch den größten Stößel aus dem Mörser und ließ ihn krachend auf die schwere Eichenplatte niedersausen.

Sie zuckte zusammen.

»Tu, was ich dir gesagt habe, oder ich zermalme dir damit jeden Finger einzeln!«

Änne wimmerte vor Angst, unfähig, sich zu rühren.

»Wird's bald!«

Wieder ließ der Apothekersohn das Pistill auf die Tischplatte krachen, so dass sie erneut heftig zusammenfuhr. Dann trat er zwei Schritte auf sie zu, umklammerte ihr Handgelenk und presste die schmale Hand auf den Tisch.

»Los!« Er blickte ihr auffordernd ins Gesicht und ließ den Stößel eine Elle über ihren gespreizten Fingern in der Luft schweben.

Schreckensstarr konnte sie den Blick nicht von dem Stück Messing losreißen, das gleich ihre Finger zerschmettern würde.

Das Knarren der Tür ließ sie beide herumfahren.

»Das würde der Meister, Euer Oheim, gar nicht gern sehen«, war Wilhelms tiefe Stimme zu hören. Der Großknecht ging mit ruhigen Schritten auf den Gesellen zu, nahm ihm das Pistill aus der Hand und legte es wieder in den Mörser, wo es hingehörte.

»Mein Oheim! Pah! Mein Oheim hat andere Sorgen«, fuhr Hans ihn an.

»Schreibt auf, was Änne mitnimmt, wie er es Euch befohlen hat, und dann geht zu Bett, junger Herr«, meinte der Knecht ganz ruhig. »Ich begleite sie bis zur Burg, damit sie sicher dorthin gelangt.«

Jetzt erst stieß Änne die Luft aus, die sie unwillkürlich angehalten hatte.

Sie hatte schon nicht mehr an Rettung geglaubt.

Mit zitternden Händen trug sie zusammen, was ihr nützlich schien: Kräuter und Tinkturen, um zu verhindern, dass sich Wunden entzündeten, und um denen die Schmerzen zu lindern, die die schlimmsten Wunden erleiden würden.

Als Hans unter Wilhelms strengen Blicken keinen Einspruch erhob, legte sie auch noch die schmale Flasche mit dem kostbaren Mohnsaft in den Korb.

»Danke!«, brachte Änne erleichtert hervor, als sie in Wilhelms Begleitung das Apothekerhaus verlassen hatte, um sich von ihm zur Burg begleiten zu lassen.

Draußen herrschte Eiseskälte. Überall waren die Spuren des nächtlichen Angriffs zu sehen: Trümmer, verkohlte Balken, Ruß. Dennoch fühlte sie sich auf einmal viel besser.

»Wenn wir das hier überleben, werde ich Meister Jenzin bitten, dass ich dich heiraten darf«, sagte Wilhelm. Grenzenlos verblüfft, verharrte sie für einen Schritt.

Sie wäre nie auf den Gedanken gekommen, dass er das vorhatte. Bis eben hatte sie in dem starken, bulligen Großknecht eher so etwas wie einen Vater und Beschützer gesehen. Doch er ließ ihr keine Gelegenheit für eine Entgegnung.

»Dann können sie dich nicht mehr ganz so schlecht behandeln. Und wenn der Bursche so etwas noch einmal wagen sollte, gehen wir einfach fort. Ich finde auch anderswo Anstellung.«

Änne erwiderte nichts vor Überraschung. Sie konnte sich beim besten Willen nicht vorstellen, mit Wilhelm verheiratet zu sein, auch wenn sie wusste, dass er ihr helfen wollte.

»Immer vorausgesetzt, wir überleben die Belagerung«, wiederholte der Großknecht, als würde er ihr Schweigen nicht bemerken. »Jenzin und sein Weib haben sich in der Nacht beinahe bepisst vor Angst.«

Ohne es zu wollen, musste Änne kichern.

»Na ja, es war ja auch ganz schön schlimm«, brummte der Knecht. »Der arme Gürtler …«

»Haben alle von seiner Familie überlebt?«, fragte das Mädchen besorgt.

»Ja, das schon. Aber sie konnten nicht im Haus bleiben. Der Meister wollte sie nicht aufnehmen, deshalb mussten sie im Kloster um Hilfe bitten.«

Wilhelm nahm ihren Arm, damit sie über die verkohlten Balken klettern konnte, die vor einem Haus den Weg durch die Burggasse versperrten. Eine Handvoll Zerlumpter sammelten Holzreste auf, um sich ein Feuer zum Wärmen machen zu können. Ein paar Schritte weiter waren zwei Männer damit beschäftigt, Löcher im Dach mit Brettern zuzunageln. Allem Anschein nach hatten sie dafür ein Bett auseinandergenommen.

»Die beiden planen irgendwelche Heimlichkeiten«, berichtete Wilhelm mit gesenkter Stimme, während sie sich dem Burgtor näherten. »… der Meister und seine Frau. Sie haben den ganzen Morgen gestritten. Die Meisterin hat ihn als Schwächling beschimpft. Der Bürgermeister habe kein Recht, allein zu entscheiden, ob sich die Stadt ergibt oder nicht. Der Meister soll nun den Kramer, den Weinhändler und noch ein paar Ratsherren dazu bringen, dass sich der Rat gegen Nikol auflehnt. Wenn die Stadt nicht sofort kapituliert, müsse Nikol Weighart mit Gewalt aus dem Amt gedrängt werden. Und der Meister solle gefälligst einen Fluchtweg aus der Stadt suchen.«

»Es gibt keinen«, meinte Änne verwundert. »Ich hab's von der Burg aus gesehen. Rund um die Stadt lagern die Männer des Königs. Da kommt keine Maus durch, heißt es.«

»Das wird sich zeigen«, brummte Wilhelm. »Ich verstehe nichts von Gesetzen. Aber eines weiß ich: Wenn der König jetzt schon die Stadt beschießen lässt, obwohl die Bedenkzeit noch gar nicht abgelaufen ist, dann will ich ihn lieber nicht hier wissen.«

Sie waren nun vor dem stark bewachten Burgtor angekommen. Vorsichtig spähte Änne, ob dort jemand stand, den sie kannte und der sie beobachtete, am Ende vielleicht sogar Jan. Aber der war bestimmt am Peterstor oder hatte sich ein Plätzchen zum Schlafen gesucht. Oder er sah anderen Mädchen hinterher; vielleicht Sibylla.

»Da wären wir. Gott schütze dich. Wenn das vorbei ist, heiraten wir. Abgemacht?«

Wilhelm sah sie erwartungsvoll an.

Bin ich jetzt verlobt?, fragte sich Änne. Sie konnte sich wirklich nicht vorstellen, die Frau des Großknechts zu werden, wenn das alles vorbei war. Aber was hatte sie zu verlieren? Wer weiß, ob sie überhaupt die nächste Nacht überlebte. Entweder sie würde sterben oder von Jenzin und seinem Neffen zuschanden gemacht.

Sie zuckte mit den Schultern und sah ehrliche Freude auf Wilhelms gutmütigem Gesicht.

DER ZWEITE ANGRIFF

*D*as feindliche Heer hatte die Stadt nun vollkommen umschlossen. Der hügeligen Landschaft folgend, lag es wie ein schwarzer Ring um Freiberg.

Der Tag war schon reichlich vorangeschritten, der Himmel verhangen, aber bis zur Dämmerung blieb noch ein wenig Zeit.

Vom Wehrturm aus schaute Ulrich von Maltitz hinab auf das feindliche Lager. Das Zelt des Königs – an seiner Größe, den Farben und dem Wappen zu erkennen – war direkt gegenüber der Burg errichtet, doch in zu großem Abstand, um von Pfeilen oder Armbrustbolzen getroffen zu werden.

»Er will uns herausfordern, der Bastard«, stieß Reinhard von Hersfeld zwischen den Zähnen vor, der gemeinsam mit Niklas von Haubitz neben ihm stand. Zu Reinhards engsten Freunden hatte der Falkensteiner gezählt; er würde Rache für dessen Tod in Altenburg wollen.

Ulrich hatte zwischendurch Gelegenheit zu etwas Schlaf gefunden und fühlte sich einigermaßen erfrischt.

Sämtliche Kämpfer waren in Gruppen eingeteilt, die einander ablösen sollten. Er rechnete fest damit, dass Adolf von Nassau die nächtlichen Angriffe fortsetzen würde, um die Bewohner und vor allem die Verteidiger der Stadt zu zermürben. Der König führte genug Männer mit sich, um immer nur einen Teil von ihnen in den Angriff zu schicken und die anderen Kraft sammeln zu lassen.

Aus dem Rat hatte er Nachricht erhalten, dass die Consuln immer noch stritten. Die einen waren entschlossen zu widerstehen, die anderen hofften in ihrer Gutgläubigkeit oder Einfalt, dass es nicht so schlimm werden würde.

Also bereitete er sich auf den Kampf vor.

Dass der Tag bisher ohne Angriff verstrichen war, blieb offensichtlich dem Umstand geschuldet, dass die Männer des Königs nun doch erst einmal Zelte, Koppeln und Kochstellen errichteten, wofür sie sich vor dem ersten Angriff keine Zeit genommen hatten.

Selbst aus dieser Entfernung sahen die drei Vertrauten von Markgraf Friedrich die Feinde geschäftig herumwirtschaften. Mittlerweile war eine ganze Zeltstadt im Schnee errichtet worden, über der farbige Wimpel und Banner mit den Wappen der vornehmsten Ritter flatterten. An etlichen Stellen brannten qualmend Lagerfeuer. Doch am meisten beunruhigte Ulrich die Zahl und Größe der Triboks, die zusätzlich zu den kleineren Belagerungsmaschinen aufgebaut wurden, mit denen die Stadt in der Nacht beschossen worden war. Fast alle waren bereits aus mitgebrachten Einzelteilen zusammengesetzt, an den ersten kletterten schon Männer die seitlich angebrachten Leitern hinauf, um die Seilzüge einzuhängen, mit denen der

Wurfarm gespannt wurde. Doch auch sie waren zu weit entfernt, als dass ein Bogenschütze sie treffen konnte, nicht einmal ein außerordentlich geübter.

Ulrich hatte genug gesehen.

»Ruf alle Kämpfer auf dem Burghof zusammen«, befahl er Markus. Dann sah sich Ulrich nach einem geeigneten Boten um, der dem Bürgermeister eine Nachricht überbringen sollte.

»Alle Männer, die die Stadt verteidigen, sollen sich beim Glockenläuten auf dem Oberen Markt versammeln.«

Gemeinsam mit seinen Begleitern stieg er hinab in den Burghof. Die meisten Steine und Splitter waren inzwischen beiseitegeräumt, der Schmied schon wieder bei der Arbeit, wenn auch unter freiem Himmel.

Rasch füllte sich der Burghof mit gerüsteten Männern.

Ulrich ließ seinen Blick über sie schweifen. Etliche kannte er, jung und voller Ungestüm, sich zu beweisen, andere kampferprobt und mit ruhiger Gelassenheit, so mancher auch voll grimmiger Wut über das ehrlose Verhalten des Nassauers.

Er sprang auf einen Gesteinsbrocken, der noch in der Nähe des beschädigten Brunnens lag und zu groß war, als dass ein Mann ihn allein hätte wegtragen können, zog sein Schwert und reckte es in die Höhe.

»Der nächste Angriff wird bald beginnen. Kämpft um das eigene Leben, um das Leben der Menschen in dieser Stadt, die euch vertrauen und deren ganze Hoffnung ihr seid, kämpft für das Recht! Für Gott, für euch. Für Markgraf Friedrich, den rechtmäßigen Herrscher der Mark Meißen!«

»Für Gott und Markgraf Friedrich!«

Aus mehr als dreihundert Kehlen drang dieser Ruf. Schwerter wurden in die Luft gestoßen oder rhythmisch gegen die Schilde geschlagen.

»Folgt mir!«, befahl Ulrich und stieg auf seinen Fuchshengst, den Roland schon gesattelt bereithielt.

Unter dem Läuten der Glocke der Marienkirche im Burglehen, der größten Kirche der Stadt, ritt er an der Spitze der Kämpfer zum Oberen Markt. Direkt hinter ihm folgten Niklas von Haubitz, Reinhard von Hersfeld und Markus.

Am Obermarkt angekommen, stellten sie sich gegenüber dem Rathaus auf, die Petrikirche hinter sich. Die Glocken von St. Petri läuteten nun ebenfalls.

Der Marktplatz war bereits zu einem Viertel gefüllt. Binnen kurzem trafen immer mehr von den Männern ein, die als Stadtbürger zur Verteidigung Freibergs in Notzeiten verpflichtet oder von sich aus hinzugekommen waren. Auf den meisten Gesichtern sah Ulrich Angst und Unsicherheit. Nur wenige wirkten entschlossen.

Er lenkte seinen Hengst ein paar Schritte auf die Mitte des Platzes zu und hob erneut sein Schwert.

»Bürger von Freiberg! Ihr seht hinter mir dreihundert entschlossene Kämpfer, die ihr Leben wagen werden, um eure Stadt zu verteidigen: die Ritter von Markgraf Friedrich und die Kämpfer eurer Stadtwache. Ihr selbst seid fast tausend. Das mag nicht viel klingen angesichts der Größe des Heeres, das da draußen bereits den nächsten Angriff vorbereitet.«

Gedämpfte Rufe kamen auf.

»Aber Freibergs Mauern sind stark«, fuhr Ulrich ungerührt fort. »Ihr müsst darauf vertrauen – und auf eure Entschlossenheit. Kein Zweifel darf euch schwächen, weil ihr euch dem König widersetzt.«

Mit hartem Blick sah er auf die kaum kampferprobten Männer vor sich.

»Ja, er ist der König. Aber dieser König hat heute Nacht gezeigt, was ihr von ihm zu erwarten habt: weder Gnade noch Erbarmen! Das Gesetz sagt, niemand ist einem Herrscher zu Gefolgschaft verpflichtet, der grausam und ungerecht regiert. Meine Ritter, allesamt tapfere und in der Schlacht erprobte Männer, werden mit dem Schwert jeden Angreifer zurückschlagen, der sich an die Mauern heranwagt. Helft uns, Freiberg zu verteidigen! Kämpft um das Leben eurer Frauen und Kinder! Vertraut auf Gott, denn Gott steht den Tapferen bei. Lasst uns darum beten.«

Die Ritter hinter ihm knieten nieder, jeder das Schwert vor sich auf das Erdreich gestützt. Nach und nach sanken auch die mit Armbrüsten und Spießen bewaffneten Bürger auf die Knie.

Pater Clemens, der für sein Amt noch junge Priester von St. Marien, sprach ein Gebet um Gottes Beistand in der Not für die bedrängte Stadt.

»Und jetzt: Jeder an seinen Platz!«, rief Ulrich, erneut das Schwert emporreckend. »Lasst sie nicht herein!«

»Ja, lasst sie nicht herein!«, wiederholte Markus laut hinter ihm.

Der Ruf pflanzte sich fort; zuerst in der Ritterschaft, dann unter den Stadtbürgern.

»Lasst sie nicht herein!«, erscholl es schließlich aus dreizehnhundert Kehlen.

Schwerter und Armbrüste wurden in die Höhe gereckt, Spieße geschüttelt, Fäuste gen Himmel gestoßen.

Zufrieden blickte Ulrich auf die Männer vor sich, die nun deutlich entschlossener wirkten.

Mit erhobenem Schwert ließ er seinen Fuchshengst steigen, weil er wusste, dass sich dieses Bild den einfachen Menschen vor ihm einbrennen würde, von denen die meisten noch nie hatten kämpfen müssen.

Jubel brandete auf.

Ulrich verständigte sich durch einen kurzen Blick mit Niklas.

»Die Verteidiger der Burg – mit mir! Die Verteidiger der Stadt – folgt Niklas von Haubitz, dem Heerführer des Markgrafen!«

Dann wendete er den Hengst und ritt zurück zur Burg, begleitet von Rittern, Bogenschützen und Reisigen, während Niklas die übrigen Kämpfer einteilte, um die Türme, Tore und Wehrgänge entlang der Stadtmauer zu besetzen.

Links und rechts des kurzen Weges zur Burg drängten sich Menschen, um den Kämpfern Gottes Segen zu wünschen. Eine alte Frau zwängte sich zu Ulrich durch. Das rauhe Tuch um die Schultern raffend, lief sie neben seinem Pferd her und streckte ihre knochige Hand aus, um ihm einen Rosenkranz zu geben.
»Hier, Herr, nehmt das! Gott schütze Euch!«
Die Frau sah nicht so aus, als ob sie etwas zu verschenken hätte. Umso mehr bewegte ihn diese Geste.
»Wie ist dein Name?« Er musste laut sprechen, beinahe schreien, um das Getöse um sich herum zu übertönen.
»Grete. Eine Korbmacherwitwe.«
»Gott schütze dich und dein Haus, Grete!«
Im nächsten Moment hatte er sie in dem Gewimmel aus den Augen verloren.
Auf dem Burghof angekommen, verteilten sich die Kämpfer auf die zugewiesenen Plätze.
Dabei lief Ulrich der Rotschopf vor die Füße. »Habt Ihr einen Auftrag für mich, Herr?«, fragte er mit vor Aufregung leuchtenden Augen.
»Trägst du inzwischen einen richtigen Namen?«
»Ja, Herr! Christian. Aber der Hauptmann meint, den muss ich mir erst im Kampf verdienen.«
Ulrich war in Eile, doch die Hartnäckigkeit des Burschen gefiel ihm. »Bleib in meiner Nähe, aber in Deckung. Du bist mein Bote, falls ich dringende Nachricht an den Heerführer habe.«
Wenn jemand heil durch eine Stadt kam, die unter Beschuss stand, dann bestimmt dieser gewitzte Gassenjunge.
»Ich bin schnell, und ich kenne jeden Schleichweg in dieser Stadt«, empfahl sich Christian prahlerisch.
Aufgeregt folgte er Ulrich, während dieser zusammen mit Reinhard und Markus wieder den Turm hinaufstieg.

»Du bleibst hier und wartest!«, wies Maltitz den Burschen an, als sie den letzten Absatz vor der obersten Ebene erreicht hatten.

Die Dämmerung brach an. Der dunkle Ring des königlichen Heerlagers war nun mit hellen, leuchtenden Punkten durchsetzt, den Feuern, die sich gegen die hereinbrechende Nacht abzeichneten.

Plötzlich kam Bewegung ins feindliche Lager.

Bogenschützen rannten über die freie Fläche zwischen Heerlager und Wall. Ihnen folgten Männer mit Sturmleitern.

»Sollen wir sie unschädlich machen? Ich habe ein Dutzend Männer, die auch auf große Entfernung sicher treffen«, bot Markus erneut an.

»Warte noch. Wir geben nicht den ersten Schuss ab«, entschied Ulrich. »Es ist das Heer des Königs. Sollen sie sich selbst ins Unrecht setzen. Aber deine Männer sollen sich bereithalten.«

Ein Hornsignal ertönte, und umgehend wurden sämtliche Triboks abgefeuert; diesmal mit Steinen statt mit Brandkugeln.

Zehn Schritte von Ulrich entfernt brach ein Teil einer Zinne ab und stürzte krachend und prasselnd zu Boden.

Rasch blickte Ulrich um sich, um zu sehen, welchen Schaden die Geschosse noch angerichtet hatten. Die Mehrzahl der zugleich abgeschossenen Brandpfeile hatte die Burg nicht erreicht, sondern war kurz vor der Mauer in den Schnee gefahren. Offensichtlich hatten sich die Bogenschützen nicht weit genug vorgewagt. Doch er sah auch, dass in der Stadt schon wieder ein paar Dächer Feuer gefangen hatten.

Jetzt reicht es!, dachte Ulrich voller Zorn.

»Nimm dir deine Meisterschützen!«, rief er Markus zu und wies auf die sich vorsichtig nähernden feindlichen Bogenschützen. »Tötet sie!«

Markus gab einem Dutzend Männern ein Zeichen; sie traten vor, zielten und schossen ihrerseits eine Salve ab.

Der Schnee leuchtete hell genug, um erkennen zu können, dass mehr als die Hälfte von ihnen trotz der Entfernung getroffen hatte.

Die zweite Salve schaltete auch die restlichen Bogenschützen des Königs unmittelbar vor ihnen aus. Ein paar Unverletzte zogen sich hastig zurück.

»Verteilt euch über die ganze Burgmauer und erledigt die Übrigen!«, rief Markus, und seine Männer befolgten den Befehl sofort.

Ulrich war beeindruckt. Es gehörte selbst mit einem guten Bogen aus Eibenholz viel Übung dazu, auf diese Entfernung so genau zu treffen, noch dazu bei Nacht.

Doch ihm blieb keine Zeit zum Überlegen.

Schon schienen die ersten Triboks erneut abschussbereit.

Das nächste Hornsignal, und wieder flogen Geschosse; diesmal große Feuerbälle. Es sah gespenstisch aus, wie die Flammenschweife von allen Seiten durch die Nacht auf die Stadt zurasten.

Krachend fuhr ein brennender Holzklotz – wahrscheinlich mit Öl getränkt – neben die Zinne, hinter der Ulrich stand.

Diese Salve richtete mehr Schaden und Verwirrung in der Stadt und bei den Verteidigern an.

Und das war beabsichtigt. Denn nun sah Ulrich, dass von allen Seiten Männer mit Sturmleitern auf sie zurannten.

An der Burgmauer würden die Angreifer zuerst ankommen, denn die Wehrteiche vor der Burg waren zugefroren und bildeten kein Hindernis mehr.

»Feuert auf das Eis!«, schrie Ulrich den Männern zu, die die kleineren Wurfmaschinen bedienten. »Bogenschützen nach vorn!«

Seine Absicht ging auf, wenigstens teilweise. Zwei der Geschosse schlugen mit Macht in einen der mittleren Teiche ein und ließen die Eisschicht bersten. Sie konnten die Schreie der Gegner hören, die in das eiskalte Wasser stürzten und von den Rüstungen sofort auf den Grund gezogen wurden.

Auch die Bogenschützen hatten getroffen. Doch dann wurden Kommandos gebrüllt, und noch mehr Gegner rannten zu den Sturmleitern, um die Gefallenen zu ersetzen.

Ulrich umfasste den Griff seines Schwertes und sah grimmig zu Reinhard von Hersfeld hinüber. Dieser und Markus zogen ebenfalls die Schwerter.

Schon wurden Sturmleitern aufgestellt. Nur ein paar Schritte von Ulrich entfernt würden gleich die ersten Angreifer versuchen, über die Mauer zu klettern.

»Wenn Ihr erlaubt, Herr!«

Von Maltitz sah einen roten Haarschopf vor sich aufleuchten. Es war der dürre hinkende Junge, der sich – wer weiß, woher, vielleicht aus der Schmiede – eine Lederschürze besorgt und um die Hände gewickelt hatte. Er spähte kurz über die Mauer, dann nahm er den immer noch glühenden Holzklotz und warf ihn mit aller Kraft auf diejenigen, die gerade die Leiter erklimmen wollten.

»Damit ihr es schön warm habt da unten!«, schrie er hinab und lachte.

Ulrich packte ihn am Ohr und zog ihn hinter sich. »Hab ich dir nicht gesagt, dass du in Deckung bleiben sollst?!«, brüllte er ihn an. »Verschwinde, nach unten!«

Verständnislos starrte ihn der Bursche an, der wohl Lob erwartet hatte.

Ulrich blieb jetzt keine Zeit. Jeden Moment konnten die ersten Gegner direkt vor ihm auftauchen.

In zehn Schritt Abstand hatten es ein paar von Markus' Leuten geschafft, eine angelegte Sturmleiter mit langen Stangen umzustoßen. Schreiend stürzten die Angreifer in die Tiefe. Doch weiter links scheiterte der Versuch; den Männern gelang es nicht, die Leiter wegzustoßen.

»Beiseite!«, schrie Ulrich sie an. »Wir empfangen sie mit dem Schwert!«

Er stach zu, als der erste Kopf die Höhe der Mauer erreicht hatte. Der Mann kam nicht mehr dazu, einen Schrei auszustoßen, bevor er hinabstürzte. Dafür brüllte der zweite umso mehr. Einer der jungen Ritter der Burgbesatzung hatte ihm die Hand abgeschlagen, die er auf das Mauerwerk gelegt hatte, und stieß ihn dann mit dem Schwertknauf hinab.

Immer neue Angreifer strömten nach, doch nicht einer von ihnen gelangte über die Mauer.

Vier der eigenen Männer hatten die Kämpfer in diesem Abschnitt der Burgmauer schon verloren: Jedes Mal, wenn der Angriff für einen Augenblick stockte und einer der Verteidiger die Gelegenheit nutzen wollte, heißes Pech über die Männer auf der Leiter zu gießen, traf ein tödlicher Pfeil. Die Burg hatte an dieser Stelle keine Pechnasen, durch die sie die siedende Masse hätten gießen können.

»Macht die Scharfschützen ausfindig und schießt sie nieder!«, brüllte Markus in dem Getöse seinen Leuten zu.

Endlich gelang es zwei Männern, das heiße Pech über die Mauer zu schütten. Gellende Schreie kündeten davon, dass sie gut gezielt hatten. Mehrere der Getroffenen ließen die Leiter los und stürzten in die Tiefe. Nun schafften es die Verteidiger, die Leiter umzustoßen. Brandpfeile ließen das Holz in Flammen aufgehen und verwandelten die getroffenen Gegner in lebende Fackeln.

»Bleib hier und warte auf den nächsten Angriff«, rief Ulrich Reinhard zu, der kurz nickte zum Zeichen dafür, dass er verstanden hatte. Dann rannte er los, nach rechts, denn dort schienen die Männer in Bedrängnis.

Wieder brach der gegnerische Angriff erst ab, als der Morgen graute. So, als wollte der König, dass die Belagerten ihre Verluste bei Tageslicht betrachten konnten. Vielleicht war es sogar so. Irgendwann musste jede Seite ihre Toten bergen und den Verletzten die Wunden verbinden.

Erschöpft lehnte sich Ulrich gegen eine Zinne und sah sich um. Sein Abschnitt der Burgmauer war am härtesten umkämpft gewesen – wohl wegen Markgraf Friedrichs Banner, das nicht nur die Angreifer herausfordern musste, sondern auch signalisierte, dass hier der Anführer der Burgbesatzung kämpfte.

Sie hatten mehr als ein Dutzend Männer verloren – durch Pfeile oder Angriffe mit Schwertern und Äxten von den Sturmleitern aus. Doch sie hatten standgehalten.

Hildegard, die Witwe des Burgvogtes, kam und teilte Brot an die erschöpften Männer aus; ein paar Mägde mit Bier begleiteten sie.

Ihre Söhne, deren Ernennung zum Ritter noch nicht lange her sein konnte, hatten in Ulrichs Nähe gekämpft und sich tapfer gehalten. Dem Jüngeren hatte ein Schwertstreich die Wange zerteilt. Seine Mutter wurde blass, als sie das sah, und schlug die Hand vor den Mund. Dann bekreuzigte sie sich hastig, Tränen stiegen in ihre Augen, doch keine Klage kam über ihre Lippen.

Ulrich ging auf den jungen Mann zu, der nicht viel mehr als zwanzig Jahre zählen mochte, auch wenn er jetzt älter wirkte. »Geh ins Prägehaus und lass dich verbinden«, sagte er und legte ihm die Hand auf die Schulter. »Du hast tapfer gekämpft. Aber nun sieh zu, dass die Wunde nicht brandig wird.«

Selbst wenn die Verletzung sauber abheilte – das Gesicht des jungen Mannes würde für immer entstellt bleiben.

Ulrich schritt die Mauerkrone ab, um die Toten zu zählen und zu sehen, wen er davon kannte.

Dabei fiel ihm wieder ein roter Haarschopf ins Auge.

»Du da, Bursche, komm sofort her!«

Schon stand der Halbwüchsige atemlos neben ihm. »Habt Ihr einen Auftrag für mich, Herr?«

»Auf die Knie!«, fuhr Ulrich ihn an. Erschrocken gehorchte der Junge, mit zerknirschter Miene, denn ihm wurde sofort klar, dass es jetzt wohl darum ging, dass er einen Befehl missachtet hatte.

»Nur weil du so jung bist, will ich dir ein letztes Mal die Wahl lassen: Entweder du verschwindest sofort in die Stadt und siehst dort zu, wie du dich nützlich machen kannst, oder du bleibst hier, unter meinem Kommando. Aber wenn du dann noch einmal deinen Posten verlässt, lasse ich dir die Hand abschlagen. Also?«

»Ich bleibe«, meinte der Rotschopf überraschend kleinlaut. »Und ich werde Euch nicht noch einmal enttäuschen.«

Der Junge, der nun Christian hieß, hatte nicht geahnt, dass er den Zorn des Ritters wecken würde, und das auch nicht beabsichtigt. Zum ersten Mal hatte ihm jemand einen Platz zugewiesen, und dafür wurde Ulrich die grenzenlose Bewunderung des missgestalteten Jungen zuteil.

»Gut«, erwiderte Ulrich streng. »Lauf los und bitte Niklas von Haubitz auf die Burg, wenn er abkömmlich ist. Du erkennst ihn an seinem Wappen: blau-weiß gespalten mit einer Lilie in der Mitte. Mich findest du im Prägehaus.«

Christian nickte heftig, stand auf und lief zum Tor, wo er mit den Wachen diskutierte.

Jetzt erst erlaubte sich Ulrich ein kaum sichtbares Lächeln.

Mit einem Stöhnen stand Änne auf und streckte den schmerzenden Rücken durch. Sie war harte Arbeit gewohnt, aber diese Nacht hatte ihr alle Kräfte abverlangt.

Als der Angriff begann, hatte sie anfangs noch ängstlich nach draußen gespäht, um mitzubekommen, was dort vor sich ging. Doch dann blieb ihr keine Zeit mehr dafür, ebenso wenig für Gebete.

Rasch bekamen sie und Sibylla im behelfsmäßig eingerichteten Lazarett im Prägehaus alle Hände voll zu tun.

Nun war das neue Kleid schon wieder blutverschmiert, ebenso die Schürze. Um sich herum hörte sie das Stöhnen der Verletzten, und in ihren Ohren gellten immer noch die Schreie der Männer, denen sie einen Pfeil herausschneiden, eine Schwertwunde nähen, einen Arm oder ein Bein abnehmen mussten.

Doch sie hatte sich getäuscht, wenn sie dachte, fürs Erste wäre ihre Arbeit getan. Jetzt, nach Ende des Angriffs, kamen noch etliche leichter Verletzte, die sie nicht hatten aufsuchen wollen, solange gekämpft wurde.

Sie sah den jüngeren Sohn des verstorbenen Burgkommandanten unentschlossen in der Tür stehen. Längs über seine linke Gesichtshälfte klaffte ein tiefer Schnitt.

Zaghaft ging sie auf ihn zu. »Das muss genäht werden, Herr.« Sie wies auf die Außenwand des Prägehauses. »Bitte, setzt Euch hierher.«

Nun, da der Angriff aufgehört hatte, war es besser, die Verwundeten bei Tageslicht zu behandeln statt im flackernden Schein eines Talglichtes.

»Ich nehme einen dünnen Faden und setze die Stiche eng nebeneinander. Das schmerzt zwar im Moment mehr, aber dafür wird die Wunde besser verheilen und die Narbe weniger auffallen«, erklärte sie, nachdem sie vorsichtig Schorf, Blut und Schmutz von seinem Gesicht gewaschen hatte.

»Als ob es darauf noch ankommt«, erwiderte er mit flacher, undeutlicher Stimme. Die Verletzung erschwerte ihm das Reden. Und er schien nach dieser Nacht überzeugt, die nächsten Angriffe nicht mehr lebend zu überstehen.

Gern hätte Änne ihn getröstet oder ihm Mut gemacht.

Doch wer war sie, dass sie einem Ritter widersprechen durfte? Zumal sie selbst nicht daran glaubte, dass sie das hier überlebten. Früher oder später würde der König mit seinen Truppen die Stadt einnehmen. Ihr war, als sähe sie hinter dem jungen Mann – Gerald hieß er, das wusste sie – schon einen dunklen Schatten.

Sie hörte Schritte im Schnee knirschen und sah kurz zur Seite. Der Burgkommandant. Gehorsam wollte sie aufstehen, um sich vor ihm zu verneigen, doch er bedeutete ihr mit einer Handbewegung, mit der Arbeit fortzufahren, und ging hinein.

Ulrich von Maltitz hatte sich am Brunnen einen Eimer Wasser über die Hände gießen lassen, das Blut abgespült und das Gesicht gewaschen. Danach und nach der spartanischen Mahlzeit, die Hildegard austeilen ließ, fühlte er sich einigermaßen erfrischt.

Er sah mit einem Blick, dass das Apothekermädchen gute Arbeit beim Sohn seines Vorgängers leistete, und betrat das Prägehaus. Der Feldscher war nicht da, und so hakte sich sein Blick sofort bei Sibylla fest, die ihn nicht bemerkte. Die Gauklerin kühlte einem der Männer, die vor Schmerz stöhnten, mit einem nassen Tuch die Stirn. Dabei hielt sie seine Hand und flüsterte ihm tröstende Worte zu.

Für einen Moment fühlte Ulrich das übergroße Verlangen, diese Frau zu nehmen. Er wusste, das war das Hochgefühl nach einem bestandenen Kampf. Er hatte getötet, aber er hatte überlebt.

Doch als sie die dunklen Locken zurückstrich, sah er wieder die Würgemale und die blutunterlaufenen Handgelenke im flackernden Licht. Erneut fühlte er Bedauern, dass diese Schönheit, die ihn faszinierte, wohl vorerst keinem Mann nahe kommen würde. Es sei denn, als barmherzige Schwester, wie sie es jetzt gerade tat.

Die Erinnerung war zu lebendig, wie sie mit einem Messer im Ärmel in seine Kammer gekommen war, weil sie seine Absichten missverstanden hatte. Es ging gegen seine Ehre als Ritter, sich eine Frau mit Gewalt zu nehmen.

»Wie viele Tote und Verwundete diese Nacht?«, fragte er knapp.

Sie sah auf und strich sich verlegen die Haare mit ihren blutverschmierten Händen zurück.

»Sechs von denen, die zu uns kamen, sind gestorben«, sagte sie leise. »Sieben sind so schwer verletzt, dass sie vorerst nicht mehr kämpfen können. Und zwölf haben leichte Wunden.«

»Ich schicke dir Ablösung. Das hier können jetzt auch ein paar Mägde übernehmen. Ich brauche dich nachher. Aber zuvor sieh zu, dass du Essen und ein wenig Schlaf bekommst. Und das Apothekermädchen auch.«

»Sie heißt Änne«, erinnerte sie ihn.

Das jähe Auftauchen seines rothaarigen Boten verhinderte eine Entgegnung. Christian kam in Niklas' Begleitung.

»Gott schenke euch schnelle Genesung!«, rief Ulrich zu den Verwundeten hinüber, bevor er hinausging.

»Dem Allmächtigen sei gedankt, du bist wohlauf«, begrüßte der Burgkommandant den Heerführer. Erst legte er Niklas von Haubitz die Rechte auf die Schulter und verharrte einen Augenblick, dann zog er ihn kurzentschlossen an sich und klopfte ihm auf den Rücken.

Gemeinsam gingen sie durch den Schnee über den Burghof, der von den Spuren des Kampfes durchzogen war, von schwarzen und roten Schlieren, Ruß und Blut. In der Halle war kaum Platz. Einige Kämpfer saßen an den Tischen oder hockten auf dem Boden, um etwas zu essen oder zu trinken. An den Wänden hatten sich etliche einen Platz gesucht, um in dem Lärm zu schlafen oder wenigstens zu ruhen.

Gemeinsam gingen sie hinauf in die Gästekammer. Die Witwe Hildegard hatte Ulrich sofort nach seiner Ankunft angeboten, für ihn die Kammer zu räumen, in der sie mit ihrem verstorbenen Mann gelebt hatte, doch das wollte er nicht. Zusätzlich zu ihrem Kummer und der Gefahr, in der sie nun alle lebten, sollte sie nicht auch noch in all dem Trubel in eine kleinere Kammer ziehen müssen. Die Witwe dankte es ihm, indem sie sich als unschätzbare Hilfe dabei erwies, für Unterbringung und Verpflegung der Kämpfer zu sorgen.

Ihre Tüchtigkeit zeigte sich einmal mehr, als eine Magd ihnen kaltes Fleisch und Brot brachte und ankündigte, gleich noch heißen Würzwein zu holen.

Die beiden Ritter Markgraf Friedrichs setzten sich einander gegenüber und streckten die Beine aus. Sie trugen immer noch Kettenhemden und Plattenrock, doch Kettenhauben und Helme hatten sie abgelegt. Jetzt erst wurde Ulrich bewusst, wie sehr ihn jeder Knochen schmerzte. Niklas, der fast zwanzig Jahre älter war als er, konnte es kaum besser gehen. Sogar in dem fahlen Licht, das durch die Fensterluke fiel, die zum Schutz gegen die Winterkälte mit einer Schweinsblase verschlossen wurde, konnte Ulrich erkennen, dass das Gesicht seines Freundes vor Müdigkeit grau und eingefallen war. Und wie ihm nun erst auffiel, war die Mehrzahl seiner Bartstoppeln weiß, nicht blond.

»Wie sieht es in der Stadt aus?«, fragte er den Freund, noch ehe er hungrig nach einem Stück Fleisch griff.

»Wir halten stand«, sagte Niklas. »Aber wir haben hohe Verluste. Die Freiberger sind nicht im Kampf geübt, abgesehen von ein paar wirklich exzellenten Bogenschützen. Manche haben zu viel Angst, andere zu wenig und sind dadurch unvorsichtig. Durch die Kälte sind mehrere Armbrüste beim Spannen zersprungen. Dabei ist einer der Schützen regelrecht geköpft worden. Was das für Auswirkungen auf die anderen hat, kannst du dir vorstellen.«

Ulrich verzog das Gesicht. Nicht nur, dass jeder Tote die im Kampf Unerfahrenen demoralisierte – nun würden sich die Stadtbürger davor fürchten, eine Armbrust zu benutzen.

»Ich werde verfügen, dass alle Armbrüste überprüft werden.« Erschöpft rieb er sich mit der Hand den verspannten Nacken. »Hat der König ein neues Ultimatum gestellt?«

»Nein«, erklärte Niklas.

»Also stellen wir uns auf eine lange Belagerung ein. Wir brauchen mehr Pfeile und Bolzen. Wie viele Männer hast du verloren?«

»Fünf Ritter, neun Reisige. Aber ich weiß noch nicht, wie viele Tote uns der Angriff unter den Stadtbürgern gekostet hat.«

»Dann hattest du weniger Verluste als wir auf der Burg«, meinte Ulrich düster. »Warum haben sie so viele Leute hierhergeschickt, gegen die starken Burgmauern? Warum haben sie nicht zuerst die Tore angegriffen?«

»Bei uns kamen sie im Schnee nicht den Graben hoch, um die Sturmleitern anzulegen. Nur an drei Stellen schafften sie es, und da konnten wir sie abwehren. Also beschossen sie uns mit allem, was sie hatten.«

Eine Weile sagte keiner von ihnen etwas. Sie aßen schweigend, wärmten sich an dem heißen Würzwein und verloren sich in düsteren Gedanken.

»Ich glaube nicht daran, dass Diezmann Truppen zum Entsatz schickt«, sagte Niklas schließlich. »Und wenn, dann nicht genug, um sich draußen auf freiem Feld einer solchen Übermacht zu stellen.«

»Nein«, erwiderte Ulrich. »Wenn wir versagen, wenn nicht ein Wunder geschieht, wird Friedrich die Mark Meißen verlieren.« Er stemmte sich hoch, um den Bürgermeister und die Ratsherren zu treffen. Doch vorher gingen er und Reinhard in die Kapelle, um zu beichten. Sie hatten getötet. Und sie brauchten Gottes Beistand, um den Glauben daran nicht zu verlieren, dass sie die Stadt halten konnten.

STREIT

Ulrich hörte die Ratsherren schon streiten, noch bevor er die Ratsstube betrat.

»Ihr habt nicht das Recht, allein für uns alle zu entscheiden und die Forderung des Königs einfach abzulehnen, Meister Nikol«, schrie der rundliche Kramermeister gerade den Bürgermeister an, als Ulrich eintrat.

Es dauerte eine Weile, bis die Versammelten zur Kenntnis nahmen, dass der Burgkommandant die Tür hinter sich geschlossen hatte. Mancher bemerkte ihn erst, als er der Blickrichtung des Bürgermeisters folgte, der sich erhoben hatte, statt auf den zornigen Vorwurf zu antworten.

Doch die Verblüffung der Ratsherren war weniger dem Erscheinen Ulrichs geschuldet oder seinem blutverschmierten Kettenpanzer, über den er nur einen frischen Wappenrock gezogen hatte, sondern eher dem Umstand, dass er in Begleitung einer jungen Frau gekommen war.

Ulrich glaubte es hinter ihren Stirnen arbeiten zu sehen auf der Suche nach einer Erklärung für die Anwesenheit einer Frau, noch dazu einer Fremden und keinesfalls von Stand. Nur Conrad Marsilius, der Arzt, erkannte Sibylla, musterte sie mit durchdringendem Blick und schenkte ihr so etwas wie ein kaum erkennbares aufmunterndes Lächeln.

Der Ratsdiener brachte einen Stuhl und ließ Ulrich an der Spitze der Tafel neben dem Bürgermeister Platz nehmen. Sibylla beäugte er misstrauisch, doch da niemand etwas sagte, schickte er sie weder hinaus, noch bot er ihr einen Stuhl, sondern ließ sie einfach an der Tür stehen, als sei sie gar nicht da.

Ohne Zeit mit Begrüßungsfloskeln zu vergeuden, griff Ulrich den Vorwurf des Kramermeisters auf.

»Ich muss Euch erinnern, dass der König dem Bürgermeister keine Gelegenheit ließ, über seine Forderung zu entscheiden, Meister Berlewin. Dem König beliebte zu beschließen, mit dem Beschuss der Stadt zu beginnen, noch ehe Ihr abwägen konntet, ob Ihr ihm die Schlüssel zur Stadt überreicht.«

»Wir müssen umgehend Unterhändler schicken, die die Einzelheiten der Übergabe aushandeln. Das muss sofort ein Ende haben«, mischte sich nun der Weinhändler mit seiner sauertöpfischen Miene ein. »Habt Ihr nicht gesehen, welchen Schaden die Stadt genommen hat? Wie viele Dächer zerstört sind, wie viele Menschen ihr Haus verloren haben? Was aus unserem schönen, reichen Freiberg geworden ist? Mir selbst wäre beinahe der Stall abgebrannt.«

Krämerseelen!, dachte Ulrich, während unbezwingbarer Zorn in ihm aufstieg.

»Ihr sorgt Euch um Eure Scheunen, um Eure verzierten Türbalken und Eure Hühner«, begann er verächtlich. Seine Müdigkeit schien vergessen, und seine Stimme wurde hart und laut. »Meine Männer stehen da draußen auf der Mauer und sterben für Euch!«

Er stemmte sich hoch und streckte den rechten Arm so heftig Richtung Burg aus, dass die Ringe seines Kettenhemdes klirrten. »Dort habe ich heute Nacht fast zwei Dutzend Männer verloren. Tapfere Ritter, von denen die meisten nie zuvor in dieser Stadt waren und keinen von Euch kannten; junge Bogenschützen, die noch ihr ganzes Leben vor sich hatten. Sie starben für Euch. Ich verlange, dass Ihr ihrem Opfer Respekt entgegenbringt!«

Schwer atmend ließ sich Ulrich auf seinen Platz sinken.

Einen Moment herrschte Stille in der Ratsstube. Niemand wollte als Erster etwas entgegnen.

»Lasst uns ein Gebet sprechen für die Seelen all derer, die in dieser Nacht ihr Leben ließen«, sagte Bürgermeister Weighart schließlich leise.

Als niemand etwas erwiderte, sprach er selbst die Worte. »Allmächtiger Herrscher im Himmel, erbarme Dich der Seelen der Männer, die starben, um unsere Stadt zu verteidigen. Schenke denen Heilung, die verwundet wurden. Schütze uns und lass uns in der Not nicht allein.«

Ein vielstimmiges »Amen« folgte seinen Worten.

Wieder folgte ein Moment knisternder Stille.

Dann fragte der Apotheker Jenzin, und in seinen Augen

flackerte pure Angst: »Aber weshalb hat der König nicht gewartet, bis wir ihm freiwillig die Schlüssel übergeben?«

»Er will die Stadt nicht friedlich übernehmen!«, rief Ulrich ungehalten über so viel Begriffsstutzigkeit. »Selbst wenn Ihr jetzt kapituliert, werdet Ihr keine Bedingungen aushandeln können. Seine Männer prahlen schon seit Tagen damit, dass er ihnen versprochen hat, das reiche Freiberg plündern zu dürfen. Wenn Ihr sie einlasst, werden sie ungehindert und ungestraft über Eure Häuser, Eure Truhen und Eure Weiber herfallen. Das hat er ihnen zugesichert.«

Der Maltitzer sah Zweifel und Unglauben auf den Gesichtern der Männer. Das überraschte ihn nicht. Wie könnte auch jemand annehmen, der König würde so etwas erlauben?

Sie wussten zu wenig, um zu wagen, dem gottgewollten König zu misstrauen.

Er winkte Sibylla zu sich, die er deshalb mitgenommen hatte – sehr zu ihrem Entsetzen und gegen ihre Einwände, nachdem er ihr erklärt hatte, was er von ihr erwartete.

»Diese Frau ist in die Hände der königlichen Streitmacht gefallen und vor drei Tagen entkommen. Sie wird Euch erzählen, was sie während ihrer Gefangenschaft erlebt hat.«

Und Sibylla berichtete, mit unbewegter Stimme, als sei das alles nicht ihr passiert: vom Tod ihrer Gefährten, von den Prahlereien der Söldner, davon, was sie ihr angetan hatten.

Sie wusste, dass die Ratsmänner sie deshalb als Hure betrachten würden. Aber sie war plötzlich nicht mehr bereit, sich für die Untaten zu schämen, die andere an ihr begangen hatten. Wären deren Töchter an ihrer Stelle gewesen, würden sie nicht so verächtlich blicken.

Ulrich war erstaunt von der großen Ruhe, mit der sie das Unglaubliche erzählte, und einmal mehr fasziniert von ihrer Stärke. Er dankte ihr mit einem Blick, als sie geendet hatte, dann sagte er hart in das beklommene Schweigen hinein: »Was sie ihr angetan haben, das wird auch Euren Töchtern und Euren

Weibern zustoßen. Begrabt Eure falschen Hoffnungen. Es wird kein Plünderungsverbot geben, wenn Adolf die Stadt nimmt.«

Ungläubigkeit und Entsetzen stand den Ratsherren in die Gesichter geschrieben.

Conrad Marsilius räusperte sich und erklärte: »Ich habe diese Frau vor drei Tagen gesehen und behandelt, als sie Zuflucht in der Stadt suchte. Ich kann bezeugen, was sie sagt.«

Ulrich ließ den anderen keine Zeit für weitere Debatten, er musste zurück auf die Burg. »Einige von meinen Leuten werden sämtliche Armbrüste kontrollieren, damit es nicht noch mehr Unfälle gibt. Aber Ihr, Bürgermeister, müsst dafür sorgen, dass alle Handwerker, die mit Holz zu tun haben, Zimmerer und wer auch sonst noch, Armbrustbolzen fertigen. Die Kinder und die Alten können ihnen helfen und Lederstreifen in die Schäfte einsetzen; die tun es auch, wenn die Federn ausgehen sollten.«

Nikol Weighart nickte zustimmend, dann erhob sich Ulrich brüsk und ging. Sibylla folgte ihm.

Von diesem Tag an sollten die Freiberger nicht mehr zur Ruhe kommen. Der König ließ die Stadt tags wie nachts beschießen. Lediglich sonntags ruhten die Waffen.

Bei jedem Angriff gab es Tote. Bald hatte wohl jedes fünfte Haus Schaden genommen, an vielen Stellen war die Stadtmauer beschädigt, auch der Bergfried war in Mitleidenschaft gezogen.

Doch wenn der König damit die Freiberger hatte zermürben wollen, so trat vorerst das Gegenteil ein. Seine Unbarmherzigkeit ließ sie noch mehr als die nächsten Einschläge fürchten, was wohl erst geschehen würde, wenn sein Heer die Stadt einnahm.

Während die Verteidiger verbissen jeden Angriff mit Sturmleitern abwehrten, verstärkten Handwerker das Mauerwerk, wo es beschädigt war, und halfen die Frauen und Kinder dabei, große Mengen an Pfeilen und Armbrustbolzen für die Kämpfer fertigzustellen.

Immer mehr Menschen suchten Schutz in den steinernen Kirchen der Stadt, weil ihre eigenen Häuser beschädigt waren oder weil sie sich zu sehr fürchteten.

Die Geistlichen der Kirchen und der Klöster kümmerten sich um Verletzte und teilten Brot an die Hungernden aus.

Katharina, die Frau des Bürgermeisters, hatte zwei Dutzend Ehefrauen von Ratsherren und Handwerkern dazu gebracht, für die Bedürftigen Hirsebrei aus den Vorräten der Kornhäuser zu kochen und auf dem Oberen Markt auszuteilen oder Meister Marsilius dabei zu unterstützen, die Verletzten zu behandeln.

Eine Zeitlang wagte niemand, offen für die Übergabe der Stadt zu sprechen.

Doch nach zwölf Tagen schlug die Stimmung um. Erst heimlich, dann immer lauter kam die Forderung auf, sich zu ergeben. Und bald geriet die Bürgerschaft in offenen Streit – zwischen jenen, die Markgraf Friedrich die Treue hielten, und jenen, die dem königlichen Heer die Tore öffnen wollten.

»Diese Narren!« Nikol Weighart schüttelte den Kopf, während seine Frau ihm half, den Tasselmantel umzulegen. Ihr Mann hatte in den zurückliegenden Tagen sichtlich an Gewicht verloren und schien um Jahre gealtert. Sie wusste, er fühlte sich verantwortlich für die vielen Toten, die die Belagerung bereits gekostet hatte. Und sie wusste auch, dass er sich Tag und Nacht insgeheim fragte, ob er die Stadt nicht doch sofort dem König hätte übergeben müssen.

Ihre Köchin hatte ihnen nach der Rückkehr vom Brunnen erzählt, dass dort ein paar Leute darüber tratschten, wie ein alter Mann von aufgebrachten Nachbarn erschlagen worden war, weil er in einem der halbzerstörten Häuser nach etwas Wärmendem gesucht hatte.

»Ich befürchte, heute wird das bisherige Unentschieden in eine Mehrheit für die Übergabe der Stadt umschlagen«, sagte er bitter, während Katharina ihm die Kappe reichte. Er nahm die Kopfbedeckung, setzte sie aber nicht auf, sondern ließ die Hände sinken und sah ihr direkt in die Augen. »Bin ich es, der Freiberg ins Verderben führt?«

Mit gespielter Munterkeit drückte sie ihm die Kappe auf das störrische Haar und schob ihn zur Tür. »Du weißt, dass du keine andere Wahl hattest, das haben wir oft genug besprochen. Und nun geh und mach den anderen Mut, Mann! Das ist deine Aufgabe!«

Nachdem Nikol fort war, ließ Katharina den fertigen Kessel voll Hirse auf einen Karren laden und zum Oberen Markt bringen. Es war die übliche Zeit, zu der sie, wie einige andere Frauen auch, Essen an die Bedürftigen austeilte.

»Gott segne Euch für Eure Güte«, murmelte der in eine schmutzige Decke gehüllte Greis, dem sie als Erstem die Schüssel füllte.

Es wurden jeden Tag mehr, die hier nach Essen anstanden. Besorgt überschlug sie, wie lange die Vorräte wohl noch reichen würden, bis die Freiberger anfingen, ihre Pferde zu schlachten und zu essen – Pferde, Hunde oder Ratten.

Als Nächste war eine verarmte Witwe an der Reihe. Doch statt ihr die leere Schüssel zu reichen, richtete die Alte den Blick starr an ihr vorbei auf einen Punkt hinter ihnen.

Katharinas Nackenhaare richteten sich auf. Sie drehte sich um und sah eine Gruppe aufgebrachter Frauen auf sie zukommen, angeführt von einer dürren Gerberin, die sich mit in die Hüften gestemmten Armen so dicht vor ihr aufbaute, dass der beißende Geruch ihrer Kleidung Katharina fast den Atem nahm.

»Bringt endlich Euren Mann dazu, den Kampf zu beenden,

Weighartin«, schrie die Frau und funkelte sie böse an, während die anderen lautstark zustimmten. »Wir wollen unsere Männer zurück – und zwar lebend!«

»Ja! Euer Mann muss ja nicht kämpfen und sich von den Königlichen beschießen lassen! Die Ratsherren sitzen fein beim Wein und reden und reden, während unsere Männer ihre Haut zu Markte tragen!«, keifte eine andere, die Frau des Blaufärbers.

Katharina wusste, dass dem Gerber am Vortag eine Hand hatte abgenommen werden müssen. Wenn sie alle die Belagerung überlebten, würde seine Familie hungern, da der Hausvater die schwere Arbeit nicht mehr ausüben konnte.

Und das war kein Einzelfall. Eine der aufgebrachten Frauen hatte den Sohn verloren, zwei andere das Dach ihres Hauses.

Sie wollte etwas entgegnen, doch die Worte blieben ihr im Halse stecken.

Mit geballten Fäusten kamen die wütenden Frauen immer näher auf sie zu, und mit einem Mal verspürte sie Angst; Angst, die anderen könnten sie einfach erschlagen.

Panisch sah sie um sich, ob jemand in der Nähe war, der ihr helfen konnte. Doch diejenigen, an die sie Brei ausgeteilt hatte, beugten sich wortlos über ihre Schüsseln oder huschten schleunigst davon, und die Passanten oder Kirchgänger auf dem Weg zu St. Petri machten einen großen Bogen um die Streitenden.

Gütiger Gott, sie werden mich totschlagen, einfach hier mitten auf dem Markt, dachte Katharina fassungslos.

Gerade noch bevor eine der aufgeregten Frauen handgreiflich werden konnte, tauchte einer der Stadtwachen vom Peterstor auf, ein junger Mann mit blonden Locken. Jan heißt er, erinnerte sie sich. Ein Junge zerrte ihn hierher, ein Rotschopf.

»Auseinander! Lasst die Frau des Bürgermeisters in Ruhe!«, rief Jan und bahnte sich den Weg durch die Menge, um sie gleichzeitig zurückzudrängen und sich schützend vor Katharina zu stellen. »Und nun geht nach Hause!«

Er legte demonstrativ die Hand an den Griff seines Schwertes und blickte so grimmig, dass die meisten zurückwichen.

Nur die Gerberin nicht. »Willst du dein Schwert gegen mich ziehen, Bürschlein? Da, seht ihn euch an!«, forderte sie ihre Begleiterinnen auf. »So weit sind wir schon: Dass unsere eigenen Leute auf uns losgehen, Freiberger gegen Freiberger!«

»Und du hast damit angefangen, Weib!«, hielt Jan ihr wütend vor. »Jetzt verschwindet nach Hause, sonst nehme ich euch alle fest und bringe euch vor den Burgkommandanten.«

Seine Miene ließ keinen Zweifel daran, dass er es ernst meinte. Da in Kriegszeiten verschärftes Recht galt, zogen es die Frauen vor, sich murrend und schimpfend zu verziehen.

»Ich begleite Euch nach Hause«, bot Jan Katharina an. Eigentlich sollte er sich als einer der besten Bogenschützen umgehend auf der Burg bei seinem Bruder melden, doch er konnte die Frau des Bürgermeisters jetzt nicht allein gehen lassen. Vielleicht lauerte ihr jemand unterwegs auf, um zu vollenden, was ihm auf dem Oberen Markt nicht geglückt war.

Dankbar nahm Katharina das Angebot an. Trotz der strengen Kälte war ihr Körper mit einem Mal schweißbedeckt. So stand es also inzwischen um die Freiberger Bürgerschaft!

»Hast du Nikol Weighart endlich dazu gebracht, die Stadt zu übergeben?«

Mit diesen schnippischen Worten empfing Beata ihren Mann, als er von der Ratssitzung zurückkehrte. Ihre Miene ließ ihn wieder einmal befürchten, dass er Schelte bekommen würde, wenn sie nicht zufrieden war mit seiner Auskunft. Was konnte er denn dafür?

»Wir haben immer noch keine Einigung erzielt. Es steht nach wie vor unentschieden«, gestand er mürrisch. Mit einigen Gleichgesinnten hatte er einen geheimen Plan ersonnen, die Lage zu ändern, aber darüber durfte er erst mit ihr reden, wenn niemand sonst sie hören konnte.

Beata verdrehte die Augen. Dann sah sie sich um, ob wirklich niemand vom Gesinde lauschte, und als hätte sie seine Gedanken erraten, zog sie ihn in die Schlafkammer.

»Aber wenn plötzlich einer der Anhänger des früheren Markgrafen stürbe, würden die Stimmen für eine Übergabe der Stadt reichen, nicht wahr?«, meinte sie bedeutungsschwer.

Fassungslos wich Jenzin vor seiner Frau zurück. »Soll ich etwa einen von ihnen vergiften, Weib? Oder was meinst du damit?«

»Nun, das wäre immerhin ein Weg«, wisperte sie. Dann wurde ihre Stimme lauter. »Hast du vergessen, dass der König für jeden Tag, den er warten muss, einhundert Mark Silber fordert? Was denkst du, wer wird dieses Geld aufbringen? Weighart aus der Stadtkasse? Nein, *wir* werden bluten müssen! Dann können wir uns bei den Armen anstellen und bei Nikols Weib um eine Schüssel Brei betteln, wenn uns der Hunger plagt.«

»Vielleicht die Juden …«, schlug Jenzin halbherzig vor.

Er konnte kaum einen Gedanken fassen, so sehr entsetzte ihn der Vorschlag seiner Frau, er solle einen Ratsherrn vergiften. Darüber hätte er beinahe die Neuigkeit vergessen, die es zu erzählen gab.

»Pah, die Juden! Zwölf Tage wartet der König nun schon auf die Schlüssel«, schimpfte Beate weiter. »Rechne dir aus, wie viel Mark Silber das sind! Und morgen werden es wieder hundert mehr sein. Dafür kannst du die halbe Markgrafschaft kaufen! So viel haben selbst die Juden nicht. Wir werden alles herausgeben müssen, was wir uns vom Munde abgespart haben«, jammerte sie.

Sie sieht wirklich nicht aus wie jemand, der sich etwas vom Munde abspart, dachte Jenzin verärgert. Trägt die feinsten Sachen und ist drall und üppig! Doch er hütete sich, das laut zu äußern oder sich auch nur das Geringste von seinen aufsässigen Gedanken anmerken zu lassen. Sie keifte so schon genug.

In einem allerdings hatte sie recht: So konnte es nicht weitergehen. Die Stadt nahm immer mehr Schaden, und das vom König festgesetzte Bußgeld wurde von Tag zu Tag höher. Nur Narren wie der Bürgermeister oder dieser Maltitz mochten noch glauben, Freiberg könne sich auf Dauer dem königlichen Heer widersetzen. Denn dass vom Markgrafen keine Hilfe kam, müsste inzwischen dem Letzten klargeworden sein.

»Sei endlich still!«, unterbrach er die Tiraden seiner Frau. »Wir werden dem König Nachricht bringen, wie er Freiberg einnehmen kann.«

Beata verstummte jäh und sah ihn an, als ob er plötzlich verrückt geworden sei.

»Wunderbar, dann geh schon mal los!«, höhnte sie. »Frag den Heerführer, ob er für dich kurz das Erlwinsche Tor öffnet, weil du dem König einen Höflichkeitsbesuch abstatten willst, dann schlendere durch Adolfs Lager und plaudere ein bisschen mit seinen Männern.« Ihre Stimme wurde immer lauter. »Vielleicht braucht ja einer von ihnen etwas Veilchensaft!«

Wütend stand sie auf und krachte ihm das Erstbeste vor die Füße, das ihr in die Hände fiel: ein tönerner Kerzenhalter, der klirrend zersprang. Sie wollte fortlaufen, doch Jenzin hielt sie an beiden Händen fest.

»Nein, wirklich«, raunte er ihr zu. »Es gibt einen geheimen Durchlass ... Berlewin kennt ihn, er ist in seiner Grube ...«

Der Kramermeister war Anteilseigner an einer der Gruben, die sich innerhalb der Stadtummauerung befanden, im Nordosten zwischen der Pfarrgasse und der Stadtmauer. Natürlich arbeitete er nicht selbst unter Tage, sondern bezahlte Häuer und verdiente am Ertrag. Aber manchmal spionierte er den Bergleuten nach, ob sie auch wirklich arbeiteten. Und einmal hätte er sich beim Schnüffeln fast in den Stollen verirrt.

»Er ist auf einen uralten Quergang gestoßen, halb verschüttet, und der soll zum alten Hauptstollengang führen, direkt unter der Stadtmauer hindurch. Diejenigen unter den Ratsherren, die für die Übergabe der Stadt sind, wollen dem König auf diesem Weg Nachricht schicken, dass wir auf seiner Seite stehen und wie er die Stadt bezwingen kann.«

»Und du Tölpel hast dich wohl dazu überreden lassen, das zu tun?«, fauchte Beate ihren Mann an. »Selbst wenn es diesen Gang gibt – glaubst du, du könntest da hindurchkriechen und auch tatsächlich den Weg finden? Und was, wenn dich die Kaiserlichen gefangen nehmen?«

Sie riss sich von ihm los, doch er drückte sie auf die Bettkante.

»Nein, Weib. Gib endlich Ruhe!«, ermahnte er sie mit für ihn ungewohnter Schärfe. »Wir werden Hans schicken, der ist schmal und kann sich durch die engen Stollen winden. Und er ist auch gerissen genug, um sich herauszureden, wenn er erst einmal im Heerlager des Königs ist.«

Schon ging er zur Tür, um den Neffen zu holen. Der hatte Not, noch rechtzeitig von seinem Lauschposten zu verschwinden und sich ahnungslos zu stellen, als ihn der Oheim rief.

Während ihm Jenzin mit gesetzten Worten klarzumachen versuchte, welch ehrenvolle Aufgabe dem Jungen zufallen würde, setzte Hans eine erbauliche Miene auf, um sich nicht anmerken zu lassen, dass er sich insgeheim ins Fäustchen lachte.

Bevor er in der Nacht aufbrach, angeblich, um die Botschaft der königstreuen Ratsherren zu überbringen, würde er in einem unbeobachteten Moment das in einer Wandöffnung versteckte Kästchen leeren, in dem der Oheim das ersparte Geld aufbewahrte. Ein paar Talglichter und etwas Brot würde dieser ihm wohl auch so mitgeben.

Mochten sie doch alle elendig hier verrecken! Warum sollte er sein Leben riskieren und sich ins königliche Heerlager wagen? Er würde seine Haut retten, Freiberg unbemerkt verlassen und durch die Welt ziehen, um in Meißen oder irgendwo weit weg von hier mit dem gestohlenen Geld ein bequemes Leben zu führen.

Dunkles Omen

Ulrich von Maltitz und Reinhard von Hersfeld wechselten sich in der Befehlsgewalt ab. Während Ulrich bei jedem der nächtlichen Angriffe die Verteidigung der Burg leitete, übernahm Reinhard tagsüber das Kommando, damit Ulrich sich um die Lage in der Stadt kümmern, mit den Ratsherren disputieren und zwischendurch etwas schlafen konnte.

Von der dreihundertköpfigen Burgbesatzung – die hier ansässigen Ritter Friedrichs, ein Teil der Wachen und Niklas' Truppen – hatten sie mittlerweile beinahe fünfzig Männer verloren; tot oder so schwer verwundet, dass sie nicht mehr kämpfen konnten.

Die Toten lagen in einer Kammer nahe der Kapelle aufgebahrt. Niemand wusste, wann sie sie würden begraben können.

Der Winter regierte immer noch mit außergewöhnlicher Strenge. An diesem Nachmittag begann es erneut zu schneien, kleine harte Körner, die der Sturm durch die hereinbrechende Dämmerung trieb.

Bei eisigem Wind stand Ulrich neben Niklas von Haubitz auf dem Turm des Erlwinschen Tores und beobachtete den nächsten Angriff der Königlichen. Die brachten gerade eine merkwürdige Belagerungsmaschine zum Einsatz, die beide zuvor noch nirgendwo gesehen hatten. Deshalb hatte der Haubitzer Ulrich, Markus und ein paar Männer als Verstärkung zum Haupttor der Stadt geholt.

Vermutlich war das die »Katze«, von der Sibylla gleich nach ihrer Ankunft gesprochen hatte, denn damit ließ es sich gut heranschleichen: eine Art Karren, eher ein Dach auf rollenden Baumstämmen, mit frischen Häuten zum Schutz gegen Brandpfeile bedeckt. Darunter befanden sich eine schwer abzuschätzende Zahl Männer und eine gewaltige Ramme.

Eine Woche lang hatten die Belagerer unter starkem Beschuss daran gearbeitet, den Weg für diese Konstruktion bis zum Erlwinschen Tor vorzubereiten. Ihr offensichtlicher Nachteil bestand darin, dass sie wegen der Rollen nur auf völlig ebenem Gelände vorwärtsgeschoben werden konnte.

Nun ließen sie die Ramme gegen das mit dicken Balken verstärkte Tor krachen, das unter den wuchtigen Schlägen erbebte. Doch noch hielt es stand. Eine Ladung siedendes Pech und ein gut gezielter Brandpfeil sorgten dafür, dass die Angreifer vorerst innehielten. Die Abdeckung riss auf, Markus und drei seiner besten Bogenschützen schickten Pfeil um Pfeil in die Tiefe. Ein Getroffener schrie, noch einer. Dann rannten die Männer davon, die sich unter den Häuten versteckt hatten. Vier wurden noch auf der Flucht von Pfeilen niedergestreckt.

Der heftige Wind riss die Bespannung der Katze endgültig auf und ließ die Häute flattern, die noch vor drei Wochen ein paar Kühen und Ochsen auf den geplünderten Höfen von Freisassen gehört haben mochten.

Die Verteidiger ließen eine weitere Ladung heißes Pech auf den Rammbock niedergehen; der nächste Brandpfeil sorgte dafür, dass die Katze in Flammen aufging.

Für dieses Mal hatten sie den Angriff abgewehrt.

»Die Mauer bröckelt«, konstatierte Niklas und wies auf zwei Stellen, wo Zinnen herausgebrochen und Wehrgänge nur notdürftig geflickt waren.

»Und die Standhaftigkeit der Bürger ebenso«, erwiderte Ulrich bitter.

»Es gibt unter ihnen eine Menge tapferer Männer«, widersprach Haubitz heftig.

Die beiden Waffengefährten tauschten einen Blick, Ulrich legte Niklas eine Hand auf die Schulter.

»Ich weiß«, sagte er. Dann gingen er und Markus mit seinen Leuten zurück auf die Burg, dem nächsten nächtlichen Angriff entgegen.

Ulrich schickte eine Magd los, ihm etwas zu essen zu besorgen. Als sie mit einem Kanten Brot und etwas Käse wiederkam, ging er kauend einen der Wehrgänge hoch. Er hatte das Gefühl, auf der Stelle einschlafen zu können und nur noch von der beißenden Kälte wach gehalten zu werden.

Noch während er auf dem Weg nach oben war, hörte er, dass dort etwas im Gange sein musste.

Er hörte Reinhard »Sturmleitern!« brüllen, dann erklangen laute Kommandos.

Ulrich drückte seinem Knappen, der hinter ihm lief, das Essen in die Hand und zog sein Schwert. Mit großen Schritten stürmte er nach oben, gleich zwei Stufen auf einmal nehmend.

Er war kaum oben angelangt, als ihn ein Schlag so heftig traf, dass er beinahe zu Boden ging.

Ein Pfeil war in seinen rechten Oberschenkel gefahren, knapp unter dem Plattenrock. Und er sah sofort, dass dies ein Panzerbrecher war: ein Pfeil mit einer so schmalen eisernen Spitze, dass sie mühelos das Geflecht seines Beinschutzes durchdrungen hatte. Nur der Schaft ragte noch heraus. Roland, der ihm gefolgt war, schrie erschrocken auf.

Der Knappe legte sich Ulrichs Arm über die Schulter und half ihm, hinkend so schnell wie möglich Schutz hinter einer Zinne zu finden. Jeden Augenblick konnten die feindlichen Triboks wieder ihre tödliche Ladung auf die Burg feuern.

Schon war Reinhard an ihrer Seite.

»Du musst weg hier, ins Prägehaus«, drängte der Freund.

Er winkte Gerald zu sich, den jungen Ritter, dessen Wange von einem Schwerthieb zerschnitten war.

»Bringt ihn nach unten«, wies Reinhard ihn und Roland an.

Die beiden nickten und sahen Ulrich etwas ratlos an.

Der versuchte, allein zu gehen – er durfte nicht schwach auf seine Gefolgsleute wirken. Doch nach zwei quälend schmerzhaften, gehumpelten Schritten gab er den Gedanken auf, so die Treppe hinunterzugelangen.

Um sich stützen zu lassen, war sie zu schmal.

Mit zusammengebissenen Zähnen humpelte Ulrich zurück zur Zinne und stemmte sich mit dem Rücken dagegen.

Dann packte er den Pfeilschaft mit beiden Händen. Wahrscheinlich war die Spitze nur lose befestigt, so dass sie im Fleisch stecken bleiben würde, wenn er es versuchte, den Pfeil herauszuziehen. Doch zumindest der Schaft musste heraus, sonst würde niemand durch das Kettengeflecht an die Wunde kommen.

Reinhard erriet, was er vorhatte, und stützte ihn. Ulrich holte tief Luft und zog vorsichtig am Schaft, was einen flammenden Schmerz durch seinen ganzen Körper jagte, um festzustellen, dass sich das Holz wie erwartet bereits im Fleisch festgesogen hatte. Dann betete er stumm zum heiligen Georg, biss die Zähne zusammen, atmete tief durch und zog mit aller Kraft.

Ihm wurde speiübel, Sterne tanzten vor seinen Augen, und sein Körper schien vor Schmerz zu bersten. Blut sprudelte aus der Wunde. Doch er hielt den Pfeil in seinen Händen – ohne die Spitze, die noch im Fleisch steckte.

»Hol den Feldscher!«, rief Reinhard Ulrichs Knappen zu. Jedem der Männer war klar, dass ihr Kommandant es nicht die Treppe hinunterschaffen würde.

»Du bleibst bei ihm!«, befahl er Gerald. Dann rannte er nach rechts, zu den Männern, denen es endlich gelang, die Sturmleiter umzustoßen. Schreiend stürzten die Angreifer in die Tiefe.

Bis zur nächsten Attacke war etwas Zeit gewonnen; Markus' Bogenschützen standen in dichter Reihe und sandten ihre Pfeile gegen die Anstürmenden.

Wenig später krachten die ersten Geschosse auf die Burg.

Atemlos kam Roland zurück. Doch an Stelle des Feldschers begleitete ihn das Mündel des Apothekers. Sie trug einen Korb mit Verbänden, Tinkturen und Gerätschaften mit sich, von denen Ulrich hoffte, dass diese nicht für ihn benötigt wurden. Obenauf lag die Apparatur, mit der der Feldscher Pfeilspitzen und Armbrustbolzen aus dem Fleisch zog. *Die* würde wohl auf jeden Fall benötigt. Aber warum schickten sie ihm dieses zarte Ding mit den schmalen Händen?

»Das ist kein Platz für ein Mädchen!«, schrie Ulrich, um den Lärm zu übertönen, den das Bersten einer Zinne nur ein paar Schritte von ihnen entfernt und die niederprasselnden Steine verursachten. »Rasch, geh und hol den Feldscher!«

»Verzeiht, Herr, der amputiert gerade einen Arm und kommt sofort, wenn er fertig ist«, sagte sie entschuldigend.

»Geh wieder runter! Hier ist es zu gefährlich für dich«, wiederholte er heftig.

»Nicht gefährlicher als unten auch«, meinte sie gleichgültig und zuckte mit den Schultern.

Zehn Schritte von ihnen entfernt schlug unter gewaltigem Getöse ein weiterer Gesteinsbrocken ein; zugleich ging ein Schauer rotglühender kleiner Brocken und Funken über ihnen nieder. Sie duckten sich beide hinter der Zinne, doch ein Stück Glut fiel auf Ännes Kopftuch, das wie immer ihr Haar vollständig verbarg. Hastig zog sie sich das Tuch vom Kopf, um die Glut abzuschütteln. Dabei konnte Ulrich zum ersten Mal ihr Haar sehen: rotblond und zu einem Zopf geflochten, der im Nacken verknotet war.

Rasch band sie sich das angesengte Stück Leinen wieder um.

Ulrich wunderte sich über ihre ungewöhnliche Gelassenheit angesichts der Situation. Er hatte sie von ihrer ersten Begegnung als völlig verängstigt in Erinnerung. Hatten die ständige Gefahr und das Grauen sie abgestumpft, wie es mit manchem Kämpfer im Verlauf der Schlacht geschah? Oder verlor sie allmählich vor lauter Angst den Verstand?

Dann lasst uns beten, dass nicht gleich der nächste Angriff mit Sturmleitern folgt, dachte er.

Aber die Söldner des Königs schienen sich jetzt auf eine Stelle ein ganzes Stück von ihnen entfernt zu konzentrieren. Reinhard von Hersfeld und Markus hatten ihre Leute dort bereits zusammengezogen.

»Ihr wollt sicher kein Mittel, das Euch betäubt, um den Schmerz wenigstens etwas zu mildern?« Nun musste auch Änne beinahe schreien, um in dem Kampflärm gehört zu werden.

Entschieden schüttelte Ulrich den Kopf. Das konnte er sich jetzt nicht leisten.

»Stützt Euch auf mich, um Euch hinzusetzen«, bot sie an.

Es kam Ulrich völlig unangemessen vor, sich als Ritter von einem Mädchen, noch dazu solch einem zarten Ding, stützen zu lassen. Sie würde wohl kaum sein Gewicht halten können, ganz zu schweigen von dem seines Kettenhemdes und des Plattenrocks.

Zum Glück war Roland schon an seine Seite getreten und half ihm, sich niederzulassen. Der Schmerz trieb ihm den Schweiß auf die Stirn und ließ erneut Sterne vor seinen Augen tanzen.

Änne sah ihn voller Mitgefühl an. Doch als sie dabei seinen Blick auffing, senkte sie sofort die Lider.

Rasch schob sie mit ihren eiskalten Fingern den unteren Teil des Kettenhemdes hoch, entknotete die Riemen, die seine Kettenbeinlinge hielten, zerschnitt mit dem Messer einen gepolsterten Beinling und legte die Wunde frei.

Vorsichtig fühlte sie nach der Pfeilspitze, so sanft, dass er es trotz der Schmerzen im ganzen Bein kaum spürte. Dann setzte sie die Apparatur auf, als hätte sie ihr Leben lang nichts anderes gemacht, umklammerte damit das stumpfe Ende der Spitze und zog sie heraus.

Dabei wurde die Wunde noch weiter aufgerissen. Ulrich konnte ein Stöhnen nicht unterdrücken. Nun sprudelte das Blut nur so hervor.

»Presst Eure Hand darauf«, forderte sie den Verletzten auf.

Suchend sah sich Änne um. Ulrich dachte, sie ersehne die

Ankunft des Feldschers, weil sie nun nicht weiterwusste. Völlig unerwartet sprang sie auf und rannte zwischen den Kämpfern hindurch, immer geduckt hinter den Zinnen.

Dabei prallte sie gegen Markus, der sie entgeistert anstarrte.

»Verschwinde hier, rasch! Gleich kommen die Nächsten!«, schrie er sie an.

Sie schüttelte nur den Kopf und hockte sich neben eine der Feuerstellen, über denen das Pech erhitzt wurde. Ulrich sah, wie sie das Kautereisen hineinhielt, um es auszuglühen, während Markus sich vor sie stellte und sie mit seinem Leib schützte. Dann rannte sie zurück und drückte das glühende Eisen dem immer noch verblüfften Kommandanten auf die Wunde.

Der Schmerz und der Geruch nach verbranntem Fleisch waren unbeschreiblich. Aber bald versiegte der Blutstrom.

»Es tut mir leid, dass ich Euch Schmerzen bereiten muss«, murmelte sie, während sie Leinenstreifen mit einer Tinktur tränkte und über seine Wunde band. Es brannte wie Feuer.

»Wo hast du das gelernt?«, fragte er sie, um sich selbst abzulenken.

»Vom Feldscher … Wir haben so viele Verletzte, dass er nicht alle gleichzeitig behandeln kann.«

»Leg mir den Verband richtig straff an; ich muss mich gleich wieder vor meinen Männern zeigen«, meinte er.

Sie wollte etwas einwenden, aber ein Blick von ihm ließ sie verstummen.

»Es ist ein schlechtes Omen, wenn die Männer glauben, ihr Anführer sei gefallen oder nicht mehr für den Kampf tauglich.«

Als der Angriff endlich abgeflaut war und Ruhe einkehrte, nahm Ulrich alle Kraft zusammen und humpelte mit zusammengebissenen Zähnen zu seinem Quartier. Dort ließ er sich von Roland helfen, die Rüstung abzulegen, und sank auf das

Bett, kaum dass sein Knappe gegangen war. Er war zu Tode erschöpft, doch die brennenden und pochenden Schmerzen ließen ihn an Schlaf nicht einmal denken.

Es klopfte, und auf seinen Ruf trat Markus ein, verneigte sich und zog das Apothekermündel in die Kammer, das einen Zinnbecher trug, aus dem Dampf emporstieg.

»Es ist ein mildes Mittel, Herr«, erklärte sie ungefragt mit gesenktem Blick. »Es wird Euch helfen, trotz der Schmerzen Schlaf zu finden. Doch wenn Gefahr drohen sollte, werdet Ihr mühelos wach und bei klarem Verstand sein.«

Er roch vorsichtig an der heißen Flüssigkeit; kein Wein, sondern ein Sud aus irgendwelchen Kräutern, die er nicht benennen konnte.

An Markus' Gesicht erkannte er, dass dies wohl seine Idee gewesen war, und die Sorge der beiden berührte ihn.

In vorsichtigen, kleinen Schlucken trank er.

Währenddessen schlug sie mit seiner Erlaubnis die Decke zurück und musterte sein Bein. Der Verband saß noch fest.

»Gott schenke Euch schnelle Genesung!«, verabschiedete sich Markus und ging mit Änne zusammen wieder hinaus.

Ulrich ließ sich erneut auf das Laken fallen.

Der Trank schien wirklich die Schmerzen zu lindern, abgesehen davon, dass ihm die Wärme guttat. Müdigkeit zog seine Lider herab.

Doch bevor er einschlief, hörte er noch die geflüsterte Unterhaltung zwischen Markus und Änne hinter der Tür.

»Es tut mir leid, dass ich vorhin so grob zu dir war«, entschuldigte sich der Hauptmann der Wache bei dem Mädchen. »Aber ich hab mir Sorgen um dich gemacht.«

Sie schien nichts zu erwidern, denn nach einer kurzen Pause sagte Markus: »Geh jetzt auch schlafen. Du siehst furchtbar müde aus.«

Diesmal vernahm Ulrich als unfreiwilliger Lauscher ihre leise Antwort.

»Ich will nicht schlafen … Ich träume furchtbare Dinge.«

Das geht uns wohl fast allen so, dachte Ulrich bitter. Wir sind umgeben von zehntausend bewaffneten Feinden, die jeden Tag die Stadt einnehmen konnten, und unter ständigem Beschuss. Wer schlief da noch ruhig?

»Von Bewaffneten, die zu Hunderten in die Stadt strömen und dann dort furchtbar wüten«, wisperte das Mädchen weiter. »Und der ganze Obermarkt ist voller Blut …«

Ulrich entging die Antwort, denn ihm fielen sofort Sibyllas Worte wieder ein: dass dieses unscheinbare, verängstigte Mädchen, das gerade mit erstaunlichem Geschick seine Verletzung behandelt hatte, aus einem Geschlecht von Frauen mit dem zweiten Gesicht stammte.

Mit einem Mal verspürte er den glühenden Schmerz im Herzen und nicht im Bein.

DER DURCHSCHLUPF

*H*ans Lobetanz wartete, bis es dunkel war und wie jede Nacht Feuer und Steine auf die Stadt geschleudert wurden.

Der dumme Oheim und seine hässliche Frau würden jetzt wohl wieder zähneklappernd aus Angst um ihren Besitz vor dem hölzernen Kreuz in der Kammer knien und beten. Das Gesinde hatte sich verkrochen und würde die neugierigen Nasen nicht herausstrecken vor Sorge, es könnte ein Brandpfeil hineinfahren.

Leise vor sich hin lachend, schlich er sich hinaus.

Im Geheimfach seines Onkels hinter der Wand – oder dem, was dieser Narr für ein Geheimfach hielt – hatte er acht Mark Silber in Barren gefunden. Das war mehr, als ein Töpfer oder Färber sein ganzes Leben lang verdienen konnte. Der Alte musste wohl gute Geschäfte machen mit seinen falschen Alraunen. Das brachte Hans auf eine Idee, die ihn zusätzlich beflügelte: Vielleicht sollte er selbst solche »Alraunen« verkaufen, wenn das Silber knapp würde. Er hatte sich bei Jenzin genau abgeschaut, wie man es bewerkstelligte, dass sie echt aussahen.

Aber vorerst besaß er ausreichend Geld.

Mochten die feigen Ratsherren ruhig denken, dass er sein Leben für sie riskierte. Er dachte nicht im Traum daran, sich dem wilden Heer da draußen auszuliefern. Der König würde früher oder später auch so einen Weg in die Stadt finden.

Wenn er erst in Meißen oder Dresden war, würde er sich im Wirtshaus die besten Leckerbissen kommen lassen und essen, bis er nicht mehr konnte. Und dann würde er sich im nächsten Hurenhaus ein dralles Mädchen aussuchen oder auch zwei, und die mussten ihm alle Wünsche erfüllen. Das wäre viel besser als die magere Missgeburt, die sich nun auf der Burg verkrochen hatte und dort bestimmt für sämtliche Ritter Friedrichs und noch die Wachmannschaft dazu die Beine spreizte.

Diese Aussicht auf Braten und gefällige Huren beschäftigte seine Gedanken viel mehr als die Frage, wie er an den Belagerern vorbeikommen sollte. Dazu würde ihm schon etwas einfallen, wenn er erst draußen war.

Geduckt lief Hans die Kesselmachergasse hinab, zur Wasserturmgasse und dann in die Jacobigasse.

Es schneite schon wieder. Das kam seinen Absichten entgegen. Niemand würde ihn sehen, selbst seine Fußspuren würden verweht und zugeschneit werden.

Doch ohnehin schien ihn niemand zu bemerken. Während sich in Friedenszeiten jeder verdächtig machte, der nachts durch die Gassen schlich, und Gefahr lief, vom Nachtwächter aufgegriffen zu werden, waren jetzt die Menschen voll und ganz damit beschäftigt, ihr kümmerliches Leben und ihre noch kümmerlichere Habe zu sichern. Wohin er auch schaute, hatten die Angriffe Spuren hinterlassen: halb zerstörte Häuser, verbrannte Balken, lose Steine.

Der Apothekergeselle sah, dass in der Färbergasse Aufruhr herrschte; dort musste wohl ein Dach in Brand geraten sein. Eine Frau mit durchdringender Stimme jammerte um ihr Haus und trieb gleichzeitig ein paar Männer an, das Feuer endlich zu löschen.

Eine Gestalt huschte geduckt an ihm vorbei, vielleicht ein Dieb, der das Durcheinander für seine eigenen Beutezüge nutzte. Doch der konnte ihm gleichgültig sein. Morgen schon würde er das alles hinter sich gelassen haben und ein Leben in Saus und Braus führen.

Erschrocken fuhr Hans zurück, als ihm ein steinernes Wurfgeschoss direkt vor die Füße krachte.

Es wäre wirklich bitter, nur ein paar Schritte von der Erfüllung seiner Träume entfernt noch solchem Unglück zum Opfer zu fallen.

Endlich! Da war die Grube.

Hans Lobetanz atmete auf. Argwöhnisch sah er noch einmal um sich, doch niemand achtete auf ihn. Nicht einmal Hunde liefen schnüffelnd herum. Die hatten sich längst verkrochen oder waren gegessen worden.

Über zwei Leitern – oder Fahrten, wie die Bergleute es nannten – und einen Absatz kletterte er in das große Loch hinab, von dem aus die Stollen ins Erdinnere führten. Wo war nur der Eingang? Der dichte Schneefall erschwerte es ihm, etwas zu erkennen.

Dann plötzlich wurde ihm klar, dass er direkt vor dem Mundloch stand. Kein Wunder, dass er es nicht gleich gesehen hatte; in der Grube war seit Tagen niemand mehr gewesen.

Erleichtert wischte er sich die nassen Haare aus der Stirn und trat in den Stollen. Hier blies wenigstens nicht mehr dieser eisige Wind. Noch ein paar Schritte, und weiter drin in der Grube war es geradezu warm im Vergleich zu draußen. Er stapfte ein paar Mal fest auf, um den Schnee von den Schuhen zu bekommen, und klopfte sich die Graupelkörner vom Umhang.

Das Taglicht zu entzünden, bereitete ihm Mühe. Seine Hände waren klamm vor Kälte und Aufregung, und der Zunder war feucht geworden.

Endlich glomm ein Funken, bald brannte der Docht. Ungeduldig sah Hans sich um. Dem Hauptstollen zu folgen, war nicht schwierig. Aber wo, um alles in der Welt, war der geheime Gang?

Bald verlor Hans auf seiner Suche nicht nur jedes Zeitgefühl, sondern – was viel schlimmer war – auch die Orientierung.

Angst kroch in ihm hoch. Hatte er sich in den engen Gängen verlaufen? Würde er nie wieder aus diesem Loch herausfinden?

Mühsam zwang er sich zur Ruhe. Jetzt schlafe ich erst einmal, und morgen früh werde ich sehen, ob von irgendwo Tageslicht durchschimmert. Dann gehe ich entweder zurück und denke mir eine Ausrede aus, oder ich weiß, dass ich den geheimen Durchschlupf unter der Stadtmauer gefunden habe. Wenn es immer noch schneit, kann ich mich bestimmt an den Truppen vorbeischleichen. Wenn nicht, verstecke ich mich hier bis zur nächsten Nacht.

Er trank die Hälfte von dem Bier, das er mitgenommen hatte, blies das Taglicht aus, zog seinen Umhang eng um sich und überließ sich der Dunkelheit.

Hans Lobetanz erwachte vom Geräusch regelmäßig fallender Tropfen. Er hatte keine Ahnung, wie lange er geschlafen hatte und welche Tageszeit draußen herrschte. Doch sein knurrender Magen sagte ihm, es könnte bereits Morgen sein.

Seine Hände zitterten, als er nach Feuerstein und Zunder tastete. Es war vollkommen dunkel; man könnte beinahe meinen, er sei erblindet.

Endlich Licht! Er aß ein wenig von dem Brot, und während er kaute, versuchte er, sein weiteres Vorgehen zu planen.

Nichts an dieser Stelle kam ihm vertraut vor. Die unebenen,

dunklen Wände glitzerten feucht, der Stollen war so schmal, dass selbst er Mühe hatte durchzukommen. Aufrecht stehen konnte er schon lange nicht mehr, sondern musste geduckt laufen, manchmal sogar kriechen. Dabei war er schlank, mit nicht allzu breiten Schultern.

Die Arbeitsspuren an den Wänden verrieten durch nichts, ob dieser Stollen schon vor langer Zeit angelegt worden war oder immer noch genutzt wurde. Aber nirgendwo sah er die Reste von Kienspänen oder Eimer, mit denen Erz, taubes Gestein und Wasser nach oben befördert wurden.

Wieder überfiel ihn panische Angst, nie mehr aus diesem finsteren, bedrückend engen Labyrinth herauszufinden.

Doch mit der Aussicht auf ein üppiges Mahl und Huren zwang er sich zur Ruhe.

Ich habe keine Ahnung, wo ich bin. Also muss ich es einfach in alle Richtungen versuchen, redete er sich zu. Und jeden Gang, in dem ich schon war, markiere ich mit einem großen Stein.

Er ärgerte sich, nicht mehr Lichter mitgenommen zu haben. Bald kam es ihm vor, als dauere seine Suche schon einen halben Tag, ohne dass er einen Ausgang gefunden hatte. An vielen Stellen tropfte Feuchtigkeit von dem Gestein, doch hier unten war nichts davon zu hören, was oben an Bedrohlichem vor sich gehen mochte.

Mit einem Mal flackerte die Flamme auf, dann fiel sie in sich zusammen und erlosch. Das Talglicht war vollends heruntergebrannt.

Hans Lobetanz erschrak.

Er war allein, und um ihn herum herrschte absolute Dunkelheit.

Panisch tastete er an den schroffen, feuchten Felswänden entlang, und es kümmerte ihn nicht, dass er seine Hände an dem scharfkantigen Gneis aufschrammte. Er würde hier umkommen, und niemand würde je erfahren, wie jämmerlich er zugrunde gegangen war.

Doch er wollte leben!

Schluchzend sank er auf die Knie und begann zu beten. Inbrünstig wie noch nie flehte er Gott an, ihm seine schlechten Taten zu vergeben. Er versprach, alles gestohlene Geld der Kirche zu schenken, wenn der Allmächtige ihn nur errettete, ihn nicht sterben ließ in diesem finsteren, einsamen Loch.

Doch Gott antwortete nicht.

Jenzins Neffe vergrub den Kopf zwischen den Armen und heulte jämmerlich.

Irgendwann erstickte das Schluchzen.

Nun war das Aufschlagen der Tropfen in die Pfütze das einzige Geräusch, und es schien immer lauter zu werden.

Das brachte ihn auf einen Gedanken. Wenn er etwas von dem Grubenwasser trank, würde er nicht so schnell verdursten.

Vorsichtig tastete er sich in die Richtung, aus der das Geräusch kam, immer bemüht, mit dem Kopf nicht an irgendwelche Vorsprünge zu stoßen. Die Wände bestanden hier aus Fels, dem die Bergleute auch mit Schlägel und Eisen nur mühsam beikamen.

Mit der Hand schöpfte er Wasser aus der Pfütze, das einen metallischen Geschmack hatte, und trank gierig. Dann sperrte er in der Dunkelheit Augen und Ohren auf.

Täuschte er sich, oder kam da wirklich von vorn ein Geräusch? Waren das gar entzürnte Berggeister oder Ungetüme, die sonst noch unter der Erde hausten? Würden sie über ihn herfallen? Oder narrten ihn die Berggeister, um ihn endgültig ins Verderben zu locken?

In halber Höhe ertastete er ein Loch, einen Durchlass, wohl groß genug, dass er gerade noch hindurchkommen konnte. Er hangelte sich hoch und tastete weiter. Seine Hände stießen auf grob behauenen Gneis, an manchen Stellen mit Feuchtigkeit beschlagen; doch hier schien es weiterzugehen.

Hoffnung schöpfend, tastete sich Hans vorwärts, bis er glaubte, einen matten Lichtschimmer zu sehen.

Beinahe hätte er lauthals gejubelt.

Er hatte den Durchschlupf gefunden! Im letzten Augenblick erstickte er den Schrei. Niemand durfte ihn hören.

Es war schwierig, dem schwachen Schein zu folgen. An einer Stelle wurde der Gang so eng, dass er sich nur mit Mühe durchzwängen konnte und dafür sogar seinen Umhang ablegen musste. Doch wenn er sich auch den Kittel zerriss und die Haut zerkratzte – das Wagnis hatte sich gelohnt. Zwanzig Ellen noch, und er musste draußen sein. Die Frage war nur, wo.

Allmählich wurden die Konturen des Stollens sichtbar, durch den er sich zwängte. Er fragte sich, wie hier wohl je ein Häuer durchgekommen sein mochte. Wahrscheinlich hatte man Kinder hierhergeschickt. Das Silbererz in den Gängen, wenn man es erst einmal gefunden hatte, ließ sich im Vergleich zum Gneis leicht brechen. Doch sich durch das taube Gestein zu arbeiten, war hier in den Erzgruben unglaublich mühsam und brachte selbst einem erfahrenen Bergmann kaum mehr als eine Elle Vortrieb pro Woche.

Der Gang wurde noch schmaler. Schon wollte die Angst über ihm zusammenschlagen, kurz vor der rettenden Öffnung stecken zu bleiben. Doch eines wusste er genau: Zurück würde er niemals kriechen. Er schob sich über die flache, kantige Strecke, und es war ihm gleichgültig, ob er sich die Haut vom Leibe schürfte.

Die Öffnung, kein richtiges Mundloch, sondern lediglich ein schmaler Spalt, der von draußen auch als Fuchs- oder Kaninchenbau gelten mochte, war von Schnee zugeweht. Ein winziger Riss hatte sich gebildet, durch den das Tageslicht schimmerte – vielleicht, weil ein Teil der Schneelast weggebrochen war.

Hans schob sich mit einem letzten Ruck vor, dann konnte er den Schnee mit den Händen beiseiteschaufeln.

Endlich raus aus diesem Loch, hinaus in die Freiheit!

Er hatte kaum die Schultern durch den Spalt gezwängt, als er von hinten gepackt und herausgezerrt wurde.

»Nun sieh dir das einmal an! Da hat sich doch wirklich eine Ratte aus dem Nest geschlichen!«

Jemand stellte ihn grob auf die Füße und drehte ihn herum.

Als Hans Lobetanz erkannte, in welcher Lage er sich befand, hätte er sich vor Angst beinahe in den Schnee übergeben. Er stand hier irgendwo zwischen Stadtmauer und Donatssiedlung und war den feindlichen Wachen direkt in die Hände gelaufen.

Nun, dann musste er eben seinen Plan ändern und ausführen, was ihm der Oheim aufgetragen hatte. Vielleicht würde sich der König erkenntlich zeigen. Bestimmt sogar. Schließlich verdankte er es *ihm*, einem Apothekergesellen, wenn er das widerspenstige Freiberg einnehmen konnte.

Er drehte sich zu einem der Männer um; dem Kleineren von ihnen, der ihm nicht ganz so grimmig erschien; und wollte etwas sagen. Doch der hieb ihm nur die Faust in den Rücken und stieß ihn weiter vorwärts. »Halt's Maul, du Laus!«

Die beiden Männer, der Kleidung nach Söldner, dem Dialekt nach aus einer weit entfernten Gegend, brachten ihn zum Lager. Hans kam in seiner Angst nicht einmal auf die Idee nachzudenken, was es bedeuten mochte, dass sie ihm nicht die Augen verbanden. Stattdessen schöpfte er sogar Hoffnung aus dem Umstand, dass man ihn nicht gefesselt hatte.

Notfalls muss ich mich mit dem gestohlenen Silber freikaufen, überlegte er. Bis nach Meißen oder Dresden werde ich schon kommen, auch ohne Geld und Umhang – nur fort von hier, weit fort.

Je mehr sie sich dem Heerlager des Königs näherten, umso mehr Furcht verspürte Hans – und Verachtung für diejenigen hinter den Stadtmauern, die glaubten, einer solchen Übermacht trotzen zu können.

Er hatte noch nie so viele Menschen auf einmal gesehen. So weit man blicken konnte, wimmelte es von Kämpfern. Und sie alle sahen furchterregend aus, einer schlimmer als der andere: bis an die Zähne bewaffnet und mit dem Ausdruck wilder Entschlossenheit in den Augen. Linker Hand legten etliche gerade die Rüstung an, während jemand lauthals Befehle brüllte, eine Gruppe rechts von ihm war in eine wilde Schlägerei verwickelt und wurde dabei von zwei Dutzend Zuschauern lautstark angefeuert, vor ihm gingen zwei Männer mit dem Messer aufeinander los. Der Erste griff an und verfehlte den anderen nur knapp, der trat ihm das Messer aus der Hand, warf ihn zu Boden und schnitt ihm zur Belustigung der Umherstehenden ein Ohr ab.

Schaudernd wandte Hans sich ab und würgte.

Sie gingen auf ein großes Zelt zu, vor dem ein rot-weißes Banner aufgepflanzt war.

Der Kleinere von seinen Bewachern sagte etwas zu dem Wachposten vor dem Zelt, dann verschwand er hinter der Leinwand, um kurz darauf zurückzukehren und seinen Kumpan zufrieden grinsend heranzuwinken.

»Rein mit dir!« Er stieß den Gefangenen hinein und drückte ihn auf die Knie.

»Der Bursche hier kann uns den Weg in die Stadt zeigen«, verkündete der andere freudig. »Er kennt einen Durchschlupf. Genau da haben wir ihn geschnappt, als er sich davonstehlen wollte.«

Der Bannerführer – ein hellbärtiger Mann mit breitem, kantigem Gesicht, in einem teuren Kettenpanzer und einem Wappenrock aus gutem rot-weiß gestreiften Tuch – sagte kein Wort, sondern sah ihn nur durchdringend an. Hinter ihm standen vier Ritter, die nicht minder interessiert auf den Gefangenen starrten.

»Mich schicken die Ratsherren, die die Stadt dem König übergeben wollen«, beteuerte Hans hastig. »Wirklich, edler Herr! Ich schwör's! Ich soll dem König Nachricht bringen und einen Weg zeigen, wie er die Stadt einnehmen kann.«

»*Du* willst zum König?«, knurrte der Bannerführer verächtlich. »Was bildest du Ratte dir ein? Und wer sagt mir, dass das nicht eine Falle ist? Nein, Bürschlein, du wirst auf der Stelle mit meinen Männern zurück zu diesem Loch gehen, aus dem du gekrochen kamst, und ihnen selbst den Weg zeigen. Sonst lasse ich dich aufknüpfen.«

Hans zuckte zusammen. So hatte er sich das nicht vorgestellt.

»Das kann ich nicht, edler Herr, ich hab mich in der Grube verirrt«, flehte er. »Aber ich habe Silber! Ich gebe Euch alles, was ich habe, wenn Ihr mich laufen lasst.«

Mit zitternden Händen zog er die schmalen Barren seines Onkels hervor, die er in einem Beutel unter seinem Kittel versteckt hatte. Vor Angst und Aufregung fielen ihm die Stücke mehrmals zu Boden, bis er sie schließlich dem Anführer des Banners entgegenstreckte.

Einer der beiden Männer, die ihn gefangen genommen hatten, gab einen grunzenden Laut von sich – wohl aus Ärger darüber, den Burschen nicht gleich durchsucht und das Silber an sich genommen zu haben.

Der Bannerführer gab dem Kleineren einen Wink, ihm das Silber zu bringen. Prüfend drehte er die Barren und begutachtete den Prägestempel.

»Freiberger Silber, tatsächlich.«

Der Hellbärtige hatte eine tiefe Stimme. Ruhelos forschte Hans in seinem Gesicht nach irgendeinem Zeichen von Zufriedenheit oder gar Freundlichkeit. Vergebens.

Der Mann nahm sechs der Barren an sich, die übrigen zwei warf er den Söldnern zu, die Hans gefasst hatten.

»Für euch.«

Die Männer bedankten sich unterwürfig, doch ihr Anführer schnitt ihnen mit einer Handbewegung das Wort ab.

»Jetzt zeig uns den Weg in die Stadt, Bursche!«

Hans erschrak. »Verzeiht, hoher Herr …! Ich sagte doch, ich hab mich verirrt. Außerdem ist der Durchlass viel zu schmal für Eure Männer. Seht doch, ich bin ja selbst kaum durchgekommen!«

Verzweifelt streckte er seine zerschürften Hände vor.

»Dann schneidet ihm die Kehle durch«, meinte der Bannerführer gelangweilt. »Draußen!«, fuhr er den Söldner an, der sofort sein Messer zog. »Ich will diese Sudelei nicht in meinem Zelt.«

Der Apothekergeselle schrie auf, während er an den Armen gepackt und fortgezerrt wurde. »Nein, wartet! Ich kann Euch helfen, in die Stadt zu gelangen!«

Auf einen Wink des Befehlshabers ließen die beiden Männer ihn los und stießen ihn zu Boden.

»Der Durchlass ist wirklich zu schmal, da kommen unsere Leute nicht durch, Herr«, brummte einer von ihnen. »Wir haben gleich nachgeschaut.«

»Dann verbreitert ihn!«, schnauzte der Bannerführer. »Haben wir nicht genug Männer, um ein lächerliches Loch in den Boden zu graben?«

»Da ist Fels, Herr, Freiberger Gneis! Ihr bräuchtet Monate!«, rief Hans.

»Der Gedanke an das hier« – der Befehlshaber schlug mit dem Fingerknöchel auf die Silberbarren, die auf seinem Schoß lagen – »wird meinen Männern die nötige Kraft und Ausdauer verleihen. Ihr geht und kümmert euch um dieses Loch!«, befahl er den Söldnern. »Und den da schafft mir aus den Augen. Aber lasst ihn gut bewachen.«

Während Hans hochgezerrt und nach draußen gestoßen wurde, atmete er auf. Vorerst war er davongekommen.

Jenzins Neffen schien es, als ob die Zeit überhaupt nicht verging. Die Königlichen hatten sich einen Spaß daraus gemacht, ihn wie einen Hund mit einem Strick um den Hals an eine Koppel zu binden, so dass er nun in verrenkter Haltung im Schnee knien musste, wenn er sich nicht selbst erwürgen wollte. Er zitterte vor Kälte, seine Zähne schlugen klappernd aufeinander.

Wehmütig sehnte er sich nach dem Kohlebecken im Zelt des Hellbärtigen zurück, das wohlige Wärme ausgestrahlt hatte.

Der Schnee fiel inzwischen spärlicher. So konnte er zum ersten Mal seit Beginn der Belagerung die Stadt von außen betrachten.

Von hier aus erschien ihm die Stadtmauer gar nicht mehr so stark. An vielen Stellen war sie getroffen und beschädigt.

Von seinem Platz aus konnte er genau beobachten, wie ein Teil der Belagerer erneut gegen die Mauern stürmte. Doch die Angreifer schienen Mühe zu haben, mit den Sturmleitern und unter vollen Waffen im frisch gefallenen Schnee den steilen Wall zu erklimmen. Immer wieder rutschten sie zurück in den Graben, was sie aus dieser Entfernung wie zappelnde schwarze Käfer oder Ameisen wirken ließ.

Mit mürrischen Gesichtern und allerhand Werkzeug über den Schultern zog währenddessen ein Dutzend Männer zu dem Durchschlupf, den Hans entdeckt hatte.

Aus der Ferne konnte er beobachten, wie sie den Schnee beiseite schaufelten und versuchten, den Eingang zu verbreitern. Wennglcih er kein Bergmann war und bisher nur Kräutermesser, Waagen und Pistille in den Händen gehabt hatte statt Eisen und Schlägel – er kam aus einer Stadt, wo sich fast alles um den Bergbau drehte, und so war ihm klar, dass die Männer dort mit Äxten nichts bewirken würden.

Richtig, bald kam schon einer von ihnen zurück und verschwand mit mürrischer Miene in dem Zelt mit dem rot-weißen Banner.

Wenig später kam er wieder heraus, löste den Strick von dem Balken, mit dem Hans an die Koppel gebunden war, zerrte ihn so heftig hinter sich her, dass er den Apothekergesellen beinahe erdrosselte, und stieß ihn im Zelt dem Anführer vor die Knie.

Dieser sah mit furchterregender Miene auf den Jungen, der krampfhaft nach Luft schnappte und versuchte, mit beiden Händen den Strick um seinen Hals zu lockern.

»Beweise mir auf der Stelle, dass du uns nützen kannst, oder ich lasse dich abstechen, Bursche!«, raunzte er und funkelte Hans böse mit seinen hellblauen Augen an.

»Mein Oheim ist Ratsherr, er wird Lösegeld zahlen!«, brachte Hans hastig hervor. »Er hat auch von Anfang an dafür gestimmt, dem König die Schlüssel zu übergeben. Ich schwör's! Der Stadtphysicus und noch ein paar haben es verhindert.«

»Das Geld der reichen Pfeffersäcke holen wir uns in ein paar Tagen sowieso!« Der Bannerführer lachte abfällig.

»Wenn sein Oheim Ratsherr ist, sollten wir vielleicht seinen Kopf über die Mauer schießen, als Gruß und Botschaft, damit der aufsässige Rat endlich zur richtigen Entscheidung findet«, schlug nun einer der Ritter vor, die hinter dem Bannerführer standen, ein hochgewachsener Kerl, unter dessen Kettenhaube dunkle Strähnen hervorlugten.

Der Ritter trat auf Hans zu und zog sein Schwert.

Der junge Bursche erschrak sich fast zu Tode. Sie würden ihn umbringen, jetzt gleich!

»Nein, Herr, nein! Ich sage Euch alles, was Ihr wissen müsst, um in die Stadt zu kommen! Es gibt einen Weg!«, schrie er.

Nun sprudelten die Worte nur so aus ihm heraus.

Er erzählte, was er zuvor noch mit einem letzten Anflug von Gewissen für sich behalten hatte, alles, was er wusste und heimlich erlauscht hatte: Namen und Pläne und wer die entschlossensten Verteidiger der Stadt waren. Dass die Bürgerschaft in Streit geraten war, dass in der Stadt auch dreihundert

Juden Zuflucht gefunden hatten, die sicher ihr ganzes Vermögen bei sich trugen ... und von jenem kleinen, fast vergessenen Bachlauf unter dem Oberen Wasserrechenturm, von dem anscheinend weder der Heerführer des Markgrafen noch der neue Burgkommandant etwas wussten.

Mit unbewegtem Gesicht hörte der Bannerführer zu.

Als Hans alles verraten hatte, sah er unterwürfig zu ihm auf. Da war sie wieder, die Hoffnung, der Tag würde sich doch noch zum Guten wenden. Vielleicht würde man ihn sogar belohnen.

Die nächsten Worte des Anführers nährten diese Hoffnung.

»Du hast dich wirklich als nützlich erwiesen«, sagte dieser mit seiner tiefen Stimme. »Das soll dir gebührend gelohnt werden.« Er nickte dem dunkelhaarigen Ritter zu.

»Komm mit nach draußen, Bursche!«, befahl dieser, und Hans stemmte sich eifrig hoch, unterwürfig Dankesworte stammelnd.

Gespannt sah er sich um, wohin ihn der Ritter wohl bringen würde. Zur Koppel? Würde man ihm vielleicht sogar ein Pferd schenken, damit er Meißen schneller erreichte?

Was dann kam, traf ihn auch im wörtlichen Sinne völlig unerwartet. Mit unbewegter Miene zückte der Mann seinen Dolch und schnitt Hans die Kehle durch. Jäh griff der Sterbende mit beiden Händen an seinen Hals, um den Blutstrom aufzuhalten, dann stürzte er vornüber in den Schnee.

»Dreckiges Verräterpack.« Verächtlich stieg der Ritter über den Leichnam hinweg. »Räumt den Unrat beiseite!«, befahl er.

Beflissen trat der Größere der beiden Söldner, die den Jungen gefangen genommen hatten, auf den Ritter zu.

»Soll ich ihm den Kopf abschlagen, Herr, damit wir ihn in die Stadt schießen können?«

»Nein«, erhielt er zur Antwort. »Niemand innerhalb der Mauern darf erfahren, dass uns ein Vögelchen etwas gepfiffen hat. Sie müssen völlig ahnungslos sein, wenn wir in ihre Stadt einfallen.«

Dann ging er zusammen mit den drei anderen und seinem Bannerführer zum Marschall des Königs.

Der Marschall zeigte sich zunächst skeptisch. »Ein Bächlein, das unter einem der Türme durchfließt, und niemand bewacht es? Das klingt mir sehr nach einer List.«

»Wenn Ihr diesen Burschen gesehen hättet, würdet Ihr ihm glauben. Der hat sich vor Angst beinahe bepisst. Er sagt, der Bachlauf sei nicht sichtbar, schon gar nicht unter dem Schnee, und regelrecht vergessen worden. Weder der Maltitzer noch von Haubitz wüssten davon.«

Diese Auskunft stimmte den Marschall sehr zufrieden.

»Es wird auch allerhöchste Zeit, dass wir diesen Hort von Widersetzlichkeit in die Knie zwingen.«

Mit einer für seinen Körperumfang erstaunlichen Schnelligkeit stand er auf, ging zum Ausgang des Zeltes und schlug eine Bahn zurück, um nach draußen zu schauen. Mittlerweile fielen wieder große Flocken, die kaum mehr Sicht als auf ein paar Schritte erlaubten.

»Das Wetter kommt uns zupass – und auch, dass morgen Sonntag ist. Die Sonntagsmesse wird unser König morgen in Freiberg feiern.«

»Wir sollen am Sonntag kämpfen?«, wandte der Bannerführer mit sichtlichem Unbehagen ein. »Das ist gegen Gottes Gebot.«

»Sich dem von Gott erwählten König zu widersetzen, *das* ist gegen Gottes Gebot!«, wies ihn der Marschall schroff zurecht. »Schickt heimlich jemanden aus, der sich unbemerkt an den Turm heranschleicht und prüft, ob das stimmt, was der Kerl gesagt hat. In der Nacht sollen Mineure das Mauerwerk herausbrechen und den Durchlass vergrößern. Dann töten unsere

Leute lautlos die Besatzung des Turmes. Ist das geschehen, folgen unsere Männer mit Leitern an den Seiten des Turmes hinauf, um von dort aus die Mannschaft der nächsten Türme unschädlich zu machen. Sie öffnen das Erlwinsche Tor, und unsere Truppen strömen in die Stadt und lehren das verfluchte Pack das Fürchten.«

Der Marschall gab einem Knappen ein Zeichen, zwei Becher zu füllen, und reichte einen dem Bannerführer.

»Euch gebührt die Ehre, den ersten Angriff zu führen. Ich wünsche Euch Erfolg!«

Krachend ließen die beiden Männer die zinnernen Becher zusammenstoßen.

»Auf den König!«

»Auf den König – und Freiberg niedergeworfen zu seinen Füßen!«

DER STURM

$\mathcal{M}$an sieht die Hand vor Augen kaum.«

Fröstelnd zog der Wachposten vom Oberen Wasserrechenturm die Schultern hoch.

Sein Nachbar, mit dem er sich die Wache teilte, kam nicht mehr dazu, zu antworten. Ein gut gezielter Dolchstich in die Nieren hatte soeben sein Leben ausgelöscht.

Der Mann, der den Dolch geführt hatte, fing den Leichnam auf und ließ ihn lautlos zu Boden gleiten. Dann stach er den nächsten Wachposten nieder.

Zufrieden ging er ein paar Schritte zurück und winkte die Männer herauf, die sich mit ihm als Erste vorwagten, nachdem ein paar erfahrene Mineure so leise wie möglich das Mauerwerk über dem Bach aufgebrochen hatten. Zu ihrem Glück waren die Steine der starken Freiberger Stadtmauer hier nur mit Lehm und nicht mit Kalk verbunden. Die Zeit und die

Witterung hatten ein Übriges dazu beigetragen, dass sich die Bruchsteine herauslösen ließen. Dann hangelten sie sich durch das so entstandene Loch nach oben, hinein in den Turm.

Der Marschall hatte ein Kommando aus dreißig der besten Kämpfer zusammengestellt, die dem Heer den Weg in die Stadt bahnen sollten; alle nur leicht gerüstet in Lederpanzern, damit nicht das Klirren der Kettenhemden sie verriet.

Bisher war es ihnen gelungen, alle Wachposten unbemerkt aus dem Weg zu räumen. Nur unten hatten sich ihnen ein paar Mann entgegengestellt. Aber gegen die härtesten und kampferfahrensten Männer des Königs hatten sie keine Chance.

Nun war der Voraustrupp auf der oberen Ebene des Turmes angelangt.

Es wäre trotz des Schneetreibens zu riskant, den anderen mit einem Feuerzeichen das Signal zu geben, dass sie sich erfolgreich durchgekämpft hatten. Also ließen sie wie verabredet eine lange Strickleiter den Turm hinab.

Gleich würde Verstärkung heraufkommen, und mit Sturmleitern würden ihnen Augenblicke später ein paar hundert der besten Kämpfer des Königs nachfolgen und sich über die Wehrgänge zum Erlwinschen Tor durchschlagen.

Erleichtert sah sich der Anführer des Vorauskommandos um. Alles lief nach Plan. Noch ehe die Stadtbewohner begriffen, was geschah, würden seine Leute das Tor öffnen, die Zugbrücke herunterlassen, und die gesamte Streitmacht des Königs würde in die Stadt fluten.

Niklas von Haubitz schaute misstrauisch in das nächtliche Schneetreiben. Ein Wetter, wie geschaffen für einen Angriff.

Er hatte noch nicht viel geschlafen diese Nacht. Aber er vermochte nicht die rechte Ruhe zu finden. Und in seinem Alter brauchte er nicht so viel Schlaf.

Also beschloss er, einen zusätzlichen Kontrollgang zu absolvieren.

In der Halle saßen drei der Ritter aus seinem unmittelbaren Gefolge, düster vor sich hinstarrend. Offenkundig fanden auch die drei keinen Schlaf, obwohl sie eigentlich allesamt jede Gelegenheit dazu nutzen sollten. Kurzentschlossen forderte er sie auf, ihn zu begleiten.

Keiner von den Männern ließ sich anmerken, wie wenig ihn die Aussicht begeisterte, bei diesem Wetter hinauszumüssen. Sie alle waren übernächtigt, durchgefroren und in verschiedenem Maße betroffen vom Tod derer, die sie in den letzten Tagen an ihrer Seite hatten sterben sehen.

Doch immerhin: Sie hatten der Übermacht schon zwei Wochen getrotzt.

Niklas fuhr mit den Händen in die ledergepolsterten Kettenfäustlinge und begann seinen Rundgang am Kalkturm, in dessen Nähe er Quartier bezogen hatte. Dort fand er alles ruhig vor, auch auf dem Roten Hirschturm. Die Wachen waren auf der Hut und hatten keine Vorkommnisse zu melden. Ein diensteifriger junger Mann näherte sich ihnen sogar mit blankem Schwert, weil er sie zunächst für Feinde hielt.

Doch als Niklas vom nächsten Abschnitt der Mauer durch das Schneegestöber hinabsah, war ihm zumute, als würde der Boden unter seinen Füßen aufreißen.

Täuschte er sich, oder bewegten sich dort unten dunkle Schemen? Es hatte heute nach Sonnenuntergang keinen Angriff mehr gegeben; morgen war Sonntag, und es würde allen Gepflogenheiten widersprechen, an einem Sonntag Krieg zu führen.

Er gab seinen Rittern das Zeichen, zu ihm aufzuschließen. Wortlos näherten sie sich dem Erlwinschen Tor von links.

Niklas beugte sich über die Mauer und verwünschte die dicken Schneeflocken und den heulenden Wind, die ihm die Sicht nahmen und jedes Geräusch verschluckten. Er kniff die Lider zusammen und rieb sich die Augen, als könnte er danach besser sehen.

Wie durch einen Zauber ließ das Schneetreiben für ein paar Momente nach, der Wind sammelte sich für eine neue Böe. Und als würde für einen kurzen Augenblick ein Vorhang beiseitegezogen, offenbarte sich ihm das Unfassbare: Keine fünfzig Schritte von ihm begann gerade ein Großangriff, und das in völliger Geräuschlosigkeit, ohne die ansonsten lauthals gebrüllten Befehle und Flüche.

Der Graben füllte sich mit Kämpfern, die mit Leitern zu einer Stelle jenseits des Erlwinschen Tores rannten, die Niklas von seiner Position aus nicht sehen konnte. Und hinter dem Graben stand sturmbereit das halbe königliche Heer.

Sie müssen einen der Türme rechter Hand des Tores eingenommen haben!, dachte Niklas verzweifelt. Und als Nächstes werden sie versuchen, das Tor zu öffnen.

Er zog sein Schwert, seine Begleiter ebenso.

»Zurück!«, stieß er hervor. »Bernhard, alarmiere die anderen und schützt diesen Teil der Mauerkrone! Georg, lass von der Petrikirche Sturm läuten! Die Bewohner der Stadt sollen sich auf der Burg in Sicherheit bringen. Gernot, hol alles an Verstärkung, was du auftreiben kannst! Wir müssen verhindern, dass sie das Tor öffnen!«

Sofort rannte jeder los.

Noch während Haubitz und zwei der Ritter nach unten hasteten und die Wachmannschaft des Roten Hirschturms alarmierten, hörten sie, wie oben das Alarmsignal ertönte. Gleich würde sich der Ruf von Turm zu Turm rund um die ganze Stadt fortpflanzen, soweit die Mauer noch nicht eingenommen war, und ein Feuerzeichen den anderen sagen, wo die Gefahr am größten war und Hilfe gebraucht wurde.

Gemeinsam mit der halben Mannschaft vom Roten Hirschturm rannte Niklas zum Erlwinschen Tor. Doch sie kamen zu spät.

Je mehr sie sich dem Tor näherten, umso mehr niedergestreckte Verteidiger sahen sie. Mindestens zwei Dutzend Gegner waren schon dabei, die Balken herauszuhebeln, mit denen das Erlwinsche Tor von innen verbarrikadiert war.

Niklas blieb mitten im Lauf stehen und hielt seine Mitstreiter mit ausgebreiteten Armen zurück. Sie waren viel zu wenige, um gegen diese Übermacht antreten zu können, sosehr es ihn auch mit jeder Faser seines Herzens danach drängte. Er wollte sich nicht eingestehen, dass sie schon verloren hatten. Sie mussten im Schutz des Schneetreibens auf Verstärkung warten, die jeden Moment entreffen konnte.

Plötzlich tauchte Markus neben ihm auf, der Hauptmann der Wache, gefolgt von etlichen seiner Männer.

»Euch schickt der Himmel!«, stieß Niklas aus. »Deine Bogenschützen vor! Schaltet die Männer am Tor aus! Das Tor muss verschlossen bleiben, sonst ist Freiberg verloren!«

Markus' Männer hatten die Pfeile bereits eingelegt. Sie schossen Salve um Salve, und die meisten ihrer Pfeile trafen. Doch für jeden Gegner, der zu Boden ging, rannten fünf neue herbei.

Von vorn und rechts stürmten nun Bewaffnete auf sie ein, um die Schützen auszuschalten, die unter den Angreifern am Tor so viel Schaden anrichteten.

Endlich Schwertarbeit, dachte der Heerführer des Markgrafen voller Zorn. Sein Blut brodelte; er spürte in sich den unbezwingbaren Wunsch, jeden Einzelnen von Adolfs Männern niederzumachen.

Der erste Angreifer, der sich zu ihm vorwagte, trug nur Lederwams und Eisenhut. Mit einem gewaltigen Hieb schlug Niklas ihm den Kopf von den Schultern. Schon wollte der Nächste auf ihn zustürmen, aber ein laut gebrülltes Kommando hielt ihn zurück.

»Das ist Haubitz, den überlasst mir!«

Mitten im Kampfgewimmel bildete sich eine schmale Gasse, durch die sich ein hellbärtiger Ritter in rot-weißem Wappenrock drängte, der einzige unter den Angreifern in Kettenpanzer und Plattenrock.

»Kein guter Tag für Euch, Haubitz!«, frohlockte er und holte zu einem machtvollen Oberhau aus.

Für dich auch nicht, dachte Niklas wütend. Was ihm der Jüngere an Kraft voraushatte, machte er durch Kampferfahrung wett. Mit einem schnellen Ausfallschritt nach rechts wich er dem tödlichen Hieb aus und trieb dem Gegner sein Schwert seitlich knapp unterhalb des Plattenrocks in den Leib. Er spürte, wie seine Schwertspitze den Kettenpanzer des anderen aufsprengte und durch den Gambeson in das Fleisch drang, und empfand grimmige Genugtuung dabei.

Ungläubiges Staunen machte sich auf dem Gesicht des Gegners breit, dann sackte er in die Knie und schlug zu Boden.

Das verschaffte Niklas einen Moment Zeit, Richtung Tor zu schauen. Es war nun halb geöffnet, und wie ein schwarzer, reißender Fluss strömte das feindliche Heer herein.

»Rückzug!«, brüllte er. »Zieht euch in die Burg zurück!«

Inzwischen läuteten die Sturmglocken von St. Petri.

Wir müssen den Menschen Zeit verschaffen, in die Burg zu fliehen, dachte Niklas verzweifelt.

»Zur Burg!«, schrie er noch einmal, so laut er konnte.

»Und versperrt die Gasse!«

Ein paar der als Wachen eingeteilten Bürger waren schon dabei, zwei strohbeladene Karren, die auf seinen Befehl dort standen, von links und rechts in die Erlwinsche Gasse zu zerren, um sie abzuriegeln. Ihnen allen war klar gewesen, dass die Angreifer durch das Erlwinsche Tor kommen würden, sollte die Stadt je genommen werden – das einzige, das nicht zugemauert war.

Schon brannte das Stroh. Rasch drängten sich Niklas und die anderen Verteidiger zwischen den brennenden Karren durch, bevor diese ganz zusammengeschoben wurden.

Eine Quergasse weiter formierte er eine Doppelreihe, um die Erlwinsche Gasse zu versperren und keinen der Angreifer weiter in die Stadt hineinzulassen, wenn diese aus den Seitengassen nachströmten, um das lodernde Hindernis zu umgehen.

»Schilde nach vorn!«

Gut zwei Dutzend Männer, die gerade erst zu ihnen gestoßen waren, bildeten einen Schildwall von Haus zu Haus quer über die gesamte Gasse. Mit Spießen bewaffnete Stadtbürger stellten sich auf sein Kommando hinter ihnen auf.

»Haltet sie auf, bis die Frauen und Kinder in Sicherheit sind!«, rief er und drehte sich Richtung Burg. Die Gasse war inzwischen voll von Menschen, die in panischer Angst aus ihren Häusern gerannt kamen, zumeist mit schreienden Kindern auf dem Arm oder an der Hand, nur notdürftig bekleidet, viele mit einem Bündel ihrer wichtigsten Habe, das sie für diesen Augenblick längst gepackt hatten.

»In die Burg! Lauft, so schnell ihr könnt!«, schrie Niklas ihnen zu.

Der Schildwall würde nicht mehr lange halten.

Von den Seiten, vom Oberen Markt, aus der Engen Gasse und der Kesselmachergasse strömten ebenfalls unzählige Menschen heran und verstopften die Erlwinsche Gasse. Irgendwo bildete sich ein wirres Knäuel, musste jemand gestürzt sein, über den nun mehrere Flüchtende stolperten.

Der Schildwall brach, die Truppen des Königs schoben, drückten und zwängten sich in die Reihe der Verteidiger.

Diese kämpften verbissen, um den Fliehenden noch die Zeit zu verschaffen, in die Burg zu gelangen.

Der Platz vor Niklas lichtete sich.

»Rückzug!«, schrie er noch einmal, so laut er konnte.

Seine Männer wichen zurück – nicht in heilloser Flucht, sondern Schritt um Schritt, weiter auf die Gegner einschlagend. Sie mussten sie nun lange genug aufhalten, damit die Zugbrücke zur Burg hinter den Fliehenden hochgezogen werden konnte.

Erleichtert sah Niklas Verstärkung aus der Burg gerannt kommen, fast vier Dutzend Kämpfer, die meisten mit Schilden. Gemeinsam formierten sie sich an der Kirchgasse erneut zu einem Schildwall, diesmal mit zwei Reihen Schildträgern.

»Ihr müsst in die Burg, Herr!«, rief jemand neben Niklas. Markus war es, der ihn so bedrängte, ihn gar entgegen allen Anstandsregeln am Arm packte.

Von Haubitz wollte nicht weg. Aber er wusste, dass der Hauptmann der Wache recht hatte. Der Schildwall an der Kirchgasse würde unter dem Druck der nachrückenden Gegner nicht mehr lange halten, und so oder so würden bald noch mehr Angreifer aus den Seitengassen nachströmen.

Sein Platz war nun auf Freiheitsstein.

Je länger er zögerte, umso größer war die Gefahr, dass die Burgbesatzung die Brücke nicht mehr rechtzeitig hochziehen konnte. Dann wäre auch die letzte Bastion verloren und das Blutopfer derjenigen umsonst, die gekommen waren, um den zweiten Schildwall zu bilden. Denn ihnen musste schon beim Ausrücken klar gewesen sein, dass sie nicht zurückkehren würden. Ihre Aufgabe war es, den Feind aufzuhalten, bis Freiheitsstein gesichert war.

Mit erhobenem Schwert gab Niklas den anderen das Zeichen, ihm in die Burg zu folgen. Einen letzten, raschen Blick warf er auf die Kämpfer im Schildwall, und während er die paar Schritte bis zur Zugbrücke rannte, sandte er ein Stoßgebet für ihre armen Seelen zum Himmel. Für die Kämpfer, die sich opferten, und für die Freiberger, die es nun nicht mehr in die Burg schaffen würden.

Kaum war der Letzte von Niklas' Männern über die Brücke, wurden die armdicken Seile durchgehauen. Schwere Ausgleichsgewichte krachten nach unten und ließen die hölzerne Brücke mit Brachialgewalt hochschlagen.

Nun trennte ein tiefer Graben Stadt und Burg, und direkt hinter Niklas wurde das eiserne Fallgitter herabgelassen.

Der Burghof war voller Menschen, die ängstlich oder verzweifelt umherirrten, wehklagend verlorengegangene Familienangehörige suchten oder sich weinend in den Armen lagen.

Niklas sah sich um, bis er Ulrich von Maltitz entdeckte, der mit düsterer Miene auf ihn zukam, das verletzte Bein nachziehend.

»Danke für die Verstärkung«, sagte er.

»Es waren gute Männer. Ein paar von meinen besten.«

Niemand von ihnen sagte etwas, während sie gemeinsam hinaufgingen, um sich einen Überblick zu verschaffen.

Seite an Seite standen sie auf der Burgmauer und starrten auf die eingenommene Stadt. Das verräterische Schneetreiben hatte inzwischen aufgehört, und so konnten sie im hellen Mondlicht mit grausiger Deutlichkeit sehen, was sich dort unten abspielte.

Immer noch irrten Menschen ziellos und vor Angst schreiend durch die Gassen, die zu spät aus ihren Häusern gekommen waren. Die Söldner der Königs schlugen jeden nieder, den sie erreichen konnten.

Dann galoppierte eine Gruppe Panzerreiter in die Stadt. Unter den Hufen ihrer Pferde wurde zermalmt, wer sich nicht mehr in Sicherheit bringen konnte.

Die letzten Kämpfer des Schildwalls fielen unter den Schwertstreichen der Ritter des Königs.

Sie sahen Söldner Türen eintreten und in die Häuser dringen, hörten Todesschreie und das entsetzte Kreischen von Frauen. Und sie konnten nichts tun.

Der zertretene Schnee in der Burggasse war bald voller blutiger Lachen. Alle paar Schritte hatten sich Knäuel von Bewaffneten gebildet, die drängelten und einander beiseiteschubsten im Streit, wer zuerst über die Frau oder das Mädchen herfallen durfte, die sie aus den Häusern gezerrt hatten.

Ein Kind von drei oder vier Jahren irrte heulend durch die Gasse. Einer der Söldner lief auf es zu und hob sein Schwert.

Niklas hielt unwillkürlich den Atem an, er war versucht, den Blick abzuwenden, und musste doch dorthin starren.

Wir haben versagt, dachte er verzweifelt. Ich habe versagt.

Eine Bewegung lenkte seine Aufmerksamkeit nach links. Dort stand Markus, spannte seinen Eibenbogen bis zum Äußersten und sandte mit zusammengebissenen Zähnen einen Pfeil zu dem Söldner, der zum Hieb ausholte, um dem Kind den Kopf zu spalten.

Der Mann befand sich so weit von ihnen entfernt, dass ein Treffer unmöglich schien, doch Markus' Pfeil fand sein Ziel. Der Getroffene wurden einen halben Schritt nach hinten geschleudert und ließ das Schwert fallen, um mit beiden Händen nach seiner Brust zu greifen. Dann sackte er in die Knie und kippte zur Seite.

»Fahr zur Hölle!«, rief Markus wütend, als ob der Getötete ihn hören könnte.

Aus einem der Häuser in der Burggasse kam eine Gestalt gehuscht und zog das weinende Kind rasch ins Innere.

Erleichtert schlug Niklas ein Kreuz.

Der Tag brach an.

Ulrich räusperte sich, seine Stimme klang heiser.

»Lass uns hinuntergehen. Wir müssen die Flüchtlinge unterbringen und die Verteidigung der Burg neu organisieren.«

Niklas reagierte nicht auf seine Worte. Sein Blick fiel auf zwei junge Frauen, die in einigem Abstand von ihm nebeneinanderstanden und wie er fassungslos auf die Stadt starrten. Die eine, eine Schönheit mit schwarzen Locken, hatte jegliche Farbe aus dem Gesicht verloren; mit herabhängenden Armen stand sie da, die Hände zu Fäusten geballt, die Miene versteinert.

Die zweite, ein paar Jahre jünger, ebenso in schlichtes Leinen gekleidet und mit vollständig bedecktem Haar, fing seinen Blick auf und kam zögernd auf ihn zu.

Ulrich forderte das Mädchen mit einer Geste auf, zu ihnen zu treten.

»Sie will deine Wunde säubern und verbinden«, sagte er und deutete auf den klaffenden Schnitt an Niklas' rechtem Handrücken, den ihm jemand bei dem Gefecht nahe des Erlwinschen Tores zugefügt hatte. Sein Kettenfäustling war zerrissen, was ihm in diesem Moment viel übler schien als die Wunde selbst.

»Sie ist wirklich gut darin. Eine Apothekerstochter«, meinte Ulrich, als er sah, dass der Gefährte nicht reagierte, und ging voran nach unten.

Eine Apothekerstochter?, wunderte sich Niklas, als wäre dies jetzt seine dringendste Sorge. Der Markgraf hatte einem Freiberger das Apothekenprivileg erteilt. Er musste ein geachteter Mann sein. Wieso ist sie dann gekleidet wie eine Magd?

Wortlos folgte er Ulrich auf den Burghof Richtung Prägehaus. Einen Angriff auf die Burg hatten sie wohl heute vor Einbruch der Dunkelheit nicht mehr zu befürchten.

Adolf hatte die reiche Silberstadt zum Plündern freigegeben. Und das würde sich keiner seiner Männer entgehen lassen.

DIE GEHEIME ORDER

Auf dem von zertretenem Schnee bedeckten Burghof war Hildegard bereits dabei, die geflüchteten Stadtbewohner unterzubringen. »Wer von euch kann helfen, Verletzte zu behandeln?«, rief sie. Zögernd meldeten sich mehrere Frauen.

»Ihr dort, ihr helft in der Küche, und ihr zwei nehmt euch der Kinder an, die ihre Eltern verloren haben!«

Ulrich versuchte einzuschätzen, wie viele der Männer unter den hierhergeflüchteten Stadtbewohnern im kampffähigen Alter waren. Morgen, vielleicht sogar noch vor Ablauf dieses Tages, würden sie auch alte Männer und halbwüchsige Burschen bewaffnen und ins Kampfgewühl schicken müssen.

Über Kapitulation sprachen er und Niklas erst gar nicht. Was sich derzeit in den Gassen Freibergs abspielte, erübrigte jeglichen Gedanken daran.

Wenn der Markgraf nicht noch mit einem starken Heer auftauchte – die Hoffnung, dass dieser oder jener Fürst Friedrich unterstützte, weil er sich vom König bedroht fühlte, wollte entgegen aller Vernunft keiner von ihnen aufgeben –, mussten sie versuchen, Zeit zu gewinnen.

Zeit, damit sich die Lage etwas beruhigte und um Adolf klarzumachen, dass er die Burg nicht im Handstreich und nicht ohne große Verluste einzunehmen vermochte. Vielleicht ließ sich dann für die Stadtbewohner freier Abzug aushandeln.

Ulrichs Blick fiel auf den rothaarigen Burschen, der nun Rotz und Wasser heulte. Doch als der Junge ihm das Gesicht zuwandte, erkannte Ulrich, dass nicht Angst oder Schrecken, sondern die schiere Wut ihm so zusetzte.

Schon kam der Junge auf ihn zu. »Das zahle ich denen heim! Dafür sollen sie im neunten Kreis der Hölle büßen!«

Er wischte sich mit dem Ärmel das verschmierte Gesicht ab, dann sagte er: »Nicht wahr, Herr, das zahlen wir ihnen heim?! Bitte, lasst mich kämpfen! Gebt mir ein Schwert!«

»Du wirst eines bekommen. Noch heute«, sagte Ulrich düster.

Während sich Niklas von Haubitz von Änne die Hand verbinden ließ, begann Ulrich von Maltitz, gemeinsam mit Markus und Hildegard etwas Ordnung in das Gewimmel auf der von wehklagenden Flüchtlingen und erschöpften Kämpfern überfüllten Burg zu bringen.

Überall saßen oder standen übernächtigte Menschen im Schnee, kraftlos gegen die Mauern gelehnt, auf der Suche nach Freunden oder Verwandten umherirrend, vor Wut oder Verzweiflung weinend, betend, frierend, sich gegenseitig tröstend.

Einige drängten sich zu ihnen durch, um niederzuknien und für die Rettung zu danken.

»Gott segne und schütze Euch«, sagte unter Tränen eine alte Frau, in der Ulrich jene Korbmacherwitwe wiedererkannte, die ihm ihren Rosenkranz geschenkt hatte. Es schien ihm eine halbe Ewigkeit her, dabei waren es gerade einmal zwei Wochen.

Eine junge Frau mit einem Säugling auf dem Arm zwängte sich zwischen den Verzweifelten durch und erbat seinen Segen. »Hier sind wir doch in Sicherheit, nicht wahr, Herr?«, fragte sie, das Schluchzen mühsam unterdrückend. »Hier können sie uns doch nichts antun?«

»Wir werden euch beschützen«, versprach er und fühlte sich schlecht dabei, ihr nur einen Teil der Wahrheit zu sagen.

»Danke, Herr, danke!«, rief sie, während Tränen über ihre Wangen liefen.

Ulrich zwang sich dazu, den Blick von ihr und all den anderen Wehrlosen loszureißen, die sich nun auf Gedeih und Verderb darauf verließen, dass er sie zu schützen vermochte. Würde er ihr Leben bewahren können?

Für wie lange?

Neben ihm fragte Markus jemanden von der Burgmannschaft: »Weißt du, wo mein Bruder steckt? Schick ihn schleunigst zu mir, wenn du ihn siehst!«

Der andere blickte ihn erst erstaunt, dann betreten an. »Du weißt es nicht …?«

»Was? Was weiß ich nicht?«, fuhr Markus ihn ungeduldig an.

»Er gehörte zu denen im letzten Schildwall … Es tut mir leid, wirklich …« Der Mann senkte den Kopf und schlug ein Kreuz. Auch Ulrich bekreuzigte sich.

Markus erstarrte für einen Moment, seine Gesichtszüge versteinerten. Von Maltitz legte ihm eine Hand auf die Schulter. Es hatte zu viele Tote in dieser Nacht gegeben, als dass er um jeden Einzelnen trauern konnte. Dennoch tat es ihm leid um den jungen Böhmen.

Nur – jetzt gab es viel zu viel auf einmal zu tun, als dass er länger darüber nachdenken durfte. Er musste sich einen Überblick verschaffen, wie viele Kämpfer und Flüchtlinge Freiheitsstein nun beherbergte. Die Stadtbewohner mussten beruhigt und trotz aller Enge untergebracht werden, die Bewaffneten ihre Wunden versorgen, ihre Schwerter schärfen und neue Pfeile holen. Und sie alle brauchten zu essen, zu trinken und noch dringender etwas Schlaf, denn schon bald würden Adolfs Truppen mit aller Macht gegen die Burg anstürmen.

Zuallererst aber galt es, ein unausweichlich gewordenes Gespräch zu führen. Als Ulrich Niklas mit verbundener Hand aus dem Prägehaus kommen sah, ging er – das verletzte Bein immer stärker nachziehend – direkt auf ihn zu.

Seine Wunde schmerzte mittlerweile so sehr, dass er versucht war, mit Schritten zu geizen. Aber auch darum durfte er sich jetzt nicht kümmern.

»Wir müssen reden.«

Niklas nickte nur. Sein scharf geschnittenes Gesicht wirkte eingefallen und grau unter der Kettenhaube. Wahrscheinlich sehen wir alle so aus, dachte Ulrich für einen kurzen, müßigen Moment.

Was spielte es für eine Rolle, wie sie aussahen?

Doch es spielte eine. Sie mussten Burgbesatzung und geflüchtete Stadtbewohner davon überzeugen, dass sie hier nicht in einer tödlichen Falle saßen, weil früher oder später die Burg doch genommen würde, sondern dass sie geschützt waren. Vorerst zumindest.

Ulrich schickte seinen Knappen aus, um nach Reinhard von Hersfeld zu suchen, dann entschied er, auch Markus zur Beratung hinzuzuziehen. Er hatte gelernt, auf die Tüchtigkeit des jungen Hauptmanns zu vertrauen, der schneller als manch gestandener Kämpfer erkannte, was gerade nötig war.

»Wir werden nachher gemeinsam ein Gebet für das Seelenheil deines Bruders sprechen«, versprach er.

Was jetzt, in den frühen Morgenstunden des Sonntags, sonst noch zu regeln war, damit eine gewisse Ordnung auf der Burg einzog, das mussten sie vorerst Hildegard und dem Kaplan überlassen.

Reinhard von Hersfeld war der Letzte, der die Kammer betrat. Wie Ulrich erst jetzt sah, hatte er zwei Finger der rechten Hand verloren. Sein Gesicht war schmerzverzerrt.

Ulrich atmete tief durch. »Ich habe eine geheime Order vom Markgrafen mitbekommen, als ich hierherritt. Wenn er binnen einundzwanzig Tagen nach Ankunft des königlichen Heeres keine Verstärkung schickt, sollen wir Stadt und Burg übergeben.«

Nacheinander sah er zu den drei Männern, mit denen er gemeinsam die belagerte Burg zu halten hatte. Zumindest noch sechs Tage.

Niemand sagte etwas.

Wahrscheinlich kam diese Eröffnung für keinen von ihnen unerwartet. Markgraf Friedrich war ein vorausschauender, nüchtern denkender Mann und hatte Vorsorge getroffen.

Die Aussicht auf ein Entsatzheer war gering. So stark befestigt Freiheitsstein auch sein mochte – gegen eine Armee von zehntausend Söldnern, die grimmig entschlossen waren, das Widerstandsnest auszuräuchern und die reiche Stadt zu plündern, würden sie sich nicht ewig halten können.

Zwar hatten sie dank des Brunnens genug Wasser, aber irgendwann würden die Vorräte an Proviant und Pfeilen ausgehen und selbst die dicksten Mauern unter dem ständigen Beschuss bersten.

»Das heißt, wir müssen nicht sparen«, fuhr Ulrich fort. »Wir teilen alles so ein, dass wir uns sechs Tage halten. Auch das Essen. Wir werden alles Vieh bis auf die Pferde schlachten. Sollen ihnen der Bratenduft und die abgenagten Knochen das Wasser im Munde zusammenlaufen lassen.«

Es war eine beliebte Methode in Kriegszeiten, den Feind auf diese Art wissen zu lassen, dass die Belagerten über ausreichend Vorräte verfügten und nicht so leicht auszuhungern waren.

»Meine Bogenschützen sind bereit«, ließ sich Markus vernehmen, bemüht, sich nicht anmerken zu lassen, wie sehr ihn der Tod seines Bruders getroffen hatte. »Unter den hierher Geflüchteten sind einige Handwerker, die Pfeile und Bolzen fertigen können. Ich habe sie angewiesen, sofort mit der Arbeit zu beginnen.«

»Gut. Du kennst die Leute hier. Ist sonst noch jemand unter ihnen, der uns mit seinen Fähigkeiten helfen kann?«

»Diejenigen hat sich Hildegard schon rausgesucht und eingeteilt. Wir müssen die Alten und auch die größeren Knaben bewaffnen. Ihnen vor allem Mut machen. Die meisten fürchten sich.«

Sie haben auch allen Grund, sich zu fürchten, dachte Ulrich. Doch Markus hatte recht. Was die Menschen hier wohl noch dringender als Nahrung oder Schlaf brauchten, war Trost angesichts dessen, was sie in dieser Nacht selbst durchlitten hatten oder mit ansehen mussten und was sie von der Zukunft befürchteten.

»Gehen wir«, schlug er vor und stemmte sich hoch. Die Pfeilwunde pochte und fühlte sich mittlerweile heiß an. Er war versucht nachzusehen, ob sie sich entzündet hatte oder gar brandig wurde. Aber das war jetzt nicht wichtig.

Sechs Tage musste er überleben, und so schnell würde er hoffentlich nicht am Wundbrand sterben.

Danach war sein Leben ohnehin verwirkt. Darüber gab er sich keinen falschen Hoffnungen hin. Es bestand kein Anlass, darauf zu vertrauen, dass König Adolf dem Mann Gnade gewähren würde, der eine vom königlichen Heer belagerte Burg kommandierte und den Widerstand organisierte.

Nur noch diese sechs Tage hatte er durchzuhalten, um wenigstens denen das nackte Leben zu retten, die auf die Burg geflüchtet waren, weil sie auf seinen Schutz vertrauten. Dann musste er seine Seele Gott anempfehlen.

Ulrich fühlte die besorgten Blicke von Niklas, Reinhard und Markus auf sich, als er sich an der Mauer abstützte, um humpelnd die Treppe hinab auf den Burghof zu gelangen. Als sie unten in der Halle angekommen waren, biss er die Zähne zusammen, um sich möglichst wenig von dem flammenden Schmerz anmerken zu lassen, der bei jedem Schritt durch seinen Körper jagte.

Die Halle war so voll, dass kaum Platz zum Gehen blieb. Von allen Seiten waren leises Klagen oder Schluchzen zu hören, Mütter, die beruhigend auf ihre heulenden Kinder einsprachen, verzweifelt gesprochene Gebete.

Hildegard kam auf ihn zu. »Es sind jetzt an die sechshundert Seelen auf der Burg«, sagte sie. »Zweihundert bewaffnete Kämpfer, der Rest sind Flüchtlinge aus der Stadt, zumeist Frauen und Kinder. Wenn ich die Vorräte sparsam einteile, reichen sie für vier Wochen, vielleicht auch fünf, wenn wir den Gürtel enger schnallen.«

Ulrich musterte kurz ihr Gesicht und fragte sich, woher die Witwe wohl die Kraft nahm, bei alldem noch den Überblick zu behalten und ihre Aufgaben zu erfüllen. Sie hatte in den letzten Tagen ihren Mann verloren, der ihr nicht gleichgültig gewesen sein konnte, so, wie er sie am Sterbelager seines Vorgängers angetroffen hatte, einer ihrer Söhne war verwundet worden, sie hatte das Gemetzel in der Stadt mit ansehen müssen und wie alle hier den nahen Tod vor Augen.

Doch selbst jetzt saß ihr Gebende tadellos, und nichts an ihrer Miene ließ Hoffnungslosigkeit oder Angst erkennen.

»Wir müssen nicht sparen«, sagte er so leise, dass nur Hildegard es hören konnte.

Ein Gewitterleuchten zog über das Gesicht der Witwe, ehe sie ebenso leise sagte: »Ich verstehe. Wie lange?«

»Sechs Tage.«

»Also gibt es heute Braten. Es wäre schade, wenn das denen dort« – sie wies mit dem Kopf verächtlich irgendwohin nach draußen, aber es waren unmissverständlich Adolfs Männer gemeint – »in die Mörderhände fiele.«

»So sei es«, sagte Ulrich. Er nickte ihr dankbar zu, dann ging sie los, um Anweisungen zu erteilen.

Obwohl Ulrich jeder Schritt Höllenqualen bereitete, zog es ihn mit einem ganz anderen Anliegen ins Prägehaus, als sich neu verbinden zu lassen. Auf halber Strecke allerdings wurde ihm klar, dass er nicht mehr dorthin kommen würde, wenn er danach noch aus eigener Kraft vor den Menschen auf der Burg stehen wollte, um ihnen Mut zuzusprechen.

»Schick die Gauklerin aus dem Lazarett zum Brunnen, sie soll dort auf mich warten«, wies er ein junges Mädchen mit blonden Zöpfen an.

Während sie loslief, bahnten sich Ulrich und seine Begleiter den Weg über den Burghof zum Brunnen, vor dem immer noch der große Gesteinsbrocken lag.

Die meisten Menschen traten ehrfürchtig beiseite, als sie die drei Ritter des Markgrafen erkannten: Ulrich von Maltitz, Niklas von Haubitz und Reinhard von Hersfeld. Doch auch jetzt drängten sich etliche zu ihnen durch, um ihnen für die Rettung zu danken und die Hand oder den Saum ihrer blutverschmierten Wappenröcke zu küssen.

Sibylla erwartete ihn schon am Brunnen und kniete vor ihm und seinen Begleitern im Schnee nieder. Ihm entging nicht, dass sich dabei ihr skeptischer Blick an seinem verletzten Bein festhakte. War die Wunde wieder aufgebrochen? Aber er konnte jetzt nicht nachschauen, ob unter dem Kettengeflecht Blut zu sehen war, das die Beinlinge rot färbte.

Er bedeutete ihr aufzustehen und musterte ihr Gesicht, das inzwischen von den äußerlichen Verletzungen geheilt war und eher entschlossen als müde wirkte, obwohl sie sicher in dieser Nacht nicht zum Schlafen gekommen war.

»Ich bitte dich, den Menschen hier auf irgendeine Art Mut zu machen«, sagte er halblaut und wies mit dem Kinn auf die verängstigt und hoffnungslos wirkenden Stadtbewohner, die den Burghof füllten. Spätestens, wenn die Truppen des Königs gegen die Mauern der Burg anstürmten, würden die meisten von ihnen vollends verzweifeln.

Skeptisch sah Sibylla ihn an, und ihm war, als könne er ihre Gedanken lesen. Wie sollte sie den Menschen hier ein langes, glückliches Leben voraussagen?

Sie blickte ihm direkt in die Augen, was Ulrich angesichts der Umstände und ihres Standes erstaunlich mutig fand. »Ich werde tun, was ich kann«, versprach sie mit nachdenklicher Miene.

Ulrich stützte sich auf Reinhards Schulter, als er auf den Stein neben dem Brunnen stieg. Ein Signal verschaffte ihm Aufmerksamkeit in all dem Gewimmel.

»Hört mich an!«, rief er. »Bürger von Freiberg, Ritter des Markgrafen von Meißen!«

Immer mehr Blicke wandten sich ihm zu, manche zweifelnd, manche fragend, manche hoffnungsfroh. Die Gespräche, Rufe, Gebete erstarben, so dass Ulrich bald seine nächsten Worte in völliges Schweigen hineinrufen konnte.

»Seit hundert Jahren heißt diese Burg Freiheitsstein. Fast auf den Tag genau vor einhundert Jahren haben die Freiberger schon einmal die kaiserlichen Truppen von dieser Burg verjagt. Aber ich sage euch ehrlich: Diesmal werden wir sie nicht verjagen können. Dazu sind es zu viele – zehntausend bewaffnete Gegner. Doch wir werden ihnen standhalten, solange wir können. Die Mörder und Plünderer sollen sich an dieser Burg die Zähne ausbeißen, bis Adolf von Nassau bereit ist, über euern freien Abzug zu verhandeln.«

Es gab weder Jubel noch Proteste bei seinen Worten, sondern

einfach nur Schweigen. Jeder schien darüber nachzudenken, wie die Zukunft aussehen würde.

Von hinten kam Bewegung in der Menschenmenge auf. Bald erkannte Ulrich die Ursache. Roland bahnte sich den Weg zu ihm, gefolgt von beinahe einem Dutzend anderer Knappen, die auf der Burg den wettinischen Rittern dienten.

An den grimmig entschlossenen Gesichtern der jungen Burschen erriet er, was er nun gleich hören würde, und hatte Mühe, die Besorgnis aus seinem Gesicht zu verbannen.

Es war ohnehin unausweichlich. Besser, sie taten es freiwillig.

Am Brunnen angelangt, kniete Roland im Schnee nieder. Die anderen angehenden Ritter taten es ihm gleich. Zu seiner Erleichterung sah Ulrich, dass unter ihnen kein Vierzehnjähriger war, sondern sie alle schon mehrere Jahre harter Kampfausbildung hinter sich hatten. Roland mit seinen sechzehn Jahren war der Jüngste.

»Mein Herr«, begann er und sprach dann genau die Worte aus, die Ulrich erwartet hatte. »Wir möchten Euch bitten, uns vor der Zeit in den Ritterstand zu erheben. Wir wollen als Ritter bei der Verteidigung der Burg helfen.«

Gott, hilf mir, dass ich mit meinem Tun die Jungen nicht geradewegs in den Tod schicke, flehte Ulrich in Gedanken. Doch er achtete sorgfältig darauf, sich nichts von seinen Befürchtungen anmerken zu lassen.

»Ihr seid euch bewusst, dass der König vielleicht die Knappen verschonen würde, nicht aber die Ritter, die sich ihm mit dem Schwert entgegenstellen?«, fragte er.

»Ja, mein Herr.«

Niemand sonst sagte etwas. Aber in den Gesichtern las er, was in den jungen Burschen vor sich ging: Fassungslosigkeit und Abscheu über das Wüten von Adolfs Männern in der durch Verrat eingenommenen Stadt, bei manchem auch Erschütterung über den Tod seines Ritters. Sieben von ihnen hatten in den letzten Tagen ihren Herrn und Lehrmeister verloren; drei dieser Ritter waren während der Angriffe mit Sturmleitern gefallen, vier weitere unter denjenigen gewesen, die den letzten Schildwall an der Kirchgasse gebildet hatten.

Auf das rituelle Bad und die Nacht in Fasten und Gebet vor der Schwertleite mussten sie unter diesen Umständen verzichten. Jeden Augenblick konnte der nächste Angriff beginnen, und diesmal war nicht nur der stadtauswärts gelegene Abschnitt der Burgmauern zu verteidigen, sondern würden die Angreifer von allen Seiten auf sie einstürmen. Sie waren nun vollständig eingeschlossen von dem zehntausend Mann starken Heer.

Wenn sie ihr Leben riskieren, sollen sie es als Ritter tun, dachte Ulrich und räusperte sich.

»Erhebt euch!«, befahl er den immer noch vor ihm knienden zwölf Knappen. »Ritter Roland! Ritter Erec! Ritter Jonas! …«

Einem nach dem anderen gürtete er feierlich das Schwert um. »Kämpft treu und tapfer für euern Herrn, Markgraf Friedrich! Lebt nach Gottes Gebot und den Ehrenregeln der Ritterschaft, der ihr nun angehört! Schützt die Armen und Wehrlosen, wie es unsere gemeinsame Aufgabe ist!«

Eine besondere Schwertleite, dachte er, während er nacheinander jedem der Jungen ins Antlitz sah. Alles andere als feierlich, hier auf dem von den Angriffen gezeichneten Hof der Burg, ohne Festmahl und Ehrengäste, aber unter den verzweifelten oder hoffenden Augen derer, die ihnen ihr Leben anvertraut hatten.

»Geht zum Kaplan, legt die Beichte ab, und dann sucht euch in der Rüstkammer aus, was ihr noch braucht!«, befahl er.

Bevor die jungen Ritter losgehen konnten, stieg zu seiner Verblüffung Sibylla auf den Stein.

Und in das Schweigen hinein sang sie mit klarer und immer lauter werdender Stimme ein Lied.

Es kümmerte Sibylla nicht, dass ihr als Frau das Singen verboten war. Sie war eine Gauklerin und galt damit ohnehin als Nichts, als weniger denn Nichts, als unehrlich Geborene und Verdammte.

Aber, in Gottes Namen, sie war eine Gauklerin und genau in diesem Moment stolz darauf. Sie wusste, wie man die Aufmerksamkeit der Menschen gewinnt und die Zuhörer mitreißt. Sie kannte die Lieder, die ihr Geliebter einst gesungen hatte, die alten Heldensagen und die Weisen, mit denen die Spielleute seit Menschengedenken von Mut und großen Taten berichteten. So sang sie eine davon.

Für sich, für Ulrich, für die Menschen auf dem Burghof. Für ihren toten Geliebten.

Nun wurden auf dem Burghof Spieße und Armbrüste auch an die Graubärtigen und Kahlen und an die Halbwüchsigen ausgeteilt. Ulrich von Maltitz hielt Wort: Er sorgte persönlich dafür, dass der junge Christian ein einfaches Schwert bekam.

Auf Ulrichs Aufforderung hin hatten sich mehrere Dutzend Frauen bereit erklärt, den Kämpfern auf der Mauer zu helfen und Wasser heranzuschleppen und zu erhitzen, damit es auf die Angreifer geschüttet werden konnte. Sämtliche Vorräte an Pech waren in den zurückliegenden zwei Wochen aufgebraucht worden.

Erschöpft sah er zu, wie die Alten und die ganz Jungen ihre Waffen in Empfang nahmen. Die erfahrenen Kämpfer hatten inzwischen längst nach einem Platz gesucht, um sich etwas Schlaf zu gönnen. Wenn der nächste Angriff auf die Burg begann, würde jede Hand gebraucht werden.

Ulrich überlegte, ob er zuerst seine Wunde kontrollieren oder mit Markus in die Kapelle gehen sollte, um dort für das Seelenheil der Gefallenen und für die Menschen zu beten, die sich ihm anvertraut hatten.

Niklas von Haubitz erriet seine Gedanken. »Sieh zu, dass du etwas Schlaf vor dem nächsten Angriff findest«, ermahnte ihn der Gefährte. Dann legte er ihm den Arm auf die Schulter. »Und vorher lass dieses Apothekermädchen nach deiner Wunde sehen.«

Bevor Ulrich etwas einwenden konnte, fügte er hinzu: »Du hast recht, sie ist wirklich gut darin. Also geh schon!«

Mit zusammengebissenen Zähnen humpelte Ulrich Richtung Prägehaus.

Als er den Raum betrat, sah er dort zunächst nur fremde Frauen; Stadtbewohnerinnen, die Hildegard eingeteilt hatte, um dem Feldscher zur Hand zu gehen. Nachdem sich seine Augen an das Dämmerlicht gewöhnt hatten, entdeckte er auch Jenzins Mündel. Zusammengerollt schlief Änne in einer Ecke, ihre Lider flackerten unruhig, sie stöhnte im Schlaf, ohne dass er eines der Worte verstehen konnte, die ihr unbewusst über die Lippen kamen.

Das Tuch war verrutscht, das sonst immer ihr Haar bedeckte, so dass er zum zweiten Mal die kupferfarbenen lockigen Strähnen sehen konnte, die ihr Gesicht umrahmten. Sie kam ihm so noch zarter und zerbrechlicher vor, beinahe ein Kind, und er fragte sich voller Bitterkeit, was sie wohl diesmal Schreckliches träumte und ob es wahr werden mochte.

Sibylla kam von draußen, mit zwei Eimern Wasser beladen, stellte sie sofort ab und ging zu ihm.

»Soll jemand nach Eurer Wunde sehen, Herr?«, fragte sie, um gleich darauf leiser fortzufahren: »Sie heilt nicht gut, nicht wahr? Dann wecke ich Änne. Die weiß am besten, was da zu tun ist.«

Sie rüttelte die Schlafende sanft am Arm. Sofort hellwach, fuhr Änne hoch und sah sich mit schreckensweiten Augen um. Dann erreichten Sibyllas leise geflüsterten Worte ihren Verstand. Ihre Züge glätteten sich, sie stand rasch auf und verknotete das angesengte Kopftuch neu.

Schüchtern trat sie zu Ulrich. »Erlaubt, dass ich rasch meine

Hände am Brunnen wasche, bevor ich mir die Wunde ansehe.«

Entschuldigend fügte sie an: »Das hat mir meine Mutter beigebracht, bevor sie starb.«

Als sie hinausgegangen war, richtete Sibylla erneut das Wort an den Burgkommandanten.

»Darf ich Euch um etwas bitten, Herr?«

Verwundert überlegte Ulrich, was wohl ihr Anliegen sein konnte.

Sie sah ihm direkt in die Augen. »Wenn die Burg eingenommen wird … Ich will denen nicht noch einmal lebend in die Hände fallen. Werdet Ihr dafür sorgen?«

Er wollte etwas entgegnen, ihr widersprechen, aber ihre Miene ließ keinen Zweifel daran, dass sie es bitterernst meinte.

»Wenn Ihr es nicht selbst tun könnt, beauftragt einen Eurer Leute damit.«

Ulrich wusste, dass sie ihm keine Ausflüchte durchgehen lassen würde. Wenn er sich in Erinnerung rief, in welchem Zustand sie hier eingetroffen war und was sich vorige Nacht in der Stadt abgespielt hatte, dann konnte er ihren Wunsch sogar verstehen. Doch dieses Versprechen durfte er nicht geben.

»Du sollst nicht töten«, erinnerte er sie an Gottes Gebot.

Sie schnaubte verächtlich. »Wie viele Tote hat es heute Nacht gegeben? Und hat es Gott gekümmert?«

Er sollte sie jetzt eigentlich zurechtweisen, Gott nicht zu lästern. Doch seine Gedanken liefen unfreiwillig in eine andere Richtung. Ulrich versuchte sich vorzustellen, wie er seinen Dolch in ihr Herz stieß, um ihr weitere Schande zu ersparen. Er hatte in seinem Leben schon viele Menschen getötet. Das aber konnte er nicht tun.

»Gott prüft uns mit dem, was er uns auferlegt«, versuchte er, an ihren Lebenswillen zu appellieren. »Bist du nicht stark genug, um weiterleben zu wollen?«

»Offensichtlich seid Ihr zu schwach, ein Weib zu töten«, stieß sie verächtlich hervor. »Ich hätte mehr von Euch erwartet.«

DIE BEFEHLE DES KÖNIGS

Auf königliche Order läuteten am Sonntagmorgen die Glocken von St. Marien, als Adolf von Nassau in Begleitung seiner ranghöchsten Gefolgsleute in die Stadt einzog.

Sie alle waren überaus prunkvoll gekleidet: voran zwei Dutzend Reiter mit dem Banner des Königs, gefolgt von der Leibgarde, dann der König selbst in einem mit Goldfäden und Edelsteinen verzierten farbenprächtigen Surkot, sein Marschall und seine angesehensten Ritter.

Von Hornsignalen angekündigt, ritten Adolf und sein Gefolge mit großem Prunk durch das Erlwinsche Tor Richtung Burg. Der Weg unter den Hufen ihrer Pferde war voller Blut, aber es lagen keine Leichname mehr dort. Seine Knechte hatten diejenigen, die nicht von Familienangehörigen geborgen worden waren, beiseitegeräumt, damit ihr Anblick den König nicht beleidige.

Kein Freiberger wagte sich heraus. Den Jubel für Adolf von Nassau übernahmen seine Söldner, die links und rechts des Weges standen und Hochrufe ausstießen, bis sie vor dem König niederknieten, der ihnen die reiche Silberstadt zum Plündern versprochen und sein Versprechen gehalten hatte.

Kurz vor der Burg musste die Kolonne scharf nach rechts abbiegen, um durch die Kirchgasse zur Marienkirche zu gelangen. Doch bevor die Reiter ihre Pferde nach rechts lenken konnten, hob der König seinen Arm zum Zeichen, dass der Zug halten sollte.

Direkt gegenüber der Burg, nur durch einen tiefen Graben und das Fallgitter von ihr getrennt, verharrte der König und starrte hinauf, als wolle er abschätzen, wann er das letzte

Widerstandsnest einnehmen würde. Er schien zu wissen oder wenigstens zu ahnen, dass dort drüben Ulrich von Maltitz und Niklas von Haubitz standen und zu ihm herübersahen.

Die Zeit schien stillzustehen, bis Adolf endlich das Zeichen gab, weiterzureiten, nach rechts durch die Kirchgasse zur Marienkirche mit dem goldenen Portal.

Pater Clemens war bereits am Morgen sehr nachdrücklich von einigen Beauftragten Adolfs »überzeugt« worden, die Sonntagsmesse für den König und seine Gefolgsleute in St. Marien zu feiern. Er erhob auch keine Einwände, als die Leibwachen entgegen allen guten Sitten nicht an der prachtvollen Kirchentür die Waffen ablegen, sondern das Gotteshaus voll gerüstet betraten. Viel eher war er erleichtert, dass seine Kirche nicht auch geplündert und die Verwundeten, die Conrad Marsilius hier behandelte, nicht abgestochen worden waren.

Bis eben noch hatte er zusammen mit dem Stadtphysicus die Verletzten beiseitegetragen. Sie hatten kurz erwogen, sie in einem anderen Gebäude unterzubringen, aber wo? Es waren zu viele, die meisten konnten nicht laufen, und sicher waren sie nirgendwo. Sollte der König doch wenigstens einen Bruchteil von dem Leid sehen, das seine Leute hier angerichtet hatten.

Lediglich zwei junge Männer hielten sie in der Sakristei versteckt: zwei der Kämpfer im Schildwall, die wider Erwarten schwerverwundet den Ansturm der Königlichen überlebt hatten.

Conrad Marsilius und Pater Clemens, der alternde Arzt und der junge Priester, hatten kurz vor Tagesanbruch, als die Söldner berauscht vom Trinken und ihren Missetaten beieinanderhockten und grölend den Sieg feierten oder irgendwo in einer Ecke eingeschlafen waren, heimlich die Erlwinsche Gasse nach Überlebenden abgesucht. Sie fanden ein Kind, das halberfroren in einer Ecke lag, und eine beinahe nackte Frau, die mit flackerndem Blick durch die Gasse torkelte, bis sie zusammenbrach und in Meister Conrads Armen starb.

Und dann entdeckten sie, begraben unter den Körpern ihrer gefallenen Gefährten, zwei Männer der Stadtwache, die schwerverletzt überlebt hatten. Ob sie durchkommen würden, war nicht vorauszusagen. Aber der störrische Stadtphysicus hatte es sich zu seiner persönlichen Aufgabe gemacht, dafür zu sorgen.

Jetzt wachte er bei ihnen in der Sakristei, um eingreifen zu können, falls sie im Schlaf vor Schmerz laut aufstöhnten. Dabei betete er stumm, dass niemand von Adolfs Leibwachen auf den Gedanken kam, den kleinen Raum zu durchsuchen. Dann wäre sein Leben ebenso wie das seiner Patienten verwirkt. Doch durch ihre Überzahl fühlten sich die Eindringlinge anscheinend sicher.

Sich versteckt zu halten, war zwar gefährlich für Conrad Marsilius, aber mit der ihm eigenen Bissigkeit tröstete er sich damit, dass es ihm so erspart blieb, vor diesem König auf die Knie zu sinken, wie es seine Pflicht gewesen wäre.

Nach der Messe wies der König an, die Glocken zu läuten und die Bürger Freibergs auf den Oberen Markt zu befehlen.

»Und bringt mir den Rat und den Bürgermeister! Ich will sie auf Knien vor mir sehen!«

Sofort eilten ein paar seiner Männer los. Sie schienen genau zu wissen, wo sie zu suchen hatten. Berittene schwärmten aus, um laut zu verkünden, der König wünsche die Bewohner Freibergs zu sehen, und niemand müsse um sein Leben fürchten, der dem König und rechtmäßigen Herrn der Stadt seinen Gehorsam bezeuge.

Der Markt füllte sich nur langsam mit Menschen, die aus ihren Häusern herausgetrieben worden waren.

Unter den drohenden Blicken der Bewaffneten stellten sie sich vor dem Rathaus auf, so weit wie möglich vom Nassauer und dessen Männern entfernt, die ihnen gegenüber vor der Petri-kirche standen: links und rechts vom König Ritter in prunk-vollen Wappenröcken, an den Seiten und dahinter bis an die Zähne bewaffnete Söldner.

»Kniet nieder vor Adolf von Nassau, dem von Gott auser-wählten König!«, befahl der Marschall schroff.

Die Menschen gehorchten.

Lange herrschte Schweigen auf dem Marktplatz, verharrten die Freiberger demütig und voller Angst vor dem Herrscher auf den Knien, dessen Männer heute Nacht so blutig in ihrer Stadt gewütet hatten. Welche weitere Strafe würde er über sie alle verhängen?

Endlich erlaubte der Marschall ihnen, sich wieder zu erheben.

»Übergebt die Schlüssel zur Stadt!«, rief der König über den Platz.

Nikol Weighart wusste, was nun seine bittere Pflicht war. Er atmete tief durch und sprach ein kurzes Gebet. Dann löste er sich aus der Reihe und schritt nach vorn. Der Obere Markt war ihm noch nie so groß vorgekommen.

Zehn Schritte vor dem König hielt er inne, kniete nieder, senkte den Kopf und hielt Adolf von Nassau mit beiden Händen die Schlüssel entgegen.

»Königliche Hoheit.«

Statt die Schlüssel von einem seiner Gefolgsleute entgegen-nehmen zu lassen, ließ der König ihn so knien, mit ausge-streckten Händen und gesenktem Kopf. Nikol spürte, wie durch seine Körperwärme der Schnee unter ihm schmolz und seine Beinlinge durchnässte.

Unter demütig gesenkten Lidern versuchte er vorsichtig, das Gesicht des Königs zu mustern. Es stimmte, was die Leute sagten: Adolf von Nassau war ein schöner Mann, mit eben-mäßigen Zügen und gut gewachsen. Doch für Nikol Weighart war er ein Ungeheuer.

»Bist du der Bürgermeister?«, fragte der König.

»Ja, Euer Majestät«, antwortete Nikol ruhig, der es nicht über sich brachte, ihn mit »Mein König« anzureden. Dies war nicht *sein* König, denn er behandelte seine eigenen Untertanen erbarmungslos wie einen Feind, statt sie zu schützen.

»Ich sehe hier einen vor mir knien statt zwölf. Wo sind die übrigen Ratsherren?«

Ohne sich umzudrehen, hörte Nikol die anderen vortreten und hinter ihm niederknien.

»Das sind immer noch nur elf. Wo ist der Zwölfte? Wer wagt es, sich seinem König zu verweigern?«

»Meister Conrad Marsilius fehlt noch, wohledler König«, erklang unterwürfig die Stimme des Kramermeisters. »Er kümmert sich um die Kranken.«

Nikol fuhr zusammen. Doch noch ehe jemand etwas erwidern konnte, hörte er von weiter hinten Conrads Stimme. »Lasst mich durch!«

Der Bürgermeister atmete auf. Jemand musste den Arzt gewarnt haben. Wenn der König ihn erst aus dem provisorischen Lazarett holen lassen würde, schwebten nicht nur die Verletzten – Verteidiger der Stadt und damit in Adolfs Augen Feinde –, sondern ebenso der Physicus in Lebensgefahr.

Hinter ihm kniete Conrad Marsilius nieder.

Wieder schwieg der König und musterte die Freiberger Ratsherren, die sich nun endlich unterworfen hatten und barhäuptig vor ihm im Schnee knieten.

Dann richtete er sein Wort an Nikol Weighart. »Ist das dort dein Haus?« Er zeigte auf eines der Grundstücke am Oberen Markt.

»Ja, Euer Majestät.«

»Brennt es nieder!«

Dieser Befehl des Königs traf Nikol wie ein Hammerschlag.

Katharina!, war sein erster und einziger Gedanke. Sie durfte jetzt nicht aufschreien, nicht nach vorn stürzen und um Gnade flehen, sonst brachte sie sich auch noch in Lebensgefahr. Er selbst konnte froh sein, wenn ihn der König nicht an Ort und Stelle als Verräter aufknüpfen ließ. Was er womöglich als Nächstes befehlen würde.

Aus der Menge ertönte ein vielstimmiges Stöhnen, doch von Katharina war nichts zu hören. Nikol wusste, dass sie irgendwo unter den Menschen dort vor dem Rathaus stand und betete, er möge diesen Tag überleben. Trotz seiner Verzweiflung war er dankbar für ihre Besonnenheit, obwohl sie beide gleich zu Bettlern würden.

Sie hatten gewusst, worauf sie sich einließen, als sie Markgraf Friedrich die Treue hielten, hatten es an langen Abenden miteinander besprochen.

»Steh auf, Bürgermeister!«, befahl der König. »Und auch die Ratsherren sollen sich erheben. Ich will, dass ihr alle seht, was denen geschieht, die sich dem von Gott auserwählten König widersetzen.«

Gehorsam erhoben sich die zwölf angesehenen Männer. Reglos mussten sie zuschauen, wie das Haus des Silberschmiedes mitsamt der Werkstatt in Flammen aufging.

Nikol schien bei dem Anblick der Boden unter den Füßen zu schwinden. Seine Punzen und Hämmer, die Vorräte, Decken und Kleider …! Von einem Augenblick zum anderen war er zum Bettler geworden.

»Passt auf, dass die anderen Häuser nicht Feuer fangen!«, ließ sich der Marschall barsch vernehmen. »Wo soll ich sonst meine Befehlshaber einquartieren?«

Seine Worte hatten zur Folge, dass sich ein paar Männer um das lodernde Haus postierten, bereit, die Wände einzureißen, sollte Gefahr drohen, dass die Flammen übergriffen.

»So ergeht es jedem, der dem rechtmäßigen König den Gehorsam verweigert«, rief Adolf in die vor Entsetzen erstarrte Menschenmenge. »Zur Strafe für die Widersetzlichkeit fordere ich von der Bürgerschaft dreitausendfünfhundert Mark

Silber als Brandschatzung bis morgen Abend. Sonst lasse ich morgen Nacht ganz Freiberg niederbrennen.«

Diese Ankündigung sorgte für einen erneuten Aufschrei unter den Bürgern.

Was habe ich getan?, dachte Nikol Weighart verzweifelt. War es meine Vermessenheit, für die unsere Stadt nun büßen muss? Wie konnte ich es wagen, dem König die Stirn bieten zu wollen?

Kurz sah er auf seine Ratsmänner, dann kniete er erneut vor dem König nieder, legte ihm die Schlüssel zu Füßen und senkte den Kopf.

»Majestät, um der Liebe Christi willen, lasst Gnade walten!«, flehte er und breitete die Arme aus. »So viel Silber werdet Ihr in der ganzen Stadt nicht finden. Seid gnädig und gewährt uns zehn Tage Frist, um das Geld aufzutreiben! Wir müssen dafür Boten nach Meißen oder Dresden schicken.«

Den König zu bitten, die Summe zu verringern, versuchte er erst gar nicht.

»Daran hättest du früher denken sollen, Bürgermeister. Und was nützen mir die Schlüssel zur Stadt, wenn Freiheitsstein noch voller Aufrührer ist?«, widersprach Adolf von Nassau hart. »Es bleibt dabei: dreitausendfünfhundert Mark Silber. Dann können die Juden wieder in ihr Viertel ziehen und die Bergleute weiter in den Gruben arbeiten, woran mir sehr gelegen ist. Aber ich werde die Stadt erst in Gnade aufnehmen, wenn mir Freiheitsstein übergeben ist.«

Der König hob den Arm, um seinen Männern den Befehl zum Aufbruch zu geben, doch da stürzte der Gewandschneider vor und warf sich vor ihm in den Schnee.

»Edler König, im Namen unserer Einwohnerschaft bitte ich Euch um Milde!«, rief Conrad von Rabenstein. »Nicht alle wollten sich Euch widersetzen, selbst der halbe Rat war für die sofortige und bedingungslose Übergabe dieser Stadt an Euch.« Jetzt überschlug sich seine Stimme fast, so sehr schrie er. »Um nicht Krieg gegen Euch zu führen, hätten wir beinahe Krieg gegeneinander geführt!«

Der Marschall beugte sich auf seinem Pferd hinüber zum König und raunte ihm etwas zu. Adolf überlegte kurz, dann nickte er.

Hoffnungsfroh sah der dürre Gewandschneider zu ihm auf.

»Anlässlich der Einnahme der Stadt zeige ich mich großzügig und gewähre euch die zehn Tage Frist, um das Geld herbeizuschaffen. Doch dafür fordere ich drei Ratsherren als Geiseln. Nennt mir eure Namen und euern Stand, damit ich meine Wahl treffen kann.«

»Nikol Weighart, Silberschmied.«

»Conrad Marsilius, Stadtphysicus.«

»Dittrich Beschorne, Rechtsgelehrter.«

»Berlewin, Kramermeister.«

»Conrad Stoian, Grubeneigner.«

»Jenzin Burner, Schmelzmeister.«

»Conrad von Rabenstein, Gewandschneider.«

»Gottfried von der Bobritzsch, Kürschner.«

»Heinrich von Frauenstein, Waffenschmied.«

»Dittrich von Schocher, Weinhändler.«

»Jenzin, Apotheker.«

»Hannemann Lotzke, Tuchhändler.«

Der Marschall flüsterte ihm erneut etwas zu, während Adolf von Nassau seine Blicke von einem zum anderen schweifen ließ. Totenstille herrschte auf dem Platz.

»Lotzke, ja? Dieser Name ist mir nicht unbekannt.«

Der Vater des ermordeten Jungen sagte kein Wort.

Dann blickte der König auf Dittrich Beschorne. »Nun, wer will schon einen Rechtsverdreher um sich haben?« Seine Männer lachten, bis er sie mit einer Handbewegung zum Verstummen brachte. »Er muss ein lausiger Advokat sein, wenn er die anderen nicht davon überzeugen konnte, dass Freiberg rechtens *mir* zusteht.«

Adolf von Nassau wies auf Hannemann Lotzke, Conrad von Rabenstein und Dittrich Beschorne. »Du, du und du!«

Der Rabensteiner erbleichte, während die beiden anderen Ratsherren mit reglosen Mienen hinnahmen, dass sie von Männern des Königs an den Schultern gepackt und beiseitegeführt wurden.

Gott steh ihnen bei!, dachte Nikol Weighart bitter. Werde ich am Ende dieses Tages auch noch ihr Leben auf dem Gewissen haben?

»Schafft sie in das Lager nach Mönchenfrei und bewacht sie gut!«, befahl Adolf von Nassau. »Und ehe ich es vergesse: Waffenschmied und Medicus werden ab sofort für mich und meine Männer arbeiten. Ich lege beiden sehr ans Herz, dies zu meiner allseitigen Zufriedenheit zu tun. Ihr meldet euch nach dem Mittagsläuten.«

»Wo werdet Ihr Quartier beziehen, Majestät?«, erkundigte sich Conrad Marsilius höflich.

Gelangweilt musterte der König die Häuser um den Obermarkt, bis sich sein Blick an dem prachtvollsten Gebäude festhakte.

»Wem gehört dieses dort?«

Bleich geworden, trat Dittrich von Schocher vor, denn er wusste genau, welche Worte nun von ihm erwartet wurden.

»Mir, Euer Majestät. Und es wäre mir eine außerordentliche Ehre, es Euch und Euren Gefolgsleuten anzubieten, sofern es Euch gut genug dünkt.«

»Der Weinhändler; sieh an! Wie gelegen. Du musst gute Weine verkaufen, wenn du dir solch ein Haus leisten kannst. Nun, wir werden uns heute noch davon überzeugen.«

Dann gab der König ein Zeichen, und mitsamt seinem Gefolge und den drei Geiseln verließ er den Oberen Markt. Gehorsam fielen die Menschen auf die Knie, manche schlugen heimlich ein Kreuz. Ein paar Frauen schluchzten auf, als sie endlich außer Sichtweite waren.

Und der Weinhändler sackte regelrecht in sich zusammen. Gerade hatte auch er seinen gesamten Besitz verloren.

»Ihr habt es gehört«, rief der Bürgermeister über den Markt, nachdem der König mit seinem Gefolge vom Obermarkt geritten war.

Seine Knie waren vor Nässe und Kälte schon ganz steif geworden, und das machte ihm bewusst, dass er keinen Herd mehr besaß zum Aufwärmen. Doch die Kälte in seinem Inneren war schlimmer. Mit Mühe legte er alle verbliebene Kraft in seine Stimme.

»Ich appelliere an jeden von euch: Wer nicht will, dass die ganze Stadt in Flammen aufgeht, bringe sein Erspartes ins Dinghaus, damit wir die Brandschatzung bezahlen können. Jeder Hälfling zählt.«

»Das hast du uns eingebrockt, Bürgermeister!«, schrie jemand wütend von hinten. »An deinen Händen klebt Blut! Verflucht sollst du sein!«

Nikol zuckte zusammen. Der Vorwurf traf ihn bis ins Mark, auch wenn der Schreier inzwischen von anderen niedergezischt und zum Schweigen gebracht worden war.

Conrad Marsilius trat auf ihn zu und legte ihm den Arm auf die Schulter. Es kümmerte den graubärtigen Stadtphysicus nicht, dass er sich damit – sichtbar für jeden Zuträger und Verräter – in Schwierigkeiten brachte. Er war ein Mann, der zu seiner Überzeugung stand, und hatte nie ein Hehl daraus gemacht, dass seine Loyalität zuerst dem Markgrafen und nicht dem König gehörte.

»Du kannst mit deiner Frau in mein Haus ziehen, bis du eine neue Wohnstatt hast. Ihr seid mir willkommen.«

»Danke, mein Freund«, sagte der Silberschmied. »Und lass uns beten für die drei Ratsherren und die Seelen derer, die noch auf der Burg ausharren.«

Conrads Gesicht verdüsterte sich noch mehr. Er schlug ein

Kreuz. Dann ging er zur Marienkirche, um sich mit Pater Clemens um die verwundeten Schildkämpfer zu kümmern. Er musste dringend ein besseres Versteck für sie finden. Denn das eben Erlebte hatte ihm noch einmal gezeigt, dass es genug Verräter gab, die dem König Dinge zutrugen, die ihnen zum Verhängnis werden konnten.

Nikol Weighart hingegen lief zur Ratsstube. Er hoffte inständig, auf dem kurzen Weg dorthin seine Frau zu treffen, um ihr Trost zu spenden. Sofern es überhaupt noch einen Trost geben konnte.

SECHS TAGE

Sechs Tage widerstanden die Männer und Frauen auf der Burg den von allen Seiten anstürmenden Truppen. Sechs Tage, nach denen bald keiner mehr zu sagen wusste, wie er sie überleben konnte. Selbst wer nicht auf den Türmen oder in den Wehrgängen kämpfte, fand kaum Schlaf angesichts der Schreie und der stetigen Angriffe. Es grenzte an ein Wunder, dass sie mit weniger als vierhundert Männern, von denen die Hälfte nicht für den Krieg ausgebildet war, die Angreifer so lange abwehren konnten.

Attackiert wurden sie nun nur noch von Bogenschützen und über Sturmleitern. Offensichtlich war der König überzeugt, dass es lediglich eine Frage von Tagen war, bis er mit seinem Gefolge auf der eroberten Burg Einzug hielt, und hatte Befehl gegeben, die Festung nicht weiter zu beschädigen.

Inzwischen gab es so viele Verwundete, dass nicht nur das Prägehaus, sondern auch die Zainegießerei als Lazarett eingerichtet worden war.

Ulrich von Maltitz wurde irgendwann zwischen einer hastig eingenommenen Mahlzeit und dem Gang zur Schmiede bewusst, dass seine Zeitrechnung mit dem sechsten Tag nach der blutigen Einnahme der Stadt endete, als gäbe es kein Danach mehr.

Zwei der Knappen, die er gerade erst in den Ritterstand erhoben hatte, waren bereits während der Angriffe umgekommen, und er quälte sich mit der Frage, wer wohl ihren Vätern die Nachricht von ihrem Tod überbringen würde. Er hätte sie gern geschont. Doch trotz der vorgezogenen Schwertleite waren diese jungen Männer bessere Kämpfer als die verängstigten und ungeschulten Flüchtlinge aus der Stadt.

Mit einer Ausnahme: Christian, der Gassenjunge, dessen rote Haare durch ein Brandgeschoss abgesengt worden waren, kämpfte genauso verbissen und entschlossen wie Ulrichs Ritter und Markus' Wachen. Es grenzte an Tollkühnheit, was der Zehnjährige mit dem verkrüppelten Fuß auf der Mauer leistete. Rasch hatte sich herausgestellt, dass seine Treffsicherheit mit der selbstgebauten Schleuder der von Markus' Bogenschützen kaum nachstand. Doch sobald in der Nähe seines Postens jemand über die Sturmleiter die Mauerkrone erklimmen wollte, stürmte er unter rasendem Wutgeheul mit dem Schwert auf ihn los.

Als der Abend des sechsten Tages nach Einnahme der Stadt heranbrach, hatte wohl auch der Letzte unter den auf der Burg Eingeschlossenen die Hoffnung aufgegeben, dass der Markgraf ein Entsatzheer schickte, das groß genug war, die zehntausend Mann starke Streitmacht des Königs zu bezwingen.

Zur Abendmesse sprach Pater Gregor ein inniges Gebet, mit dem er um einen unblutigen Ausgang des nächsten Tages flehte. Danach wollte der Kaplan wie üblich umhergehen, um den Mutlosen Hoffnung und den Verzweifelten Trost zu spenden. Doch er kam nicht dazu. Zu viele drängten zu ihm, um sich die Beichte abnehmen zu lassen für den Fall, dass sie den sechsten Tag nicht überlebten.

Nach der Abendmesse trat Änne vor die Tür des Prägehauses, um noch einmal in den Himmel zu schauen, bevor es Nacht wurde. Ausnahmsweise gab es nichts für sie zu tun; Hildegard hatte dem Feldscher genug tüchtige Frauen zur Seite gestellt. Sibylla war sogar fortgeschickt worden, um den Frauen und Kindern mit ein paar Gauklerkunststückchen die Zeit und die Angst zu vertreiben. Sicher war sie jetzt wieder in der Halle und sang, jonglierte mit den Bällen, die sie aus Lumpen gemacht hatte, oder gab Rätsel auf.

Fröstelnd schlang Änne die Arme um ihren schmalen Leib. Es schneite winzige Flocken, doch sie spürte die Kälte kaum. Ihr Inneres schien wie abgestorben nach all dem, das sie in den letzten Tagen erlebt hatte.

Aus Gewohnheit wollte sie nach Jan Ausschau halten, doch dann wurde ihr schlagartig bewusst, dass sie ihn nie wiedersehen würde.

Vor dem Fall der Stadt hatte sie jeden Tag darum gebetet, dass er und sein Bruder nicht unter denen waren, die sterbend oder verletzt zu ihr gebracht wurden. Davon ließ sie auch nicht ab, obwohl Jan sie kaum beachtete, sondern viel öfter anderen, hübscheren Mädchen nachschaute. Dass er nun tot war, ohne dass sie ihn noch einmal gesehen hatte oder ihm – wie vielen anderen – bei seinen letzten Atemzügen die Hand halten konnte, erschien ihr unfassbar.

Sie bemerkte Markus erst, als er schon neben ihr stand und sie ansprach. »Wie schön, dich zu sehen, Änne!«

Sie hatte ihn selten lächeln sehen, seit dem Tod seines Bruders nie mehr. Jetzt aber blickte er sie freundlich an, auch wenn ihn sein eigenes Aussehen Lügen strafte: hohlwangig und mit einem Verband um den Kopf, den sie ihm angelegt hatte, nachdem er vor zwei Tagen im Kampf ein halbes Ohr eingebüßt hatte.

»Weißt du, dass meine Bogenschützen Wetten abgeschlossen haben, welche Farbe dein Haar hat?«, fragte er, und die Spur eines Lächelns huschte über seine Züge. »Willst du uns das Rätsel heute lösen?«

Prompt schoss ihr das Blut ins Gesicht und brachte ihre Wangen zum Glühen. Sie hätte nie gedacht, dass die Männer über sie sprechen würden. Hatten sie denn keine anderen Sorgen?

»Lass mich deinen Verband überprüfen«, sagte sie, den Blick gesenkt, um ihre Verlegenheit zu überspielen.

»Es heilt gut, dank dir«, sagte er, folgte ihr aber ins Prägehaus und setzte sich neben sie auf den Boden. Vorsichtig löste sie den Leinenstreifen. Die Wunde verheilte wirklich zufriedenstellend.

»Was wirst du tun, wenn wir Freiheitsstein verlassen?«, fragte er. Überrascht ließ sie die Hände sinken. Darüber hatte sie noch nie nachgedacht, seit sie auf die Burg gekommen war.

»Ist es nicht müßig, sich darüber Gedanken zu machen?«

Er zog die Augenbrauen hoch und sah sie vorwurfsvoll an. »Das muss heute nicht der letzte aller Tage sein!«, mahnte er leise. »Du darfst die Hoffnung nicht aufgeben.«

Seine Stimme und sein Blick hatten etwas so Beschwörendes, Tröstendes an sich, dass sich Änne trotz ihrer Scheu am liebsten an ihn gelehnt hätte.

Sie konnte sich nicht vorstellen, in ihr altes, trostloses Leben bei Jenzin zurückzukehren. Womöglich hatten der Vormund und seine Frau jetzt Einquartierung und ließen ihre schlechte Laune darüber an ihr aus. Und was würden erst die königlichen Besatzer tun, wenn ihnen jemand zutrug, dass sie den verletzten Kämpfern auf der Burg geholfen hatte? Irgendwer würde das verraten, auch wenn Jenzin selbst es aus Angst verschwieg.

Hans Lobetanz, der wäre gemein genug, dachte sie. Plötzlich stand ihr die Szene wieder vor Augen, wie er ihre Hand zerschmettern wollte. Im nächsten Atemzug fiel ihr ein, dass Wilhelm vorhatte, sie zu heiraten.

»Der Großknecht will um meine Hand anhalten«, sagte sie verlegen.

»Der Großknecht?«, entrüstete sich Markus. »Von meinem Bruder weiß ich, dass dich dein Vormund schlecht behandelt. Aber dich dem Knecht zur Frau zu geben ...«

Er hatte mit Jan über sie geredet! Am liebsten wäre Änne im Boden versunken. Was mochten sie dabei gesprochen haben?

»Nein, das war Wilhelms Idee«, sagte sie rasch und blinzelte die Tränen weg. »Er will mir helfen.«

Völlig unerwartet für sich selbst, verspürte sie den Drang, zu erzählen, wie Jenzins Neffe sie bedroht hatte.

Jegliche Freundlichkeit verschwand dabei aus Markus' Zügen. So furchteinflößend hatte sie ihn noch nie gesehen.

»Dieser Lobetanz soll mir unter die Augen kommen, wenn das hier vorbei ist!«, stieß er zornig hervor.

Dazu müssen wir erst einmal den morgigen Tag überleben, dachte Änne und strich vorsichtig Markus' braune Locken zurück, um das Ohr neu zu verbinden.

»Vorbei?«, fragte sie mit brüchiger Stimme, ohne ihm in die Augen zu sehen. »Das hier wird nie vorbei sein. Der König herrscht nun über die Stadt. Seine Männer werden Rache nehmen an denen, die ihm auf der Burg Widerstand leisteten.«

Sie sah noch genau vor sich, in welchem Zustand Sibylla ihnen entkommen war. Würde ihr so etwas auch bevorstehen?

Angesichts des Erlebten hatte sie die Hoffnung längst aufgegeben, dass das Sterben nicht weh tun würde; nur schnell sollte es gehen, das war jetzt noch ihr einziger Wunsch. Ob Markus ihr dabei helfen würde? Ob sie ihn darum bitten sollte, jetzt gleich?

Doch bevor sie fragen konnte, sprach er schon weiter.

»Ja, wer von uns den morgigen Tag überlebt, sieht besser zu, dass er Freiberg für eine Weile den Rücken kehrt.«

Dann *muss* ich Wilhelm heiraten, dachte Änne bekümmert. Allein kann ich in der Fremde nicht bestehen.

Markus' nächste Worte überraschten sie so sehr, dass sie ihm ungläubig ins Gesicht starrte.

»Soll sich der Großknecht eine Magd nehmen und dein Vormund zusehen, wie er ohne dich zurechtkommt. Lass uns zusammen fortgehen und heiraten!«

»Ja, ins Feenland, und da gibt es alle Tage Gebratenes und Gesottenes«, antwortete Änne gereizt. Widerworte waren überhaupt nicht ihre Art, aber sie fühlte sich zutiefst getroffen, weil er auf ihre Kosten solche Scherze machte.

Sie hatte Markus immer nur verstohlen aus der Ferne beobachtet und bis vor ein paar Tagen kaum ein Wort mit ihm zu wechseln gewagt. Wenn nicht einmal Jan sich für sie interessiert hatte, wie sollte es erst sein älterer Bruder, der von allen Mädchen – und heimlich auch von ihr – bewunderte Hauptmann der Wache?!

»Ich meine es ernst«, sagte er. »Ich mag dich. Sehr sogar.«

Erneut schoss ihr das Blut ins Gesicht, und schon wieder wäre sie am liebsten im Erdboden versunken.

»Ich hätte gern in aller Form um dich geworben«, meinte er lächelnd. »Doch dann dachte ich mir: Tu es lieber jetzt und hier auf Freiheitsstein, da kann sie dir nicht weglaufen.«

Er sah in ihre grünen Augen, die ihn fasziniert hatten, seit sie auf die Burg gekommen war, um dem Feldscher zu helfen. Dann legte er ihr die Hand um den Nacken, zog sie behutsam an sich und küsste sie.

Nach einem ersten Moment voller Verblüffung, Verlegenheit und Scham fühlte sie eine Welle von Glück in sich aufsteigen. Schüchtern erwiderte sie seinen Kuss.

»Ich würde dich am liebsten auf der Stelle heiraten. Aber der Kaplan nimmt immer noch die Beichte ab«, flüsterte er.

Zärtlich strich er über ihre Wange, dann bat er mit einem Blick um ihre Zustimmung und schob das Tuch einen Fingerbreit zurück. Es kam noch genug Helligkeit von draußen, damit er das Rotblond erkennen konnte.

»Wette gewonnen! Ich war der Einzige, der auf Kupfergold gesetzt hat. Wegen deiner grünen Augen.«

Sie fuhr zurück und entzog ihm mit einem Ruck ihre Hände.

»Das alles nur wegen einer *Wette?!*«, fuhr sie ihn an. Tränen der Enttäuschung stiegen in ihr auf. »So etwas Gemeines hätte ich von *dir* nicht erwartet!«

Sie wusste, dass viele der Männer in dieser Nacht versuchten, Trost in den Armen einer Frau zu finden. Doch sie hätte nie vermutet, dass ausgerechnet Markus deshalb zu ihr käme – und dann noch mit solch einer Hinterlist …

Hastig stand sie auf und wollte fortlaufen. Doch er griff nach ihren Händen und zog sie wieder zu sich.

»Nein!«, beteuerte er. »Nicht wegen der Wette. Glaub mir!«

Nun wirkte er ungewohnt verlegen.

»Ich meine es ernst mit der Heirat.«

Mehr oder weniger unfreiwillig setzte sie sich wieder hin und wartete. Seine Hände hielten ihre immer noch umklammert.

»Ich konnte meinem Bruder vieles nicht mehr sagen, das ich ihm eigentlich schon längst hätte sagen wollen«, begann er nach einigem Zögern. »Zum Beispiel, wie viel er mir bedeutet. Dass ich auf ihn stolz bin, auch wenn Stolz eine Sünde ist. Und dass es kein Fehler war, dich auf die Burg zu holen. Anfangs glaubte ich, du würdest es hier vor Angst nicht aushalten und uns nur im Wege stehen. Ich habe dich falsch eingeschätzt. Du bist der großherzigste Mensch, den ich kenne. Du hast so vielen meiner Männer geholfen und warst dabei mutiger als mancher, der zwei Köpfe größer ist als du.«

»Sibyllas Verdienst«, murmelte sie abwehrend.

Doch Markus tat ihren Einwurf mit einem Kopfschütteln ab.

»Du warst es, der dort oben auf dem Wehrgang während des Angriffs die Wunde des Burgkommandanten ausbrannte. Und jemandem ein Bein oder einen Arm abzunehmen, damit er überlebt, sich zu den Sterbenden zu setzen, damit sie in diesem schweren Moment nicht allein sind – ist das *nicht* mutig?«

Er holte tief Luft und hatte das Gefühl, noch nie in seinem Leben so viel geredet zu haben.

»Ich konnte Jan nicht mehr sagen, was wichtig war. Aber – Gott sei mein Zeuge! – das passiert mir nicht noch einmal. Ganz gleich, was morgen passiert: *Dir* musste ich *heute* noch sagen, wie viel du mir bedeutest.«

Er zog das angesengte Tuch über ihrem Haar wieder zurecht und küsste sie noch einmal, diesmal inniger.

»Fürchte dich nicht, Änne!«, raunte er, während seine Hände ihren Nacken streichelten. »Wenn wir den morgigen Tag überleben, wirst du meine Frau, und wir gehen fort von hier, in eine andere Stadt, die noch Markgraf Friedrich gehört. Such dir aus, wohin du willst – Rochlitz, Leisnig oder Grimma. Ich schwör's, ich werde gut für dich sorgen.«

Wird er mich jetzt auch auffordern, mit ihm in irgendeinen dunklen Winkel zu gehen?, dachte sie, zutiefst verwirrt von dem Kuss und seinen Worten. Das Herz stockte ihr bei diesem Gedanken. Aber die Gefühle, die er in ihr aufwühlte, ließen sie befürchten, dass sie nicht viel Widerstand entgegensetzen würde – auch wenn es Sünde war.

Noch bevor sie etwas erwidern konnte, kam ein junges Mädchen ins Prägehaus gerannt. »Änne, schnell, du musst helfen! Eine von den jüdischen Frauen hat vor der Zeit Wehen!«

»Ich kann keine Kinder auf die Welt holen«, wehrte Änne erschrocken ab. »Ich bin keine Wehmutter.«

Doch das Mädchen ließ sich nicht abweisen. »Dann bring wenigstens mit, was du dafür an Kräutern hast. Vielleicht treiben wir noch eine alte Gevatterin auf, die sich damit auskennt.«

Verunsichert sah Änne zu Markus. Der legte ihr beruhigend einen Arm um die Schulter, auch wenn er sie ungern fortließ. »Geh nur! Ein Kind bedeutet immer Hoffnung.«

Mit einem Mal hatte sie es nicht mehr so eilig zu sterben.

Als der Morgen graute, ging Ulrich in die Kapelle, kniete mit schmerzverzerrtem Gesicht vor dem Altar nieder und sprach voller Inbrunst ein kurzes Gebet.

Dann humpelte er hinaus auf den Burghof. Schon nach ein paar Schritten wurde er von einer älteren jüdischen Frau aufgehalten, die ihm ein Bündel entgegenstreckte. Zu seiner Verblüffung sah er, dass es ein Neugeborenes war.

»Sie ist uns diese Nacht geschenkt worden«, erklärte die Frau freudestrahlend, wahrscheinlich eine der Gevatterinnen, die bei der Geburt zugegen waren. »Ihre Mutter hat sie Tikwa genannt. Das bedeutet Hoffnung. Und sie bittet Euch, ihrem Kind Euern Segen zu geben.«

Verblüfft und fasziniert zugleich betrachtete Ulrich das winzige Wesen, das im Schlaf die Lippen bewegte. Vorsichtig legte er die schwielige Hand auf das Köpfchen. »Der Herr möge dich segnen und dir ein glückliches Leben schenken, Tikwa.«

Die Begegnung berührte ihn zutiefst.

Tikwa. Hoffnung. Gab es noch Hoffnung?

Das verletzte Bein nachziehend, durchquerte er den Hof. Gewohnheitsmäßig suchte sein Blick dabei nach Roland, bis ihm einfiel, dass der Junge ja nicht mehr sein Knappe, sondern ein Ritter war. Nach einem tiefen Atemzug gab er Befehl, über dem vergitterten Burgtor das Banner des Markgrafen zu schwenken zum Zeichen dafür, dass er Verhandlungen führen wollte.

Es dauerte eine Weile, bis der aufgedunsene Marschall kam, dessen Namen Ulrich immer noch nicht wusste.

Solange sie auf ihn warteten, wurde nicht gekämpft. Die Flüchtlinge, die sich mittlerweile auf dem Hof versammelten, nahmen das als gutes Zeichen.

»Habt Ihr endlich eingesehen, wie aussichtslos Eure Lage ist, Maltitz?«, höhnte der königliche Marschall, als er zu Pferd endlich vor der Burg stand. »Wollt Ihr um Gnade betteln?«

»Ich will verhandeln!«, rief Ulrich zurück. »Ihr seht, dass Ihr die Burg nicht ohne große Verluste und auch nicht so schnell einnehmen könnt, wie der König es wünscht. Wir haben ausreichend Proviant und Wasser.«

»Aber die Männer gehen Euch aus, die Kämpfer, nicht wahr, Maltitz? Jetzt schickt Ihr schon Kinder ins Gefecht! Was glaubt Ihr, wie lange Ihr noch durchhaltet?«

»So lange wie nötig«, antwortete Ulrich fest. »Doch wegen der Frauen und Kinder, der Alten und Gebrechlichen, die auf der Burg Zuflucht gesucht haben, will ich verhandeln. Wenn Ihr ihnen und meinen Männern freien Abzug zusichert, habe ich Vollmacht, Freiheitsstein zu übergeben. Dann kann der König heute Abend schon sein Mahl in der Halle einnehmen.«

»Freier Abzug auch für Eure Männer? Für die, die sich dem rechtmäßigen König widersetzen? Ihr seid kaum in der Lage, das als Bedingung zu fordern, Maltitz«, schrie der Marschall.

»Wenn wir sowieso sterben sollen, werden wir es kämpfend tun!«, rief Ulrich zurück, und die Männer hinter ihm klopften herausfordernd mit den Schwertern auf die Schilde. »Dann werdet Ihr erleben, wie lange wir uns halten können, und mit dem Blut Eurer Männer bezahlen! Es sei denn, der König nimmt die Kapitulation zu unseren Bedingungen an. Das Angebot gilt nur heute.«

Der Marschall zögerte. Dann rief er: »Abgemacht! Ergebt euch, und euch ist freier Abzug zugesichert, in Waffen und mit all eurer Habe.«

»Habe ich Euer Wort?«

»Ihr habt es.«

»Schwört es bei allem, was Euch heilig ist!«

»Ich schwöre.«

Ulrich von Maltitz und Niklas von Haubitz tauschten einen Blick. Sie würden beide lieber weiterkämpfen in der unsinnigen Hoffnung auf ein Wunder. Aber sie durften nicht auch noch all die Männer dem sicheren Tod ausliefern, die an ihrer

Seite gefochten hatten, und schon gar nicht die Frauen und Kinder, die mit ihnen auf der Burg ausharrten.

»Lasst uns Zeit für ein gemeinsames Gebet, dann öffnen wir das Tor zur Burg«, rief Ulrich hinunter.

»Eure Hurerei und sonstigen Sünden könnt Ihr Euch später vergeben lassen, Maltitz«, rief der Marschall herauf. »Die Geduld des Königs ist erschöpft. Euer Angebot gilt nur heute, sagt Ihr. Mein Angebot gilt so lange, wie ich brauche, um bis sechzig zu zählen. Öffnet Ihr dann nicht das Tor, schlagen wir euch alle tot.«

Verzweifelt sah Ulrich zum Kaplan hinüber. Pater Gregor verstand.

»Kniet nieder!«, gebot der Kaplan, und die Männer, müde, erschöpft und hoffnungslos, gehorchten, ebenso Änne, Sibylla, Hildegard und die anderen Frauen.

»Ich spreche euch frei von euren Sünden. Gott schütze euch!«, sagte der Kaplan und breitete segnend die Arme aus. Dann schlug er ein Kreuz, und die Menschen, die sich auf dem Burghof wieder erhoben, taten es ihm gleich. Ulrich, unendlich dankbar für die Großzügigkeit des Paters angesichts der Umstände, gab das Zeichen, das Tor zu öffnen.

»Wir kommen heraus!«, rief er, nachdem der Marschall »Sechzig« gebrüllt hatte.

Die Königlichen draußen stießen ein Triumphgeheul aus, das jäh verstummte; wahrscheinlich auf Befehl.

Es schien ein halbes Leben lang zu dauern, bis das Fallgitter hochgezogen war, oder auch nur einen Augenblick.

Noch einmal sah Ulrich auf seine Kampfgefährten. Würde der Marschall sein Wort halten? Oder sah er sie jetzt zum letzten Mal?

Sein Blick suchte nach Sibylla und entdeckte sie neben Änne. Beide Frauen blickten starr geradeaus.

Endlich verstummte das metallische Rasseln, mit dem das Gitter heraufgezogen wurde.

Auf Ulrichs Zeichen hin gingen ein paar Männer daran, die Zugbrücke über den tiefen Burggraben herabzulassen; ohne sonderliche Eile, aber auch ohne zu zögern.

Dann standen sie sich ohne Hindernis gegenüber: die Verteidiger der Burg und der Heerführer des Königs mit seinen Rittern und einer unübersehbaren Zahl an Söldnern.

Die Burg stand offen.

Freiheitsstein war gefallen.

DIE SECHZIG

*K*ommt raus!«, brüllte der Marschall.

Ulrich sah noch einmal zu Niklas von Haubitz, dann ging er voran, sein Humpeln so gut wie möglich verbergend, direkt auf den Marschall zu, der auf einem Pferd von auffällig kräftiger Statur saß und zufrieden auf ihn herabblickte.

»Der Siegelring und die Schlüssel zu Burg und Silberkammer.«

Mehr sagte Ulrich nicht, sondern streckte dem Feisten den Ring mit den drei Türmen und das schwere Bund entgegen. Dann kniete er nieder und senkte den Kopf, wie es von ihm erwartet wurde. Das Klirren der Ringe seiner Kettenhaube war das einzige Geräusch in der Stille.

Lange entgegnete der Marschall nichts. Ulrich fühlte seinen triumphierenden Blick auf sich ruhen.

Schließlich befahl der Feiste: »Legt ihn in Ketten!«

Ulrich war nicht überrascht. Da er sowieso mit seinem Leben abgeschlossen hatte, erschütterte es ihn auch nicht.

Er wurde an den Armen hochgerissen, fühlte seine Wunde unter jähen Schmerzen aufbrechen, spürte, wie frisches Blut heraussickerte und Verband und Beinling durchtränkte.

Dann wurden ihm die Hände zusammengebunden.

»Nehmt ihnen die Waffen ab und fesselt sie!«, rief der Marschall den nächsten Befehl.

Das erst riss Ulrich aus seiner Erstarrung. Wütend drehte er sich um, während ihn zwei Männer fortzerrten.

»Ihr habt freien Abzug geschworen!«, schrie er den Marschall an. »Gott ist mein Zeuge: Ihr habt es geschworen! Wollt Ihr Euern Eid brechen, zur Schande für den gesamten Ritterstand?!«

Der Marschall wendete sein Pferd ein Stück nach rechts, so dass er Ulrich direkt vor sich hatte. Dann hieb er ihm mit der Reitgerte quer übers Gesicht.

»Schweigt, Maltitz! Eine Schande sind Verlierer. Und es gibt nichts, worauf sich ein Verlierer berufen kann.«

Den brennenden Hieb schien Ulrich kaum zu spüren, denn er wurde abgelenkt davon, was vor dem Burgeingang vor sich ging: Jakob, der älteste Sohn von Hildegard, hatte sein Schwert gezogen und schlug auf den Ersten ein, der sich den Verteidigern der Burg näherte. Sofort war er von Bewaffneten umzingelt und wurde niedergestochen. Sein Blut strömte in den fast unberührten Schnee zwischen Fallgitter und Zugbrücke und färbte ihn rot.

Niklas von Haubitz stellte sich mit ausgebreiteten Armen vor die Burgbesatzung. »Leistet keinen Widerstand!«, beschwor er die Männer. Dann, zu den Königlichen gewandt: »Wir ergeben uns.«

Gegen diese Übermacht zu kämpfen, würde ihrer aller Tod bedeuten. Niklas nahm sein Schwertgehänge ab und legte es vor sich in den Schnee. Dann kniete er nieder, die ausgebreiteten Arme schützend immer noch vor seine Gefährten haltend.

Auch ihm wurden Fesseln angelegt.

»Schafft sie zum Obermarkt«, knurrte der Marschall. »Dann lasst die Glocken läuten.«

Ulrich nahm es beinahe als Auszeichnung, dass er sich den besonderen Hass des königlichen Befehlshabers zugezogen hatte, selbst wenn seine Behandlung als Gefangener allen guten Sitten unter Männern seines Standes widersprach.

Sein eigenes Schicksal kümmerte ihn nicht mehr. Das Einzige, das nun noch in ihm loderte, war der Wille, den Menschen das Leben zu bewahren, die sich ihm anvertraut hatten.

Was die Übergabe der Burg für Markgraf Friedrich bedeutete, daran durfte er jetzt nicht denken. Von seinem einstigen Besitz waren Friedrich nicht mehr als drei kleinere Städte geblieben. Er konnte jetzt nur noch auf einen Schiedsspruch des Fürstengerichts zu seinen Gunsten hoffen.

Ein einziger Gedanke toste durch Ulrichs Kopf: Wir haben versagt. Ich habe versagt.

Als sie auf dem Oberen Markt angelangt waren, stieß ihn einer der Bewacher zu Boden.

Unter brennenden Schmerzen richtete er sich auf, so dass er in seinen Fesseln wenigstens kniete; mit dem Rücken zum Marschall, das Gesicht den Freibergern zugewandt, die nach dem Sturmläuten auf den Markt gehastet kamen. Neben ihm standen, von bewaffneten Männern umgeben, seine waffenlosen Gefährten. Selbst die Frauen durften nicht gehen. Auch sie wurden bewacht.

Lange Zeit geschah nichts; lähmende Stille lag über dem Platz, nur ab und zu unterbrochen von einem unterdrückten Schluchzen und dem Schreien des Neugeborenen.

Die Stadt sah furchtbar aus nach der Einnahme durch die Königlichen. Wohin Ulrich auch sah, erblickte er Spuren von Plündern, Sengen und Morden. Dort, wo noch vor ein paar Tagen das Haus des Bürgermeisters gestanden hatte, klaffte eine Lücke. Von dem mit Schnitzereien verzierten Fachwerkbau waren nur ein paar verkohlte Balken geblieben. Die Menschen vor ihm wirkten bedrückt bis entsetzt; er sah, dass sie jegliche Hoffnung verloren hatten. Und er sah die unverkennbaren Spuren des Hungers in etlichen Gesichtern.

Dann drehte er den Kopf, um den Blick noch einmal auf seine

Kampfgefährten zu richten. Er war überzeugt, dass der König ihn gleich hinrichten lassen würde. Als einzige Hoffnung blieb ihm, dass Adolf von Nassau danach die anderen gegen Lösegeld freilassen würde.

Stumm begann er zu beten: für das Seelenheil des jungen Ritters, der gerade vor der Burg seinen Zorn angesichts des Eidbruchs mit dem Leben bezahlt hatte, um Vergebung für sich in Gottes Augen und um das Leben seiner Gefährten und Schutzbefohlenen.

Ein Hornsignal zog alle Aufmerksamkeit auf sich. Augenblicke später ritt der König mit seinen Begleitern auf den Marktplatz.

Die zusammengerufenen Stadtbewohner knieten nieder. Der Marschall und die Ritter des Königs verneigten sich auf ihren Pferden. Mit Hieben brachten die Bewacher der Gefangenen die Umzingelten dazu, ebenfalls niederzuknien.

Die Ratsherren und Bürgermeister Nikol Weighart traten vor, um barhäuptig vor dem König auf die Knie zu sinken. Es waren nur noch neun Consuln. Der Tucher, der Rechtsgelehrte und der Vater des jungen Lotzke fehlten. Der Bürgermeister wirkte um Jahre gealtert.

Adolf von Nassau ließ seinen Blick über die Menge schweifen. Dann wies er auf die Gruppe der Gefangenen und befahl, klar und deutlich für alle zu hören: »Sucht sechzig von ihnen aus und köpft sie auf der Stelle, hier vor aller Augen!«

Ein entsetzter Aufschrei ging durch die Menge.

Fassungslos vor Zorn wandte sich Ulrich direkt dem König zu und brüllte: »Euer Marschall hat ihnen freien Abzug zugesichert, Majestät! *Er gab sein Wort!*«

Adolf von Nassau blickte gleichgültig auf ihn herab. »Dann hat er seine Vollmachten überschritten. Es gibt kein Erbarmen für jene, die sich dem König widersetzen. Seid froh, wenn ich euch nicht alle wegen Hochverrats aufs Rad flechten lasse.«

Ulrich wurde ein Schwertknauf hart zwischen die Schulterblätter gestoßen, er stürzte zu Boden und wurde grob wieder hochgezerrt.

Dann zog ihm sein Bewacher den Kopf nach hinten. »Du hältst jetzt dein Maul und siehst zu, wie deine Freunde diese Welt verlassen, Maltitz. Sonst gehst du noch vor ihnen!«

»Nehmt *mein* Leben!«, rief Ulrich dem König zu, während er den Kopf zu drehen versuchte. »*Ich* hatte das Kommando über die Burg, diese Männer folgten *meinen* Befehlen! Also bestraft *mich,* nicht sie!«

War es das, was der König hören wollte? Ulrich hoffte es.

Hinter sich vernahm er Niklas' rauhe Stimme.

»Hoheit, erweist Euch als wahrer König und lasst die Geiseln frei. Wenn Ihr jemanden dafür bestrafen wollt, dass wir uns zuerst unserem Lehnsherrn Markgraf Friedrich verpflichtet fühlten, dann mich!«

Ulrich hielt den Atem an. Er wollte nicht, dass Niklas starb. Aber wenn sie so das Leben der anderen retten konnten, dann würden sie beide bereitwillig aus dieser Welt gehen.

Der Bewacher hielt ihn immer noch an der Kettenhaube gepackt, das Gesicht den gefangenen Verteidigern der Burg zugewandt.

Wie würde Adolf entscheiden?

Die Stimme des Königs klang kühl. »Nein, Haubitz, so leicht mache ich es Euch nicht. Für einen besiegten Feldherrn habe ich andere Verwendung.«

Der König oder sein Marschall musste ein Zeichen gegeben haben, denn nun traten ein paar seiner Ritter zu den Gefangenen, unverkennbar in der Absicht, das Opfer für die erste Hinrichtung auszusuchen.

»Nehmt zuerst die Jungen von Stand. So bestrafen wir ihre Väter *und* ihre Ritter dafür, dass sie ihnen keinen Gehorsam vor dem König beigebracht haben«, befahl Adolf von Nassau.

»Nein!«, schrie Ulrich mit aller Kraft. Die nächsten Worte erstarben auf seinen Lippen, als ihm sein missgelaunter Bewacher den Kettenfäustling so heftig gegen die Schläfe hieb, dass er wankte und beinahe gestürzt wäre. Nur der harte Griff, mit dem er immer noch gehalten wurde, verhinderte, dass er zusammensackte.

Als er wieder klar sehen konnte, war ihm zumute, als würde sein Blut in den Adern gefrieren.

Der zweite Sohn des früheren Burgvogtes wurde in die Mitte des Marktplatzes geführt, der junge Gerald mit der zerschnittenen Wange. Jemand riss ihm die Kettenhaube herunter, man zwang ihn niederzuknien, dann trat ein hochgewachsener Mann hinter ihn und holte zum Schwerthieb aus.

Ulrich sah, dass der junge Ritter den Blick auf das Kreuz der Petrikirche vor ihm richtete und flüsternd die Lippen bewegte.

Verzweifelt wollte er sich hochstemmen, doch der Mann hinter ihm zerrte ihm den Kopf nur noch heftiger in den Nacken.

»Sieh hin, Maltitz, sieh hin, wie sie für deinen Starrsinn büßen!«, raunte er gehässig.

Die Menge schrie entsetzt auf, als das Schwert niederfuhr und der Schnee sich blutig färbte.

Diesmal kam der lauteste Schrei mitten aus der Menge der Gefangenen. Hildegard, die Mutter, die an diesem Morgen beide Söhne verloren hatte, kämpfte sich vor bis an die Reihe der Bewacher.

»Ich verfluche dich, Adolf von Nassau! Leid und Tod sollen über dich kommen, so wie du Leid und Tod über mich und meine Söhne gebracht hast! Die Krone soll dir entrissen werden, und eines gewaltsamen, blutigen Todes sollst du sterben!«

Für einen Moment schienen die Männer wie gelähmt, die waffenstarrend um die Gruppe der Gefangenen standen. Dann zog einer von ihnen seinen Dolch und stieß ihn der Witwe in die Brust.

Niemand wagte es, ihren Leichnam aufzufangen.

»Los, worauf wartet ihr? Die Nächsten, nehmt die dort!«, brüllte der Marschall in das lähmende Schweigen hinein.

Doch seine Stimme ließ erkennen, dass er um Fassung rang. Ein solcher Fluch konnte selbst dem hartgesottensten Mann einen Schauer über den Rücken jagen.

Entsetzt sah Ulrich, dass die Bewaffneten nun genau jene zehn Burschen aus der Menge herausgriffen, die er erst vor wenigen Tagen in den Ritterstand befördert hatte. Sie standen nebeneinander schützend vor einer Gruppe Frauen und Kinder und hatten damit ihren Tod besiegelt.

Sein Verstand begann sich zu weigern, das Unvorstellbare zu akzeptieren.

Er suchte Rolands Blick und fand ihn. Sein einstiger Knappe, der Jüngste in der Gruppe, war als Letzter ausgewählt worden, um den Todesstreich zu empfangen.

Junge, ich würde mein Leben geben, um deines zu retten, dachte Ulrich verzweifelt, während ihm Tränen in die Augen stiegen. Allmächtiger Herr im Himmel, ich flehe dich an, lass dieses fürchterliche Unrecht nicht zu!

Aber nichts geschah, um das Unfassbare zu verhindern.

Als Roland mit trotziger Beherrschtheit niederkniete, war die Mitte des Marktes schon über und über von Blut rot gefärbt, das in der Winterkälte dampfte, bis es erkaltete.

»Herr, erbarme Dich! Erbarme Dich der Seele Deines Sohnes Roland und seiner Gefährten, die durch meine Schuld zu Tode kamen«, flüsterte Ulrich, während sein einstiger Knappe starb.

Durch seine Schuld. Seine Schuld.

Das Entsetzen über das Blutbad hatte die Stadtbewohner erstarren lassen.

Als das schaurige Werk getan war, herrschte vollkommene Stille auf dem Oberen Markt.

»Bringt den Heerführer des rebellischen Wettiners!«, befahl der König in das lähmende Schweigen der Stadtbewohner.

Ulrich wurde herumgezerrt, damit er sehen konnte, wie Niklas von Haubitz vor dem König in den Schnee gestoßen wurde.

»Nun zu Euch, Haubitz. Ihr werdet unverzüglich zu dem Abtrünnigen Friedrich reiten und ihm von Eurer und seiner Niederlage berichten. Bevor er seinen Zorn an Euch auslässt und Euch einen Kopf kürzer macht, werdet Ihr ihn auffordern, mir entweder zwölftausend Mark Silber zu zahlen oder unverzüglich die Gebiete zu übergeben, die er widerrechtlich noch als seinen Besitz bezeichnet«, erklärte der König kühl, beinahe gelassen. Dann jedoch legte er mehr Schärfe in seine Stimme. »Und ich rate Euch zur Eile! Habe ich morgen in drei Tagen keine Antwort, lasse ich weitere sechzig Gefangene hinrichten, und nach noch einmal drei Tagen die nächsten. Bis alle tot sind. Also sputet Euch lieber! Ich werde kein Erbarmen kennen.«

Zwei oder drei Frauen schluchzten entsetzt auf, dann herrschte wieder Stille.

Der König winkte eine seiner Leibwachen herbei. »Gebt ihm ein Pferd, damit er sofort losreiten kann.«

Ein Hengst wurde gebracht, der Statur nach ein ausdauerndes Tier. Bemüht, sich nicht von seiner Verletzung beeinträchtigen zu lassen, saß Niklas auf. Der Einzige, dessen Blick er vor dem Aufbruch suchte, war Ulrich – ein stummer Abschied unter Kampfgefährten, in den jeder so viel Kraft legte, wie er noch aufzubringen vermochte.

»Schafft die Gefangenen fort und bewacht sie gut!«, befahl der König. »Und dann richtet Freiheitsstein für meinen Einzug her! Heute Abend will ich dort meinen Sieg feiern.«

Willenlos ließ sich Ulrich von Maltitz abführen.

Die Entscheidung

Niklas von Haubitz wusste durch Ulrich, wo sich Markgraf Friedrich nach Ablauf der einundzwanzig Tage aufhalten würde. Für den Fall, der nun eingetreten war, hatten sie einen Treff vereinbart.

So trieb er den Hengst rasch durch den Schnee Richtung Grimma. Er richtete alle Kraft darauf, schnell voranzukommen und dem fremden Pferd seinen Willen klarzumachen.

Er wollte jetzt weder an den Vormittag auf dem Freiberger Marktplatz denken noch daran, welche Möglichkeiten Friedrich außer dem Exil blieben.

Niklas erreichte Grimma erst kurz vor Abend des nächsten Tages. Es gab einen Gasthof mit einem verschwiegenen und loyalen Wirt in der Nähe der hölzernen Muldenbrücke, wo Friedrich unerkannt logieren würde.

Mit letzter Kraft – er hatte seit seinem Aufbruch nichts gegessen – saß Niklas ab und führte den Hengst in den Stall. Dort erkannte er an den Pferden, dass sowohl Friedrich als auch Hertwig von Hörselgau und die Brüder Tylich und Theodor von Honsberg bereits eingetroffen waren.

Er drückte dem Knecht einen Hälfling in die Hand dafür, dass er den Hengst versorgte, und erkundigte sich, wo er die Besitzer der vier besten Pferde im Stall finden würde.

Beklommen stieg er die schmale Treppe hinauf, klopfte an die Tür und rief seinen Namen. Natürlich würden die Männer Vorsichtsmaßnahmen getroffen haben; die Lage der Dachkammer erinnerte Niklas fatal an den Überfall in Altenburg.

Er hörte sich rasch nähernde Schritte, dann wurde die Tür aufgerissen, und er sah Tylich von Honsberg vor sich, das blanke Schwert in der Hand. Als dieser sein Gegenüber erkannte, steckte er sofort die Waffe in die Scheide, ließ Niklas in die Kammer und schloss ihn nach kurzem Zögern in die Arme. »Du lebst!«

Niklas musterte die Gesichter der anderen, nachdem er sich aus der Umarmung gelöst hatte. Sosehr sie sich freuten, ihn wiederzusehen – sie wussten alle, dass sein Kommen nur eines bedeuten konnte.

Vor Friedrich sank er auf ein Knie. »Vergebt mir, mein Fürst! Wir konnten Freiberg nicht halten.«

Mit düsterer Miene zog Friedrich ihn hoch. »Ich bin es, der um Vergebung bitten muss. Ich konnte kein Entsatzheer nach Freiberg führen.«

Er reichte Niklas seinen Becher und forderte ihn mit einer Geste auf, sich zu setzen. »Berichtet!«

Niklas, der sich wie ausgedörrt fühlte, nahm dankbar einen großen Schluck. Doch etwas zu essen lehnte er ab. Zuerst musste er die schlimmen Nachrichten loswerden.

Friedrich hörte zu, ohne ein Wort zu sagen. Sein Gesicht blieb reglos, nur die Wangenmuskeln zuckten, während Niklas ihm von der Hinrichtung der Sechzig und der Forderung des Königs berichtete.

Lange blieb Friedrich stumm. Dann stand er auf und trat zum Fenster – aus Gewohnheit oder um sein Gesicht nicht zu zeigen. Denn zu sehen gab es dort nichts. Die kleine Öffnung war zum Schutz gegen die Kälte mit Stroh zugestopft.

Voller Sorge wartete Niklas auf die Antwort des Markgrafen. Würde der nun in seinem Zorn losstürmen, um Vergeltung zu üben an denen, die jene ungeheuerlichen Bluttaten befohlen hatten? Das entspräche seinem Temperament und seinem Tatendrang am ehesten.

Niklas hoffte, dass sein Lehnsherr besonnen genug war, um sein Leben nicht in einem aussichtslosen Kampf zu beenden.

Aber würde Friedrich, Enkel eines großen Kaisers, die letzten ihm verbliebenen Städte ausliefern und damit jeglichen Machtanspruch aufgeben?

Dass der Wettiner so schnell zwölftausend Mark Silber aufbringen konnte, hielt Niklas für ausgeschlossen. Bezeichnenderweise war dies genau die Summe, für die Friedrichs Vater vor ein paar Jahren dem König Thüringen verpfändet hatte. Doch der für seine Maßlosigkeit und Unberechenbarkeit berüchtigte Albrecht würde den größten Teil des Geldes längst durchgebracht haben, während er auf der Wartburg vor sich hin lebte und das Regieren Adolfs Statthalter in Thüringen, Gerlach von Breuberg, überließ.

»Ich übergebe Leisnig, Rochlitz und Grimma«, sagte Friedrich in die Stille hinein. »Ich kann nicht zulassen, dass noch mehr Menschen für mich sterben.«

Niemand erwiderte ein Wort.

Niklas wollte sich hochstemmen, doch Friedrich drückte ihn zurück auf die Bank. »Lasst Eure Wunde neu verbinden und ruht Euch aus«, sagte er mit Nachdruck.

»Wenn Ihr erlaubt, reite ich nach Freiberg«, bot Hertwig von Hörselgau an.

»Damit er dich auch hinrichten lässt?«, widersprach Niklas heftig und voller Bitterkeit. »Hast du nicht zugehört? Adolf bevorzugt die jungen Ritter als Opfer. Nein, *ich* bringe es zu Ende. Das ist meine Aufgabe.«

»Morgen«, entschied Friedrich. »Gleich bricht die Nacht herein, und wenn Ihr nicht sofort etwas esst und Euch dann ausruht, schafft Ihr es nicht einmal die Treppe hinunter, ohne aus den Stiefeln zu kippen.«

Er sprach ganz ruhig, fast beiläufig, als wäre nichts Besonderes passiert, als hätte es nicht ein furchtbares Blutgericht gegeben, als hätte er nicht soeben die Stadt verloren, die ihm am wichtigsten war und am meisten bedeutete. Als hätte er nicht gerade seinen letzten Besitz eingebüßt.

Ohne Beistand des Bruders und des Vaters besaß Friedrich kaum mehr als die Pferde und das, was er auf dem Leibe trug. Seine letzte Barschaft an Silber hatte er eingesetzt, um nach dem Überfall in Altenburg so viele Männer wie möglich mit Niklas nach Freiberg schicken zu können.

Der Haubitzer griff nach dem angebotenen Brot. Er hatte Hunger, aber trotzdem das Gefühl, keinen Bissen hinunterzubekommen.

»Was wollt Ihr jetzt tun?«, fragte er seinen Lehnsherrn, während er die Hand mit dem Brot in den Schoß sinken ließ.

»Von meinem Vater habe ich keine Hilfe zu erwarten, ebenso wenig von meinem Bruder«, entgegnete Friedrich kalt. »Tylich und Reinhard«, wandte er sich an die Brüder, »bringt meinen Sohn in Sicherheit. Ich gehe ins Exil. Nach Kärnten, zu meinen Schwägern.«

Niklas erforschte Friedrichs Züge. Sie waren voller Bitterkeit, Trauer und Zorn. Aber dahinter entdeckte er immer noch Friedrichs typische Entschlossenheit. Vor allem der letzte Satz bestätigte seine Hoffnung, dass sein Lehnsherr trotz der völligen Niederlage nicht aufgab.

Friedrich ging ins Exil. Aber nur, um seine Rückkehr nach dem Sturz des Königs vorzubereiten.

Friedrichs Gemahlin Agnes, Tochter des Grafen Meinhard von Görz-Tirol, des Herzogs von Kärnten, war vor drei Jahren gestorben, ihr Vater im vergangenen Jahr ebenfalls. Friedrichs Schwägern Heinrich, Otto und Ludwig drohte ein ähnliches Schicksal wie dem einstigen Meißner Markgrafen. Der König weigerte sich, sie formal mit dem Erbe ihres Vaters zu belehnen, und drohte, es einzuziehen.

Vor allem aber waren sie ihrerseits mit Albrecht von Habsburg verschwägert – dem Mann, der an Adolfs Stelle die Krone tragen würde, wenn nicht König Wenzel von Böhmen und der Erzbischof von Köln das verhindert hätten.

Der Habsburger war mit Sicherheit der Erste unter den Fürsten, die Adolf stürzen wollten.

Der entmachtete Wettiner trat erneut zum Fenster. Nach einer ganzen Weile drehte er sich zu Niklas um. Seine Augen schienen im Kerzenlicht zu flackern, seine Rechte umklammerte den Griff des Dolches so heftig, dass die Fingerknöchel weiß hervortraten.

»Reitet morgen nach Freiberg, mein Freund, wenn Ihr Euch kräftig genug dazu fühlt, und richtet dem König aus: Ich übergebe meine Städte nur, wenn er sämtliche Gefangenen von Freiheitsstein unverzüglich freilässt. Ich werde schnell erfahren, ob er es tut. Sollte er auch nur einem ein Leid zufügen, werde ich über ihn kommen wie der Zorn Gottes, und es kümmert mich nicht, ob ich dabei mein Leben verliere.«

Nach dem Blutbad auf dem Obermarkt wurden die Gefangenen aus Freiberg hinausgeschafft, in den Teil des Lagers der königlichen Armee, der vor dem Meißner Tor errichtet worden war. Auf der Burg war kein Platz für so viele Geiseln, während der König seinen Einzug feiern wollte.

Frauen und einfache Stadtbewohner wurden zu einer leeren Koppel geführt, die an der Rüstung als Ritter Erkennbaren deutlich besser bewacht ein Stück abseits von ihnen.

Ulrich von Maltitz folgte wortlos vier Wachen, die ihn aus der Gruppe herausbefahlen und zu einem winzigen Huthaus eskortierten.

Weil darin kaum Platz war, stellten sich die Männer vor der Hütte auf, um ihn getrennt von den anderen zu bewachen.

Die aufgeplatzte Wunde verursachte ihm solch große Schmerzen, dass sich Ulrich nicht überwinden konnte, sich auf den eiskalten Boden niederzulassen. Müde, erschöpft und innerlich wie abgestorben, lehnte er sich an die Wand aus grob behauenen Brettern, schloss die Augen und haderte mit sich und der Welt.

Er konnte beim besten Willen nicht sagen, wie viel Zeit vergangen war, als er von draußen eine bekannte Stimme hörte, deutlich und schroff wie immer.

»Ich habe Befehl, mich um die Verletzung des Gefangenen zu

kümmern. Soll ich dem König melden lassen, dass ihr Tölpel mich daran gehindert habt?«

Die Drohung schien zu wirken, denn im nächsten Augenblick betrat Conrad Marsilius das Huthaus. Der Arzt und Ratsherr musste sich bücken, um sich an der niedrigen Tür nicht den Kopf zu stoßen.

»Will der König, dass ich bei bester Gesundheit bin, wenn er mich hinrichten lässt?«, begrüßte ihn Ulrich und klang dabei selbst so mürrisch wie sonst der Stadtphysicus. Wie mochte der überhaupt hierhergekommen sein?

Doch Conrad ignorierte seine Bemerkung, steckte den Kopf noch einmal zur Tür hinaus und rief: »Komm herein!«

Zu Ulrichs Verwunderung war es niemand anderes als Sibylla, die ihm folgte.

»Der König befahl mir und dem Waffenschmied, seinen Männern zu Diensten zu sein. Und während ich das tat, hat mir diese da« – der Arzt wies mit dem Kopf auf Sibylla – »im Vorbeigehen zugerufen, dass Eure Wunde dringend versorgt werden muss. Also sagte ich, dass ich sie brauche, damit sie mir zur Hand geht.«

Ulrich hatte geglaubt, er sei zu keiner Gefühlsregung mehr fähig. Doch nun fühlte er geradezu panische Sorge in sich aufsteigen. Ihm war genau in Erinnerung, was Sibylla von ihm erwartet hatte, um den Söldnern des Königs nicht noch einmal in die Hände zu fallen. War den beiden denn nicht bewusst, dass sie dieses Schicksal jetzt geradezu herausforderten?

Sibylla schien seine Gedanken zu erraten. »Keine Sorge. Sie lassen uns in Ruhe. Und der Frau mit dem Neugeborenen geht es gut. Sie ist noch zittrig auf den Beinen, aber sie und das Kind sind stark, wahre Kämpfernaturen.«

»Was man von Euch nicht gerade sagen kann, wenn ich Euch so ansehe«, knurrte der Arzt, während er Ulrich stützte, damit er sich vorsichtig auf den Boden sinken lassen konnte.

»Spart Euch die Mühe!«, fuhr Ulrich ihn an.

Er wollte jetzt keinen Menschen um sich haben, und schon gar nicht diesen mürrischen Arzt und jene junge Frau, die ihn voller Mitgefühl ansah. Er wollte in Ruhe gelassen werden und allein sein.

Conrad Marsilius ignorierte auch diese Bemerkung und begann, den Verband zu lösen.

»Wie ich mir's gedacht habe«, meinte er kopfschüttelnd, nachdem er die aufgeplatzte Wunde begutachtet hatte. Er tränkte ein Stück Leinen mit einem streng riechenden Sud und säuberte damit die Wunde, dann nähte er sie mit feinen Stichen, die man seinen großen Händen gar nicht zugetraut hätte, und verband das Bein neu.

Ulrich ließ ihn wortlos gewähren und starrte vor sich hin, immer noch in düstere Gedanken versunken.

Nachdem Conrad Marsilius den Verband verknotet hatte, stand er auf, musterte Ulrich mit seinem durchdringenden Blick und sah dann zu Sibylla.

»Versuch es«, sagte er zu ihr und ging hinaus.

Ulrich hörte durch die Bretterwand, wie der Arzt draußen mit lauter Stimme die Wachen in ein Gespräch über unverkennbare Anzeichen darüber verwickelte, dass ihre Säfte nicht im Gleichgewicht seien.

»Geh, auf der Stelle!«, fuhr er Sibylla an, schroffer, als er wollte. »Ist dir nicht klar, in welche Gefahr du dich bringst?«

Sibylla schüttelte den Kopf. »Meister Conrad hat sich beim König unentbehrlich gemacht, weil dessen Leibarzt vor ein paar Wochen gestorben ist. Wenn er sagt, er brauche mich als Gehilfin, wird mir niemand etwas tun.«

»Geh!«, wiederholte Ulrich. »Was immer ihr vorhabt – ich werde nicht fliehen.«

Sie sah ihm direkt in die Augen, so eindringlich, dass er die Lider senken musste. »Doch, Ihr wollt fliehen, wenn auch nicht von diesem Ort«, sagte sie leise. »Ich habe es vorhin

Euerm Gesicht angesehen. Ihr wollt das Leben fliehen, weil Ihr Euch die Schuld gebt an dem, was geschehen ist.«

Ulrich schwieg vor Unbehagen darüber, wie genau sie seine Gedanken erraten hatte.

»Wir brauchen Euch. Gebt Euch nicht auf!«, beschwor sie ihn. Statt eine Antwort abzuwarten, beugte sie sich vor. Und dann geschah etwas, womit Ulrich nie gerechnet hätte.

Sibylla strich sein dunkles Haar zurück ... und küsste ihn. Als er sie nicht von sich stieß, sondern nach anfänglichem Zögern ihren Kuss erwiderte, nahm sie seine gefesselten Hände und legte sie auf ihre Brüste. »Spürt sie«, flüsterte sie. »Kommt zurück ins Leben, und ich verspreche Euch, ich werde bei Euch liegen. Ich weiß, dass Ihr davon geträumt habt.«

Wieder küsste sie ihn, und Ulrich begann sich zu fragen, ob ihm ein Fieber Phantasiegespinste vorgaukelte.

Er saß hier in Fesseln, verwundet nach einer blutigen Niederlage, und diese wunderschöne Frau versprach, sich ihm hinzugeben. Wie schwer musste ihr das fallen nach all dem, was ihr widerfahren war?

»Kommt zurück ins Leben!«, flüsterte sie. »Und dann sorgt dafür, dass die Toten gerächt werden!«

Dafür würde sie dieses Opfer bringen, auch wenn sie noch nicht wusste, wie sie die Berührung von Männerhänden auf ihrer bloßen Haut ertragen sollte.

Er stöhnte leise auf in seiner Verzweiflung, während Sibylla ihn liebkoste und mit ihren Küssen seinen Lebenswillen neu entfachte.

Diesmal hielt der König Wort. Als Niklas von Haubitz gerade rechtzeitig vor Ablauf der Frist mit der Nachricht eintraf, dass Friedrich die letzten Städte übergab, die er noch in der Mark Meißen besaß, befahl Adolf von Nassau, berauscht von seinem Triumph, alle auf der Burg Gefangenen unverzüglich freizulassen.

Was scherte ihn jetzt noch das Pack, wo er den rebellischen Wettiner endgültig entmachtet hatte und ihm nicht nur die reiche Silberstadt Freiberg, sondern die ganze Markgrafschaft zu Füßen lag?

Was scherte ihn der Fluch des alten Weibes? Sie war tot, aber er war der König und hatte einen vollkommenen Sieg errungen!

Im prachtvollsten Raum der Burg Freiheitsstein saß Adolf von Nassau und feierte seinen Sieg – allein. Nur ein paar Diener hielten sich in einigem Abstand in Bereitschaft. Diesen Moment wollte er allein auskosten, ohne all die gierigen Speichellecker, die ihn sonst umkreisten wie Schmeißfliegen.

Zufrieden griff der König nach dem erlesen gewürzten Rebhuhn, das mit Bergen von anderem gebratenen Wild auf einer Platte vor ihm lag, und biss hinein. Er kaute und biss wieder ab, wischte sich das Fett mit dem Handrücken vom Kinn und gab einem Diener mit den halb abgenagten Vogelknochen das Zeichen, ihm vom besten Wein nachzuschenken.

Adolf von Nassau hätte es nie vor anderen zugegeben, aber Friedrich war der Einzige aus dem einst mächtigen Hause Wettin, der ihm hätte gefährlich werden können.

Der alte Thüringer Landgraf Albrecht, Friedrichs Vater, war berechenbar und keine Bedrohung, solange er genug zu trinken und Weiber zum Huren hatte; den hielt sein Statthalter Gerlach von Breuberg schon auf der Wartburg in Schach. Und Friedrichs Bruder Diezmann war ebenso verschlagen wie feige; er würde sich nicht mit ihm, dem König, anlegen. Sollte er in der Lausitz verrotten, sofern sich nicht noch bessere Verwendung für ihn fand, oder sich bei Streitereien mit den benachbarten Wendenstämmen einen blutigen Kopf holen.

Doch Friedrich – energisch, voller Tatendrang und stets im Bewusstsein seines kaiserlichen Blutes – hatte das Zeug zu einem ernsthaften Gegner. *Hätte* es gehabt! Denn jetzt besaß er weder Land noch Geld, und deshalb war es nicht einmal die

Mühe wert, ihn noch aus dem Weg räumen zu lassen. Sollte er durchs Land irren und um Almosen betteln oder bei seinem heruntergekommenen Vater unterkriechen.

Adolf warf die Rebhuhnknochen von sich und spießte eine dicke Scheibe Wildschweinbraten auf sein Messer.

»Lasst den Burggrafen von Leisnig und die Herren von Colditz und Waldenburg hierherkommen. Sofort!«, befahl er, mit vollem Mund kauend. Ein Diener verneigte sich und eilte hinaus, um dafür zu sorgen, dass umgehend Boten ausgeschickt wurden.

Der König verzog das Gesicht zu einem abfälligen Grinsen, als er sich Albero von Leisnig, Heinrich von Colditz und Unarg von Waldenburg vorstellte. Sie würden es gar nicht erwarten können, ihm zu seinem Sieg zu gratulieren und ihm die Treue zu geloben. Dafür würde er ihnen die Freiberger Bergwerke verpfänden. Für zweitausend, nein, besser für dreitausend Mark. Das brachte ihm rasch Silber in die Truhen – zusätzlich zu dem, das er überaus reichlich in der Silberkammer von Freiheitsstein vorgefunden hatte, und zusätzlich zu den dreitausendfünfhundert Mark Silber, die er bald als Brandschatzung in Empfang nehmen würde.

Diese Vorstellung beschäftigte ihn so sehr, dass er nicht einmal bemerkte, wie grüne Kräutersoße auf den kostbaren Pelz tropfte, mit dem sein Umhang verbrämt war.

Nun endlich konnte er die nimmersatten Fürsten zufriedenstellen, die ihm schmachvolle Bedingungen dafür diktiert hatten, dass sie bei der Königswahl für ihn stimmten!

Jetzt würde er ihnen die Demütigung heimzahlen.

Sie hielten ihn für einen Schwächling, einen, der nach ihrer Pfeife tanzen würde. Doch sie hatten sich alle in ihm getäuscht.

Mit dem Königsland, das er sich nun mitten im Reich geschaffen hatte, vermochte er ihnen endlich Paroli zu bieten.

Jetzt würde er ihnen zeigen, dass sich ein König nicht von einem Fürsten befehlen ließ!

König Adolf von Nassau trank einen großen Schluck, dann legte er den Kopf in den Nacken und lachte so laut, dass es von den Wänden des leeren Festraumes widerhallte.

»Ist jemand von euch bereit, in den Dienst des Königs zu treten?«

Die Daumen lässig in den Gürtel gehakt, stand einer von Adolfs Hauptleuten vor der Gruppe der gefangenen wettinischen Ritter. Als niemand antwortete, ergänzte er höhnisch: »Ich vergaß zu erwähnen: Es gibt keinen Markgrafen von Meißen mehr. Lehen und Titel sind erledigt. Euer Friedrich ist erledigt. Sucht euch rasch einen neuen Lehnsherrn. Aber wählt diesmal klüger!«

Der Hauptmann lachte auf, dann rief er: »Unser gnädiger König sichert euch freien Abzug. Also verschwindet! Aber besser schnell, bevor er es sich anders überlegt.«

»Bekommen wir Waffen und Pferde zurück?«, fragte Reinhard von Hersfeld.

»Eure Gäule – ja. Damit ihr uns möglichst schnell aus den Augen kommt. Aber nicht eure Waffen. Das hättet ihr wohl gern!«

Wortlos ließen sich die Ritter die Fesseln abnehmen. Dann gingen sie in stummem Einvernehmen zu der Koppel, auf der die restlichen Gefangenen von der Burg festgehalten wurden, um ihnen waffenlos Geleitschutz für den Weg durch König Adolfs Heerlager zu geben.

Als der traurige Zug durch die besetzte Stadt den Platz vor der Burg erreicht hatte, umarmte Sibylla Änne. »Ich werde hier warten. Gott schütze dich!«

»Dich auch«, erwiderte Änne schniefend. Der Gedanke an das Blutbad auf dem Obermarkt löste immer noch Entsetzen in ihr aus. Umso mehr war sie erleichtert, Freiberg den Rücken kehren zu können, noch dazu gemeinsam mit Markus.

Ihr schien, ohne die Begegnung mit Sibylla, die sie für ihre

Tapferkeit bewunderte, hätte sie selbst nie den Mut dazu aufgebracht. Allein die Vorstellung, gleich Meister Jenzin gegenüberzutreten und um Erlaubnis bitten zu müssen, mit Markus fortzuziehen, ließ sie frösteln.

Sibylla schien ihre Gedanken lesen zu können. »Tritt deinem bösen Vormund vors Schienbein, wenn er dich nicht gehen lassen will«, flüsterte sie ihr ins Ohr. Wider Willen musste Änne lächeln.

Natürlich würde sie so etwas nie wagen. Zum Glück war es an Markus, das Reden zu übernehmen und den Oheim um ihre Hand zu bitten.

Wilhelm würde sicher sehr enttäuscht sein. Es tat ihr leid, ihn so zu verletzen. Aber er würde es einsehen.

Wehmütig sah Sibylla Änne nach.

Dann ließ sie ihren Blick über das verbliebene Häufchen schweifen, das beieinanderstand und auf Ulrich von Maltitz und Niklas von Haubitz wartete. Die Stadtbewohner waren einer nach dem anderen wieder in ihre Häuser gegangen, soweit diese noch existierten.

Übrig waren jetzt außer ihr nur noch Friedrichs Ritter und Christian, der Rotschopf. Der Bursche schien irgendetwas Tollkühnes vorzuhaben. Auf dem ganzen Weg hierher hatte er immer wieder gemurmelt: »Ich denke nicht daran, denen mein Schwert zu überlassen!«

Jetzt beugte er sich verschwörerisch zu Reinhard von Hersfeld und raunte: »Wisst Ihr, Herr, wo sie Eure Schwerter und meines aufbewahren?«

Reinhard blickte ihn verdutzt an, dann grinste er, und wenig später sah Sibylla die beiden, scheinbar in ein harmloses Gespräch vertieft, Richtung Ställe schlendern.

Die Flucht

Änne ging mit Markus zum Haus seiner Eltern, in dem er und sein Bruder geschlafen hatten, wenn sie nicht gerade Dienst auf der Burg oder am Tor leisteten.

Schon auf dem kurzen Weg bekamen sie einen Eindruck von dem bedrückenden Leben in der besetzten Stadt. Es wimmelte nur so von Bewaffneten, während kaum ein Einheimischer wagte, den Fuß vor die Tür zu setzen.

Aber niemand behelligte sie, die meisten Bewaffneten schienen es eilig zu haben, auf die Burg zu gelangen. Das stimmte sie etwas zuversichtlicher.

Im Vorbeigehen warf Markus einen prüfenden Blick auf ein schmales Haus in der Talgasse und stieß vor dem nächsten einen merkwürdigen Pfiff aus. Sie waren kaum ein paar Schritte weitergegangen, als ein Junge von fünf oder sechs Jahren um die Ecke geschossen kam und freudestrahlend vor Markus stehen blieb.

»Du lebst, Hauptmann!«, rief er begeistert.

»Was hast du denn gedacht, Paul?«, fragte Markus und strich ihm durchs Haar. Dann beugte er sich hinab und fragte leise: »Ist Einquartierung in meinem Haus?«

Der Junge verzog das Gesicht und nickte. »Ja. Aber jetzt ist keiner da. Die sind alle auf der Burg und feiern.«

»Bist du ganz sicher?«

»Warte!«

Schon flitzte Paul los zu dem Haus, an dem Änne und Markus vorbeigegangen waren und dessen Tür einen Spalt offen stand.

Ungeniert ging er hinein, steckte wenig später schon wieder den Kopf heraus und winkte Markus herein.

»Danke!«, sagte der zu dem Nachbarsjungen. »Und pass auf dich auf!«

»Keine Sorge«, meinte Paul, bevor er wieder verschwand.

Rasch zog Markus Änne ins Haus und blickte sich kurz um. Es war tatsächlich niemand da, aber die Einquartierten hatten beträchtliche Unordnung hinterlassen.

Markus packte das Nötigste zusammen: einen Kanten alten Brotes, der sich noch fand, ein Kleiderbündel und einen warmen Umhang, den er Änne gleich um die Schultern legte. Zu seinem Verdruss besaß er keine Waffen mehr. Er hatte alle auf die Burg mitgenommen und am Morgen abliefern müssen. Nicht einmal das Essmesser am Gürtel war ihm geblieben. So nahm er den Schürhaken von der Kochstelle und schob ihn in das Bündel. Aus einem Versteck holte er eine Pfennigschale voll Münzen.

Dann verharrte er mit verschlossener Miene vor der Schlafstatt seines Bruders. Änne erriet seine Gedanken, trat neben ihm und nahm seine Hand. Gemeinsam sprachen sie ein Gebet für Jan, leise, mit stockenden Stimmen.

Plötzlich drehte sich Markus um und begann, in einer einfachen Truhe herumzuwühlen. Änne wagte nicht zu fragen, wonach er suchte. Endlich schien er es gefunden zu haben – eine kleine Holzfigur, ein Pferd, abgegriffen und mit nur noch drei Beinen.

»Das habe ich ihm geschnitzt, als er noch ganz klein war, und er hat es immer mit sich herumgetragen. Als er dann zu alt für Spielzeug war, konnte er sich nicht entscheiden, es wegzuwerfen, und hob es auf. Ich sollte es Paul geben.«

Stattdessen steckte er das dreibeinige Pferd in seinen Almosenbeutel.

Ännes Blick berührte sein Herz. Er zog sie an sich und küsste sie. Voller Freude spürte er, wie sie sich schüchtern an ihn schmiegte und seinen Kuss erwiderte. Am liebsten hätte er sie sofort in sein Bett getragen, doch die Königlichen konnten jeden Moment zurückkommen.

Sobald sie die Stadt verlassen hatten, würde er den ersten Priester, den sie unterwegs trafen, bitten, sie zu trauen. Nachdem er so lange gewartet hatte, kam es auf einen halben Tag nicht mehr an. Er wollte sie als seine Frau in die Arme schließen.

Markus nahm das Bündel, sah hinaus, ob draußen alles ruhig war, und winkte Änne heraus, um sie zum Haus ihres Vormundes zu begleiten.

Ihr wäre es inzwischen lieber, sie würden auf diese Begegnung verzichten. Der Meister würde ihr womöglich verbieten zu gehen, und ob sein Segen etwas wert war, darüber mochte sie jetzt nicht nachdenken.

Doch außer den Sachen, die sie am Leibe trug, waren ein hölzerner Kamm und ein kleines Kästchen, das ihr ihre Mutter hinterlassen hatte, ihr einziger Besitz. Beides wollte sie nicht hierlassen. Es war wenig genug nach Jahren nicht enden wollender Arbeit in diesem Haus.

Vor allem aber schuldete sie Wilhelm eine Erklärung und ein freundliches Wort zum Abschied.

Markus nahm ihre Hand fest in seine und spürte, dass sie immer stärker zitterte, je mehr sie sich Jenzins Wohnstatt näherten. Mit einem Mal schien ihr neu gefundener Mut verflogen zu sein. Oder war es die Erinnerung an das Blutbad auf dem Obermarkt, die Änne so zittern ließ? Der Apotheker wohnte am Marktplatz; sie konnten es nicht vermeiden, an der Unglücksstelle vorbeizugehen.

Das Haus neben Jenzins schien unbewohnt, es hatte kein Dach mehr.

»Wir sind da«, sagte Änne leise, und schon aus diesen wenigen Worten konnte er Furcht heraushören.

Er drückte ihre Hand fester und lächelte ihr aufmunternd zu.

Erst lauschte er einen Moment, doch es waren keine bedrohlichen Männerstimmen zu hören.

Dem lauten Wortwechsel aus der Kammer zufolge schienen nur Jenzin und seine Frau wieder einmal zu streiten.

»Pssst!« Eine ältliche Magd kam in den Vorraum gehuscht. Als sie Änne erkannte, fiel sie ihr mit einem leisen Aufschrei um den Hals. »Du bist am Leben, Kleines! Der Herr sei gepriesen!«

Gerührt schneuzte sich die Magd in die Schürze, dann beäugte sie Markus misstrauisch.

»Wie geht es euch?«, wisperte Änne.

»Ach, Kindchen!« Die Magd begann zu weinen. »Wilhelm ist tot. Sie haben ihn in der Nacht erschlagen, als die Stadt eingenommen wurde, weil er der Tochter des Bortenwirkers zu Hilfe kommen wollte.«

Wieder schniefte und schneuzte sich die Ältere in ihre verschlissene Schürze, dann wischte sie sich über die Augen. »Der Lobetanz, der ist seitdem auch verschwunden. Um den ist es eigentlich nicht schade, aber nun streiten der Meister und die Meisterin nur noch.«

»Habt ihr Einquartierung?«, unterbrach Markus sie ungeduldig mit verhaltener Stimme.

»Ja, wirklich furchtbare Kerle. Jetzt feiern sie auf der Burg.«

»Hol dir, was du brauchst, aber beeil dich!«, sagte Markus leise zu Änne.

Vorsichtig öffnete sie die Tür zur Offizin – und erstarrte vor Schreck. Der Raum war nicht leer, sondern drinnen saßen drei Männer, allesamt schwer bewaffnet.

»Na, wenn das kein netter Besuch ist!«, meinte einer, der unmittelbar neben der Tür gestanden hatte, packte sie am Arm und zerrte sie herein. Er musste wohl auf sie gewartet haben.

Markus reagierte sofort, ließ sein Bündel fallen, griff mit der Linken nach dem Handgelenk des Mannes, der Änne festhielt, und wuchtete dessen Arm schwungvoll nach oben, während er ihm mit der Rechten in die Magengrube hieb.

»Lauf, Änne!«, schrie er, als die anderen Männer auf ihn zustürzten.

Doch Änne konnte nicht fortrennen, sie war vor Schreck wie

gelähmt. Schon packte der Nächste sie und zerrte sie in die Mitte der Offizin.

Die beiden anderen Männer überwältigten Markus nach heftigem Kampf und zwangen ihn auf die Knie. Immer noch schwer atmend, legte ihm derjenige den Arm um die Kehle, dem er zuvor die Faust in die Magengrube gerammt hatte.

»Verrecke!«, zischte er und drückte noch fester zu, während Markus krampfhaft versuchte, den Klammergriff zu lockern. Änne schrie auf.

»Wir warten schon die ganze Zeit auf das Gesindel, das sich auf der Burg verschanzt hat, um uns das Leben schwerzumachen«, wütete derjenige, der Änne festhielt, ein bulliger Kerl mit struppigem schwarzem Bart und verfaulten Zähnen.

»Das Mädchen hat nichts damit zu tun! Und der König hat uns freien Abzug gewährt«, rief Markus, mühsam nach Luft ringend. Mit seiner Kopfverletzung und der eben gezeigten Kampferfahrung war es zwecklos zu bestreiten, dass er zu den Verteidigern der Burg gehört hatte.

»Der König hat auch nicht seine Brüder durch hinterhältige Bogenschützen verloren«, knurrte der Schwarzbärtige. »Wer sagt mir, dass du es nicht warst, der sie umgebracht hat, Kerl?«

Er gab den Männern, die Markus hielten, ein Zeichen. Der muskulöse Arm verschwand von Markus' Hals, doch bevor er aufspringen und weiterkämpfen konnte, verspürte er einen jähen Schmerz zwischen den Schulterblättern. Er wurde losgelassen und schlug zu Boden.

Änne schrie verzweifelt. Triumphierend wischte sich der Mann hinter Markus den blutigen Dolch am Ärmel ab.

Mit einem Ruck zwang der Schwarzbärtige Änne in die Knie. Auf sein Zeichen streckte einer seiner Kumpane den Kopf aus der Tür und brüllte durchs Haus: »Apotheker, du Hurensohn! Lass dich sofort hier blicken!«

Jenzin kam und erbleichte, als er einen Mann reglos auf dem

Boden liegen sah, mit einer blutigen Wunde im Rücken. Dann starrte er auf sein tränenüberströmtes Mündel.

»Hast wohl gedacht, wir sind auf der Burg?«, höhnte der Bärtige. »Aber diesen Moment hier wollten wir nicht verpassen. Ist sie das?«

Jenzin öffnete mehrmals den Mund, um etwas zu sagen, aber kein Wort kam heraus.

»Ist sie das?!«, brüllte der andere nun so laut und bedrohlich, dass der Apotheker zusammenzuckte.

»Sie wurde dazu gezwungen ... Der Burgkommandant hat befohlen, dass sie dorthin geht ... Wir können nichts dafür ...«, stammelte er.

»Halt's Maul!«, brüllte der Schwarzbärtige und wandte sich dann wieder Änne zu. »Wir werden dir zeigen, was wir mit solchen wie dir anfangen!«

Mit einem Ruck riss er ihr das Tuch vom Kopf und zerrte an ihrem Zopf. »Mit Haut und Haar sollst du dafür büßen, dass du den Feinden des Königs geholfen hast!«

Er schnitt den Zopf ab und ließ ihn zu Boden fallen. Dann griff er nach den verbliebenen kurzen Haaren, bog ihren Kopf ruckartig nach hinten und begann, die rotgoldenen Strähnen dicht über der Kopfhaut abzuschneiden.

»Bind sie an den Pfosten!«, wies er seinen Kumpan an, während er an ihren letzten Stoppeln herumriss. »Ich werd sie durchprügeln, bis ihr Hören und Sehen vergeht, und ihr dann die Haut in Streifen vom Leib schneiden.«

»Vielleicht sollten wir uns vorher erst ein bisschen mit ihr vergnügen«, meinte grinsend derjenige, der Markus niedergestochen hatte, während er seinen Dolch einsteckte und auf Änne zuging.

Schon war er damit beschäftigt, den Strick aufzuknoten, der seine Bruche hielt.

Das sollte ihm zum Verhängnis werden, genauso wie seinen Kumpanen, die Markus für tot gehalten hatten.

Unbemerkt hatte dieser sich hochgestemmt und riss ihm den Dolch aus dem Gürtel. Zwei schnelle Bewegungen, und die beiden Söldner vor ihm fielen mit aufgeschnittenen Halsschlagadern röchelnd zu Boden.

Änne rammte dem Schwarzbärtigen geistesgegenwärtig ihr Essmesser in die Wade. Der Schmerz lenkte ihn ab, so dass er es nicht mehr schaffte, dem Dolchstoß des Totgeglaubten auszuweichen.

Schaudernd wich das Mädchen zur Seite, um nicht von dem Blutstrom getroffen zu werden.

Verblüfft starrte Jenzin auf den Hauptmann der Wache, der wie ein Berserker in seiner Offizin gewütet hatte, und die Leichen der drei Soldaten des Königs. Wenn überhaupt möglich, wurde er noch blasser.

Tränenüberströmt stürzte Änne Markus entgegen, der nach der übermenschlichen Anstrengung zusammengesackt war und schwer atmend auf dem Fußboden kniete. Sie packte ihn an den Oberarmen und schaute ihn an, dann fiel sie ihm um den Hals. Aber nur kurz.

»Lass mich deine Wunde versorgen«, schniefte sie und rutschte hinter ihn, um den Schaden zu begutachten.

»Es ging nicht so tief, wie er dachte«, versuchte Markus sie zu beruhigen. Doch er konnte nicht verhehlen, dass die Wunde trotz des rettenden Gambesons höllisch schmerzte und ihm das Atmen schwerfiel.

»Seid ihr von Sinnen?«, meldete sich auf einmal der entsetzte Apotheker zu Wort. »Man wird sie vermissen und uns alle hängen!«

Markus warf einen Blick aus dem Fenster. Es dämmerte bereits, aber etwas Zeit blieb ihnen, bevor sich niemand mehr in den Gassen blicken lassen durfte, ohne Verdacht zu erwecken.

Mühsam stemmte er sich hoch. Änne trat zu ihm und band sich mit zittrigen Händen das Tuch um den fast kahlgeschorenen Kopf.

Nun sah sie beinahe aus wie immer, nur verweint und mit einem zuschwellenden Auge.

Bedauernd blickte Markus auf die langen Strähnen auf dem Boden. Wie gern hätte er ihr Haar in der Nacht enthüllt und entflochten, um mit seinen Fingern hindurchzugleiten! Seit Tagen schon hatte er davon geträumt.

»Es wächst wieder nach«, versuchte er sie zu trösten.

Dann wandte er sich dem Apotheker zu, hinter dessen Rücken händeringend und mit vor Schreck aufgerissenen Augen die Magd stand.

»Meister Jenzin, schafft Ihr es ohne mich, in der Nacht die Leichen und alle ihre Sachen verschwinden zu lassen? Versteckt sie, der Weinhändler hat bestimmt ein paar leere Fässer draußen stehen. Oder schafft sie in eine Grube. Draußen herrscht Frost, man wird sie so schnell nicht finden. Wenn jemand nach ihnen fragt, dann sagt, sie seien auf die Burg beordert.«

Jenzin nickte stumm. In seinem Gesicht stand die nackte Angst, von den Königlichen für das Blutbad verantwortlich gemacht zu werden, das in seinem Haus angerichtet worden war. Da war es wohl besser, wenn der Schuldige sofort verschwand, damit ihm niemand vorwerfen konnte, möglicherweise sogar mit ihm gemeinsame Sache zu machen.

Markus griff nach Ännes Hand. »Wenn es Schwierigkeiten geben sollte, schiebt alles auf mich. Ich verlasse heute noch die Stadt. Euer Mündel bringe ich in Sicherheit.«

Änne wollte dagegen protestieren, dass Markus in diesem Zustand die Stadt verlassen wollte, aber er zog sie einfach mit sich nach draußen, ohne abzuwarten, ob der Apotheker einen Einwand hatte. Der war so froh darüber, dass die beiden verschwanden, dass er die übliche Schroffheit gegenüber Änne völlig vergaß.

Um die toten Soldaten würde er sich in der Nacht kümmern – oder sich irgendetwas anderes einfallen lassen, um seinen Kopf aus der Schlinge zu ziehen.

»Wohin willst du?«, flüsterte Änne, als sie durch die Gassen hasteten, bemüht, so unverdächtig wie möglich zu wirken. Sie hatten Glück; inzwischen waren kaum noch Menschen unterwegs. Selbst Adolfs Söldner schienen bei diesem Wetter lieber im Warmen zu hocken oder waren auf die Burg befohlen. Wahrscheinlich feierten sie den Sieg.

Endlich erriet Änne, was sein Ziel war, und atmete auf.

Markus vergewisserte sich, dass niemand Conrad Marsilius' Haus bewachte, dann klopfte er an die Tür, um gleich darauf mit schmerzverzerrter Miene die Hand wieder sinken zu lassen.

Eine alte Magd öffnete die Tür, ebenso mürrisch wie der Arzt selbst.

»Ihr müsst warten, der Herr sitzt gerade zu Tisch«, raunzte sie. »Und tropft mir nicht das ganze Haus voll mit euren Sachen!«

»Er ist verwundet«, flüsterte Änne. »Wir können nicht warten, wir müssen noch vor Sonnenuntergang aus der Stadt.«

Die Magd riss die Augen auf. »Zur Hölle aber auch!«

Es schien sie nicht zu bekümmern, wie sie fluchte, während sich Änne erschrocken bekreuzigte.

»Du bist Jenzins Mündel, nicht wahr? Jetzt erkenne ich dich.«

Änne fragte sich beklommen, wie schrecklich sie wohl aussah, wenn die Alte fragen musste, wer sie war. Sie war oft hier gewesen, um dem Arzt Medikamente zu liefern oder ihm die Wachstäfelchen zurückzubringen, auf denen er die Rezepturen für die Medikamente niederschrieb, die der Apotheker nach seinen Anweisungen fertigen sollte.

Die Magd verschwand hinter der Tür. Augenblicke später kam Conrad Marsilius, starrte sie kurz an, schüttelte unwirsch den Kopf und forderte sie mit einer Bewegung auf, ihm in die Kammer zu folgen, in der er Kranke behandelte.

»Was ist geschehen?«, fragte er.

Markus berichtete in knappen Worten, während Änne ihn auf Anweisung des Arztes vorsichtig aus den Kleidern schälte.

»Wie kann man nur so närrisch sein, mit solch einer Wunde noch drei Bewaffnete niederzumachen!«, polterte der Arzt, während er sich die Verletzung besah. Doch aus seiner Stimme hörte Änne Sorge, Erleichterung und sogar eine beträchtliche Spur Schadenfreude über das Schicksal von drei der verhassten Besatzer heraus.

»Gib mir Schafgarbe, Mädchen«, wies er sie an. »Steht dort drüben gleich rechts. Ich hoffe, dass du mich nicht Meister Jenzin verrätst, weil ich mir eigene Vorräte zugelegt habe. Aber der würde wohl nur ungern erklären, wozu er solche Mengen liefern muss.«

Aus seinen Worten erriet Änne, dass Markus nicht der einzige Verteidiger der Stadt war, den der Ratsherr heimlich behandelte. Vielleicht hielt er sogar ein paar Verwundete bei sich versteckt.

»Ich gehe nicht zurück zu meinem Vormund«, antwortete sie fest. »Markus und ich verlassen Freiberg.«

»*Ich* verlasse Freiberg heute noch«, korrigierte Markus sie.

Änne erstarrte und sah ihn fassungslos an. Wollte er sie nicht mehr, nun, da die Männer sie verunstaltet hatten? Oder war sein Heiratsplan doch nur ein flüchtiger Gedanke gewesen angesichts einer ungewissen Zukunft?

»Sehr vernünftig, das Mädchen hierzulassen«, knurrte Marsilius, während er dem einstigen Hauptmann der Wache einen Verband anlegte. »Und sehr *unvernünftig*, heute selbst noch irgendwohin zu wollen, junger Mann!«

»Ich weiß, was Ihr hier tut, Meister Conrad«, erwiderte Markus. »Und ich kann Euch nicht noch mehr in Gefahr bringen, Euch und Änne und meine Männer, die Ihr hier versteckt.«

Der Stadtphysicus gab einen undefinierbaren Laut von sich.

»Könnt Ihr Änne bei Euch aufnehmen? Sie wird Euch bei der Arbeit und im Haus helfen.«

Zum ersten Mal in ihrem Leben erhob Änne Einspruch.

»Mich fragst du erst gar nicht, ob ich nicht doch mit dir kommen will?« Vorwurfsvoll und enttäuscht sah sie Markus an.

»Das geht nun nicht mehr«, erklärte er ruhig. »Ich bin auf der Flucht, das stehst du nicht durch.«

Dies war nicht der wahre Grund. Schließlich hatte er selbst miterlebt, was sie unter schlimmsten Bedingungen zu leisten vermochte. Doch wenn er unterwegs an seiner Verletzung starb, würde er sie allein auf der Straße zurücklassen, und das wäre ihr Tod.

»Ich werde versuchen, mich Markgraf Friedrichs Männern anzuschließen. Er wird früher oder später wieder Kämpfer um sich scharen.«

Trotz seiner Schmerzen nahm er sie bei den Armen und sah ihr in die Augen. »Ich komme zurück und hol dich, ich versprech's!«

Dann fragte er den Stadtphysicus. »Meister Marsilius, kann ich Euch meine Braut anvertrauen?«

»Geh mit Gott, mein Junge«, sagte der Arzt mit ungewohnter Wärme in seiner Stimme. »Und komm gesund wieder! Ich behüte das Mädchen derweil, so gut ich es vermag.«

Als er sah, dass Änne Tränen in die Augen schossen, nachdem Markus die Tür hinter sich geschlossen hatte, fand er sofort zu seiner alten Knurrigkeit zurück. »Nun fang ja nicht an zu heulen!«

»Ich weiß ja nicht einmal, ob er es lebend aus der Stadt hinausschafft«, klagte sie. »Die Tore sind bestimmt gut bewacht.«

»Sind sie nicht«, entgegnete der Arzt zu ihrer Verblüffung. »Sie fühlen sich in ihrer Überzahl sicher. Sie saufen und glauben, nun wagt es keiner mehr, dem König den Gehorsam zu verweigern oder sich gegen ihn aufzulehnen. Die Leute fürchten sie wie den Leibhaftigen höchstpersönlich. Wir werden uns alle an das Leben in einer besetzten Stadt gewöhnen müssen.«

Er sah den blutigen Fleck, der auf ihrem Kopftuch immer größer wurde, und löste zu Ännes Scham vorsichtig das festgeklebte Tuch. An ein paar Stellen hatte der Schwarzbärtige mit dem Dolch ihre Kopfhaut verletzt.

Conrad Marsilius gab sich größte Mühe, seine Gesichtszüge zu beherrschen, als er den Schaden begutachtete.

»Er kommt wieder«, brummte er, während er vorsichtig das Blut abtupfte. »Glaube das mir altem Mann. Wenn es sonst keiner schafft – der schon.«

Rasch trieben Friedrichs Ritter ihre Pferde durch die Nacht. Sie hatten es nicht nur eilig, ihren Lehnsherrn zu treffen, sie mussten auch außer Reichweite des königlichen Heeres sein, bevor jemand bemerkte, dass sie sich durch Christians List ihre Schwerter aus der Waffenkammer der Burg geholt hatten.

Das Lachen über den Streich des rothaarigen Burschen, von dem jeder hoffte, dass er schlau genug war, um trotz seiner Tollkühnheit in der besetzten Stadt zu überleben, hellte gelegentlich die Düsterkeit auf, die jeden von ihnen beherrschte.

»Halte dich gut fest!«, rief Ulrich von Maltitz Sibylla zu, die hinter ihm im Sattel saß und ihn umklammerte. »Das wird ein steiniger Weg.«

ZWEITER TEIL

DIE DUNKLEN JAHRE

*W*ir rasten hier!«

Heinrich von Görz-Tirol, Herzog von Kärnten, gab seinem Marschall ein Zeichen, und dieser ritt an die Spitze der fürstlichen Gesandtschaft, um den Befehl weiterzugeben. Mit einiger Verzögerung kam die prachtvolle Kolonne zum Stehen. Die Reiter saßen ab, die Knappen rannten herbei, um den Rittern und Damen die Pferde abzunehmen, und der Küchenmeister des Herzogs begann, ein paar Diener hin und her zu scheuchen, damit in aller Eile eine Zwischenmahlzeit gereicht werden konnte.

»Ein schöner Platz!«, rief Friedrich von Wettin zu seinem Schwager hinüber. Es war ein sonnenbeschienenes Stück Grün am Waldrand, übersät mit leuchtend gelben Wiesenblumen. Auf dem kleinen Feld neben ihrem Rastplatz war dank des milden Klimas in Böhmen die Saat gut aufgegangen. Ein Stück weiter rankten sich Hopfenpflanzen an langen Stangen um Stricke empor.

Nach dem strengen Winter in den verschneiten Bergen Kärntens tat es gut, die Wärme zu genießen.

»Ja, ein schöner Platz«, entgegnete Heinrich gutgelaunt, während er seinem Schwager entgegenging. »Und schicksalsträchtig!«

Übertrieben verschwörerisch zwinkerte er ihm zu, sein Lachen wurde breiter. Fröhlich hieb er Friedrich auf die Schulter und schlenderte mit ihm zu dem Platz, wo ein Diener bereits für die Brüder und den Schwager des Herzogs eine Decke ausgebreitet hatte.

Im Gehen wandte sich Heinrich noch einmal kurz um. »Wenn sich eine große Reiterkolonne nähert, gebt unverzüglich Bescheid!«, befahl er und nahm mit beiden Händen einen Becher Wein entgegen, um in langen Zügen zu trinken.

Friedrich erwiderte nichts. Seine Gedanken flogen voraus zu dem, was in den nächsten vier Tagen geschehen und endlich auch sein Schicksal wieder wenden sollte.

Sie reisten zur Krönung des böhmischen Königs Wenzel, die der Mainzer Erzbischof Gerhard von Eppstein mit großem Prunk vornehmen wollte und zu der die bedeutendsten Edelleute des Reiches kommen würden.

Doch im Verborgenen sollte während der Krönungsfeier etwas viel Bedeutenderes geschehen. Während die anderen feierten, wollten die Gegner Adolfs von Nassau eine Allianz schmieden, um den König abzusetzen und an seiner Stelle Albrecht von Habsburg auf den Thron zu bringen.

Da der Habsburger mit den drei Herzögen von Kärnten, Heinrich, Otto und Ludwig, verschwägert war – er hatte ihre Schwester Elisabeth geheiratet – und dadurch auch mit Friedrich, gehörten sie zu den wenigen Eingeweihten. Nun richteten sie alle ihre Hoffnungen auf den Tag, an dem der ehrgeizige Albrecht von Habsburg die Krone in Empfang nehmen würde, die schon sein Vater Rudolf getragen hatte.

Hier, kurz vor Prag, wollten sich Heinrich und Friedrich unbeobachtet von Fremden mit ihm treffen, um zu hören, wie weit ihre Sache vorangeschritten war.

Einen Boten mit solch brisanten Nachrichten zu schicken, wäre zu riskant gewesen, und auch eine vertrauliche Zusammenkunft mit den erwiesenen Gegnern des Königs direkt unter dessen Augen hielt der Habsburger für wenig ratsam.

Friedrich wagte es kaum, sich den Tag auszumalen, an dem er endlich wieder seine Mark Meißen in Besitz nehmen und die Eroberer daraus vertreiben konnte. Zu lange – über ein Jahr – hatte er sich bei seinen Schwägern verkriechen müssen. Und wenn er auch die ganze Zeit wie ein geliebter Verwandter und angesehener Gast behandelt worden war, widersprach es doch zutiefst seinem Tatendrang und seiner Vorstellung von dem ihm bestimmten Platz auf Erden.

Je näher sie Prag kamen, umso ungeduldiger wurde er, auch wenn er gelernt hatte, das zu verbergen.

Gutgelaunt ließen sich die Ritter und die Damen Wein einschenken oder kalten Braten reichen.

Ulrich von Maltitz schien nichts von dem Treiben um sich herum zu bemerken. Mit kritischem Blick suchte er die Umgebung des Rastplatzes nach etwas Verdächtigem ab. Seit dem Blutbad auf dem Freiberger Marktplatz war er um vieles düsterer geworden. Seine frühere Tatkraft und Entschlossenheit hatten sich in permanente Angespanntheit verwandelt, in seinem Inneren herrschte Finsternis.

Dabei hatte er schon viele Gefechte bestritten und viele gute Männer an seiner Seite sterben sehen. Lag es daran, dass er sich die Schuld am Tod seines Knappen und der anderen jungen Ritter gab? Oder daran, dass der blutige Wortbruch des Königs so sehr jeder Vorstellung von ritterlicher Ehre widersprach, dass sein Verstand sich weigerte, das Geschehene zu akzeptieren?

Sibylla war die Einzige, die wenigstens eine Zeitlang die Düsternis aus seinem Herzen verdrängen konnte. Doch sie hatte ihn verlassen. Schon bei dem Gedanken an sie glaubte er, vor Sehnsucht zerspringen zu müssen.

Sie hatte Wort gehalten und sich ihm hingegeben, als er einigermaßen von seiner Verletzung genesen war.

Doch wenig später war sie ganz unversehens fortgegangen.

»Ihr könnt nicht mit einer unehrlich Geborenen an den Hof eines Herzogs ziehen«, hatte sie ihren Entschluss begründet, der ihn wie ein Hieb in den Magen traf.

Damals wie heute war er sich sicher, dass dies nicht der wahre Grund gewesen sein konnte.

Er glaubte auch nicht, dass sie ihn verlassen hatte, weil es ihr zu schwer gefallen war, ihr Versprechen einzulösen. Je öfter sie beieinanderlagen, desto größer wurde die Innigkeit und

Vertrautheit, die sie miteinander verband. Eine Innigkeit, die jedes Mal erst dann jäh endete, wenn sie sein Bett verließ und die Standesschranken sie erneut trennten.

So leidenschaftlich hatte ihn noch keine Frau geliebt, so sehr hatte ihn noch keine fasziniert, weder die flüchtigen Liebschaften aus jungen Jahren noch seine Gemahlin, die er auf Wunsch von Friedrichs Großvater geheiratet hatte, ohne dass sie etwas füreinander empfanden. Er hatte sie seit Jahren nicht mehr gesehen und auch nicht vermisst.

Einfach aufgrund seines Ranges von Sibylla zu verlangen, dass sie blieb, brachte er aus Stolz nicht über sich. Also hatte er schweren Herzens Ausschau nach einer Gauklertruppe gehalten, die ihm groß und wehrhaft genug schien, damit Sibylla sich ihr anschließen konnte, und ihr alles Geld aufgenötigt, das er mit sich führte.

»Für den Notfall«, hatte er gesagt, und ein Blick in ihre dunklen Augen sagte ihm, dass sie verstand, was er damit meinte: Falls du es dir anders überlegst und mir doch noch an den Hof des Herzogs von Kärnten folgst.

Eine der Hofdamen aus dem Gefolge der Herzogin, eine lebenslustige junge Witwe, riss Ulrich aus den Gedanken, als sie mit einem allzu durchsichtigen Manöver gegen seine linke Schulter stolperte. Er stützte sie am Arm, murmelte eine höfische Floskel und blickte sofort wieder starr geradeaus in die Richtung, wo Friedrich und Heinrich von Kärnten es sich bequem machten.

»Schaut nicht so finster, Maltitz«, versuchte sie hartnäckig, seine Aufmerksamkeit zu gewinnen, und sah ihn mit strahlendem Lächeln an. »Der Tag ist schön …«

Nun kam sie näher und flüsterte ihm ins Ohr: »Und ich könnte ihn Euch noch mehr verschönern.«

Er spürte ihren warmen Atem; eine blonde Strähne, die sich unter ihrem Gebende gelöst hatte, kitzelte seine Wange.

Ungehalten rückte er ab. Er hatte kein Interesse an ihr, auch wenn sie sich sehr offensichtlich darum bemühte.

Wie sollte er angesichts der Greuel von Freiberg und eines solch maßlosen Verrats das Gekicher und Geplapper dieser albernen Hofdamen ertragen, deren Inbegriff von Unglück es war, wenn das neue Kleid beim Reiten zerknitterte oder eine andere die Zöpfe schöner geflochten trug?

»Verzeiht, Schönste, aber ich habe meine Pflicht zu tun«, entgegnete er schroff und wandte der Blonden den Rücken zu.

Täuschte er sich, oder schlich da jemand durch das Gebüsch? Er rannte los und schaffte es gerade noch, die Gestalt zu packen und herauszuzerren, die ihm entwischen wollte.

»Halt still, oder ich schneide dir die Kehle durch!«, brüllte er wutentbrannt, während er seinen Gefangenen in die Knie zwang und ihm den Dolch an den Hals drückte. »Wer hat dich geschickt?«

Sein wilder Aufschrei alarmierte die gesamte Reisegesellschaft. Ein paar Damen kreischten erschrocken, Heinrichs Leibwachen kamen herbeigestürzt, um den unbekannten Attentäter zu greifen.

Doch Markus war schneller.

»Lasst ihn!«, redete er leise auf Ulrich ein, während er ihm beschwichtigend eine Hand auf den Arm legte. »Es ist nur ein Bauer, der fürchtet, dass die Pferde seine Saat zerstören.«

Der Schleier vor Ulrichs Augen löste sich langsam auf. Nun erst betrachtete er seinen Gefangenen näher, nahm das Messer von der Kehle des Fremden und ließ ihn los.

Die Hände über dem Kopf zusammenschlagend, sank der in Lumpen gehüllte, zahnlose Mann vor ihm in den Staub und hörte nicht auf, hastig und stoßweise in seiner Sprache auf ihn einzureden.

Seiner Mimik entnahm Ulrich, dass er um Gnade bat. Tränen rannen dem Verzweifelten über die eingefallenen Wangen.

Markus hatte wohl recht, das war kein gedungener Mörder,

sondern ein Bauer oder Leibeigener; davon kündeten auch die schwieligen, mit Erdkrumen behafteten leeren Hände. Ein Blick zur Seite verriet ihm, dass die Pferde der Reisegesellschaft tatsächlich die Pflanzen auf dem schmalen Feld neben ihrem Lagerplatz mit den Hufen zu zertreten drohten.

»Steh auf!«, brummte er und gab den Leibwachen Entwarnung. »Ein Missverständnis.«

Beruhigend sprach Markus auf den Fremden in dessen Sprache ein. Unter vielen Verbeugungen wand sich der Zerlumpte hoch und wollte verschwinden.

»Warte!«, rief Ulrich und griff nach seinem Almosenbeutel. Der Herzog würde den Bauern sicher nicht für den Verlust entschädigen, also wollte er ihm wenigstens ein paar Pfennige geben als Wiedergutmachung für den Schrecken, den er ihm eingejagt hatte.

»Und nächstes Mal schleich dich nicht wieder an einen Fürsten heran!«, riet er ihm grimmig.

»Euer Silber wird ihm nichts nützen«, meinte Markus leise. »Er hat keine Zeit, erst nach Prag zu laufen und die Friesacher Pfennige einzutauschen, wobei er auch noch ein Drittel verliert. Gebt ihm lieber etwas zu essen für seine Kinder.«

Doppelt beschämt ließ Ulrich die Hand sinken.

Wie hatte er das vergessen können?

Doch um dem Bauern Proviant zu geben, brauchte er die Erlaubnis des Herzogs von Kärnten. Sie waren seine Gäste und lebten auf seine Kosten, weil sie selbst ihren Besitz verloren hatten.

Noch einmal rettete ihn Markus aus der Verlegenheit und holte einen halben Laib Brot aus seinem Beutel.

»Ich hatte mir das Frühmahl aufgespart«, erklärte er, zu Ulrich gewandt. Dann drückte er dem Bauern das Brot in die Hand, der es unter erneuten Verbeugungen an sich riss, und sprach streng auf ihn ein. Der Magere nickte und verschwand, so schnell er konnte.

»Wir haben wohl alle zu lang am herzoglichen Hof gelebt«, sagte Markus bitter. »Da vergisst man leicht die Nöte der kleinen Leute.«

Er durfte es wagen, solche Worte gegenüber Ulrich fallenzulassen. Die Erinnerung an das gemeinsam Durchlebte, an die Feuernächte, in denen sie Seite an Seite gekämpft hatten und ihre Männer sterben sehen mussten, hatte sie einander näher gebracht, als es die Standesunterschiede zuließen. Zumal sie beide nun das einzige Gefolge Friedrichs bildeten und die Gefahr eines erneuten Anschlags auf sein Leben immer größer wurde, je mehr sie sich Prag näherten.

Das hatte auch Markus' Absicht durchkreuzt, endlich nach Freiberg zurückzukehren und Änne aus der besetzten Stadt zu holen und in Sicherheit zu bringen, obwohl er vor Sorge um sie fast verging. Immer wieder hatte er sich in den vergangenen Monaten gefragt, ob er sie nicht doch hätte mitnehmen sollen – auch wenn ihm sein Verstand sagte, dass seine Entscheidung damals logisch und richtig war. Am liebsten würde er auf der Stelle losreiten. Doch Friedrich hatte darauf bestanden, dass er mit nach Prag zog, weil er die Sprache der Böhmen sprach. Und wie recht er damit hatte, zeigte der Zwischenfall gerade eben.

»Mir wäre zur Abwechslung eine Schlacht ganz gelegen«, knurrte Ulrich. »Am liebsten jetzt gleich gegen den Nassauer.«

Markus verzichtete darauf, ihn zu ermahnen, dass seine Worte als Hochverrat gewertet werden könnten, sondern warf ihm nur einen warnenden Blick zu.

Sie dachten beide das Gleiche und kannten sich mittlerweile gut genug, um das zu wissen: Sofern sich in Prag eine Gelegenheit bot, ohne Verdacht auf den Wettiner zu lenken, würden sie den Marschall des Königs für seinen Wortbruch töten. Ulrich wollte Vergeltung für die Knappen und die Söhne des Burgvogtes, Markus Rache für seinen toten Bruder, seine gefallenen Kämpfer und dafür, was die Königlichen Änne angetan hatten.

Bewegung unter den Wachen sorgte für Unruhe im Lager. Die meisten Rastenden merkten auf, und wenige Augenblicke später kam ein Reiter herangesprengt, den Heinrichs Marschall geschickt hatte, um Ausschau zu halten.

»Es naht die Gesandtschaft des Herzogs von Österreich und der Steiermark!«

Friedrich von Wettin und Heinrich von Görz-Tirol konnten ihre Anspannung kaum verbergen. Welche Nachrichten würde der Schwager bringen?

Mit einem Blick verständigten sie sich darauf, dem Habsburger entgegenzureiten. Auf Befehl des Herzogs wurden ihre Pferde gebracht. Wortlos standen sofort auch Markus und Ulrich auf. Sie würden nicht dulden, dass Friedrich ohne Leibwache aufbrach. Fürst Heinrich hatte sich mittlerweile daran gewöhnt, dass diese beiden Männer seinem Schwager nicht von der Seite wichen, und ihr Kampfgeschick und ihre Wachsamkeit schätzen gelernt.

Der einstige Markgraf von Meißen wollte etwas einwenden, als er sie in den Sattel steigen sah, doch dann verzichtete er darauf und schwang sich auf seinen Hengst. Im Grunde genommen war er froh, wenigstens diese beiden Männer an seiner Seite zu wissen. Reinhard von Hersfeld war einem Hinterhalt zum Opfer gefallen, dessen Auftraggeber im Verborgenen blieben, Niklas von Haubitz als Mittelsmann am Hof in Wien, Hertwig von Hörselgau und die Honsberg-Brüder zogen derweil seinen Sohn an einem geheimen Ort in der Mark Meißen unter fremdem Namen auf und sorgten für seine Sicherheit.

Von weitem schon sah Friedrich das Banner des Habsburgers im Wind flattern.

Aus dem Augenwinkel erkannte er, dass seine beiden Leibwachen zu ihm aufschlossen und jeder mit der Rechten nach dem Schwertgriff tastete. Insgeheim war er milde belustigt über ihre Sorge, ein Feind könnte sich unter Albrechts Wappen nähern.

Der Habsburger, unverkennbar mit seiner stämmigen Gestalt und dem verbundenen Auge, ritt an der Spitze der Reiterkolonne.

Albrecht hatte äußerlich nichts von der edlen Gestalt und der Umgänglichkeit seines Vaters; daran konnte auch die prunkvolle Kleidung nichts ändern. Die Augenbinde trug zusätzlich dazu bei, ihm ein finsteres Aussehen zu verleihen. Vor zwei Jahren hatte der Sohn des einstigen Königs bei einem mysteriösen Zwischenfall ein Auge verloren, wobei nicht nur ungeklärt blieb, ob das Essen vergiftet oder einfach nur verdorben war, sondern auch die Frage, wie es infolge ärztlicher Behandlung geschehen konnte, dass er ein Auge verlor.

Jetzt hob er gelassen den Arm, um seine Schwäger zu grüßen.

»Ich freue mich, euch zu sehen, Brüder!«, rief er mit seiner dröhnenden Stimme.

Brüder! Friedrich hatte Mühe, bei diesem Wort den Ansturm der Gefühle zu bezwingen, die ihn zu übermannen drohten. Die prächtige Laune des Habsburgers deutete auf gute Nachrichten. Wenn Albrecht außerdem so demonstrativ seine enge Verwandtschaft mit ihm betonte, ließ das doppelt hoffen.

»Und wir sind froh, dich hier zu treffen, Bruder«, entgegnete er lächelnd. »An unserem Rastplatz wirst du ein Mahl und einen guten Tropfen finden.«

»Worauf dann warten? Lasst uns keinen Augenblick verschwenden!«, rief der Habsburger und gab dem Pferd die Sporen. Seine Vorliebe für üppiges Essen und einen guten Tropfen war ebenso sprichwörtlich wie seine Tapferkeit auf dem Schlachtfeld.

Zusammen mit seinen Schwägern, deren und seiner eigenen Leibwache ritt er voraus, während der Rest der habsburgischen Kolonne mit den Kleidertruhen und kostbaren Gegenständen in gemächlicherem Tempo folgte.

Die drei Fürsten – einer entmachtet, einer seines Landes nicht sicher, einer insgeheim dabei, nach der Krone zu greifen – tafelten nun inmitten der Hofgesellschaft. Doch ihre Begleiter hielten ausreichend Abstand, damit niemand die Unterredung belauschen konnte.

Albrecht von Habsburg genoss es, mit welcher Ungeduld der Kärntner und der Meißner Schwager auf die Neuigkeiten warteten, die er wusste. Allerdings brachte er es auch nicht fertig, die gute Nachricht noch länger hinauszuzögern, um sie auf die Folter zu spannen. Zu sehr beflügelte ihn die Aussicht, dass er bald die Krone tragen würde, die ihm nach dem Tod seines Vaters zugestanden hätte, wenn nicht der Erzbischof von Köln und ausgerechnet sein Schwager Wenzel von Böhmen dem Nassauer auf den Thron geholfen hätten.

»Seid frohen Mutes, unsere Sache steht gut!«, verkündete er, während er nach einer knusprig gebratenen Fasanenkeule griff. »Adolf hatte geglaubt, seine Macht zu stärken, wenn er aus Thüringen, der Mark Meißen – deinem rechtmäßigen Besitz, Friedrich! –, dem Oster- und dem Pleißenland ein großes Königsland von der Werra bis zur Elbe errichtet. Doch nun ist die Katze aus dem Sack. Selbst ein Blinder muss erkennen, was er vorhat. Und ihr könnt euch vorstellen, dass den Fürsten gar nicht gefällt, was da vor sich geht.«

Er prustete und wischte sich einen Tropfen Fett vom Kinn. »Sie sehen sich in den Versprechen getäuscht, die Adolf ihnen gegeben hatte, damit sie bei der Königswahl für ihn stimmen.«

Mit der Fasanenkeule deutete er auf Heinrich. »Selbst wenn sie das nie laut aussprechen würden – sie wollten einen schwachen König.«

»Wer ist bereit, dich zu unterstützen?«, wollte Friedrich wissen.

»Du wirst staunen!«, versicherte Albrecht mit vergnügtem Grinsen. »Selbst Wenzels Freude über seine eigene Krönung dürfte morgen nicht ungetrübt sein, denn der Nassauer hat sich sogar *ihn* zum Feind gemacht.«

Es war kein Geheimnis, dass Albrecht von Habsburg und Wenzel von Böhmen nicht die besten Freunde waren. Der Böhme war schon als Achtjähriger mit Albrechts gleichaltriger Schwester Jutta verheiratet worden, die immer wieder zwischen den Streithähnen vermitteln musste.

»Weil Wenzel selbst die Mark Meißen will und Adolf sie ihm nicht gibt«, entgegnete Friedrich düster. »Freibergs Silberreichtum weckt zu viele Begierden.«

»Keine Sorge!«, beschwichtigte Albrecht ihn. »Wenn der Erzbischof von Mainz morgen die Krone auf den hässlichen Schädel meines geliebten böhmischen Schwagers drückt, dann haben wir schon zwei Verbündete auf einem Haufen.«

Sein Grinsen wurde nun noch breiter. Der Wirkung seiner Worte sicher, biss er erneut genüsslich in seinen Braten.

»Der Erzkanzler?«, vergewisserte sich Heinrich von Kärnten verblüfft und beugte sich leicht vor. »Dieser listige Fuchs!«

Friedrich hingegen war von diesem Verbündeten weniger überrascht. Der mit allen Wassern gewaschene Gerhard von Mainz gab sich zwar neutral, aber sein Bündnis mit Adolf war längst zerbrochen. Außerdem hatte Gerhard seine eigenen Interessen in Thüringen, denen zuwiderlief, dass der König die Landgrafschaft aus wettinischer Herrschaft an sich riss.

»Das wären also schon drei von sieben Stimmen«, fuhr Albrecht von Habsburg ungerührt fort. »Jetzt müssen wir nur noch dem Kölner Erzbischof klarmachen, dass es nicht in seinem Interesse liegen kann, wenn sich das Herrschaftszentrum des Reiches vom Rhein an die Elbe verlagert.«

Ungeniert warf er die abgenagte Keule hinter sich und wischte sich die Hände im Gras ab. »Das dürfte wohl nicht besonders schwerfallen.«

*D*ie Gassen Prags barsten geradezu vor Menschen, die dicht an dicht standen, schubsten und drängten, um die vielen prachtvoll gekleideten Reiter zu sehen und um mit Glück und Ellbogeneinsatz etwas von den Almosen zu ergattern, die die hohen Herren reichlich spendeten.

Aus allen Himmelsrichtungen und benachbarten Landen strömten Fürsten und andere hohe Adlige herbei, um die Krönung des böhmischen Königs zu feiern. Und weil Wenzels prachtvolle Hofhaltung geradezu legendär war, hatten sich auch die edlen Gäste nach Kräften bemüht, ihren Reichtum in kostbaren Gewändern, blitzenden Waffen und teurem Geschmeide zu zeigen.

Lediglich Friedrich, der einstige Markgraf von Meißen, der an der Seite seines Schwagers Heinrich von Görz-Tirol zum Vyšehrad ritt, fiel durch seine betont schlichte Kleidung auf.

Mochten ihn die Prager für einen Adligen halten, der wegen eines Gelübdes auf Prunk verzichtete, oder für einen einfachen Ministerialen, wogegen seine vornehme Haltung und sein edles Pferd sprachen. Die Fürsten des Reiches wussten, wer er war … und was er sein sollte.

Sein schmuckloses Aussehen war unmissverständlich eine stumme Mahnung daran, was ihm widerfahren war, und eine Aufforderung, Gerechtigkeit wiederherzustellen.

Der Jubel der Menschen links und rechts des Weges wühlte Friedrichs Innerstes auf; nur mit Mühe gelang es ihm, Fassung zu bewahren und gelassen zu wirken.

Er wusste, die Begeisterung galt nicht ihm, sondern den Männern, die direkt hinter dem Banner des Herzogs von Kärnten ritten und in dessen Auftrag freigiebig Münzen in die Menge warfen.

Doch mit solchem Jubel war er empfangen worden, als er in den zurückliegenden Monaten mit seinen Schwägern Verona besucht hatte, wo die stauferfreundlichen Ghibellinen in ihm nach einer alten Prophezeiung immer noch den künftigen Kaiser sahen. Und so hatten ihn stets auch die Freiberger willkommen geheißen, die Bewohner der Stadt, an der er am meisten hing und in der er sich oft und gern aufgehalten hatte.

Zweitausend Mann Besatzung hatte der König in Freiberg gelassen. Gott allein wusste, welches Leid sie den Menschen zufügten und wie sie seinen Besitz plünderten, wie viel Silber sie aus den Gruben holten, das eigentlich ihm gehörte.

Sein Schwager schien zu erraten, was in ihm vorging.

»Genieße ihn einfach, diesen Augenblick, Bruder!«, rief er zu ihm herüber. Dann fügte er mit bedeutungsschwerem Blick hinzu: »Dein Tag wird kommen.«

Sein Tag.

Der Tag, an dem er die Mark Meißen, sein rechtmäßiges Erbe, wieder zugesprochen bekam. Die Königskrönung in Prag würde ihn diesem Tag näherbringen.

Ein Tumult vor ihm riss ihn aus den Gedanken.

Markus, der junge Freiberger, der sich ihm kurz nach dem Fall der Stadt schwer verwundet angeschlossen hatte und inzwischen sein persönlicher Leibwächter geworden war, lenkte sein Pferd eine Elle weit zur Seite, zog das Schwert und rief drohend etwas in der Sprache der Böhmen.

Was immer sein Warnruf bedeuten mochte – er zeigte Wirkung. Die drängelnde Menge wich zurück, um den Pferden Platz zu machen, und Friedrich konnte sehen, wie sich ein trotz der Frühlingswärme vermummter Mann rasch fortschlängelte, um in einer der Nebengassen zu verschwinden.

Markus drehte sich um. »Soll ich ihm folgen?«, rief er.

Wenn Friedrich hier auftauchte, noch dazu in demonstrativ schlichter Kleidung, dann musste dies dem König ein Zeichen dafür sein, dass er seine Ansprüche nicht aufgegeben hatte. Das Menschengewimmel zur Krönungsfeier sollte reichlich

Gelegenheit bieten, den rebellischen Wettiner endgültig aus dem Weg zu räumen.

Doch Friedrich bedeutete Markus, in der Kolonne zu bleiben und auf die Verfolgung des Mannes zu verzichten. Die Wahrscheinlichkeit, den Fliehenden in dem Gewirr enger Gassen zu finden, war zu gering.

Auch Ulrich von Maltitz wurde durch den kurzen Tumult nach Markus' Eingreifen aufgeschreckt und rief sich selbst zur Ordnung. Es war das erste Mal, dass er für einen Augenblick seine wichtigste Aufgabe vernachlässigt hatte: für Friedrichs Sicherheit zu sorgen.

Statt einen möglichen Angreifer in der Menge aufzuspüren, die in der Hoffnung auf freigiebig verteilte Münzen euphorische Hochrufe auf die fremden Herren ausbrachte, war er hauptsächlich damit beschäftigt gewesen, Ausschau nach Sibylla zu halten.

Vom Rücken seines Fuchshengstes aus spähte er über die Köpfe der Menge hinweg, ob irgendwo eine Gruppe von Gauklern zu entdecken war. Die Krönungsfeier war ein solch bedeutendes und prunkvolles Ereignis, dass es sich wohl kein guter Spielmann entgehen ließ – in der Hoffnung auf reichlich Lohn von freigiebigen Herren und neuen Stoff für Lieder und Geschichten von dem großen Fest zu Prag. Dieser Gedanke hatte seine unsinnige Hoffnung genährt, die verlorene Geliebte hier wiederzusehen.

Da! Sein Herzschlag schien einen Augenblick auszusetzen.

Am Ende der Gasse, die vor ihnen rechts abbog, schlug eine Tänzerin den Schellenkranz und drehte sich dazu, während ihre schwarzen Locken wirbelten.

Aber er hatte keine Chance, aus der Reihe auszubrechen und sich durch das Gewühl dorthin durchzuarbeiten.

Wenn sie das Quartier erreicht hatten, würde er Friedrich bitten, ihn vorübergehend für seine Suche zu beurlauben.

Heinrich hatte genug tüchtige Leute, die beide Fürsten schützen konnten.

Es war noch früher Nachmittag, als die Reiter auf dem Vyšehrad anlangten. Der Blick von hier oben auf die riesige Stadt war atemberaubend. Die Sonnenstrahlen ließen die Kreuze auf den vielen Prager Kirchen funkeln und schienen die Moldau in flüssiges Gold zu verwandeln.

Es müssen vierzig- oder gar fünfzigtausend Menschen sein, die hier leben, ging Friedrich durch den Kopf. Zehnmal mehr als in Freiberg, das mit seinen fünftausend Bewohnern schon die bevölkerungsreichste Ansiedlung in der Mark Meißen war. Doch er liebte sein Land. Und er wollte es zurückhaben.

Ulrich hingegen fühlte sich bei dem Anblick nicht an Freiberg, sondern an Meißen erinnert, auch wenn es viel kleiner war als Prag. Dort blickte man ebenfalls vom Burgberg aus auf einen Fluss, die Elbe, die breit und ruhig an der Stadt vorbeiströmte. Sein militärisch geschulter Verstand lenkte die Gedanken sofort auf einen anderen Punkt: Meißen würden sie im Kampf zurückerobern müssen. Denn auf dem Burgberg teilten sich drei Herren die Macht: der Markgraf, der Burggraf und der Bischof. Wenn auch der Bischof nachdrücklich zu Friedrich stand, so war Burggraf Meinhard als einer der Ersten auf die Seite des Nassauers umgeschwenkt. Und vom burggräflichen Palas ließ sich der Zugang zum Burgberg abriegeln.

Da mache ich mir schon Gedanken darum, wie wir Meißen zurückgewinnen, dachte Ulrich bitter. Doch von jenem Tag sind wir noch Jahre entfernt – wenn er überhaupt jemals kommt. Es fiel ihm schwer, Friedrichs Überzeugung zu teilen, dass dieser früher oder später Titel und Erbe zurückerobern würde. Viel wahrscheinlicher erschien ihm, dass sie bis ans Ende ihrer Tage heimatlos herumirren würden, immer auf die Gnade von Gönnern angewiesen, die sie bei sich aufnahmen. Vorausgesetzt, dass Friedrich nicht einem Attentat zum Opfer fiel.

Vielleicht lag es an dem Gedanken an einen feigen Meuchelmord, dass er erneut überreagierte, als sich ihm in dem Gedränge vor den Stallungen jemand von hinten näherte, kaum dass er abgesessen war. Blitzschnell zog er seinen Dolch, wirbelte herum … und erstarrte gerade noch rechtzeitig, bevor er zustach.

Vor ihm stand eine verhutzelte Alte in schmutzigen, zerlumpten Kleidern und schüttelte missbilligend den Kopf.

»Tapferer Ritter, mich müsst Ihr nicht fürchten!«, sagte sie mit jenem merkwürdigen Akzent, mit dem viele hier sprachen.

»Dann schleich dich besser nicht von hinten an einen bewaffneten Mann heran!«, fuhr er sie an und übergab einem der herbeieilenden Stalljungen die Zügel seines Hengstes.

Die Alte machte keine Anstalten zu gehen. Als er sich umwandte, um Friedrich seine Hilfe anzubieten, humpelte sie verblüffend schnell um ihn herum und baute sich erneut vor ihm auf.

»Was willst du?«, fragte er unwirsch und griff nach seinem Almosenbeutel. Wahrscheinlich wurde er sie nur los, wenn er ihr einen Pfennig gab. Es gehörte zu den Pflichten eines Ritters, den Armen Almosen zu spenden; doch hier auf dem Vyšehrad schienen merkwürdige Sitten zu herrschen, wenn die Bettler nicht vor dem Tor, sondern auf dem Hof den Gästen auflauerten.

»Soll ich Euch die Zukunft aus der Hand lesen?« Die Alte streckte ihm auffordernd ihre knochige Rechte entgegen.

Nun musterte er sie mit mehr Interesse.

Er glaubte zwar nicht daran, dass jemand die Zukunft vorhersagen konnte; dazu hatte er Sibyllas Geständnis noch zu lebhaft in Erinnerung, wie ihre Prophezeiungen zustande kamen. Doch falls die Alte selbst eine Gauklerin war, konnte sie ihm vielleicht sagen, ob Sibylla hier war und wo er sie suchen sollte.

»Ich habe einen Auftrag für dich«, sagte er und legte ihr einen Hälfling in die knochige Hand. »Du bekommst mehr davon, wenn du eine Wahrsagerin für mich suchst …«

So genau er konnte, beschrieb er das Aussehen seiner Geliebten.

Die Alte grinste ihn mit einem zahnlosen Lächeln an. »Oh, ich verstehe, Ihr wollt lieber die schöne Sibylla.«

Ulrich glaubte, sich verhört zu haben, und erstarrte für einen Moment, als sie den Namen nannte. Dann beugte er sich vor, aufs höchste angespannt.

»Du kennst sie? Wo ist sie? Kannst du sie zu mir bringen? Ich gebe dir alles Geld dafür, das ich habe!«

Sein Herz schien auf einmal aus dem Brustkorb springen zu wollen, so heftig klopfte es.

»Ihr sollt sie sehen. Aber zuerst hört gut zu!«, entgegnete die Alte.

Ungeachtet der Ungeduld des Ritters begann sie einen leisen Singsang, ohne ihn dabei aus den Augen zu lassen.

»Wiesentau und Abendrot,
übers Jahr ist der König tot.
Doch wer der neue König ist,
ganz plötzlich dann sein Wort vergisst.«

Ulrich fuhr ein Schauer über den Rücken, obwohl die Sonne immer noch hell und warm auf den Burghof schien.

Lag es an ihren durchdringenden dunklen Augen, ihrer leisen, trotz des Alters betörenden Stimme? Oder daran, dass sie ausgesprochen hatte, was zu Ende zu denken er sich geweigert hatte: dass Albrecht von Habsburg möglicherweise nicht der Mann war, dem man bedenkenlos trauen konnte, wenn er erst die Krone an sich gerissen hatte?

»Vergesst meine Worte nicht!«, mahnte sie. Dann richtete sie sich auf und blickte suchend um sich.

»Da ist die Schöne!« Sie streckte ihren dürren, schmutzigen Zeigefinger aus.

Genau aus dieser Richtung vernahm er auf einmal den Klang einer Flöte. Ulrich reckte sich, um auf dem von Menschen wimmelnden Burghof mehr zu sehen, und glaubte zu träumen.

War das Zauberei? Es konnte nicht so einfach sein!

Zwischen all den Menschen hindurch sah er Sibylla – nur dreißig Schritte von ihm entfernt, inmitten einer gerade eingetroffenen Gruppe von Gauklern und Spielleuten. Sie stand neben einem Mann, der vor einer staunenden Menge mit brennenden Fackeln jonglierte, und an ihrer Seite erkannte er auch den bärenstarken Anführer der Truppe, dessen Körperkraft ihm die Hoffnung gegeben hatte, bei ihm würde sie geschützt sein – zumindest so geschützt, wie sie in ihrem Stand sein konnte.

Schnell krempelte er seinen Almosenbeutel um, nahm das Feuereisen heraus und drückte der Alten alle Pfennige in die Hand, die er besaß.

Dann schaute er nach Friedrich. Der wurde gerade von einem weiteren seiner Schwäger, Herzog Heinrich von Braunschweig, dem Gemahl seiner Schwester Agnes, mit einer kräftigen Umarmung begrüßt.

Der tatkräftige – um nicht zu sagen, rauflustige – Braunschweiger, der keine Gelegenheit ausließ, ins Gefecht zu ziehen, war Ulrich der sympathischste unter Friedrichs ranghohen Verwandten und würde sicher ein zuverlässiger Verbündeter in dem Kampf sein, der ihnen bevorstand.

Das Willkommen zwischen den beiden wird wohl noch einige Zeit beanspruchen, vermutete er und begann, sich so schnell wie möglich zwischen den unablässig heranströmenden Neuankömmlingen hindurch den Weg zu Sibylla zu bahnen.

Doch er war kaum drei Schritte weit gekommen, als ihn jemand am Ärmel zupfte. Ungeduldig fuhr er herum – und sah erneut der Alten direkt in die von unzähligen Fältchen umgebenen, tief eingesunkenen Augen.

»Nicht vergessen!«, mahnte sie und sang erneut die letzten beiden Zeilen ihres merkwürdigen Liedes:

»Doch wer der neue König ist,
ganz plötzlich dann sein Wort vergisst ...«

Ehe Ulrich weitergehen konnte, raunte sie: »Hütet Euch vor dem Einäugigen!«

Für einen Moment starrte er sprachlos auf die Alte.

Wie konnte sie etwas von den Plänen des Habsburgers wissen? Und was war das für eine Verschwörung, wenn schon die Spatzen von den Dächern ein Lied darüber pfiffen?

Doch dann ärgerte er sich über sich selbst, dass er sich von einer Schwindlerin ins Bockshorn jagen ließ. Ja, die Einäugigen und die Rothaarigen – das waren bei den Leuten immer die beliebtesten Schurken!

Ungehalten, weil er auf solchen Aberglauben hereingefallen war, wandte er sich ab, um sich weiter zu Sibylla durchzuzwängen. Doch es gelang ihm nicht, das unheimliche Gefühl abzuschütteln. Hastig drehte er sich noch einmal nach der Alten um. Aber sie war verschwunden – so, als hätte es sie nie gegeben.

Ein paar Schritte weiter hatte er sie vergessen. Denn nun stand vor ihm die Frau, nach der er sich so verzweifelt sehnte. Und *sie* war alles andere als ein Trugbild.

»Sibylla!«

Sie drehte sich um, als sie ihren Namen hörte. Als sie erkannte, wer ihn gerufen hatte, erstarrte sie für einen Augenblick und ließ die Hände sinken, die eben noch den Schellenkranz geschlagen hatten. Über ihr Gesicht zuckte Freude, doch nur für einen Moment. Dann verschloss sie ihre Züge und kniete höflich vor Ulrich nieder. »Edler Herr!«

Am liebsten hätte er sie auf der Stelle in seine Arme gerissen und geküsst. Aber ganz abgesehen davon, dass von einem Ritter mehr Beherrschung erwartet wurde, wusste er, dass er sie damit in Schwierigkeiten bringen würde. Die anderen Männer auf dem Burghof würden sie sofort für eine Hure halten, sofern sie es nicht längst taten, und von ihr Gleiches und mehr verlangen. Also beschränkte er sich darauf, sie an den Armen zu nehmen und hochzuziehen.

»Ich hatte so sehr gehofft, dich hier zu sehen!«, sagte er. Seine Stimme war auf einmal ohne jegliche Härte und Bitterkeit; Freude und Sehnsucht klangen aus seinen Worten.

Sibylla senkte die Lider und schwieg.

Aber er ließ sich nicht täuschen; er hatte gesehen, wie einen Moment lang glückliches Erkennen über ihr Gesicht gehuscht war, bis sie sich wieder so gab, wie es von einer unehrlich Geborenen gegenüber einem Ritter erwartet wurde.

»Komm heute Nacht zu mir, ich bitte dich!«, raunte er, damit niemand sonst ihn verstehen konnte.

»Wir sollen am Abend vor König Wenzel auftreten«, sagte sie stockend und wies mit dem Kopf auf ihre Gefährten. »Sie werden nicht erlauben, dass ich gehe, weil sie sonst weniger verdienen.«

Rasch zog er einen Ring vom Finger, den einzigen Schmuck, den er trug, ein Geschenk von Herzog Heinrich.

»Gib ihnen das! So viel werden sie sicher nicht einbüßen, wenn sie ohne dich aufspielen.«

Sibylla nahm den Ring nicht, sondern starrte nur darauf und nagte an ihrer Unterlippe. Mit diesem Ring würde sie sich wohl heute Abend freikaufen können von dem Auftritt und ihrem Anführer, der zum Lohn für seinen Schutz von den Frauen der Gauklertruppe verlangte, dass sie das Lager mit ihm teilten, wenn er es forderte.

Sie fühlte sich hin- und hergerissen. Auch sie hatte Ulrich vermisst und oft an ihn denken müssen. Aber sie sollte ihn vergessen – ihn und seinen Lehnsherrn.

Denn Friedrichs Blicke waren es, die sie dazu getrieben hatten, Ulrich zu verlassen. Sie konnte spüren, wie sein Interesse an ihr erwachte, wie sich seine Augen zunehmend begehrlich auf sie richteten. Und früher oder später hätte der einstige Markgraf wohl erwartet, dass sie in sein Bett kam. Der Wettiner war ein beeindruckender Mann mit starker Persönlichkeit, und sie fühlte sich auch ihm durch den gemeinsamen Hass auf König

Adolf verbunden. Es war weniger Widerwillen gegen Friedrich als der Wunsch, Ulrichs Loyalität gegenüber seinem Lehnsherrn nicht zu gefährden, der sie zur Flucht getrieben hatte.

Der Geliebte – ja, endlich gestand sie es sich ein, sie liebte Ulrich! – hatte das Begehren des anderen nicht wahrgenommen. Und es war wohl besser, wenn er nie davon erfuhr.

Sie kannte Ulrichs geheimste Gedanken gut genug, um zu wissen, dass ihn seit der blutigen Einnahme Freibergs nur noch eines am Leben hielt und vorantrieb: der Wille, Friedrich zu seinem rechtmäßigen Erbe zu verhelfen und sich am Nassauer für das Blutbad in Freiberg zu rächen.

Käme es zum Zwist zwischen Friedrich und ihm, wäre Ulrich verloren. Loyalität zwischen Männern erlosch zumeist dann, wenn eine Frau ins Spiel kam. Und keiner von beiden wäre wohl bereit, sie mit dem anderen zu teilen.

Sollte sie heute Nacht zu Ulrich gehen und ihre alte, kaum verheilte Wunde von neuem aufreißen? Für eine Liebschaft zwischen ihr und einem Ritter konnte es kein glückliches Ende geben.

Also redete sie sich ein, es sei der Umstand, dass bei dem abendlichen Auftritt ihrer Truppe sicher auch Friedrich zugegen sein würde und sie ihm aus dem Weg gehen sollte, als sie zu ihrer eigenen Überraschung sagte: »Ja. Ich werde hier auf Euch warten.«

DER RECHTMÄSSIGE MARKGRAF VON MEISSEN

*S*ofern Ihr nicht fürchtet zu verhungern, wenn Ihr das Mahl versäumt, seid Ihr beurlaubt und könnt tun, was immer Euch wichtiger dünkt.«

Friedrich zögerte keinen Augenblick, der Bitte seines Ritters zu entsprechen. Er wusste hier ausreichend vertrauenswürdige Männer um sich, die auf seine Sicherheit achteten, und es war selten genug, dass Ulrich mit solch einem Anliegen an ihn herantrat. Es musste wohl etwas Wichtiges sein, sonst würde er ihm nicht freiwillig von der Seite weichen.

Sie waren noch dabei, auf der Burg, die von angesehenen Gästen nur so wimmelte, Quartier zu beziehen. Umso mehr verwunderte es Friedrich, als ein Page von etwa zwölf Jahren vor ihn trat, sich höflich verneigte und mit merkwürdig gerolltem »R« sagte: »Edler Fürst, meine Herrin, die Landgräfin von Thüringen, bittet darum, Euch sprechen zu dürfen.«

Jemand musste gezielt Ausschau nach ihnen gehalten haben, wenn er schon so kurz nach der Ankunft zu einem Treffen gebeten wurde.

Seine Stiefmutter war allerdings der letzte Mensch, mit dessen Einladung er rechnete. Er kannte sie kaum und hatte sie vor sieben Jahren zum letzten Mal gesehen – unter äußerst demütigenden Umständen für ihren Mann, seinen Vater, denn Friedrich hatte den Unberechenbaren in Eisenach gezwungen, einen Vertrag zu unterschreiben, in dem Landgraf Albrecht sich verpflichtete, Thüringen nie zu verkaufen oder zu verpfänden.

Ein Gelübde, das der alte Fürst gebrochen hatte wie so viele andere auch ...

Der Page verneigte sich und schien zu erwarten, dass er ihm folgte. Friedrich sah den warnenden Blick, den Ulrich ihm zuwarf, und dachte das Gleiche wie der Maltitzer: Dies könnte eine Falle sein.

»Ich werde Euch begleiten, Herr«, entschied Ulrich ohne Zögern. So schwer es ihm fiel, aber sein Treffen mit Sibylla musste er aufschieben. Dies hier klang zu mysteriös.

Er gab Markus das Zeichen, ihm zu folgen, und der junge Freiberger nickte, die Hand an den Griff des Schwertes legend.

Dem Pagen schien es keine Schwierigkeit zu bereiten, sich auf dem Vyšehrad zurechtzufinden. Mühelos bahnte er sich den Weg über den Hof und durch die vollen Gänge, immer wieder zurückblickend, ob die gerade Angereisten ihm auch folgten.

Er hielt vor einer Tür mit kunstvoll geschmiedeten Beschlägen und klopfte dreimal an. Die schwere Eichentür wurde nur einen Spaltbreit geöffnet, so dass weder Friedrich noch seine Begleiter das Innere des Raumes sehen konnten, und eine blutjunge Zofe mit kunstvoll geflochtenem kastanienbraunem Haar steckte den Kopf heraus.

»Der rechtmäßige Markgraf von Meißen«, kündigte der Page seine Begleiter an.

Friedrich fühlte sich wie vom Blitz getroffen.

Der rechtmäßige Markgraf von Meißen!

Zu lange hatte ihn schon niemand mehr so genannt.

Aus dem Augenwinkel sah er, dass nun auch Ulrich von Maltitz die Hand an das Schwert legte.

Entweder hatten die Verschwörer nach ihm gerufen, oder ein Feind wollte ihn in Sicherheit wiegen, um ihn in eine Falle tappen zu lassen.

Das Mädchen öffnete die Tür weit und sank zu einem tiefen Knicks vor Friedrich nieder.

Zu seinem erneuten Erstaunen sah er tatsächlich seine Stiefmutter in der behaglich eingerichteten Gästekammer.

Elisabeth von Lobdeburg-Arnshaugk war allein und stand in der Nähe des Kamins. Sie trug einen blauen Surkot auf roter Kotte, der ihre schmale Taille hervorragend zur Geltung brachte. Halsausschnitt und Ärmel waren mit golddurchwirkten Borten abgesetzt, die ebenfalls in kräftigem Rot und Blau gefertigte Haube mit Gold- und Silberfäden bestickt.

Welchen Teil meines Erbes mag der Alte wohl dafür versetzt haben?, fragte sich Friedrich mit jäh aufkommender Bitterkeit.

Er gab Ulrich von Maltitz und Markus ein Zeichen, draußen zu warten, obwohl ihm klar war, dass diese damit nicht einverstanden sein würden. Hinter der Tür oder einem verborgenen Durchlass konnten durchaus Attentäter lauern.

Doch auf einmal war er gespannt, was wohl der Grund für dieses unerwartete Zusammentreffen sein mochte. Und offensichtlich sollte es vertraulich sein, denn die Zofe verließ die Kammer und schloss die Tür hinter Friedrich.

Er und Elisabeth waren allein.

Friedrich verbeugte sich höflich und trat auf seine Stiefmutter zu. »Ich freue mich, Euch zu sehen, Landgräfin.«

Er hätte es als lächerlich empfunden, sie mit »Mutter« anzusprechen. Die dritte Frau seines Vaters war beinahe zehn Jahre jünger als er selbst.

»Vor allem freut es Euch, mich nicht gesegneten Leibes zu sehen«, stellte Elisabeth lächelnd fest. »Habt keine Sorge; Ihr müsst nicht fürchten, dass Euch ein weiterer Halbbruder das Erbe streitig macht.«

Die Ungeniertheit, mit der sie dieses heikle Thema ansprach und damit sofort in die Offensive ging, kaum dass er den Raum betreten hatte, machte ihn für einen Moment sprachlos.

Zumal sie recht hatte: Seit sein Vater sie zur dritten Frau genommen hatte, musste er genau das befürchten. Um die vermessenen Ansprüche seines Halbbruders Apitz – aus der zweiten Ehe Albrechts, mit jener Frau, mit der sein Vater Friedrichs leibliche Mutter zuvor rücksichtslos betrogen hatte – war mehr als genug gestritten worden.

Diese offene Einschätzung seiner Befindlichkeiten veranlasste ihn sofort, neu über seine Stiefmutter nachzudenken.

Elisabeth von Lobdeburg-Arnshaugk war sehr jung mit einem der mächtigsten Adligen Thüringens vermählt worden, aber schon nach kurzer Ehe verwitwet. Als ihr Mann und dessen einziger Sohn im gleichen Jahr starben, war die junge Witwe mit einem Mal die gefragteste Partie der Landgrafschaft. Sie hätte auch alt und hässlich sein können; die angesehenen Bewerber hätten sich trotzdem um sie geschlagen. Aber sie verfügte nicht nur über einen bedeutenden Titel und große

Ländereien, sondern war auch von bemerkenswerter Schönheit.

Während er seiner Stiefmutter zur Begrüßung die Hand küsste, sog er heimlich ihren Duft auf. Sie schien gerade dem Badezuber entstiegen zu sein; alles an ihr wirkte frisch, ihre Haut schimmerte rosig, die blonden Haare lugten in weichen Wellen unter der Haube hervor.

Warum hatte Elisabeth auf die gutaussehenden Bewerber verzichtet und war trotz ihrer Jugend zu einem alternden Landgrafen ins Bett gestiegen, der im ganzen Land bekannt dafür war, seine erste Ehefrau – eine Kaisertochter! – schamlos und in aller Öffentlichkeit betrogen und sogar geschlagen zu haben? Nur für den Fürstentitel?

Elisabeth hatte nichts von ihrer Schönheit eingebüßt, seit Friedrich sie das letzte Mal gesehen hatte. Das Einzige, was sich an ihr verändert hatte, war der neue, kaum wahrnehmbare Zug von Wehmut auf ihrem Gesicht. Doch der ließ sie in Friedrichs Augen nur noch interessanter wirken im Vergleich zu all den naiv lächelnden Schönheiten, die ihm sein Schwager ins Bett hatte schicken wollen, während er in Tirol lebte.

Jäh spürte er Verlangen in sich aufsteigen. Doch er war sich nicht sicher, ob er wirklich diese Frau um ihrer selbst willen begehrte oder sich nur an seinem Vater rächen wollte.

Die einzige Frau seit langem, die sein Begehren so heftig hatte wecken können wie in diesem Moment seine Stiefmutter, war jene schwarzhaarige Schönheit gewesen, die sein Freund und Gefolgsmann Ulrich von Maltitz aus Freiberg mitgebracht hatte. Doch bevor er sie in sein Bett holen konnte, war sie über Nacht verschwunden – unübersehbar zur Betrübnis des Maltitzers, auch wenn dieser bemüht war, sich davon nichts anmerken zu lassen. Doch dafür kannte Friedrich ihn zu gut. Und eigentlich sollte er Gott für diese Fügung danken. Es hätte wohl das Ende ihrer Freundschaft bedeutet, wenn er Ulrich die Geliebte abspenstig gemacht hätte.

Elisabeth wandte sich einem Tischchen zu, auf dem ein Krug und zwei schön ziselierte Becher standen, und schenkte ihm und sich roten Wein ein.

»Ihr fragt Euch, weshalb ich in die Ehe mit Euerm Vater einwilligte«, sagte sie mit leisem Vorwurf in der Stimme, ihn erneut durch ihre Offenheit entwaffnend.

Mit eleganter Geste reichte sie ihm den Becher, was ihm Zeit gab, seine Gesichtszüge wieder unter Kontrolle zu bekommen – etwas, wofür er sehr dankbar war.

Der Gedanke an seinen Vater trieb ihn jedes Mal zu Verbitterung und Zorn; und diesmal drängte sich ihm dazu unaufhaltsam das Bild vor Augen, wie sich der verlebte alte Mann im Bett auf diese schöne Frau warf.

Aber vielleicht hatte er ja die Ehe gar nicht vollzogen. Jedermann wusste, dass er immer noch seiner zweiten Frau nachtrauerte und daraus in seiner Rücksichtslosigkeit kein Geheimnis machte. Dazu würde Elisabeths anfängliche Bemerkung passen.

»Es wäre höfisch, zu sagen, mein Vater dürfe sich glücklich preisen, eine Gemahlin wie Euch zu haben«, sagte Friedrich schließlich, ohne die Bitterkeit aus seiner Stimme heraushalten zu können. »Doch ehrlicher ist es wohl, zu sagen: Er hat Euch nicht verdient.«

Elisabeth bedeutete ihm mit einer Geste, ihr gegenüber Platz zu nehmen.

»Natürlich war es der Landgrafentitel«, beantwortete sie seine unausgesprochene Frage. Doch sie hob die Hand, um ihn an einer Entgegnung zu hindern.

»Bevor Ihr den Stab über mich brecht, hört mich an!«, forderte sie mit Schärfe, obwohl sie leise sprach.

»Ihr wart seit Jahren nicht in Thüringen. Ihr wisst nicht, was dort vor sich geht, auch wenn Ihr sicher Eure Quellen habt. Euer Streben ist zuallererst auf die Mark Meißen gerichtet. Und ich wünsche Euch von ganzem Herzen, dass es Euch gelingt, sie zurückzuerobern: für Euch, für die Menschen, die dort leben, für das Haus Wettin.«

Sie trank einen Schluck, doch Friedrich konnte sehen, dass sie nur an ihrem Becher nippte, um Zeit zu gewinnen und sich zu sammeln.

»Thüringen leidet«, sagte sie, nun noch leiser. »Es leidet seit Jahren ... unter den Raubzügen ehrloser Adliger, unter den schändlichen Truppen des Königs, unter dessen Statthalter Gerlach von Breuberg, der Ländereien verschachert und dabei in die eigene Tasche wirtschaftet ... und unter einem Landgrafen, der weder Ehrgeiz noch Geschick zum Regieren hat, seine Söhne gegeneinander ausspielt und die Augen vor dem Unrecht verschließt, das dem Land widerfährt.«

Elisabeth blickte Friedrich nun direkt an. »Als Thüringerin konnte ich das nicht länger ansehen. Mein verstorbener erster Gemahl war ein enger Vertrauter Eures Landsberger Oheims Markgraf Dietrich, bei dem Ihr als junger Mann erzogen und ausgebildet wurdet und den man den Weisen nannte. Euer Oheim hat mich aufgefordert, in diese Ehe einzuwilligen, um Albrecht im Zaum zu halten und um Euch Thüringen zu sichern.«

Das war eine so unverhoffte Enthüllung, dass sie Friedrich bis ins Mark traf. Erneut hatte er Mühe, seine Regungen zu verbergen.

»Ihr seid ein tapferer Mann, ein Mann von Ehre, ein fähiger Herrscher«, sagte sie leidenschaftlich. »Ihr wärt nicht nur wieder ein guter Markgraf von Meißen, sondern auch der Mann, den Thüringen braucht!«

Friedrichs Miene wurde abweisend, er lehnte sich zurück. Die Landgräfin tat, als ob sie diese demonstrative Distanziertheit nicht bemerkte.

»Ich vermochte nur einen Teil dessen zu bewirken, was ich wollte. Allein kann ich Euern Vater nicht zügeln. Aber es ist höchste Zeit zu handeln.«

»Ich weiß nicht, ob ich hören möchte, was Ihr mir zu sagen beabsichtigt«, fiel er ihr schroff ins Wort.

»Natürlich wollt Ihr es nicht hören; niemand will es hören!«, entfuhr ihr, und sie beugte sich heftig vor. »Doch das macht es nicht besser! Erkennt die Wahrheit: Thüringen verflucht die Herrschaft des Hauses Wettin! Die Menschen dort beginnen, sich nach den Ludowingern zurückzusehnen, deren Erbe Euer Großvater vor Jahrzehnten übernahm! Sie dichten Mythen und Legenden von den segensreichen Tagen, als der Eiserne Ludwig für Frieden im Land sorgte. Und über Euern Vater heißt es in einem Klagelied, das allerorten gesungen wird: Warum, oh Tod, nimmst du uns nicht diesen Menschen fort?«

Elisabeth atmete tief durch und lehnte sich zurück.

»Ich will Euch nichts Ehrenrühriges vorschlagen – nur ein Bündnis. Ein Bündnis für Thüringen. Söhnt Euch mit Eurem Vater aus! Gemeinsam können wir es schaffen, ihn davon abzuhalten, noch mehr vom wettinischen Erbe zu verschleudern.«

Das sollte schwierig werden, wollte Friedrich mit jäh aufkommendem Zynismus entgegnen.

Stattdessen sagte er: »Ihr wendet Euch an den Falschen. Mein Bruder ist derjenige, der Thüringen erben soll. So hat es Euer Gemahl verfügt, bevor er beschloss, das Land an den König zu verschachern.«

Abrupt stellte Elisabeth ihren Becher ab und stand auf. Das zwang ihn, sich ebenfalls zu erheben.

»Euer Stolz in allen Ehren«, brach es aus ihr heraus. »Doch Ihr wisst so gut wie ich, wie jedermann, dass Diezmann zwar im Gefecht ein tapferer Mann sein mag, aber längst beschlossen hat, sich nicht mit dem König anzulegen. Er wird die Lausitz nicht verlassen, weil er hofft, sie behalten zu können, wenn er sich still verhält. *Ihr* seid es, den der König fürchtet, und *Ihr* seid es, der entschlossen genug ist, für das wettinische Erbe zu kämpfen!«

Sie sah ihm direkt in die Augen und senkte die Stimme. »Die bedeutendsten Männer am thüringischen Hof sind bereit, Eure Befehle entgegenzunehmen – allen voran Herrmann von Goldacker, Rudolf von Vargula und Gunther von Schlotheim. Sie warten nur auf ein Zeichen von Euch.«

Der Marschall, der Schenk und der Truchsess – die ranghöchsten Gefolgsleute seines Vaters!

Jeder für sich war bereits zu Lebzeiten zu Ruhm gekommen. Goldacker hatte sich durch seine Tapferkeit vom niederen Ministerialen zum Marschall emporgearbeitet, Vargula entstammte einem uralten Geschlecht von Hofbeamten, und Schlotheim hatte für seine Loyalität zum Hause Wettin teuer bezahlen müssen.

»Weiß mein Vater davon?«

»Er glaubt, sie stünden zu ihm. Und das tun sie. Doch zuallererst sind sie Thüringen verpflichtet. Wir brauchen jemanden, der das Land aus der Dunkelheit führt.«

Elisabeth stand nach wie vor kerzengerade, doch auf ihrem Gesicht sah er mit einem Mal all die Verletzlichkeit, die sie zuvor nicht hatte preisgeben wollen. Verletzlichkeit und Trauer ... mit einem Anflug von Verzweiflung.

»Ich will Euch nicht dazu anstiften, etwas Unrechtes zu tun, nur bitten: Söhnt Euch mit Euerm Vater aus!«, flehte sie. »Bringt ihn dazu, Euch das Land zu überlassen! Er ist des Regierens müde, er würde sich lieber aus allen Verpflichtungen zurückziehen und ein ruhiges, beschauliches Leben in seinem geliebten Erfurt führen. Ich weiß es.«

Friedrich fühlte sich beinahe überwältigt von den schwindelerregenden Aussichten, die sich ihm hier boten. Sollte er zugreifen und Thüringen nehmen, das ihm gerade zu Füßen gelegt wurde? Hatte er gar die Pflicht dazu um der Menschen willen, die durch die Unfähigkeit seines Vaters litten?

Doch dafür gab es nur zwei Wege: seinen Vater gewaltsam aus dem Weg zu räumen, was für ihn nicht in Frage kam, oder ihn durch eine friedliche Übereinkunft dazu zu bringen, ihm die Regentschaft zu überlassen.

»Mein Vater ist ein alter, starrköpfiger Mann«, begann er, als wüsste seine Stiefmutter das nicht noch besser als er. »Die Zeiten sind längst vergangen, in denen ich noch Einfluss auf ihn hatte. Wenn wir jetzt aufeinandertreffen, gibt es jedes Mal im Handumdrehen Streit.«

»Versucht es wenigstens! Geht mit mir zu ihm, am besten gleich«, flehte Elisabeth.

»Dann wird er wissen, dass Ihr mich dazu gebracht habt, und es Euch büßen lassen«, wandte Friedrich ehrlich besorgt ein.

Als heranwachsender Knabe hatte er mit ansehen müssen, wie Albrecht seine erste Frau, Friedrichs und Diezmanns leibliche Mutter, gedemütigt und misshandelt hatte, weil sie, die Tochter eines Stauferkaisers, nicht bereit war zuzusehen, wie ihr Mann sie in aller Öffentlichkeit mit ihrer eigenen Dienerin betrog. Schließlich war Margarete von Staufen von der Wartburg geflohen, weil sie die Schmach nicht länger ertragen konnte, und starb wenig später in Frankfurt.

Albrecht ließ nicht einmal eine Schamfrist nach ihrem Tod verstreichen und heiratete auf der Stelle seine Geliebte, eine Ministerialentochter ohne Vermögen und Rang. Er trauerte ihr ganz öffentlich bis zum heutigen Tag nach, was wohl seine Ehe mit Elisabeth von vornherein zum Scheitern verurteilte.

»Ich bin bereit, die Folgen auf mich zu nehmen«, sagte Elisabeth voller Bitterkeit und blickte dabei auf einen unbestimmten Punkt in der Ferne. Friedrich sah ihren Mundwinkel verräterisch zucken.

Seine Menschenkenntnis war gut genug, um zu wissen, dass ihre Verzweiflung echt war und nicht nur ein Mittel, um ihn zu dem zu bringen, was sie von ihm erwartete.

»Es … ist schwieriger … als ich dachte …«, sagte sie leise und bemühte sich, das Zittern in ihrer Stimme zu verbergen. »Ich … brauche Eure Hilfe.«

Im Kerzenlicht sah Friedrich, dass Elisabeth gegen die Tränen ankämpfte.

Mit einem Schritt war er bei ihr. Es kümmerte ihn nicht, dass er damit gegen jede höfische Regel verstieß. Er konnte nachfühlen, wie einsam und ungeliebt sie sich auf der Wartburg fühlen musste – so wie einst seine Mutter und wie auch er selbst in jungen Jahren. Was mochte Albrecht ihr in seiner Maßlosigkeit noch antun?

Nach einem kurzen Moment des Zögerns gab Elisabeth nach; sie lehnte sich an ihn, wobei sie ihr Gesicht an seiner Schulter verbarg. Selten hatte er sich so hilflos gefühlt wie in diesem Moment, während er sie an sich zog und mit seinen Händen beruhigend über ihre zuckenden Schultern strich.

»Ihr müsst Euch nicht schämen«, sagte er leise. »Selbst der Tapferste braucht ab und an einen Moment, in dem er seine Schwäche zeigen kann. Betrachtet mich als Euern Vertrauten. Niemand wird es erfahren.«

Es war nicht beabsichtigt, was dann geschah; längst schämte er sich seiner anfänglichen Begierde, die nun einem viel stärkeren, tiefergehenden Gefühl für diese Frau wich.

Ihre Lippen fanden zusammen zu einem innigen, immer leidenschaftlicher werdenden Kuss. Sanft strich er mit seinen Händen ihre Tränen weg, umklammerte zärtlich ihren Nacken und spürte, wie ihr Körper erschauerte.

Die Zeit schien stillzustehen, der Boden schien sich unter seinen Füßen zu drehen.

Dann löste sie sich von ihm, zaghaft und widerwillig.

»Es ist Sünde«, flüsterte sie. »Und es wäre mein Tod, wenn er davon erführe ...«

»Das wird er nicht«, entgegnete er ebenso leise und sog ihren Anblick in sich auf, um ihn nie wieder zu vergessen; ihren sehnsüchtigen und doch so verzweifelten Blick.

Ulrich von Maltitz und Markus wurden vor der Tür immer unruhiger. Was ging dort drinnen vor sich? Es war nicht zwingend Waffengeklirr nötig, um Friedrich aus dem Weg zu räumen; ein Dolchstoß in die Nieren würde völlig lautlos sein Leben beenden.

»Er ist ein gestandener und kampferprobter Mann«, meinte Ulrich leise, der Markus' Miene richtig deutete. Dabei bezwang er selbst nur mit Mühe seine eigene Ungeduld.

»Keine Sorge«, meinte die junge Zofe schnippisch. »Ihr müsst nicht fürchten, dass meine Herrin Euerm Herrn an die Kehle geht!«

Sie stammte wohl aus bestem Haus, wenn sie sich solch ein Benehmen gegenüber einem Ritter erlaubte. Dessen ungeachtet bekundete sie unverhohlenes Interesse für den jungen Markus.

Wenn er nicht so stur wäre, hätte er vielleicht noch diese Nacht bezaubernde Gesellschaft, dachte Ulrich von Maltitz bei sich. Doch der junge Hauptmann schien blind für die Zeichen, die das junge Ding aussandte.

Während sie warteten, flogen Markus' Gedanken zum tausendsten Male seit seiner Flucht nach Freiberg, zu Änne.

Ob sie sich immer noch bei dem Stadtphysicus verbarg? Oder musste sie zurückkehren zu ihrem schrecklichen Vormund? Meister Marsilius hatte versprochen, sie zu schützen und sich um sie zu kümmern. Aber lebte er noch? Der Arzt trieb ein waghalsiges Spiel, unter den Augen der zweitausend Besatzer mit den Verteidigern Freibergs zu paktieren.

Manchmal befürchtete Markus schon, er könnte in der langen Zeit ihrer Trennung Ännes Gesicht vergessen.

Ich hab dich nicht vergessen, Änne!, dachte er so intensiv, als könne er mit seinen Gedanken eine Botschaft an sie schicken. Ich werde dich nie vergessen. Und bei der ersten Gelegenheit komme ich und hole dich …

Das Knarren der sich öffnenden Tür zwang ihn zurück in die Gegenwart.

Friedrich und seine Stiefmutter Elisabeth traten heraus, beide mit verschlossenen Gesichtern.

Die braunhaarige Zofe, die eben noch überlegt hatte, wie sie wohl den gutaussehenden fremden jungen Mann – oder, wenn der gar nicht reagierte, den etwas älteren Ritter – aus der Reserve locken konnte, sank zu einem tiefen Knicks nieder.

»Schau nach, ob der Landgraf noch wach ist, und frage ihn, ob er bereit ist, seine Gemahlin und einen besonderen Gast zu empfangen«, wies Elisabeth sie mit strenger Stimme an.

»Sofort, Hoheit!« Das Mädchen knickste erneut, dann huschte sie davon, durch die gegenüberliegende Tür, nicht ohne im Gehen noch einmal einen Blick auf Markus geworfen zu haben.

Durch die Tür hörten sie ein mürrisches Knurren, dann kam das Mädchen zurück.

»Euer Herr Gemahl erwartet Euch mit Freude«, hauchte sie. Zaghaft öffnete sie die Tür erneut und ließ Elisabeth und Friedrich hinein. Diesmal folgten ihnen unaufgefordert auch Markus und Ulrich von Maltitz in die Kammer, in der während der Krönungsfeier der Landgraf von Thüringen wohnte.

DAS TREFFEN

*M*an sieht dir an, dass du kein eigenes Land mehr hältst!« Mürrisch begutachtete Albrecht, nur noch dem Titel nach Landgraf von Thüringen, den auffallend schmucklosen Surkot seines ältesten Sohnes. Unter all den Edlen, die hier in Prag ihre teuersten Gewänder zur Schau trugen, musste er geradezu arm wirken.

Man sieht *dir* an, dass du maßlos prasst und trinkst und bei jeder Hure deine verlorene Liebe zu vergessen suchst, dachte

Friedrich. Sein Vater zählte zwar schon siebenundfünfzig Jahre, wirkte aber viel älter, dürr und schlaff. Zusammengesunken saß er in einem Stuhl und stützte sich auf sein Schwert wie auf einen Stock: beide Hände über den Knauf gelegt, die Spitze mit dem Ortband auf dem Boden.

Doch Friedrich behielt diesen Gedanken für sich. Er wollte keinen Streit, um Elisabeths willen. Seinem Vater zu erklären, dass er die schlichte Gewandung als stumme Anklage trug, wären verschwendete Worte.

Also sagte er betont höflich: »Ich freue mich, Euch bei guter Gesundheit zu sehen, Vater.«

»Das fällt mir wahrlich schwer zu glauben«, knurrte der alte Landgraf mit vor Häme triefender Stimme. »Kommst du nach all den Jahren einmal wieder zu deinem Vater, nur um zu sehen, ob vielleicht die Stunde endlich naht, in der du dein Erbe antreten kannst?«

Wenn es seine Absicht war, den ältesten Sohn zu provozieren, so hatte er das mit diesen wenigen Worten erreicht.

»Von welchem Erbe redet Ihr, Vater?«, entgegnete Friedrich hart. »Das Pleißenland, das Ihr dem König für ein Spottgeld verkauft habt? Thüringen, das Ihr meinem Bruder versprochen und dem König verpfändet habt? Die Mark Landsberg, die Ihr an den Markgrafen von Brandenburg verschachert habt? Oder gar die Mark Meißen, die Adolf von Nassau gewaltsam an sich gerissen hat, ohne dass ich auf Eure Hilfe zählen konnte, um ihn daran zu hindern? *Ihr* habt es geschafft, in nur wenigen Jahren aus einem der mächtigsten Fürstenhäuser des Reiches ein Schattengebilde zu machen!«

Er hatte Streit vermeiden wollen, doch da sein Vater offensichtlich Streit suchte, gedachte er nicht zu schweigen.

»Gib mir nicht die Schuld für deine militärische Niederlage!«, fuhr Albrecht ihn an. »Vielleicht wäre es nicht so schlimm gekommen, wärst du nicht so stur gewesen und hättest mit dem König verhandelt.«

»Zum Verhandeln schickte mir der König zwei Dutzend Meuchelmörder!«, entgegnete Friedrich heftiger, als er gewollt hatte.

»Hört auf damit!«, mischte sich nun Elisabeth ein, die bei dem übergangslosen Schlagabtausch zwischen Vater und Sohn blass geworden war.

»Stiefsohn, solltet Ihr nicht froh sein, Euren Vater bei guter Gesundheit anzutreffen? Und Ihr, Gemahl, solltet Ihr dem Allmächtigen nicht dafür danken, dass er Seine schützende Hand über Euren Erstgeborenen hielt, damit er den Meuchelmördern entkam und nun leibhaftig vor Euch steht?«

Elisabeths leidenschaftliche Worte und vor allem die Verzweiflung in ihrer Stimme brachten Friedrich zum Einlenken.

»Ihr beschämt mich, Landgräfin«, sagte er und verneigte sich vor ihr, erneut das Wort »Mutter« oder »Stiefmutter« vermeidend.

Dann wandte er sich seinem Vater zu. »Es bringt nichts, zu streiten. Sollten wir nicht besser darüber reden, was wir gemeinsam zum Wohle des Hauses Wettin, seiner Untertanen und Thüringens tun können?«

»Dazu brauche ich nicht *dich*!«, fuhr ihn sein Vater an, und die schütteren grauen Haare um seinen Schädel zitterten wie Weidenblätter, so heftig bewegte er dabei den Kopf.

»Wirklich nicht, Vater?«, fragte Friedrich, erneut mit schneidender Schärfe in der Stimme. »Habt Ihr Thüringen dem König überlassen, damit sein Heer darin wüten und sein Statthalter es ausbluten kann?«

»Ja, genau dazu!«, schrie sein Vater, während Speicheltröpfchen aus seinem Mund flogen. Er stützte sich schwer auf das Schwert und stemmte sich aus dem Stuhl hoch.

»Du hast keine Ahnung, Sohn, was es kostet, einen prachtvollen Hof zu unterhalten! Alle erwarten sie Geschenke, die Adligen genauso wie die Kirche … und Feste, so üppig, wie deine Großväter sie ausrichten konnten, der Stauferkaiser und der Erlauchte. Woher sonst soll ich das Geld dazu nehmen? Und Thüringen war dem Hause Wettin immer ein Klotz am Bein. Die Thüringer haben uns stets gehasst und sich gegen uns verschworen. Sollen sie doch sehen, ob es ihnen unter dem König bessergeht!«

Albrecht schnaubte verächtlich und ließ sich wieder in seinen Stuhl sinken.

»Es stimmt, was die Thüringer sagen«, entgegnete Friedrich voller Bitterkeit. »Ihr seid nicht der Herrscher, Ihr seid der Verderber des Landes.«

Mit einem bedauernden Blick zu Elisabeth drehte er sich um und bedeutete Ulrich und Markus, mit ihm zu gehen.

Er war noch nicht einmal an der Tür, als Albrecht seine Gemahlin anfuhr: »Erspart mir gefälligst künftig solche Besucher, meine Teure!«

Friedrich wandte sich noch einmal um und sah die Landgräfin beschwörend an.

Dann verließen er und seine Begleiter den Raum.

Als er die Tür hinter sich geschlossen wusste, atmete Friedrich tief durch.

Nach einem Moment des Schweigens sagte er zu Ulrich von Maltitz: »Jetzt geht und tut endlich, was immer Ihr vorhattet. Doch zuvor bittet den Marschall meines Vaters für eine vertrauliche Unterredung zu mir.«

Es dauerte nicht lange, bis sich Herrmann von Goldacker bei Friedrich melden ließ, ein Mann mit dunkelblondem Haar und schmalem Gesicht, das durch den Bart und die wachen, leuchtend blauen Augen etwas Markantes bekam.

Der einstige Markgraf von Meißen musterte den Marschall prüfend, bevor er das Wort an ihn richtete.

Goldacker war bereit, sich hinter dem Rücken seines Lehnsherrn mit dessen Gemahlin zu verbünden, um deren Stiefsohn an die Macht zu bringen. War er jemand, der sich rücksichtslos an denjenigen hielt, dessen Chancen ihm am besten schienen, und so seinen erstaunlichen Aufstieg erreicht hatte? Oder war er ein Mann, den seine Tapferkeit nach oben getragen hatte und dem das Wohl des Landes am Herzen lag?

Goldacker wusste genau, worauf sein Gegenüber eine Antwort suchte.

Er sank vor Friedrich auf ein Knie. »Mein Fürst, ich habe Euerm Vater den Lehnseid geschworen. Doch ich will Euch meine Treue versichern – als rechtmäßigem Markgrafen von Meißen und rechtmäßigem Erbe des Landgrafen von Thüringen.«

Friedrich ließ keinen Blick von ihm und erforschte Goldackers Gesicht gründlich.

Zu allem entschlossen, aber nicht unaufrichtig – das ging ihm dabei durch den Kopf.

»Dann nehmt meinen ersten Befehl entgegen: Wacht persönlich über Sicherheit und Wohlbefinden der Landgräfin. Und sollte jemand – ganz gleich, wer und welchen Standes – seine Hand gegen sie erheben, so habt Ihr meine ausdrückliche Zustimmung, gegen ihn einzuschreiten. Ich werde alle Konsequenzen dafür auf mich nehmen, sowohl vor dem irdischen als auch vor dem göttlichen Richter.«

Sein Tonfall konnte bei dem Marschall keinen Zweifel daran aufkommen lassen, vor wem er die Landgräfin beschützen sollte.

Mit ernster Miene erhob sich Herrmann von Goldacker. »Ihr habt mein Wort, mein Herr und Fürst.«

Ulrich lief voller Unruhe zu den Stallungen, nachdem er den thüringischen Marschall zu Friedrich geschickt hatte. Ob Sibylla hier tatsächlich auf ihn wartete?

Auf dem Burghof herrschte immer noch geschäftiges Treiben, auch wenn die hohen Gäste inzwischen untergebracht und die

Pferde eingestellt oder zu einer großen Koppel außerhalb der Burg geführt worden waren. Diener eilten hin und her, um Botschaften zu überbringen oder auf Wunsch ihrer Herren etwas Besonderes herbeizuschaffen. Aus der Küche drangen verlockende Gerüche, Qualm und der Lärm der Küchenjungen und Mägde, die ein Festmahl für so viele Gäste zuzubereiten hatten – heute und an den folgenden Tagen, denn Wenzel legte Wert darauf, dass seine Krönung mit größter Pracht gefeiert wurde.

Ulrich winkte einen Stallburschen herbei, der einen Sattel mit kostbaren silbernen Beschlägen vor sich herwuchtete.

»Ich suche eine junge Frau mit lockigen schwarzen Haaren, eine Gauklerin«, sagte er und versuchte, mit einer Geste anzudeuten, dass die Gesuchte aus der Hand las. »Weißt du, wohin sie gegangen ist?«

Der Junge schien ihn zu verstehen, denn er lächelte breit, stellte den Sattel vorsichtig ab und zeigte nach hinten, zum Ende des Ganges zwischen den beiden Stallhälften. Ulrich gab ihm zum Dank einen Pfennig. Rasch griff der Bursche mit seiner schmutzigen Hand nach der Münze und bedankte sich mit einer Verbeugung. Dann hob er den kostbaren Sattel wieder hoch und lief weiter.

Ulrichs Herz schlug heftig, als er eilig den Stall durchschritt, durch dessen Luken nur noch wenig Tageslicht fiel.

Zu anderer Gelegenheit hätte er wohl manchen Blick auf die kostbaren Hengste geworfen – auch, um an diesem oder jenem Tier zu erkennen, wer von den hohen Gästen schon eingetroffen war. Jetzt kümmerte ihn das ebenso wenig wie der Gedanke, dass dort hinten statt der ersehnten Geliebten auch jemand warten könnte, der den Vertrauten des einstigen Meißner Markgrafen und Verteidiger Freibergs gegen die königliche Streitmacht beseitigen wollte.

Allmächtiger Vater im Himmel, wenn Du Erbarmen hast, dann lass sie hier sein!, flehte er stumm.

Und dann sah er sie aus dem Dunkel treten, so wie er sie in Erinnerung hatte: schlank, mit Locken, die ihr über die Schultern fielen, und Augen, die nur auf ihn gerichtet waren.

»Du hast mir so gefehlt …«, flüsterte er, unfähig vor Glück und Verzweiflung zugleich, seine Gefühle zu verbergen, während er sie an sich riss und ihr Gesicht mit Küssen bedeckte.
Ohne ein Wort zu erwidern, umfasste sie seinen Kopf mit beiden Händen und zog ihn zu sich, um ihn lange und innig zu küssen.
Sie stöhnte, als er ihren Leib heftig an sich presste, und unternahm doch keinen Versuch, seiner Umklammerung zu entrinnen.
Ihm war zumute, als würde sie mit ihren weichen, warmen Lippen, mit ihren Küssen den undurchdringlichen Panzer auflösen, der sich im letzten Jahr über seine Seele gelegt hatte.
Und dann spürte er die Tränen, die ihr über die Wangen liefen, während sie vor Glück gleichzeitig lachte und weinte.
»Du hast mir so gefehlt«, flüsterte er erneut und strich sanft über ihre Wangen, um das salzige Nass wegzuwischen. »Weine nicht … Weine doch nicht!«
Sie schüttelte den Kopf und wollte lachen, aber es wurde nur ein Schluchzen daraus. Dann küsste sie ihn erneut so heftig, dass es ihm beinahe den Atem nahm. Und während sie sich an ihn presste, erkundeten seine Hände wie von selbst ihren Körper von neuem, den er ein Jahr lang nicht mehr gespürt hatte.
Jede Einzelheit kam ihm so vertraut vor, als wären sie nie getrennt gewesen. Er spürte ihre Brüste durch den Stoff ihres einfachen Kleides, herrlich weich und wie für seine Hände geschaffen, die Rundungen ihrer Hüften, die schlanken Schenkel.
Und er spürte ihre Hände, warm und zärtlich, die seinen Nacken entlangglitten, so dass sich die feinen Härchen aufrichteten und ihn ein wohliger Schauer durchfuhr, die seine Brust liebkosten und dann seinen Rücken fest umklammerten.

»Liebste …«, flüsterte er.

Kein Wort mehr brachte er heraus, obwohl er ihr so viel hätte sagen wollen: Wie sehr er sich nach ihr gesehnt hatte, dass er jede Nacht von ihr geträumt hatte und dass er es unendlich bedauerte, ihr kein bequemeres Lager bieten zu können. Er konnte nicht damit rechnen, in der überfüllten Burg ein Quartier zu finden, in dem sie ungestört waren. Für den Pfennig würde der Pferdebursche Sorge tragen, dass vorerst niemand zum hinteren Ende des Stalles ging, damit der fremde Ritter ungestört war.

Doch das alles musste er ihr nicht sagen.

Sibylla wusste es auch so.

Überrascht von der Stärke ihrer eigenen Gefühle, ließ sie sich gegen einen der Strohballen sinken, die an der Rückwand übereinandergestapelt lagen, und zog ihn sehnsüchtig auf sich.

Ulrich fühlte sich wie in einem Rausch, wie in einem Traum. Er stöhnte, als er in ihren warmen Schoß eindrang, der ihn erwartete, und er merkte selbst nicht, dass er einen Schrei ausstieß, als er sich in sie ergoss – einen Schrei, als wollte er damit all die Verzweiflung herauslassen, die in den letzten Monaten sein Innerstes erfüllt hatte.

Nun war er es, der die Tränen nicht bezwingen konnte, als er seinen Kopf an ihre Schulter lehnte, während er immer noch die Wärme ihres Schoßes genoss.

Und nun war sie es, die flüsterte: »Liebster!«

Wieder und wieder strich sie ihm über das schulterlange dunkle Haar, wie es eine Mutter mit einem weinenden Kind tat, küsste seine Schläfe und hielt ihn umklammert.

Eine der Geschichten aus alten Tagen fiel ihm ein, von einem Mann, der sich drei eiserne Ringe um sein Herz hatte legen lassen, damit es vor Schmerz nicht zersprang. Erst als er seine Geliebte wiederfand, zerbrachen die Ringe.

Ulrich war zumute, als hätte sie mit ihren schmalen Händen

die eisernen Ringe gesprengt, die er um sein Herz gelegt hatte. So sehr schmerzte es ihn – und so sehr fühlte er sich zugleich befreit.

Vorsichtig löste er sich von ihr und nahm ihr Gesicht in seine vom Schwertkampf schwieligen Hände. In der Dunkelheit versuchte er in ihren Zügen zu lesen: die Antwort auf die Frage, die ihn beinahe zerriss.

Sibylla wich seinem Blick nicht aus. »Liebster!«, flüsterte sie erneut.

Und doch erkannte er in der Art, wie sie ihn ansah, schon wieder einen Abschied.

Diesmal stöhnte er vor innerer Qual. »Verlass mich nicht noch einmal!«

Sie schüttelte nur den Kopf und legte sanft einen Finger auf seine Lippen. Dann erstickte sie seine Worte mit einem langen, zärtlichen Kuss, ganz und gar nicht begehrend, sondern voller Wehmut.

Ulrich hätte vor Verzweiflung aufschreien können. Auch wenn ihm sein Verstand sagte, dass sie recht hatte, dass es keine Aussicht gab für eine Liebe zwischen einem Ritter und einer unehrlich Geborenen, es sei denn, er nähme sie als seine Hure mit sich, so wollte er das in diesem Augenblick nicht wahrhaben.

Wie sollte er weiterleben ohne sie?

»Wir haben vier Tage, Herr«, flüsterte sie mit brüchiger Stimme in sein Ohr und brachte damit sein letztes Fünkchen Hoffnung zum Erlöschen.

Er würde sein Herz künftig ganz und gar mit Eisen panzern müssen.

Die Krönung Wenzels sollte wirklich als überaus prachtvolles Fest in Erinnerung bleiben.

Es gab so viel zu sehen, zu staunen und zu erzählen für die edlen Gäste aus allen Teilen des Reiches, dass die heimliche Zusammenkunft der Gegner Adolfs von Nassau völlig unbemerkt blieb. Kein Außenstehender erfuhr, dass die Fürsten einen Plan ersonnen hatten, den König abzuwählen – etwas, das es noch nie zuvor gegeben hatte.

Stattdessen drehten sich die Gespräche der Herbeigereisten um den ungeheuren Glanz der Krönung am Pfingstsonntag im Dom zu St. Veit, die Erzbischof Gerhard von Mainz mit einer Feierlichkeit zelebrierte, die nichts davon verriet, dass sowohl er als auch der von ihm Gekrönte in die geheimste Verschwörung des Königreiches verwickelt waren.

Zweitausend Mark Silber solle allein die Krone wert sein, wisperten die Gäste, doppelt so viel gar das Krönungsgewand, das über und über mit Edelsteinen besetzt war. Und den Wert des Leibgeschmeides wagte niemand zu schätzen, so kostbar waren die Ringe und der Gürtel Wenzels.

Noch lebhafter, allerdings nur hinter vorgehaltener Hand, wurde das Aussehen von Königin Jutta erörtert, der Schwester Albrechts von Habsburg. Im Widerspruch zu ihrer sonst so eifrig gepriesenen Schönheit wirkte sie diesmal totenbleich und geschwächt. Man munkelte, sie sei nach einer Fehlgeburt noch nicht wieder genesen.

Gerüchte über Gerüchte kursierten – nur von dem größten Geheimnis dieser Pfingsttage auf dem Prager Vyšehrad erfuhr niemand außer den Eingeweihten.

Als Friedrich von seinem Habsburger Schwager endlich das vereinbarte Zeichen erhielt, sehr symbolhaft einen silbernen Ring mit dem Meißnischen Löwen, rief er Markus und Ulrich zu sich.

»Richtet Eure Gebete auf den Tag, an dem ein gerechter Herrscher den Thron besteigt!«

Seine Augen strahlten vor Freude und Tatendrang – ganz im Gegensatz zu denen Ulrichs, der nicht nur Sibylla wieder verloren, sondern auch vergeblich nach dem Marschall des Königs Ausschau gehalten hatte.

Doch angesichts dieser Worte richtete sich der Maltitzer auf.

»Ich komme zu Euch, wenn Ihr Freiberg zurückerobert«, hatte Sibylla ihm versprochen. »Dann werde ich an Eurer Seite sein.«

Friedrich sah, wie ein Funken Hoffnung in den erloschenen Augen seines Freundes zu glimmen begann.

Dann wandte er sich Markus zu. »Wolltest du nicht schon die ganze Zeit zurück nach Freiberg, mein junger Freund? Jetzt ist der Augenblick gekommen. Reite dorthin, reite nach Freiberg! Finde heraus, ob die Bürgerschaft noch hinter mir steht und bereit ist, mich zu unterstützen, wenn ich Truppen zusammenstelle, um mein Land zurückzuerobern!«

DIE RÜCKKEHR

Ein heftiger Gewitterguss ging nieder, als Markus sich Freiberg näherte. Doch das störte ihn nicht – im Gegenteil. Sein Herz war so voller Hoffnung auf das Wiedersehen mit Änne, dass ihm sogar die dunkelsten Wolken die Stimmung nicht verderben konnten.

Außerdem kam ihm der Regen zupass, denn er erhöhte seine Chancen, unerkannt die Stadt zu betreten. Er wusste nicht, ob Jenzin inzwischen verraten hatte, wer die drei Männer in seinem Haus umgebracht hatte. Doch auch so könnte leicht jemand auf die Idee kommen, den neuen Machthabern in der Stadt zuzuraunen, wer da plötzlich wieder in Freiberg aufgetaucht war.

Er hatte sich einen Bart stehenlassen und sein gutes Pferd, das er in Meran am Hof des Herzogs von Kärnten bekommen hatte, schweren Herzens gegen einen unauffälligen, aber ausdauernden Braunen getauscht. Dennoch würde er sich lieber nicht darauf verlassen, dass ihn niemand erkannte, der bereit war, ihn zu verraten, um sich bei den neuen Herrschern anzubiedern.

Krachender Donner und beunruhigend nah niedergehende Blitze zwangen ihn dazu, seine Pläne zu ändern. Er war jetzt nur noch eine reichliche Meile vom Stadttor entfernt, aber kein vernünftiger Mensch würde bei diesem Wetter weiter über offenes Feld reiten, statt irgendwo Zuflucht zu suchen, bis das Unwetter vorbei war.

Mit einem stummen Seufzer lenkte Markus sein vor Blitz und Donner scheuendes Pferd, das kaum noch zu beruhigen war, zur nächstgelegenen Unterkunft, einer Schmelzhütte.

Vor dem Fall der Stadt hatte sie einem der reichsten Freiberger gehört, einem Mann namens Haberberger.

Dichter weißer Rauch, der sich aus der Dachluke emporwand, und die von einem Mühlrad angetriebenen ächzenden Blasebälge verrieten, dass drinnen gearbeitet wurde.

Finden wir also heraus, ob der Haberberger hier immer noch das Sagen hat, dachte Markus, saß ab, band sein Pferd an und klopfte laut an die Tür.

Ohne eine Antwort abzuwarten, trat er ein. In der Dunkelheit, mit der tief ins Gesicht gezogenen Gugel, würde in ihm hoffentlich niemand so leicht den einstigen Hauptmann der Burgwache erkennen.

»Gott zum Gruße!«, rief er laut in den von Qualm durchzogenen Raum. Als Ersten sah er einen Mann, der am Schmelzofen mit einem langen Haken die Schlacken abzog. Ein Jüngerer stand neben ihm, schöpfte Wasser aus einem Eimer und goss es auf die rotglühenden Schlacken, um sie abzulöschen. Beide warfen nur einen flüchtigen Blick auf den vor Nässe triefenden Ankömmling und wandten sich gleich wieder ihrer Arbeit zu.

»Seid so gut und gewährt einem Reisenden Schutz vor dem Unwetter«, bat Markus.

»Dann herein mit dir! Schließ rasch die Tür und lass Sturm und Regen draußen«, tönte es von hinten, und erst an der markanten dunklen Stimme erkannte er durch den Qualm zweifelsfrei den alten Haberberger. Der Hüttenmeister hatte eine Spitzhacke in einen Silberkuchen – so nannten die Schmelzer die runden Barren, die aus den Gussformen kamen – geschlagen und trug ihn gerade zur Waage.

Lag es nur an dem rußverschmierten Gesicht, dass Veit Haberberger um Jahre gealtert schien, seit er ihn das letzte Mal gesehen hatte?

Markus schüttelte das Regenwasser von seinem Umhang, ohne ihn abzulegen, und trat näher.

Die Hitze des Schmelzofens hielt die Hütte warm, was ihm jetzt in seinen durchnässten Sachen gelegen kam.

»Gott segne euch für eure Güte«, sagte er und rieb sich fröstelnd die Hände. »Man könnte meinen, draußen geht gerade die Welt unter.«

»Die ist hier schon letztes Jahr untergegangen«, knurrte der Haberberger, ohne seine Arbeit zu unterbrechen.

Markus merkte auf.

»Pass auf, was du sagst, noch dazu gegenüber einem Fremden!«, ermahnte ihn halblaut einer der beiden anderen, ein dürrer alter Mann, der – wie Markus sich nun erinnerte – ein Oheim des Haberbergers war.

»Was treibt dich bei diesem Wetter nach Freiberg?«, forderte er von Markus zu wissen, um gleich darauf loszuschimpfen: »Dieser schreckliche Regen drückt uns den ganzen Rauch in die Hütte! Man sieht die Hand vor Augen kaum.«

»Ich suche nach einem Arzt, Meister Marsilius soll er heißen, um ein Heilmittel für meinen kranken Vater zu bekommen«, gab Markus Auskunft. »Jemand sagte mir, er sei der Beste weit und breit.«

Conrad Marsilius würde so oder so in der Stadt der Erste sein, den er aufsuchen musste – sowohl wegen des markgräflichen Auftrags, die Stimmung in Freiberg zu erkunden, als auch auf seiner Suche nach Änne. Vielleicht lebte sie ja immer noch bei ihm. Gut möglich, dass der Apotheker sich fürchtete, sie wieder bei sich aufzunehmen. Andererseits war Jenzin wohl zu geizig, auf ihre Arbeit zu verzichten und die Zutaten für seine Salben und Tinkturen bei einem Kräutersammler zu kaufen.

»Der alte Marsilius?«, brummte der Haberberger. »Ja, der versucht immer noch, diesem oder jenem eine Gnadenfrist zu verschaffen, bis ihn der Sensenmann holt, der unbarmherzige Schnitter.«

Markus fiel ein Stein vom Herzen.

Erleichtert holte er seinen Proviantsack hervor. »Wenn ihr die Zeit habt, würde ich gern zum Dank mein letztes Brot mit euch teilen, auch ein Stückchen Käse müsste ich noch haben.«

»Dich schickt der Himmel, Fremder!«, meinte der dritte Mann, der bisher noch kein Wort gesprochen hatte. »Mein Magen knurrt schon den halben Tag lang.« Er war der Jüngste von ihnen und dem Gesicht nach wahrscheinlich der Sohn des Schmelzmeisters.

»Kümmere du dich um die Schlacken«, wies ihn sein Vater zurecht, was den jungen Mann sichtlich enttäuschte. »Den Wanst kannst du Nimmersatt dir auch später vollschlagen.«

Der Hüttenmeister winkte Markus und den Oheim zu einer Bank an der Rückwand der Hütte und setzte sich zu ihnen. Markus verteilte seinen letzten Rest Brot und Käse, der Haberberger steuerte einen Streifen Speck bei, den er aus einem an der Decke hängenden Korb holte.

Bevor sie aßen, falteten sie die Hände, und der Schmelzer sprach ein Gebet. »Allmächtiger Vater im Himmel, wir danken Dir für diesen Tag und dieses Mahl. Segne unseren Gast, der freimütig sein Brot mit uns teilt, beschere ihm einen günstigen Ausgang seines Vorhabens und erlöse uns endlich von dem Ungeziefer, das unsere Stadt heimgesucht hat! Amen.«

»Amen.«

Ungeziefer? Markus hatte das sichere Gefühl, dass der Haberberger damit nicht Ratten und Mäuse meinte.

Richtig, der Ältere stieß dem Meister den Ellbogen in die Rippen und wisperte: »Du wirst uns noch alle ins Verderben stürzen!«

Doch der Haberberger stieß zurück und knurrte: »Ach, bleib mir doch vom Leib, du Hasenfuß! Was recht ist, muss recht bleiben. Und wenn es dem neuen Herrn nicht passt, dass ich sein Ungeziefer als Ungeziefer bezeichne, dann soll er doch selber sehen, wie er das Erz zu Silber macht!«

Es war unverkennbar, dass dem Hüttenmeister vor Ärger fast die Galle überlief. Allerdings stimmte es: Einen einfachen Bauern oder Handwerker konnten die Besatzer leicht abstrafen. Doch wenn der König Silber wollte, brauchte er erfahrene Hüttenleute. Die Erzbrocken aus den Gruben nutzten ihm wenig. Deshalb durften sich Könner wie der Haberberger sicher etwas mehr herausnehmen als die anderen Bewohner der eroberten Stadt.

Aber durfte Markus auch den beiden anderen trauen?

»Dein Gewerksmann hat recht, du solltest mit deinen Reden etwas vorsichtiger sein«, wandte er ein, während er seinen Bierschlauch hervorholte und herumreichte. »Trinken wir auf den Landesherrn?«

»Ich würde mein ganzes Silber hergeben, wenn nur der wahre Landesherr zurückkehrte«, brummte der Haberberger, und sein Nachbar nickte, ohne zu zögern.

Markus erkannte, dass die Unzufriedenheit der beiden so groß sein musste, dass sie es leid waren, sich zurückzuhalten.

Entschlossen streifte er die Gugel nach hinten, die bis dahin noch einen Teil seines Gesichtes bedeckt hatte.

»Ihr seid ehrlich zu mir, da will ich auch offen zu Euch sein, Meister Haberberger.«

Verblüfft darüber, dass der vermeintlich Fremde seinen Namen kannte, starrte der Schmelzer ihn an. Dann kniff er die Augen leicht zusammen und musterte das Gesicht seines Gastes näher.

»Bei allen Heiligen! Ist das nicht der tapfere Hauptmann der Burgwache?«

Markus grinste zustimmend, was zur Folge hatte, dass der Haberberger aufsprang und ihm euphorisch auf den Rücken hieb – ein Freudenausbruch, der den jungen Mann zusammenzucken ließ, weil der deftige Schlag direkt auf seine vernarbte Wunde traf.

»Wir hatten dich für tot gehalten!«, brüllte der Meister, begeistert über die Rückkehr des verloren geglaubten Hauptmanns.

»Dutzendweise haben die jungen Dinger dir nachgeweint, meine Töchter und meine Nichte eingeschlossen. Nun erzähl endlich – wie bist du entkommen? Und hast du gute Nachricht für uns hier in unserem Elend? Sind bessere Tage in Sicht? Bringst du am Ende gar noch ein paar von deiner Sorte, um uns von der Landplage zu befreien?«

Mit Mühe nur brachte Markus den Hocherfreuten dazu aufzuhören, auf seiner alten Wunde herumzuklopfen, und sich wieder zu setzen.

Trotz der nun wieder pochenden Schmerzen konnte er seine Genugtuung kaum verbergen. Schon in der ersten Hütte hatte er Verbündete gefunden, und noch dazu solch mächtige!

Veit Haberberger war nicht nur reich – zumindest war er es noch vor anderthalb Jahren gewesen –, sondern auch einer der angesehensten Männer Freibergs. Wenn er sich bereit zeigte, Friedrich mit seinem Silber zu unterstützen, würden wahrscheinlich etliche andere Gruneneigner und Hüttenbesitzer seinem Beispiel folgen.

»Gute Nachrichten – das liegt bei Euch, Meister«, sagte er mit zufriedenem Lächeln. »Wenn Ihr es wirklich so gemeint habt mit Eurem Silber, dann ist vielleicht der Tag nicht mehr fern, an dem der wahre Herr der Mark Meißen zurückkehrt und mit seinem Schwert die Landplage vertreibt.«

»Darauf trinken wir!«, sagten die Männer gleichzeitig, und

nun wurde – wenn auch nur für einen kurzen Moment – sogar der Sohn herbeigerufen, um mit ihnen anzustoßen.

Markus wurde aufgefordert zu berichten, was er auch tat, wenngleich er verschwieg, mit welch brisanter Verschwörung im Hintergrund Friedrich sein Land zurückerobern wollte.

Danach ließ er sich ausführlich erzählen, was in Freiberg vor sich gegangen war, nachdem er nachts Hals über Kopf aus der Stadt hatte fliehen müssen.

Es waren schlimme Nachrichten.

Hätte er noch Zweifel gehabt – jetzt konnte er die Wut des Haberbergers verstehen.

Als von dem Sommergewitter nur noch ein eintöniger Nieselregen übrig geblieben war, der das Feld um Freiberg in einen grauen Schleier hüllte, trieb Markus sein Pferd auf die Stadt zu.

Statt durch das Erlwinsche Tor zu reiten, das ihm am nächsten gewesen wäre, lenkte er den Braunen am Judenviertel vorbei zum Peterstor.

Sosehr es ihn auch drängte, Änne endlich in die Arme zu schließen, zuvor wollte er noch eine traurige Pflicht erfüllen, die er sich nach dem Gespräch mit dem Hüttenbesitzer auferlegt hatte.

Sogar durch den Regen konnte er die Pfähle schon von weitem erkennen.

Vor der Stadtmauer staken drei Köpfe aufgespießt als grausiges Willkommen für jeden, der die Stadt von Westen her betrat. Die Augenhöhlen waren leer, längst hatten Krähen und anderes Getier das Fleisch von den Knochen gefressen, so dass er nicht mehr erkennen konnte, wessen Überreste hier Wind und Wetter preisgegeben waren. Doch Markus wusste es durch Veit Haberbergers bitteren Bericht.

Im Vorbeireiten schlug er ein Kreuz und sprach ein inniges Gebet für Hannemann Lotzke, Dittrich Beschorne und Conrad von Rabenstein – jene drei Ratsherren, die König Adolf als Geiseln für die als Brandschatzung angesetzte Summe gefordert hatte.

Gern wäre er abgestiegen, um niederzuknien und für das Seelenheil der drei Hingerichteten zu beten. Doch das hätte ihn in den Augen der Torwachen nur verdächtig gemacht. Üblicherweise wurden die Schädel von Mördern oder Räubern vor den Stadtmauern aufgespießt, nicht die von ehrbaren Ratsherren. Wollte er unerkannt und unbehelligt die Stadt betreten, durfte er durch nichts zu erkennen geben, was ihn bewegte.

Es tröstete ihn wenigstens etwas zu sehen, dass eine gute Seele ein paar Wiesenblumen auf den Platz gelegt hatte. Und dann erkannte er, dass am Fuß jedes Pfahls ein kleines Kreuz aus Stöcken in den Boden gesteckt worden war.

Plötzlich kamen zwei Soldaten aus dem Peterstor.

Rasch wickelte Markus das Ende der Gugel um den Hals, damit der Wind die Kopfbedeckung nicht fortwehen und sein Gesicht enthüllen konnte, und zog unauffällig den Dolch unter dem Umhang. Das Schwert hatte er in seinem Gepäck verborgen, bevor er sich der Stadt näherte.

Doch die Männer wollten nicht zu ihm, sondern liefen schimpfend zu den Totenpfählen, um mit hastigen, wütenden Gesten Blumen und Kreuze auseinanderzureißen und zu verstreuen.

»Schon wieder!«, schimpfte einer von beiden lauthals. »Ich weiß nicht, wie es das verdammte Gesindel in dieser Stadt jeden Tag aufs Neue schafft. Aber wir werden sie schon Gehorsam lehren!«

Mühsam verbannte Markus jede verdächtige Regung aus seinem Gesicht.

Zugegeben, ganz im Gegensatz zu dem schlauen Rechtsgelehrten Beschorne und dem Gewandschneider Lotzke, der kurz vor dem Einmarsch des Nassauers schon seinen Sohn durch den Überfall in Altenburg verloren hatte, war ihm der Tucher nie besonders sympathisch gewesen.

Der Rabensteiner hatte für die Übergabe der Stadt plädiert und sich bei den neuen Machthabern angebiedert. Dennoch verdiente auch er es nicht, hingerichtet und den Krähen zum Fraß überlassen zu werden. Am Tag des Jüngsten Gerichts würde ihm und den anderen beiden Unglücklichen die Auferstehung verwehrt sein, ihnen blieb nur ewige Verdammnis. Mochte der Gewandschneider auch geglaubt haben, es sei besser, auf die Seite des Königs zu wechseln – am Ende hatte er sein Leben genauso für seine Stadt gegeben wie die beiden Ratsherren, die treu zu Markgraf Friedrich gehalten hatten.

Der Hüttenmeister hatte ihm erzählt, wie schwer es den Freibergern gefallen war, in der kurzen Frist die gewaltige Summe aufzutreiben, die der König als Brandschatzung gefordert hatte.

»Ohne die Juden hätten wir das Geld nicht aufbringen können«, berichtete der Haberberger. »Sie gaben beinahe so viel wie der ganze Rest zusammen – wahrscheinlich alles, was sie hatten. Dabei wohnen sie nicht einmal innerhalb der Stadtmauern. Der Rabbi muss wohl eindringliche Worte an seine Leute gerichtet haben.«

Von nahem konnte Markus sehen, dass die Schäden, die die Stadtmauer bei Kampf und Belagerung davongetragen hatte, sorgfältig ausgebessert worden waren. Den Ruß hatte der Regen in den vergangenen anderthalb Jahren fortgewaschen.

Am Peterstor wurde er unbehelligt eingelassen. Aus dem Torhaus hörte er Würfel klappern und Männer grölen.

Er spitzte die Ohren, um herauszuhören, wie viele es waren. Bei jeder Gelegenheit die Stärke eines Gegners auszukundschaften, war ihm in Fleisch und Blut übergegangen.

Der Mann, der mit mürrischer Miene am Pfosten des Torhauses lehnte und mit dem Messer an einem Stock herumschnitzte, bis er wieder wütend in die Wachstube blickte, beachtete ihn kaum.

Zehn Wachen im Torhaus, einer davor, zwei draußen bei den toten Ratsherren, zählte Markus in Gedanken zusammen. Und sie scheinen sich absolut sicher zu fühlen, von der Provokation mit den Kreuzen abgesehen. Aber wer sollte hier auch einer Übermacht von zweitausend Bewaffneten gefährlich werden?

Als er das Peterstor passierte, hatte er Mühe, sich von seinen Regungen nichts anmerken zu lassen. Hier hatte er zusammen mit Ulrich von Maltitz, Niklas von Haubitz und dem Bürgermeister das Anrücken des Heeres und die Forderung des Königs nach Einlass erlebt und zusehen müssen, wie die feindliche Streitmacht weiterzog und schließlich als todbringender Ring die Stadt umschloss.

Dazwischen drängte sich immer wieder die Erinnerung an seinen Bruder, der an diesem Tor Wache gehalten hatte.

Wie oft hatte er ihn hier besucht oder ihn und seine Freunde zum Wettkampf mit dem Bogen herausgefordert, ihm so manchen Kniff im Umgang mit den Waffen beigebracht!

Jan, ich werde dich rächen, dachte er zum wohl tausendsten Male, während er durch die Petersgasse ritt.

Dich, Bruder, und die anderen. Die Männer, die gemeinsam mit dir aus der Burg stürmten und ihr Leben opferten, damit wenigstens einem Teil der Stadtbewohner die Greuel der Blutnacht erspart blieben, als das feindliche Heer in die Stadt strömte. Diejenigen, die auf der Mauerkrone starben, während Tag und Nacht die tödlichen Geschosse auf uns niedergingen. Die Frauen und Kinder, die in der Sturmnacht niedergemetzelt wurden. Und die sechzig Kämpfer, die ein ehrloser, wortbrüchiger König auf dem Markt abschlachten ließ.

Ich schwör's, Bruder, so wahr mir Gott helfe!

Es ließ sich kaum jemand blicken in der sonst so geschäftigen, von Menschen wimmelnden Petersgasse, und er hatte den dringenden Verdacht, dass das nicht allein am Regen lag.

Außer zwei mageren Hunden, die ihn misstrauisch anstarrten, und ein paar Ratten von bemerkenswerter Größe, die ungestört im Unrat herumstöberten, stand da nur ein Kind mit schmutzverschmiertem Gesicht. Zaghaft ging es mit ausgestreckter Hand auf ihn zu. Doch bevor Markus nach seinem Almosenbeutel greifen konnte, kam eine Frau aus dem Haus gehuscht und zerrte das Kind hinein. In der merkwürdigen Stille mitten am Tage konnte er hören, wie drinnen hastig ein Riegel vorgelegt wurde.

Im Gegensatz zur Stadtmauer zeigten viele der Häuser immer noch Schäden von der Belagerung, die gar nicht oder nur behelfsmäßig ausgebessert worden waren. Auch die Holzbohlen, mit denen die Petersgasse belegt war, wiesen Brandspuren und klaffende Löcher auf. Das sagte ihm etwas über die Geldnot der Bewohner der einst so reichen Silberstadt.

Im Wirtshaus rechter Hand flammte der typische Lärm einer deftigen Schlägerei auf. Zwischendrin hörte er den Wirt jammern, die Tür flog auf, und ein bärtiger Mann in der Kleidung eines königlichen Soldaten stürzte rückwärts heraus und blieb in der mit Schmutz übersäten Gasse liegen.

Markus' Pferd scheute, als ihm der Mann vor die Hufe plumpste; nur mit Mühe schaffte er es, dem plötzlich auftauchenden Hindernis auszuweichen.

Es kostete ihn einige Zeit, das Tier zu beruhigen. Inzwischen rappelte sich der Soldat auf, brummte etwas und stürzte brüllend mit wütend vorgestrecktem Kopf wieder hinein zu seinen lachenden Kumpanen.

Die Tür schlug krachend hinter ihm zu, so dass die hölzerne Tafel mit dem darauf gemalten schwarzen Pferdekopf über der Tür hin und her schwang.

Ein paar Schritte weiter bot sich Markus der freie Blick auf den Obermarkt. Nur mit Mühe kämpfte er die auf ihn einstürmenden Bilder von dem Massaker im Schnee vor anderthalb Jahren nieder.

Der Brunnen auf dem Marktplatz war verwaist, ungewöhnlich um diese Tageszeit.

Dort, wo einst Nikol Weigharts Haus gestanden hatte, klaffte immer noch eine Lücke – vermutlich als Warnung für alle, die dem König und seinem Statthalter die Treue verweigerten. Aus dem Haus des Weinhändlers drangen die lauten Stimmen von mindestens einem halben Dutzend Männern. Zwei Huren kamen aus der Kesselmachergasse, von denen eine anklopfte und mit werbender Stimme ihre Dienste anpries, was im Inneren des Hauses begeistertes Johlen hervorrief. Sofort wurde die Tür aufgerissen.

Als Markus an Jenzins Haus vorbeiritt, musste er den Drang niederzwingen, hineinzustürmen und nach Änne zu fragen.

Vielleicht war sie gerade in diesem Augenblick dort, nur wenige Schritte von ihm entfernt! Vielleicht dachte sie sogar gerade an ihn. Nicht auszuschließen bei den Vorahnungen, die sie manchmal hatte.

Doch die Fensterläden zur Offizin waren verschlossen. So blieb ihm ein Blick ins Haus verwehrt. Und diese Ratte von Apotheker war der Letzte, dem er trauen durfte, auch wenn Jenzin ihn und Änne in jener schlimmen Nacht hatte ziehen lassen.

Markus wägte kurz ab, ob er nach links abbiegen und die Burg in Augenschein nehmen sollte, deren Wachmannschaft er noch vor anderthalb Jahren kommandiert hatte. Doch wie diese nun besetzt und bewacht war, konnte er später immer noch erkunden. Er hatte vermutlich schon genug Aufmerksamkeit auf sich gezogen. Gewiss beobachteten ihn viele verborgene Augenpaare argwöhnisch durch Fensterluken und Türritzen – einen Fremden, dessen Gesicht zum größten Teil verhüllt war und der langsam durch die verlassen wirkende Stadt ritt, während er nach links und rechts Ausschau hielt.

Wenn er seine Geschichte aufrechterhalten wollte, dass er hier beim Medicus Hilfe für seinen kranken Vater suchte, dann sollte er jetzt besser geradewegs zu Conrad Marsilius reiten. War Änne nicht dort, würde ihm diese Geschichte zugleich den Vorwand liefern, als Nächsten den Apotheker aufzusuchen.

Trotz der Hoffnungslosigkeit, die jetzt jeder Stein in dieser Stadt verströmte, konnte er nicht verhindern, dass ihn die Vorfreude auf das Wiedersehen mit Änne mehr und mehr erfüllte.

Allmächtiger Vater im Himmel, lass ihr nichts geschehen sein und sorge dafür, dass ich sie wohlbehalten wiederfinde!, betete er inbrünstig.

Vor dem Haus des Arztes stieg er ab und band sein Pferd an. Sein Bündel nahm er mit sich und pochte energisch an die Tür.

»Ein Reisender sucht ärztlichen Rat«, rief er durch die verschlossene Tür und griff vorsichtshalber mit der Rechten nach dem Dolch unter seinem Umhang.

Eine Weile rührte sich nichts, dann hörte er Schritte.

Ob ihm wieder die alte Magd öffnen würde, die so gotteslästerlich fluchte? Oder gar Änne selbst?

Der Riegel wurde zurückgeschoben, die Tür einen Spalt geöffnet – und dann sah er direkt in das vertraut mürrische Gesicht des alten Arztes. Am liebsten hätte er ihn umarmt, diesen knurrigen, klugen, mutigen Mann.

»Ich suche Euern Rat, Meister Marsilius«, wiederholte er und streifte seine Gugel ein Stück zurück.

Jähes Erkennen huschte über das Gesicht seines Gegenübers, abgelöst von unverhoffter Freude.

Der graubärtige Arzt zog ihn ins Haus, dann schloss er hastig die Tür hinter sich und packte Markus bei den muskulösen Oberarmen.

»Wusste ich doch, dass dich hartgesottenen Kerl keiner so schnell umbringt!«, sagte er und lachte vor Freude – ein wirklich ungewohnter Anblick bei Conrad Marsilius.

»Das verdanke ich Euch«, gab Markus zurück, genauso froh, den Verbündeten lebend anzutreffen.

Schon schob ihn der Arzt in die Kammer, in der er seine Patienten behandelte, wenn er sie nicht in ihren Häusern und Katen aufsuchte. »Hinein mit dir, Junge! Es schleichen zu viele Lauscher durch die Stadt, um an der Tür zu verweilen.«

Doch Markus konnte die Fragen nicht länger zurückhalten, die für ihn in diesem Moment am wichtigsten waren: »Wo finde ich Änne? Geht es ihr gut? Ist sie hier?«

Der Arzt räusperte sich, während sich eine merkwürdige Verlegenheit auf seinem Gesicht ausbreitete.

»Ja. Es geht ihr gut«, sagte er, und Markus atmete auf, unendlich erleichtert.

Im nächsten Augenblick jedoch war ihm zumute, als träfe ihn ein Hammerschlag vor die Brust. Erst glaubte er, sich verhört zu haben, aber die Miene des alten Arztes bestätigte ihm, dass er richtig verstanden hatte.

Gesagt hatte Conrad Marsilius: »Sie ist meine Frau.«

DAS WIEDERSEHEN

Was soll das heißen – sie ist Eure Frau?«, stieß Markus fassungslos hervor.

»Ja, was soll das wohl heißen – sie ist meine Frau? Ich habe sie geheiratet!«, entgegnete Marsilius barsch.

»Ihr!? Ihr, der Ihr Ännes Großvater sein könntet und wusstet, dass sie meine Braut ist? Was ist mit dem Versprechen, das Ihr mir gegeben habt? Nennt Ihr das, sie zu beschützen?«

In maßlosem Zorn griff Markus nach seinem Dolch.

»Ja, in Gottes Namen, das nenne ich sie beschützen!«, donnerte der Arzt kaum weniger wütend zurück. »Und nun setz dich hin, lass dein Messer stecken und hör mir gefälligst zu, Junge!«

Nenn mich nicht Junge, alter Mann!, wollte Markus ihn anschreien. Doch er brachte kein Wort heraus.

Der Arzt füllte zwei Becher mit Bier und schob ihm einen hinüber, dann setzte er sich an den großen Eichentisch in der Mitte des Raumes und bedeutete Markus, es ihm gleichzutun.

Der einstige Hauptmann der Burgwache ließ sich wie betäubt auf seinen Platz fallen und trank, ohne mitzubekommen, was ihm durch die Kehle rann.

»Einige Zeit, nachdem du fortgegangen bist, kurz nach Ostern, als die Stadt besetzt war und der König weiterzog, hat Jenzin Änne zurückgefordert«, begann Conrad zu erzählen. »Er wollte sie an den Kramermeister als Magd verschachern. Sie bei sich zu behalten, das wagte er nicht, also dachte er, wenigstens noch etwas Geld an ihr verdienen. Berlewin ist übrigens jetzt hier der Bürgermeister. Zu sagen hat er nichts; alle Entscheidungen trifft der königliche Burgkommandant. Aber Jenzin hoffte wohl, so für gut Wetter für sich bei den neuen Herren zu sorgen.«

Müde strich sich der Arzt übers Gesicht, das nun noch älter wirkte. »Der Krämer hätte sich mit ihr vergnügt, bis seine Lust gestillt wäre, und sie dann für einen Judaslohn der neuen Burgbesatzung ausgeliefert. Die haben sich nämlich nach Abzug des Königs überlegt, dass sie doch noch ihr Mütchen an denen kühlen wollen, die auf der Burg Widerstand geleistet hatten, und auf etliche Leute ein Kopfgeld von drei Pfennigen ausgesetzt. Auf dich übrigens die zehnfache Summe. Silber haben sie ja nun reichlich, nachdem die Stadt zum Plündern freigegeben worden war.«

Der Stadtphysicus lachte bitter auf und sah dem Jüngeren direkt in die Augen. »Was hätte ich tun sollen? Ich habe sie Jenzin förmlich abgekauft. Sonst wäre sie wahrscheinlich tot oder – noch schlimmer – als Gefangene dem Pack auf der Burg für Hurendienste ausgeliefert.«

Schweigen breitete sich aus zwischen den beiden so unterschiedlichen Männern. Marsilius hatte alles gesagt, was es aus seiner Sicht dazu zu sagen gab, und Markus versuchte, die Neuigkeit zu begreifen.

»Kann ich sie sehen?«, fragte er schließlich mit heiserer Stimme.

Die Antwort kam zögernd. »Später vielleicht. Sie ist unterwegs.«

Vor Markus' geistigem Auge stieg mit einem Mal unaufhaltsam das Bild auf, wie der alte Mann, der mit ihm an einem Tisch saß, Änne in Besitz nahm – seine Änne!

Das brachte ihn auf den nächsten schrecklichen Gedanken.

»Ist sie … schwanger?«

»Nein«, entgegnete Marsilius barsch.

Mehr brauchte der Bursche da vor ihm nicht zu wissen.

Der Arzt war überrascht gewesen, seine Braut in der Hochzeitsnacht noch als Jungfrau vorzufinden. Damit hätte er nie und nimmer gerechnet angesichts des Zustandes, in dem Markus sie damals zu ihm gebracht hatte, und angesichts dessen, was er über den Apotheker und seine Kumpane wusste. Sie musste wirklich himmlischen Beistand gehabt haben. Doch als er es bemerkte, war es zu spät für irgendwelche Rücksichtnahme. Er war so taktvoll, wie es ihm möglich war, und nun begann die Hoffnung in ihm zu wachsen, doch noch einen Sohn zeugen zu können. Zwei Ehefrauen hatte er überlebt, von denen ihm keine ein Kind geschenkt hatte.

Seit Änne bei ihm lebte, hatte er sich alle Mühe gegeben, das eingeschüchterte, gequälte Wesen, das sie war, aufzurichten. Doch der abwesende Ausdruck in ihren Augen, wenn er in ihr Bett kam, der stumme Gehorsam ohne jegliche Regung verleideten ihm immer mehr die Lust auf vertrauliche Nähe.

Am besten verstanden sie sich, wenn Änne ihm bei der Arbeit helfen durfte. Dann war sie wie ausgewechselt. Begierig lernte sie alles, was er ihr über das Heilen beibrachte.

Vielleicht würde sie zutraulicher werden mit der Zeit, vielleicht würde aus Dankbarkeit und gehorsamer Pflichterfüllung noch Liebe werden.

Diese Hoffnung wollte er nicht aufgeben.

»Ihr könntet sie wegen Unfruchtbarkeit verstoßen«, schlug Markus in aller Sachlichkeit vor.

Ein Fünkchen Hoffnung begann in ihm bei diesem Gedanken zu glimmen, das mit jedem Wort heller zu leuchten schien.

»Jetzt bin ich wieder da und nehme sie zu mir.«

»Du Narr!«, fuhr Conrad Marsilius ihn an. »Wohin willst du denn mit ihr? Wovon wollt ihr leben? Nach Hause kannst du nicht, und du brauchst hier nur durch diese Tür hinauszugehen, damit jemand dich erkennen und für dreißig Silberlinge verraten könnte! Keine Ahnung hast du, welche Zustände jetzt hier herrschen unter zweitausend Mann Besatzung, die der König zurückgelassen hat.«

Markus fühlte sich wie mit einem Schwall kalten Wassers übergossen.

»Dann erzählt mir, welche Zustände jetzt hier herrschen.«

Seine Worte bedeuteten ganz und gar nicht, dass er Änne aufgeben würde, im Gegenteil. Fieberhaft suchte sein Verstand nach einer Möglichkeit, sie zu sich zu holen, obwohl sie die Frau des Stadtphysicus geworden war. Aber zugleich musste er in Erfahrung bringen, was in der Stadt vor sich ging.

Der Medicus schenkte sich und ihm nach, dann rieb er sich die Schläfen, lehnte sich müde gegen die Wand und starrte ins Leere.

»Der König blieb für mehrere Wochen hier, bis nach Ostern. Als Erstes ließ er den Burggrafen von Leißnig und die Herren von Colditz und Waldenburg kommen, um ihnen die Freiberger Bergwerke für dreitausend Mark Silber zu verpfänden – ein Spottgeld angesichts dessen, was die Gruben abwerfen. Die Herren haben es sich gut bezahlen lassen, auf Adolfs Seite überzuwechseln, wie überhaupt jeder von Einfluss, der das tat. Und bevor der König ging, ließ er noch die drei Ratsherren hinrichten, die er als Geiseln genommen hatte.«

»Ich weiß, Meister Haberberger hat es mir vorhin erzählt.«

»Der Haberberger, ja, den wird sein loses Mundwerk auch noch mal den Kopf kosten«, meinte Marsilius bitter.

»Das Land wird nun regiert vom Vetter des Königs, Heinrich von Nassau. Ich weiß nicht, ob es Glück oder Pech für Freiberg ist, dass der auf dem Meißner Burgberg hockt. Wenn er nach seinem königlichen Gönner schlägt, will ich ihn lieber nicht hier wissen. Doch so haben die Besatzer völlig freie Hand. Sie beschlagnahmen, sie stehlen, sie nehmen fest, wessen Gesicht ihnen nicht gefällt oder von wessen Verwandten sie ein Lösegeld zu erpressen hoffen. Bürgermeister Nikol Weighart wurde der Stadt verwiesen.«

»Wisst Ihr, wo er jetzt lebt?«, unterbrach ihn Markus.

»Bei seinem Schwager in Rochlitz, wenn ihm über alldem nicht das Herz gebrochen ist. Natürlich besteht der Rat jetzt nur noch aus Männern, die sich eifrig den neuen Herrschern anzubiedern wussten.«

»Lasst mich raten: der Weinhändler und unser Freund Jenzin.«

»Unter anderem. Sie haben nichts zu bestimmen, aber durch ihr Amt und ihre Liebdienerei bleiben sie von Einquartierung und Durchsuchungen verschont. Abgesehen davon, dass Schocher regelmäßig von seinen neuen und sehr durstigen Freunden aufgesucht wird.« Der Arzt gab sich keine Mühe, die Schadenfreude darüber zu verbergen.

»Wir anderen müssen ständig damit rechnen, dass unangekündigt eine Rotte Bewaffneter ins Haus stürzt, alles durchsucht und kurz und klein schlägt, was sie sich nicht selbst unter den Nagel reißen können.«

Marsilius verstand den kurzen, prüfenden Blick richtig, mit dem sich Markus in der Kammer umsah, die deutlich wohnlicher wirkte als in jener Nacht, als er mit Änne hierhergeflohen war.

Der Gedanke schnürte diesem schon wieder die Kehle zu.

Nun versorgte und ordnete also Änne den Haushalt des Medicus, aber nicht als seine Gehilfin, sondern als seine Frau.

»Ich hatte Glück, mich haben sie bisher verschont«, erklärte der Conrad Marsilius und lachte bitter. »Zum Dank für gute Dienste als Leibarzt des Königs – und weil sie wohl befürchten, selbst einmal meine Heilkunst zu brauchen. Wer legt sich schon gern mit jemandem an, der im Notfall über sein Leben entscheiden könnte?«

Marsilius trank seinen Becher leer, schenkte sich nach und stürzte den Inhalt des nächsten Bechers ebenfalls die Kehle hinab.

»Die Stadt leidet furchtbar. Für die Brandschatzung musste jeder herausgeben, was er an Barem besaß. Das Geld abzuliefern war die letzte Amtshandlung von Meister Nikol. Dann wurde er der Stadtgrenzen verwiesen. Er und seine Frau mussten sich unter Schimpf und Schande von Adolfs Bütteln hinausführen lassen, zu Fuß und nur mit dem Bündel, das ich ihnen gab, weil ihnen Haus und Hof niedergebrannt worden waren. Und links und rechts des Weges standen Seite an Seite mit den johlenden Besatzern willfährige Freiberger, die Nikol die Schuld am Untergang der Stadt gaben. Ich weiß, das hat meinen Freund noch schlimmer getroffen als der Verlust seines Hauses.«

Erneut lachte er bitter auf. »So weit ist es gekommen mit der reichen Silberstadt und ihren stolzen Bürgern ... Ausgeplündert und voller Abtrünniger. Manche vor Hunger oder Angst, das kann ich vielleicht noch verstehen. Aber nicht diejenigen, die für drei Pfennige bereit sind, ihren Nachbarn oder gar den eigenen Vater zu verraten. Du würdest staunen, wer alles die Seiten gewechselt hat, um seine Haut zu retten.«

»Es muss doch noch ein paar Mutige geben, die insgeheim treu zu Markgraf Friedrich stehen«, unterbrach ihn Markus erneut. »Wer ist es, der die Kreuze an dem Platz aufstellt, an dem die drei Ratsherren hingerichtet wurden? Der Haberberger wollte oder konnte mir nichts dazu sagen.«

Der Arzt erforschte eindringlich die Gesichtszüge seines Gegenübers. »Es ist kein Zufall und auch nicht nur wegen Änne, dass du zurückgekommen bist und mir all diese Fragen stellst. Richtig?«

Markus nickte. Er war sicher, in dieser Hinsicht dem Arzt vollständig vertrauen zu können.

»Besteht Aussicht, dass Markgraf Friedrich zurückkehrt?«, fragte Marsilius mit angehaltenem Atem.

»Ja.«

Ein Zucken zog über das faltige Gesicht des Arztes.

»Ich weiß nicht, woher du die Hoffnung nimmst … woher Friedrich die Hoffnung nimmt«, sagte er dann mit bebender Stimme. »Aber es gibt inzwischen mehr Leute als je zuvor, die sich nach seiner Regentschaft zurücksehnen. Sie haben genug von Adolfs Tyrannei.«

Er wollte weiterreden, doch ein Poltern im Haus ließ beide Männer zusammenfahren.

»Rasch!«, flüsterte Marsilius und stellte hastig Becher und Krug beiseite. Markus warf sich erneut den Umhang über, stülpte sich die Gugel über den Kopf und umklammerte fest seinen Dolch unter dem Umhang.

Krachend flog die Tür auf.

Die alte Magd, die deftiger fluchen konnte als die Stadtwachen, steckte den Kopf herein.

»Wir sind zurück, Meister!«, rief sie und fuhr im nächsten Atemzug mürrisch fort: »Ein paar jämmerliche Bissen haben wir erstehen können, so dass ich fast Hoffnung hege, nachher nicht nur faden Brei auf den Tisch bringen zu können.«

Erleichtert steckte Markus den Dolch wieder in die Scheide.

Wir!, dachte er. Also ist Änne mit ihr gekommen!

Er stand auf, um durch den Türspalt einen Blick auf das Mädchen zu erhaschen, das er hatte heiraten wollen und das längst die Frau eines alternden Mannes geworden war.

Doch die Magd warf nur einen finsteren Blick auf ihn und ließ die Tür rasch hinter sich zufallen. Ob sie ihn erkannt hatte und ahnte, weshalb er gekommen war?

»Ich will Änne sehen!«, forderte er.

Der Medicus zögerte.

»Willst du ihr das wirklich antun? Sie ist gerade dabei, hier so etwas wie ihren Seelenfrieden zu finden.«

»Seelenfrieden?«, wiederholte Markus scharf. »Dazu sollte sie wenigstens wissen, dass ich noch lebe!«

Nach einigem Überlegen überwand sich Conrad Marsilius, stand auf und ging zur Tür.

»Änne, Liebes, würdest du für einen Augenblick hereinkommen?«

Markus hielt den Atem an, während er die Gugel wieder zurückstreifte.

Er hörte leise Schritte.

Dann betrat sie den Raum – und erstarrte bei seinem Anblick. Der Schrei erstickte in ihrer Kehle, ihre Augen weiteten sich, und in ihrem Gesicht wechselten freudiges Erkennen, Erschrecken und Scham einander ab.

Markus konnte den Blick nicht von ihr abwenden. Sie erschien ihm vollkommen verändert. Anstelle der Lumpen, die Jenzin ihr gegeben hatte, trug sie nun ein krapprotes Kleid aus gutem Wollstoff, statt mit dem zerschlissenen Tuch war ihr Kopf von einer sorgfältig gefältelten Haube aus gebleichtem Leinen bedeckt.

Nun wirkte sie nicht mehr wie das gehetzte und getriebene Stiefkind des Apothekers, sondern war gekleidet wie die Ehefrau eines angesehenen Mannes, was der Stadtphysicus zweifellos war. Und nun war auch für jeden offensichtlich, was er schon lange dachte: Wenn sie nicht mehr in Lumpen gehüllt war, sah sie hübsch aus.

Markus fragte sich, wie weit ihre Haare wohl inzwischen nachgewachsen sein mochten. Zu gern hätte er ihr den Kopfputz abgestreift und ihr Haar berührt, sie geküsst und an sich gepresst.

Doch der Schreck über die Umstände ihres Wiedersehens lähmte sie beide. So sahen sie einander nur an, ohne ein Wort zu sagen.

»Dieser junge Mann hier möchte dich wissen lassen, dass er Flucht und Verwundung überlebt hat, Liebes«, sagte Meister Conrad mit überraschend sanfter Stimme. »Nun geh wieder und lass dir bei der Arbeit helfen, Kind.«

Plötzlich schien eine Sturzflut in Ännes Augen zu schießen. Rasch drehte sie sich um und lief aus der Kammer.

Markus wollte ihr nachgehen, aber der Medicus hielt ihn am Arm zurück. »Lass sie! Es ist für sie das Beste so.«

Markus wollte widersprechen. Doch was hätte er einwenden können? Marsilius hat recht, gestand er sich verbittert ein. Er konnte ihr weder ein Heim noch eine sichere Zukunft bieten, nicht einmal die nächste Mahlzeit. Und er könnte beim ersten Schritt aus diesem Haus verhaftet werden. Es war wohl besser, wenn sie sich von ihm fernhielt, so hart es ihn auch ankam. Zumal sie jetzt vor Gott und der Welt für alle Zeit das Eheweib des Medicus war.

Meister Conrad räusperte sich.

»Ich habe auch eine gute Nachricht für dich, Junge.«

Ungehalten drehte sich Markus zu ihm um. Was für eine gute Nachricht sollte das jetzt noch sein, wo gerade seine ganze Hoffnung zerschlagen worden war?

Wieder räusperte sich der einstige Ratsherr.

»Dein Bruder lebt.«

»Lebt? Jan? Aber er kämpfte im letzten Schildwall, als die Stadt eingenommen wurde. Die Männer sind alle gefallen!«

»Nein, sind sie nicht. Nicht alle«, widersprach ihm Marsilius. Der junge Mann starrte ihm ins Gesicht. Welche unerwarteten Schicksalswendungen würde dieser Tag wohl noch für ihn bringen?

Marsilius begann zu erzählen, wie er am Ende der Blutnacht, als die erbarmungslosen Sieger ihren Rausch ausschliefen, zusammen mit dem Pater von St. Marien das Burglehen nach Überlebenden abgesucht und sie bei sich versteckt hatte.

»Dein Bruder hat überlebt. Auch wenn ich ihm eine Hand abnehmen musste ...«

Markus schluckte. »Die Linke oder die Rechte? Und ist er noch hier, in Freiberg? Wisst Ihr, wo er steckt?«

»Ja.« Nun zog so etwas wie die Andeutung eines Lächelns über das zerfurchte, strenge Gesicht des Arztes. »Die erste Zeit hielt ich ihn hier verborgen, dann hat sich die Innung der Zimmerer seiner angenommen, euerm Vater zuliebe. Doch als die neuen Herren den Judaslohn auf diejenigen aussetzten, die zum Schluss noch auf Freiheitsstein gekämpft hatten, musste er sich verstecken. Er und noch ein paar von deinen Männern.«

»Warum habt Ihr mir das nicht gesagt, als ich die Stadt verlassen musste?«, fragte Markus schroff.

»Weil ich damals noch nicht wusste, ob ich ihn durchkriege. Ich wollte dir keine falschen Hoffnungen machen. Und ich befürchtete, dann würdest du vielleicht nicht gehen wollen. Doch das wäre dein Untergang gewesen.«

»Wisst Ihr, wo ich meinen Bruder finde?«

»Unterm Dach der Schankstube in der Petersgasse.«

Verblüfft starrte Markus auf den Arzt. »Da wimmelt es von Königlichen! Ich habe es vorhin selbst gesehen, als ich vorbeigeritten bin.«

Der Stadtphysicus grinste. »Wo versteckt man etwas am sichersten? Direkt unter der Nase derjenigen, die es suchen. Die Trunkenbolde ahnen nicht, wer da genau über ihren Köpfen Pläne schmiedet und zugleich manches aufschnappt, das eigentlich nicht für Gegner des Königs gedacht ist. Und für diejenigen von uns, die nicht gesucht werden, ist es völlig unverdächtig, eine Schankstube zu betreten. So können wir unauffällig Nachrichten austauschen.«

»Das ist furchtbar leichtsinnig!«, fuhr Markus ihn an. »Wollt ihr allesamt durch einen dummen Zufall entdeckt und doch noch hingerichtet werden?«

»Nein, ist es nicht!«, wies der Arzt ihn streng zurecht. »Wir hatten hier inzwischen genügend Zeit, um unsere Netze im Verborgenen zu knüpfen. Die Wirtsleute sind auf unserer Seite. Wenn einer von uns hingeht und eine bestimmte Bestellung aufgibt, bedeutet das für die anderen, dass wir uns am gleichen Abend treffen.«

»Wie komme ich unbemerkt hinein?«

Marsilius musterte ihn, als würde er ihm zum ersten Mal begegnen.

»Hm, du könntest dich als Reisender ausgeben. Die da unten würden dich vielleicht nicht erkennen, und durch den Bart auch nicht gleich einer von den Hiesigen. Aber mir scheint die Gefahr zu groß, dass du dich provozieren lässt oder einfach so in eine Schlägerei mit den Trunkenbolden verwickelt wirst.«

»Die waren vorhin schon dabei zu raufen, als ich dort vorbeiritt«, erinnerte sich Markus.

»Ja, da geht's um die Zeit hoch her. Warte bis nach Einbruch der Dämmerung. Du kennst die Stadt gut genug, um ungesehen dorthin zu gelangen.«

»Ich würde lieber mein Pferd hier lassen und gleich losgehen. Ich will meinen Bruder sehen«, meinte Markus und sprach nicht aus, was ihn eigentlich aus dem Haus trieb: Der Gedanke, hier warten zu müssen, während Änne nur ein paar Schritte von ihm entfernt und doch weiter weg als je zuvor war. Er wollte sie wiedersehen, aber nicht in Gegenwart des Arztes.

»Die Jugend hat keine Geduld«, brummte dieser mit vorwurfsvollem Blick. »Also gut. Du hast Glück, ich hatte mich heute bei ihnen angekündigt. Die Nachricht kannst du dann gleich selbst überbringen. Nimm den hinteren Eingang über die Fischergasse. Hier, damit kommst du durchs Tor!«

Er löste einen Schlüssel vom Bund und beschrieb einen verborgenen Durchgang zum Wirtshaus über den Heuboden des Pferdestalls.

Markus fragte sich, wie er das alles im Dunkeln finden sollte. Im Stall eine Kerze anzuzünden verbot sich, wollte er nicht das Heu und vielleicht die ganze Stadt in Brand setzen.

Aber darüber konnte er sich Gedanken machen, wenn er dort war.

»Meister Marsilius, ich muss Euch danken«, brachte er dann heraus.

Der Arzt brummte erneut. »Übrigens war es die linke Hand, die ich deinem Bruder abnehmen musste«, sagte er.

Markus atmete auf.

Wenigstens kann er noch eine Waffe führen, dachte er. Trotzdem war sein Bruder nun ein Krüppel. Wie mochte er zurechtkommen?

»Eine letzte Frage: Wer führt jetzt das Kommando über die Burg?«

Conrad zögerte. Endlich sagte er, auf Markus' drängenden Blick hin: »Graf Eberhard von Isenberg. Der Mann, der während der Belagerung Freibergs des Königs Marschall war.«

Genugtuung breitete sich auf dem Gesicht des Jüngeren aus. Er würde sich persönlich rächen für das Blutbad auf dem Obermarkt, und dafür musste er nun nicht länger suchen.

Der Arzt deutete die Reaktion seines Gegenübers richtig.

»Tu nichts Unüberlegtes, Junge!«, beschwor er ihn eindringlich. »Sonst bricht das nächste blutige Strafgericht über Freiberg herein.«

Markus stand auf, griff nach seinem Bündel, zog die Gugel über den Kopf und wollte zur Tür. Doch Marsilius packte seinen Arm und hielt ihn erneut zurück. »Es wäre schade um dich! Und wer soll uns dann helfen, die Zeiten zu wenden?«

Markus sah ihn nur an, nickte ihm noch einmal dankend zu, löste seinen Arm mit einem Ruck aus der Umklammerung und ging.

Betroffen sah der alte Arzt ihm nach. »Gott schütze dich, Junge«, murmelte er, als er wieder im Haus war und den Knecht beauftragt hatte, das fremde Pferd in seinen Stall zu bringen. »Dich und Markgraf Friedrich und alle, die auf seine Rückkehr warten.«

Änne war nicht zurück an die Arbeit gegangen, nachdem sie hinausgestürzt war, sondern zu dem kleinen Altar in ihrer Kammer, um vor dem Bildnis der Heiligen Jungfrau niederzuknien. Nur hier würde man sie in Ruhe lassen, damit sie die Fassung wiederfinden und die durcheinanderwirbelnden Gedanken ordnen konnte.

Aber wie sollte sie je wieder Ruhe finden, wo ihr Leben gerade endgültig aus den Fugen geraten war?

Viele Jahre hatte sie nur in Furcht vor Jenzin und seinesgleichen gelebt. Die Tage auf Freiheitsstein – so furchtbar Beschuss und Belagerung auch waren – und die Begegnung mit Sibylla hatten dazu geführt, dass sich ihre geschundene Seele zum ersten Mal etwas aufrichtete. Doch statt mit Markus fortzuziehen und ein gemeinsames Leben zu führen, blieb ihr keine Wahl, als das Rettungsangebot des alternden Arztes anzunehmen und dessen Frau zu werden.

Wer Conrad Marsilius nur in seiner stadtbekannten Griesgrämigkeit erlebt hatte, der würde staunen, wie sanft und verständnisvoll er sein konnte – vielleicht auch deshalb, weil er selbst nicht damit gerechnet hatte, noch einmal eine solch junge Frau zu heiraten, und nun auf einen Sohn hoffte.

Doch seine Zutraulichkeiten im Bett ertrug sie nur aus Pflichtgefühl und um ihn nicht zu kränken. Sie empfand nichts dabei, auch wenn sie sich manchmal dazu zwang zu lächeln, um ihm eine Freude zu bereiten. So dankte sie ihm dafür, dass er Markus geholfen und Jan gerettet hatte.

Mit jedem Tag, der verstrich, sank die Hoffnung, dass ihr Liebster zurückkommen würde. Sie hatte sich mit dem Leben als Frau eines alten Mannes abfinden müssen und konnte das nur, indem sie jedes Gefühl tief in ihrem Innersten verschloss.

Doch die Erinnerung daran, was sie empfunden hatte, als Markus sie geküsst und in seine Arme genommen hatte, wollte nicht verblassen. Nachts lag sie oft wach und glaubte immer noch, seine Lippen auf ihrer Haut zu spüren.

Jetzt plötzlich stand er vor ihr – und sie durfte nicht einmal mit ihm reden!

Darum konnte sie Marsilius nicht bitten. Er würde sie nur mit seinen weisen, traurigen Augen ansehen und sich wegdrehen. Manchmal hasste sie den Arzt beinahe dafür, dass er so genau wusste, was in ihr vorging.

Vielleicht wäre es doch besser gewesen, auf der Burg zu sterben.

IM VERBORGENEN

Der Regen war wieder heftiger geworden, als Markus Richtung Petersgasse lief. So fiel er nicht auf mit Umhang und Gugel mitten im Sommer, und die wenigen Menschen in den Gassen, die Richtung Petrikirche hasteten, beachteten ihn nicht und hielten die Köpfe tief gesenkt.

Unbemerkt erreichte er die Fischergasse. Dort ging er geradewegs auf das Hintertor der Gastwirtschaft zu und öffnete es mit dem Schlüssel, als sei er einer der Schankknechte, der sich um die hier eingestellten Pferde zu kümmern hatte. Das schien ihm weniger auffällig, als durch übertriebene Vorsicht Verdacht zu erwecken.

Nur zwei Pferde standen im Stall, stämmige Zugtiere, vielleicht Besitz eines reisenden Händlers, die ihn schnaubend begrüßten.

Rasch warf er ihnen eine Handvoll Heu hin, damit sie ihn nicht durch Wiehern verrieten, und ging bis zur hinteren Wand. Dort stand eine Leiter, die denen glich, wie sie die Bergleute in den Gruben verwendeten: mit nur einer Stange in der Mitte und Streben zum Hoch- oder Abwärtsklettern.

Durch die Luke gelangte er auf den Heuboden und fand nach einigem Suchen den verborgenen Durchgang in der von Stroh verdeckten Rückwand. Dahinter schien alles ruhig zu sein.

Vorsichtig, um kein Geräusch zu erzeugen, schob er die zwei nur locker befestigten Bretter beiseite, zwängte sich durch die Öffnung und fand sich in einem dunklen Gang wieder.

Ein paar mit dem Feuereisen erzeugte Funken genügten ihm, um die Konturen um sich herum zu erkennen.

Er befand sich in dem Gang, der zu den Gästekammern führte.

Nachdem er den Durchschlupf wieder sorgfältig verschlossen hatte, stieg er so leise wie möglich die schmale Treppe zum Speicherboden hinauf.

Er lauschte, ob er hinter der verschlossenen Tür ein paar Stimmen erkennen konnte. Doch nur leises Gewisper war zu hören, wenn man die Ohren spitzte.

Also dann, in Gottes Namen, dachte er, holte tief Luft und klopfte viermal kurz hintereinander an. Jetzt musste er im wahrsten Sinne des Wortes blind darauf vertrauen, dass ihn Conrad Marsilius nicht in eine Falle gelockt hatte.

Sofort trat Stille hinter der Tür ein.

Noch einmal klopfte Markus viermal kurz hintereinander.

Erst hörte er das leise Scharren eines Riegels, dann wurde die Tür aufgerissen.

Sein Gegenüber prallte zurück.

»Verrat!«, rief er und stürzte sich auf Markus.

Der versuchte sofort, den Kampf zu beenden, indem er die Faust des anderen auffing, ihm den Arm auf den Rücken drehte und ihn in die Knie zwang. Doch schon fielen die nächsten Angreifer über ihn her.

Markus entschied, dass jetzt nicht die Zeit für Erklärungen war, und teilte kräftig aus. Er hieb einem den Ellbogen in den Magen und rammte dem anderen die Faust gegen die Schläfe.

Jemand von nur geringem Gewicht sprang ihm auf den Rücken und umklammerte seinen Hals. Verwundert über diese merkwürdige Kampftechnik, ließ sich Markus nach hinten fallen und brachte erneut seinen Ellbogen zum Einsatz, um die störende Last loszuwerden.

»Ihr Tölpel!«, zischte er, während er aufsprang und die Gugel zurückwarf, bevor die anderen zum nächsten Angriff übergingen. »Könnt ihr Freund und Feind nicht mehr unterscheiden?«

Die Männer erstarrten mitten in der Bewegung.

»Steht gefälligst stramm vor euerm Hauptmann!«, blaffte er.

»Markus?«, fragte eine ungläubige Stimme, die er zu seiner unbändigen Freude als die seines Bruders erkannte.

»Genau der.«

Die anderen – inzwischen hatten sich seine Augen so weit an die Dunkelheit gewöhnt, dass er erkannte, es waren drei Männer und ein Halbwüchsiger – starrten ihn fassungslos an.

»Wir hatten den alten Marsilius erwartet«, stammelte der Älteste von ihnen.

»Der schickte lieber mich und lässt euch grüßen«, meinte Markus lässig und konnte ein Grinsen nicht verbergen, als er in die immer noch ungläubigen Gesichter vor ihm sah.

»Er ist es! Der Hauptmann!«, rief der Ältere mit fassungsloser Freude, in dem Markus nun Herrmann, den Anführer der Wachen vom Peterstor, erkannte. Ein struppiger Bart und das abgemagerte Gesicht hatten sein Aussehen gründlich verändert.

Dann setzte ein erleichtertes und begeistertes Schulterklopfen ein, bei dem Markus' immer noch schmerzende Narbe ein weiteres Mal malträtiert wurde.

Doch diesmal ließ er es geschehen, selbst glücklich über das Wiedersehen. Vor sich sah er seinen Bruder, Herrmann, den schlaksigen Claus, der als Jüngster zur Wache am Peterstor gehört hatte, und den Rotschopf Christian, inzwischen um fast eine Handspanne in die Höhe geschossen und mit nachgewachsenen Haaren.

Nach dem ersten stürmischen Willkommen lotsten ihn die anderen in den hinteren Teil des zur Hälfte mit Säcken und Kisten gefüllten Speicherbodens.

Dort, wo noch etwas Tageslicht durch eine Luke fiel, hatten sie ihr Quartier eingerichtet. Ein paar Decken waren auf dem Fußboden ausgebreitet, auf einer Kiste lag ein halber Laib Brot, unter einem Kleiderbündel erahnte er die Konturen von Schwertern.

»Wie kann es eigentlich sein, dass ein Einzelner wie ich es schafft, euch Schlappschwänze zu besiegen, obwohl ihr zu viert seid?«, fragte er streng, ehe er sich wie die anderen auf dem Holzfußboden niederließ.

»Wir wollten dich nicht gleich abstechen und haben noch nicht einmal richtig angefangen, auf dich einzuhauen«, konterte Herrmann grinsend. Dann sagte er eher beklommen: »Die wenigsten von uns haben die Einnahme der Stadt unversehrt überstanden. Ich selbst kann nach einem Stich in die Lunge kaum noch atmen. Und der Bursche hier« – er wies mit dem Kinn auf Christian – »ist ja auch nur eine halbe Portion.«

»Von wegen!«, protestierte der Rotschopf, und Herrmann zerzauste ihm freundschaftlich das Haar.

Jan hingegen hielt wortlos seinen Armstumpf in Markus' Blickfeld.

»Ich weiß«, sagte dieser leise zu seinem Bruder. »Marsilius hat es mir erzählt. Hauptsache, du lebst!«

Mehr zu sagen blieb Markus keine Zeit, denn die anderen bestürmten ihn, zu erzählen, wie er überleben konnte und was sich inzwischen außerhalb Freibergs ereignet hatte.

Doch bald fand er, fürs Erste habe er genug gesagt. Nun wollte er mehr erfahren.

»Seid ihr alle, die übrig sind?«, fragte er, ein ungutes Gefühl im Bauch.

»Nein«, antwortete ihm der einstige Anführer der Wachen vom Peterstor. »Wir vier dürfen uns draußen nicht mehr sehen lassen, auf uns ist ein Kopfgeld ausgesetzt. Auf dich übrigens auch, mit Abstand das höchste. Du darfst dich also geschmeichelt fühlen«, versuchte Herrmann einen düsteren Scherz. »Aber wir haben heimliche Verbündete in der Stadt und versuchen von hier aus, den Bedrängten das Leben etwas zu erleichtern und den Königlichen da und dort eins auszuwischen.«

»Mehr als dreißig von uns haben Freiberg heimlich verlassen, nachdem der Burgkommandant den Judaslohn ausgesetzt hatte«, ergänzte Jan. »Sie warten in Rochlitz auf ein Zeichen, dass der Kampf gegen die Königlichen beginnt. Wir alle warten sehnsüchtig auf den Tag, an dem Markgraf Friedrich wiederkehrt und sich Freiberg zurückerobert.«

Markus ließ sich die Namen derer nennen, die entkommen konnten, und fühlte sich erleichtert bei jedem, den er am Leben und in Sicherheit wusste.

»Wieso gerade Rochlitz?«, wollte er dann erfahren.

»Weil Nikol Weighart nun dort lebt und weil wir vermuten, dass Friedrich die Rochlitzer Burg als erste zurückerobern wird. Gegen die zweitausend Mann in Freiberg kann er nicht so bald antreten, und auf dem Meißner Burgberg kommt er nicht am Burggrafen vorbei, der auf der Seite des Königs steht.

Da dachten wir, es sei ein nettes Geschenk, wenn von der vermeintlich königstreuen Burgbesatzung drei Dutzend Mann auf seiner Seite stehen«, erklärte Jan.

»Auf wen können wir hier zählen?«

»Nun ja …« Herrmann holte mühsam Luft. »Es sind nicht mehr viele in der Stadt, die aus Überzeugung zum König stehen. Viele sehnen sich zurück nach Markgraf Friedrich, aber sie warten vorerst ab, dass sich die Zeiten zum Besseren wenden. Sie fürchten sich. Auf die früheren Ratsherren außer Berlewin, Jenzin und Schocher können wir rechnen. Und auch auf einige von den Grubenbesitzern und Hütteneignern.«

»Was können wir tun?«, fragte Markus.

Herrmann zögerte die Antwort hinaus, indem er die Fensterluke mit einem Brett verschloss und dann ein Talglicht entzündete, während die anderen Blicke tauschten und schwiegen. Das sagte Markus zweierlei: Sie erkannten Herrmann als ihren Anführer an, aber die Antwort auf die letzte Frage war so wenig erfreulich, dass sich niemand darum riss, sie auszusprechen.

»Anfangs waren wir vollauf beschäftigt, um mit Meister Conrads Hilfe diejenigen von deinen Leuten durchzukriegen und aus der Stadt zu schmuggeln, die die Bluttage überlebt hatten«, begann Herrmann schließlich. »Jetzt versetzen wir ihnen, sooft es geht, ein paar Stiche, damit sie sich hier nicht allzu wohl fühlen. Mal büßt einer seinen Almosenbeutel ein und unterstützt damit unfreiwillig eine hungernde Familie, einmal konnten wir auch einen Getreidekarren abfangen, der für die Burg bestimmt war, und das Korn heimlich verteilen. Und wenn es einer von den Einquartierten zu arg treibt, befällt ihn ganz plötzlich ein fürchterliches Bauchweh – dank Ännes Tinkturen, die wir dazu den geschundenen Familien zukommen lassen.«

Den Namen seiner Liebe so unverhofft wiederzuhören, verursachte bei Markus ein beklemmendes Gefühl. Doch er zwang sich, das vorerst beiseitezuschieben.

»Nicht zu vergessen die Sache mit den drei Kreuzen«, unterbrach Christian Herrmanns Bericht. Der lachte und zauste dem Jungen erneut das Haar.

»Ja, das macht sie wirklich ganz fuchtig«, meinte der Ältere mit unverhohlenem Stolz. »Ich weiß selbst nicht, wie es dieser Tagedieb schafft, sich immer wieder unbemerkt dorthin zu schleichen. Bald wird er dir den Rang als der am meisten Gesuchte streitig machen! Zum Glück hat der König nicht gerade die Klügsten seiner Männer hier zurückgelassen.«

Jan und Christian lachten, während sich Herrmanns schmal gewordenes Gesicht erneut verdüsterte.

»Viel mehr können wir nicht tun. Sie halten Geiseln auf der Burg – diejenigen von unseren Männern, die ihnen durch Verrat in die Hände gefallen sind. Jedes Mal, wenn einer von ihren Leuten umkommt, hängen sie drei von uns. Deshalb müssen wir vorsichtig sein und können nicht tun, was wir am liebsten machen würden: das Mörderpack geradewegs in die Hölle schicken. Von den Geiseln sind nur noch zwölf übrig, und die sind in sehr schlechtem Zustand. Ganz abgesehen vom Hunger und der Folter, scheint eine Seuche unter ihnen zu wüten. In den letzten Tagen sind drei gestorben.«

»Wer?«, wollte Markus wissen und ließ sich dann auch die Namen derer sagen, die als Geiseln getötet worden waren. Er kannte jeden Einzelnen von ihnen und hatte Mühe, seinen Zorn und seine Trauer nicht herauszuschreien.

»Wo hält man sie gefangen? Im Bergfried?«

»Ja.«

Markus starrte auf einen unbestimmten Punkt, während er die Blicke seiner Kampfgefährten auf sich wusste.

»Wir holen sie da raus«, sagte er schließlich.

»Aus der voll bemannten Burg? Wie willst du das anstellen?«, meinte Herrmann verblüfft, beinahe entsetzt. »Wenn das so einfach wäre, hätten wir es längst getan! Wir haben nicht einen einzigen heimlichen Verbündeten auf der Burg. Es ist zu riskant, dort jemanden von uns als Wache oder Stallknecht unterzubringen. Und keine anständige Frau kann es riskieren, sich auf der Burg als Magd zu verdingen. Dafür sind die Kerle einfach zu zügellos. Die Einzige, die ungefährdet dorthin gehen und für uns Augen und Ohren aufsperren kann, ist Änne.«

»Änne?! Seid ihr wahnsinnig geworden, sie allein dahin zu schicken?«, fuhr Markus fassungslos und wütend auf. »Ihr sitzt hier sicher im Versteck und schickt *Änne* auf die Burg?«

»Sei unbesorgt! Niemand wagt es, der Frau des Medicus etwas anzutun«, versuchte Jan ihn zu beruhigen. »Marsilius gilt als loyal. Deshalb und weil sie nur eine Frau ist, wird sie von niemandem verdächtigt. Sie kann sich so viel besser umhören als jeder von uns. Und sie stellt sich dabei sehr geschickt an.«

»Außerdem hat sie stets den alten Drachen bei sich, gegen den kommt keiner an«, ergänzte Christian grinsend.

Die belustigten Mienen der Männer ließen keinen Zweifel daran, dass damit die wortgewaltige Magd gemeint war und Änne wirklich keine Gefahr zu drohen schien.

Dass seine Liebe mittlerweile auch Talent als Spionin zeigte, brachte ihn erneut zum Nachdenken darüber, wie sehr sie sich wohl noch verändert haben mochte, während er fort gewesen war.

»Wir holen die Geiseln da raus«, wiederholte er entschlossen. »Wir nehmen Christians Pfad.«

»*Meinen* Pfad?«, fragte der Rotschopf verwirrt.

»Aber das ist eine Legende!«, riefen Jan und Herrmann gleichzeitig, die im Gegensatz zu Christian offenbar wussten, wovon die Rede war.

»Nein, ist es nicht«, widersprach ihnen Markus lächelnd.

Zum Rotschopf gewandt, begann er zu erzählen.

»Er wurde vor mehr als hundert Jahren gegraben – als Fluchtweg für den Mann, dessen Namen du trägst. Ein tapferer Ritter, der Begründer Freibergs und zu jener Zeit Vogt der Burg, die wenig später den Namen Freiheitsstein bekam. Seine Feinde, allen voran der grausame Sohn des damaligen Markgrafen, wollten seinen Tod. Deshalb organisierten sie einen Überfall auf das Dorf. Du musst wissen, damals hatte Freiberg noch kein Stadtrecht, sondern hieß Christiansdorf nach seinem Anführer«, erklärte er dem Jungen, der fasziniert seinen Worten lauschte.

Doch auch die anderen schien seine Geschichte in den Bann zu ziehen, selbst wenn sie sie schon kannten.

»Christian widersetzte sich erwartungsgemäß dem Befehl des Tyrannen, die Burg zu schließen, bevor die Dorfbewohner dort Zuflucht suchen konnten. Dann ritt er mit seinen Gefährten hinaus und vernichtete die Angreifer in einem blutigen Kampf Mann gegen Mann. Als er zurückkam, befahl der Sohn des Markgrafen, ihn festzunehmen. Christian war nicht bereit abzuschwören, und so schien seine Hinrichtung gewiss, auch wenn er eigentlich vor dem Landding hätte gehört werden müssen. Also gruben seine Freunde einen Fluchtweg von einer der Gruben bis unter den Bergfried.«

»Und so ist er entkommen?«, fragte der Rotschopf begeistert.

»Nein«, antwortete Markus, was das Leuchten auf dem Gesicht des Jungen zum Erlöschen brachte und ihn irritiert blicken ließ.

»Er weigerte sich zu fliehen, um für seine Überzeugung einzustehen und den Geiseln das Leben zu retten. Der Sohn des Markgrafen ließ ihn noch während des Prozesses auf dem Burghof vor aller Augen von gedungenen Mördern töten. Christians Opfertod war es, der die Christiansdorfer schließlich dazu brachte, um das Stadtrecht nachzusuchen.«

»Ich dachte auch, der Fluchttunnel sei eine Legende«, meinte Jan verwundert.

Markus schüttelte den Kopf. »Nein, er endet direkt unter dem

Bergfried. Er ist später wieder verfüllt und der Boden des Verlieses mit dicken Holzbohlen bedeckt worden. Wir können uns unter der Erde heranarbeiten.«

»Woher willst du wissen, wo dieser verschüttete Gang beginnt? Es könnte praktisch überall sein, sogar in einer Grube, in der längst nicht mehr gearbeitet wird«, wandte Claus skeptisch ein, der bislang kaum ein Wort gesagt hatte.

Über Markus' Gesicht zog ein Grinsen. »Das ist ein Geheimnis, das nur der jeweilige Burgkommandant und der Hauptmann der Wache erfahren – sofern sie auf ehrliche Art an ihre Stellung gekommen sind. So können wir unauffällig kontrollieren, ob der Zugang unversehrt ist. Und wir können uns direkt ins Herz der Burg hineingraben, wenn sie von Feinden eingenommen wurde. Die wissen nichts davon oder halten es wie ihr höchstens für eine Legende aus uralter Zeit.«

»Warum hast du mir das nie gesagt?«, entrüstete sich Jan.

»Weil es kein Geheimnis wäre, wenn jeder davon erführe«, erwiderte sein Bruder leichthin.

Es musste längst tiefe Nacht sein, als die vier Männer und Christian ihren kühnen Plan so weit ausgearbeitet hatten, dass sie am nächsten Morgen mit der Umsetzung beginnen konnten.

Markus hätte lieber noch ein paar Tage gewartet, um mit dem Haberberger und anderen möglichen Verbündeten zu sprechen und sie für Friedrichs Feldzug zu gewinnen, bevor es für ihn noch gefährlicher wurde, sich in der Stadt blicken zu lassen. Doch angesichts des Zustandes der Gefangenen war Eile geboten.

»Es tut gut, dich wieder hier zu haben«, meinte Herrmann froh, bevor sie sich zur Ruhe legten. Selbst wenn Markus im Schein des Talglichtes sein Grinsen nicht erkannt hätte – an der Stimme des Älteren hätte er es spätestens bei den nächsten Worten herausgehört. »Und kaum bist du hier, stürzen wir uns in eine tollkühne Befreiungsaktion. Du verrückter Kerl von einem Hauptmann!«

Der Ältere kicherte wie ein kleines Mädchen. »Die werden sich wundern, wenn das Verlies plötzlich leer ist und es keine Erklärung dafür gibt! Vielleicht bestrafen sie sogar ihre eigenen Wachen.«

Unverkennbar zufrieden brummte er: »Wenn sie uns nicht mehr damit drohen, unsere Leute aufzuhängen, können wir ganz anders zuschlagen. Dann nehmt euch in Acht, ihr Pack!«

Ohne es allzu auffällig werden zu lassen, hatten die anderen es so eingerichtet, dass Jan und Markus ihre Schlafstatt etwas abseits bekamen. Ihnen war klar, dass die Brüder noch eine Menge zu bereden hatten, nachdem jeder den anderen für tot gehalten hatte.

»Wie kommst du zurecht?«, fragte Markus den Jüngeren, als von der anderen Seite des Speicherbodens erste Schnarchgeräusche erklangen.

Es dauerte so lange, bis Jan antwortete, dass sein Bruder sich schon fragte, ob der andere eingeschlafen war oder so tun wollte, um sich vor einer Antwort zu drücken.

»Von den ersten Tagen weiß ich gar nichts, abgesehen davon, was mir Meister Marsilius später erzählte«, begann Jan zögernd. »Ich war mehr tot als lebendig und dämmerte im Fieber vor mich hin. Als ich wieder einigermaßen bei mir war und sah, dass ich eine Hand verloren hatte, da wünschte ich mir, ich wäre gestorben.«

Er räusperte sich leise, ehe er weitersprach. »Alles in allem muss ich wohl froh sein. Andere hat es schlimmer erwischt, und so viele sind tot … Ich bin ein Krüppel. Aber wenigstens kann ich es denen noch heimzahlen.«

Obwohl er nur flüsterte, war der Hass in seiner Stimme unverkennbar. »Und das Gute daran, dass ich ein Krüppel bin: Jetzt stört es mich nicht mehr, ob sie mich erwischen und aufhängen ...«

»Das will ich nicht noch einmal hören!«, fuhr Markus seinen Bruder an. »Wenn ich dich dabei ertappe, dass du aus Verbitterung nachlässig wirst oder es sogar darauf anlegst, dass sie dich kriegen – ich schlag dir persönlich noch die andere Hand ab, ich schwör's beim Seelenheil unserer Mutter!«

»Immer noch der große Bruder, hm?«, murrte Jan. »Keine Sorge, ich pass schon auf mich auf. Ich bin kein Kind mehr.«

Am Knarren der Fußbodenbretter hörte Markus, dass sich der Jüngere eine andere Lage suchte. Nun lag er auf dem Rücken und starrte nach oben.

»Hast du Sibylla noch einmal gesehen?«, fragte Jan nach einer ganzen Weile. »Sie war wirklich eine Schönheit.«

Die Antwort seines Bruders entlockte ihm einen leisen, erstaunten Ausruf. »Sibylla und von Maltitz! Wer hätte das gedacht?«

Nach einigem Schweigen fügte er an: »Die Weiber kann ich mir jetzt sowieso aus dem Kopf schlagen. Wer nimmt schon einen Einhändigen? Ich könnte keine Familie ernähren ... Hättest du übrigens jemals gedacht, dass das hässliche kleine Apothekermündel inzwischen die Frau von Meister Marsilius ist?«

»Sie ist nicht hässlich«, widersprach Markus.

»Ja, ich weiß. Seit sie feine Sachen trägt, sieht sie wirklich hübsch aus. Nur ziemlich traurig. Aber das war sie eigentlich schon immer.«

»Ich fand sie auch vorher hübsch. Und sehr mutig. Ich hatte mich damals bei unserem Streit geirrt. Es war richtig von dir, sie auf die Burg zu holen.«

Bevor Jan etwas Unpassendes sagen konnte, fügte Markus rasch hinzu: »Ich habe in der Nacht, bevor Freiheitsstein fiel, um ihre Hand angehalten.«

Diese Neuigkeit verblüffte seinen Bruder so, dass er sich wieder auf die Seite wälzte und den Kopf auf die unversehrte Hand stützte.

»Du??? Und sie hat nein gesagt und lieber den Medicus genommen?«

Nun erst kam Markus dazu, ausführlich zu berichten, wie er seine letzten Tage in Freiberg erlebt hatte, von der blutigen Einnahme der Stadt bis zu seiner Flucht.

Doch dabei von Änne zu sprechen, riss die ohnehin schon blutende Wunde weiter auf.

»Sie ist so eine Stille …«, sagte Jan.

Ja, das ist sie, dachte Markus zärtlich. Aber nicht, weil sie nichts zu sagen hätte, sondern weil sie weiß, dass jedes kluge Wort sie in Gefahr bringen kann. Hinter dieser Stille verbirgt sich ein Mensch, den ich so gern besser kennenlernen würde.

Doch sein Bruder holte ihn gnadenlos in die Wirklichkeit zurück. »Nun ist sie also die Frau von Marsilius, bis dass der Tod sie scheidet«, fasste Jan gerade nüchtern die Lage zusammen. »Wir haben neuerdings wohl beide kein Liebesglück. Aber was soll's, hier auf dem Speicherboden ist sowieso nicht der Ort dazu.«

Er schob sich ein Bündel unter dem Kopf zurecht und rollte sich fester in seine Decke. Wenig später war er eingeschlafen.

Markus hingegen lag auf dem Rücken, einen Arm unter dem Kopf, und starrte nach oben, als könnte er durch das Dach auf den Sternenhimmel sehen.

Obwohl er alle seine Gedanken auf die Befreiung der Geiseln richten wollte, kreisten sie ständig darum, wie es Änne als Frau des Stadtphysicus wohl gehen mochte.

Nun begann er seinen Bruder zu verstehen.

So wie es Jan beinahe gleichgültig war, ob ihn die Schergen erwischten, schreckte auch ihn der Tod kaum noch, nachdem er die Liebe seines Herzens verloren hatte. Die gefangenen

Gefährten aus dem Kerker zu befreien, dürfte kein allzu großes Risiko darstellen. Sobald das geschafft war, würde er sich darum kümmern, dass der neue Burgkommandant mit seinem Blut für die grausame Einnahme der Stadt zahlte. Wenn er dabei keinen Rückweg für sich einplanen musste, erhöhte das die Chancen, zum Ziel zu gelangen, beträchtlich.

Vorbereitungen

Am nächsten Morgen verabschiedete sich Markus von den gerade erst wiedergefundenen Gefährten, um einen Erkundungsgang auf die Burg zu unternehmen. Die anderen hatten lange auf ihn eingeredet, um ihn davon abzuhalten. Doch er wollte die Befreiung der Geiseln nicht in Angriff nehmen, bevor er sich persönlich einen Eindruck von der Stärke der Burgbesatzung und möglichen Hindernissen für ihre Aktion verschafft hatte. Für den Fall, dass er erkannt und gefangen genommen oder getötet wurde, instruierte er sie genau, wo sie den Eingang zu Christians Pfad finden und wie sie Markgraf Friedrich eine Nachricht zukommen lassen konnten.

Sie hatten verschiedene Verkleidungen diskutiert und verworfen. Jeder würde in dem muskulösen jungen Mann zuallererst einen Kämpfer vermuten.

»Bevor ihnen dämmert, dass ich einst gegen sie gekämpft habe, sollen sie mich lieber für einen der Ihren halten«, entschied Markus die Debatte.

So trug er an diesem Morgen die Kleidung eines der königlichen Besatzer, die seine Freunde zu Beginn ihres verborgenen Daseins jemandem abgenommen hatten, der nun vermutlich im neunten Kreis der Hölle für seine Missetaten schmorte. Den Wappenrock mit dem königlichen Adler und die Waffen hatten seine Gefährten zu ihrem Entsetzen mit drei Toten zu bezahlen, die als Geiseln hingerichtet worden waren.

Der Vorbesitzer seiner Ausrüstung bekleidete einen mittleren Rang – ideal für seine Absichten. Die einfache Wachmannschaft würde ihn nicht für so hochrangig ansehen, um nachzugrübeln, wer er sei und warum sie ihn nicht kannten. Aber zweifelnde Blicke oder Fragen konnte er einfach mit ein paar Kommandos oder Beschimpfungen niederbrüllen.

Wie er nun voll gerüstet durch die Vordertür des »Schwarzen Rosses« schritt, musste ihn jeder Passant für einen frühen oder späten Zecher halten – oder für jemanden, der gerade sein Fähnlein gesucht und zusammengeschrien hatte.

An diesem Morgen herrschte schönstes Sommerwetter. Nun waren mehr Menschen unterwegs als am Nachmittag zuvor. Das erkannte Markus schon auf dem kurzen Weg bis zum Oberen Markt.

Mägde hasteten oder schlenderten mit Körben zu den Ständen der Bäcker und Fleischhauer, um Einkäufe für ihre Herrschaften zu erledigen, manche in Begleitung der Hausfrau. Einige Käufer zog es in das obere Stockwerk des städtischen Kaufhauses, wo die Tucher, Kürschner und andere privilegierte Händler ihre Waren feilboten. Eine Gruppe Geistlicher lief zu St. Petri. Und auch am Brunnen auf dem Markt standen diesmal mehrere Frauen, um Wasser zu holen und dabei Neuigkeiten auszutauschen.

Dennoch spürte Markus den Unterschied zu Freibergs früheren Tagen: Es fehlte das Lachen der Menschen, und er selbst wurde nun nicht als Fremder misstrauisch beäugt, sondern wegen des königlichen Symbols auf seinem Wappenrock gefürchtet. Kinder, die sonst wild umhersprangen und ihre Streiche trieben, machten einen großen Bogen um ihn und die anderen Bewaffneten.

Während er den Marktplatz überquerte, erkannte er, dass die Frauen am Brunnen ängstlich erstarrten, weil ein paar Soldaten auf sie zuhielten.

Er beschleunigte seine Schritte und ging geradewegs zum Brunnen, um eingreifen zu können, falls es nötig werden sollte. Die Männer riefen ein paar grobe Scherze und lachten, als die Frauen ihre Unterhaltung abbrachen und enger zusammenrückten. Einer der Bewaffneten griff die Jüngste am Arm und zog die ängstlich Widerstrebende an sich.

Bevor sich die Lage weiter zuspitzen konnte, drängelte sich Markus durch die Menschentraube.

»Gib mir zu trinken!«, befahl er schroff einer der Frauen. Erschrocken hielt sie ihm den gefüllten Eimer hin.

»Und ihr da, habt ihr nichts zu tun?«, fuhr er die Soldaten an, die ihn verblüfft anstarrten. Einen Vorwurf hatten sie nicht erwartet; eher, dass er sich an ihren üblen Spielen beteiligte.

»Los, bewegt euch auf eure Posten, aber schnell!«

Als würde ihn weiter nichts kümmern, schöpfte er eine Handvoll Wasser aus dem Eimer und trank.

Mit mürrischen Mienen zogen die anderen ab. Derjenige, der die junge Frau zu einem Kuss hatte zwingen wollen, ließ sein Opfer los und funkelte ihn böse an.

»Wird's bald?!«, schnauzte Markus.

»Ich geh ja schon«, erwiderte der Gemaßregelte kleinlaut, um den erzürnten Ranghöheren zu beschwichtigen. Dann folgte er seinen Kumpanen.

Erleichtert konstatierte Markus, dass sie nicht Richtung Burg marschierten, sondern den Marktplatz überquerten. Wahrscheinlich waren sie die Ablösung für die Wache am Peterstor.

Sich schon vor der Ankunft auf der Burg dort Feinde zu machen, wäre wohl nicht besonders klug. Aber wer ist schon immer klug?, dachte er sarkastisch und grinste in sich hinein.

Ohne die Frauen noch eines Blickes zu würdigen, ging nun auch er weiter. Mit Freundlichkeit gegenüber den Stadtbewohnern wäre er nur aufgefallen und hätte sich verdächtig gemacht. Markus bog in die Burggasse ein, wo es von Bewaffneten wimmelte; Ritter wie Soldaten. Er mischte sich unter sie und beschleunigte seine Schritte, um nicht angesprochen zu werden – so, als sei er mit einem dringenden Auftrag unterwegs. Letztlich war er das ja auch; nur mit einem anderen, als es sein Äußeres vermuten ließ.

Von weitem wirkte die Burg gut besetzt, mit mindestens doppelter Stärke wie zu Friedenszeiten. Der Bergfried war immer noch beschädigt.

Markus drehte seinen Kopf zur Seite, als er eine alte Frau mit einem Korb Eier vom Buttermarkt kommen sah. Sie kannte ihn, weil sie regelmäßig die Burgbesatzung beliefert hatte. Doch sie beachtete ihn nicht.

Nach anderthalb Jahren vermutete ihn wohl niemand mehr hier oder überhaupt noch am Leben. Der Bart und der tief ins Gesicht gezogene Eisenhut über der Kettenhaube taten ein Übriges. Solange ihn niemand ansprach und nach Auftrag und Namen fragte, würde alles glattgehen. Ansonsten musste er sich eben auf sein Reaktionsvermögen und seinen Einfallsreichtum verlassen.

Er passierte das Tor, ohne weiter beachtet zu werden, und ging zum Burgbrunnen. Dort lag immer noch der große Steinbrocken, den die Belagerer auf sie geschossen hatten und von dem aus Ulrich von Maltitz die letzte Rede vor der Übergabe von Freiheitsstein gehalten hatte.

Während Markus den Eimer hinabließ, wieder heraufzog und aus der an die Haspel gehängten Kelle trank, als sei er sehr durstig, ließ er unauffällig seine Blicke über den von Menschen wimmelnden Burghof schweifen.

Zweieinhalbfache Stärke, schätzte er ein, die Stallungen überfüllt und lange nicht ausgemistet, die Rüstkammer doppelt bewacht …

Dann jedoch entdeckte er in dem Gewühl etwas, das ihn für einen Augenblick erstarren ließ. Das warf alle seine Pläne und guten Vorsätze über den Haufen.

»He, seht euch den an, der säuft wie ein Loch – und ausgerechnet Wasser!«, hörte er im gleichen Moment hinter sich eine schrille Stimme, die in rauhem Gelächter unterging.

Gelassen drehte er sich um. »Sei froh, dass ich euch nicht das Bier wegsaufe«, konterte er, und das Gelächter wurde lauter.

Er hängte die Schöpfkelle wieder an den Haken und ging zum Backhaus.

Dabei konnte er einen erneuten Blick in die Richtung nicht unterdrücken, wo ein abgemagerter und zerlumpter Gefangener in einem Eisenkäfig eine Elle hoch über dem Boden hing. Ein paar Soldaten gingen auf ihn zu, um ihn zu verhöhnen.

Halte noch ein bisschen durch!, dachte Markus.

Sein Einschreiten dort würde möglicherweise ein schnelles Verschwinden erforderlich machen – im besten Fall.

Doch zuvor hatte er noch ein paar Dinge zu überprüfen.

Mit forschem Schritt betrat er das Backhaus. »Gib mir Brot!«, forderte er die stämmige alte Magd mit der Hasenscharte auf, die dort Teig knetete.

Sie sah ihn nur kurz an, streifte den feuchten Brotteig von den Fingern, so gut es auf die Schnelle ging, und humpelte schwerfällig zu einem Korb, in den runde Brotlaibe gestapelt waren.

»Einen halben Laib«, rief er ihr nach.

Während sie umständlich das Brot teilte, hatte er genug Zeit zu erkunden, was er wissen wollte: Die verborgene Tür zu den Geheimgängen der Burg, die nur er und wenige ranghohe Befehlshaber kannten, war anscheinend noch nicht entdeckt worden. Vor der feinen Linie im Gebälk, die man im Halbdunkel nur sah, wenn man genau danach Ausschau hielt, hingen immer noch Spinnenweben.

Wortlos streckte ihm die Magd das Brot entgegen. Ohne zu danken, drehte er sich um und ging hinaus.

Der nächste Weg führte ihn in die Schmiede, wobei er stumm betete, dass ihn der alte Schmied nicht verriet, sofern er dort noch arbeitete.

Doch er hatte Glück. Es war ein Unbekannter, der auf einem rotglühenden Stück Eisen herumhämmerte, dass die Funken sprühten.

»Mein Schwert muss geschärft werden«, sagte er barsch zu dem fremden Schmied. Der warf nur einen kurzen Blick auf ihn und hämmerte weiter.

»Pack es dorthin«, antwortete er und wies mit dem Kinn auf eine Bank rechts neben dem Eingang, wo schon mehrere Waffen abgelegt waren.

»Ich komm nachher wieder«, murrte Markus und ging hinaus, ohne sein Schwert abzugeben.

Er hatte genug gesehen. Auch hier war der verborgene Durchschlupf im Boden noch nicht entdeckt worden.

Nach einem kurzen Blick zu dem Eisenkorb, in dem der verhärmte Gefangene stoisch die Schmähungen der Soldaten über sich ergehen ließ, lenkte er seine Schritte in die Halle.

Der große Raum hatte sich kaum verändert – nur dass jetzt königliche Soldaten hier lungerten und sich die Zeit beim Bier oder Würfelspiel vertrieben.

Scheinbar gelangweilt lehnte er sich gegen den Kamin, in dem kein Feuer brannte, und biss in das Brot. Einem vorbeilaufenden Bewaffneten befahl er, Bier zu bringen. Er aß und trank, ohne angesprochen zu werden. Dann suchte er die Heimlichkeit auf und verließ anschließend schlendernd die Halle.

Nun wusste er Bescheid.

Der neue Burgkommandant wohnte in der Kammer, in der der alte Burgvogt gelebt hatte, dessen Söhne und Frau am Tag der Kapitulation von Freiheitsstein umgebracht worden waren. Allem Anschein nach war er krank. Und seine Kammer wurde nicht bewacht.

Offensichtlich fühlten sich die Besatzer sicher.

Markus unterdrückte nur mit Mühe den Drang, die Gelegenheit sofort zu nutzen, sich am Kommandanten zu rächen. Zuerst mussten die Gefangenen befreit werden, sonst würden sie aus Rache getötet.

Draußen auf dem Burghof standen immer noch ein halbes Dutzend Soldaten um den Käfig herum. Inzwischen hatte sich die Lage zugespitzt. Weil er dem Verwahrlosten keine Regung entlocken konnte, steckte gerade einer der Männer seinen Dolch durch das Gitter und legte ihn dem Gefangenen an die Kehle.

»Will doch mal sehen, ob er sich ein bisschen kitzeln lässt«, dröhnte er, während die Umherstehenden lachten.

Markus schob rücksichtslos die Männer beiseite, die ihm im Weg standen.

»Der hier wird noch gebraucht, um das Pack in der Stadt ruhig zu halten. Hast du das vergessen?«, ermahnte er den Mann mit dem Dolch, wobei er sich bemühte, so gleichgültig wie möglich zu klingen.

»Wer zählt die schon ab, die da unten verfaulen?«, maulte der andere. »Er ist den Wachen frech gekommen, also muss er noch zwei Tage hier büßen.«

Markus warf sein Brot achtlos in den Käfig, als wolle er nur beide Hände freibekommen, packte sein Gegenüber und zog ihn zu sich.

»Der Kerl ist schon beinahe tot. Wenn er wirklich verreckt, wird dein Hauptmann mächtig Ärger kriegen«, knurrte er. »Was glaubst du wohl, an wem er den auslässt?«

Unverhofft ließ er den Mann los, so dass der auf den Burghof stürzte. Seine Kumpane brachen in schadenfrohes Gelächter aus.

»Also los, sucht euch einen anderen Zeitvertreib! Sonst melde ich euch dem Hauptmann!«

Mühsam rappelte sich der Gestürzte wieder auf. Markus sah, dass ihn der Mann wütend musterte, wobei ihm anscheinend Zweifel oder zumindest Fragen hinsichtlich der Herkunft des Störers kamen.

Noch einmal packte er ihn am Halsausschnitt und zog ihn

schroff zu sich. »Wolltest du etwas sagen?«, schnauzte er, ohne ihm Zeit für eine Entgegnung zu lassen. »Bist du vielleicht anderer Meinung? Mir gefällt dein Gesicht nicht. Wenn ich mir's recht überlege, melde ich dich lieber gleich.«

»Schon gut, wir gehen ja«, lenkte ein Älterer ein, der neben ihm stand und seinen Kumpan am Arm beiseitezerrte. Erwartungsgemäß zog die ganze Gruppe ab.

Markus blieb neben dem Käfig stehen und tat so, als mustere er den Gefangenen ohne jegliches Gefühl. Womöglich blieb ihm nur noch wenig Zeit, nachdem er Aufmerksamkeit auf sich gezogen hatte.

Er hatte den abgemagerten Burschen, der vor ihm im Käfig kauerte, längst erkannt. Es war Gero, einer der besten Bogenschützen von seiner früheren Wachmannschaft. Verhärmt, in Lumpen, mit verfilzten Haaren und abgestumpft, hockte er im Käfig, mit angezogenen Beinen und gesenktem Blick. Das Brot verbarg er in seinen Händen.

»Danke, Hauptmann!«, flüsterte der Gefangene, während für einen Moment seine erloschenen Augen aufleuchteten. Dann sank er wieder in sich zusammen und blickte scheinbar dumpf vor sich hin.

»Sind die anderen alle im Verlies unter der Silberkammer?«, fragte Markus leise.

Gero nickte kaum wahrnehmbar, immer noch vor sich hinstarrend, um keine Aufmerksamkeit zu erregen und seinen heimlichen Helfer nicht zu gefährden.

»Bleib stark, wir holen euch hier raus! In drei Tagen. Haltet euch bereit!«

Jäh drehte der Gefangene den Kopf zu ihm. »Nicht! Wir sind sowieso alle schon so gut wie tot«, brachte er erschrocken hervor. »Sie dürfen dich nicht auch noch kriegen!«

»Werden sie nicht«, versicherte Markus leise. Und laut, weil sich nun jemand näherte: »Den hier könnte man wirklich als Vogelscheuche auf den Acker stellen!«

Er wandte sich zu den Männern um, die in sein Lachen einfielen und ihm auf seine einladende Bewegung hin Richtung Halle folgten.

Markus suchte nach einem Vorwand, nach ein paar Schritten umzukehren. Irgendwann mochte sich der Erste fragen, warum er ihn nicht kannte. Der Vorwand bot sich schneller als gedacht – und zwar so, dass er meinte, sein Herz setze für einen Moment aus.

Aus der Halle kam ihm Änne entgegen.

Schnaufend und schimpfend ging neben ihr die resolute Magd, die gerade einen der Männer, die sich anscheinend einen Spaß mit ihr erlauben wollten, rüde beiseiteschubste. Vielleicht waren sie bei dem kranken Burgkommandanten gewesen.

»Geht schon mal vor, ich soll etwas beim Medicus ordern«, sagte er den Männern, die ihn in die Halle begleiten wollten.

»Wir trinken dein Bier derweil mit«, entgegnete einer grinsend.

»Ihr seid das Weib des Medicus?«, sagte er schroff zu Änne, als sie vor ihm stand. »Geht Ihr jetzt zu ihm?«

»Wohin denn sonst? Was denkst du? Dass wir hier noch ein bisschen bleiben, weil du so ein toller Kerl bist?«, entgegnete die alte Magd wütend, die durch nichts zeigte, ob sie ihn erkannt hatte. Änne hingegen war unmerklich zusammengezuckt und starrte ihn ungläubig an, bevor sie zu Boden sah, ohne ein Wort herauszubringen.

»Führe mich hin, ich soll etwas für meinen Herrn besorgen«, befahl er der Magd schroff.

»Geh lieber allein!«, riet ihm einer seiner neuen »Freunde«. »Der alte Drachen treibt dir sonst die Schamröte ins Gesicht!«

»Darauf lass ich's ankommen«, gab Markus zur Belustigung der anderen zurück. »Vielleicht lerne ich noch was dazu.«

Er ging voran und bahnte den beiden Frauen den Weg über den Burghof.

Als sie die Zugbrücke hinter sich gelassen hatten, schloss die Magd zu ihm auf. »Was ist das für eine hässliche Verkleidung?«, keifte sie. »Noch keinen Tag in der Stadt, und schon für Ärger sorgen!«

»Deshalb bin ich zurückgekommen«, entgegnete Markus, überaus zufrieden mit seinem Erkundungsgang.

»Pass nur auf, dass du nicht noch Unschuldige mit reinziehst!«, zischte die Magd ihn wütend an. Es war nicht zu überhören, dass sie dabei eher an Änne dachte, die sie von ihm fernhalten wollte, als an die Geiseln im Bergfried.

Prompt stellte sich Beklommenheit ein; er spürte geradezu, dass Änne noch mehr in sich zusammensank.

»Das lass nur meine Sorge sein!«

Wortlos liefen sie bis zum Haus des Arztes. Markus ahnte, dass beide Frauen lieber ohne ihn weitergegangen wären. Aber nun war er doppelt entschlossen, Änne wenigstens für ein paar Augenblicke nahe zu sein. Natürlich hätte er lieber mit ihr allein gesprochen, aber darauf durfte er kaum hoffen. Der alte Drachen würde wohl keinen Schritt von ihrer Seite weichen.

»Ihr habt Besuch, Meister!«, rief die Magd, nachdem sie die Tür krachend hatte zufallen lassen.

»Nun geh schon rein«, brummte sie und schob Markus in die Kammer, in der er erst am Vortag erfahren hatte, dass seine Liebe die Frau eines anderen geworden war.

Noch einmal drehte er sich um und suchte Ännes Blick aufzufangen. Doch die Alte versperrte ihm die Sicht. »Hinein!«, befahl sie gnadenlos und schloss die Tür hinter ihm.

Der Medicus war nicht allein.

Als Markus erkannte, wer bei ihm war, hatte er Mühe, sich nichts anmerken zu lassen.

Mit hochgestreiftem Ärmel saß dort der Apotheker Jenzin und starrte ihn an.

BEGEGNUNGEN

In Gedanken verfluchte Markus die Magd, die ihn direkt in diese brenzlige Lage manövriert hatte.

»Der Graf von Isenberg schickt mich zu Euch, Meister Marsilius«, sagte er forsch, wobei er seine Stimme so tief wie möglich klingen ließ und eine Satzmelodie annahm, wie er sie aus Kärnten noch gut im Ohr hatte. Der Apotheker würde das nicht einordnen können; der König hatte seine Söldner aus vielen Gegenden angeworben.

Marsilius rettete die Situation.

»Ich bin hier gleich fertig, dann kümmere ich mich um das Anliegen des Kommandanten«, antwortete er mit gespielter Gleichgültigkeit. Der Alte schien der geborene Verschwörer zu sein.

Zu Markus' Erleichterung wandte der Apotheker den Blick gelangweilt von ihm ab und richtete ihn wieder auf seinen Arm. Der Arzt musste ihm wohl eine eitrige Wunde geöffnet haben, nun legte er einen Verband an.

Als er fertig war, krempelte Jenzin seinen Ärmel wieder herunter, erhob sich von seinem Platz und ging zur Tür. »Bis übermorgen, Meister Marsilius. Habt Dank für Eure Hilfe!«

Markus war an das schmale Fenster getreten und blickte hinaus, als gäbe es dort etwas Interessantes zu entdecken. So vermied er, dass Jenzin noch einmal sein Gesicht sehen konnte.

Marsilius schloss die Tür hinter dem Apotheker, kehrte zurück in die Mitte der Kammer, zog sich einen Schemel heran und ließ sich daraufsinken.

»Du vergeudest keine Zeit, nicht wahr?«, fragte er ihn vorwurfsvoll, mehr verärgert als besorgt. »Und *mir* wolltest du unterstellen, *ich* sei leichtsinnig. Wie nennst du es dann, wenn du am helllichten Tag durch die Stadt spazierst?«

»Ich musste ein paar Sachen überprüfen«, antwortete der Gescholtene. Dann zog auch er sich einen Schemel heran.

»Meister Marsilius, könnt Ihr uns fünfmal Kleidung und Gezähe von Bergleuten besorgen?«

Verwundert zog der Arzt die Augenbrauen hoch.

»Wir holen die Geiseln aus dem Verlies.«

In knappen Worten erklärte er dem Verblüfften sein Vorhaben. Doch diesmal reagierte Conrad nicht wie erwartet mit
Bedenken und Warnungen.

Er beugte sich vor, und seine Augen leuchteten warmherzig,
während er Markus den Arm auf die Schulter legte. »Ein Segen, dass du wieder da bist, Junge!«

Von innerer Unruhe getrieben, stand der Arzt auf und schenkte sich und seinem Gast Bier ein.

»Die anderen wagen sich kaum aus dem Versteck, viele haben
den Mut verloren oder fürchten, Unschuldige könnten für
ihre Aktionen bestraft werden«, sagte er. »Wenn ihr die
Geiseln befreit, wird das ein Leuchtfeuer für die ganze Stadt!
Darauf trinken wir! Gott schütze dich bei deinem kühnen
Vorhaben!«

Sie stießen an, dann sagte Marsilius: »Ich besorge, was ihr
braucht. Gleich nachher gehe ich zum Bergmeister. Ihm
können wir trauen, ich lege meine Hand für ihn ins Feuer.
Clementia« – das musste die Magd mit dem losen Mundwerk
sein – »bringt die Sachen noch heute ins ›Schwarze Ross‹. Hinten im Heu wird dann ein Korb stehen.«

Marsilius öffnete mehrere Kästchen, die auf einem Brett an
der Wand standen, begann darin zu kramen und holte zwei
verschiedenfarbige kleine Krüge heraus. »Das hier ist gegen
Fieber, das andere reinigt entzündete Wunden. Damit könnt
ihr die Befreiten hochpäppeln. Sie sind inzwischen wahrscheinlich mehr oder weniger dem Tode nah. Sobald ich höre,
dass eure Aktion geglückt ist und sich die Aufregung in der
Stadt gelegt hat, schaue ich im ›Ross‹ vorbei.«

»Glaubt Ihr, dass Jenzin mich erkannt hat?«

Der Arzt zögerte. »Wahrscheinlich nicht. Aber vermeide es,

ihm noch einmal unter die Augen zu kommen. Er würde dich, ohne mit der Wimper zu zucken, ans Messer liefern.«

Es kam wirklich von Herzen, als Markus dem Arzt für seine Hilfe dankte. So verspürte er durchaus ein schlechtes Gewissen, als er sich beim Gehen vornahm, noch einmal zurückzukommen und sich ins Haus zu schleichen – später, wenn die grimmige Clementia die Sachen ins »Schwarze Ross« bringen würde. Er musste unbedingt Änne treffen, wenn sie allein war.

Nachdem Markus seine Gefährten in ihrem Versteck auf dem Speicherboden davon unterrichtet hatte, was er auf der Burg in Erfahrung bringen konnte, legte er den königlichen Wappenrock ab und schlüpfte wieder in die unauffällige Kleidung, mit der er in die Stadt gekommen war.

Wenig später wartete er in Meister Marsilius' Pferdestall, in den er sich unbemerkt geschlichen hatte, und lugte durch einen Spalt nach draußen. Von seinem Versteck aus sah er direkt in den Kräutergarten.

An diesem heißen Sommertag würde Änne sicher irgendwann vor Einbruch der Dämmerung die Pflanzen gießen.

Neben seinem eigenen Braunen, der ihn freudig schnaubend begrüßt hatte, stand noch ein zweites Pferd im Stall, ein braver Zelter, mit dem vermutlich der Arzt zu Krankenbesuchen in die umliegenden Siedlungen ritt.

Er konnte nur hoffen, dass Conrad Marsilius von seinem Besuch beim Bergmeister zurückgekehrt war oder sich entschlossen hatte, die Strecke zu Fuß zurückzulegen. Wenn er ihn hier im Pferdestall antraf, würde ihr Bündnis vermutlich ein jähes Ende finden.

Doch anscheinend war Marsilius schon zurück. Denn wenig später hörte Markus, wie die alte Clementia einen Kranken einließ und unter ihrem üblichen Geschimpfe das Haus verließ.

Bald darauf öffnete sich die Hintertür.

Markus hielt den Atem an. Er hatte Glück: Es war kein Knecht und auch nicht der Arzt, sondern tatsächlich Änne, die nun in den Kräutergarten hinter dem Haus kam.

Sie trug ein schlichteres Kleid, aber die gleiche Haube wie am Vormittag.

Ohne etwas von seiner Gegenwart zu ahnen, ging Änne zum Brunnen zwischen Haus und Stall und zog einen Eimer Wasser herauf.

Leise rief Markus ihren Namen.

Änne zuckte zusammen und sah sich um, von wo die vertraute Stimme wohl gekommen sein mochte. Dann stellte sie mit erstaunlicher Gelassenheit den Eimer neben das Beet, klopfte sich die Hände ab und ging ruhig zum Stall, als habe sie dort etwas vergessen.

Kaum war sie durch die Tür, rannte sie auf Markus zu.

»Du musst fort von hier!«, sagte sie aufgebracht, fast flehentlich.

»Ich werde nicht gehen, bevor ich dir gesagt habe, dass ich dich immer noch liebe und die Hoffnung nicht aufgebe«, erwiderte er, während er ihre Arme umfasste und in die Augen sah, deren Grün er im Halbdunkel nur erahnen konnte. »Sei unbesorgt, ich bleibe nicht lange.«

Mit einem Ruck machte sie sich los. »Du verstehst nicht – du musst weg aus Freiberg, sofort! Sie werden dich kriegen!«

So heftig hatte er sie noch nie reden hören.

»Woher willst du das wissen?«, versuchte er sie zu beschwichtigen und rang sich sogar ein Lächeln ab. »Sei ein bisschen zuversichtlicher …«

Nun griff er nach ihren Händen. Sie ließ es geschehen und starrte mutlos an ihm vorbei ins Leere.

»Ich weiß es einfach … So wie ich andere Dinge weiß … ohne zu ahnen, woher. Ich träumte schon *vor* der Blutnacht davon, wie die Stadt gestürmt wurde. Ich sah drei Köpfe aufgespießt, *bevor* sie die Ratsherren hinrichteten …«

Nun schaute sie auf und blickte Markus verzweifelt an. »Und letzte Nacht sah ich dich im Traum … gefangen im Käfig … Flieh, Liebster! Flieh aus Freiberg, oder du bist verloren!«

Dass sie ihn »Liebster« nannte, stimmte Markus so glücklich, dass er ihre Warnung schlichtweg ignorierte. Stattdessen nahm er ihren Kopf in seine Hände und küsste sie.

Sie riss sich von ihm los. »Flieh!«, beschwor sie ihn verzweifelt.

»Nicht jetzt«, murmelte er und zog sie wieder an sich.

Im ersten Moment sträubte sie sich, doch dann erwiderte sie den Kuss mit überraschender Leidenschaft. Seine Hände spürten die Tränen auf ihren Wangen, während sie ihn immer heftiger küsste.

Vorsichtig ließ er ab von ihr und zog sie an sich, so dass ihr Kopf an seiner Schulter lehnte.

»Sorge dich nicht, mein Herz«, flüsterte er und strich sanft über ihre Wange. Die Haube war verrutscht, und nun konnte er sehen, dass ihr Haar in den anderthalb Jahren, die sie getrennt voneinander waren, schon bis auf die Schulter nachgewachsen war.

»Ich habe dich gerade erst wiedergefunden, da werde ich dich nicht gleich verlassen.«

Sie nach so langer Zeit so dicht bei sich zu spüren, erregte ihn aufs höchste. Am liebsten würde er sie auf der Stelle nehmen, auch wenn oder gerade weil sie jetzt die Frau eines anderen war. Doch für ihre erste gemeinsame Liebesnacht wünschte er sich einen besseren Ort als einen Stall und eine bessere Gelegenheit als diese, wo sie jeden Augenblick entdeckt werden konnten.

Aber würden sie jemals ein normales Leben als Mann und Frau führen können? Selbst Markgraf Friedrich, der edelster Abstammung war und bei vielen einflussreichen Verwandten Aufnahme finden konnte, streifte durch das Land wie ein einsamer Wolf und hatte seinen einzigen Sohn weitab von sich in Sicherheit gebracht. Wie konnte es da eine gemeinsame Zukunft für ihn und Änne geben?

Schon morgen könnte er verhaftet und hingerichtet werden, sollte die Befreiungsaktion für die Geiseln misslingen. Selbst wenn sie Erfolg hatten, musste er sich weiter verbergen. Dringender noch als zuvor sogar, denn die Flucht der Gefangenen würde erheblichen Aufruhr hervorrufen.

Änne schien seine Gedanken zu erraten.

Sie löste sich von ihm, nur ein wenig, gerade so weit, dass sie ihn wieder küssen konnte. Ihre schmalen Hände umklammerten seinen Nacken, fuhren seine Halswirbel entlang zum Rücken, liebkosten seine Brust, bis er – unendlich verblüfft – begriff, dass sie ihn wollte, jetzt und hier.

»Komm!«, flüsterte sie zwischen zwei Küssen und zog ihn weiter mit sich in den Stall, um jeglichen Zweifel bei ihm auszuräumen. »Ich hab mich so nach dir gesehnt ...«

Seine Einwände erstickte sie, indem sie seinen Mund kurz mit ihrer Hand verschloss.

Er ließ sich von ihr mitziehen, doch nach zwei Schritten blieb er stehen, umklammerte ihre Hände und hielt sie fest.

»Änne, Liebste, hör auf!«, bat er. Lange würde er sich nicht mehr zurückhalten können. »Ich will dich nicht in noch mehr Schwierigkeiten bringen – hier, wo du fürchten musst, entdeckt zu werden.«

»Fürchten?« Sie lachte kurz auf. »Ich habe das Fürchten verlernt, wo die Furcht so allgegenwärtig ist. Jeden Tag unter blutrünstigen Mördern umherzugehen ... jeden Tag Gefahr zu laufen, ertappt zu werden, Folter und Tod zu erleiden ...«

Unsäglich bitter klang ihre Stimme, und die Worte gingen ihm durch und durch. Nun erst begriff er, wie groß ihre Hoffnungslosigkeit wirklich war. Gegen das, was ihnen beiden von den Söldnern des Königs drohte, wäre der Aufruhr eine Lappalie, den es unweigerlich geben würde, sollte jemand sie hier finden.

»Doch *jetzt* fürchte ich wieder: dass sie dich in die Hände bekommen ... dass ich dich ganz verliere ...«

Sie presste sich an ihn, küsste ihn erneut und flüsterte verzweifelt: »Morgen kann es zu spät sein. Morgen könnten wir beide tot sein. Da will ich wenigstens das noch gehabt haben ...«

Wie gern hätte er sie auf ein weiches Lager gebettet, auf weißes Leinen oder Moos auf einer sonnenumspielten Lichtung, um ihren Körper zu betrachten, zu erkunden und zu genießen!

Doch sie hatte recht – dazu blieb ihnen weder Zeit noch Gelegenheit. Also versuchte er nicht länger, sein Begehren zu bezwingen, und schob ihren Rock hoch.

Sehnsüchtig liebkoste er ihre Schenkel und ihren Leib, spürte, dass sie ihn erwartete. Dieses Glücksgefühl und ihr Duft nach Sonne und Kräutern berauschten ihn vollends.

Und er fühlte, dass auch sie erschauerte.

Während er ihre Schulter mit Küssen bedeckte, ihre Brüste streichelte, seine Zunge spielen ließ und sanft an ihren Knospen saugte, löste sie mit bebenden Fingern die Schnur, die seine Bruche hielt.

»Mein Herz!«, flüsterte er, bevor er kraftvoll in sie eindrang. Für einen Moment hielt er inne, um das unbeschreibliche Gefühl auszukosten. Und dann liebte er sie, heftig und zärtlich zugleich, während sie ihre Finger in seinen Schultern vergrub, um ihr Stöhnen zu unterdrücken.

Als sie sich endlich voneinander gelöst und ihre Kleider geordnet hatten, wischte sich Änne die Tränen vom Gesicht und sah ihm mit nahezu unheimlicher Ruhe ins Gesicht.

Sie rechtfertigte sich nicht für ihr Tun, das andere als schamlos bezeichnen würden. Liebe kennt keine Scham.

»Ich wäre damals bis ans Ende der Welt mit dir gegangen«, sagte sie stattdessen.

Nach einem Moment des Schweigens fuhr sie fort: »Und ich würde es jetzt auch tun. Lieber heute als morgen. Es kümmert mich nicht, dass ich eine Ehebrecherin bin, wenn ich nur bei dir sein kann. Lass uns fliehen, am besten gleich, bevor sie dich töten!«

Was musste alles geschehen sein in den letzten anderthalb Jahren, um sie so zu verändern?

Mit widersprüchlichen Gefühlen zog Markus Änne erneut an sich und küsste ihr Haar, dann rückte er ihre Haube zurecht, wie er es schon einmal getan hatte – in jener Nacht, als er ihr seine Liebe gestanden hatte.

»Ich kann jetzt noch nicht fort. Ich muss erst einige wichtige Dinge erledigen.«

»So wichtig, dass du dein Leben riskieren willst?«, erwiderte sie.

»Ja.«

Mehr sagte er nicht. Sie verstand auch so. Er hatte einen Eid geschworen, die Bewohner der Stadt zu schützen.

»Versprichst du mir wenigstens, dass du dich in Acht nimmst?«, fragte sie wehmütig.

»Ich schwöre es. Sobald alles getan ist, hole ich dich und nehme dich mit mir. Du hast mein Wort.«

»Meister Marsilius wird furchtbar gekränkt sein. Aber er wird es verstehen«, sagte sie leise.

Diese Worte riefen in ihm erneut die peinigende Vorstellung wach, wie der alte Mann seine Geliebte in Besitz nahm, seine Änne. Mühsam kämpfte Markus die aufsteigenden Bilder nieder.

»Ich rede mit ihm. Er *muss* dich freigeben. Als Grund dafür kann er Kinderlosigkeit angeben. Und dann nehme ich dich mit zu Markgraf Friedrich«, versprach er erneut.

Traurig liebkoste er ihren Hals. »Ich war ein Narr zu glauben, du seiest hier sicherer aufgehoben.«

Sie lehnte sich an seine Brust und begann, ohne dazu aufzusehen, leise und stockend zu erzählen.

»Der Vormund hatte mich abgefangen, als ich mit Clementia zu den Brotständen ging. Er packte mich am Arm und zerrte mich mit sich, um mich zum Kramermeister zu bringen. Ich widersprach – zum ersten Mal in meinem Leben, weil ich mich vor Berlewin fürchtete. Dafür hat er mich halb totgeschlagen. Clementia rannte inzwischen zu Marsilius, der in der Kesselmachergasse einen Kranken besuchte, und brachte ihn zu Jenzin.«

Markus nahm alle Kraft zusammen, um die nächsten Worte ohne Bitterkeit herauszubringen. »Bestimmt sorgt er gut für dich, der Meister Conrad. Er hat recht – ich kann dir kein solches Leben bieten, wie du es nun gewohnt bist. Nicht einmal die nächste Mahlzeit ...«

Brüsk hob sie den Kopf. »Ich habe dir gesagt, dass mich das nicht kümmert! Auch ohne zu wissen, wo ich nächsten Nacht schlafe oder wann wir etwas zu essen haben – ich will mit dir gehen! Bevor es zu spät ist.«

»Ich hole dich, wenn meine Aufgabe hier erfüllt ist«, versprach er. »Bis dahin bewahre Stillschweigen.«

Er küsste sie noch einmal leidenschaftlich, dann schob er sie zur Tür.

»Und nun geh, bevor sie dich vermissen.«

Änne widersprach nicht, sondern wankte hinaus in die einsetzende Dämmerung. Im Garten tauchte sie die Hände in den Eimer, um die vom Weinen geschwollenen Augen zu kühlen. So hockte sie dort, ein Bild der Verzweiflung.

Markus wäre am liebsten umgekehrt, um sie wieder in seine Arme zu reißen und sofort mit ihr zu fliehen, weit weg von hier.

Am Rascheln im Gebüsch und Knarren des hölzernen Zauns erriet Änne, dass sich Markus über die Umfriedung geschwungen hatte und vermutlich zurück in sein Versteck schlich. Sie lauschte noch eine Weile, ob sie von draußen Stimmen hörte, die darauf hindeuteten, dass ihr Liebster entdeckt worden war. Aber alles blieb still, abgesehen von ein paar bellenden Hunden und dem Grunzen eines Schweins, das jemand in die Gasse getrieben hatte oder das entwischt war.

Wankend richtete sie sich auf und ging mit schleppenden Schritten ins Haus. Die welkenden Pflanzen blieben an diesem Abend unbenetzt.

Zu ihrer Erleichterung kam ihr niemand entgegen oder rief nach ihr, als sie die Wohnstatt betrat. So ging sie gleich zum Hausaltar, um mit tief gesenktem Kopf und gefalteten Händen davor niederzuknien, während ihr die Tränen über das Gesicht rannen.

Sie musste die Heilige Mutter Gottes anflehen, Markus vor Unheil zu beschützen. Das war ihr noch dringlicher als Vergebung für ihre eigene furchtbare Sünde.

Sie hatte es nicht über sich gebracht, ihn fortzuschicken. Stattdessen hatte sie sich ihm angeboten wie die billigste Hure. Aber sie konnte einfach nicht anders. Sie liebte ihn.

Sie wollte ihn spüren, seine Hände, seine Lippen, seine Kraft – vielleicht nur ein einziges, letztes Mal. Sie wollte fortführen, was er in jener letzten Nacht auf Freiheitsstein in ihr erweckt hatte und das Marsilius nie in ihr hervorrufen konnte.

Was sie gerade erlebt hatte, dieses unglaubliche, unbekannte Glücksgefühl, das sie mit sich riss und alle Gedanken, Zweifel und Ängste fortspülte, hatte sie tiefer aufgewühlt als sonst irgendetwas in ihrem Leben.

Ihr war, als hätte Markus sie aus der Starre der Gefühllosigkeit zurück ins Leben geholt.

CHRISTIANS PFAD

Sobald der Morgen graute, mischten sich Markus und seine Mitverschwörer als Bergleute gekleidet unter die Männer, die zu den Gruben innerhalb der Stadtmauern gingen.

Es wunderte sich niemand darüber, dass da Leute einfahren

wollten, von denen einer nur eine Hand hatte, ein weiterer hinkte, der Dritte kaum Luft bekam. Der Staub und die ständigen Gefahren unter Tage machten viele Bergleute zu Krüppeln. Doch in Notzeiten wie diesen mussten die meisten von ihnen trotzdem weiterarbeiten, damit ihre Familien nicht hungerten.

Der Bergmeister hatte ein Übriges getan und verbreiten lassen, in dem Gebiet, in das sie sich nun vorarbeiteten, würden Berggeister umgehen. Das sorgte dafür, dass sich niemand in ihre Nähe wagte.

Die Furcht der Einheimischen vor Geistern war groß. Die verborgenen Herrscher des Berges konnten Gruben zum Einsturz bringen, die Bergleute in die Irre locken oder ihnen auf viele andere Arten gefährlich werden. Gerade erst hatte es in Freiberg ein Grubenunglück gegeben, bei dem mehr als ein Dutzend Männer ihre »lange Schicht« angetreten hatten – tot oder lebendig im Stollen begraben, ohne Aussicht, je geborgen zu werden. Auch deshalb war der Respekt der Freiberger vor den Berggeistern größer als die Hoffnung, milde gestimmte Wesen könnten ihnen einen reichen Erzgang zeigen oder einen Krug voll silberner Pfennige schenken.

Die Erinnerung an das Grubenunglück und den Einsturz der Anhöhe bei der Ankunft des Heeres würde auch unter den Besatzern ausreichend Furcht verbreiten. So gelangten Markus und seine Gefährten unbeachtet zu dem Stollen, der zu Christians Pfad führte.

Markus lauschte, ob von irgendwo etwas zu hören war. Aber einzig das Plätschern von den Schritten seiner Gefährten hallte durch die Stille. Auf der Stollensohle hatte sich Wasser gesammelt, so dass sie über große Strecken waten mussten. Vielleicht war dieser Teil der Grube deshalb auflässig. Wasser im Stollen war der Feind der Bergleute.

Mit dem heftig rußenden und stinkenden Unschlittlicht ging Markus ganz nah an die Wand aus Gesteinsbrocken heran, die das Ende des verlassenen Stollens bildete, und glitt mit der flackernden Flamme an dem Felsgestein entlang.

»Unversehrt. Niemand hat sich daran zu schaffen gemacht«, verkündete er erleichtert und sprach ein kurzes Dankgebet.

»Ganz sicher?«, vergewisserte sich Herrmann. Sein Keuchen war nun in der Stille des Berges deutlich zu hören.

»Ganz sicher«, bestätigte Markus. »Seit ich zum ersten Mal hier war, hat sich nichts verändert. Fangen wir an!«

Die andern legten das Gezähe ab. Vorerst würden sie die Brocken mit den Händen beiseiteräumen können. Das hatte auch den Vorteil, weniger Geräusch als Schlägel und Eisen zu verursachen.

»Hauptmann, bist du sicher, dass es hier keine Berggeister gibt?«, fragte Christian.

So tollkühn der rothaarige Bursche ansonsten auch war – Markus hörte zum ersten Mal Angst aus seinen Worten. Das lag bestimmt nicht daran, dass sie sich direkt in die Höhle des Löwen wagen mussten und ihnen der Tod drohte, sollten sie entdeckt werden.

Die Dunkelheit, in der das flackernde Talglicht die Umgebung kaum mehr als eine Elle weit erhellte, zusammen mit der Furcht vor den Geistern des Berges, konnte nicht nur einem Halbwüchsigen einen Schauer über den Rücken jagen. Sie waren keine Bergleute, sie waren es nicht gewohnt, in solcher Finsternis unter der Erdoberfläche zu arbeiten. Dies war für sie eine fremde, bedrohliche Welt.

»Entzündet ein zweites Licht«, wies der Hauptmann an. »Wir müssen aufpassen, dass wir die richtigen Felsbrocken beiseiteräumen, ohne einen Steinschlag auszulösen.«

Herrmann zog sofort einen Kienspan aus dem Bündel und hielt ihn an die flackernde Flamme.

»Wie weit ist es von hier zum Verlies?«, wollte Jan wissen, während sie begannen, Steine herauszubrechen.

»Wenn die geheimen Überlieferungen stimmen, ist der Stollen

auf sechs bis sieben Schritt Länge verschlossen. Dann kommt ein schmaler Gang, der direkt unter das Verlies führt. Dort müssen wir das Gestein wegräumen, mit dem der Fluchtweg von oben verfüllt wurde, damit es unter dem Verlies nicht hohl klingt«, erklärte Markus. »Der Geheimgang musste einerseits gut verborgen werden, andererseits in Notfällen schnellen Zugang zur Burg ermöglichen.«

Zu früh durften sie auch gar nicht auftauchen, sonst wäre Gero noch im Käfig auf dem Burghof.

Eine ganze Weile arbeiteten sie wortlos, während ihre Füße im kalten Wasser langsam abzusterben drohten.

»Welche Tageszeit jetzt wohl ist?«, fragte Claus irgendwann, während er zusammen mit Jan eine schwere Gneisplatte beiseitetrug. »Könnt ihr euch vorstellen, dass da oben jetzt die Sonne scheint? Vielleicht regnet es aber auch oder gewittert, und wir bekommen nichts davon mit. Wir merken nicht einmal, ob es Tag ist oder Nacht.«

»Dein Magen wird dich schon an die Mahlzeiten erinnern«, spottete Herrmann und ließ sich mühsam atmend zu Boden sinken. Die Anstrengung machte seiner verletzten Lunge schwer zu schaffen.

»Lasst uns einen Moment innehalten und etwas trinken«, entschied Markus. Die hölzerne Kanne mit Bier wanderte reihum, sie aßen etwas von dem mitgebrachten Brot.

Je länger sie arbeiteten, umso mühsamer kamen sie voran, weil immer mehr abgetragene Steine im Stollen verteilt werden mussten. Bald waren Jan, Christian und Claus nur noch damit beschäftigt, während sich Markus und Herrmann nach vorn durcharbeiteten.

Der Hauptmann versank erneut in Grübeleien, die Änne betrafen.

Die halbe Nacht hatte er schon darüber nachgedacht, was sie dazu getrieben haben mochte, ihn so weit zu bringen, dass er sie gleich im Stall nahm. Auch wenn ihn in manchen Momenten die Eifersucht auf Marsilius fast wahnsinnig machte, so glaubte er einfach nicht, dass der Arzt in ihr die Leidenschaft einer Frau erweckt haben könnte.

Vielleicht ist es auch nur mein Wunsch, dass sie ihm im Bett gehorsames Eheweib ist und nicht das leidenschaftliche Wesen, als das sie mich eben überraschte?, dachte er voller Selbstzweifel.

Doch von ihrem kurzen, leidenschaftlichen Liebesakt hatte er auch den Moment in Erinnerung, als sie voller Überraschung aufgestöhnt hatte. Und ihr fassungsloser Blick danach bestärkte ihn in der Vermutung, dass sie bei ihm zum ersten Mal wahres Liebesglück kennengelernt hatte.

Dankbar für ihre Zuneigung und betroffen von ihrem Kummer, fühlte er sich doppelt aufgefordert, dafür zu sorgen, dass Ännes Schreckensvision unerfüllt blieb.

Herrmanns Stimme riss ihn aus seinen Gedanken. »Durchschlag!«, rief der Ältere erleichtert. »Das muss der Gang sein!«

Markus griff nach einem Kienspan und beleuchtete die Wand vor sich näher. Tatsächlich – eine winzige Öffnung verriet, dass sie schneller als gedacht den ersten Teil ihres Vorhabens bewältigt hatten. Im nächsten Augenblick ließ der Luftzug die Flamme aufflackern und erlöschen.

Er entzündete den Kienspan wieder, steckte ihn fest und begann ebenso wie Herrmann, mit beiden Händen das lose Gestein beiseitezuschaufeln.

Die anderen hatten den Ausruf gehört und zwängten sich durch den engen Stollen, um zu helfen. Bald war vor ihnen ein Loch, etwa so groß, dass ein Mann hindurchschlüpfen konnte.

»Es gibt ihn wirklich!«, rief Christian fassungslos. »Seine Freunde haben ihn gegraben, um Ritter Christian zu befreien.«

Selbst im Dunkel war nicht zu übersehen, wie ergriffen der Junge angesichts des Schicksals seines Namenspatrons war, von dessen Leben und Tod dieser unbenutzte Fluchtweg noch nach mehr als hundert Jahren Zeugnis ablegte.

Herrmann bekam einen erneuten Hustenkrampf und trank dankbar einen Schluck aus der Kanne, die Jan ihm reichte.

Ohne um Erlaubnis zu fragen, schnappte sich Christian den Kienspan, zwängte sich durch das Loch und lief los, so schnell es in der Enge ging.

»Pass auf! Kann sein, da ist lockeres Gestein!«, rief Markus besorgt und leuchtete dem Burschen mit dem rußenden Unschlittlicht. Obwohl der Fluchttunnel in ziemlicher Eile gegraben worden sein musste, konnte er ein paar Grubenstöcke erkennen, die den Stollen abstützten. Auf das Können der Freiberger Bergleute ist Verlass, dachte er beruhigt.

Schon näherte sich das Licht wieder. »Weiter hinten ist eine Stelle, die wir verbreitern müssen«, verkündete Christian, während er sich durch die Öffnung zwängte.

»Legen wir erst einmal den Durchlass richtig frei«, entschied Markus.

Herrmann warf einen Blick in den schmalen Tunnel vor ihnen. Im schwachen Schein der Flamme konnte Markus sehen, dass sein Gesicht schweißüberströmt war; er atmete flach und rasselnd.

»Ich schaffe das nicht, Hauptmann«, gestand der Ältere ein. »Ich halte es hier schon kaum aus, obwohl wir noch stehen können. Aber durch diesen schmalen Stollen dort vorn – es tut mir leid …«

»Setz dich erst einmal hin und trink etwas«, beruhigte Markus ihn und legte ihm die Hand auf die Schulter.

»Wenn wir vorn weiterräumen und vielleicht sogar abstützen müssen, damit der Stollen nicht einbricht, brauchen wir sowieso einen erfahrenen Häuer oder Bergzimmerer.«

»Ich gehe zum Bergmeister und bitte um Hilfe«, erklärte

Herrmann. »So bin ich wenigstens noch zu etwas nutze. Und keiner von euch muss sich zusätzlich in Gefahr bringen.«

Markus überlegte. Angesichts des weit heruntergebrannten Talglichts musste die Schicht der Bergleute bald zu Ende sein. »Gut. Wir suchen uns einen Platz für das Nachtlager.«

Auf dem Weg zur Grube war ihm aufgefallen, wie ängstlich Claus gewirkt hatte. Auch deshalb fuhren sie wohl besser nicht wieder aus. Das minderte das Risiko, entdeckt zu werden. »Du, Herrmann, gehst zurück, wartest, bis die Bergleute die Gruben verlassen, und folgst ihnen. Niemand wird sich etwas dabei denken.«

Die Gugel, der Staub im Gesicht und die Dämmerung würden genug Schutz bieten, damit ihn niemand erkannte.

Sie aßen etwas und richteten sich weiter vorn im Stollen, wo die Sohle leicht anstieg und nicht von Wasser bedeckt war, ihr Nachtlager ein. Auch wenn die Umgebung unheimlich war – die völlige Finsternis und die Müdigkeit nach der kräftezehrenden Arbeit ließen alle schnell einschlafen.

Irgendwann wurde Markus wach und richtete sich vorsichtig auf. Er hatte von Änne geträumt, und mühsam versuchte er, sich die Bilder zurückzurufen. Was hätte er dafür gegeben, jetzt bei ihr zu sein. Ich sollte schlafen, ermahnte er sich. Nachher kann das geringste Zögern unser aller Verderben sein. Also legte er sich in der Dunkelheit wieder auf dem Boden zurecht, so gut es ging.

Es war merkwürdig, nicht zu wissen, ob es draußen noch tiefe Nacht war oder der Morgen schon graute. Herrmann würde kommen und sie wecken. Was aber, wenn er gefangen genommen worden war? Vielleicht war es schon längst Tag, und sie hatten verschlafen?

Weit vorn glaubte er ein schwaches Licht zu erkennen und bei genauem Hinhören das Geräusch von schlurfenden Schritten. Er tastete nach seinem Schwert und erhob sich.

Wenig später atmete er erleichtert auf. Herrmann kam in Begleitung zweier Bergleute.

»Steht auf, ihr Schlafmützen! Ans Werk!«, sagte einer der beiden munter. »Mein Sohn Gero ist unter denen, die ihr da rausholen wollt. Gott segne euch für euern Mut!«

»Und dich für deinen! Wie ist dein Name?«

»Karl, und das da ist mein Bruder Hinz.«

Gemeinsam sprachen sie ein Morgengebet, aßen etwas und begannen, sich in dem Fluchttunnel weiter vorzuarbeiten.

Die Bergleute hatten Grubenholz herangeholt, mit dem sie den Stollen fachmännisch abstützten.

Das herabgestürzte Gestein war schnell beiseitegeräumt. Nun ließ sich das Ende des Tunnels im schwachen Schein schon erahnen.

Nacheinander zwängten sie sich durch den schmalen Stollen, und jetzt bekam auch Markus das beklemmende Gefühl, im Berg mehr oder weniger festzustecken. Die Strecke kam ihm mittlerweile endlos vor, aber zurück konnte er nicht, solange die Männer hinter ihm nicht wichen. Wenn wir schnell fliehen müssen, wird es kritisch, dachte er. Am besten, wir bereiten ein Hindernis vor für den Fall, dass die Wachen uns entdecken und verfolgen.

Der Gedanke wurde sofort in die Tat umgesetzt. Karl und Hinz verkeilten zwei Balken über Kreuz, die sie mit Öl übergossen. Der Platz reichte, um sich hindurchzuzwängen, aber im Fall einer schnellen Flucht konnten sie das Holz hinter sich in Brand stecken und damit den Gang versperren.

Ein Dutzend Schritte weiter stand Markus vor dem Ende des Stollens.

»Direkt über uns müsste das Verlies im Bergfried sein«, verkündete er zufrieden.

»Dann lass uns mal ran, Hauptmann«, meinte Karl und zwängte sich an ihm vorbei. »Beten wir, dass alle noch leben!«

Der Häuer musterte die Wand aufmerksam und pochte prüfend da und dort gegen das Gestein.

»Tretet ein paar Schritte zurück!«, mahnte er. »Wenn wir hier etwas rausbrechen, wird alles von oben nachrutschen, womit das Loch verfüllt wurde.«

Zuerst sicherte er zusammen mit seinem Bruder die Decke mit Grubenstöcken, dann begann er, sich vorzuarbeiten.

Keiner vermochte zu sagen, wie viel Zeit verstrichen war, bis ein erleichterter Schrei erklang, der sofort unterdrückt wurde.

»Über uns sind Balken«, flüsterte der Häuer.

Markus atmete auf und grinste.

»Die müssen wir wegräumen – und dann willkommen im Verlies!«

Vorerst stellten sie die Arbeiten ein und schickten Jan zurück zum Mundloch, um sich zu vergewissern, dass draußen schon wieder Nacht war. Bei Tageslicht war es nicht nur zu riskant, den Stollen zu verlassen, sondern die Gefahr auch zu groß, dass einer der Bewacher gerade nach den Gefangenen sah.

»Stockfinster draußen«, verkündete Jan zufrieden, als er nach einiger Zeit zurückkam.

»Dann betet zu Gott und zum heiligen Leonhard, dem Schutzpatron der Gefangenen«, flüsterte Markus.

Die anderen traten zurück, und mit dem Grubenhammer schlug er dreimal nacheinander gegen das Gebälk über ihm.

Nach einem Moment der Totenstille hörten sie es von oben dreimal stampfen.

Noch einmal hämmerte Markus dreimal gegen die Balken.

Dann rief er: »Schiebt das Stroh beiseite! Wir sind hier!«

Er schwenkte das Talglicht unter der Decke, in der Hoffnung, dass ein Lichtstrahl durch die Ritzen des Gebälks dringen und den Gefangenen zeigen würde, wo genau er stand.

Wenig später hörte er direkt über sich eine gedämpfte, ungläubig klingende Stimme. »Markus?«

»Ja. Hört zu, die Balken an dieser Stelle sind nur lose aufgelegt. Tretet beiseite und versucht, sie wegzuräumen. Ich drücke dagegen.«

Mit aller Kraft stemmte er seine Schulter gegen einen Balken, der sich mit einem Ruck nach oben drücken ließ. Strohreste rieselten auf ihn herab. Rasch zog Jan das Talglicht fort, das sein Bruder beiseitegestellt hatte, damit die Halme nicht Feuer fingen.

Ein paar von oben und unten geraunte Kommandos, und bald waren drei der Balken weggeräumt.

Markus hangelte sich hinauf ins Verlies. Er ließ sich das Licht hochreichen, zog den Schlüssel aus dem Almosenbeutel, den er noch aus den Zeiten besaß, als er die Burgwache kommandierte, und begann, die Schellen zu lösen, mit denen seine einstigen Kameraden an die Mauern des Bergfrieds gekettet waren.

»Wir hatten ja gehofft, dass du dich mit irgendeiner tollkühnen Aktion hierher durchkämpfst, Hauptmann«, sagte Gero, der am Vortag noch im Käfig auf dem Hof eingesperrt war, fassungslos vor Staunen und Freude. »Aber dass du dich von unten durchgräbst …« Tränen liefen dem jungen Bogenschützen übers Gesicht.

Nicht anders erging es den meisten seiner Leidensgefährten. Sie umringten Markus, jeder wollte ihm auf die Schulter klopfen, und kaum einer konnte die Tränen zurückhalten. Auch Markus hatte Mühe, seine Gefühle zu beherrschen – weniger aus Freude darüber, dass der Plan bis hierher aufgegangen war, sondern angesichts des Zustandes seiner Männer nach anderthalb Jahren Kerker. Bis zur Unkenntlichkeit abgemagert waren sie alle, bei den meisten konnte er selbst in dem schwachen Licht Spuren der Folter erkennen.

»Wir müssen uns beeilen!«, drängte er.

Schon ließen sich die Ersten durch den Spalt hinab. »Wann kommen die Wachen? Wie und wie oft untersuchen sie das Verlies?«, fragte er die Übrigen.

»Eigentlich nur, wenn sie zum Zeitvertreib ein paar von uns quälen wollen«, erklärte einer. »Brot und den Wassereimer lassen sie durch die Luke runter. Wieso willst du das wissen?«

Markus gab keine Antwort, sondern half dem Nächsten, sich nach unten zu hangeln. Die Gefangenen waren so geschwächt, dass manchem dafür allein die Kraft fehlte.

Er wusste, dass sie unten in Empfang genommen und von den anderen sicher zu einem untertägigen Versteck geleitet wurden. Nach der mysteriösen Flucht von einem Dutzend schwer bewachter Geiseln würde in der Stadt das Unterste zuoberst gekehrt werden. Deshalb wäre es zu riskant, sich in einem der Häuser zu verstecken. Und nach vielen Monaten im Verlies kam es für die Befreiten auf ein paar Tage mehr im Dunkeln nicht an, wenn sie nur in Sicherheit waren.

Als alle Geiseln in die Tiefe verschwunden waren, stemmte sich Jan hoch ins Verlies zu seinem Bruder. Hinter ihm wurden das Talglicht, Markus' Schwert, ein dunkles Bündel und ein Eimer Wasser nach oben gereicht.

»Du willst das wirklich riskieren?«, fragte Jan zweifelnd. »Mir wäre wohler, du kämst mit uns. Ich will mir nicht noch einmal Sorgen um dich machen müssen.«

Und was würde wohl erst Änne sagen, wenn sie wüsste, was ich vorhabe?, dachte Markus mit einem Anflug schlechten Gewissens.

»Wir müssen mit Vergeltungsaktionen in der Stadt rechnen«, entgegnete er. »Vielleicht nehmen sie willkürlich neue Geiseln. Und weil sein kann, dass wir dann wieder einen Fluchtweg brauchen, will ich Christians Pfad nach Möglichkeit unentdeckt lassen.«

Er legte seinem Bruder aufmunternd den Arm auf die Schulter. »Bete für mich. Es wird schon alles gutgehen!«

Dann entknotete er das Bündel und nahm den königlichen Wappenrock heraus, den er schon bei seinem kurzen Erkundungsgang auf der Burg getragen hatte. Er tauchte die Hände in den Eimer, wusch sich den Staub vom Gesicht und zog sich um.

Im Kerzenlicht überprüfte Jan, ob der Schmutz beseitigt war und alles richtig saß.

Bevor sein Bruder ging, hielt Markus ihn zurück und kramte in seinem Almosenbeutel. Verblüfft starrte der Jüngere auf das dreibeinige Holzpferd.

»Mein altes Spielzeug! ... ihm fehlt auch eine Hand«, murmelte Jan betreten.

»Ich hatte es von zu Hause mitgenommen, bevor ich Freiberg verließ«, erklärte Markus und drückte es seinem Bruder in die Finger.

»Gott schütze dich!«, gab er dem Jüngeren mit auf den Weg und umarmte ihn, bevor Jan sich wieder in den Stollen hinabließ.

»Gott schütze dich, Bruder ... Hauptmann!«

Markus stellte das Licht auf einem Vorsprung ab, dann hievte er die Balken wieder auf den alten Platz, um den Durchgang zu verschließen. Von unten würden seine Gefährten ein paar Säcke Heu und einige Gesteinsbrocken darunterklemmen, damit niemand einen Hohlraum fand, wenn das Verlies durchsucht wurde, um das rätselhafte Verschwinden der Gefangenen aufzuklären.

Sorgfältig verstopfte er die neu entstandenen Ritzen mit Strohhalmen und Schmutz, damit sie nicht auffielen. Dann schob er das Stroh auf einer Seite des Raumes zusammen und goss Öl aus einer kleinen Kanne darüber.

Nachdem das getan war, setzte er sich hin, legte das Schwert neben sich und blies das Talglicht aus.

Nun hieß es warten und beten.

Nun begann der eigentlich riskante Teil seines Planes.

GEWAGTES SPIEL

*E*s schien Markus in der Dunkelheit, als sei nur wenig Zeit verstrichen, bis jemand geräuschvoll von oben daranging, die Luke zum Verlies zu öffnen.

Licht fiel durch die Öffnung, und er hörte die lauten Stimmen der Männer, die sich in der Wachstube über ihm aufhielten und dem Lärm zufolge würfelten und derbe Späße trieben. Es mochten zehn oder zwölf sein.

Für einen Augenblick tauchte ein mürrisches, rundes Gesicht auf, dann fiel etwas hinab in das Verlies und traf mit dumpfem Geräusch auf dem Boden auf.

»Da habt ihr zu fressen, Pack«, schimpfte eine verächtlich klingende Stimme.

Im schwachen Licht erkannte Markus einen halb verbrannten Brotlaib auf dem fauligen Stroh.

Wenig später ließ der Unbekannte einen Eimer an einem Strick hinab. »Und zu saufen.«

»Wir haben einen Toten«, rief Markus mit schwacher Stimme hinauf.

»Einer weniger, den wir aufknüpfen können«, erscholl es von oben gehässig. Der Wächter ließ den Eimer auf den Boden knallen, dass ein Schwall Wasser überschwappte.

Polternde Schritte entfernten sich und näherten sich wieder, dann wurde eine Leiter durch die Luke gelassen.

Immer noch vor sich hin schimpfend, stieg der Wächter die Leiter hinab. »Elendes Gesindel«, murrte er. »Nur Arbeit hat man mit euch.«

Wie Markus vermutet hatte, trug er dabei eine Fackel.

Er ließ dem Mann keine Gelegenheit, sich im Verlies umzusehen. Als er tief genug herabgeklettert war, damit ihn von oben niemand mehr sah, riss ihn Markus nach hinten und hielt ihm den Mund zu. Dann bereitete er ihm durch einen Dolchstich in die Niere ein schnelles Ende und ließ den Leichnam zu

Boden sinken. Mitleid verspürte er keines mit dem Mann nach dessen Hasstiraden.

Die Fackel war neben den Eimer gefallen. Rasch entzündete sich das mit Öl getränkte Stroh.

»Feuer im Verlies!«, brüllte Markus nach oben, wobei er sich bemühte, die Stimme des Toten nachzuahmen. »Schnell, holt Wasser!«

Er selbst trat zurück zu einer Stelle, an der es noch nicht brannte, und hoffte, dass die anderen so reagierten, wie es sein Plan vorsah – vor allem schnell.

Über sich hörte er hastige Schritte. Jemand warf einen Blick durch die Luke, sah die lodernden Flammen und den nach oben quellenden Rauch und fluchte gotteslästerlich.

»Los, beeilt euch und holt Wasser, sonst büßen wir die Geiseln ein!«, brüllte er markdurchdringend.

Nun wurde das Getrampel noch lauter und schneller.

Erwartungsgemäß scherte sich niemand darum, wo der Wärter abblieb, der sich an diesem Morgen um die Gefangenen zu kümmern hatte. Und es dachte auch niemand daran, die Leiter hochzuziehen. Schließlich waren die Geiseln angekettet und konnten nicht fliehen.

Markus packte sein Schwert, sandte ein Stoßgebet zum Himmel und sprang durch die Flammen, die nun schon um das untere Ende der Leiter züngelten. Der Rauch reizte seine Lungen, während er, so schnell er konnte, nach oben kletterte.

Er hatte Glück, in diesem Moment war niemand in der Wachstube, der sich darüber wundern konnte, wieso einer der Ihren aus dem brennenden Verlies stieg.

Rasch warf er die Leiter um. Wer jetzt nach den Gefangenen sehen wollte, musste sich eine neue holen oder blindlings ins Feuer springen.

Er steckte sein Schwert wieder in die Scheide und spähte hinaus. Über den Burghof rannten mehrere Männer mit Eimern und anderen Gefäßen auf ihn zu.

»Schneller, ihr Faulpelze!«, schnauzte er sie an und wies auf die Luke, aus der schon die ersten Flammen züngelten. »Die Waffen- und die Silberkammer sind in Gefahr!«

Jemand schlug das Alarmeisen, immer mehr Männer rannten zusammen.

»Feuer im Bergfried!«, schrie er ihnen zu. »Los, helft löschen!« In dem Durcheinander fragte sich niemand, wer er eigentlich war. Dass sein Wappenrock angesengt war und nach Rauch roch, trug zu seiner Glaubwürdigkeit bei.

Mit eiligen Schritten ging er zur Halle, scheuchte dort die letzten Männer auf, damit sie Löschwasser aus dem Brunnen hievten, und hastete die Treppe hinauf zum Quartier des Stadtkommandanten.

Ab jetzt musste er improvisieren, je nachdem, wie viele Bewaffnete er antraf.

Er hatte Glück, die Wachen im Gang waren ebenso aufgestört wie die anderen und versuchten, durch einen Blick aus den Fensterluken zu ergründen, was unten vor sich ging.

»Feuer im Bergfried! Rettet das Silber!«, rief er ihnen zu und ging schnurstracks weiter, als wolle er dem Kommandanten Meldung machen.

Das wirkte, die Männer rannten los. Nur der Posten vor der Tür blieb auf seinem Platz und musterte den Fremden skeptisch.

Das Glück war noch einmal auf Markus' Seite. Bevor der andere, der bereits die Hand am Schwertgriff hatte, etwas sagen konnte, flog die Tür auf.

»Er fiebert wieder, wie müssen den Medicus kommen lassen«, sagte aufgeregt ein Junge, vielleicht ein Knappe, bevor er irritiert auf die rennenden Männer im Gang sah.

Markus zögerte nicht. Er zog dem abgelenkten Posten den Dolch durch die Kehle und stieß dem Jungen im nächsten Augenblick den Knauf gegen die Schläfe.

Der Knappe fiel bewusstlos zu Boden. Der Bewaffnete hingegen schaffte es nicht mehr, sein Schwert aus der Scheide zu ziehen. Mit beiden Händen griff er nach seiner Kehle, sackte in die Knie und fiel um.

Eilig stieg Markus über ihn hinweg. Mit zwei reglosen Körpern vor dem Quartier des Kommandanten blieb ihm nun nicht mehr viel Zeit.

Er trat ein und schlug die Tür hinter sich zu.

Der Raum hatte sich verändert im Vergleich zu den Zeiten, als Markus noch Hauptmann der Burgwache war und hier Ulrichs Vorgänger gewohnt hatte. Etliche Truhen waren dazugekommen, Sachen lagen unordentlich herum, anstelle des bestickten Teppichs hing das königliche Banner an der Wand, auf dem Tisch stand ein mit Edelsteinen besetzter Becher.

Der in den vergangenen anderthalb Jahren bemerkenswert fett gewordene Graf von Isenberg lag im Bett und starrte ihn aus glasigen Augen an. Seine Lippen waren aufgesprungen, das Gesicht glühte.

Mit dem blutigen Dolch in der Hand trat Markus an das Bett des Verhassten.

Der röchelte und versuchte vergeblich, sich aufzurichten.

»Ich töte keinen Mann, der krank im Bett liegt«, meinte der junge Hauptmann verächtlich. »Auch wenn Ihr den Tod hundertfach verdient.«

Er beugte sich zu dem Fiebernden hinab und zog ihn an der Kotte eine Handbreit zu sich.

»Hört gut zu!«, sagte er mit schneidender Stimme. »Die Geiseln sind aus dem Bergfried befreit und in Sicherheit. Wenn Ihr aus Rache dafür auch nur einen Stadtbewohner leiden lasst, werde ich Euch töten!«

Er ließ den einstigen Marschall los, so dass dieser ins Bett zurückfiel.

Dann zog Markus seinen Dolch über den Handrücken des Eidbrechers und Mörders. Aus dem klaffenden Schnitt sprudelte Blut.

»Das ist zur Erinnerung, damit Ihr meine Worte nicht vergesst oder meint, Ihr hättet nur geträumt!«

Rasch wog er ab, welchen Fluchtweg er nehmen sollte. Sein Glück ein weiteres Mal herauszufordern und zu hoffen, dass er unangefochten durch den Gang, die Halle und über den Burghof kam, schien ihm zu riskant. Da der Wandbehang durch das Banner ausgetauscht worden war, musste der dahinter verborgene Gang entdeckt worden sein. Also verriet er kein Geheimnis, wenn er ihn benutzte, und konnte davon ausgehen, dass der Durchlass frei war.

Er schob das königliche Banner beiseite und stemmte sich mit der Schulter gegen die verborgene Tür, die sich nach kurzem Widerstand öffnete. Rasch griff er nach der Kerze auf dem Tisch, schlüpfte in den Durchlass und zog die schwere Tür hinter sich zu.

Im Schein der Kerze fand er sich schnell zurecht, auch wenn er diesen Durchgang nur ein Mal von innen gesehen hatte. Damals, kurz nachdem ihm das Kommando über die Burgwache übertragen worden war, hatte ihn der alte Burgkommandant mit allen Geheimnissen von Freiheitsstein bekannt gemacht, die er für die Verteidigung der Burg kennen musste. Nach kurzem Überlegen wandte er sich nach links.

Er hatte sich nicht geirrt. In zwanzig Schritt Entfernung zeichneten sich vor ihm die Umrisse einer weiteren Tür ab. Er lauschte, konnte aber nichts hören und entschied sich, sein Versteck zu verlassen.

Wenig später hastete er durch einen der Wehrgänge und nach oben auf die Mauer. Als er weder links noch rechts von sich jemanden entdecken konnte, wickelte er sich das Seil vom Leib, das er für die Flucht unter seinem Wappenrock verborgen hatte, schlang es um eine der Zinnen und ließ sich außen an der Burgmauer hinab, so schnell er konnte.

Die letzten zwei Mannshöhen musste er springen, landete im Graben, rollte sich ab und klomm den Wall empor.

Gebrüll hinter ihm verriet, dass er entdeckt worden war.

Zischend bohrten sich die Geschosse links und rechts von ihm in den Boden; eines streifte seinen linken Arm.

Markus ignorierte den Schmerz, holte Luft und rannte, so schnell er konnte, über den schmalen Pfad, der zwei der Wehrteiche voneinander trennte und der in Kriegszeiten mit Verhack versperrt wurde. Für einen Moment riskierte er es, zurückschauen. Eine Reihe Bogenschützen stellte sich gerade auf, zwei besonders Wagemutige waren dabei, sich an dem Seil herabzulassen, um ihn zu verfolgen.

Doch sein Vorsprung war zu groß.

Gleich hatte er das Gebiet erreicht, in dem nahe der Stadtmauer Kauen und Scheidebänke errichtet waren, zwischen denen er Deckung suchen konnte. Problemlos hängte er die zwei Verfolger ab, wartete, bis sein Atem wieder ruhiger ging, und marschierte dann scheinbar gelangweilt durch das Meißner Tor wieder in die Stadt, den Gruß der Torwachen lässig erwidernd. Die Zeit war zu kurz gewesen, als dass hier schon der Befehl eingetroffen sein konnte, einen Aufrührer seines Aussehens festzunehmen oder auf der Stelle zu töten.

Nun lenkte er seine Schritte nach St. Marien. Die Schäden an dem prachtvollen goldenen Portal waren während seiner Abwesenheit beseitigt worden.

Er hatte allen Grund, dem Allmächtigen für seinen Beistand zu danken. Außerdem würde ihn Pater Clemens in der Sakristei verbergen, bis sich im Schutz der Dämmerung wieder hinauswagen konnte. Bei dem Pater konnte er auch die königliche Uniform gegen unauffällige Kleidung wechseln und sich den Bart abnehmen. Denn nun würden bald zweitausend Mann nach einem bärtigen jungen Soldaten suchen, der den Wappenrock eines mittleren Befehlshabers trug.

»Du bist der verrückteste und wagemutigste Hauptmann, den diese Stadt je gesehen hat!«

Umringt von seinen Gefährten und den befreiten Gefangenen, stand Markus in einem schon lange aufgegebenen Teil einer Grube, deren Mundloch innerhalb der Stadtmauern lag. Hier würde für die nächsten Tage ihr Versteck sein, bis sie die Befreiten nach und nach aus der Stadt schleusen konnten.

Die Wirtin vom »Schwarzen Ross« hatte ihnen einen Korb mit Brot, Bier und honiggesüßtem Hirsebrei gepackt und von Christian hereinschmuggeln lassen. Nun stießen sie an und feierten die gelungene Aktion und die glückliche Rückkehr ihres Hauptmanns.

Der trug inzwischen Tunika und Skapulier eines Franziskanermönches. Pater Clemens hatte ihm nicht nur ein Versteck geboten, in dem er den angesengten Wappenrock ablegen und sich rasieren konnte, sondern ihm die Wunde verbunden, aus dem nahe gelegenen Kloster Mönchskleider geholt und ihm eigenhändig eine Tonsur geschoren. So gelangte Markus unbehelligt durch die Stadt und hoffte, morgen in dieser Verkleidung auch das Stadttor passieren zu können.

»Dem Allmächtigen sei Dank!«, sagte Herrmann und hob prostend die Kanne mit Bier, bevor er sie kreisen ließ.

»Dem Allmächtigen und seinem Lehnsmann Pater Clemens«, ergänzte Markus. An einer Täuschung mitgewirkt zu haben, würde den Geistlichen vermutlich in einen Gewissenskonflikt stürzen. Aber Clemens hatte ihm versichert, sich darüber mit Gott einigen zu können.

»Mag Adolf von Nassau auch der von Gott auserwählte König sein – was seine Gefolgsleute hier treiben, ist alles andere als gottgefällig«, hatte der Geistliche sein Tun gerechtfertigt.

Herrmann sah im schwachen Licht immer wieder zu Markus und konnte sich ein Grinsen nicht verkneifen.

»Steht dir wirklich gut«, behauptete er fröhlich. »Vor allem die Haartracht. Du solltest nur nicht so grimmig gucken, wenn du glaubwürdig als Mönch durchgehen willst.«

Die anderen stimmten in sein Lachen ein.

Nur Jan wirkte unzufrieden.

»Du hättest ihn töten sollen!«, sagte er zu seinem Bruder, als sich das Gelächter gelegt hatte. »So hast du seinen Rachedurst noch mehr herausgefordert. Und er weiß nun, wie du aussiehst.«

Jeder wusste, von wem die Rede war.

»Aber er wird sich genau überlegen, ob er einfach wahllos ein paar Stadtbewohner festnehmen, ins Verlies sperren oder sogar hinrichten lässt. Das ist es mir wert«, widersprach Markus.

»Hoffen wir mal, dass sie die angesengten Bohlen nicht auswechseln und dabei den Fluchtweg entdecken«, meinte Herrmann skeptisch.

Nun, da die Anspannung wich, verspürte Markus große Müdigkeit nach den letzten Nächten, in denen er nur wenig Schlaf gefunden hatte.

Erschöpft setzte er sich, trank etwas und beobachtete seine befreiten Gefährten. Jeder von ihnen hatte früher zur Wachmannschaft der Burg gehört. Er kannte sie alle. An ihren Gesichtern und den Folterspuren zu sehen, wie sehr sie in den letzten Monaten gelitten hatten, erfüllte ihn mit Grauen.

Es war richtig gewesen, keinen Tag länger zu warten, auch wenn es für ihn dadurch riskanter geworden war, Friedrichs Auftrag zu erfüllen. Als Nächstes musste er unbedingt den Haberberger treffen, der inzwischen weitere Verbündete unter den Grubenbesitzern und Hüttenmeistern gewinnen wollte, und dann die Stadt gleich wieder verlassen, um Friedrichs Gefolgsleuten in Rochlitz und Dresden Nachricht zukommen zu lassen.

»Ich gehe an deiner Stelle zum Hüttenmeister«, bot Jan an, der erriet, woran sein Bruder gerade dachte. »Auf einen Einhändigen werden sie jetzt nicht achten, weil alle nach dir Ausschau halten.«

»Und auf Hinkefüße auch nicht.« Christian grinste verwegen. »Das macht mir die Sache mit den drei Kreuzen wesentlich leichter. Und dann gehe *ich* gleich noch zum Haberberger. Trefft euch bei Meister Marsilius. Bis dahin schaffst du es schon, Hauptmann!«

»Nein, ich darf Änne und den Arzt nicht in Gefahr bringen, indem ich in ihr Haus gehe«, widersprach Markus sofort und nahm Christian beiseite. »Aber du kannst Änne heimlich eine Nachricht überbringen. Folge ihr, wenn sie morgens mit der Magd einkaufen geht.«

Der Rotschopf verkniff sich wohlweislich ein Grinsen, als er die Botschaft vernahm.

»Erkläre ihr, dass ich zuerst nach Rochlitz und Dresden muss. Sag ihr, dass ich an sie denke. Sobald ich kann, löse ich mein Versprechen ein. Sie weiß, was damit gemeint ist.«

Natürlich hätte Markus Änne am liebsten gleich mit sich genommen. Aber davor schuldete er dem Arzt ein Gespräch. Außerdem wäre es mehr als verdächtig, sich als Mönch auszugeben und eine junge Frau als Reisebegleitung zu haben. Also musste er beten, dass er es morgen unentdeckt durch das Stadttor schaffte und seine Reise ohne Zwischenfälle verlief. Wenn alles gutging, würde er in drei oder vier Wochen zurückkehren und sie holen, um sie mit zu Markgraf Friedrich zu nehmen.

»Schon so früh auf den Beinen, Bruder?«, rief eine der Wachen am Meißner Tor Markus zu, als er am Morgen die Stadt verlassen wollte.

Der besann sich auf Herrmanns Worte und setzte rasch eine fromme Miene auf, soweit es ihm möglich war.

»Meine Mitbrüder warten«, erklärte er. »Ich soll zu den Brüdern in Mariencelle, eine Illumination abholen, und werde heute noch zurückerwartet.«

Das auf halbem Weg nach Meißen gelegene Zisterzienserkloster, das den Namen der Heiligen Jungfrau trug, war berühmt für die kostbaren Bücher, die die Mönche im Skriptorium schufen. Doch bis dahin waren es an die zehn Meilen Wegstrecke.

Großzügig verteilte Markus einen Segen, bat Gott in Gedanken um Verzeihung für die Anmaßung und passierte unbehelligt das Tor.

Nach einer halben Meile bog er ab und ging in großem Bogen zur Schmelzhütte des Haberbergers.

Diesmal war der Raum weniger verqualmt, aber durch die Hitze der Sommertage unerträglich heiß.

»Was für ein Handstreich!«, empfing der Hüttenmeister den jungen Hauptmann. »Die ganze Stadt jubelt und reibt sich die Hände über das Schnippchen, das du denen geschlagen hast. Na ja, fast die ganze Stadt …«

Dann berichtete er zufrieden, dass diejenigen Grubeneigner und Hüttenbesitzer, mit denen er in den vergangenen drei Tagen gesprochen hatte, bereit waren, mit ihrem Silber Friedrich bei der Rückeroberung der Mark Meißen zu unterstützen. Die in Aussicht gestellte Summe würde reichen, um eine bescheidene Streitmacht auszurüsten.

»Sie haben die grausame Herrschaft des Königs satt, wo niemand Gerechtigkeit findet und sich nur die Leute des Nassauers die Taschen füllen!«

Er wollte den jungen Mann dazu bringen, etwas mit ihm zu trinken, doch Markus war in Eile. Je eher er die Stadt hinter sich ließ, desto sicherer waren er und alle, die sich in seiner Nähe befanden.

Also wechselte er nur schnell erneut die Kleidung und holte sein Pferd, das der Haberberger auf Christians Bitte am Morgen von Marsilius geholt hatte.

Nun ritt er als einfacher königlicher Soldat.

»Gott schütze dich auf allen Wegen«, verabschiedete ihn der Schmelzmeister. »Wir bräuchten mehr von deiner Sorte!«

Wider Erwarten war Markus länger als zwei Monate statt nur zwei oder drei Wochen unterwegs, bis er sich endlich wieder Freibergs Mauern näherte. Er hatte in Rochlitz seine einstigen

Gefährten aufgesucht, die sich als verborgene Streitmacht sammelten und auf den Tag warteten, an dem sich Friedrich an ihre Spitze stellte und wieder die Herrschaft über die Mark Meißen übernahm. Dann war er nach Dresden geritten, zu dem Gehöft nahe der Stadt, wo Hertwig von Hörselgau und die Honsberg-Brüder unter falschem Namen Friedrichs Sohn aufzogen. Der Junge war inzwischen vier Jahre alt und besaß für sein Alter einen überaus regen Geist.

Den Rittern des Markgrafen berichtete der Freiberger ausführlich, was er in seiner Stadt und in Rochlitz vorgefunden hatte. Sollte ihm bei der Rückkehr etwas zustoßen, würden die Neuigkeiten trotzdem weitergeleitet.

Dann hatte er verschiedene Aufträge zu erledigen und heimliche Verbündete aufzusuchen.

So war der August schon fast verstrichen, als Markus – mit reichlich Proviant und guten Wünschen versehen – seinen Braunen wieder gen Freiberg lenkte.

Endlich würde er Änne mit sich nehmen können! Wenn alles gutging, würde sie schon morgen an seiner Seite sein. Er konnte sein Glück kaum fassen.

Wieder stellte er seinen Hengst beim Haberberger unter, der ihm brühwarm die neuesten Nachrichten erzählte.

»Die Freiberger feiern deinen Geniestreich immer noch, Hauptmann! Auch wenn die meisten nicht wissen, wer es war, der sich in die Höhle des Löwen gewagt hatte. Und der Burgkommandant ist zwar von seinem Fieber genesen, aber früher oder später wird ihn wohl der Schlag treffen, so sehr schäumt er vor Wut.«

Der Hüttenmeister senkte die Stimme, bevor er weitersprach.

»Nimm dich in Acht! Tag für Tag durchstöbern sie die Stadt auf der Suche nach den Geflohenen. Und auf dich ist inzwischen eine Mark Silber Kopfgeld ausgesetzt!«

»Wonach genau suchen sie?«, fragte Markus.

»Nach einem jungen Mann, dem ein Stück vom linken Ohr fehlt.«

Unwillkürlich griff Markus nach der vernarbten Verletzung, die er sich kurz vor dem Fall der Burg geholt hatte. Das waren schlechte Neuigkeiten.

Vielleicht hätte ich den fetten Marschall doch abstechen sollen, dachte er bitter. Nur dem Isenberger konnte die alte Verletzung aufgefallen sein; niemand sonst hatte ihn aus solcher Nähe betrachten können, um sie zu bemerken.

»Einer der Geflohenen ist ihnen in die Hände gefallen«, berichtete der Haberberger bedrückt. »Anscheinend haben die Männer, die du da rausgeholt hast, nach und nach versucht, die Stadt zu verlassen. Einer verlor am Tor die Nerven. Er benahm sich verdächtig, zu ängstlich, und als die Wachen auf ihn aufmerksam wurden, rannte er einfach los. Sie fingen ihn wieder ein. Und was sie dann mit ihm gemacht haben, das willst du nicht wissen, Hauptmann.«

Die Stimme des Hüttenbesitzers war nun voller Bitterkeit. Er räusperte sich, ehe er sagte: »Der arme Kerl hat die Folter keinen Tag überlebt. Gott sei seiner Seele gnädig.«

Für einen Moment herrschte Schweigen. Auch Markus bekreuzigte sich. Er wollte wissen, wen von seinen Gefährten es getroffen hatte, aber der Haberberger kannte den Namen nicht.

»Willst du wirklich in die Stadt, Hauptmann?«, fragte der Hüttenbesitzer dann zweifelnd. »Kannst du nicht hier draußen erledigen, was du noch vorhast, und dann zusehen, dass du an einen sicheren Ort weit fort von hier kommst? Wir können es uns nicht leisten, dich auch noch zu verlieren. Du bist jetzt ein Symbol für die Menschen hier, ein Symbol der Hoffnung. Diese Hoffnung darf nicht erlöschen!«

Ich kann wohl schlecht Marsilius hierherbestellen, um ihm zu sagen, dass ich seine Frau mit mir nehmen will, dachte Markus zynisch. Und ohne Änne verlasse ich die Stadt nicht noch einmal.

»Ich muss nur noch ein einziges Mal hinein«, erwiderte er. Den Medicus würde er im Stall abpassen und mit ihm reden, Änne könnte allein durch das Tor gehen, als wolle sie Heilpflanzen sammeln, und dann würden sie endlich gemeinsam fortreiten.

»Aber ich komme wieder, Meister Haberberger – und dann mit Friedrich als Markgraf!«

VERHÄNGNIS

*D*iesmal wählte Markus Bergmannskluft, um sich in die Stadt zu wagen. Die Kopfbedeckung, die die Häuer trugen, um sich unter Tage vor Nässe und Staub zu schützen, würde sein verletztes Ohr verbergen und ebenso die Stelle an seinem Hinterkopf, wo ihm Pater Clemens eine Tonsur geschoren hatte und die Haare erst ein Stück nachgewachsen waren.

Sein Schwert musste er – sosehr es ihm widerstrebte – beim Haberberger lassen, das würde er nicht an einem aufmerksamen Posten vorbeischmuggeln können. Doch der Hüttenmeister gab ihm eine Keilhaue mit, die auch als Waffe zu gebrauchen war. Den Dolch verbarg er unter dem Kittel.

So näherte er sich dem Donatstor, vor dem die Siedlung der Bergleute und auch die meisten Gruben außerhalb der Stadtmauer gelegen waren.

Am Tor herrschte viel Betrieb, was sich Markus zunutze machen wollte. Gerade waren die Wachen mit Eifer dabei, den Karren eines Händlers zu durchstöbern, der händeringend dabeistand und beteuerte, seine Ladung ehrlich angegeben und verzollt zu haben. Doch damit gaben sich die Soldaten nicht zufrieden; sie hofften auf Beute.

»Ihr wartet hier gefälligst, bis wir alles durchsucht haben«, wies einer von ihnen die Leute an, die ohne zollpflichtige Waren die Stadt betreten wollten.

Ohne etwas von seiner Unruhe zu zeigen, reihte sich Markus unter den Wartenden ein.

Plötzlich schrie einer der Söldner auf und zerrte einen vor Schmerz brüllenden kleinen Jungen am Ohr vor sich her. »Du Ratte! Du kleiner Beutelschneider!«

Zu seinem Entsetzen erkannte er Paul, den Nachbarsjungen.

Der Bewaffnete presste dem sich vergeblich wehrenden Jungen die Hand auf die Deichsel und rief seine Kumpane herbei. »Hier, der wollte mich bestehlen! Haltet ihn fest!«

Dann zog er sein Schwert und holte aus.

»Guter Mann, tut es nicht, das muss ein Irrtum sein!«, rief Markus und trat rasch vor. Ganz gleich, was nun geschah – er konnte nicht einfach zusehen, wie sie dem Kleinen die Hand abschlugen.

Unterwürfig wandte er sich an den Mann, der Paul festhielt.

»Er ist mein Sohn, Herr! Und er wollte Euch ganz gewiss nicht bestehlen. Seht, Ihr habt doch den Geldbeutel noch am Gürtel«, jammerte er mit wehleidiger Miene. »Ich verspreche Euch, er bekommt seine Strafe, wenn er nach Hause kommt. Und ich gebe Euch alles Geld, das ich bei mir habe …«

Die Keilhaue vor sich abstellend, kramte er mehrere Silbermünzen hervor.

Abwechselnd sah der Bewaffnete auf den Jungen, der sich nun mucksmäuschenstill verhielt und eine brave Miene aufgesetzt hatte, und die Pfennige.

»Dein Sohn, hä? Warum bist du eigentlich nicht in der Grube, Häuer?«, knurrte er.

»Wir haben Streit wegen zweier sich kreuzender Gänge. Ich soll Rat bei den Bergschöppen einholen«, erklärte Markus und wollte weit ausholen unter Verwendung vieler Begriffe aus der Sprache der Bergleute. Doch der Wachmann unterbrach ihn mit einer Handbewegung.

Von hinten drängelte sich jemand rücksichtslos zwischen den

wartenden Menschen hindurch. »Macht Platz, ich bin Ratsherr und werde vom Bürgermeister erwartet«, erklang eine bekannte Stimme.

Der falsche Häuer wurde kräftig angerempelt und senkte den Kopf. Hatte Jenzin ihn erkannt?

Von den Wachen wurde der schwarzgewandete Apotheker höflich, wenn auch mit verhaltenem Spott begrüßt.

Zwar hatte der Bürgermeister in dieser Stadt nichts zu entscheiden, aber sie wussten, dass sämtliche Ratsleute ihrem Herrn untertänig zu Diensten waren.

»Ich habe etwas zu verzollen«, verkündete Jenzin, klopfte auf seine Tasche und trat in die Wachstube.

Markus wurde immer unruhiger. Er legte den Kopf etwas schief, setzte eine einfältige Miene auf und drückte dem Mann vor sich einfach seine Pfennige und Hälflinge in die Hand.

»Ihr seid ein guter Mensch!«, lispelte er, zog Paul zu sich und versetzte ihm eine kräftige Ohrfeige. »Du Nichtsnutz! Die feinen Herren unseres Königs zu belästigen! Dafür setzt es zu Hause richtig Prügel!«

»Ja, Vater«, sagte Paul schicksalsergeben, der wusste, was davon abhing, dass er dieses Spiel jetzt mitspielte.

Dann lief er los, so schnell er konnte.

Der Soldat steckte zufrieden die Münzen in seinen Beutel und wollte Markus schon passieren lassen.

Da traten zehn Bewaffnete aus dem Torhaus und hielten Ausschau – nach ihm. Im nächsten Augenblick hörte Markus hinter sich das Tor zuschlagen.

Verwundert drehten sich die anderen Wartenden um.

Der Hauptmann umfasste den Griff der Keilhaue mit beiden Händen.

»Du da, Häuer! Warum bist du nicht in der Grube?«, fragte ihn der neu Hinzugekommene forsch, wahrscheinlich der Anführer dieser Torwache, ein Mann mit verletztem Auge und grauem Bart.

Markus kam nicht mehr dazu, zu antworten.

Von hinten trat ihm jemand in die Kniekehlen, dass er strauchelte, und während er wieder hochzukommen versuchte, stürmten von allen Seiten Bewaffnete auf ihn ein.

Er schlug mit aller Wucht um sich, doch die Zahl der Angreifer war zu groß. Nach kurzem Kampf zwangen ihn mehrere Männer auf die Knie und rissen ihm die Gugel vom Kopf.

Als der Lärm vorbei war, trat der Apotheker aus dem Torhaus.

»Ist er das?«, wurde er vom Anführer der Torwachen gefragt. Jenzin nickte von weitem. »Ja. Der war Hauptmann der Burgwache. Und vielleicht schaut ihr gleich noch nach, ob ihm ein halbes Ohr fehlt. Diesem Kerl wäre solch eine Schurkerei zuzutrauen.«

Markus bäumte sich auf, doch er wurde niedergeschlagen. Er hatte kaum den Boden berührt, als ihm jemand einen Fuß ins Kreuz stemmte. Seine Arme wurden auf den Rücken gefesselt und die Füße zusammengebunden.

Einer der Wachen zerrte an Markus' Haaren, um den Kopf zur Seite zu drehen, und als er das verletzte Ohr freilegte, stießen seine Kumpane Jubelschreie darüber aus, welch ein Fang ihnen geglückt war.

Vorbei!, dachte Markus. Gott steh mir bei.

»Du da, du wirst den Gefangenen zur Burg transportieren!«, befahl der Anführer der Torwache dem erschrockenen Fuhrmann. »Und du kommst mit, wenn du deine Belohnung willst! Von uns kriegst du nichts«, schnauzte er den Apotheker an. Dessen selbstzufriedene Miene verschwand schlagartig angesichts solch unhöflicher Ausrede. Er zuckte zusammen, doch er protestierte nicht.

In Fesseln wurde der Gefangene auf den Karren geworfen und sein Kopf mit einem verfilzten Fell bedeckt. Um ganz sicherzugehen, dass er nicht fliehen konnte, setzte sich einer der Wachleute mit seiner ganzen Leibesfülle auf ihn.

Sie hatten wohl Angst, der Anblick des gefangenen Hauptmanns könnte zu einem Aufruhr führen.

Der Händler musste bis zur Burg fahren, dann wurde Markus vom Karren gezerrt. Triumphierend verkündeten die Torwachen über den ganzen Burghof, wer ihnen da in die Hände gefallen war.

Immer mehr Soldaten rannten herbei, um den Mann in Fesseln zu sehen, der ihnen vor zwei Monaten solch eine Blamage bereitet hatte. Wütend hieben und traten sie auf ihn ein, während Markus sich zusammenkrümmte.

Bis jemand mit befehlsgewohnter Stimme Einhalt gebot.

Der Gefangene wurde in die Halle geschleift und dort fallen gelassen.

Auf dem Boden liegend, sah Markus aus dem Augenwinkel, wie Männer zur Seite traten, um jemandem Platz zu machen. Er konnte nur die Füße sehen, aber an dem Paar sauber gearbeiteter Stiefel aus feinstem Leder erahnte er, was beziehungsweise wer auf ihn zukam.

Grob wurde er auf die Knie hochgerissen.

»Da, Graf! Der Verräter, den wir suchen. Der lang gesuchte Anführer der früheren Wachmannschaft, auf den ein Kopflohn ausgesetzt ist. Und nicht nur das!«

Der Mann hinter ihm strich Markus die Haare beiseite, deutete auf das verletzte Ohr und sagte stolz: »Da ist der Beweis, dass er auch der Kerl war, der Euch verletzt und bedroht hat.«

Unwillkürlich griff der Burgkommandant nach der rot leuchtenden Narbe auf seinem Handrücken.

Um nicht länger auf den Bauch seines Todfeindes zu starren, legte Markus den Kopf in den Nacken und blickte ihm direkt ins verquollene Gesicht. Der Triumph in den Augen des Feindes war unverkennbar.

»Hoch mit ihm!«, befahl Eberhard von Isenberg.

Zwei Hände packten den Gefangenen an den Armen und zerrten ihn auf die Füße.

»Du hättest mich töten sollen, als du Gelegenheit dazu hattest«, sagte der Kommandant höhnisch, während er einen Schritt auf Markus zutrat. »Nun wirst du hängen!«

Er musterte das Gesicht seines Gegenübers.

»Keine Regung angesichts des Todes?«, fragte er zynisch. »Glaubst du etwa, wir sind so einfältig und stecken dich ins Verlies, damit dich deine Freunde dort herausholen?«

Der andere kam ihm jetzt ganz nah und sah ihn an, Aug in Aug. »Das hättest du wohl gern! Bist du deshalb so furchtlos, mein tapferer Freund?«

Unversehens hieb ihm der Verhasste die Faust in die Magengrube. Markus wollte sich krümmen vor Schmerz, aber er wurde immer noch von hinten festgehalten. Qualvoll rang er um Atem und kämpfte die Übelkeit nieder.

»Du wirst hängen, das ist so sicher wie das Amen in der Kirche. Aber zuvor wirst du uns verraten, wo sich das Verräterpack versteckt hält und wer von den Freibergern heimlich mit euch gemeinsame Sache macht.«

Sein Kopf wurde an den Haaren nach hinten gerissen.

»Und glaube mir, du wirst reden!«, fauchte der Burgkommandant. »Betteln wirst du um den Tod.«

Zu seinen Wachen gewandt, befahl er: »Hängt ihn auf!«

»Hier?« Verwundert sah sich der so Angesprochene um.

»Ja, hier! Werft den Strick über den Balken dort!«

Markus wurde eine Schlinge um den Hals gelegt, dann wurde er nach hinten geschleift und langsam hochgezogen.

In Todesqual bäumte sich sein Körper auf, jede Faser schrie nach Luft, Sterne explodierten vor seinen Augen.

Plötzlich wurde das Seil losgelassen. Er stürzte zu Boden, mühsam nach Luft ringend.

»Das war nur ein Vorgeschmack darauf, was dich in der Nacht

erwartet. Jede Nacht, Bursche, bis du redest! Und zwar nicht im Verlies.«

Zu den anderen gewandt, gab der Graf von Isenberg Befehle. »Er kommt in eine Kammer und wird ständig von zwei Mann bewacht. Sollte er entwischen, verliert ihr den Kopf. Während er dort schmort, soll das leere Verlies bewacht werden, für den Fall, dass sich jemand hineinschleicht. Tagsüber steckt ihn in den Käfig auf dem Burghof, damit jeder sieht, welch Fang uns geglückt ist. Als Einladung an deine Freunde, uns in die Falle zu gehen, wenn sie dich retten wollen. Vorher aber ...«

Er gab einem der Wachleute das Zeichen, und wieder wurde Markus grob auf die Füße gezerrt. Die Kleider wurden ihm vom Leib gerissen, bis sein Oberkörper entblößt war.

Der Graf zog den Dolch und versetzte dem Gefangenen zwei lange, sich kreuzende Schnitte quer über die Brust, aus denen sofort Blut quoll.

»Das war ich dir noch schuldig.«

Gelassen trat er zwei Schritte zurück und betrachtete die Wunden, die die scharfe Klinge hinterlassen hatte. »Ich muss jetzt gehen, der Bürgermeister hat neue Befehle zu empfangen. Wir sehen uns heute Nacht. Und ich schwöre dir bei meinem Blut: Du wirst reden!«

An der Treppe wandte er sich noch einmal um und sagte, beinahe gelangweilt, zu seinen Männern: »Vergesst nicht, reichlich Salz auf seine Wunden zu geben, bevor ihr ihn in den Käfig sperrt.«

Markus hätte später nicht mehr sagen können, wie er den brennenden Schmerz überlebte. Er hatte sich aufgebäumt und geschrien, doch geradezu genüsslich hielten ihn die Schergen fest und quittierten jede seiner Bewegungen mit Fausthieben.

Dann wurden ihm die Augen verbunden, und immer noch an Händen und Füßen gefesselt, wurde er erneut auf den Hof geschleift.

Ein Ausrufer verkündete, dass der lange gesuchte Verräter gefasst sei und nun auf seine Hinrichtung warte.

Markus hörte johlende Stimmen und begeisterte Schreie, doch das nahm er nur flüchtig wahr. Sein gesamtes Denken und Fühlen war von dem flammenden Schmerz beansprucht, den das Salz auf den frischen Wunden verursachte.

Er wurde in den eisernen Korb gestoßen, der an einem galgenähnlichen Gestell eine Elle über dem Boden hing.

»Wer mit dem Verbrecher eine Rechnung zu begleichen hat, kann dies ungestraft tun«, verkündete der Ausrufer. »Jedoch darf der Delinquent dabei nicht zu Tode kommen. Wer ihn tötet oder aber ihm zur Flucht verhelfen will, wird selbst mit dem Tod bestraft!«

Von allen Seiten näherten sich Stiefelschritte, doch da Markus' Augen verbunden waren, konnte er nicht sehen, von woher ein Angriff drohte. Ausweichen hätte er in der Enge sowieso kaum können. So blieb ihm nichts weiter, als die Schläge und Stöße zu erdulden, die durch die Gitterstäbe ausgeteilt wurden.

Das Brennen der Wunden war schlimmer. Als hätte jemand seine Gedanken erraten, traf ihn ein Schlag genau an die Stelle, wo sich beide Schnitte überkreuzten und die Haut besonders weit auseinanderklaffte.

Als der Gefangene wieder zu sich kam, schien niemand direkt in seiner Nähe zu stehen. Doch an den Eisenstäben und dem Schwanken bei jeder Bewegung erkannte er, dass er immer noch im Käfig saß.

Stumm betete er um Rettung und zugleich darum, dass keiner von seinen Freunden in die Falle ging und versuchte, ihm zu helfen. Doch niemand schien sich seinem engen Gefängnis zu nähern.

Von Schmerz und Dunkelheit umfangen, versank er in einem Dämmerzustand. Das Atmen fiel ihm immer schwerer, sein Hals schwoll zu, er bekam kaum noch Luft.

Metall rasselte, der Käfig schwankte, dann wurde er unsanft herausgerissen und erneut über den Burghof geschleift.

In der Halle angekommen, nahm man ihm die Stricke um die Beine ab. Immer noch mit verbundenen Augen, wurde er die Treppe herauf- und einen Gang entlanggestoßen. Dann zerrte ihm jemand die Augenbinde vom Kopf.

Markus sah, dass die Kammer, in der sie standen, zum Verlies umgeräumt worden war. Sie war nun völlig leer bis auf einen Eimer in der Ecke. Eiserne Fuß- und Handfesseln lagen auf dem Boden, in die Decke waren Haken eingelassen.

Sofort wurden rostige Schellen um seine Fußknöchel gelegt. Die Kette dazwischen erlaubte nicht mehr als winzige Schritte.

Unter wüsten Beschimpfungen machte sich einer derjenigen, die ihn am Donatstor festgenommen hatten, an den Stricken zu schaffen, die seine Hände immer noch auf dem Rücken zusammenhielten. Ein anderer setzte ihm währenddessen unmissverständlich die Dolchklinge an die Kehle.

Markus erwog einen Moment lang, ob er das Angebot eines raschen Todes annehmen sollte. Doch noch war er nicht bereit, sein Leben wegzuwerfen. Also leistete er keinen Widerstand.

Vielleicht bereue ich das schon bald, dachte er bitter.

Kaum dass er Gelegenheit bekam, die geschwollenen und halb abgestorbenen Handgelenke zu reiben, um den Blutfluss wieder in Gang zu bringen, schloss einer der Wächter die Schellen um seine Hände, diesmal vor dem Körper.

Dann traten sie zurück und warteten.

Der Graf von Isenberg kam mit großen, lauten Schritten. In seiner Begleitung war ein Mann, der mit den breiten Schultern und dicken Oberarmen den Eindruck erweckte, sogar einen Ochsen stemmen zu können.

»Nun, Hauptmann, wie ist dir die frische Luft auf dem Burghof bekommen?«, fragte der Kommandant höhnisch. »Hast du inzwischen eingesehen, dass es einfacher und weniger schmerzhaft für dich wäre, wenn du mir das Versteck deiner

Kumpane verrätst? Vielleicht gewähre ich dir dafür die Gnade eines schnellen Todes.«

Markus blickte demonstrativ an ihm vorbei und schwieg.

»Nun, wenn du unbedingt den Helden spielen willst … Zieht ihn hoch!«

Im ersten Augenblick dachte Markus, er würde das Gleiche erleiden müssen wie vorhin schon einmal, und fragte sich, wie oft er wohl das Aufhängen bis kurz vorm Ersticken ertragen konnte. Doch gleich erfuhr er, dass etwas anderes gemeint war.

Seine Arme wurden hochgerissen, die über den Balken geworfene Kette um seine Handfesseln geschlungen, und dann wurde sein Körper nach oben gezerrt, bis er nur noch an den Armen hing.

Nun bekam er noch weniger Luft, die Wunden auf seiner Brust platzten weiter auf, seine Schultergelenke fühlten sich an, als würden sie auseinandergerissen.

Doch das sollte immer noch nicht das Ende seiner Qual sein. Nachdem sich der Kommandant an seinem Anblick geweidet hatte, gab er dem Folterknecht ein Zeichen. Der zog einen Ochsenziemer aus dem Gürtel und umkreiste Markus mit erwartungsfrohem Grinsen, das verriet, welche Freude er am Foltern fand.

»Bring ihn zum Reden. Aber schlag ihn nicht gleich ganz tot wie den Letzten«, befahl der Feiste.

Es dauerte lange, bis endlich eine Ohnmacht den Gemarterten gnädig umfing.

IN DER HÖHLE DES LÖWEN

Anne wusste noch nichts von Markus' Verhaftung, als sie am nächsten Morgen mit Clementia unterwegs war, um Leinen für Verbände und frisches Brot zu kaufen.

An den Brotbänken hörte sie die Frauen wispern.

»… gefangen und in den Käfig gesperrt … Er soll furchtbare Wunden haben. Zur Nacht sollen sie ihn fortgebracht haben, und niemand weiß, wohin.«

Das Herz stockte ihr, das Frühmahl in ihrem Magen schien sich in einen Stein zu verwandeln.

Seit Wochen wartete sie schon auf Markus' Rückkehr. Und hatte sie in ihren Alpträumen nicht immer wieder genau dieses Bild gesehen – ihr Liebster gefangen im Käfig auf dem Burghof?

Hastig drückte sie dem Brothändler die Münzen in die Hand und drehte sich um. Wer war es, der da gerade gesprochen hatte? Es konnte nur Bertha gewesen sein, die Frau des Gürtlers, der nun wieder in seinem notdürftig reparierten Haus neben Jenzin wohnte.

Ohne auf Clementia zu achten, hastete sie der Nachbarin nach.

»Wen haben sie gefangen?«, flüsterte sie beklommen.

»Den jungen Hauptmann der Burgwachen.«

Änne taumelte einen Schritt zurück, als habe sie einen heftigen Schlag erhalten. Ihr wurde speiübel. Der Boden schien unter ihren Füßen zu wanken, dann fiel sie einfach um.

Erschrocken versuchte Bertha, ihren Sturz aufzuhalten. Clementia drängte sich zwischen den Menschen hindurch, die sofort zusammenliefen.

»Das Weib des Arztes ist ohnmächtig geworden«, hörte Änne Stimmen wie durch eine Nebelwand.

»Vielleicht ist sie endlich guter Hoffnung!«, rief jemand neben ihr fröhlich.

Sie öffnete die Augen, versuchte sich aufzusetzen, doch sofort wurde ihr so schlecht, dass sie das Frühmahl erbrach.

»Na, wenn das nicht nach Nachwuchs für Meister Marsilius aussieht«, meinte die Frau des Fleischers gutmütig. Sie wollte Änne aufhelfen, aber der intensive Geruch von Fleisch und Blut an ihren Händen brachte diese erneut zum Würgen.

»Hör auf, solchen Tratsch unter die Leute zu bringen!« Wütend schob Clementia die Frauen beiseite, die ihr im Weg standen. Mit skeptischem Blick musterte sie Änne, die sofort die Lider senkte. Wenn die Magd der Fleischersfrau glaubte, würde sie sich wohl ihren Teil dazu denken. Und der würde sicher nicht zugunsten Ännes ausfallen. Der Zeitpunkt dieser Schwangerschaft nach anderthalb Jahren ohne Anzeichen war zu auffällig.

Dennoch: Vorsichtig half Clementia ihr hoch und blaffte die anderen erneut an, gefälligst ihre Herrin in Ruhe zu lassen und keinen Klatsch aufzubringen.

»Warte!«, rief Änne der Gürtlerin nach. »Was weißt du noch?«

Zittrig ließ sie sich von den beiden besorgten Frauen ein paar Schritte zur Seite führen. Kurzerhand griff Clementia nach einer Kiepe, die der Korbmacher feilbot, drehte sie um und setzte ihre Herrin darauf.

»Sie haben ihn gestern am Donatstor erwischt«, flüsterte Bertha. »Unser Fuhrknecht war dabei und hat ihn auch auf dem Burghof gesehen, in einem Käfig, voll blutiger Wunden. Er soll wohl gehenkt werden.«

Änne konnte froh sein, dass sie saß und festgehalten wurde. Tränen flossen ihr aus den Augen, und sie begann, hemmungslos zu schluchzen.

»Ist ja gut«, brummte Clementia und tätschelte ihr hilflos die Schulter.

Eine der Frauen von den Marktständen kam und reichte ihr einen Becher. »Hier, trinkt! Das wird Euch helfen!«

Dankbar griff Änne nach dem Gefäß. Erst trank sie in kleinen Schlucken, schließlich leerte sie den Becher in einem Zug.

»Das ist so in der Schwangerschaft, da purzeln die Gefühle wild durcheinander«, hörte sie jemanden erklären, der sich dafür sofort bitterböse Blicke von Clementia einfing.

»Wir müssen gehen«, flüsterte sie der Magd zu.

»Ja, sonst tratschen die Weiber die ganze Woche und nicht nur drei Tage lang«, murrte die. Dann fragte sie, überraschend sanft: »Könnt Ihr aufstehen?«

Behutsam stützte sie Änne am Arm und half ihr auf.

Clementia führte sie zum Brunnen, holte einen Eimer voll Wasser herauf und übergoss damit eines der frisch gekauften Leinenstücke, um es der Bleichen auf Stirn, Wangen und in den Nacken zu drücken.

Das kühle Nass tat gut. Allmählich bekam Änne das Gefühl, wieder aufstehen zu können. Clementia erhob keine Einwände, als sie direkt Richtung Haus lief, obwohl die Einkäufe noch nicht beendet waren.

Sie hatte Glück. Marsilius war nicht daheim; er besuchte wohl gerade einen Kranken.

Die Magd wollte Änne mit aller Gewalt dazu bringen, sich ins Bett zu legen, doch diese widersprach energisch – was sie noch nie in diesem Haus getan hatte.

»Ich muss auf die Burg«, erklärte sie, während sie Verbandszeug und verschiedene Tinkturen in ihren Korb packte. »Du kannst mit mir kommen oder hierbleiben, wenn du dich fürchtest. Aber ich gehe auf jeden Fall.«

»Natürlich komme ich mit«, schnappte die Alte. »Ich ahne, was Ihr vorhabt. Nur seht zu, dass Ihr nicht noch den Meister in Gefahr bringt!«

Ohne ein Wort zu wechseln, gingen die beiden Frauen zur Burg. Während Clementia sich ihre eigenen Gedanken darüber machte, was wohl dort geschehen würde, versuchte Änne, sich für das zu wappnen, was sie erwartete.

Es war nichts Außergewöhnliches, dass sie als Frau des Arztes auf die Burg gerufen wurde, um Verbände anzulegen oder Wunden zu versorgen, wenn ihr Mann unterwegs zu einem Kranken in den Nachbarorten war. Sie stand in dem Ruf, besonders geschickt beim Nähen von Wunden zu sein, und mancher ließ sich deshalb lieber von sanfter Frauenhand als von dem mürrischen Medicus umsorgen. Auch die Schnittwunde auf dem Handrücken des Kommandanten hatte sie nähen müssen.

Keiner von der königlichen Burgmannschaft ahnte, dass die zarte, stets ernst und unnahbar wirkende Gemahlin des Medicus nicht nur auf die Burg kam, um ein paar Verbände anzulegen.

Deshalb wurde sie am Tor auch respektvoll, beinahe freundlich von einem der Wachposten gegrüßt.

Änne tat, als wolle sie schnurstracks auf die Halle zugehen – so, als sei sie zu einem bestimmten Auftrag gerufen worden. Dabei musste sie unweigerlich an dem Gefangenen vorbeikommen.

Sie nahm alle Kraft zusammen, um ihre Gesichtszüge zu beherrschen und nicht wieder zusammenzubrechen. Doch als sie ihn sehen konnte, war ihr, als würden glühende Nadeln in ihr Herz gebohrt.

Es war tatsächlich Markus. Auch wenn ein Teil seines Gesichtes von dem Stoffstreifen verdeckt war, mit dem man ihm die Augen verbunden hatte, blieb kein Zweifel. Er kniete in dem Eisengestell, das zu klein war, als dass darin jemand aufrecht stehen konnte, seine Hände waren auf den Rücken gefesselt, auf seiner Brust klafften über Kreuz zwei flammend rote Wunden, der Körper war blutüberströmt.

Unwillkürlich griff sie nach Clementias Hand und umklammerte sie.

Auch die Magd wirkte erschüttert bei dem Anblick. Dennoch behielt sie klaren Kopf.

»Lasst Euch ja nichts anmerken!«, wisperte sie streng. »Sonst könnt Ihr ihm nicht helfen.«

Änne nickte stumm und setzte tapfer weiter einen Fuß vor den anderen; sie ging aufrecht, als hätte sie einen Stock verschluckt, das Gesicht erstarrt. Wenn sie jetzt weinen würde, wäre alles verloren.

Je näher sie kam, umso mehr Einzelheiten musste sie erkennen, die zeigten, wie schlimm ihr Geliebter geschunden worden war. Sein Rücken war von Peitschenstriemen übersät, eine Braue aufgeplatzt, Oberarme und Schultern voller Blutergüsse, um seinen Hals prangte ein dunkelrotes Würgemal.

Mit undurchdringlicher Miene blieb sie neben dem Käfig stehen und drehte sich zu einem der Männer von der Burgbesatzung um.

»Wenn diese Wunden nicht genäht werden, bekommt er Wundbrand und wird sehr bald sterben«, sagte sie, so ruhig sie konnte, während sie auf Markus' Brust wies.

Der Soldat – stämmig und dumpf dreinschauend – sah verwundert zu seinem Nachbarn.

»Ist er zum Tode verurteilt, oder hat der Graf noch etwas mit ihm vor?«, hakte sie nach.

Diese Worte gaben den Ausschlag. Die Wachen wussten alle, dass der Gefangene zwar leiden, aber überleben sollte, um als Lockvogel für einen neuerlichen Befreiungsversuch zu dienen. Und der Wutausbruch des Kommandanten nach dem Tod des letzten Gefangenen war ihnen nur zu gut in Erinnerung.

»Das Weib des Arztes spricht wahr«, meinte der Stämmige halblaut. »Wenn er zu schnell verreckt, wäre es dem Grafen nicht recht.«

Dann drehte er sich wieder zu Änne um. »Ich gehe fragen. Aber wollt Ihr das wirklich tun, kleine Frau? Er ist ein gefährlicher Verbrecher!«

»Ihr werdet mich doch wohl vor ihm beschützen können?«, erwiderte sie schnippisch. »Oder denkt ihr etwa, dass mein Gemahl, der Medicus, kommen würde, um sich eines *Gefangenen* anzunehmen?«

Als Markus Ännes Stimme erkannte, wäre er beinahe zusammengezuckt. Er konnte nichts sehen, seine Welt bestand nur noch aus Schmerz, Durst und Geräuschen. Doch so schwer es ihm auch fiel, er durfte jetzt keinerlei Regung zeigen, um sie nicht in Gefahr zu bringen.

War ihr nicht klar, dass die Häscher des Königs durch ihn alle diejenigen aufspüren wollten, die zu ihm hielten? Und dass der kleinste Verdacht für sie den Tod bedeuten konnte?

Änne, Liebste!, dachte er verzweifelt und betete, dass sie ihr gefährliches Spiel durchhielt, ohne sich zu verraten.

Sie schien immer noch neben ihm zu stehen und zu warten. Ihm war, als könne er ihre Blicke auf seiner Haut spüren.

Wenig später hörte er jemanden verkünden: »Ihr bekommt Erlaubnis, seine Wunden zu versorgen, kleine Frau. Aber habt nicht zu viel Mitleid mit ihm. Er ist ein übler Verbrecher, auf ihn wartet der Strang.«

Das Schloss wurde geöffnet, Markus nach rüder Aufforderung herausgezerrt und vorwärtsgestoßen. Er trug immer noch die Fußschellen, die nur kleine Schritte erlaubten.

Nach einem halben Tag mit verbundenen Augen im Käfig hatte er beinahe jedes Gefühl für Richtung verloren und konnte sich nur an Geräuschen orientieren. Von links kam das Hämmern aus der Schmiede, ein paar Schritte weiter schien gerade jemand Wasser aus dem Brunnen zu holen, also brachten sie ihn wohl in die Halle.

»Ich brauche Wasser«, hörte er Änne fordern.

»Du da, hol einen Eimer voll für das Weib des Arztes!«, wurde der Befehl weitergegeben.

Markus wurde mit derbem Griff auf eine Bank gedrückt.

»Tretet zurück, ich brauche Platz«, verkündete Änne forsch. Doch er kannte sie gut genug, um das kaum hörbare Zittern in ihrer Stimme zu erkennen.

Schritte scharrten, jemand ließ einen Eimer auf den Boden krachen, Wasser schwappte. Dann hörte er das typische Geräusch, mit dem ein Schwert aus der Scheide gezogen wurde.

»Ich werde Euch beschützen, Herrin«, verkündete eine eitle

Männerstimme. »Seid unbesorgt. Wenn der Verbrecher auch nur eine Wimper rührt, bekommt er mein Schwert zu spüren.«

»Danke«, erwiderte Änne kühl. »Nur zeige nicht ganz so viel Eifer. Die Behandlung wird sehr schmerzhaft für ihn. Wahrscheinlich wird er nicht nur mit der Wimper zucken. Aber ich bin ja von vielen starken Männern des Königs beschützt.«

Mit zustimmendem Johlen wurde diese Antwort aufgenommen.

Anscheinend wird das hier eine Belustigung für die gesamte Burgbesatzung, dachte Markus zynisch.

»Nehmt ihm die Fesseln ab, damit ich mich um seinen Rücken kümmern kann«, forderte Änne.

»Wollt Ihr Euch nicht lieber um meinen Rücken kümmern?«, scherzte jemand von hinten. Ein paar Vorwitzige lachten wiehernd. Doch als Clementia knurrte: »Das übernehme ich. Mit dem Schürhaken, du Strolch!«, hatte sie die Lacher auf ihrer Seite.

»Tut mir leid, Herrin, dazu bin ich nicht befugt«, erklang die nun schon bekannte Stimme. »Wie ich sagte, er ist ein gefährlicher Verbrecher.«

»Er ist nur einer, schwer verwundet und in Ketten. Und den wollt ihr nicht in Schach halten können? Zwei Dutzend bewährte Kämpfer des Königs?«

So viel Hochmut hatte Markus noch nie in Ännes Stimme vernommen – und ihr so viel Verstellungskunst auch nie zugetraut.

Dem Geräusch nach wurde ein halbes Dutzend Schwerter gezogen. »Eine Bewegung, und du büßt noch ein Ohr ein«, drohte eine tiefe Stimme.

Er spürte die Klinge an seinem Kopf, während jemand begann, seine Fesseln zu lösen.

Erleichtert nahm er die befreiten Hände nach vorn und rieb sich die Gelenke.

»So, und nun macht gefälligst Platz!«, forderte Änne erneut.
Die Klinge verschwand von Markus' Kopf.

Wasser plätscherte seitlich von ihm, und im nächsten Augenblick spürte er die wohltuende Kühle der Flüssigkeit, die über seinen Rücken rann.

Unter normalen Umständen hätte Änne einen so stark Verletzten lieber im Tageslicht auf dem Hof behandelt. Aber im Halbdunkel der Halle fühlte sie sich sicherer; hier konnte sie die Regungen ihres Gesichts besser verbergen.

Vor allem hoffte sie darauf, ihrem Liebsten ein paar Worte zuflüstern zu können, ohne sich zu verraten. Dafür musste sie aber ihre Rolle weiterspielen – die einer Arztfrau, die nur ihre Pflicht tat und keinerlei Interesse oder gar besondere Gefühle für den Misshandelten hegte.

Sie tauchte frisches Leinen in den Eimer und drückte es über Markus' Schultern aus. Zuerst wollte sie die blutverkrusteten Striemen auf seinem Rücken aufweichen, ohne ihm zusätzliche Schmerzen zu bereiten.

Bald begann sie, die Wunden abzutupfen. Als Markus vor Schmerz zusammenzuckte, hatte sie einen Vorwand, mit der Linken seine Schulter zu umfassen, als wollte sie ihn festhalten.

Sie schloss die Augen bei der Berührung. Ihr war, als könnte sie mit ihren Fingerspitzen all ihre Liebe, ihr Mitgefühl auf ihn übertragen.

Er neigte den Kopf leicht zur Seite. Und obwohl seine Augen immer noch verbunden waren, verstand sie den stummen Gruß.

»Das wird jetzt gleich sehr brennen«, verkündete sie den Zuschauern, die diese Mitteilung johlend aufnahmen. Änne tränkte das Leinen mit einem Sud aus Schafgarbe und Kamille und betupfte damit die langen, roten Spuren auf seinem Rücken.

»Ich brauche mehr Wasser!«, befahl sie. Widerspruchslos ging einer der Männer los, um einen weiteren Eimer zu holen.

Währenddessen wurden Markus' Hände wieder auf dem Rücken zusammengebunden. Gleichmütig ließ er es über sich ergehen.

Sie fasste ihn vorsichtig an den Schultern und drehte ihn so, dass sie auf der Bank neben ihm sitzen konnte, um die Schnitte auf der Brust zu nähen.

Mit einem Lächeln, das den Eitlen zu einem dümmlichen Grinsen veranlasste, dankte sie für das frische Wasser.

»Er hat viel Blut verloren und muss trinken«, erklärte sie, ließ sich einen Becher reichen und flößte Markus vorsichtig etwas von der kühlen Flüssigkeit ein. Sie konnte sehen, dass ihm das Schlucken Mühe bereitete, doch sie gab nicht eher nach, bis er zwei Becher leer getrunken hatte.

Dann begann sie, das Blut von seiner Brust zu waschen und die Wunden zu säubern. Erneut zuckte er zusammen und fühlte das Salz wieder brennen. Doch bald verschaffte ihm ihre behutsame Pflege Linderung.

»Ich beginne jetzt zu nähen«, erklärte sie; mehr als Ankündigung für ihn. »Es gibt dabei nichts Besonderes zu sehen. Wer mich nicht beschützen will, sollte besser wieder seinen Pflichten nachgehen, bevor man euch wegen eurer Nachlässigkeit bestraft.«

Ein paar der Zuschauer gingen tatsächlich, die meisten aber blieben. Sie fühlten sich zum Schutz der jungen Frau unentbehrlich und wollten den Gefangenen leiden sehen.

Änne führte den Faden durchs Nadelöhr und schob mit den Fingern ihrer Linken vorsichtig die auseinanderklaffende Haut zusammen.

Liebster, was haben sie dir angetan?, dachte sie wohl zum hundertsten Male, seit sie hier saß. Und sie wusste, gleich würde sie ihm noch mehr Schmerzen zufügen, selbst wenn es unvermeidlich war.

Sie beugte sich ganz nah zu ihm, als sähe sie schlecht, und wählte die Stelle für den ersten Einstich. Schon viele Wunden hatte sie nähen müssen und noch nie dabei gezögert. Doch jetzt wusste sie nicht, woher sie den Mut dazu nehmen sollte.

»Gott segne Euch für Eure Barmherzigkeit, Herrin«, sagte Markus laut, um ihr die Furcht zu nehmen. Seine Stimme war eher ein Krächzen, jedes Wort musste ihm Qualen bereiten.

»Keiner hat dir Abschaum erlaubt, mit ihr zu reden!«, raunzte einer der Umstehenden und wollte ihm einen Hieb versetzen.

Änne sah auf und blickte den Störenfried scharf an. »Behindere mich nicht bei der Arbeit! Und tretet alle etwas zurück, ich brauche mehr Licht!«

Widerspruchslos gehorchten die Männer.

Erneut beugte sich Änne dicht über Markus' Brust und begann ihre Arbeit. Sie setzte feine Stiche und bemühte sich, ihm nicht mehr als nötig weh zu tun. Doch die Vorstellung, was er durchlitten hatte und was ihm noch bevorstehen konnte, ließ ihre Selbstbeherrschung beinahe zerbrechen.

Clementia erkannte, was in der jungen Frau vorging, und begann, das Schlimmste zu fürchten.

»Habt ihr nicht gehört, ihr steht meiner Herrin im Licht! Und überhaupt, habt ihr nichts zu tun?« Ruppig wuchtete sie einem der Männer den Ellbogen in die Seite.

Schon waren die Kerle abgelenkt und traten in Wettbewerb miteinander, um die Magd mit dem berüchtigten Schandmaul noch mehr in Rage zu bringen.

Änne nutzte die Gelegenheit, während ihrer Näharbeit Markus mit den Fingerspitzen über die Haut zu streichen.

»Liebster«, flüsterte sie verzweifelt.

Er spürte eine Träne auf seine Haut tropfen.

Selbst ein aufmerksamer Beobachter hätte kaum bemerkt, dass er seinen Kopf noch eine Winzigkeit mehr zu ihr neigte.

»Gräme … dich nicht!«, wisperte er qualvoll, bemüht, die Lippen kaum zu bewegen.

Vor Kummer schüttelte sie den Kopf. Er konnte es nicht sehen mit seiner Augenbinde, spürte aber die Bewegung, weil ihre Haube seinen Hals berührte.

»Wann soll die Hinrichtung sein?«, flüsterte sie verzweifelt.

»Nicht bald … sei … unbesorgt.«

Unbesorgt?! Wie konnte er nur so etwas sagen?

»Halte durch! Wir holen dich hier raus«, hauchte sie.

Markus fuhr zusammen. »Nein!«

Sein Schrei wurde von den Umherstehenden als Schmerzenslaut verstanden und mit boshaften Kommentaren aufgenommen. Die meisten waren ohnehin noch durch Clementia abgelenkt.

»Falle!«, ächzte er leise. »Sie … warten … im Verlies.«

Änne entgegnete nichts, sondern setzte weiter Stich an Stich. Sie musste sich beeilen, lange würden die Männer ihr nicht mehr gestatten, sich um den Gefangenen zu kümmern.

Vor dem letzten Knoten zögerte sie. Wie sollte sie es über sich bringen, jetzt fortzugehen, ohne zu wissen, ob und wann sie ihn noch einmal sehen und berühren könnte?

»Der Gedanke … an dich … gibt mir Kraft … zu ertragen …«, raunte er.

Sie nickte, ohne zu bedenken, dass er das nicht sehen konnte. Dann rieb sie sich mit dem Arm übers Gesicht, als wolle sie eine lose Haarsträhne wegschieben oder den Schweiß abwischen. Niemand durfte ihre Tränen sehen.

Mit einem Ruck erhob sie sich und packte Nadel und Faden in den Almosenbeutel.

»So sollte er die nächsten Tage überleben, wenn es der Graf wünscht«, verkündete sie, scheinbar gleichgültig.

»Oh, der hat noch einiges mit ihm vor«, erklärte großspurig einer der Wachen.

Sein Nebenmann lachte böse. »Ja, wenn der Kerl sich im Korb

ein bisschen ausgeruht hat, wird er wieder eine unterhaltsame Nacht haben. Ordulf wartet schon ungeduldig. Und der versteht es wirklich, Leuten das Singen beizubringen.«

Die Männer lachten, während einer Markus in den malträtierten Rücken stieß.

»Hoch mit dir, Mörderbrut«, murrte er.

Markus stand auf, ohne das Gesicht zu verziehen. Er wurde am Arm gepackt und aus der Halle gezerrt.

Änne und Clementia folgten. Niemand schien sich zu fragen, weshalb sie eigentlich hierhergekommen waren.

Mit starrer Miene ging Änne über den Burghof, während sie sehen musste, wie Markus erneut in den Käfig gestoßen wurde. Solange es ging, ohne aufzufallen, ließ sie kein Auge von ihm. Dann riss sie ihren Blick gewaltsam los und stakste mit zittrigen Beinen weiter zum Burgtor.

Niemand hielt Änne auf, als sie mit Clementia die Burg verließ, niemand sagte auch nur ein Wort zu ihr. Das Treiben auf dem Hof ging weiter, als wäre nichts geschehen. Als hätte sie sich nicht gerade vielleicht für immer von ihrer Liebe verabschieden müssen.

Rettungspläne

Änne hielt sich aufrecht, bis sie einen Steinwurf von der Burg entfernt war. Dann griff sie nach dem Arm ihrer Begleiterin, sank mit einem Verzweiflungsschrei in die Knie und ließ ihren Tränen freien Lauf.

Später hätte sie nicht mehr sagen können, wie sie es geschafft hatte, mit Clementias Hilfe irgendwann wieder aufzustehen und weiterzugehen, um nicht noch mehr Aufmerksamkeit zu erregen. Vermutlich war sowieso längst Stadtgespräch, dass das Weib des Medicus wohl ein Kind erwartete und am Morgen vor den Brotbänken einfach umgefallen war.

Von der Magd gestützt, brachte sie den Rest des Weges hinter sich und hielt die Lider gesenkt, um die neugierigen Blicke der Entgegenkommenden nicht zu sehen.

Sie schwiegen beide.

Bevor sie das Haus erreichten, brummte Clementia auf einmal: »Ihr werdet doch so rücksichtsvoll sein und dem Meister nicht sagen, dass dieses Kind nicht seines ist? Solch eine Kränkung hat er wirklich nicht verdient.«

Änne war innerlich zu ausgelaugt, um zu protestieren oder einzuwenden, dass eine Schwangerschaft noch nicht sicher sei.

»Er wird es sowieso wissen. Er ist Arzt, er kennt die Anzeichen, und er kann rechnen«, sagte sie leise und kummervoll.

»Dann überlasst die Entscheidung gefälligst ihm, ob er einen Skandal daraus macht oder so tun will, als sei es seines!«, zischte die Magd. Zögernd fügte sie hinzu: »Ich glaube nicht, dass er Euch verstößt. Er wünscht sich schon so lange einen Erben. Aber man weiß ja nie ...«

Der Arzt war inzwischen vom Krankenbesuch zurück und hatte zu seinem Entsetzen ebenfalls von Markus' Gefangennahme erfahren.

Als er seine Frau mit der Magd streiten hörte, ging er hinaus in den Vorraum. Ein Blick in Ännes Gesicht sagte ihm alles.

»Du weißt es also.«

Bevor die junge Frau etwas erwidern konnte, übernahm Clementia das Reden.

»Sprecht ein Machtwort, Meister! Sie gehört ins Bett und will nicht auf mich hören. Vorhin beim Einkaufen ist sie ohnmächtig geworden. Und das Frühmahl hat sie auch wieder hervorgewürgt.«

Änne blieb stumm. Sicher wäre es am besten, sich ins Bett zu legen, die Decke über den Kopf zu ziehen, nichts zu sehen und nichts zu hören. Doch sie durfte sich jetzt keine Ruhe gönnen, wo Markus' Leben auf dem Spiel stand.

Marsilius sah seiner Frau an, dass sie sich nicht ausruhen würde. Er war ja ebenfalls aufgewühlt von der Nachricht.

Sanft nahm er ihren Arm und zog sie mit sich in die Kammer, in der er Kranke behandelte. Clementia starrte ihn wütend an, als er vor ihr die Tür verschloss. Offensichtlich fand sie, jetzt dabei sein zu müssen. Doch das ignorierte er. Sosehr er Clementias Gewitztheit und Courage schätzte, jetzt war ihm nicht nach lauten Worten zumute. Was nötig war, würde er auch so von Änne erfahren.

Er drückte seine Frau auf die Bank. Erschöpft lehnte sie sich gegen die Wand und nahm den Becher entgegen, in den er Rosmarintinktur zur Stärkung träufelte.

»Was hast du draußen gehört?«, wollte er schließlich wissen.

»Ich habe ihn gesehen!«, platzte sie heraus. Und während Tränen über ihr Gesicht rannen, gestand sie, immer wieder schluchzend, was sie gerade gewagt hatte.

Sie rechnete damit, dass ihr Mann sie wegen ihrer Eigenmächtigkeit und ihres waghalsigen Handelns schalt. Immerhin brachte sie auch ihn damit in Gefahr.

Doch er schwieg nur und rieb sich mit der schwieligen Hand müde übers Gesicht.

»Du musst dich jetzt wirklich hinlegen, Kind«, sagte er schließlich. »So oder so, es war zu viel für dich.«

So oder so – also rechnet er auch mit der Möglichkeit, dass ich schwanger bin, dachte Änne beklommen, obwohl sie den Verdacht nicht erwähnt hatte.

Ächzend stand Marsilius auf. »Ich gehe derweil ins ›Schwarze Ross‹ und sehe zu, was wir tun können, um das Schlimmste zu verhindern.«

»Nein!«, widersprach Änne heftig. »Ich will mit!«

Als sie die Ablehnung auf seinem Gesicht sah, griff sie nach seinem Arm.

»Bitte!«, flehte sie. »Ich habe Euch noch nie um etwas gebeten, Meister! Schlagt mir das nicht ab … Ich würde es nicht aushalten, hier tatenlos herumzusitzen, während sie vielleicht schon den Galgen für ihn errichten.«

Resigniert ließ sich Marsilius wieder auf die Bank sinken.

Sollte er je gehofft haben, dass Änne den jungen Hauptmann vergaß und ihm seinen Platz in ihrem Herzen einräumte, so war diese Hoffnung soeben hinfällig geworden. Sie würde den anderen immer lieben.

»Nach allem, was ich weiß, wollen sie ihn nicht so bald hinrichten«, erklärte er ihr leise. »Sie hoffen, durch ihn Namen und Zufluchtsorte erfahren zu können. Aber niemand vermag vorherzusehen, wie lange er standhält. Ihr Folterknecht ist berüchtigt für seine Grausamkeit.«

»Ich weiß«, schluchzte Änne. »Ich habe gesehen, was er angerichtet hat.«

Marsilius verzichtete darauf, ihr zu widersprechen. Es überstieg ganz sicher die Vorstellungskraft einer jungen Frau, dass man einem Körper auch unsägliche Schmerzen zufügen konnte, ohne dass dem Geschundenen etwas davon anzusehen war. Bestimmt hatte der Folterknecht Anweisung, sich vorerst noch zurückzuhalten. Aber wenn der Graf zu der Schlussfolgerung kam, sein Gefangener sei ihm zu nichts mehr nütze, würde er ihm jeden Knochen im Leib einzeln zertrümmern lassen.

Vielleicht war dann ein schnell wirkendes, tödliches Gift alles, was er noch für Markus tun konnte. Doch das wollte er seiner Frau nicht vor Augen führen. Sie war ohnehin schon verzweifelt genug.

»Der Hauptmann hat ein tapferes Herz. Hoffen wir, dass er lange genug durchhält, bis wir etwas unternehmen können.«

Dann stand er auf, griff nach Ännes Handgelenk und fühlte ihren Puls.

»Gut, komm mit«, entschied er. »Vielleicht kannst du uns noch einen Hinweis geben, wie wir ihn retten können.«

Zum ersten Mal lernte Änne nun den geheimen Zugang zum Versteck im »Schwarzen Ross« kennen. Sie hatte zwar bei der Pflege der beiden Überlebenden des Schildwalls mitgeholfen, dann für die im Verborgenen agierenden Königsfeinde so manches auf der Burg ausspioniert und Nachrichten mit Hilfe von Christian weitergeleitet, der sich dazu jedes Mal als Bettler verkleidet in ihre Nähe schlich.

Doch das verabredete Signal dem Wirt zukommen zu lassen, das war stets Clementias Aufgabe gewesen, und die hatte ihr nie Einzelheiten erzählt. Für Änne wäre es unschicklich und viel zu gefährlich, sich im Wirtshaus blicken zu lassen, in dem es von mehr oder weniger betrunkenen Soldaten nur so wimmelte.

Als nach dem Klopfen niemand die Tür zum Speicher öffnete, rief Marsilius ungeduldig: »Macht auf, rasch!«

Leise Schritte näherten sich, hastig wurde der Riegel beiseitegeschoben.

»Hat Euch jemand gesehen?«, fragte Herrmann besorgt, der die Stimme des Arztes erkannt hatte. Dann erst bemerkte er Änne, die hinter ihrem Mann stand, und riss verwundert die Augen auf.

»Das bedeutet nichts Gutes«, murmelte er, während er die beiden rasch einließ und den Zugang wieder verschloss.

»Fürwahr«, antwortete Marsilius finster.

Bestürzt hörten Herrmann, Jan und Claus vom Schicksal ihres Hauptmanns.

»Jetzt weiß ich, warum sie unten Freudenlieder grölen«, meinte Herrmann düster.

Er hatte die Worte kaum ausgesprochen, als es erneut stürmisch klopfte.

»Das ist sicher Christian«, versuchte Jan Änne zu beruhigen, die zusammengezuckt war. Er ging zur Tür, aber ihr blieb nicht verborgen, dass er nach seinem Schwert griff und vor der Tür die Klinge aus der Scheide zog.

Es war tatsächlich der Rotschopf, der atemlos in den Speicherboden stürzte. »Sie haben den Hauptmann!«, rief er und ließ sich stöhnend auf den Boden fallen.

Dann erst bemerkte er die ungewöhnlichen Gäste.

»Das wissen wir«, sagte Herrmann mit dumpfer Stimme.

»Warum sitzen wir dann noch hier herum?!« Ungestüm sprang der Junge wieder auf. »Ich hab mich umgehört, sie ahnen immer noch nichts vom Fluchtweg. Also graben wir uns schnell zum Verlies durch!«

»Er ist nicht dort«, erklärte Marsilius.

Christian starrte ihn ungläubig an. Während Änne wiederholte, was sie gesehen und gehört hatte, zeichnete sich mehr und mehr Entsetzen auf dem Gesicht des Jungen ab. Fassungslos ließ er sich erneut auf den Boden plumpsen. »Und nun?«

Lange erörterten und verwarfen sie Pläne für die Befreiung ihres Hauptmanns, doch keiner davon klang wirklich erfolgversprechend.

»Wir müssen zuschlagen, während er auf dem Burghof ist«, entschied Herrmann schließlich.

»Aber der Hof ist voller Bewaffneter«, wandte Claus nicht zum ersten Mal ein.

»Dann sorgen wir eben für richtig Gewimmel und Ablenkung.«

»Sie werden sich denken, was los ist, und ihn sofort doppelt bewachen oder gleich töten«, widersprach Jan ungeduldig. Das hatten sie doch schon eben diskutiert!

»Aber nicht, wenn das Gewimmel durch noch mehr Soldaten entsteht«, meinte Herrmann durchtrieben grinsend, dem gerade ein Einfall gekommen war.

»Wir holen unsere Leute aus Rochlitz heran, unsere geheime Armee! Sie sollen sich als Soldaten des Königs ausgeben, als herbeigeorderte Verstärkung. Dafür müssen wir bloß eine passende Order besorgen.«

»Die kann ich fälschen. Ich brauche nur ein Schriftstück mit Siegel dazu. Am besten, ein Siegel des Statthalters in Meißen«, bot Marsilius sofort an. Er würde die Buchstaben vom Pergament schaben und den neuen Befehl mit ein paar lateinischen Begriffen zieren, um die Glaubwürdigkeit zu erhöhen.

»Ich muss in ein paar Tagen bestimmt wieder auf die Burg, um nach dem Kommandanten zu sehen«, mischte sich Änne nun ein, die lange geschwiegen hatte. »Während ich ihn verbinde, kann Clementia unbemerkt auf seinem Tisch herumkramen.«

Marsilius beschloss augenblicklich, diese Aufgabe selbst zu übernehmen.

»Das ist zu gefährlich, Änne«, widersprach Herrmann. »Notfalls hängen wir nur einen Wachsklecks dran und behaupten, das Siegel habe sich gelöst. Vielleicht müssen wir sogar nur kurz mit dem Schriftstück herumwedeln, und derweil haben wir ihn schon rausgeholt.«

»Wir brauchen einen Schlüssel für den Käfig«, erinnerte Jan. »Ich geh zu dem alten Schmied. Der hilft uns sicher. Vielleicht hat er diesen Schlüssel sogar geschmiedet.«

Herrmann nickte zustimmend. Der Schmied, der früher auf Freiheitsstein Waffen geschärft und Pferde beschlagen hatte, war nach dem Fall der Stadt von der Burg vertrieben und durch jemanden ersetzt worden, der mit dem königlichen Heer gekommen war. Nun arbeitete er als Bergschmied für die Bergleute. Bestimmt würde er ihnen helfen.

»Claus, du reitest nach Rochlitz und rufst unsere Leute zusammen«, entschied Herrmann. »Sie müssen es irgendwie schaffen, für zwei Tage unauffällig zu verschwinden.«

Der Jüngere erblasste. »Die ganze Zeit haben wir uns hier verborgen, damit uns keiner erwischt. Und jetzt sollen wir alle das Versteck aufgeben?«, wandte er zaghaft ein.

»Ich halte keinen schnellen Ritt durch mit meiner kaputten Lunge«, erwiderte Herrmann schroff. »Christian ist zu jung und kann nicht reiten, und Jan gibt mit nur einer Hand keinen glaubhaften königlichen Reiter ab. Wenn du es erst einmal durch das Stadttor geschafft hast, wird dich niemand mehr behelligen. Dann lebst du sogar ungefährlicher als hier. Ich werde inzwischen beobachten, was auf dem Burghof vor sich geht, und versuchen, Markus eine Nachricht zukommen zu lassen.«

»Er kann das Pferd des Hauptmanns nehmen«, schlug Conrad Marsilius vor. »Das steht noch bei mir im Stall. Niemand wird es erkennen.«

Die anderen waren sich bereits einig, nur Claus wirkte noch unentschlossen.

»Wir haben uns lange genug versteckt«, beendete Herrmann die Debatte. »Jetzt ist es an der Zeit, hinauszugehen und etwas zu wagen! Niemand soll uns vorwerfen können, wir hätten tatenlos zugesehen, wie sie unseren Hauptmann langsam zu Tode martern.«

Als sie endlich wieder zu Hause war, hörte Änne auf Marsilius' Ermahnung und legte sich hin, nachdem sie eine leichte Suppe und einen kräftigenden Trank bekommen hatte.

Nach diesem schrecklichen Tag war sie am Ende ihrer Kräfte. Sie bat Clementia, die Fensterläden zu schließen und die Kerze zu löschen. Das grelle Sonnenlicht sprach der Dunkelheit Hohn, die ihr Herz erfüllte.

Zusammengekrümmt lag sie unter ihrer Decke und wünschte sich, zu ihrem Liebsten fliegen zu können, um ihm Mut zu machen.

Wenigstens bestand nun ein Hauch von Hoffnung.

Sie rollte sich noch enger zusammen, legte die Hand auf ihren Bauch und versuchte sich vorzustellen, wie dort vielleicht Leben heranwuchs. Markus' Kind. Würde es seinen Vater je sehen?

Jan schaffte es unerkannt durch die Stadt und hatte keine Schwierigkeiten, den alten Schmied dafür zu gewinnen, einen Schlüssel anzufertigen. Im Gegenteil: Der Handwerker sah ihn nur kurz an und wusste, was der andere von ihm wollte. Die Nachricht von der Gefangennahme des einstigen Hauptmanns der Wache, der mit einem kühnen Handstreich die Geiseln aus dem Burgverlies befreit hatte, war in der Stadt inzwischen in aller Munde. Heimlich kursierten schon ein Lied über seine Tat und ein Spottgedicht auf die Wachen, denen der mutige junge Mann die Geiseln buchstäblich unter den Füßen weggeholt hatte.

Der Bergschmied legte gerade ein Stück Eisen in die glühenden Kohlen und stocherte die Glut auf, dass Funken stoben, als Jan eintrat. Er sah kurz auf seinen Besucher, bückte sich und kramte in einem Korb herum, in dem allerlei Werkzeug lag. Dann richtete er sich grinsend wieder auf und hielt einen Schlüssel hoch.

»Das ist es doch, was du von mir willst, nicht wahr?«, sagte er. »Ich hab mir schon gedacht, dass früher oder später jemand danach fragt, und ein bisschen vorgearbeitet, gleich nachdem ich von der Burg fortmusste.«

Dann wurde sein Gesicht ernst, und er legte Jan eine Hand auf die Schulter. »Gott schütze dich und deinen Bruder! Die Heilige Jungfrau möge euch beistehen bei dem, was ihr vorhabt.«

Dann wandte er sich wieder dem Gezähe der Bergleute zu, das er auszubessern hatte.

Christian lief inzwischen zur Burg. Wenn er sich bisher in der Stadt gezeigt hatte, so stets mit sorgfältig bedecktem Haar. Ein Hinkefuß und dazu noch rote Haare – das wäre zu auffällig gewesen. Nicht nur, dass sich mancher an den ungestümen Angreifer auf der Burgmauer erinnern mochte. Vor allem für seine regelmäßigen Besuche bei den sterblichen Überresten der hingerichteten Ratsherren musste er sich so gut wie möglich unsichtbar machen.

Doch diesmal stellte er sein auffälliges Haar bewusst zur Schau.

Herrmann hat recht, jetzt ist es Zeit hinauszugehen, dachte er. Jetzt ist es Zeit für eine neue Rolle. Genau genommen hatte er den Tag schon lange herbeigesehnt. Nur die Vorsicht der anderen hatte ihn bisher zurückgehalten.

Den Hauptmann lass ich nicht sterben, schwor sich Christian zum wiederholten Mal, nach wie vor voll jugendlicher Bewunderung für den Mann, dem er seine Taufe und seinen Namen verdankte.

Die Königlichen müssen schon ein ganzes Stück schneller werden, bis sie mich kriegen, dachte er frech.

»Was willst du, Hinkebein?«, knurrte ihn einer der Wachposten der Burg an, vor dem er sich aufgebaut hatte und der drauf und dran war, ihn zu verjagen.

»Ich glaube, du hast da was«, antwortete der Rotschopf und griff dem Mann blitzschnell hinters Ohr.

Sich überrascht stellend, hielt er ihm einen Pfennig vor die Augen.

»Oh, seht nur!«, rief er die Umherstehenden zu sich. »Wo andere bloß Grind oder Läuse haben, bewahrt euer Freund seine Schätze auf!«

Neugierig traten die Männer näher.

Als der Verblüffte den Pfennig greifen wollte, zog Christian ihn rasch wieder zu sich.

»Danke für das Almosen! Der Allmächtige wird's dir dereinst anrechnen.«

Er warf den Pfennig hoch, fing ihn wieder auf und steckte ihn sich in den Mund, bevor ihm jemand zuvorkommen konnte.

Dann tat er, als ob er ihn hinunterschluckte, und ließ einen kräftigen Rülpser ertönen. Die Soldaten lachten, während Christian rasch drei kleine, aus Lumpen gemachte Bälle aus dem Kittel zog und zu jonglieren begann.

Das Gauklerkunststück mit der Münze und die Anfänge des Jonglierens hatte ihm Sibylla beigebracht. Während der langen Tage auf dem Speicherboden war viel Zeit zum Üben gewesen.

Geschickt jonglierend arbeitete er sich langsam über den Burghof vor. Die Männer schienen froh über die Abwechslung und sparten nicht mit spöttischen oder anfeuernden Zurufen, während Christian ungeniert grobe Possen von sich gab und dafür Lachsalven erntete.

»He, was ist mit dem da im Käfig? Warum schaust du nicht zu?«, schrie er zu Markus hinüber, der mit verbundenen Augen in seinem engen Gefängnis kniete.

»Gefällt dir meine Darbietung nicht? Bist wohl Besseres gewohnt, oder?«

Die Soldaten quittierten seinen Hohn mit Gelächter.

Doch Christian hatte Mühe gehabt, beim Anblick seines geschundenen Idols die Bälle nicht fallen zu lassen. Durch nichts ließ sich ausmachen, ob Markus seine Stimme erkannt hatte.

»Und reden kann er auch nicht!«, grölte Christian quer über den Burghof. »Was für ein unhöflicher Kerl! Der weiß nicht, was ihm entgeht. In Rochlitz, wo ich letztens auftrat, war die Burgbesatzung ganz hingerissen von mir.«

Er hoffte, dass sich der Gefangene aus dieser Bemerkung etwas zusammenreimen konnte. Zwar würde er später versuchen, Markus etwas zuzuflüstern, ohne dass es jemand bemerkte, aber dazu musste er erst einmal seine Zuschauer loswerden.

»Und euch hier, ihr tapferen Recken, darf ich doch ebenso zu meiner Anhängerschar zählen?«

»Nur, wenn du das auch auf einem Bein kannst, Feuerlocke«, forderte einer der Männer, schon älter und mit struppigem Bart.

»Klar!« Ohne zu zögern, hob Christian ein Knie und warf die Bälle darunter durch.

»Nein, Feuerlocke, das andere!«, forderte der Graubart und wies grinsend auf den missgestalteten Fuß.

Christian fing alle drei Bälle auf und verneigte sich bis zum Boden.

»Dieser Fuß ist mit den Kugeln im Streit darüber, wer von ihnen die schönere Form hat«, alberte er.

»Was kannst du sonst noch, Hinkebein?«, forderte ein anderer zu wissen.

Christian sah sich suchend um und lief zur Schmiede, gefolgt von seinen Zuschauern. Unterwegs nahm er eine der Fackeln, die an der Mauer in einer Halterung steckten, und stocherte damit im Schmiedefeuer, bis sie zu brennen anfing.

»Hab Dank, Meister Schmied, für die warme Mahlzeit!«, rief er dem Verblüfften zu.

Dann legte er den Kopf in den Nacken und näherte die Fackel seinem geöffneten Mund. Doch bevor die Flammen sein Gesicht versengen konnten, ließ er die Fackel wieder sinken.

»Wenn ich es recht bedenke, hab ich gerade keinen Appetit auf Warmes«, rief er in die Runde. »Vielleicht später. Wenn ich meinen Lohn gekriegt habe.«

Er drückte einem der Soldaten die brennende Fackel in die Hand und streckte dann seine Rechte aus, um Pfennige und Hälflinge einzusammeln.

Die Männer, die sich die meiste Zeit langweilten und bei der Stadtbevölkerung reichlich Beute gemacht hatten, geizten nicht.

»Bei so reichlicher Bezahlung komme ich gern wieder und zeige euch mehr, meine kühnen Recken«, versprach der Rotschopf. »Aber bevor die Vorstellung weitergeht, muss ich erst einmal sehen, wo ich zu etwas zu trinken komme. Ich verdorre«, behauptete er, zog eine Grimasse, riss den Mund auf und zeigte hinein.

»Noch keinen Bart haben, aber durstig wie ein richtiger Mann«, lästerte einer der Wachleute. »Mal sehen, wie viel er verträgt!« Er flüsterte seinem Nachbar etwas zu, der sofort loslief, und bedeutete den Übrigen zu warten.

Um seinen Ruf als Gaukler nicht zu verlieren, stimmte Christian ein zotiges Lied an und erntete dafür erneute Lachsalven. Er hatte noch nicht geendet, als derjenige wiederkam, der fortgeschickt worden war. Er trug einen Eimer, den er in das Bierfass in der Halle getaucht hatte, und grinste übers ganze Gesicht.

»Hier, Milchbart! Nun zeig mal, ob du saufen kannst wie ein Großer!«

»Ob ich saufen kann wie ihr? Was für eine Herausforderung!«, konterte Christian.

Die Männer bestanden darauf, dass er aus dem Eimer trank, der bis zum Rand mit Bier gefüllt war.

Christian hatte Mühe, das schwere Gefäß hochzustemmen, und bevor er es an den Mund hielt, war schon ein Teil des Gebräus auf seine zerlumpten Kleider geschwappt.

»Keine Betrügereien!«, rief jemand lachend. »Und wage es ja nicht, noch mehr Bier zu verschütten!«

Christian machte gute Miene zum bösen Spiel und trank. Dabei war ihm klar, dass er nie und nimmer den ganzen Eimer würde leeren können. Fieberhaft suchte er nach einem Ausweg, während er allmählich das Gefühl bekam, dass sein ganzer Körper nur noch aus Bier bestand.

Wieder rülpste er laut, ließ den Eimer sinken, schielte über den Rand des Behältnisses, sosehr seine Augen über Kreuz schauen konnten, schlang sein missgestaltetes Bein um das gesunde und wankte heftig.

»Isch glaube, isch kann doch nisch so gut saufen wie ihr«, lallte er. »Wollt ihr mir nisch helfen?«

Wankend streckte er einem der Soldaten den Eimer entgegen. Als der danach greifen wollte, zog er ihn wieder an sich, streichelte ihn wie einen Säugling und streckte ihn dann erst wieder von sich. Rasch griff der andere danach und trank, angefeuert von den Umherstehenden. Nun ging der Eimer reihum, bis er leer war.

»Hier, iss etwas!« Ein jüngerer Soldat streckte Christian einen Kanten Brot entgegen.

Der sah sich nach einer Sitzgelegenheit um und ließ sich auf den Steinbrocken niedersinken, der neben dem Brunnen lag.

Allmählich löste sich die Zuschauerrunde auf. Bald war Christian allein mit seinem Brotkanten und kämpfte den unbändigen Drang nieder, das viele Bier sofort wieder loszuwerden. Er konnte nicht hier auf den Burghof pinkeln, ohne Ärger zu bekommen, und schon gar nicht würde man ihn in den Palas lassen, um die Heimlichkeit aufzusuchen.

Aber endlich war die Gelegenheit günstig, dem Hauptmann eine Nachricht zu überbringen. Am liebsten hätte er ihm auch das Brot zugesteckt. Aber da Markus die Hände auf dem Rücken gefesselt waren, würde er es nicht essen können. Wenn jemand den Kanten bemerkte, bekäme er stattdessen jede Menge Ärger.

Christian stemmte sich hoch und schlenderte zum Käfig, während er wankend Betrunkenheit vortäuschte. An seinem Ziel angekommen, stieß er Markus die Faust in den Nacken. Von weitem musste es aussehen wie ein kräftiger Hieb, so als wollte er den Gefangenen verhöhnen. Es war nicht ungewöhnlich, sondern üblich, dass diejenigen von Vorbeigehenden geschlagen oder mit Unrat beworfen wurden, die in den Käfig eingesperrt waren.

Doch in Wirklichkeit war es nur eine leichte Berührung, mit der Christian die Aufmerksamkeit seines Anführers wachrief.

Aus der Nähe zu sehen, wie sehr sein Vorbild geschunden war, machte ihn gleichermaßen fassungslos und wütend.

»Wir holen dich hier raus«, flüsterte er. »Aber es wird ein paar Tage dauern. Halte durch so lange!«

»Gebt ... acht!«, warnte Markus auch ihn krächzend. »Falle ...«

»Wissen wir. Änne hat es uns gesagt. Aber wir haben einen guten Plan.«

Mehr verriet er nicht – auch zu Markus' Sicherheit.

»Halte durch, Hauptmann. Gott schütze dich!«

Mit gelangweilter Miene und leicht schwankendem Gang ging Christian zum Burgtor. Dort stand jetzt wieder derjenige, dem er die Münze hinterm Ohr hervorgezaubert hatte.

Lässig warf ihm Christian einen Pfennig zu. »Hier, pack ihn zu den anderen«, rief er ihm grinsend zu und tippte sich ans Ohr. Der Mann grinste zurück und steckte den Pfennig zufrieden ein.

»Komm wieder, Hinkebein, und zeig uns, was du sonst noch kannst!«, gab er Christian zum Abschied mit auf den Weg.

Du würdest dich wundern, was ich alles kann, dachte der Rotschopf gehässig, während er die Burggasse hinunterlief. Jetzt muss ich zusehen, dass ich schleunigst noch ein paar Kunststückchen lerne. Dann kann ich dem Hauptmann noch mehr Nachrichten überbringen. Aber zuallererst muss ich wirklich pissen.

Auch Meister Conrads Vorhaben ließ sich gut an. Zwei Tage nach Markus' Gefangennahme wurde er auf die Burg gerufen, weil der Kommandant einen Aderlass wünschte. Der Graf lehnte es ab, dafür einen Bader kommen zu lassen, und forderte die Behandlung durch den Medicus.

Marsilius ließ sich von Clementia begleiten. Diesmal bestand er darauf, dass Änne zu Hause blieb, und ließ sich auch von ihren Bitten nicht umstimmen. Ein Schriftstück vom Tisch des königlichen Burgkommandanten zu stehlen war eine Sache, die vermutlich mit dem Tode bestraft würde – und vorheriger Folter, um den Grund dafür zu erfahren.

Clementia erklärte sich sofort bereit, ihn zu begleiten, nachdem er ihr gesagt hatte, was auf dem Spiel stand. »Wir sollten wirklich keine Gelegenheit auslassen, diesen Dreckskerlen eins auszuwischen. In der Hölle sollen sie schmoren!«

Sie hatten sogar das Glück, eine Weile allein in der Kammer des Kommandanten zu sein, wo man ihnen befohlen hatte zu warten.

Während Clementia an der Tür lauschte, ob sich jemand näherte, durchsuchte der Arzt hastig die Sachen, die auf dem Tisch herumlagen. Als er dort nicht fündig wurde, öffnete er kurzerhand ein Kästchen, das der Größe nach dazu bestimmt sein könnte, Schriftstücke aufzubewahren.

Er hatte richtig vermutet.

Jetzt ist es eindeutig Hochverrat, dachte er grimmig, während er die Dokumente durchwühlte. Er wollte die Hoffnung schon aufgeben, als er fast ganz unten doch noch eines mit dem Siegel des königlichen Statthalters für die Mark Meißen fand, Heinrich von Nassau.

Genau in diesem Moment flüsterte Clementia erschrocken: »Es kommt jemand!«

Rasch steckte er das Pergament unter seine Kleidung und klappte das Kästchen wieder zu.

Dann richtete er sich auf und trat in die Mitte des Raumes. Die Magd huschte hinter ihn.

Es war der Burgkommandant, der nun eintrat, begleitet von einem seiner Vertrauten.

Clementia sank in einen tiefen Knicks, Marsilius verneigte sich. Dabei bemerkte er zu seinem Schreck, dass das Pergament zu rutschen begann.

Nach einer knappen Begrüßung nahm Eberhard von Isenberg am Tisch Platz und krempelte einen Ärmel hoch.

Allmächtiger, lass jetzt nicht die Rolle mit dem königlichen Siegel herunterfallen, dachte Marsilius, während er mit vorsichtigen Schritten auf seinen Patienten zuging.

»Ist Euch nicht wohl, Meister?«, erkundigte sich der Graf.

»Nur eine leichte Übelkeit im Magen«, erwiderte Marsilius und nutzte diese Ausrede, um die Hand auf den Leib zu legen und damit das Pergament festzuhalten. Nun konnte er nur hoffen, dass sich das Schriftstück nicht unter dem Surkot abzeichnete.

Er holte seine Instrumente hervor und betete wie jedes Mal stumm, dass seine Hände nicht zitterten.

Sollte er den Kommandanten verletzen, hatte man Marsilius schon bei seinem ersten Besuch den eigenen Tod und den seines gesamten Haushaltes angedroht.

So begannen Änne und ihre Mitverschwörer, Hoffnung zu schöpfen. Hoffnung, dass in ein paar Tagen Markus' Befreiung gelingen könnte.

Eines aber wussten sie zu diesem Zeitpunkt noch nicht: Claus war nie in Rochlitz angekommen, um von dort Verstärkung zu holen. Beim Passieren des Stadttores verlor der Jüngste der Wachen vom Peterstor angesichts der Bewaffneten die Nerven und rannte los. Die Wachen fingen ihn schnell wieder ein und brachten ihn auf die Burg.

Claus widerstand der Tortur nicht.

Der Folterknecht brauchte nicht lange, um ihm zu entreißen, dass der wichtigste Gefangene auf der Burg mit Hilfe einer größeren Gruppe falscher Soldaten befreit werden sollte.

Bevor er noch mehr verraten konnte, stürzte sich Claus in den Dolch eines seiner Bewacher.

Die Männer kamen überein, es als Unfall anzusehen.

Der Burgkommandant befahl striktes Stillschweigen über den toten Gefangenen und seine Auskünfte.

Während Herrmann, Jan, Christian, Änne und Marsilius ungeduldig darauf warteten, dass Claus mit dreißig Mann nach Freiberg kam, um Markus zu befreien, bereitete sich die königliche Burgmannschaft darauf vor, eine Gruppe Rebellen in der Kleidung königlicher Soldaten zu überwältigen und gefangen zu nehmen.

TAGE UND NÄCHTE

*M*arkus hätte nicht sagen können, was schlimmer war: die Tage mit verbundenen Augen im Käfig auf dem Burghof oder die Nächte im eigens für ihn eingerichteten Verlies.

Der Folterknecht gab sich reichlich Mühe, den Gefangenen zu brechen, aber hatte unverkennbar Weisung, ihn vorerst nicht zu töten. Außerdem, so ließ er einmal wütend durchblicken, lege der Kommandant Wert darauf, dass sein berüchtigtster Gefangener auf eigenen Füßen zum Galgen gehe. Er begriff bald, dass er bei diesem starrköpfigen Delinquenten unter solchen Beschränkungen nicht zum Ziel kommen würde. Deshalb betrachtete er die nächtlichen Besuche bei dem entkräfteten und geschundenen Hauptmann eher als Zeitvertreib, bei dem er seine kranke Lust am Quälen ausleben konnte.

Doch wenn der Folterknecht gegangen war und Markus die schlimmsten Qualen hinter sich hatte, konnte er endlich schlafen, essen, trinken und unbeobachtet seine Notdurft verrichten – alles Dinge, die ihm tagsüber im Schandkorb nicht vergönnt waren.

Er hatte gelernt, die karge Gefangenenkost erst zu sich zu nehmen, wenn Ordulf fort war. Zwar schmerzte ihn dann jede Faser seines Körpers, manchmal musste er auch erst wieder aus der Bewusstlosigkeit erwachen. Aber zu oft hatte er während der Folter nach Schlägen in den Magen oder anderen perfiden Quälereien das wenige, das ihm für einen Tag zugeteilt wurde, wieder herauswürgen müssen.

Tagsüber durchlitt er eine Tortur ganz anderer Art: die Angriffe und Beschimpfungen der Soldaten, die ihn aus Leibeskräften hassten.

Immerhin – selbst wenn er die Sonne nicht sehen konnte, genoss er ihre wärmenden Strahlen. Doch manchmal sengten sie auch gnadenlos auf ihn herab, dörrten ihn aus und verbrannten ihm die Haut. Dann war er froh, wenn endlich

Regen einsetzte, ihn erfrischte und seine Wunden kühlte – bis er anfing, in den nassen Sachen vor Kälte mit den Zähnen zu klappern.

Gelegentlich fragte er sich, wie er die Tage wohl aushalten sollte, wenn es kälter wurde oder gar zu schneien begann.

Dann rief er sich in Erinnerung, dass er so lange ohnehin nicht überleben würde.

Ein paar Mal hatte Markus heimlich die Augenbinde ein Stück nach oben geschoben, um das Treiben auf dem Burghof zu beobachten. Nach den vielen Tagen in Finsternis sehnte er sich danach, den blauen Himmel zu sehen. Außerdem wollte er jede Einzelheit aufsaugen, die ihm bei einer Flucht dienlich sein könnte.

Er konnte den Leinenstreifen zwar etwas hochziehen, indem er seinen Kopf gegen das Eisengitter lehnte, ihn aber nicht wieder richtig zurückzuschieben, als der Abend kam. Sein Tun wurde entdeckt und mit zusätzlichen Schlägen bestraft.

Doch am schlimmsten hin- und hergerissen zwischen Furcht und Hoffnung wurde er bei dem Gedanken, was wohl seine Gefährten unternehmen würden und in welche Gefahr sie sich seinetwegen begaben.

Nach Ännes Besuch hatte niemand mehr heimlich Kontakt zu ihm aufgenommen, abgesehen von Christian.

Der tauchte mittlerweile beinahe täglich auf und machte sich bei der Burgmannschaft gut Freund mit seinen derben Späßen und Possen.

Die gelangweilten Wachen erwarteten ihn schon und hielten ihn für einen der Ihren.

Manchmal nutzte der Rotschopf die Gelegenheit, Markus unbemerkt eine Nachricht oder ein paar aufmunternde Worte zuzuflüstern. Nicht zuletzt hielt er die Männer während seiner Vorstellungen davon ab, den Gefangenen zu quälen oder zu verhöhnen.

Alle paar Tage schmuggelte ihm eine Frau ein Stück Brot in die gefesselten Hände und half ihm, die kostbare Gabe unter der Kleidung zu verstecken. Wie er an der Stimme erahnte, war es die alte Brotmagd mit der Hasenscharte. Sie empfand wohl Mitleid mit ihm, vielleicht aber auch heimliche Genugtuung über die geglückte Flucht der Geiseln.

Diesmal näherten sich zaghafte Schritte dem Käfig, nicht so laut wie die eines Soldaten in derben Stiefeln und nicht so schlurfend wie die der Magd aus dem Backhaus.

War das vielleicht Änne? Markus wusste nicht, ob er sich Sorgen machen, weil er so lange nichts von ihr gehört hatte, oder erleichtert sein sollte, dass sie in Sicherheit war und auf weitere gefährliche Begegnungen mit ihm verzichtete.

Durch nichts ließ er erkennen, dass er seine Aufmerksamkeit ganz auf den oder die Unbekannte richtete. Wie immer kniete er reglos in Fesseln, den Kopf mit der Augenbinde starr geradeaus gerichtet.

»Du hast mein Leben verschont, dadurch stehe ich in deiner Schuld«, sagte leise neben ihm eine fremde Stimme, die eines jungen Mädchens oder eines Knaben.

Markus runzelte die Stirn, um zu zeigen, dass er nicht wusste, wer mit ihm sprach.

»Damals, als du dich in die Kammer des Kommandanten gewagt hast«, fuhr die Stimme fort, und Markus begann zu ahnen, wer dort stand: der Knappe, den er nach der Flucht der Geiseln bewusstlos geschlagen hatte, um zum Grafen zu gelangen.

»Deshalb gebe ich dir eine wichtige Nachricht weiter, obwohl ich damit meinen Dienstherrn hintergehe.«

Der Knappe holte tief Luft, bevor er leise hastig weiterredete: »Einer von deinen Leuten wurde gefasst. Er ist tot, aber vorher verriet er unter der Folter, dass dich deine Freunde mit einem Trupp falscher Soldaten befreien wollen.«

Der Junge räusperte sich. »Ich weiß nicht, ob du zu ihnen

Kontakt hast und durch wen, und ich will es auch nicht wissen. Aber wenn du kannst, richte ihnen aus, dass diese List aufgeflogen ist und sie in einen Hinterhalt geraten, wenn sie kommen.«

»Danke«, sagte Markus leise.

Es musste den Jungen große Überwindung gekostet haben, seinen Herrn zu hintergehen. Ganz abgesehen davon, dass er sich in erhebliche Gefahr begab. Wenn herauskam, dass er dieses Geheimnis verraten hatte, würde ihn wohl weder seine Stellung als Knappe noch seine vermutlich edle Herkunft schützen.

»Damit ist die Schuld beglichen«, erwiderte der Knappe. »Es ist genug Blut geflossen. Ich will hier nicht noch ein Gemetzel. Außerdem würden sie dich sofort töten, noch ehe der Letzte deiner Freunde den Burghof betreten hat.«

Die leisen Schritte entfernten sich wieder.

Markus zweifelte nicht, dass die Warnung echt war und keine List. Die Stimme des Jungen hatte ehrlich geklungen, furchtsam, aber es war auch kaum verhohlene Bewunderung herauszuhören.

Wer ist der Tote?, überlegte er aufgewühlt. Herrmann? Oder sein Bruder? Wer mochte unter der Folter gesprochen haben? Nun musste er schleunigst dafür sorgen, dass die Warnung die anderen erreichte, bevor es ein Blutbad gab.

Markus drehte den Kopf in die Richtung, aus der Christians Narrenpossen erklangen. Ein deutlicheres Zeichen durfte er nicht geben, wollte er sich und den Rotschopf nicht verraten. Aber der Bursche war gewitzt. Sobald er sein Publikum los war, würde er kommen.

Herrmann wurde aschfahl, als er Christians Neuigkeiten hörte.

»Claus!«, stöhnte er und sprach hastig ein Gebet für das Seelenheil des Toten. Auch wenn er wusste, dass erbarmungslose

Folter jeden brechen konnte, fühlte er statt Trauer vor allem Wut über den Verrat.

»Hat er auch verraten, woher die falschen Soldaten kommen? Wenn unsere Leute in Rochlitz auffliegen und geschnappt werden ... Vielleicht sind sie schon längst gefangen oder tot!«

»Ich sag dir doch: *Er weiß es nicht!*«

Christian musste sich zusammenreißen, den Älteren nicht anzubrüllen, so sehr hatten ihn die schlechten Neuigkeiten aus der Fassung gebracht. »Überlegt lieber, wie wir den Hauptmann jetzt da rausholen! Wir brauchen einen neuen Plan.«

»Im Moment können wir gar nichts für meinen Bruder tun«, widersprach Jan dumpf. »Du hast es doch gehört: Sie warten nur darauf, dass sich irgendetwas auf dem Burghof tut. Sie würden ihn sofort töten – und uns wahrscheinlich auch.«

Er ließ den Kopf zwischen die Arme sinken.

»*Ich* hätte nach Rochlitz reiten müssen!«, sagte er verzweifelt. »Wir hätten erkennen müssen, dass Claus zu viel Angst hatte und bei Gefahr versagen würde ...«

Er erhob sich mit einem Ruck und griff nach einem der Schwerter, die auf dem Boden lagen.

»Wohin willst du?«, fragte Herrmann streng.

»Nach Rochlitz. Sehen, ob noch etwas zu retten ist. Unsere Männer müssen dort weg. Sofern sie nicht schon entdeckt und längst tot sind«, antwortete Jan bitter.

Beschwichtigend legte ihm Herrmann die Hand auf die Schulter.

»Morgen früh. Es ist spät. Lass uns heute gemeinsam überlegen, was wir sonst noch tun können ... Und bevor du aufbrichst, informiere Meister Marsilius, dass unser Plan aufgeflogen ist.«

»Ich gehe morgen wieder auf die Burg und sage dem Hauptmann, dass er noch eine Weile durchhalten muss«, meinte Christian niedergeschlagen.

Herrmann nickte müde und besorgt. »Wer weiß, wie lange er es noch schafft.«

Der Rotschopf ließ den Kopf hängen. »Er sieht furchtbar aus – so abgemagert. Er hält sich kaum noch aufrecht. Aber sie kriegen ihn nicht klein! Mal sehen, ob ich etwas tun kann, damit er bei Kräften bleibt.«

Schon entspann sich in seinem phantasievollen Gassenjungen- und Gauklerhirn eine Idee.

Wortlos saßen die drei noch eine ganze Weile beieinander, aber niemandem fiel ein erfolgversprechender Plan ein, wie sie ihren Hauptmann unter diesen Umständen befreien konnten.

Bevor sie sich schlafen legten, meinte Herrmann: »Findet ihr nicht auch, dass dieser Hurensohn von einem Apotheker endlich für seinen Verrat bezahlen sollte?«

Dass Jenzin Markus ausgeliefert hatte, hatte in der Stadt sofort die Runde gemacht. Sie hatten ihn bisher·nur deshalb verschont, um nicht für Ärger *vor* Markus' Befreiung zu sorgen. Doch das spielte jetzt keine Rolle mehr, da die Besatzer bereits auf ihren Angriff warteten.

Jan, der mit finsterer Miene auf einer der Kisten hockte und den Kopf wieder auf die Hände gestützt hatte, sah auf.

»Die Ratte ist überfällig«, meinte er hasserfüllt. »Aber sie werden Markus dafür büßen lassen.«

»Keine Sorge, ich richte es so ein, dass es nicht wie ein Racheakt aussieht.«

»Ich habe als Erster ein Anrecht darauf, meinen Bruder zu rächen!«, widersprach Jan heftig. Außerdem hatte er schon vor langer Zeit geschworen, Jenzin dafür bezahlen zu lassen, wie er mit Änne umgesprungen war – damals, in jener eiskalten Januarnacht, als Sibylla die Warnung vor dem Heer des Königs nach Freiberg brachte und er mit anhören musste, wie der Apotheker sein Mündel verprügelte.

»Du gehst nach Rochlitz! Das hat Vorrang«, erklärte Herrmann in einem Ton, der keinen Widerspruch duldete. »Und keine Sorge: Ich werde dem Pillendreher nicht das Lebenslicht ausblasen. Das überlasse ich dir. Nur das Fürchten soll er lernen. Du bekommst deine Rache, wenn dein Bruder frei ist.«

Herrmann blies das rußende Licht aus.

Jeder der drei im Versteck auf dem Speicherboden lag noch lange in der Dunkelheit wach und überlegte, wie er seinen Auftrag am besten erfüllen konnte.

»Ich habe ein Rezept und möchte Euch um einen Heiltrank gegen meinen Husten bitten, Meister Apotheker. Ich kann auch bezahlen!«

Mürrisch schaute Jenzin auf den graubärtigen Bergmann, der zusammengekrümmt, schmutzverschmiert und hustend vor seiner Offizin stand und zaghaft bittend auf den Beutel am Gürtel deutete.

Wahrscheinlich ein Häuer mit kaputter Lunge, aber in einem ergiebigen Erzgang eingesetzt. Oder so verzweifelt, dass er sich das Geld zusammengeborgt hatte.

»Komm später wieder!«, beschied ihm der Apotheker missgelaunt.

Er verspürte nicht die geringste Lust, dem Alten selbst eine Mixtur zurechtzubrauen. Sein Weib war mit den Mägden auf dem Markt, der Knecht führte gerade das Pferd zum Hufschmied, und wo sein neuer Lehrjunge war, wusste wahrscheinlich nur der Herrgott selbst. Der Bengel hätte längst von seiner Besorgung zurück sein müssen. Wahrscheinlich strolchte er wieder durch die Gassen – genau solch ein Nichtsnutz wie der missratene Neffe, der mit dem ganzen Ersparten durchgebrannt war. Und kaum, dass wieder Geld ins Haus gelangt war, wenn auch nur die Hälfte der versprochenen Belohnung für die Festnahme eines lang gesuchten Verbrechers, schwärmte der ganze Haushalt aus, um die Barschaft durchzubringen! Sollte er sich da auch noch höchstpersönlich Mühe machen wegen dieses Alten, der wahrscheinlich in einer Woche sowieso verrecken würde, ob mit oder ohne Medizin?

»Habt Erbarmen, Meister«, bat der Häuer unterwürfig, bevor er von einem Hustenanfall geschüttelt wurde. »Ich muss wieder in die Grube, damit meine Familie nicht verhungert. Ich zahle Euch auch das Doppelte!«

»Na, meinetwegen«, ließ sich Jenzin angesichts dieses Versprechens erweichen. »Ich hoffe, du hast auch wirklich genug Geld. Gib mir das Rezept!«

Doch statt dem Apotheker eines der Wachstäfelchen von Marsilius durch das Fenster zu reichen, huschte der Alte zur Tür, erstaunlich schnell für seinen Zustand. Ehe Jenzin sichs versah, stand der Fremde in der Offizin.

Hatte der Tölpel denn gar kein Benehmen?

Bevor der Ratsherr ihn dafür ausschelten konnte, wurde er von dem Fremden gepackt und mit überraschender Kraft in die hintere, private Kammer geschoben.

»Ich dachte mir, ich erzähle lieber persönlich, was ich brauche«, erklärte der Besucher, der sich mühsam aufgerichtet hatte und mit einem Mal ziemlich bedrohlich wirkte.

Was durch die Dolchspitze unterstrichen wurde, die Jenzin plötzlich auf seiner Brust spürte. Bevor er aufschreien konnte, presste ihm der Fremde die Hand auf den Mund.

Jetzt erst wurde dem Apotheker angstvoll bewusst, dass das Gesicht des Eindringlings immer noch zur Hälfte von der Gugel verhüllt und der Rest von Staub bedeckt war. Wer, um alles in der Welt, war das? Ganz bestimmt kein Häuer. Ein Dieb? Oder jemand, der sich für die Gefangennahme des Hauptmanns rächen wollte?

»Ja, jetzt drückt dich wohl dein schlechtes Gewissen, was?«, knurrte der Besucher, schob Jenzin gegen eine Wand und presste ihm den Dolch gegen die Kehle. Zitternd spürte der Apotheker, wie die scharfe Klinge seine Haut ritzte.

»Ich weiß nicht, wovon du redest«, brachte er ängstlich hervor. »Du musst mich verwechseln … Lass mich, und ich werde dich auch nicht den Wachen melden …«

»Nein, das wirst du nicht, du Ratte.« Der Fremde grinste und drückte noch fester zu.

Jetzt begann Jenzin zu wimmern. »Ich geb dir Silber, wenn du gehst!«, flehte er.

»Das hört sich schon besser an!«, meinte der Eindringling gut gelaunt. »Mir ist nämlich zu Ohren gekommen, dass du unlängst ein paar zusätzliche Einnahmen hattest. Wofür, darüber mag der oberste Richtherr entscheiden. Und den stimmst du vielleicht ein bisschen gnädiger, wenn du das Geld als Almosen ein paar Bedürftigen spendest. Ich verspreche dir, dass ich höchstpersönlich für die gerechte Verteilung sorgen werde.«

Plötzlich änderte der Fremde den Tonfall.

»Her mit allem Silber, das du im Haus hast!«, befahl er schroff. Er packte den Überrumpelten am Ausschnitt und schob ihn weiter vor sich her. »Und ich meine wirklich *alles!* Wo beginnen wir zu suchen?«

Vergeblich versuchte Jenzin, sich herauszuwinden. Der Räuber gab nicht eher Ruhe, bis er außer dem Geld aus dem Kästchen und dem unter dem Herdfeuer vergrabenen auch noch die Silberbarren aus dem Geheimfach in der Wand geholt hatte.

Wo, um alles in der Welt, blieben nur die anderen? Wenn nicht ganz schnell Hilfe kam, war er ein armer Mann! Oder ein armer *und* toter Mann.

Herr im Himmel, hilf!, flehte er stumm und vergeblich. Doch jedes Mal, wenn er glaubte, dem Eindringling entkommen oder ihn gar überlisten zu können, reagierte dieser blitzschnell.

»Denk nicht einmal dran!«, ermahnte er ihn in aller Gelassenheit. »Ich hätte dir die Gurgel durchgeschnitten, bevor du einen Schritt getan hast.«

Eine harmlose, aber schmerzhafte Fleischwunde am Unterarm brachte Jenzin endgültig dazu, jeden Gedanken an Widerstand aufzugeben.

Nun begann er, ernsthaft um sein Leben zu fürchten.

Als er das ganze Geld in einen Beutel gefüllt und dem Räuber übergeben hatte, sank er händeringend auf die Knie.

»Lass mich leben, bitte! Ich werde niemandem verraten, dass du hier warst!«, flehte er.

»Na, das ist doch ein Angebot!«, antwortete der Fremde zu seiner großen Erleichterung.

»Du wirst schweigen und allen erzählen, den Schnitt am Hals habe dir der Pfuscher von Bader beim Balbieren zugefügt?«

Hastig nickte Jenzin, der vor Aufregung und Angst kein Wort herausbrachte.

»Du wirst weder um Hilfe schreien, bevor ich das Haus verlassen habe, noch erzählen, dass du bestohlen wurdest?«

Ängstlich nickte der Schwarzgewandete erneut.

»Hoch mit dir, Hurensohn!«, scheuchte ihn der Räuber.

Mit zitternden Knien kam der hagere Apotheker auf die Füße, wie befohlen mit erhobenen Händen.

Der Dieb musterte ihn. »Weißt du, ich traue dir nicht«, verkündete er dann. »Ich werde dich doch lieber umbringen. Auf einen mehr oder weniger kommt es nicht an.«

Noch während er sprach, hatte er seinem Gegenüber erneut den Dolch an die Kehle gedrückt.

Jenzin erstarrte vor Angst. Etwas Warmes rann seine Beine hinab. Der Eindringling schnupperte und verzog verächtlich den Mundwinkel.

»Der Kerl hat sich wirklich bepisst vor Angst!«, rief er und lachte kurz auf. »An dir Ratte kann sich ein anständiger Dieb noch die Hände schmutzig machen.«

Er drehte ihn um und stieß ihn vor sich.

»Los, runter mit den Sachen!«

Ungläubig wandte der Apotheker den Kopf.

»Hast du nicht gehört? Wenn du willst, dass ich dich nicht absteche, zieh dich aus!«

Mit bebenden Händen versuchte Jenzin, die Knoten der Nestelbänder zu lösen, mit denen die Beinlinge an der Bruche befestigt waren. Der Dieb beschleunigte die Angelegenheit mit ein paar raschen Schnitten.

»Was für ein hässlicher Hintern«, kommentierte er den unschönen Anblick zweier weiß leuchtender, schlaffer Gesäßbacken.

»Damit du's weißt, Ratte: Ich lass dich nur leben, weil diese Stadt sonst keinen Salbenkocher hat! Es gibt zu viele Kranke hier. Du wirst ihnen helfen und über meinen Besuch schweigen. Kommen mir Klagen zu Gehör, sehen wir uns wieder. Und dann werde ich nicht so großzügig sein wie heute!«

Zitternd und mit nacktem Hintern kniete Jenzin auf seiner streng nach Urin riechenden Bruche und wandte den Kopf, um zu sehen, ob der Eindringling wirklich ging.

Doch er hatte immer noch nicht genug gelitten, denn im nächsten Moment wurden ihm ein paar saftige Hiebe mit der Gerte auf das nackte Fleisch versetzt, mit der er sonst seinen Lehrling und früher auch sein Mündel gezüchtigt hatte.

»Das zur Erinnerung! Und erzähl deinem Weib, du seiest zu der Einsicht gekommen, etwas mehr Frömmigkeit und Barmherzigkeit zu zeigen!«

Mit einem kräftigen Ruck wurde ihm die Bruche unter den Beinen weggezogen, dann krachte die Tür zu, der Fremde war verschwunden.

Beraubt, gedemütigt und geschlagen, sank der Apotheker in sich zusammen und wimmerte.

Dabei entging ihm vorerst, dass schon bald die halbe Stadt über seine fleckige und nach Urin stinkende Bruche lachte. Der Unbekannte hatte sie wie ein Banner über das Schild mit dem Apothekersymbol gehängt.

»He, Feuerlocke!«

Begeistert wurde Christian von den Burgwachen begrüßt.

»Was hast du uns heute zu bieten?«

Der Bursche grinste von einem Ohr zum anderen. »Wie wär's mit einem neuen Vers zu dem Lied von der drallen Wirtin?«

Da sein Repertoire an Zauberkunststückchen äußerst dürftig war und er mit dem missgestalteten Fuß auch keine Saltos schlagen konnte, blieb ihm nichts anderes übrig, als die Wachen mit seinem schier unerschöpflichen Vorrat an Witzen und zotigen Versen zu unterhalten – und mit selbst erfundenen Liedern, für die er sich jeden Abend auf dem Speicherboden den Kopf zermarterte.

Wie schon bald nach seinem ersten Auftauchen vor der königlichen Burgwache üblich geworden, ließ sich Christian von einer Gruppe aufgekratzter Männer zu dem großen Stein am Brunnen geleiten, den er als Podium benutzte. Mühelos sprang er hinauf und begann zu singen, während sich sein Publikum vor Lachen bog und bald in den frechen Refrain einstimmte.

»Hinkebein, wie kann ein Bursche in deinem Alter so viel darüber wissen, was die Weiber in den Betten treiben?«, brüllte einer, als das Lied vorbei war.

Das frag ich mich auch, dachte Christian und verdrehte die Augen. Jan und Herrmann werden mich eines Tages noch erschlagen, wenn ich sie weiter mit Fragen darüber löchere.

»Ich lerne gern dazu«, konterte er dreist. »Würdest du mir ein hübsches Mädel vorbeischicken heute Nacht? Eigentlich – von mir aus kann sie gern schon kommen, solange es noch hell ist.«

»Wie wär's mit der da?«, grölte ein Kahlköpfiger und wies zum Backhaus.

Christian legte erschrocken die Hände über die Augen. »So viel Schönheit blendet mich!«

Wieder hatte er die Lacher auf seiner Seite. Die Magd mit der Hasenscharte war so alt und hässlich, dass sie sogar inmitten dieser verrohten Männer unbehelligt blieb.

»Außerdem habe ich ja die Männerprobe noch nicht bestanden«, sagte er übertrieben kleinlaut und erntete dafür erwartungsgemäß fragende Blicke.

»Den Biertest, ihr kühnen, trinkfesten Helden!«, rief er und grinste.

»Ja, das sollten wir nicht auf die lange Bank schieben«, johlte einer, der gleich erriet, was gemeint war.

»Aber nicht wieder einen ganzen Eimer!«, forderte Christian.

»Ich muss mich erst langsam an euer Können heranarbeiten.« Erwartungsgemäß wurde er nach Vorschlägen gefragt.

»Beginnen wir mit einem Krug. In einem Zug«, schlug der Rotschopf vor.

»Das ist keine Kunst«, beanstandeten die Umstehenden einmütig.

»Für euch nicht, ihr habt mir ja Jahre schonungslosen Saufens im Dienst für den König voraus«, rief Christian und spielte den Beleidigten.

Er tat, als überlege er, dann sprang er von dem Stein und rief: »Ich hab's!«

Gespannt warteten die Wachen auf seinen Vorschlag.

»Ein Wetttrinken mit *euch* wäre nicht gerecht. Aber wie steht's mit dem dürren Gerippe da?«

Lässig wies er auf Markus.

Bevor jemand länger darüber nachdenken oder etwas einwenden konnte, redete er weiter. »Mal sehen, wer von uns beiden den Krug zuerst geleert hat!«

Zu seiner eigenen Verwunderung ging die List auf; einer der Wachen wurde zu dem Fass in der Halle losgeschickt, um zwei Krüge mit Bier zu füllen.

So einfältig kann eigentlich kein erwachsener Mann sein, dachte Christian fassungslos über das Gelingen seines Planes, während ihm ein paar Soldaten anerkennend auf die Schulter klopften.

Und schon gar nicht so eine Horde auf einen Haufen!

Tut mir leid, Hauptmann, wenn sie jetzt Späße auf deine Kosten machen. Aber Bier nährt. Und betrunken wirst du wohl nicht von einem Krug werden, auch wenn du hungrig und klapperdürr geworden bist.

»Eins, zwei, drei!«

Jemand flößte Markus das Bier ein, der keine Miene verzog, während sich Christian den Inhalt seines Kruges durch die Kehle laufen ließ.

Er trank und trank und trank, wobei er über den Rand zur Seite schielte, wie weit Markus war.

»Unentschieden!«, rief er, rülpste lautstark und schwenkte seinen Krug, als auch Markus das Gefäß von den Lippen genommen wurde.

»Morgen eine neue Runde!«

Gott segne euch für eure Einfalt!, dachte Christian grinsend, während er die Ratschläge der Männer entgegennahm, wie er beim nächsten Mal siegen könne.

Mal sehen, ob ihr euch tatsächlich noch einmal übertölpeln lasst.

Es dauerte eine ganze Weile, bis sich die Runde verlaufen hatte und Christian unauffällig mit seinem Hauptmann reden konnte.

»Danke für das Bier«, flüsterte Markus und konnte diesmal ein Grinsen nicht unterdrücken. »Aber nächstes Mal warte bis zur Dämmerung damit! Hast du vergessen, dass ich hier nicht pissen kann?«

»Oh!« Erschrocken schlug sich Christian die Hand vor den Mund. »Das hab ich nicht bedacht …«

Er wollte sich verabschieden, doch Markus rief ihn leise zurück. »Wie geht es Änne?«

Diese Frage quälte ihn, und er begann sich schon Schlimmstes auszumalen.

Christian zögerte einen Moment zu lange, um für jemanden, der ihn so gut kannte, glaubhaft zu klingen. »Ich hab sie eine Weile nicht gesehen.«

»Lüg mich nicht an!«

»Na ja, es geht ihr nicht besonders gut«, gestand der Junge. Er zögerte erneut, dann sagte er, ziemlich verlegen klingend: »Die Leute munkeln, sie erwarte ein Kind.«

Markus hätte beinahe aufgeschrien.

Änne war schwanger! Nach anderthalb Jahren Ehe mit Marsilius hatte es keine Anzeichen dafür gegeben – und jetzt …

Sie trug *sein* Kind!

Fassungslos sank er in sich zusammen.

Gott schütze dich, Liebes, dich und unser Ungeborenes!, betete er und versank in verzweifelten Grübeleien darüber, wie er schnellstmöglich entkommen konnte.

Jan hatte die Kleidung eines königlichen Soldaten gewählt, als er am Morgen aufbrach, weil er Marsilius bitten wollte, ihm sein Pferd zu leihen, damit er schnell nach Rochlitz kam. Nur mit dieser Verkleidung konnte er die Strecke zurücklegen, ohne dass sich jemand fragte, ob er das Tier gestohlen hatte. Jetzt als Pferdedieb aufgehängt zu werden, das wäre ein ziemlich schlechter Zeitpunkt, dachte er.

Dass ihm eine Hand fehlte, musste nun doch als Kriegsverletzung durchgehen. Außerdem würden die meisten Stadtbewohner eiligst die Blicke abwenden, wenn ihnen ein königlicher Soldat entgegenkam. Das erhöhte seine Chancen, unerkannt durch die Stadt zu gelangen.

Der Arzt und seine junge Frau frühstückten gerade, als Jan das Haus betrat. Genauer gesagt, frühstückte Meister Conrad, während Änne nur an einem Becher Wasser nippte und mit grünlichem Gesicht im mit Speckwürfeln und Zwiebeln gewürzten Brei herumrührte. Ihre Augen waren tief umschattet.

Jan wurde eingeladen zuzulangen und nahm das Angebot gern an. Viel mehr als Brot und ab und zu etwas Käse oder Hirsebrei hatten sie in der Regel auf dem Speicherboden nicht zu essen. Und sie mussten schon dafür dankbar sein, dass die

Wirtsleute sie unter Lebensgefahr für sich die ganze Zeit versteckt hielten und verpflegten.

Marsilius reagierte erwartungsgemäß entsetzt, als er erfuhr, dass die List verraten worden war, mit der sie Markus befreien wollten.

Von Änne hingegen hatte Jan erwartet, dass sie zu weinen begann. Stattdessen erstarrte sie und sah mit verschleiertem Blick auf einen Punkt an der Wand, als hätte sie überhaupt nicht begriffen, was geschehen war.

Der Arzt erklärte sich sofort bereit, Jan sein Pferd zu leihen.

»Wenn man mich erwischt, sage ich, ich hätte es gestohlen, um Euch nicht in Verdacht zu bringen«, versicherte Jan.

»Beten wir, dass das nicht nötig wird«, entgegnete Marsilius ernst.

»Wenn sie mich kriegen, kommt es ohnehin nicht mehr darauf an, schätze ich«, meinte Jan leichthin.

Als er fort war, ausgestattet mit reichlich Proviant, kehrte Marsilius zurück in die Kammer, in der er mit seiner Frau gefrühstückt hatte. Änne saß immer noch wie versteinert am Tisch.

»Ist dir nicht gut, Liebes? Willst du dich ausruhen?«, fragte er besorgt. Es wäre ihm lieber, sie würde in Tränen ausbrechen, als so erstarrt dort zu hocken.

Langsam wandte Änne ihm den Kopf zu, schüttelte ihn kurz, um ein Nein anzudeuten, und stemmte sich hoch; mit Mühe, als sei ihr Körper aus Blei.

Plötzlich krümmte sie sich zusammen und presste die Hände auf den Leib.

Marsilius schaffte es gerade noch, sie aufzufangen, bevor sie auf den Lehmboden sank. Er nahm sie auf die Arme, trug sie zum Bett und untersuchte sie.

»Änne, Liebes«, sagte er dann mit bekümmerter Miene. »Wenn du dieses Kind bekommen willst ... wenn *wir* dieses Kind bekommen wollen ..., dann darfst du vorerst nicht aufstehen, sonst wirst du es verlieren.«

Nun begann Änne zu weinen.

»Und du darfst dich nicht aufregen! Sonst wird alles noch schlimmer«, sprach er auf sie ein. »Wir finden einen anderen Weg, den Hauptmann zu befreien!«

Rasch ging er hinaus, um zu holen, was jetzt an Medikamenten helfen konnte, die Blutung zu stillen und die gequälte junge Frau in einen erholsamen Schlaf zu versetzen.

Als ihr Mann die Kammer verlassen hatte, blickte Änne mit tränennassen Augen an die Deckenbalken, faltete die Hände und flüsterte: »Heilige Mutter Gottes, Maria, Gnadenreiche, ich flehe dich an: Lass Markus nicht sterben! Rette sein Leben und das meines Kindes! Lass ihn lebend aus der Gefangenschaft entkommen, und ich werde meiner Liebe entsagen, ihn ziehen lassen und Conrad Marsilius ein treues und ergebenes Eheweib sein. Wenn Du nur den vor dem Tod bewahrst, den ich über alles liebe ...«

HOHER EINSATZ

Der September brachte nach anfangs heißen Tagen kräftige Regengüsse. Markus fror tags wie nachts, sein von Haft, Hunger und Folter geschwächter Körper hatte der Kälte kaum noch etwas entgegenzusetzen.

Währenddessen schmiedeten seine Freunde auf dem Speicherboden des »Schwarzen Rosses« nach Jans Rückkehr aus Rochlitz immer verrücktere Pläne, um ihren Hauptmann zu befreien.

Für eine ihrer doch wieder verworfenen Ideen hatten sie heimlich sogar Verbindung zum Anführer der Judensiedlung aufgenommen und mit ihm erwogen, ob ein paar seiner Händler »ganz zufällig« an dem ausgewählten Tag für noch mehr Enge auf dem Burghof sorgen konnten. Menachim Ben Jakub hatte zwar seufzend den Kopf geschüttelt über so viel Leichtsinn, aber versprochen, dafür zu sorgen, dass zum richtigen Zeitpunkt ein Gespann mit begehrten Waren auf dem Burghof stehen würde.

Doch keiner dieser Pläne bot auch nur einigermaßen Aussicht auf Erfolg. Drei Schwierigkeiten schienen unüberwindlich, nachdem die Königlichen gewarnt waren: zu verhindern, dass Markus getötet wurde, kaum dass das Durcheinander auf dem Burghof begann, ihn heil durch das Tor der Burg und dann noch aus der Stadt zu bekommen.

Sie waren einfach zu wenige!

Ihn nachts aus dem Verlies zu befreien, hatten sie gleich verworfen. Es gab vor Tagesanbruch keine Möglichkeit, die Burg zu verlassen. Und von dem Augenblick an, wo das Verschwinden des Gefangenen entdeckt würde, säßen sie alle in einer tödlichen Falle.

So überlegten sie immer verzweifelter hin und her, bis eines Vormittags, triefend nass vom Regen, Christian durch den Speicherboden stürzte und sich atemlos auf eine der Kisten fallen ließ.

»Sie wollen ihn hängen!«

Herrmann und Jan erstarrten mitten in der Bewegung.

»Wann? Jetzt?«, fragte der Ältere kreidebleich, während Jan schon nach dem Schwert griff.

Der Rotschopf schüttelte den Kopf, wobei Regentropfen aus seinen Haaren auf den Holzboden spritzten.

»Nein. In vier Tagen!«, japste er, immer noch völlig außer Atem.

Wenigstens für diesen Augenblick erleichtert, legten die Männer die Waffen wieder beiseite.

»Hol tief Luft und berichte!«, drängte Herrmann den Jungen.

Es dauerte eine Weile, bis Christian in der Lage war, zusammenhängend zu erzählen.

»Die Wachen haben es gesagt … Sie meinen, sie hätten nun lange genug darauf gewartet, dass ihn jemand da rausholt … Entweder sei er als Geisel nutzlos, oder sie müssten für seine Freunde mehr Anreiz schaffen, damit sie endlich in die Falle gehen. Außerdem sei er sowieso kurz vorm Verrecken. Deshalb wollen sie morgen auf dem Marktplatz verkünden, dass er in drei Tagen hingerichtet werden soll. Von da an wird er doppelt bewacht.«

»Also heute!«, entschied Herrmann sofort. »Wir haben nur diesen einen Versuch.«

Er deutete zur Fensterluke. »Hoffen wir, dass es noch eine Weile weiter so regnet.«

»Wie gehen wir vor?«, fragte Jan mit trockenem Mund und tastete nach dem Schlüssel in seinem Almosenbeutel. Sein Magen zog sich zusammen bei der Vorstellung, dass sein Bruder niedergestochen wurde, bevor er entkommen konnte. Sie mussten einfach blitzschnell sein. Noch bevor die Königlichen bemerkten, dass ihr Gefangener verschwunden war, musste Markus das Burgtor passiert haben. Aber wer wusste, ob er sich überhaupt noch auf den Beinen halten konnte? Nun würde der Folterknecht keinen Grund mehr sehen, sich zurückzuhalten.

»Du bist ganz sicher, dass sie keinen Verdacht gegen dich hegen? Dass sie dir das nicht nur erzählt haben, um uns herauszulocken?«, vergewisserte sich Jan.

»Ganz sicher«, beruhigte ihn Christian und schnitt eine Grimasse. »Die halten mich für ihren Freund. Ich wundere mich ja auch andauernd, wie ein Haufen Kerle so strohdumm sein kann.«

»Unterschätze niemals einen Gegner!«, mahnte Herrmann.

»Ich bin mir ganz sicher«, wiederholte Christian ernst.

»Gut. Wir nehmen die Sache mit den Pferden«, entschied der Ältere.

»Ohne Händlerkarren?«

»Dafür bleibt keine Zeit«, entgegnete Herrmann, warf Jan einen königlichen Wappenrock zu und legte selbst einen an.

»Ist heute nicht Neumond?«, fragte Markus' Bruder nachdenklich, während er das Schwert gürtete.

»Wir können nicht warten, bis es dunkel ist«, widersprach der Ältere ungeduldig. »Wenn die Stadttore erst einmal geschlossen sind, kriegen wir ihn morgen nicht mehr durch die Kontrollen.«

»Ich denke an etwas ganz anderes. Will der Graf nicht immer bei Neumond zur Ader gelassen werden?«

»Marsilius dürfen wir da nicht mit reinziehen, er ist zu wichtig.«

»Er soll den Grafen ja auch nicht abstechen«, erklärte Jan. »Marsilius kann und muss da stehen wie die reingewaschene Unschuld. Aber wenn der Fettsack gerade mit geöffneten Adern in seiner Kammer sitzt, während unten das Chaos ausbricht, bringt uns das einen Moment Zeitgewinn – vielleicht gerade so viel, um zu verhindern, dass sie meinem Bruder die Kehle durchschneiden.«

»Gut gedacht!«, befand der Ältere. »Also erst zu Marsilius, dann zu Pater Clemens.«

Als königliche Soldaten verkleidet, gingen Jan und Herrmann durch den Regen zum Haus des Arztes. Christian begleitete sie und schlich sich zu Änne, während die Männer dem Medicus ihren Plan erklärten.

Conrad Marsilius hatte tatsächlich Order bekommen, sich vor dem Abendläuten beim Grafen einzufinden.

Er bestand aber darauf, diesmal allein zu gehen. Clementia wollte er nicht in Gefahr bringen, sollte etwas schiefgehen und seine Beteiligung auffliegen. Außerdem war es ihm lieber, sie blieb hier und kümmerte sich um Änne.

Sie wogen kurz ab, ob die Frauen im Haus in Gefahr waren, sollte der Arzt auf der Burg in Verdacht geraten. Doch da

Änne das Bett nach wie vor nicht verlassen konnte, ohne ihr Ungeborenes zu gefährden, und sie keinen bewaffneten Mann hatten, den sie zum Schutz der Frauen hier zurücklassen konnten, blieb ihnen nichts anderes übrig, als auf Clementias Schlagfertigkeit und die Kraft des Knechtes zu vertrauen und ansonsten um Gottes Beistand für das Gelingen ihres tollkühnen Planes zu beten.

Dazu gingen sie ins Burglehen nach St. Marien.

Die Aussichten waren nicht besonders gut, dass sie alle diesen Tag überlebten. Deshalb ließ sich jeder der vier von Pater Clemens die Beichte abnehmen und von seinen Sünden freisprechen.

»Gott schütze euch!«, sagte der junge Pater zum Abschied und legte dem Arzt die Hand auf die Schulter. »Ich werde für euch beten. Für euch und den tapferen Hauptmann.«

Christian betrat als Erster den Burghof, freudig begrüßt von denjenigen Wachen, die sich bei dem strömenden Regen nicht in die Halle zurückziehen durften. Er schwatzte mit ihnen, planschte durch die Pfützen und schlenderte umher, als hätte er nichts zu tun, um dann irgendwann im Vorbeigehen Markus zuzuraunen: »Gleich! Halte dich bereit!«

Der fiebrig wirkende und von Husten geschüttelte Hauptmann nickte kaum erkennbar und ließ sich gegen das Gitter seines Käfigs sinken. Aus Erschöpfung, wie jeder Beobachter vermuten würde – in Wirklichkeit jedoch, um seine Augenbinde etwas nach oben zu schieben und durch den Spalt zu beobachten, was geschah, während er sein letztes bisschen Kraft sammelte.

Als Nächster trat Marsilius durch das Tor und ließ fragen, ob er beim Grafen vorgelassen werde, der einen Aderlass wünsche.

Christian begann, um den Arzt herumzuspringen und respektlos Witze zu reißen.

»Ein Medicus, ein Medicus«, sang er. »Sagt, Ehrwürdigster:

Wer ist in der Überzahl? Die, die Ihr vorm Tode gerettet habt? Oder die, die Ihr auf den Gottesacker befördert habt?«

»Haltet mir bloß diesen Possenreißer vom Leib!«, knurrte Marsilius.

Doch die Wachen taten nichts dergleichen. Im Gegenteil, sie freuten sich und warteten darauf, dass ihr rothaariger »Freund« weiter seine Späße auf Kosten des Gelehrten trieb.

So wunderte sich niemand darüber, dass Christian dem Arzt durch die Halle bis vor das Quartier des Kommandanten folgte, unablässig Witze reißend über die Vor- und Nachteile zu großer Gelehrsamkeit.

Als Marsilius hereingerufen wurde, sah Christian durch den Türspalt, dass der fette Graf in seiner Kammer saß. Demnach würde der Arzt wohl gleich mit der Arbeit beginnen.

Nun blieb nicht mehr viel Zeit.

Zum Glück goss es immer noch wie aus Kannen. Deshalb hoffte er, dass ihn niemand beachtete oder sich fragte, was er wohl im Pferdestall zu suchen habe.

»Der Hauptmann will Boten ausschicken, du sollst drei Pferde satteln«, erklärte er einem der Stallburschen, einem Jungen in seinem Alter mit auffallend abstehenden Ohren.

»Ein Glück, dass ich kein Bote bin«, meinte der grinsend. »Denen wachsen Schwimmhäute zwischen den Fingern, noch bevor sie zum Tor hinaus sind.«

Der Junge kletterte die Leiter hoch zum Heuboden und kam mit einem hölzernen Sattel wieder herunter. Dann wuchtete er das schwere Stück nach vorn und holte zwei weitere.

Während der Bursche zu satteln begann, schaute sich Christian rasch um. Die anderen Stallknechte waren ein Stück von ihm entfernt damit beschäftigt, den Hengsten die Hufe auszukratzen oder Stroh aufzuschütten.

Wenn alles gut lief, bekam der fette Graf gerade seinen Aderlass und würden Herrmann und Jan mittlerweile unerkannt auf dem Burghof sein.

So schnell er konnte, kletterte er auf den Heuboden. Er hatte Glück. Niemand war hier.

Christian ging zu einem Strohballen am hinteren Ende, zog Jans Feuereisen aus dem Gürtel und versuchte, damit Funken zu schlagen. Endlich gelang es. Aus einem der Halme quoll ein dünner Faden Rauch. Vorsichtig blies er, es glühte rot auf, und bald züngelte eine Flamme im Stroh.

Christian wartete noch einen Moment, um sich zu vergewissern, dass das Feuer nicht wieder ausging, dann spähte er durch die Luke nach unten und sprang hinab.

Obwohl sein Herz vor Aufregung wild hämmerte, schaffte er es, eine gelangweilte Miene aufzusetzen, während er aus dem Stall schlenderte.

Er rief dem Stallburschen, der inzwischen das zweite Tier sattelte, einen Witz zu und setzte sich auf den Stein am Brunnen, während er darauf wartete, dass gleich die Hölle losbrach.

Die Pferde im hinteren Ende des Stalles witterten den Rauch als Erste und wurden unruhig. Ihr Wiehern, Schnauben und Stampfen drang bis auf den Hof. Dann bemerkten die Stallburschen den Qualm und rannten los. Ein Blick genügte ihnen, um zu erkennen, dass mit Löschen hier nichts mehr zu retten war. »Feuer im Stall! Holt die Pferde raus!«, gellten Rufe über den Hof. Schon drängten die ersten Tiere heraus, von Feuer, Rauch und Geschrei verstört. Es waren jene, die der Bursche gesattelt hatte und die nun durchzugehen drohten. Die Stallknechte zerrten mit aller Kraft am Zaumzeug und versuchten, die nervös tänzelnden Tiere zur Ruhe zu bringen. Wachen rannten durch den strömenden Regen in den Stall, um die kostbaren Hengste herauszuholen und zu retten.

Genau das war der Augenblick vorerst größter Verwirrung, in dem es Jan und Herrmann schafften, den Käfig zu öffnen und Markus herauszuziehen.

»Order vom Grafen – der Gefangene kommt bei jeglichem

Zwischenfall in sicheren Gewahrsam!«, schnauzte Herrmann einen an, der ihn davon abhalten wollte. Mit einem kräftigen Hieb in den Nacken sorgte Jan dafür, dass der Mann keine weitere Fragen stellte. Er warf sich seinen gefesselten Bruder über die Schulter und rannte mit ihm zum Backhaus.

Die Magd mit der Hasenscharte riss die Augen auf, als er mit seiner Last vor ihr stand.

»Du hast nichts gesehen«, rief Herrmann ihr zu. Sie nickte und bekreuzigte sich rasch, dann lief sie hinaus.

Herrmann holte die Axt hervor, die Christian zuvor aus der Schmiede gestohlen hatte, sprengte mit zwei gut gezielten Schlägen die Hand- und Fußfesseln auf und warf Markus Wappenrock und Kettenhaube über.

Ein Blick zum Backhaus verriet Christian, dass jetzt sein Auftritt kam, von dem alles abhing.

Er rannte durch die Pfützen und tat, als wollte er dem Stallburschen helfen, eines der gesattelten Pferde zu bändigen. »Ich habe ihn«, brüllte er. »Lauf und hol die anderen aus dem Stall!«

Dankbar stürzte der Junge los. Erste Rauchwolken quollen schon aus den Luken des Stalls; die Wachen waren vollauf damit beschäftigt, die wiehernden und stampfenden Tiere aus den Verschlägen zu holen und hinauszuführen.

Christian, völlig unerfahren im Umgang mit Pferden, schaffte es mit etwas Glück, sein Tier dazu zu bringen, dass es sich Richtung Backhaus führen ließ.

Markus zog sich nur mit der rechten Hand in den Sattel. Seine Linke war erschreckend angeschwollen, die geringste Bewegung verursachte unsägliche Schmerzen und Übelkeit. Der Folterknecht hatte ihm letzte Nacht das Handgelenk und mehrere Finger gebrochen. Rasch hob Jan den Rotschopf vor ihn in den Sattel, dann sprengte der Hauptmann los, die Zügel nur mit der Rechten haltend, während er Christian mit dem linken Oberarm an sich presste.

Der Burghof war nun voller Pferde, die nach draußen drängten, und Männer, die sie bändigen wollten.

Besorgt sah Markus, dass die Wachen bereits dabei waren, das Tor zu schließen, um die Pferde am Ausreißen zu hindern.

Nur noch drei Längen! Er drückte dem Tier die Fersen in die Weichen, das wie er unbedingt entkommen wollte.

Durch den Lärm tönte Herrmanns gebrüllter Befehl: »Das Fallgitter runter! Los!«

Genau in diesem Augenblick passierte Markus das Tor. Direkt hinter ihm rasselte das Gitter herab. Damit war möglichen Verfolgern vorerst der Weg versperrt.

In höchstem Tempo trieb er das Pferd weiter zum Peterstor. Das Rossweiner Tor lag der Burg zwar näher, aber von dort aus würden die Torwachen zu früh bemerken, dass auf der Burg etwas nicht in Ordnung war.

Nun trennten ihn nur noch einige Augenblicke von der Freiheit – vorausgesetzt, dass Christian die Wachen übertölpeln konnte.

Der Junge zitterte vor Aufregung im Sattel; es war das erste Mal, dass er auf einem Hengst saß. Dennoch richtete er sich auf, so gut er konnte, und schwenkte wie verrückt die Arme, als das Tor in Sicht kam.

»Eine Wette!«, brüllte er. »Wenn ich gewinne, teilen wir!«

Es standen lediglich zwei Männer draußen, und die sahen durch den Regen nur das verrückte Hinkebein auf einem Gaul herumzappeln, hinter sich im Sattel einen königlichen Soldaten.

»Wer weiß, was die Feuerlocke wieder ausgeheckt hat«, sagte einer grinsend. Sicher würde es ein Mordsspaß werden, die Geschichte erzählt zu bekommen. Ganz zu schweigen von der versprochenen Belohnung. Also ließen sie ihn passieren und winkten ihm noch nach.

»Diese Tölpel!«, schrie Christian, außer sich vor Freude über den geglückten Streich, als sie schon fast eine Pfeilschussweite vom Tor entfernt waren.

Beinahe im gleichen Augenblick hörte er etwas zischen und fühlte einen brennenden Schmerz am Kopf. Verwirrt legte er die Hand darauf, die sofort feucht wurde.

»Duck dich, sie schießen auf uns«, keuchte Markus und trieb das Pferd noch schneller voran. »Sie sehen jetzt wohl, dass es auf der Burg brennt.«

Christian wurde schwindlig, und hätte Markus ihn nicht weiter festgehalten, wäre er vom Pferd gestürzt.

Niemand schien ihnen zu folgen.

Sie galoppierten, vorbei am Judenviertel, in großem Bogen um die Stadt herum. Benommen von seiner Wunde und vom Blutverlust, wies Christian den Weg zu dem Versteck, das Marsilius und der Haberberger schon vor einiger Zeit ausgesucht hatten: ein halb verfallenes Huthaus in einer der entlegenen, lange verlassenen Gruben.

Dort angekommen, sprang Christian vom Pferd und half Markus aus den Steigbügeln. Mit letzter Kraft führten sie das Tier in das Huthaus und ließen sich auf den vom Regen durchnässten Boden sinken.

Schulter an Schulter lehnten sie an der hölzernen Wand.

»Und ihr behauptet noch einmal, ich sei verrückt!«, stöhnte Markus.

Er brauchte einige Zeit, um wieder zu Atem zu kommen; seine Arme und Beine zitterten von der Anstrengung nach der langen Haft, und der hämmernde Schmerz in seiner linken Hand verursachte ihm solche Übelkeit, dass er nicht wusste, wie lange er noch bei Bewusstsein bleiben würde.

»Zeig mal deine Verletzung«, forderte er den Rotschopf auf. Der hatte den Handballen auf die Wunde gepresst, aber es sickerte immer noch Blut heraus.

»Waren wir nicht toll?« Christian grinste matt. Er hatte inzwischen jede Farbe aus dem Gesicht verloren.

»Du hast dir deinen Namen heute wirklich verdient«, lobte

Markus. Mit der Rechten riss er mühsam einen Fetzen von seiner ohnehin zerrissenen Kleidung unter dem Wappenrock. »Drück das drauf.«

Dann setzte er sich wieder hin und lehnte sich an die Wand. Seine letzten Kraftreserven waren verbraucht. Das Fieber glühte ihn innerlich aus, seine Hand schien loderndes Feuer. Sollte jetzt jemand kommen und ihn festnehmen wollen, würde er sich kaum widersetzen können. Waffen besaß er auch keine – ebenso wenig wie Christian, der für seinen Auftritt als Gaukler nicht mit dem Schwert an der Seite die Burg betreten konnte.

»Wie entkommen Herrmann und Jan?«, fragte er voller Sorge. Beide mussten noch auf der nun verschlossenen Burg sein. Der Gedanke daran dämpfte die Freude über seine wiedergewonnene Freiheit.

Christian, der wieder lebhafter wurde, seit kein Blut mehr aus seiner Wunde rann, wirkte nicht übermäßig besorgt. »Sie verstecken sich in einem der Geheimgänge, bis sich die Aufregung gelegt hat – notfalls ein paar Tage lang.«

Dann lasst uns beten, dass sie heil da rauskommen, dachte Markus. Ich will nicht, dass sie mein Leben mit ihrem bezahlen.

»Wir warten hier auf Marsilius«, plauderte der Rotschopf weiter. »Er bringt dir was zur Stärkung und zum Anziehen.«

Marsilius.

Allmählich erst sickerte dem jungen Hauptmann der Gedanke ins Bewusstsein, dass er frei war und Pläne für die Zukunft machen konnte, dass seine Zeit nicht mehr auf nur noch ein paar Tage bemessen war, sollte er lebend von hier fortkommen.

»Änne!«, entschlüpfte ihm unwillkürlich.

Er musste mit Marsilius reden, ihm klarmachen, dass er Änne mitnehmen würde.

Christian unterbrach seine Überlegungen. »Sie lässt dir etwas ausrichten«, sagte er leise, und an seiner Stimme erkannte Markus, dass nun keine guten Nachrichten folgen würden.

»Sie darf das Bett nicht verlassen, wenn sie das Kind nicht verlieren will«, flüsterte der Rotschopf beklommen. »Ich soll dir sagen, dass sie dich liebt und jeden Tag gebetet hat, dass du lebend entkommst. Und …«

Der Junge stockte. Markus forderte ihn mit einem ungeduldigen Knurren auf, weiterzusprechen.

»Sie hat der Heiligen Jungfrau so etwas wie einen Handel vorgeschlagen … Ihr Gehorsam als Meister Conrads Eheweib gegen dein Leben.«

Sie kommt nicht mit!

Das war alles, was Markus noch denken konnte.

Die Freude über die wiedergewonnene Freiheit erlosch wie ein Funke in einem Schwall kalten Wassers.

Beide versanken sie in Schweigen. Nun waren nur noch das Trommeln des Regens auf dem Dach und ab und zu der trockene Husten des befreiten Gefangenen zu hören.

Als Marsilius spät in der Dämmerung das Huthaus betrat, fand er die zwei am meisten gesuchten Freiberger schlafend vor. Der befreite Hauptmann schien zu fiebern, er stöhnte im Schlaf und murmelte wirre Wortfetzen.

Der Arzt räusperte sich überdeutlich. Markus fuhr hoch und wollte nach der Waffe greifen, bis ihm klarwurde, wo er war und dass er keine Waffe besaß.

»Man hat Euch gehen lassen, Meister!«, jubelte Christian, der durch die Bewegung des Hauptmanns ebenfalls wach geworden war. »Niemand schöpft Verdacht?«

»Offensichtlich nicht«, knurrte der Arzt. Seiner bedrückten Miene entnahm Markus, dass die Freude nicht ungetrübt war.

»Herrmann und mein Bruder?«, ächzte er in Erwartung schlechter Nachrichten, während ihn Schüttelfrost überfiel.

»Deinen Bruder habe ich nicht gesehen. Er steckt wohl in den Geheimgängen und kommt sicher nicht vor zwei, drei Tagen dort heraus. Herrmann …«

»Ja?«, drängte Markus.

»Sie haben ihn noch am Tor gestellt und erstochen. Die Brotmagd wurde beschuldigt, mit den Verschwörern unter einer Decke zu stecken, und an Ort und Stelle aufgehängt.«

»Gott erbarme sich ihrer armen Seelen«, murmelte Markus. Sein Mund war wie ausgedörrt, als er sagte: »Ich wollte nicht, dass sie mein Leben mit ihrem erkaufen.«

»Rede keinen Unsinn, Junge!«, fuhr Marsilius ihn barsch an. »Sie wussten, was sie taten, und haben ihr Leben bereitwillig für dich gegeben! Also sei dankbar für ihr Opfer und lohne es ihnen, indem du weiterlebst und dafür sorgst, dass Markgraf Friedrich zurückkehrt und Freiberg von den Besatzern befreit! Dafür sind sie gestorben.«

Der Arzt schob den Korb zu ihnen, den er mitgebracht hatte. »Proviant für euch. Und dann will ich sehen, was ich hier mit meiner ärztlichen Kunst ausrichten kann.«

Christian machte sich begeistert über den Korb her und packte Brot, Käse und gebratenes Huhn aus, dazu einen Krug Bier.

Sosehr Markus der verführerische Duft von frischem Brot in die Nase stieg, er glaubte nicht, dass er jetzt auch nur einen Bissen herunterbekommen würde.

Conrad Marsilius sah seinen fiebrigen Blick und reichte ihm den Krug. »Du musst viel trinken, Hauptmann, sonst erwischt dich das Fieber noch, und wir haben uns die Mühe umsonst gemacht, dich da rauszuholen.«

Während Markus trank, untersuchte der Arzt die Wunde an Christians Kopf. »Ein Pfeil?«, fragte er unwirsch.

»Ja«, bestätigte Christian, mit vollen Backen kauend. »Hab geblutet wie ein abgestochenes Schwein. Aber mich erledigt keiner so schnell.«

»Du hast unverschämtes Glück gehabt heute, Bursche«, brummte Marsilius, während er ihm einen Verband anlegte. »Aber das haben wir alle. Zumindest die, die wir hier hocken.«

Dann untersuchte er vorsichtig Markus' linke Hand.

Skeptisch musterte er den Verletzten, der schon bei der leichtesten Berührung aufstöhnte, was den Arzt nicht verwunderte.

Jeder andere hätte wohl vor Schmerz gebrüllt.

»Das Handgelenk und zwei Finger sind gebrochen«, stellte er fest.

»Ich weiß«, stöhnte Markus, dem kalter Schweiß auf der Stirn stand. »Dem Folterknecht fiel ein, dass ich die Hände ja nicht brauche, um zum Galgen zu *gehen*. Die anderen drei Finger hat er sich für heute gelassen, die Rechte für morgen.« Er zwang sich zu einem gequälten Grinsen. »Ordulf wird sehr enttäuscht sein, dass ich nicht mehr da bin.«

Marsilius sah sich nach einem geeigneten Gegenstand um, nahm einen Stock und steckte ihn Markus zwischen die Zähne.

»Fest zubeißen!«, forderte er ihn auf.

Dann befühlte er noch einmal vorsichtig die Lage der Knochen und zog mit einem Ruck das Handgelenk wieder in die richtige Position. Er schaffte es gerade noch rechtzeitig, den Stock herauszunehmen, ehe sein Patient sich erbrach.

Wieder gab er ihm zu trinken, bevor er fragte: »Bereit? Ich muss die Finger richten.«

»Die Hand muss nicht ab?«

»Vorerst nicht«, sagte er zur großen Erleichterung seines Schutzbefohlenen.

Als endlich auch das überstanden und die Hand geschient war, forderte der Arzt Markus auf, den Wappenrock auszuziehen, was den jungen Mann dazu brachte, die Augenbrauen hochzuziehen.

»Mir gefällt nicht, welche Geräusche deine Lunge macht.«

»Was spielt das für eine Rolle? Ich kann mich ohnehin nicht aufs Krankenbett legen, sondern muss schleunigst von hier verschwinden.«

»Nicht vor morgen früh«, erklärte der Arzt nach einem Blick auf den abgemagerten Körper. Er verlor kein Wort über die Brandwunden, die blutigen Striemen und die zwei großen vernarbten Schnitte, die sich auf der Brust kreuzten.

»Wenn du dich nicht ausschläfst und etwas isst, wirst du nicht weit kommen.«

Er fühlte Stirn und Puls des Geschundenen, dann horchte er den Brustkorb ab. Aus dem Kasten mit seinen Instrumenten holte er eines seiner Krüglein – von Änne heimlich hergestellte Fiebertinktur, denn bei Jenzin konnte er schlecht Medikamente für flüchtige Gefangene ordern.

»Trink das zur Hälfte aus«, forderte er den Kranken mit besorgtem Blick auf. »Das ist eine Menge, die ein totes Pferd wieder auf die Beine bringen würde.«

»Gut«, sagte Markus und zwang sich die Medizin hinunter. »Ich muss nach Meran, zu Markgraf Friedrich.«

»Du hast Fieber, Junge, und was da bei dir im Brustkorb rasselt, klingt verdächtig nach einer Lungenentzündung«, polterte der Arzt. »So weit schaffst du es nie!«

Ratlos schüttelte er den Kopf. »Ich weiß nicht, was wir mit dir machen. Du brauchst dringend Pflege. Aber hier kannst du nicht länger bleiben als bis morgen früh. Sie werden bei der Suche nach dir die ganze Gegend auf den Kopf stellen. Auf dich sind nun zehn Mark Silber Kopfgeld ausgesetzt. Für so viel Geld würden wohl die meisten ihren linken Arm hergeben.«

Schwitzend und frierend zugleich, schwenkte Markus das halbleere Fläschchen. »Morgen nehme ich die zweite Pferdedosis. Dann reite ich zu den Honsberg-Brüdern. Bis Dresden schaffe ich es schon.«

Der Arzt musterte ihn skeptisch. Vielleicht war das die einzige

Lösung. Bei Friedrichs Vertrauten würde er bestimmt gute Pflege finden – sofern er bis dorthin kam.

»Unser junger Held hier wird auf dich aufpassen«, entschied er, auf Christian weisend. Der Bursche konnte sowieso nicht zurück in die Stadt; er wurde jetzt genauso dringend gesucht wie der entflohene Gefangene.

»Mach ich gern«, versprach der Rotschopf grinsend.

»Was sind das für Zeiten, wenn ein Heißsporn den anderen hütet«, brummte Marsilius, während er seine Sachen zusammenkramte.

Er griff noch einmal in den Korb und suchte einen kleinen, aber schweren Beutel heraus. »Für euch. Mit Empfehlungen vom Apotheker Jenzin. Es ist die Hälfte seiner freundlichen Spende für die Bedürftigen dieser Stadt.«

Markus zog fragend die Augenbrauen hoch.

»Lass dir die Einzelheiten von dem Schelm hier erzählen, der wird es mit Freuden tun«, meinte der Arzt. Dann instruierte er Christian, was zu unternehmen sei, wenn das Fieber weiter stieg, und stand auf, um zu gehen.

»Danke, Meister Conrad«, sagte Markus, wobei er Mühe hatte, das Zähneklappern zu unterdrücken.

»Wie geht es Änne?«

So schwer ihm diese Worte auch fielen – er konnte die Frage nicht zurückhalten.

Der Medicus erstarrte in der Bewegung und fixierte ihn mit hartem Blick.

Die ganze Zeit hatte er seine Eifersucht niedergekämpft, und beim Anblick der Folgen des Martyriums, das dieser tapfere junge Mann erleiden musste, hatte er beinahe vergessen, dass er ihm seine Frau wegnehmen wollte. Doch nun war ihm zumute, als würde sich ein böses, gelbes Ungeheuer durch seine Eingeweide wühlen.

»Sie muss das Bett hüten und jede Aufregung meiden, damit unser Kind – *mein* Sohn – keinen Schaden nimmt.«

Die Art, wie er das betonte, war unmissverständlich.

»Sagt ihr … meinen Dank für ihre Gebete«, bat Markus mit aller Willensanstrengung.

Ohne ein Wort verließ der Arzt die Kaue.

Sie brauchten zwei Tage bis nach Dresden; so krank und geschwächt war Markus.

Dort warf ihn das Fieber endgültig aufs Lager. Er bekam die beste Pflege, dennoch dauerte es Wochen, bis er endlich aufbrechen konnte.

Auf der Suche nach Fürst Friedrich und Ulrich von Maltitz legte der einstige Hauptmann der Freiberger Burgwache – immer noch begleitet von Christian, der inzwischen einigermaßen reiten gelernt und von den Honsbergern einen braven Zelter bekommen hatte – Meile um Meile durch das Land zurück. Inzwischen hatte es zu schneien begonnen.

In Meran, am Hof des Herzogs von Kärnten, erfuhr er, dass Heinrich von Görz-Tirol mit seinem wettinischen Schwager nach Wien geritten sei, zu einem Treffen mit dem Herzog von Österreich und der Steiermark, Albrecht von Habsburg. Doch als der Februar fast verstrichen war und er endlich Wien erreichte, war Friedrich schon wieder fort. Es kostete ihn Tage und beinahe sein letztes Geld, um durch Bestechung der Dienerschaft herauszufinden, wohin der Gesuchte als Nächstes wollte.

Der entmachtete Markgraf war nach Schlesien aufgebrochen.

Markus folgte ihm durch die tiefverschneite Landschaft, durch Kälte und Frost, ohne ihn einholen zu können; vielleicht hatte Friedrich auch einen anderen Weg genommen. Als er nach Wochen in Liegnitz am Hof des Herzogs Bolko von Fürstenberg ankam, war Friedrich auch dort schon wieder aufgebrochen.

Der Wettiner wolle seinen Bruder Diezmann in der Lausitz aufsuchen, erfuhr er. Fluchend und frierend machten sich Markus und Christian auf den Weg dorthin.

Vor allem eine Hoffnung trieb sie voran: Wenn Friedrich zu seinem Bruder ritt, mit dem er viele Jahre verfeindet war und der es abgelehnt hatte, ihm in der Stunde der Not beizustehen, musste er wohl einen guten Grund dazu haben. Und welch anderen konnte es geben, als Aussöhnung herbeizuführen?

Die Verhandlungen in Wien mussten verheißungsvolle Ergebnisse gebracht haben. Es sah ganz so aus, als bereite sich Friedrich darauf vor, mit Hilfe seines Bruders die Mark Meißen im Handstreich zurückzuerobern.

Waren die Tage Adolfs von Nassau als König gezählt?

April 1298 in Finsterwalde

Wie schön, dich wiederzusehen!«

Freudestrahlend und mit ausgebreiteten Armen ging Diezmann, der Markgraf der Lausitz, auf seinen Bruder zu.

Friedrich war überrascht. So viel Herzlichkeit hatte er nicht erwartet nach den Zwistigkeiten, die sie in den letzten Jahren ausgetragen hatten.

Sein Misstrauen überspielend, beschloss er, die euphorische Begrüßung als Friedensangebot zu nehmen. Also zögerte er nicht und schloss den Jüngeren kraftvoll in die Arme.

Sie hatten sich in Finsterwalde verabredet, einem kleinen Marktflecken am Fuße einer Burg, keine zehn Meilen vom Kloster Doberlug entfernt, das einer ihrer Vorfahren vor mehr als hundert Jahren gegründet hatte: der Wettiner Dietrich von Landsberg, Markgraf der Ostmark und Namensvetter des Oheims, bei dem sie ihre Ausbildung zum Ritter absolviert hatten.

Hier würde ihre Begegnung weder auffallen noch Verdacht erregen.

Heinemann, der Burgherr, rechnete es sich zur Ehre an, sie aufzunehmen, und sorgte dafür, dass es ihnen an nichts mangelte. Diskret zog er sich zurück, nachdem das Begrüßungszeremoniell überstanden und eine Mahlzeit aufgetafelt worden war.

Nun waren die beiden Söhne Landgraf Albrechts unter sich. Ihre Gefolgsleute vertrieben sich derweil die Zeit in der Halle.

»Welche Neuigkeiten bringst du, Bruder?«, fragte Diezmann. Der Markgraf der Lausitz hatte die gleichen dunklen Haare und den schlanken Wuchs wie sein drei Jahre älterer Bruder. Doch sein Gesicht war nicht so scharf geschnitten wie Friedrichs, in dessen Zügen die Enttäuschungen und Niederlagen der letzten Jahre Spuren hinterlassen hatten. Während Friedrich schon auf den ersten Blick wie jemand wirkte, den man sich nicht gern zum Gegner machte, schien Diezmann umgänglicher, wenngleich er nicht die Eleganz und Ausstrahlung des Älteren besaß.

»Besteht überhaupt noch Hoffnung in unserer Sache?«

»Ich habe die Hoffnung nie aufgegeben«, erwiderte Friedrich fest. »Der Tag ist nicht mehr fern, an dem ein neuer König den Thron besteigt und ich meine Mark Meißen zurückerhalte.«

Ein Flackern huschte über Diezmanns Gesicht.

»Ich möchte nichts damit zu tun haben, wenn ihr den König meuchelt«, sagte er leise, mit deutlichem Unbehagen.

»Du irrst, Bruder«, entgegnete Friedrich gelassen und lehnte sich zurück, um die Beine auszustrecken. Er nahm einen tiefen Schluck vom heißen Würzwein, dessen Wärme im Zinnbecher gespeichert wurde. Die Kammer war nicht beheizt, und die steinernen Mauern strahlten immer noch die Kälte des Winters ab.

»Adolf von Nassau soll nicht ermordet, sondern abgewählt werden.«

Diezmann verschluckte sich vor Überraschung und beugte sich hustend vor.

»Abwählen?«, fragte er verdutzt, als er endlich wieder frei atmen konnte. »Einen König?«

Friedrich lächelte, ohne etwas zu sagen.

»Aber … das hat es noch nie gegeben! Wer von den Fürsten wird das wagen?«, brachte Diezmann fassungslos heraus. »Das ist ein Hirngespinst des Habsburgers, der selbst auf den Thron will. Lass dich da nicht hineinziehen, Bruder!«

»Der Erzbischof von Mainz und Wenzel von Böhmen sind ebenfalls dabei, außerdem der Markgraf von Brandenburg und der Herzog von Sachsen-Wittenberg«, beschied ihm der Ältere ruhig.

Natürlich hatte Diezmann recht: Der jetzige Herzog der Steiermark und Österreichs wollte die Krone, die schon sein Vater getragen hatte.

Der Markgraf der Lausitz verzog zynisch das Gesicht und zeichnete mit der Hand einen eleganten Schnörkel in die Luft.

»Und *wie* wollen sie das begründen?«

»Besteuerung der Geistlichkeit, die Friedlosigkeit im Reich, womit der König nicht Gottes Wille erfüllt, Kirchenraub, Schändung von Witwen, Jungfrauen und Ehefrauen während seiner Regierungszeit …«, zählte Friedrich gelassen auf.

»Allmächtiger, unter wessen Herrschaft hätte es all das *nicht* gegeben!«, rief Diezmann ungeduldig und verdrehte die Augen. »Und darauf fällst du herein?«

»Es geht um seine persönliche Unfähigkeit. Er ist seines Amtes und damit seines göttlichen Auftrags nicht würdig«, konterte der Ältere ungerührt. »Auch in der Politik gegenüber England und Frankreich hat er schmählich versagt. Sein einziger Erfolg, wenn wir es so nennen wollen« – hier konnte Friedrich ein bitteres Auflachen nicht zurückhalten –, »ist die Eroberung der wettinischen Länder. Vor allem *meines* Landes, um genau zu sein. Doch der Nassauer hat ein seit Generationen gültiges Gesetz gebrochen.«

Fragend zog der Jüngere die Augenbrauen hoch.

»Der König ist verpflichtet, eingezogene Lehen binnen Jahr und Tag wieder zu vergeben! Das hat er nicht getan, sondern die Mark Meißen einfach einbehalten.«

Diezmanns Augen leuchteten auf. »Der Leihezwang! Damit können sie ihn kriegen.«

Doch seine Skepsis war längst nicht verflogen.

»Und was, wenn der Nassauer einfach nicht erscheint, um sich abwählen zu lassen?« Er lehnte sich zurück und machte eine lässige Handbewegung. »Ich an seiner Stelle würde das Pergament ins Kaminfeuer werfen und den Boten zum Tor hinausjagen.«

Friedrich verschwieg, dass es schon ein Ladungsschreiben des Erzkanzlers vom Januar gegeben hatte, das ohne Reaktion geblieben war. Das nächste sollte bald folgen.

»Er muss dazu nicht erscheinen. Außerdem wird die Sache längst mit Waffen ausgetragen. Im Elsass stehen sich die Heere Adolfs und Albrechts gegenüber. Der König hat die Streitmacht des Habsburgers angegriffen.«

»Mir ist wohl eine Menge entgangen, während ich hier festsaß«, konstatierte Diezmann und griff nach seinem Becher.

Während du dich in deiner Lausitz verkrochen hast, im entlegensten Winkel des Königreiches, und vor lauter Furcht, der König könne sich an dich erinnern, nicht aus dem Schlupfloch kamst, korrigierte Friedrich verächtlich in Gedanken die Formulierung seines Bruders.

Bei dessen nächsten Worten musste er an sich halten, um nicht aufzuspringen und den anderen am Surkot zu packen.

»Ich überlege schon, ob ich die Lausitz nicht dem Brandenburger verkaufe und mich mit dem Geld zurückziehe«, gestand der Jüngere, nicht im Geringsten verlegen.

»Willst du wie unser Vater in die Geschichte eingehen?«, fragte der einstige Markgraf von Meißen scharf. »Als jemand, der sein Land für ein Spottgeld verhökert, statt seine Pflicht zu erfüllen, und das alles nur für seinen maßlosen Lebenswandel?«

Dann bezwang er sich und legte in seine Stimme alle Überzeugungskraft, die er aufbringen konnte. »Die Regentschaft des

Nassauers steht vor dem Ende, seine Aufmerksamkeit ist durch den Kampf im Elsass gebunden. Wenn wir jetzt gemeinsam zuschlagen, können wir das Land Stück für Stück zurückerobern, über das unser Großvater einst herrschte! Lass es uns *hier* beginnen, nur wenige Meilen entfernt – in Großenhain. Schon übermorgen könnten unsere Männer dort sein. Und von dort aus holen wir uns die Mark Meißen zurück!«

Ulrich von Maltitz saß in der Halle beim Bier und versuchte, die Stimmung unter den Rittern von Markgraf Diezmann zu ergründen. Falls Friedrichs Verhandlungen mit seinem Bruder erfolgreich waren, würden sie vielleicht schon morgen Seite an Seite kämpfen.

Auch wenn sich der Markgraf der Lausitz in den letzten Jahren aus allen Auseinandersetzungen herausgehalten hatte, so stand er doch in dem Ruf, ein guter Kämpfer zu sein. Und seine Männer hatten es geschafft, den Landstrich von Räubern und Diebesgesindel zu säubern.

»Stellen wir im ritterlichen Zweikampf fest, wie gut der andere ist?«, schlug ihm sein Gegenüber vor, ein Ritter von vielleicht fünfundzwanzig Jahren, der wohl seine Gedanken erraten hatte.

»Allmächtiger, jetzt muss ich schon gegen Knaben antreten«, sagte Ulrich und stöhnte, nicht ohne Sympathie für den jungen Heißsporn. Die Aussicht auf ein Ende des Exils hatte seine sonst zumeist düstere Stimmung beträchtlich gehoben.

Übertrieben gequält stemmte er sich hoch und begleitete den anderen auf den Hof. Ein ganzer Schwarm von Schaulustigen folgte ihnen.

Aus Höflichkeit überließ Ulrich dem Herausforderer den ersten Hau. Der focht keinen schlechten Stil, wie sich rasch herausstellte. Es kostete Ulrich ein halbes Dutzend Angriffe, bis sein Gegenüber endlich auf einen vorgetäuschten Oberhau hereinfiel, während Ulrich mit einem Ausfallschritt zur Seite wich und ihm die Klinge an die Schläfe setzte.

»Nicht schlecht für einen Novizen«, lobte er grinsend, als der junge Ritter ihm zum Sieg gratulierte. Zufrieden gingen sie Seite an Seite in die Halle zurück.

Ulrich hatte kaum wieder Platz genommen und mit seinem Kontrahenten angestoßen, als ein älterer Ritter zu ihnen trat.

»Maltitz? Da fragt jemand nach Euch!« Mit dem Kinn wies er nach draußen.

Unwillig setzte Ulrich den Becher ab und hielt Ausschau, wer da zu ihm wollte. Doch als er die Gestalt erkannte, die am Eingang der Halle stand, wechselten Überraschung und Freude auf seinem Gesicht.

»Der tapfere Hauptmann aus Freiberg!«, rief er und ging dem Neuankömmling mit ausgebreiteten Armen entgegen. »Wir hatten dich tot geglaubt!«

»Viel fehlte auch nicht daran«, entgegnete Markus, ebenso erleichtert, den Kampfgefährten aus vergangenen Tagen gesund anzutreffen.

»Und unseren feurigen jungen Helden hast du auch mitgebracht«, wunderte sich Ulrich, als er den Rotschopf entdeckte, der die Pferde zu den Stallungen führte.

Dabei überspielte er sein Erschrecken, wie abgemagert und düster der einstige Freiberger Hauptmann geworden war.

Er führte ihn in die Halle und wollte mit ihm zu den Rittern gehen, bei denen er gesessen hatte. Doch als Markus mit zweifelndem Blick auf die vielen Fremden sah, führte Ulrich ihn zu einem Platz etwas abseits, wo sie ungestört reden konnten.

»Bring uns Bier!«, forderte er eine der Mägde auf, die knickste und verschwand, um den Befehl auszuführen.

»Wir haben ein Wiedersehen zu feiern. Und nun erzähl schon!«

»Das muss Friedrich sofort erfahren«, entschied Ulrich, als Markus die wichtigsten Neuigkeiten losgeworden war.

Sie gingen hinauf, um herauszufinden, ob das vertrauliche Gespräch der beiden markgräflichen Brüder bereits beendet und zu einem guten Ergebnis gekommen war.

Als sie erfuhren, dass der Burgherr bei seinen Gästen weilte, hatte Ulrich keine Bedenken.

»Geh und melde, wir bringen wichtige Neuigkeiten«, wies er einen der Diener an, der gerade eine Platte mit kaltem Braten hineintragen wollte.

Augenblicke später wurden sie in die Kammer gerufen.

»Ein Getreuer aus vergangenen Tagen!«, rief Friedrich, als er Markus sah.

»Und er bringt wichtige Kunde«, ergänzte Ulrich.

Auf seinen fragenden Blick hin entschied sein Lehnsherr: »Mein Bruder soll sie mit anhören.«

Also sind die Verhandlungen gut gelaufen, dachte Ulrich erleichtert. Vielleicht beginnt schon morgen der bewaffnete Kampf um die Rückeroberung der Mark Meißen.

Markus kniete nieder und wurde sofort aufgefordert, sich zu erheben. Dankbar nahm er einen Becher Wein entgegen.

»Wir haben dich lange vermisst«, meinte Friedrich.

Der Freiberger konnte nicht verhindern, dass sich sein Gesicht leicht verzog. »Ich wäre auch liebend gern eher gekommen, Hoheit. Die unübertroffene Gastfreundschaft Graf Eberhards von Isenberg hat mich aufgehalten«, erklärte er sarkastisch.

Dann berichtete er: von der Bereitschaft des Habergers und der meisten Grubeneigner, Friedrich mit ihrem Silber zu unterstützen, von der Befreiung der Geiseln, seiner Haft und Flucht, von der Hoffnung der geschundenen und ausgeplünderten Menschen in der Mark Meißen auf die Rückkehr ihres Fürsten – und von den Männern, die als vermeintlich königstreue Soldaten in Rochlitz darauf warteten, zusammen mit dem Wettiner die Burg im Handstreich zu erobern.

»Das ist es!«, sagte Friedrich, als Markus geendet hatte. Seine Augen leuchteten vor Freude und Tatendrang. »So beginnen wir!«

Er stand auf, schob die Becher beiseite und rollte eine Karte auf dem Tisch aus.

»Meißen und Freiberg können wir vorerst noch nicht erobern, dazu reicht unsere Kraft noch nicht.« Er tippte auf die winzigen Stadtansichten, die die beiden bedeutendsten Orte der Mark Meißen symbolisierten.

»Also nehmen wir Großenhain und sichern die Nordostflanke der Mark.« Sein Finger deutete auf einen Punkt am rechten oberen Rand des Pergamentes, dicht neben einem der Zinnbecher, den er zum Beschweren auf die Ecken gestellt hatte.

»Ich lasse sofort hundert von meinen Männern als Verstärkung kommen«, bot Diezmann an. »Dann stehen wir übermorgen mit unserer gemeinsamen Streitmacht vor Großenhain.«

»Gut«, erwiderte Friedrich zufrieden und zog spöttisch einen Mundwinkel leicht nach unten, während er seinen Bruder ansah. »Ich denke, Großenhain wird keine zu große Herausforderung für uns.«

Diezmann grinste zurück. Früher hatten sie beide viel Zeit in Großenhain zugebracht, die Mauer um die Stadt war sogar auf ihre Weisung hin errichtet worden. Sie kannten die Befestigungsanlagen bis ins Detail, und die meisten Menschen in der Stadt und auf der Burg standen loyal zum Haus Wettin.

Wieder tippte Friedrich auf die Karte und zog den Finger quer über das Pergament. »Von Großenhain ziehen wir im Eilmarsch nach Südwesten und holen uns Burg Rochlitz. Damit sichern wir den strategisch wichtigen Übergang der Zwickauer Mulde in die Mark Meißen. Falls der König Truppen gegen uns in Marsch setzt, fangen wir sie dort ab. Ich rechne fest damit, dass uns unterwegs Freiwillige zulaufen und viele Ortschaften auf unsere Seite wechseln. Danach können wir weitere Pläne schmieden.«

Ulrich von Maltitz sah auf die Karte und strich nachdenklich über sein Kinn.

»Es würde mir sehr gefallen, wenn *rein zufällig* gerade Adolfs Vetter und Statthalter auf der Rochlitzer Burg wäre, während wir sie einnehmen ...«

Überrascht sah Friedrich auf seinen Ritter und Vertrauten. »Ihr habt einen Plan, mein Freund? Nur heraus damit!«

»Man müsste ihn unter einem Vorwand dorthin locken ...«, spann Ulrich seinen Faden. »Nichts Ernsthaftes, damit er nicht zu viele Bewaffnete mitbringt. Vielleicht ein Fest?«

»Einer meiner Leute könnte sicher das Siegel des Rochlitzer Burgkommandanten besorgen«, schlug Markus vor.

»Ist dort auch jemand Verschwiegenes, der das Schreiben aufsetzen kann, ohne dass es Verdacht erweckt?«

»Ja«, meinte Markus, der sofort an Nikol Weighart dachte, den einstigen Bürgermeister. »Aber Ihr würdet mir einen persönlichen Gefallen tun, mein Fürst, wenn wir dem Grafen von Isenberg ebenfalls eine Einladung zu diesem Fest schicken.«

Sein Gesicht verzog sich grimmig bei diesen Worten.

»Ich verstehe«, erwiderte Friedrich mit feinem Lächeln. »Und ich glaube, ich würde ihn auch gern kennenlernen.«

Als sie die Kammer verlassen hatten, hieb Ulrich Markus die Hand auf die Schulter. »Das feiern wir!«

In der Halle ließ er sofort Wein kommen.

Doch Markus schüttelte den Kopf. »Ich glaube, ich sollte zuerst etwas essen, sonst reite ich morgen sturzbetrunken nach Rochlitz. Oder aus Versehen in die falsche Richtung ...«

Ulrich lachte und winkte eine weitere Magd herbei, um Essen zu ordern. Die Abendmahlzeit hatten sie versäumt, aber sie bekamen noch gebratenes Huhn und weißes Brot.

Etliche Becher später war Ulrich endlich so weit, das Gespräch auf ein heikles Thema zu bringen.

»Was ist mit dem Apothekermündel? Wolltest du sie nicht freien?«

Markus fühlte sich, als hätte er einen Schlag in den Magen erhalten. Mühsam holte er Atem.

»Ich weiß nicht, wie ich es fertiggebracht habe, ohne sie Freiberg zu verlassen«, gestand er, nachdem er erzählt hatte, was geschehen war. »Alle paar Schritte wäre ich am liebsten umgekehrt und zurück in die Stadt geritten. Aber ich wäre nie lebend hineingekommen. Und sie kann nicht fort.«

Er sackte in sich zusammen und stützte den Kopf auf eine Hand. »Jetzt habe ich sie endgültig verloren. Ich weiß nicht einmal, wie es ihr geht und ob sie noch lebt. Mein Kind könnte jetzt schon geboren sein.«

»*Dein Kind!*« Verblüfft starrte Ulrich ihn an. »Ich sollte dich jetzt wohl dringend ermahnen, sie dir für alle Zeit aus dem Kopf zu schlagen. Sie ist eine verheiratete Frau. Ihr könnt froh sein, wenn Marsilius sie nicht aus dem Haus jagt, sondern dieses Kind als seines anerkennt.«

Seine Worte schienen Markus nicht zu erreichen.

»Dauernd male ich mir aus, wie sie unser Kind im Arm hält. Am liebsten würde ich zu ihr fliegen und es liebkosen. Aber vielleicht hat sie es ja verloren? Oder sie ist bei der Geburt gestorben? So viele Frauen sterben dabei.«

Nun stützte er den Kopf in beide Hände. Die Schmerzen von den kaum verheilten Brüchen ignorierte er.

»Ob ich jemals aufhören kann, ihr nachzutrauern?«

»Da habe ich keine guten Nachrichten für dich«, murmelte Ulrich bitter.

Er hatte viele Frauen gehabt im letzten Jahr, seit er Sibylla in Prag getroffen und wieder verloren hatte. Was versuchte er nicht alles, um die Gauklerin mit den faszinierenden Augen zu vergessen!

Die Frauen hatten sich ihm geradezu an den Hals geworfen – die jungen Witwen ebenso wie vernachlässigte Eheweiber oder hübsche Mägde. Manche Jungfrau verzehrte sich vergeblich nach ihm. Doch sie waren ihm letztlich alle gleichgültig geblieben.

Eine Weile saßen die beiden Männer schweigend beieinander, tranken und versanken in Erinnerungen an die Zeit auf Freiheitsstein.

»Ich weiß nicht, ob es einfach die gemeinsam durchgestandene Gefahr ist, die uns an diese Frauen kettet«, meinte der Maltitzer schließlich, trübselig über seinen Becher blickend.

Markus schreckte aus seinen Gedanken auf. »Nein«, widersprach er. »Sie sind etwas Besonderes. Deshalb können wir sie nicht vergessen.«

Ulrich hieb ihm auf die Schulter. »Komm! Je eher wir die Mark Meißen zurückerobern, desto eher sehen wir sie wieder – du deine Änne und dein Kind und ich Sibylla!«

Handstreich in Rochlitz

Einmal mehr als königlicher Soldat verkleidet, ritt Markus den Bergsporn hinauf, auf dem stark und trotzig die Rochlitzer Burg emporragte.

»Wichtige Nachrichten für den Burgherrn!«, rief er, als er im Galopp das Tor passierte. Er warf einem Stallknecht die Zügel seines Braunen zu. Die Burgmannschaft schien eher gelangweilt als misstrauisch. Allem Anschein nach hatte es sich noch nicht bis hierher herumgesprochen, dass es gärte in der Mark Meißen.

Eine Gruppe Männer stand auf einer Seite des Hofes mit ein paar Huren beieinander und feilschte um Preise und die Reihenfolge, ein paar andere machten sich ein Vergnügen daraus, eine graue Katze mit Steinwürfen über den Hof zu jagen.

»Zum Kommandanten?«, fragte er knapp den Ersten, der seinen Weg kreuzte, einen missgelaunt und müde wirkenden Ritter in mittleren Jahren. »Dringende Botschaft des Statthalters.« Der Ritter winkte einen Knappen herbei und befahl ihm, den Boten nach oben zu führen. Schon ein paar Schritte weiter entdeckte Markus den Ersten seiner alten Wachmannschaft – Gero, der wie er in den Käfig auf dem Freiberger Burghof gesperrt worden war, bevor er mit den anderen Gefangenen durch Christians Pfad fliehen konnte. Es kostete Markus beträchtliche Beherrschung, durch nichts zu erkennen zu geben, wie sehr ihn das Wiedersehen freute.

Die anderen wussten bereits durch Nikol Weighart, dass er hier war und was er plante. Der aus Freiberg vertriebene Bürgermeister hatte am Abend zuvor ein paar von ihnen in einer Schankstube nahe dem Markt aufgesucht und ihnen unauffällig die Nachricht von der Ankunft ihres Hauptmannes zukommen lassen.

Noch am gleichen Abend besuchte Wilhelm, der heimliche Anführer der Freiberger in Rochlitz, das Fachwerkhaus mit dem gemalten silbernen Kelch über der Tür, in dem Nikol Weighart und nun auch Markus und Christian untergekommen waren. Der Silberschmied lebte hier bei seinem Schwager, der das gleiche Handwerk ausübte, und half ihm bei der Arbeit. Es wurde ein bewegtes Wiedersehen.

»Wir sind hier mittlerweile bald fünfzig Verschworene«, berichtete Wilhelm, ein gestandener Kämpfer mit narbenzerfurchtem Gesicht und grauem Haar. »Seit zwei Jahren warten wir auf den Tag, an dem wir Seite an Seite mit Markgraf Friedrichs Männern die Königlichen davonjagen. Sag mir, Hauptmann, dass dieser Tag naht!«

Markus bejahte frohen Herzens. »Großenhain ist schon in wettinischer Hand, von dort aus zieht Friedrich mit seinem Bruder und ihrer gemeinsamen Streitmacht durchs Land. Überall laufen ihnen die Menschen zu.«

»Kein Wunder«, meinte Weigharts Frau Katharina, während sie herumging und den Männern Bier einschenkte. »Sie haben die Herrschaft dieses Königs satt, dessen Kettenhunde Angst und Schrecken verbreiten.«

»Ihre Tage sind gezählt«, versicherte Markus. »Wenn Gott uns beisteht, kehren wir schon in ein paar Wochen nach Freiberg zurück.«

»Ich wage es kaum zu glauben«, seufzte Katharina, die nach dem Verlust all ihrer Habe und zwei Jahren des Exils müde und bedrückt wirkte. Doch die Aussicht auf Rückkehr brachte ihre braunen Augen zum Strahlen. Ohne zu zögern, erklärte sie sich bereit, die falschen Schreiben an den Statthalter in Meißen und den Burgkommandanten in Freiberg aufzusetzen, um sie nach Rochlitz zu locken.

»Ein Fest würde der hiesige Kommandant nicht geben«, meinte sie nachdenklich. »Aber wenn er zur Jagd einlädt, nachdem hier ein respektabler Vierzehnender gesichtet wurde, kommen sie bestimmt.« Mit sorgfältiger Handschrift verfasste Katharina die Briefe, dann nahm einer der Freiberger sie mit auf die Burg, um dort nachts, wenn der Kommandant schlief, dessen Siegelring zu stehlen und das Siegel darunterzusetzen.

Sie hatten Glück – niemand bemerkte es, und am nächsten Morgen lag der Ring wieder auf dem Tisch wie zuvor. Nur eine Hoffnung erfüllte sich nicht für Markus: Er hatte insgeheim damit gerechnet, hier seinen Bruder zu treffen oder wenigstens von ihm zu hören. Aber seit seiner Flucht aus Freiberg war niemand mehr von dort hierhergekommen.

Der königliche Burgkommandant von Rochlitz war unverkennbar beschäftigt, den Geräuschen nach zu urteilen, die durch die Tür seiner Kammer drangen. Verlegen trat der Knappe von einem Bein aufs andere. Es ging wohl schlecht an, einen Boten des Statthalters mit dringenden Nachrichten warten zu lassen. Doch wenn er die Kammer betrat, bevor der Kommandant fertig war, würde dieser ihn die Treppe hinunterwerfen.

Das Stöhnen der Frau hinter der Tür wurde zu einem Schreien, sie hörten rhythmisch Fleisch aufeinanderklatschen und dann den erleichterten Seufzer einer tiefen Männerstimme. Markus grinste dem Jungen zu. »Jetzt kannst du anklopfen«, meinte er. Der Knappe tat wie geheißen, ohne dass eine Reaktion erfolgte. Noch einmal pochte er an die Tür und rief: »Hoher Herr! Eilige Nachrichten vom königlichen Statthalter!«

Drinnen brummte jemand unwirsch, es polterte, dann folgte ein mürrisches »Herein!«.

Der Knappe öffnete die Tür und suchte sofort das Weite. Forsch trat Markus ein, verneigte sich kurz und zeigte das Siegel vor, das ihn als Boten Heinrichs von Nassau auswies. Das wächserne Zeichen war vor ein paar Tagen Markgraf Friedrich bei der fast verlustlosen Eroberung Großenhains in die Hände gefallen. Einer seiner Männer hatte es Markus überbracht, zusammen mit der Nachricht, wann die Eroberung von Rochlitz stattfinden sollte: heute.

Der Kommandant war verschwitzt und schnaufte, während er völlig ungeniert seine Bruche zurechtrückte. Die Frau neben ihm, unverkennbar eine Hure, hatte es nicht eilig, ihre Blöße zu bedecken. Markus versuchte, den Anblick ihrer üppigen nackten Brüste zu ignorieren.

»Graf Heinrich von Nassau schickt Euch Verstärkung für diese Burg.« Mürrisch sah ihn der Burgherr an. »Wozu das? Denkt er, ich würde hier nicht zurechtkommen?«, blaffte er.

»Anscheinend hat es sich noch nicht bis hierher herumgesprochen«, erwiderte Markus. »Es gibt Unruhen in der Mark. Gerüchten zufolge soll Friedrich von Wettin Männer um sich scharen.«

»Der Abtrünnige?« Der Kommandant lachte auf, zog die Hure näher zu sich und umklammerte mit seinen fleischigen Fingern ihre linke Brust. »Der hat sich doch schon vor Jahren in irgendeinem Fuchsbau verkrochen und wurde nie wieder gesehen! Soll er nicht mit nur einem Diener und einem Pferd geflohen sein, wie die Leute erzählen? Woher will *der* eine Streitmacht nehmen, die uns auch nur im Traum gefährlich werden kann?«

»Ihr habt ganz sicher recht«, stimmte Markus zu. »Doch der Statthalter will kein Risiko eingehen. Deshalb hat er zweihundert Bewaffnete von Freiberg abgezogen und hierher in Marsch gesetzt. Sie werden bald hier sein, heute noch. Ihr seid aufgefordert, Vorbereitungen für ihre Ankunft zu treffen.«

»Zweihundert?« Der Kommandant zog die Augenbrauen hoch und ließ für einen Moment die Hand ruhen, mit der er die Brust der Hure knetete. »Und ich soll wohl für ihren Proviant aufkommen, was?« Als Markus nichts erwiderte, knurrte der Burgherr: »Wir werden zusätzliche Abgaben von den Stadtbewohnern erheben. Der Quartiermeister muss sich um die Unterbringung kümmern. Richte ihm von mir aus, er soll alle Vorbereitungen treffen. Und nun geh!« Lässig wedelte er den falschen Boten hinaus. »Ich bin beschäftigt.«

Das sehe ich, dachte Markus belustigt. Er hatte sich noch nicht einmal umgedreht, als der Kommandant, zufrieden brummend, seinen Kopf zwischen den üppigen Brüsten der Hure versenkte. Also nahm er es selbst in die Hand, die Burgmannschaft über die bevorstehende Ankunft von zweihundert Mann Verstärkung zu informieren. Dann ging er in die Halle und ließ sich etwas zu essen und zu trinken bringen. Ab und an setzte sich jemand zu ihm, und es fiel keinem Nichteingeweihten auf, dass dies ausnahmslos Männer waren, die aus Freiberg stammten und sich hier für den Dienst hatten anwerben lassen. Jetzt hieß es nur noch warten.

Die Sonne stand für einen Apriltag bereits ziemlich hoch, als vom Bergfried Signal gegeben wurde, dass sich eine Kolonne Berittener aus Richtung Osten näherte. Nun kam Bewegung in die bis eben noch recht gelangweilt wirkende Burgbesatzung. Der Quartiermeister, der als Einziger den ganzen Vormittag über im Schweiße seines Angesichts versucht hatte, auf der mäßig besetzten Burg Platz für die erwartete Verstärkung zu schaffen, bahnte sich den Weg zum Tor, ein paar Mann rannten den Turm hinauf, um Ausschau zu halten, der Burgherr kam über den Hof gestapft, um die Ankunft der angekündigten Truppen in Augenschein zu nehmen. Markus folgte ihm unaufgefordert hinauf auf den Bergfried.

»Zweihundert Mann, wie angekündigt«, konstatierte einer der Ritter, der bereits vor ihnen oben angekommen war. Der Kommandant kniff die Augen leicht zusammen, um besser sehen zu können. »Sie führen kein königliches Banner mit sich«, knurrte er. »Woher soll ich wissen, dass es wirklich die Männer des Statthalters sind, die ich hier einlasse?«

»Es ist kein Heer, sondern bloß eine Verstärkung für Eure Mannschaft«, versuchte Markus ihn zu beschwichtigen. Der Befehlshaber sah ihn misstrauisch an.

»Das Tor soll verschlossen werden. Ich will mich erst selbst vergewissern«, befahl er seinen Rittern. »Und ihn nehmt fest, bis wir Klarheit haben!«

»Eure Vorsicht ehrt Euch, ist aber in diesem Fall unnötig«, erwiderte Markus höflich. Er verneigte sich, übergab einem der Ritter sein Schwert und ließ sich widerstandslos Fesseln anlegen.

Nicht schon wieder!, dachte er dabei bestürzt und musste an sich halten, um nicht in Panik zu verfallen. Die Erinnerung an die qualvollen Tage seiner Haft war noch zu frisch. Doch dagegen zu protestieren, hätte nur Misstrauen erregt. Den Knoten, mit dem ihm einer seiner alten Mitstreiter die Hände band, würde er rasch mit den Zähnen lösen können. Vorsichtig, um auf der schmalen Treppe nicht die Balance zu verlieren, folgte er den Männern zurück auf den Burghof. Zwei Ritter des Königs eskortierten ihn unaufgefordert, sogar mit einem Ausdruck des

Bedauerns. Offenkundig hielten sie die Vorsichtsmaßnahme ihres Kommandanten für übertrieben.

»Schließt das Tor!«, brüllte dieser die Männer am Burgzugang an. »Warum dauert das so lange, ihr faules Pack?«

Er konnte nicht wissen, dass fast die gesamte Torwache an diesem Tag sorgfältig geplant aus Männern bestand, die nicht dem König, sondern Friedrich die Treue hielten, und dass überdies der Mechanismus zum Herablassen des Fallgitters heimlich arretiert worden war.

»Die Kette klemmt!«, schrie jemand zurück. Wütend drehte sich der Befehlshaber zu den beiden Rittern um, die Markus bewachten. »Wenn euch irgendetwas faul vorkommt, schneidet ihm die Kehle durch!« Dann brüllte er: »Kappt die Seile, sofort!« Den Bewaffneten auf dem Burghof schwante allmählich, dass möglicherweise etwas nicht stimmte. Immer mehr rannten herbei, einige zogen die Schwerter, verwirrt zum Tor blickend.

Schon preschten die ersten der Neuankömmlinge durch das Tor, Ulrich von Maltitz an der Spitze.

»Lang lebe der Herr der Mark Meißen!«, rief er. Auf dieses Zeichen zogen die fünfzig vermeintlich königstreuen Freiberger die Waffen und richteten sie gegen den Rest der Burgmannschaft. Markus nutzte den Moment der ersten Verwirrung, löste die Fesseln mit einem Ruck, rammte dem neben ihm Stehenden die Handkante gegen die Kehle und holte sich sein Schwert zurück. Sofort griff er den anderen an, der schon blankgezogen hatte. Nun klirrten von allen Seiten die Waffen. Während die Königstreuen in der Nähe des Tores schnell von der Überzahl der Eindringlinge überwältigt waren, hatte Markus Mühe, sich gegen die auf ihn Einstürmenden zu behaupten.

Doch rasch verschafften ihm ein paar seiner Kameraden Luft. Wenig später kämpfte auch Ulrich an seiner Seite, streckte einen hageren Ritter nieder, der verbissen auf ihn einhieb, und nickte dann dem Freiberger zufrieden zu, während er sich mit blutigem Schwert nach einem neuen Gegner umsah.

Bald leistete niemand mehr Widerstand. Die Männer des Markgrafen trieben die Burgmannschaft, die sich ergeben hatte, in der Mitte des Hofes zusammen. Ein paar seiner Ritter sammelten die Waffen ein und forderten die Gefangenen auf, die Wappenröcke abzulegen. Friedrich und Diezmann, immer noch zu Pferde, stellten sich vor ihnen auf.

»Diese Burg ist ab sofort wieder unter wettinischer Herrschaft«, verkündete Friedrich. »Es steht jedem von euch frei, in meine Dienste überzutreten. Ihr habt Bedenkzeit bis morgen früh. So lange bleibt ihr unter Bewachung, und niemand wird die Burg verlassen.« Das Fallgitter war inzwischen heruntergelassen; um die Knechte auf der Koppel draußen kümmerten sich ein paar von Friedrichs Männern. Das Gelingen ihres Planes hing auch davon ab, dass niemand vor der Zeit von dem Machtwechsel auf Burg Rochlitz erfuhr. Der ehemalige Burgkommandant, dem Ulrich die Waffen abgenommen hatte und nicht von der Seite wich, spie demonstrativ vor Friedrich aus.

»Ihr solltet dringend an Euern Manieren arbeiten«, knurrte Ulrich und setzte ihm mit finsterer Miene die Spitze seines Schwertes an die Kehle.

»Wenn Ihr der Verfemte Friedrich seid, dann lasst Euch sagen: Ich erkenne Eure Regentschaft nicht an!«, schrie der Gefangene.

»Was Ihr anerkennt oder nicht, kümmert mich wenig. Ihr steht unter Arrest«, erwiderte Friedrich gelassen. »Dort könnt Ihr darüber nachdenken, ob Ihr lieber der Wirklichkeit ins Auge seht oder vergangenen Zeiten nachtrauert.«

»Verräterischer Bastard!«, zischte der Gefangene. »Die Nassauer werden Euch von der Erde fegen, nicht nur zurück in das Mauseloch, aus dem Ihr gekrochen gekommen seid, sondern direkt in die Hölle!« Wieder spie er auf den Boden.

»Jetzt werde ich aber wirklich wütend!«, sagte Ulrich drohend und stieß den entmachteten Kommandanten zwischen die Schulterblätter, um ihn Richtung Bergfried zu treiben. »Ab mit *dir* ins Loch, du Bastard!«

Als der einstige Befehlshaber ins Verlies gebracht und seine Getreuen in der Halle sicher bewacht waren, wurden hastig die Spuren des Kampfes beseitigt: die Leichen beiseitegeschafft, Blutlachen fortgespült und das Fallgitter wieder hochgezogen. Knechte führten die Pferde – abgesehen von denen der beiden wettinischen Fürsten – auf eine auswärtige Koppel, ein Teil der Männer streifte königliche Wappenröcke über, während sich die Übrigen in die Halle zurückzogen, wo mehrere Dutzend Gefangene zu bewachen waren. Die Burg war kaum in einen unverdächtigen Zustand zurückversetzt, als ein Signal vom Bergfried kam. Diesmal stiegen auch Friedrich und Diezmann auf den Turm, um zu sehen, ob ihre List aufgegangen war.

»Kann es sein, dass beide gemeinsam kommen?«, fragte Friedrich zweifelnd. Etwa vierzig Mann näherten sich, doch der Trupp führte zwei Banner mit sich. Als die Reiter ein Stück weiter herankamen, bestätigte sich seine Vermutung. Nun waren sowohl das Wappen der Nassauer als auch das der Grafen von Isenberg zu erkennen. Eine Meute kläffender Jagdhunde begleitete die Schar.

»Auch gut«, meinte Ulrich lakonisch. »So erledigen wir sie auf einen Streich.«

Bestens gelaunt ritten die Neuankömmlinge in den Hof. Sofort liefen ein paar Männer herbei, um ihnen die Pferde abzunehmen. Die beiden Grafen, die den Mittelpunkt der kleinen Jagdgesellschaft bildeten, hätten rein äußerlich nicht unterschiedlicher sein können. Feist und ungeschlacht Eberhard von Isenberg, der Kommandant der Freiberger Burg, dagegen schlank und von elegantem Aussehen Heinrich von Nassau, der bemerkenswerte Ähnlichkeit mit seinem Vetter Adolf aufwies.

»Wo bleibt der Burgherr?«, erkundigte sich der königliche Statthalter ungeduldig, als sie auf dem Hof warteten, ohne standesgemäß begrüßt zu werden. Genau in diesem Augenblick rasselte das Fallgitter erneut herunter. Heinrich von Nassau wandte sich überrascht um, ebenso die Männer seiner Leibgarde.

»Was hat das zu bedeuten?!«

»Willkommen auf Burg Rochlitz, Graf«, vernahm er eine kühle Stimme, weder schmeichelnd noch unterwürfig, wie er es gewohnt war. Als er wieder nach vorn blickte und den hochgewachsenen Mann mit dem Löwen auf dem Wappenrock in den meißnischen Farben auf sich zukommen sah, wusste er genau, wen er vor sich hatte, auch wenn er Friedrich noch nie getroffen hatte.

»Der Abtrünnige«, stieß er fassungslos hervor.

»Verrat!«, rief einer seiner Leibwachen. Sofort zogen die Männer die Schwerter und bildeten einen Ring um den Grafen, bereit, loszuschlagen. Niemand attackierte sie. Doch ein paar Schritte neben ihnen hatten einige der Gefolgsleute des Freiberger Burgkommandanten den aussichtslosen Kampf eröffnet. Als die Ersten von ihnen niedergestreckt waren, schrie Heinrich von Nassau: »Den Kampf einstellen!«

Noch zweimal musste er seinen Befehl wiederholen, bis endlich Ruhe eintrat.

»Das ist … unerhört!« Der Graf von Isenberg keuchte vor Wut. »Ihr habt keine Chance gegen unsere Übermacht!«

»Im Moment fällt Eure Übermacht eher bescheiden aus, Graf«, beschied ihm Friedrich mit spöttischem Lächeln. »Ihr solltet noch einmal nachzählen.«

»Ich lasse mich nicht von einem Verfemten besiegen, der sich gegen den von Gott gewollten König stellt!«

»So schweigt doch endlich und seht Euch um!«, zischte ihm Heinrich von Nassau zu. Störrisch schüttelte der Isenberger den Kopf.

»Was Gottes Wille ist, wird sich bald zeigen«, erklärte Friedrich. Nun wurde seine Stimme schärfer. »Doch keinesfalls gottgewollt ist, was Ihr Euch in *meinem* Freiberg zuschulden kommen ließet!« Er holte tief Luft und sprach ruhiger weiter. »Da Ihr Euch anscheinend weigert, die Lage zu begreifen, in der Ihr Euch befindet, will ich Euch entgegenkommen und ein Angebot unterbreiten – obwohl Ihr es nicht verdient. Entweder Ihr ergebt Euch stehenden Fußes, und es wird Euch eine standesgemäße Behandlung zuteil, oder Ihr stellt Euch einem Gottesurteil. Dann wird sich zeigen, auf wessen Seite Gott steht.«

»Ich werde Euch erschlagen wie einen räudigen Hund!«, fauchte der überrumpelte Graf.

»Nicht ich werde Euer Gegner sein, sondern jemand, den Ihr gut kennt und der mit Euch noch eine Rechnung offen hat, wie mir scheint.« Friedrich gab Markus ein Zeichen, der daraufhin dem Verhassten mit grimmiger Miene entgegentrat. Der Isenberger starrte seinen einstigen Gefangenen an.

»Es ist unter meiner Würde, gegen solch einen Bastard anzutreten«, wütete er voller Hass. »Benennt mir einen Gegner von Stand!«

»Ihr erschöpft meine Geduld, Graf!«, wies ihn Friedrich zurecht. »Und seid versichert: Dieser junge Mann besitzt so viel Tapferkeit und Ehre, dass Ihr Euch beschämt eingestehen müsstet, *seiner* nicht würdig zu sein.«

Wieder griff der Vetter des Königs ein. »Ergebt Euch endlich, Ihr Narr!«, fuhr er den Freiberger Burgkommandanten an. »Gegen diesen Gegner habt Ihr keine Chance, so fett und alt, wie Ihr seid!« Doch seine Worte schienen den Isenberger erst echt in Rage zu bringen. Mit einem wütenden Aufschrei zog er sein Schwert und stürzte auf Markus zu, auf sämtliche Gepflogenheiten vor Beginn eines Gottesurteils verzichtend. Der wich geschickt zur Seite und holte beidhändig zu einem Mittelhau aus, mit dem er dem Gegner einen klaffenden Schnitt am linken Oberarm beibrachte. Bestürzt begriff der Graf, dass er in wenigen Augenblicken tot sein würde, wenn er das Blatt nicht ganz schnell wendete, und versuchte einen machtvollen Unterhau. Markus band die Klinge an und drückte das Schwert des Gegners zu Boden. Der Isenberger lief rot an bei dem Versuch, seine Waffe wieder freizubekommen, und sackte in die Knie. Markus trat ihm die Klinge aus der Hand, doch plötzlich richtete sich der Graf halb auf und warf ihm eine Handvoll Sand in die Augen. Für einen Moment blind, entging Markus, dass sein Kontrahent dem ihm am nächsten stehenden königlichen Ritter Schwert und Buckler entriss. Mit dem kleinen runden Metallschild hatte er nun einen Vorteil im Kampf. Doch von Hass und Wut getrieben, war der Hauptmann nicht aufzuhalten und hieb dem Gegner das Schwert in die Schulter.

»Nimm das für meine toten Freunde!«, brüllte er.

Dann wendete er die Waffe mit einer schnellen Bewegung und stieß den Schwerverletzten mit dem Knauf zu Boden.

»Das für das Leid, das du über meine Stadt gebracht hast!«

Markus keuchte, sein Haar hing ihm schweißnass ins Gesicht. »Und das für die sechzig jungen Männer, die nach deinem Wortbruch auf dem Obermarkt enthauptet wurden!« Er hob sein Schwert mit beiden Händen und ließ es mit aller Wucht niedersausen.

Für einen Moment herrschte völlige Stille auf dem Burghof. Sämtliche Blicke waren auf die rote Lache gerichtet, die immer größer wurde, bis alles Blut aus dem enthaupteten Körper geflossen war. Während Markus immer noch keuchend dastand, räusperte sich Heinrich von Nassau, trat einen Schritt vor und legte sein Schwert in seine offenen Hände.

»Friedrich von Wettin, Markgraf Diezmann. Ich begebe mich in Euern Gewahrsam.« Auf ein Zeichen seines Lehnsherrn nahm Ulrich das Schwert des königlichen Vetters entgegen und geleitete ihn in eine Kammer, vor der zwei Wachen postiert wurden. Kaum war der entmachtete Statthalter fortgeführt, brachen Friedrichs Männer in Jubel aus. Auch der einstige Markgraf hatte Mühe, seiner Gefühle Herr zu werden. Lachend legte ihm sein Bruder den Arm auf die Schulter.

»Du wirst eine Siegesrede halten müssen«, meinte Diezmann gutgelaunt. Friedrich sah sich um und stieg auf den Brunnenrand. Wieder erscholl Jubel, wurden Hochrufe auf die beiden wettinischen Fürsten ausgebracht.

»Der heutige Tag zeigt ohne jeden Zweifel: Gott steht auf unserer Seite!«, rief er unter dem Beifall der Männer. »Der Allmächtige wird uns auch weiter beistehen, damit endlich wieder Frieden und Gerechtigkeit in diesem Land einziehen.« Er wartete, bis der Tumult etwas nachließ, und sah auf die vielen frohen Gesichter vor sich.

»Meine Getreuen! Für die Siegesfeier müssen wir uns bis morgen gedulden. Noch sind zu viele Gefangene hier, die bewacht werden müssen, bis sie sich uns anschließen oder von dannen ziehen. Doch heute schon soll Bier ausgeschenkt und ein Schwein auf den Bratspieß gesteckt werden!«

Markus hatte einige Zeit gebraucht, bis sich die Starre löste, mit der er auf den Leichnam seines verhassten Feindes sah. Doch er bekam kaum Gelegenheit, zur Besinnung zu kommen. Seine alten Kampfgefährten stürzten auf ihn zu, umarmten ihn, klopften ihm auf die Schulter und fragten ihn Löcher in den Bauch, was inzwischen in Freiberg geschehen sei. Wie er nun erst feststellen musste, war seine kühne Aktion zur Rettung der Freiberger Geiseln auch auf Burg Rochlitz beinahe schon Legende geworden. So ließ er sich von den anderen in die Halle ziehen, Bier einschenken und stieß mit ihnen an – froh über jeden, der die blutigen letzten zwei Jahre überlebt hatte. Doch irgendwann überkam ihn das dringende Bedürfnis, sich zurückzuziehen. Weil nirgendwo in der Halle ein halbwegs ruhiger Platz zu finden war, ging er in die Stallungen, setzte sich auf einen Strohballen und versuchte, sich über einige Dinge klarzuwerden.

Sein Handgelenk schmerzte nach dem wuchtigen Hieb, der Bruch war noch nicht so gut verheilt wie erhofft. Er hätte nicht sagen können, wie viel Zeit verstrichen war, als sich Schritte näherten und jemand sich neben ihm niederließ.

»Ich sollte zur Beichte gehen. Ich habe getötet«, sagte er zu Ulrich von Maltitz. »Doch hier ist nirgends ein Kaplan aufzutreiben.«

»Das wirst du auf morgen verschieben müssen, wenn das Gitter wieder hochgezogen wird«, versuchte der Ritter ihn zu beschwichtigen.

»Es ist nicht gerade ehrenvoll, jemanden zu erschlagen, der schon am Boden liegt.«

»Du hattest das Recht dazu. Es war ein Gottesurteil, und er wäre ohnehin auf der Stelle hingerichtet worden. Er hat diesen Tod mehr als verdient. Denk an die sechzig! So wurde ihnen Gerechtigkeit zuteil.«

Ulrich stand auf und forderte Markus mit einer Geste auf, ihn in die Halle zu begleiten. »Du solltest nicht zu viel darüber nachgrübeln.«

Am nächsten Morgen schlossen sich mehr als die Hälfte der gefangenen Soldaten dem wettinischen Heer an. Ihnen war es gleichgültig, wem sie folgten, wenn nur der Sold pünktlich gezahlt wurde. Und den erhielten sie sofort auf die Hand – dank der großzügigen Spende der Freiberger Schmelzmeister und Grubeneigner. Den Übrigen und den Rittern, die dem König einen Eid geschworen hatten, gewährte Friedrich freien Abzug. Dies war ein Punkt, über den er und sein Bruder unterschiedlicher Meinung waren.

»So viel Großzügigkeit können wir uns derzeit kaum leisten«, beanstandete Diezmann, als sie allein waren. »Wir sollten sie töten.«

»Wir wollen das Recht wiederherstellen, das können wir nicht mit solch großem Unrecht beginnen.« Friedrichs Stimme klang so entschlossen, dass der Jüngere von dem heiklen Thema abließ.

»Und was machen wir mit dem königlichen Vetter? Willst du den auch laufenlassen?« Heinrich von Nassau hatte unter Zusicherung seiner Unversehrtheit Urkunden ausgestellt, mit denen er den Wettinern eine Reihe von Städten und Burgen auslieferte.

»Ganz so großzügig können wir wohl nicht sein«, gestand Friedrich zu. »Er bleibt hier in sicherer Verwahrung. Wenn Adolf abgewählt ist, lassen wir ihn unauffällig entkommen. Soll er denken, ihm sei die Flucht geglückt.«

Am Abend luden Friedrich und Diezmann die Bürger von Rochlitz zur Siegesfeier auf die Burg. Solch ein Fest hatten die dreihundert Jahre alten Mauern vermutlich noch nicht erlebt. Bis zur Vorburg wimmelte es von gutgelaunten Männern, Frauen und Kindern. Die gesamte Stadt schien auf den Beinen. Begeistert strömten die Menschen herbei, aßen und tranken, was großzügig ausgeteilt wurde, und jubelten den Männern zu, die sie von den Besatzern befreit hatten. Ein paar Dutzend Frauen waren vorübergehend in Dienst genommen worden, um zu kochen, zu backen und zu braten, wohl jedes verfügbare Fass Bier wurde aus der Stadt hochgeschafft, damit niemand leer ausging.

Christian, tags zuvor noch äußerst unzufrieden damit, dass er bei der Eroberung der Burg nicht dabei sein durfte, war nun ganz in seinem Element. Er jonglierte, riss Possen und brachte die Menschen zum Lachen, was angesichts ihrer Euphorie über die Niederlage der verhassten Königstruppen nicht schwierig war.

»Der Statthalter des Königs in der Mark Meißen ist in unserem Gewahrsam«, verkündete Friedrich unter dem Jubel der Rochlitzer zu Beginn des Festes. »Heinrich von Nassau übergibt uns Geithain, Borna, Döbeln und die Burg Lichtenwalde. Der Tag ist nicht mehr fern, an dem auch der letzte Besatzer aus diesem Land gejagt wird. Dann herrschen wieder Frieden und Gerechtigkeit im Land!«

Er kündigte an, am nächsten Tag auf der Burg Recht zu sprechen. Wer von den Rochlitzer Bürgern eine Klage oder einen Anspruch gegen die königlichen Besatzer vorzubringen habe, solle dies tun. Nachdem der lauteste Jubel verklungen war, ließ Friedrich Nikol Weighart und dessen Frau rufen, die sich tief vor ihm verbeugten. Der Fürst erlaubte ihnen, sich zu erheben, und ließ ihnen Wein bringen.

»Ich weiß, was Ihr für mich gewagt habt und wie Ihr dafür büßen musstet. Habt Dank für Eure Treue«, begrüßte er sie. Dann wandte er sich lächelnd Katharina zu. »Ihr verfügt, wie ich hörte, über eine schöne Handschrift?«

Sie erwiderte sein Lächeln, und ihre Augen blitzten schelmisch auf. »Es ist doch von vielerlei Vorteil, wenn man als Eheweib dem Mann die Bücher führt«, antwortete sie vieldeutig.

Bewegt sah Friedrich auf das Paar vor sich.

»Der Tag naht, an dem Ihr mit Eurer bemerkenswert klugen Frau nach Freiberg zurückkehren könnt, Bürgermeister. Und ich versichere Euch, es wird eine triumphale Rückkehr!«

Es schien, als habe die ganze Mark Meißen nur auf die Rückkehr ihres früheren Herrschers gewartet. Wohin Friedrich und sein Bruder mit ihrer Streitmacht auch kamen, überall wurde ihnen ein begeisterter Empfang bereitet. Die Städte und Burgen, die Heinrich von Nassau ihm übertragen hatte, wurden ohne Zögern übergeben, andere fielen ihm geradezu in den Schoß, die Truppen bekamen Zulauf von allen Seiten.

Bald begannen die Menschen, dem Fürsten, der vollständig entmachtet und ins Exil getrieben worden war und nun mit einer kleinen Schar Entschlossener zurückkehrte, um sie von der drückenden Herrschaft des Königs zu erlösen, einen Beinamen zu geben: Friedrich der Freidige – der Tapfere. So wurde er immer öfter genannt.

Einzig Freiberg und Meißen wagten die Aufständischen noch nicht einzunehmen. Ein Angriff auf die am stärksten bewehrten Städte hätte zu viel Blut gekostet. Deshalb wartete Friedrich. Er wartete auf eine ganz bestimmte Nachricht.

Die brachte Mitte Juni Niklas von Haubitz. Schweißüberströmt, über und über mit Staub bedeckt, stieg der alte Kämpfer vom Pferd und ließ sich sofort zu Friedrich und Diezmann führen. Immer noch atemlos, sank er vor ihnen auf ein Knie und brachte heraus: »Der König ist tot!«

Unerwartete Wendung

Friedrich und Diezmann saßen mit ihrem Gastgeber, einem wettinertreuen Burgherrn, dessen Kaplan und Ulrich von Maltitz zur abendlichen Mahlzeit an der Hohen Tafel, als sie den völlig erschöpften Niklas von Haubitz mit eiligen Schritten die Halle durchqueren sahen. Noch bevor der Ritter an ihrer Tafel angelangt war, war jedem von ihnen klar, dass er entweder besonders gute oder besonders schlechte Nachricht bringen würde. Doch die Anspannung löste sich erst bei seinem zweiten Satz.

»Albrecht von Habsburg wurde zum neuen König gewählt!« Dankbar nahm Haubitz den Becher entgegen, den ihm jemand reichte, und trank ihn mit einem Zug leer.

»Was ist geschehen?«, bedrängte Friedrich seinen bewährten Kämpfer, noch nicht bereit, sofort allen Hoffnungen freien Lauf zu lassen.

»Die Fürsten haben Adolf von Nassau abgewählt.«

»Und er hat einfach so auf den Thron verzichtet?« Diezmann machte sich gar nicht erst die Mühe, seine Skepsis zu verbergen.

»Nein, er ist gefallen, einige Tage später, im Kampf gegen den Habsburger«, brachte Niklas heraus. »In Göllheim, westlich von Worms, ist er in der Schlacht so schwer verwundet worden, dass er wenig später starb. Ich war dabei.«

»Habt Ihr seinen Leichnam gesehen?«

»Ja. Es ist unumstößlich. Adolf von Nassau ist tot.«

»Das erleichtert die Dinge«, schätzte Diezmann die Lage zynisch ein. »Die rechtliche Begründung seiner Abwahl ist doch mehr als fragwürdig, wenn den Fürsten nichts Besseres eingefallen sein sollte als unterlassener Schutz für Witwen und Waisen.«

»Sei's drum! Trinken wir auf den neuen König!« Friedrich erhob sich, den Becher in der Hand.

In rascher Folge standen alle von ihren Plätzen auf. Diejenigen an den Tischen, die Niklas' Ankunft beobachtet hatten und wussten, wo er die letzten Monate gewesen war, brachten die noch Lärmenden zur Ruhe. Für einen Moment herrschte beinahe vollkommene Stille in der Halle – bis Friedrich die Nachricht von der Wahl eines neuen Königs bekanntgab.

Der Jubel brachte die Halle fast zum Wanken. Der Kaplan brauchte mehrere Anläufe und letztlich ein Machtwort Friedrichs, bis hinreichend Ruhe eintrat, damit er ein Totengebet für den Gefallenen und einen Segensspruch für König Albrecht von Habsburg ausbringen konnte. Ulrich konnte in diesem Moment an nichts anderes mehr denken als an Sibyllas Versprechen in Prag, als er sie gefunden und gleich darauf wieder verloren hatte.

»Ich komme, wenn ihr Freiberg erobert«, hatte sie gesagt. Welche Stadt würden sie nun als erste einnehmen – Freiberg oder Meißen? Mit einem Mal überkam ihn der dringende, unaufschiebbare Wunsch, Sibylla bei sich zu spüren, ihren weichen Körper an sich zu pressen, zu spüren und ganz tief in sie zu stoßen. Und er wollte sie lächeln sehen, mit seinen Fingern durch ihre schwarzen Locken streichen, ihren Duft einatmen, ihre Stimme hören. Lächelnd prostete er Markus zu, der an einem der entfernteren Tische saß und ziemlich angespannt wirkte. Ulrich hatte keinen Zweifel, dass die Gedanken des Freibergers gerade zu Änne flogen.

Hoffentlich lebt die junge Frau überhaupt noch, dachte er besorgt. Er wusste wenig über Schwangerschaft und Niederkunft, das war Weiberkram. Aber wenn sie schon so lange vor der Entbindung krank darniederlag, schien ihm die Aussicht gering, dass diese Schwangerschaft zu einem guten Ausgang für Mutter und Kind führte. Wie würde es der Gefährte aufnehmen, wenn er endlich wieder nach Freiberg kam und erfahren musste, dass seine Liebste und sein Kind längst begraben und betrauert waren? Doch würde es ihn fröhlicher stimmen, die beiden mit dem alten Conrad Marsilius in einer glücklichen Familie vereint zu sehen?

Ulrich war gerade bei diesem Gedanken angelangt, als er Friedrich rufen hörte: »Morgen halten wir Einzug in Meißen!« Also Meißen, dachte Maltitz enttäuscht, während um ihn herum jubelnder Tumult ausbrach. Dabei hatte diese Entscheidung auf der Hand gelegen. Wie schnell wird es wohl gehen, bis wir uns Freiberg zurückholen? Drei Tage? Eine Woche? Fast zweieinhalb Jahre war es her, dass er – wund an Leib und Seele – die blutig eingenommene Stadt hatte verlassen müssen. Nun malte er sich den Einzug in lebhaftesten Farben aus. Und wenn er auch wusste, dass seine Liebste sicher nicht so schnell von den Veränderungen erfahren würde – in allen seinen Traumbildern stand sie da, lächelte und streckte ihm einladend die nackten Arme entgegen.

Friedrich wurde von seinen Gefühlen fast überwältigt, als er Meißen vor sich erblickte. Weithin ragte der Burgberg ins Land. Von der Anhöhe aus, über die er sich mit seiner kleinen Streitmacht näherte, sah er das breite Band der Elbe, die träge dahinfloss und in deren Fluten sich die Türme des Domes spiegelten. Heute endlich würde er an den Platz zurückkehren, der ihm gebührte.

Wie überall auf seinem Triumphzug der letzten Wochen wurden er und sein Gefolge auch hier erkannt, ehrfürchtig begrüßt oder bejubelt, während sie in die sonnendurchflutete Stadt ritten. Auch hier riefen die Leute schon seinen neuen Namen: der Tapfere. Doch in der Menge entdeckte er viele fragende oder verwirrte Blicke. Niemand begrüßte ihn mit dem markgräflichen Titel.

Was mag das bedeuten?, dachte Friedrich beunruhigt. Nun, er würde es gleich herausfinden. Flankiert durch Ulrich von Maltitz und Markus, ritt er an der Spitze seiner Kolonne den Burgberg hinauf. Doch ehe sie den Zugang zum vorgelagerten burggräflichen Hof passieren konnten, rasselte direkt vor ihnen das Fallgitter herab. Mehr verwundert als erzürnt, wechselte er einen Blick mit Ulrich. »Mir war nicht bewusst, die Meißner so aufgebracht zu haben, dass sie sich weigern, ihren Fürsten einzulassen.«

»Das sind nicht die Meißner«, widersprach sein Ritter. »Das ist Burggraf Meinhard, und der war so schnell auf die Seite des Nassauers gewechselt, dass ihn nun wohl das schlechte Gewissen plagt.«

»Ich bezweifle, dass er ein Gewissen sein Eigen nennt«, entgegnete Friedrich trocken.

»Lassen wir's darauf ankommen«, meinte Ulrich und rief hinauf: »Öffnet das Tor, der alte und neue Herr der Mark Meißen begehrt Einlass!«

Zwischen den Zinnen erschien ein hellbärtiger Wachposten und beugte sich hinab. »Ich sehe wohl, dass da der einstige Herr der Mark Meißen steht. Doch der neue Herr der Mark Meißen ist bereits hier …«

Unwillkürlich umklammerte Friedrichs Rechte den Griff seines Schwertes.

»Was soll das heißen? Von wem redest du?«, rief Ulrich erbost.

»Wenzel von Böhmen. Er ist der neue Statthalter für die Mark Meißen, das Pleißen- und das Osterland. Gerade haben ihm Chemnitz und Meißen gehuldigt.«

Fassungslos sahen sich Friedrich und Ulrich von Maltitz an. Der böhmische König als Herrscher über drei wettinische Länder? Wie war das möglich?

»Wollt Ihr um eine Audienz beim Statthalter nachsuchen?«, ertönte nun eine unverkennbar spöttische Stimme von oben. Das dazugehörige Gesicht kannten zumindest Friedrich und Ulrich nur zu gut. Der Burggraf wollte es sich offenkundig nicht nehmen lassen, diesen Triumph persönlich auszukosten, und hatte sich dafür höchstpersönlich zum Tor bewegt, was seinem sonstigen Phlegma widersprach.

»Vielleicht hat er in zwei oder drei Wochen Zeit für Euch«, höhnte Meinhard weiter. »Aber nur, wenn ich ein gutes Wort für Euch einlege. Bittet darum, und ich werde über Euer Ansinnen nachdenken. Der Statthalter hat in diesen Tagen alle Hände voll zu tun, diejenigen Männer zu empfangen, die *wirklich* Macht und Einfluss haben.«

»Soll ich ihm Benehmen beibringen?«, rief Markus wütend und griff nach seinem Eibebogen. »Wenn Ihr erlaubt, Hoheit, ziehe ich ihm mit dem Pfeil einen neuen Scheitel.«

Friedrich bedeutete ihm mit einer Geste, den Angriff zu unterlassen. Doch Christian, ein paar Reihen hinter ihnen, war schneller. Noch ehe ihn jemand daran hindern konnte, war er aus dem Sattel gesprungen, las einen Pferdeapfel auf und ließ seine Schleuder surren. Verdutzt starrte der Burggraf auf den Unrat, der plötzlich seinen neuen Surkot verunzierte.

»Komisch, hier in Meißen scheißen die Gäule in die verkehrte Richtung«, erklang Christians helle Stimme. »Von unten nach oben, in den Himmel statt auf die Erde. Ob das am Wetter liegt?«

Vielstimmiges Gelächter erscholl, während Meinhard vor Wut rot anlief und abrupt aus ihrem Blickfeld verschwand. Wortlos wendete Friedrich seinen Rappen und gab den Männern das Zeichen, umzukehren.

Sie ritten ein ganzes Stück, um außer Sichtweite Meißens ihr Lager aufzuschlagen. Die Demütigung, nicht auf die Burg gelassen zu werden, in der *er* residieren sollte, war Friedrich zu groß. Er wollte nicht auch noch erleben müssen, dass man ihm sogar in der Stadt die Aufnahme verweigerte. Und er brauchte Zeit, um nachzudenken und die Nachricht zu verarbeiten, dass Wenzel von Böhmen offensichtlich die Mark Meißen übernommen hatte. Am liebsten hätte er den Burgberg sofort gestürmt. Doch da wäre er nicht weit gekommen.

Ob sein Schwager Albrecht von Habsburg wusste, was hier vor sich ging? War Wenzel einfach von Prag aus losmarschiert, nachdem er vom Thronwechsel erfuhr, und hatte Tatsachen geschaffen? Es war ein offenes Geheimnis, dass der Böhmenkönig seit langem ein begehrliches Auge auf die Markgrafschaft mit den reichen Silberschätzen geworfen hatte.

Nur zu gern hätte Friedrich jetzt Niklas von Haubitz mit Fragen gelöchert nach Anzeichen dafür, ob der Habsburger etwas von Wenzels Plänen wusste. Doch für den betagten Heerführer waren der lange, harte Ritt quer durchs Land direkt nach einer blutigen Schlacht und das bewegende Wiedersehen mit den Gefährten aus Freiberger Zeit zu viel gewesen. Ein Herzanfall hatte ihn noch am gleichen Abend niedergestreckt; sie mussten ihn in der Obhut eines heilkundigen Mönchs zurücklassen.

Nachdem das Zelt des Markgrafen aufgebaut war, wies Friedrich an, dass er nicht gestört werden wolle. Nicht einmal mit Ulrich von Maltitz wollte er jetzt reden.

Er musste allein sein, um den Ausgang dieses Tages, den er sich in seinen Träumen ganz anders ausgemalt hatte, zu verkraften und zu überlegen, wie er weiter vorgehen sollte. Deshalb reagierte er ungewöhnlich schroff, als sich am Zelteingang jemand bemerkbar machte – erst hüstelnd, dann mit einem zaghaften, aber unüberhörbaren: »Hoheit!«

Mit einem Ruck riss er die Leinwand beiseite und wollte den Störenfried anfahren. Doch im letzten Moment konnte er seine Worte zurückhalten, als er den Grund für den Verstoß gegen seine Order sah: Neben dem Knappen stand der Diakon des Bischofs von Meißen.

Er begrüßte ihn mit aller Höflichkeit, zu der er in diesem Augenblick in der Lage war.

»Der Bischof sendet mich mit einer Botschaft zu Euch«, erklärte der Geistliche, nachdem er den Gruß erwidert hatte. Friedrich sah, dass dem rundlichen Diakon die Schweißtropfen auf der Stirn standen. Er befahl, ihm etwas zu trinken zu reichen, und warf einen skeptischen Blick in das Zelt, in dem an diesem heißen Sommertag mittlerweile mörderische Temperaturen herrschten.

»Gehen wir ein paar Schritte«, schlug er vor und wies mit einladender Geste zum Flussufer. »Seid Ihr einverstanden, dass uns mein engster Vertrauter folgt?«

Sein Besucher nickte zustimmend.

Ulrich wirkte ziemlich erleichtert, als er gerufen wurde. Es hatte ihn mehr als beunruhigt, dass sich sein Lehnsherr – ansonsten beherrscht und nach außen hin von vollendeter Gelassenheit – nach diesem Schicksalsschlag in Einsamkeit vergraben hatte. Vor allem aber würde er von nun an wieder doppelte Leibwachen brauchen. Unauffällig gab er Markus ein Zeichen, mit ein paar Männern die Spaziergänger am Fluss nicht aus den Augen zu lassen.

»Der Bischof hätte Euch gern empfangen und seinen Segen erteilt«, begann der Geistliche, als sie so weit von den anderen entfernt waren, dass niemand sie hören konnte. »Doch wie er sehr zu seinem Bedauern erfahren musste, wurde Euch der Zutritt zum Burgberg verwehrt. Deshalb bat er mich, Euch zu folgen und seine guten Wünsche auszurichten.«

Höflich bedankte sich Friedrich und wartete, was als Nächstes kam. Sein Gast würde kaum durch die sengende Hitze geritten sein, nur um Grüße zu überbringen. Da dieser jedoch eine feierliche Pause einlegte, fragte Friedrich direkt: »Wie kommt es, dass der Böhme sich anmaßt, mein Land zu regieren?«

Der Diakon hüstelte verlegen.

»Sprecht frei heraus! Ich vermute, Ihr seid nicht hierhergeschickt worden, um mit mir Floskeln auszutauschen und über das Wetter zu reden.«

Erleichtert atmete der Geistliche auf. »Ich bin froh, nicht um den heißen Brei reden zu müssen«, gestand er. »Die Neuigkeiten sind so schlecht für Euch, dass selbst die wohlfeilsten Sätze sie nicht verbessern könnten.«

»Nur zu!« Friedrichs Kiefer malmten, doch er bereitete sich darauf vor, die Fassung zu behalten, ganz gleich, was er jetzt zu hören bekam.

»Die Legitimation des Böhmen scheint echt. Obgleich wir überzeugt waren, dass der neue König Euch die Herrschaft über die Mark Meißen zurückgibt, müssen wir die Entscheidung des von Gott auserwählten Königs hinnehmen. Der Bischof lässt Euch ausrichten, dass er für Euch und Eure Sache beten wird. Und er mahnt Euch zu Besonnenheit. Gegen den neuen Statthalter zu Felde zu ziehen, wäre ein verhängnisvoller Fehler. Ihr müsst auf anderem Weg versuchen, zu Euerm Recht zu kommen.«

»Und was rät der Bischof – außer zu beten?«, fragte Friedrich nicht ohne Bitterkeit in seinen Worten.

»Zieht zum König und bittet ihn, seine Entscheidung zu überdenken.«

»Das hatte ich ohnehin vor. Ich danke Euch. Richtet auch Bischof Albert meinen Dank aus.«

»Glaubt Ihr, der König hebt diese Entscheidung wieder auf, sofern er sie tatsächlich getroffen hat?«, fragte Ulrich von Maltitz zweifelnd, nachdem der Diakon gegangen war und sich von einem Reisigen wieder auf seinen Zelter helfen ließ.

Friedrich schien die Frage überhört zu haben.

»Wenn der Anspruch des Böhmen rechtens ist, können wir nicht weiter durchs Land ziehen und Ortschaften und Burgen erobern, sonst stellen wir uns gegen den neuen König und machen uns des Verrats schuldig«, entgegnete er stattdessen.

»Gebt Ihr auf?«, fragte Ulrich mit hochgezogenen Augenbrauen.

»Nein. Wir reiten zum König, um den Lehnseid zu schwören und ihn an seine Versprechen zu erinnern.«

Friedrich schwieg eine Weile, zerknickte einen trockenen Zweig und warf die Stücke achtlos weg.

»Ich kann es einfach nicht glauben«, gestand er Ulrich schließlich. »Er nannte mich Bruder! Ich hatte sein Wort! Wir haben gemeinsam an dieser Verschwörung mitgewirkt und dabei unser Leben riskiert. Er hat nie einen Zweifel daran gelassen, dass ich mein Land zurückbekomme, wenn er erst auf dem Thron sitzt.«

In all den Jahren hatte Ulrich von Maltitz noch nie solche Fassungslosigkeit in Friedrichs Augen gesehen wie jetzt, als dieser sagte: »Mit einem solchen Eidbruch wird er doch nicht seine Regentschaft beginnen?!«

Die wettinische Streitmacht nahm die Order mit Genugtuung auf, nach Nürnberg zu reiten, zum Hoftag des neuen Königs. Die Mehrzahl der Männer teilte die Überzeugung, dass sich dort die Angelegenheit schon richten und der Habsburger zugunsten der älteren wettinischen Ansprüche entscheiden werde. Nicht wenige von ihnen waren überzeugt davon, dass sich der Böhme Meißen nur durch eine List erschlichen haben konnte. Aber bald würde sich die Sache zu einem guten Ende fügen. Immerhin war der neue König mit ihrem Fürsten verschwägert, und beide hatten auf einer Seite gekämpft.

Als sich die Kolonne am nächsten Tag auf dem Weg nach Nürnberg Freiberg näherte, hatte Markus nur einen einzigen Gedanken: Er musste um Erlaubnis ersuchen, hier für einen Tag die Kolonne verlassen zu dürfen und herauszufinden, wie es Änne ging und was aus seinem Bruder geworden war. Die Silhouette der Stadt war bereits vor ihnen zu sehen, als er sich endlich ein Herz fasste und Friedrich seine Bitte vortrug.

Der Fürst musterte ihn nachdenklich. Markus kämpfte gegen das unangenehme Gefühl an, dass der andere seine Gedanken genau erriet. Friedrich zögerte unerwartet lange mit seiner Antwort, während er unvermindert das Gesicht des Freibergers betrachtete.

»Wir werden gemeinsam einen Abstecher machen«, entschied er schließlich. »Ich möchte diesen Hüttenmeister kennenlernen. Haberberger war sein Name, nicht wahr?«

Als Ulrich erwartungsgemäß dagegen protestierte, dass Friedrich seine Streitmacht ohne Leibwache verlassen wollte, schnitt dieser ihm das Wort ab. »Ihr könnt mich begleiten. Der Rest soll weiterziehen. Wir folgen ihnen nach.«

Zu dritt ritten sie voraus, im südlichen Bogen um Freiberg herum zu den Schmelzhütten am Bach. Der Haberberger machte sich gerade draußen an einem der Blasebälge zu schaffen und sah sie schon von weitem kommen. Misstrauisch musterte er die Gesichter der drei Reiter, die sich zum Schutz vor Staub und um nicht sofort erkannt zu werden, einfache Umhänge umgeworfen hatten. Dann zog ein Leuchten über sein Gesicht, als er Markus sah, der voranritt. Jubelnd lief er ihm entgegen, während der Jüngere absaß.

»Du lebst! Wir haben für dich gebetet. Viele in der Stadt werden sich freuen.« Dann richtete er seinen Blick auf Markus' Begleiter. Er stockte, als er Friedrich erkannte, und sank vor ihm auf die Knie. »Mein Fürst! Gott segne Euch für Eure lang erwartete Wiederkehr!«

Nach einigen Höflichkeiten fragte Friedrich mit verhaltener

Ironie, ob ihn denn der Schmelzmeister in die Hütte bitten werde. Immer noch durcheinander über den unerwarteten und hohen Besuch, raufte sich der Haberberger die letzten ihm verbliebenen Haare und gab sein Bestes, das Versäumnis wettzumachen. Er riss die Tür auf und rief hinein: »Kommt schnell, der wahre Herr der Mark Meißen besucht uns! Erweist ihm die Ehre!«

Verblüfft traten der Oheim und der Sohn des Haberbergers näher, starrten auf die Neuankömmlinge und sanken vor ihnen nieder. Währenddessen hatte der Schmelzmeister bereits den Tisch im hinteren Teil der Hütte frei geräumt und Becher, eine Kanne Bier und alles, was er an Proviant besaß, ausgebreitet. Die Gäste nahmen Platz und langten bereitwillig zu, nachdem Markus gebratenes Fleisch und einen Schlauch Wein übergeben hatte, den er auf Friedrichs Weisung mitgenommen hatte. Während des improvisierten Mahles ließen sie sich ausführlich die Lage in der Silberstadt schildern.

»Wir hofften so auf Eure Rückkehr, Hoheit, haben dafür gebetet! Doch dann rückten ein paar Männer hier an und verkündeten, dass König Wenzel nun der Herr der Stadt sei. Der Böhme lässt schon Meißnische Pfennige mit seinem Antlitz prägen, hier in Freiberg«, entrüstete sich der Haberberger.

»Wisst ihr, was aus meinem Bruder geworden ist?«, fragte Markus schnell dazwischen. Schlagartig verdüsterte sich die Miene des Schmelzmeisters.

»Es tut mir leid«, meinte er bekümmert und bekreuzigte sich.

»Gott sei seiner Seele gnädig. Sie haben ihn gefasst, als er die Burg verlassen wollte. Er hätte es beinahe geschafft. Aber er wurde verraten, sogar von jemandem, der früher gemeinsam mit ihm Wache am Peterstor hielt.« Angewidert verzog der Haberberger das Gesicht.

»Wer?«, fragte Markus hart.

»Hartmann. Der Blaufärber. Am nächsten Tag lag er erschlagen vor seiner Kate. Wenigstens …« Der Hüttenmeister zögerte, sprach es dann aber doch aus: »… ist deinem Bruder die Folter erspart geblieben. Er starb kämpfend durch das Schwert. Pater Clemens hat sich dafür eingesetzt, dass er auf geweihtem Boden begraben wurde.«

»Wo finde ich das Grab?«, fragte Markus dumpf.

All die Jahre hatte er sich bemüht, für seinen jüngeren Bruder zu sorgen und auf ihn aufzupassen. Nun war er tot – gestorben seinetwegen.

»Du kannst nicht in die Stadt!«, rief der Haberberger erschrocken und sprang von seinem Platz auf. »Die höheren Ränge hat der neue König mit eigenen Leuten besetzt, aber die Soldaten sind fast ausnahmslos in seinen Dienst übergetreten, nachdem bekannt wurde, dass der Nassauer tot ist. Du wirst zwar nicht mehr offiziell gesucht, ebenso wenig der Rotschopf. Aber die an den Toren stehen, das sind alles Männer, die noch liebend gern ein Hühnchen mit euch rupfen würden.«

Nicht einmal das bleibt mir, dachte Markus bitter. Ich kann nicht einmal ein Gebet an seinem Grab sprechen. Obwohl er wusste, dass Friedrich es missbilligen würde, fragte er: »Wie geht es Marsilius? Und seiner Frau?«

»Sie hat Marsilius einen Sohn geboren«, berichtete der Hüttenbesitzer. »Meister Conrad ist außer sich vor Freude.«

Änne lebt!, dachte Markus erleichtert. Und ich habe einen Sohn! Sein Verstand arbeitete fieberhaft auf der Suche nach einer Möglichkeit, sie und sein Kind zu sehen. Am liebsten wäre er sofort losgestürmt. Aber er durfte nicht in die Stadt, und Änne würde nie ohne Geleit hinausgehen können, um Kräuter zu sammeln wie früher. Clementia würde ihr keinen Schritt von der Seite weichen und nicht zulassen, dass sie auch nur ein Wort miteinander wechselten.

Wieder schien Friedrich seine Gedanken zu erraten und kam ihm zuvor, ehe er den Haberberger bitten konnte, Änne etwas auszurichten. Schon das Ansinnen würde ihren Ruf gefährden.

»Bestellt dem Medicus und seiner Frau meine Grüße und meinen Dank«, bat Friedrich. »Und auch Ihr habt Dank, Meister Haberberger. Ich stehe in Eurer Schuld.«

Er erhob sich und ließ Markus keine Gelegenheit, noch etwas anzufügen. Auf dem Weg nach draußen legte Ulrich dem jungen Freiberger die Hand auf die Schulter – eine Geste, mit der er sowohl sein Mitleid zum Tod des Bruders als auch zum erneuten Verlust Ännes ausdrückte. Sie saßen auf und galoppierten los, ihrer Streitmacht hinterher Richtung Nürnberg. Als sie Freiberg hinter sich gelassen hatten, drehte sich Markus ein letztes Mal um. Ihm war zumute wie bei einem Abschied für immer.

Was war ihm von seiner Heimat geblieben? Sein Bruder und seine Gefährten waren tot, er durfte die Stadt nicht betreten, und sofern nicht ein Wunder geschah, würde er die Frau, die er liebte, niemals wieder treffen. Sie nicht und auch nicht den Sohn, den er noch nie gesehen und im Arm gehalten hatte.

Die Entscheidung des Königs

Man kann vielerlei Pläne schmieden. Doch die Politik zwingt eben zu Kompromissen.« Albrecht von Habsburg lehnte sich lässig im Thron zurück, während er mit seinem verbliebenen Auge Friedrich von Wettin anstarrte.

»Speise mich nicht mit Ausflüchten ab, Schwager … Mein König!«, erwiderte dieser und schaffte es erst im letzten Moment, seinen Zorn zu zügeln und rasch eine respektvolle Anrede anzuhängen.

Bei ihrer Ankunft auf der prachtvollen Kaiserburg hoch über Nürnberg waren er und sein Bruder, der unterwegs wieder zu ihnen gestoßen war, nachdem er von der Entscheidung des neuen Königs erfahren hatte, höflich aufgenommen worden. Doch Albrecht von Habsburg hatte es abgelehnt, seine wettinischen Schwäger zu einem privaten Gespräch zu empfangen.

Dies war kein gutes Zeichen. So war Friedrich gezwungen, sein Anliegen ganz offiziell vor all denen vorzutragen, die den Saal bevölkerten, und das waren in diesem Moment mehr als sechzig Edelleute. Er wusste ihre Augen wie Messerspitzen auf sich gerichtet und fühlte sich zum Bettler erniedrigt. Doch selbst das war er bereit hinzunehmen, wenn er nur sein Land zurückbekäme.

Allerdings ließ Albrechts Reaktion nicht darauf hoffen.

»Gilt das Wort eines Mannes nicht mehr, wenn er erst auf dem Thron sitzt?«, fragte Friedrich laut und provozierte damit empörtes Zischen und Rufe im Saal. Diezmann neben ihm murmelte zwischen den Zähnen: »Beherrsche dich! Sonst lässt er uns beide noch hinauswerfen.«

»Wir haben Wenzel von Böhmen bereits in Wien die Mark Meißen und das Pleißenland zugesagt. Dies war seine Bedingung dafür, Unsere Sache zu unterstützen«, wies Albrecht den rebellischen Wettiner scharf zurecht. Wenn er geglaubt hatte, damit Friedrichs Zorn zu zügeln, hatte er sich gewaltig geirrt.

»Ihr habt es ihm schon im *Februar* zugesagt? Als wir noch miteinander Pläne schmiedeten und Ihr mich in dem Glauben wiegtet, nach Euerm Sieg mein Land zurückzubekommen?« Friedrich hatte jegliche Farbe aus dem Gesicht verloren.

»Gestattet, dass ich mich zurückziehe, Majestät.«

Mit einer Handbewegung erteilte Albrecht von Habsburg die Erlaubnis. Sich mit aller Kraft aufrecht haltend, durchquerte Friedrich unter den Blicken der Anwesenden den prunkvollen Palas, gefolgt von seinem Bruder und dem ebenfalls bleich gewordenen Ulrich von Maltitz.

Als die Türen zum Saal hinter ihnen wieder geschlossen waren, ging Friedrich schwer atmend zu einem der Fenster, stützte sich gegen die Wand und sah hinaus, auf irgendeinen Punkt in der Ferne. Dann wandte er sich zu seinen Begleitern um.

»Er nannte mich Bruder!«, stieß er ungläubig und zornig zugleich hervor. »Und dabei wusste er schon, dass er mein Land dem Böhmen gibt!«

Ulrich von Maltitz war nicht minder erschüttert und brüskiert über das Eingeständnis des Habsburgers. Hatten sie bis eben noch gehofft, das Ganze könnte ein Irrtum sein, eine List oder ein Provisorium, bis der wahre Herr der Mark Meißen wieder die Regentschaft übernahm, so waren sie jetzt jeder Hoffnung beraubt und ihre Lage trostloser als je zuvor.

»Was nun?«, murmelte Diezmann ratlos. Ihm blieb zwar die Lausitz – aber wie lange noch? Um das Pleißen- und das Osterland würde er kämpfen; er war nicht bereit, seine Stellungen dort aufzugeben. Würde der offenkundig landhungrige neue König am Ende noch seine Hand auf Thüringen legen, das ihr Vater vor Jahren Adolf von Nassau verpfändet hatte?

Wenn sich der neue König auf diesen Handel berief, wären die Wettiner nahezu restlos entmachtet – schlimmer noch als zu Zeiten des Nassauers, der Thüringen wenigstens noch pro forma von dem alten Landgrafen regieren ließ.

Heinrich von Kärnten trat zu der kleinen Gruppe.

»Es tut mir leid«, sagte er leise zu seinem Schwager. »Aber gib die Hoffnung noch nicht ganz auf, ich bitte dich!«

Er wies mit dem Kopf leicht zur Tür, hinter der Albrecht von Habsburg Hof hielt. »Er steht unter vielerlei Zwängen. Die Fürsten haben ihm bei der Wahl Zugeständnisse abverlangt, die kaum geringer wiegen als die, welche seinem Vorgänger zum Verhängnis wurden. Und insgeheim wird er von allen Seiten als Königsmörder beschimpft.«

»Worauf soll ich jetzt noch hoffen?«, fragte Friedrich, der diese Worte fast herausschrie. »Dass er irgendein entlegenes Lehen in seinem Reich findet, das niemand haben will, und mich damit für seinen beispiellosen Wortbruch abfindet? Einen Gutshof? Drei verarmte Dörfer in einer Sumpflandschaft?«

»Ich werde einen günstigen Moment abwarten und auf ihn einwirken, damit er dir wenigstens die Orte überlässt, die du dir im ehrlichen Kampf erobert hast, Rochlitz und Großenhain«, versuchte der Herzog von Kärnten, ihn zu beschwichtigen. »Das ist ein Anfang.«

Heinrich und seine Brüder hatten durch ihre verwandtschaftliche Beziehung mehr Einfluss auf den neuen König als die Wettiner. Sie waren nun auch mit dem Herzogtum Kärnten belehnt worden, über das ihr Vater einst regiert hatte.

»Ein Anfang? Ein Anfang – wozu?«, meinte Friedrich bitter, drehte sich um und ging. Ulrich sah den Herzog an, hob entschuldigend die Schultern und folgte seinem Herrn.

Friedrich lehnte den Vorschlag seines Bruders ab, sich auf Kosten des neuen Königs nach allen Regeln der Kunst zu betrinken. Während Diezmann ein paar Männer um sich sammelte, um sein Vorhaben zielstrebig in die Tat umzusetzen, stürmte der Ältere zu seiner Kammer. An der Tür drehte er sich zu Ulrich um. »Ich möchte allein sein und nicht gestört werden.«

Er sah um sich, wer diesen Befehl wohl am zuverlässigsten ausführen könnte. Dabei fiel sein Blick auf Christian, der sich überall und nirgends auf der Burg herumtrieb, vor Staunen über all die Pracht kaum den Mund zubekam und gerade wieder einmal wie eine Klette an Ulrich von Maltitz hing.

»Du lässt niemanden ein!«, trug er dem Rotschopf auf, der eifrig nickte, aber hilflos zu Ulrich sah, nachdem Friedrich die Tür hinter sich geschlossen hatte. Der Maltitzer zuckte mit den Schultern. »Du hast ihn gehört! Er will niemanden sehen.«

Da er nicht damit rechnete, bald gerufen zu werden, beschloss er, dem Vorschlag Diezmanns zu folgen, wenn auch in etwas abgemilderter Form, während er die vordere Tür zu Friedrichs Gemächern bewachte. Markus würde ihm sicher dabei Gesellschaft leisten. Der Freiberger war sowieso in schwärzester Stimmung, und seine eigenen Hoffnungen, Sibylla wiederzusehen, hatten sich gerade ebenfalls in Rauch aufgelöst. Ihnen beiden blieb wohl nichts, als sich die Frauen, die sie unbedingt haben wollten, ein für alle Mal aus dem Kopf zu schlagen.

Christian wollte sich gerade über einen Honigkuchen hermachen, den er den Mägden im Backhaus abgeschwatzt hatte, als eine sehr vornehme und sehr schöne Dame mit einem perlenbesetzten roten Kleid auf ihn zukam. Begleitet wurde sie von einem stupsnäsigen Ding in seinem Alter, das verächtlich auf seinen missgestalteten Fuß und seine schmutzigen Hände sah. Sofort beschloss er, ihr nichts von dem Kuchen abzugeben, was auch geschehen möge.

»Melde deinem Herrn, die Landgräfin von Thüringen wünscht ihn zu sprechen«, sagte die vornehme Dame. Trotz ihres kostbaren Kleides wirkte sie viel weniger hochnäsig als das Mädchen, das ihr folgte.

Christian versuchte eine elegante Verbeugung, wobei er seinen Kuchen festhielt, um keinen einzigen Krümel zu verlieren.

»Ich bedaure es von ganzem Herzen, Herrin, aber mein Herr, Fürst Friedrich, hat angewiesen, dass niemand ihn stören darf. Und ich soll darüber wachen.«

Zu Christians Erleichterung wurde die Dame nicht böse, sondern lächelte sogar – etwas belustigt, aber so freundlich, dass er glaubte, sein Herz müsse stehenbleiben.

»Dann richte ihm aus, die Landgräfin von Thüringen habe ihm einen *Vorschlag* zu unterbreiten.«

Christian fühlte sich eindeutig in der Klemme. Einen widerlichen Burggrafen mit Pferdeäpfeln zu bewerfen, das war keine Schwierigkeit, sondern ein Riesenspaß. Aber wie sollte er den Auftrag einer so schönen und noch dazu freundlichen Dame abweisen? Überhaupt: Wie hatte sie es geschafft, an den Leibwachen vorbeizukommen? Ob sie gar eine Fee war?

Andererseits waren die Befehle seines Herrn eindeutig. Er zog verlegen die Schultern hoch, dann legte er sein Ohr an die Tür und lauschte. Vielleicht war von drinnen ja etwas zu hören, das ihm einen Vorwand gab, sich zu melden. Doch nicht einmal ein Geräusch drang aus der Kammer. Entmutigt sah er die Besucherin an. Die wirkte auf einmal sehr besorgt. Statt zu warten, öffnete sie ohne Vorwarnung die Tür und trat ein.

»Das gibt Ärger«, murmelte Christian betroffen, nachdem sie die Tür rasch wieder hinter sich geschlossen hatte.

Die Zofe lächelte schadenfroh. Sofort verzog er das Gesicht zu einer Grimasse. Dann biss er genüsslich in seinen Kuchen und registrierte zufrieden, dass ihm das Mädchen jeden Bissen neidete.

Friedrich stand am Fenster und sah hinaus. Als er das Knarren der Tür vernahm, drehte er sich ungehalten um und hielt mitten in der Bewegung inne. Sein Gesicht war völlig erstarrt, er sagte kein Wort. Elisabeth von Lobdeburg-Arnshaugk erkannte, dass er so wohl schon eine ganze Zeit zugebracht hatte.

Als Friedrich die dritte Gemahlin seines Vaters sah, wusste er nicht, was er am liebsten tun würde: sie mit groben Worten fortschicken, sie auf sein Lager werfen und wie eine Hure benutzen … oder sie an sich ziehen und seinen Kopf in ihren Schoß legen. All die Jahre seines Ritterlebens hatte er stets als Muster an Beherrschtheit gegolten. Jetzt war es mit seiner Beherrschtheit vorbei.

Elisabeth nahm ihm die Entscheidung ab. Alles, was sie sich an Worten zurechtgelegt hatte, war vergessen. In diesem Augenblick brauchte er keine Worte, sondern den Trost einer Berührung. Sie lief auf ihn zu und griff nach seinen Händen. Seine Finger waren eiskalt, sein Gesicht immer noch reglos, und erst nach einem Augenblick schloss er sie zögernd, mit ungewohnt hölzernen Bewegungen, in seine Arme. Wortlos hielten sie einander fest, bis sie sich vorsichtig aus der Umklammerung lösten.

Sie blickte ihm direkt in die Augen. Und dieser Aufforderung zu sprechen konnte er nicht widerstehen. Er hatte das Gefühl, ihr alles sagen zu können, selbst die Dinge, die er tief in seinem Innersten verschließen wollte. *Sie* würde ihn verstehen – und sie war für ihn in diesem Moment der einzige Mensch auf Erden, vor dem er Schwäche zeigen durfte. Wie schon bei ihrer letzten Begegnung in Prag hatte sie es geschafft, in Windeseile die Mauern niederzureißen, die er um sich errichtet hatte.

»Zum ersten Mal in meinem Leben weiß ich nicht, was ich tun soll«, gestand er stockend. »Es gab schon so oft ausweglose Situationen, schlimme Niederlagen … Doch ich war immer bereit zu kämpfen, und ich *habe* gekämpft. Selbst als ich ins Exil ging, tat ich es nur, um meine Rückkehr vorzubereiten. Doch jetzt – was soll ich tun?«

Er umklammerte Elisabeths Leib und presste sie an sich. Sie lehnte den Kopf an seine Schulter, während er mit dumpfer Stimme weitersprach.

»Mir ist, als hätte ich den Boden unter den Füßen verloren. Ich kann mich nicht mit Waffen gegen den neuen König stellen. Das würde mich zu einem Verräter machen. Außerdem, gegen sein Heer bliebe mir keinerlei Aussicht auf Erfolg. Doch ins Exil gehe ich nicht noch einmal.«

Elisabeth entgegnete nichts – vorerst. Friedrich brauchte Zeit, um mit seiner maßlosen Enttäuschung über den Wortbruch des Königs fertig zu werden. Als das Schweigen zwischen ihnen zu reißen schien, sagte sie: »Ich habe einen Vorschlag. Deshalb bin ich gekommen.«

Verwundert sah er sie an, dann versteifte er sich.

»Schon wieder Thüringen? Die Aussöhnung mit meinem Vater? Du hast beim letzten Mal gesehen, wozu der Versuch führte. Ich will nicht als Almosen dann und wann regieren dürfen, wenn er gerade keine Lust dazu verspürt.«

Sie ließ ihn nicht ausreden, sondern legte ihm den Finger auf den Mund und schüttelte sanft den Kopf. Dann schenkte sie ihm und sich Wein ein, setzte sich und bedeutete ihm, ihr gegenüber Platz zu nehmen.

»Ich befürchtete schon länger, dass der Habsburger nicht einlenken würde, sondern sich das Arrangement zunutze macht, das sein Vorgänger getroffen hat … Deshalb bat ich meinen Gemahl, mich hierherreisen zu lassen. Er selbst macht besser einen großen Bogen um den neuen König. Er muss ihn nicht noch durch sein Erscheinen daran erinnern, dass er Thüringen vor Jahren für zwölftausend Mark Silber der Krone verpfändet hat. Sollte sich der neue König darauf berufen, wäre die Landgrafschaft auch noch verloren.«

»Ich bewundere deinen Scharfblick. Aber was wäre nun dein Vorschlag?« Friedrich konnte eine gewisse Schärfe aus seinen Worten nicht heraushalten. Zu tief saß die Verbitterung.

»Heirate meine Tochter.«

In sein verblüfftes Schweigen hinein sprach sie hastig weiter und zählte die Gründe auf, die sie ersonnen hatte, um Friedrich einen Ausweg aufzuzeigen – dem Mann, den sie aus tiefstem Herzen verehrte.

»Ihr Hochzeitsgut sind umfangreiche Ländereien, das Erbe ihres Vaters, mit einer Vielzahl zuverlässiger Männer. Im thüringischen Adel wirst du neue Verbündete finden. Und die Chancen stünden gut, dass du dich auf der Wartburg mit deinem Vater aussöhnst. Auch wenn ihn sonst kaum noch etwas kümmert – er … er hat einen Narren an dem Mädchen gefressen und würde alles tun, um ihr einen Gefallen zu erweisen. Übernimm die Regentschaft in Thüringen! Dein Vater hat weder die Kraft noch den Willen dazu. Die wichtigsten seiner Gefolgsleute stehen nach wie vor zu dir und warten nur auf deine Ankunft.«

Er lachte bitter auf. »Ich als Heilsbringer für Thüringen? Dafür opferst du sogar deine Tochter? Allmächtiger, sie kann kaum mehr als zehn Jahre alt sein!«

In Prag hatte er die nach ihrer Mutter benannte junge Elisabeth zum letzten Mal gesehen, ein mageres Mädchen, das ihn neugierig angestarrt hatte und dabei errötet war.

»Sie wird bald dreizehn«, entgegnete die Landgräfin scharf. »Und du kannst sicher sein, dass ich sie nie opfern würde. Sie bewundert dich. Nachdem sie ihr ganzes junges Leben lang mit ansehen musste, wie ein unfähiger Herrscher das Land zugrunde richtet, sehnt sie sich wie viele andere auch danach, dass jemand Thüringen aus der Not herausführt. Es genügt doch vorerst, die Verlobung bekanntzugeben.«

Ein Unterton in ihren Worten verriet Friedrich etwas, das sie nie offen eingestehen würde. Seine heimlichen Gefühle für Elisabeth waren nicht erloschen, auch wenn sich zwischen ihnen nie mehr ereignet hatte als dieser eine, innige Kuss in Prag. Und er war sicher, dass Elisabeth seine Gefühle erwiderte. Sollte er jetzt ihre *Tochter* heiraten?

Ich opfere sie nicht, hatte sie gesagt. Das Opfer brachte womöglich nicht die jüngere Elisabeth, sondern deren Mutter. Er wäre bereit, um dieser Frau willen seinen Vater zu hintergehen und eine schwere Sünde auf sich zu laden. Vielleicht war auch Elisabeth dazu bereit. Doch niemals würde sie ihre Tochter betrügen, dafür glaubte er sie zu gut zu kennen. Von dem Moment an, da er die jüngere Elisabeth heiratete, war jene Elisabeth für ihn unerreichbar, die er wirklich begehrte.

Und was würde das Mädchen dazu sagen, dass sie einen dreißig Jahre älteren Mann heiraten sollte?

Es war nicht ungewöhnlich für die Töchter von Adligen. Wenn Elisabeth recht hatte mit der Schwärmerei ihrer Tochter, so störte ihn womöglich der Altersunterschied viel mehr als sie. Was sollte er mit einem Kind an seiner Seite? Selbst wenn sie die Hochzeit hinausschoben, bis sie etwas älter war – was sollte er mit einem unreifen jungen Ding nach all den Abgründen, durch die er gegangen war? Blieb ihm wirklich kein anderer Weg, als über die Heirat mit einem halben Kind eine Position zu erringen?

Er empfand diesen Gedanken als demütigend. Doch Elisabeth ließ ihm keine Zeit für Einwände.

»Sprich mit ihr – und entscheide dann«, sagte sie, stand auf und ging.

Das Treffen wurde noch für den gleichen Tag arrangiert. Missgelaunt versuchte Friedrich, sich vorzustellen, mit welchen Augen ihn wohl ein Mädchen von dreizehn Jahren betrachten würde. Er war jetzt einundvierzig, schlank, großgewachsen, sein dunkles Haar und der Bart ohne graue Strähnen, und im Schwertkampf würde er immer noch gegen die meisten Jüngeren bestehen. Doch sehnten sich diese Mädchen nicht alle nach einem jungen, strahlenden Ritter, bevor sie dann ihren Vätern gehorchen und einen deutlich Älteren heiraten mussten, um Land zu bekommen oder eine wichtige dynastische Verbindung einzugehen?

Ein Türknarren riss ihn aus seiner schlechten Stimmung. Begleitet von ihrer Mutter, trat die jüngere Elisabeth von Lobdeburg-Arnshaugk ein.

Unübersehbar hatte sie sich sehr verändert seit ihrer kurzen Begegnung in Prag im vergangenen Jahr. Sie war beinahe eine Handspanne gewachsen, ihr Körper begann, frauliche Formen anzunehmen.

Das lange blonde Haar trug sie offen, ihr Kleid war aus kostbarem blauem Damast, aber von schlichtem Zuschnitt. Auf üppigen Schmuck konnte sie verzichten. Sie hatte die Schönheit ihrer Mutter, verbunden mit dem Liebreiz der Jugend. Elisabeth versank in einem eleganten Knicks, bevor sie ihn mit einem ehrfürchtigen »Fürst Friedrich!« begrüßte. Höflich reichte er ihr die Hand, um ihr aufzuhelfen und sie zu einem Platz zu geleiten, wo sie zwar unter Zeugen, dennoch unbelauscht sprechen konnten. Er sah, dass das Mädchen eingeschüchtert und verlegen war. Sofort legte er seine Missstimmung ab. Es war wohl an ihm, ihr etwas Mut einzuflößen.

»Nach den Erzählungen Eurer Mutter müsst Ihr eine außergewöhnliche junge Frau sein«, sagte er mit aufmunterndem Lächeln. »Was sie mir verschwieg: dass Ihr auch von außergewöhnlicher Schönheit seid.«

Er musste sich nicht einmal zwingen, diese Worte auszusprechen. Mit einem Lächeln dankte sie ihm.

»Überspringen wir die höfischen Floskeln?«, schlug sie vor, nicht brüsk, sondern eher schelmisch. Dann wurde ihr Gesicht ernst. »Mir scheint, es bleibt nicht viel Zeit. Deshalb sage ich es geradeheraus: Ich kann Euch nicht sagen, ob ich Euch lieben werde, dazu weiß ich zu wenig von diesen Dingen.«

Sie zögerte und holte tief Luft, um ihre Verlegenheit zu überspielen. Dann jedoch sagte sie voll tapferer Entschlossenheit: »Aber ich kann Euch versprechen, dass ich Euch mit aller Kraft beistehen werde, damit Ihr über Thüringen und eines Tages auch wieder über Eure Mark Meißen herrscht.«

DRITTER TEIL

UM ALLES ODER NICHTS

*F*riedrich von Wettin, einstiger Markgraf von Meißen, konnte den Blick kaum von seiner Tochter abwenden, die ihm winzig klein vorkam. Sie schien die leuchtend blauen Augen direkt auf ihn zu richten, verzog das Gesicht zu einem unbeholfenen Lächeln und zappelte vor Freude mit den Ärmchen. Vorsichtig strich er ihr mit einem Finger über die Wange, lächelte in sich hinein über das fröhliche Quietschen des Säuglings und sah zu, wie dem winzigen Wesen langsam die Augen zufielen.

Die junge Mutter verzichtete darauf, nach der Amme zu rufen, sondern behielt ihr Kind in den Armen und summte ein Schlaflied. Stumm beobachtete Friedrich die innige Szene und fühlte ungewohnten Frieden über sich kommen.

Werde ich alt?, fragte er sich, weil ich mich plötzlich nach solcher Geborgenheit sehne, statt von Unruhe getrieben, in Gedanken stets schon beim nächsten Feldzug zu sein, beim Kampf um die nächste Burg, die nächste Stadt? Oder liegt es schlicht und einfach daran, dass ich mich wohl fühle in ihrer Gegenwart?

Entgegen seinen anfänglichen Bedenken war die vor sechs Jahren geschlossene Ehe mit der damals vierzehnjährigen Elisabeth etwas, das sie beide nicht bereuen sollten. Aus Respekt wurde rasch Zuneigung, die Geburt ihrer Tochter ein lang ersehntes Glück. Und diesmal, so hatte sich Friedrich vorgenommen, wollte er das Aufwachsen seines Kindes miterleben. Von seinem Erstgeborenen hatte er durch die bitteren Umstände und das Exil viel zu wenig gehabt. Nun wurde der mittlerweile Dreizehnjährige am Hof seines Schwagers Herzog Heinrich von Braunschweig zum Pagen erzogen.

Die Hochzeit mit Elisabeth erwies sich auch in politischer Hinsicht als glückliche Entscheidung. Sie und ihre kluge Mutter hatten es geschafft, die Aussöhnung zwischen dem alten

Landgrafen und seinem Erstgeborenen zu bewirken. Nun verbrachte Friedrich die meiste Zeit in Thüringen, regierte von der Wartburg aus das Land, verfügte über stattliche Ländereien aus der Mitgift seiner Frau und hatte sich die Loyalität eines großen Teils des thüringischen Adels und der Ritterschaft erworben.

Sollte er vielleicht doch Vergangenes ruhen lassen und seine Zukunftspläne auf Thüringen richten? Hatte er mit seinen neunundvierzig Jahren nicht auch ein Recht darauf, zur Ruhe zu kommen und seine Kinder aufwachsen zu sehen, nachdem er jahrelang nur durchs Land geirrt war, immer in der Hoffnung auf etwas, das er am Ende vielleicht nie bekommen würde? War es womöglich sogar Gottes Wille, dass er *dieses* Land regierte und nicht das Meißner? Denn die Aussicht darauf war mittlerweile geringer als je zuvor.

Nach dem Tod des böhmischen Königs Wenzel hatte Albrecht von Habsburg die Mark Meißen an sich genommen und ließ keinen Zweifel an seinem festen Willen, sie nicht mehr aus der Hand zu geben; einige Meißner Kirchenlehen hatte er bereits an seine Söhne übertragen lassen. Was Adolf von Nassau letztlich nicht gelungen war, das trieb sein Nachfolger nun – gestützt auf seine beiden Herzogtümer Österreich und die Steiermark – mit aller Kraft voran: die Schaffung eines Königslandes in Mitteldeutschland. Heinrich von Schellenberg, ein erklärter Gegner der Wettiner, regierte im Auftrag des Königs das Pleißenland, die Lausitz war in askanischen Besitz übergegangen – und der Markgraf von Brandenburg ein Schwiegersohn des Königs.

Elisabeth summte immer noch und wiegte das Kind in ihren Armen. Doch ihr war nicht entgangen, wie sich die Züge ihres Mannes verfinsterten.

»Als Nächstes schenke ich dir einen Sohn«, sagte sie leise.

»Ich finde unsere Tochter wunderschön«, entgegnete er, lächelte ihr zu und küsste ihre Stirn.

»Warum schaust du dann gerade so … streng?«

Es hatte ihr sehr zu schaffen gemacht, dass es fünf Jahre dauerte, bis sich endlich sichere Anzeichen einer Schwangerschaft einstellten. Und wie jede Frau wusste sie, dass sich Männer zuallererst Söhne wünschten. Ganz besonders Männer von Adel, die Land und Titel zu vererben hatten.

Sie vermied es, ihn anzusehen, und richtete den Blick auf ihre Tochter, die im Schlaf begonnen hatte, an einer der winzigen Fäuste zu saugen.

»Gerade dachte ich, mein Glück ist vollkommen …«, begann er und brachte damit seine junge Frau zum Lächeln, auch wenn es ein etwas wehmütiges Lächeln war.

»Und ich fragte mich, ob Gott vielleicht will, dass ich hier in Thüringen regiere und mit dir eine große Kinderschar zeuge, statt wieder in den Kampf zu ziehen.«

Friedrich richtete sich auf und breitete die Arme aus. »Aber dann …«

»… musstest du daran denken, was wohl der König von deinem unberechenbaren Vater will«, führte sie seinen Satz zu Ende. Sie stand auf und legte das schlummernde Kind in die Wiege.

»Vielleicht hätte ich doch zum Hoftag reiten sollen. Mein Vater hat jegliche Willenskraft verloren und schwankt wie ein Blatt im Wind. Wenn der König etwas von ihm fordert, wird er widerstandslos gehorchen.«

»Wart ihr – du und dein Bruder – euch nicht einig, den König zu meiden? Der Habsburger hat doch auch nur deinen Vater nach Fulda befohlen«, versuchte Elisabeth, seine Bedenken zu zerstreuen.

Sie fürchteten immer noch Unheil aus dem Vertrag, den der alte Landgraf vor zwölf Jahren mit Adolf von Nassau geschlossen hatte. Albrecht von Habsburg hatte zwar seit seiner Thronbesteigung durch nichts erkennen lassen, dass er diesen Vertrag auch auf sich beziehen würde. Im Gegenteil, er hatte

Adolfs Statthalter Gerlach von Breuberg abgesetzt und keinen neuen ins Amt berufen. Doch mit dem kürzlichen Tod des Mainzer Erzbischofs Gerhard II., den der Habsburger nicht verärgern durfte und der selbst Interesse an Thüringen gehabt hatte, war eine neue Lage eingetreten.

Elisabeth richtete sich auf und drückte das Kreuz durch, das nach der Schwangerschaft immer noch häufig schmerzte. Dann schenkte sie sich und ihrem Mann Wein nach.

»Wir können nur beten, dass der Friede dieses wunderbaren Augenblicks anhält«, sagte sie leise. Sie streckte zaghaft die Hand aus, um sie ihrem Mann an die Wange zu legen, und er umschloss sie zärtlich mit seiner beinahe doppelt so großen Hand.

Ein ungeduldiges, energisches Klopfen von draußen ließ sie auseinanderfahren wie ertappte Sünder. Sie sahen sich an und dachten beide das Gleiche: Wenn jetzt jemand so ungestüm an diese Kammer pochte, in die sie sich zurückgezogen hatte, dann brachte er Nachrichten, die keinen Aufschub duldeten. Und wahrscheinlich waren es keine guten.

Ulrich von Maltitz stand, lässig an eine Mauer gelehnt, auf dem Burghof und schaute den Knappen bei ihren Waffenübungen zu. Er hatte sich aus dem für die Ritter bestimmten Saal verzogen. Zum Schachspielen fühlte er sich zu unruhig, die üblichen Prahlereien der Männer über ihre Liebesabenteuer und längst vergangene Scharmützel ödeten ihn an wie fast alles, seit sie hier in Thüringen festsaßen. Vielleicht würde er nachher ausreiten. Das Wetter lud dazu ein: blauer Himmel, Sonnenschein und leichter Wind.

Der für seine Strenge gefürchtete alte Waffenmeister ließ gerade die Knappen mit stumpfen Übungswaffen aufeinander einschlagen und sah wie stets hinlänglich Grund, sie für ihr Unvermögen zu schelten. Die Burschen würden sich zwar auch ohne seine harschen Worte durch die blauen Flecken an ihre

Fehler erinnern, doch es konnte nie schaden, ihnen immer wieder vor Augen zu halten, dass die geringste Unaufmerksamkeit sie im Ernstfall das Leben kosten konnte.

Die phantasievollen und ausdrucksstarken Tiraden des alten Kämpen brachten sogar Ulrich zum Grinsen. Das hier war eindeutig unterhaltsamer als die Schachpartien drinnen, und hier würde er sich nicht den Hintern wund sitzen. Neuerdings musste er sich ab und zu an seine eigene Knappenzeit erinnern und daran, wie schwierig es war, unter so vielen zu bestehen, die älter, erfahrener und als Ritter unantastbar waren, selbst wenn ihre Verfehlungen zum Himmel schrien.

»Maltitz, wollt Ihr diesen faulen, unverbesserlichen Dummköpfen nicht einmal zeigen, dass ein Schwert nicht zum Holzhacken gedacht ist?«, fragte der Waffenmeister.

Ulrich stieß sich von der Mauer ab und ließ sich ein stumpfes Übungsschwert geben. Seine gelegentlichen Vorführungen vor den Knappen und auch dieser und jene freundschaftliche Zweikampf mit den thüringischen Rittern hatten ihm rasch einen besonderen Ruf auf der Wartburg eingebracht. Deshalb sahen ihn die Knappen auch erwartungsvoll an – froh über die kurze Unterbrechung und gespannt darauf, was er ihnen diesmal zeigen würde.

Er winkte einen der älteren Jungen heran, von dem er wusste, dass dieser gern prahlte, wenn er unter seinesgleichen war. Der Bursche – der Freund von Ulrichs jetzigem Knappen, der Roland hieß wie sein in Freiberg hingerichteter Vorgänger – verzog keine Miene. Wenn er gegen den Meißnischen Ritter wenigstens drei Haue lang bestand, würde das seinen Ruhm mehren. Im anderen Fall musste er sich mit einer Blamage abfinden.

»Komm, greif mich an!«, forderte Ulrich ihn auf, das Schwert lässig über die Schulter gelegt.

Der Knappe packte den Griff fest mit der Rechten, seine Linke umklammerte den Knauf. Er täuschte einen Oberhau vor, wechselte aber mitten in der Bewegung und holte seitlich aus. Ulrich fing den Angriff geschickt ab, band die Klinge an und drückte sie nach unten, dann drehte er sein Schwert blitzschnell um und simulierte einen Hieb mit dem Knauf.

»Immerhin, einen Atemzug lang hättest du überlebt«, attestierte er dem Besiegten grinsend.

Wie üblich wollte er nun sein Manöver langsam wiederholen, damit alle genau sahen, wie er den Angriff abgewehrt hatte, und das üben konnten. Doch dazu kam es nicht. Aus dem Augenwinkel sah er eine Bewegung am Tor, die sofort seine ganze Aufmerksamkeit auf sich zog. Ohne ein weiteres Wort drückte er dem Jungen, der ihm am nächsten stand, das Übungsschwert in die Hand und lief mit großen Schritten über den langgestreckten Hof zum Tor.

Herrmann von Goldacker, der Marschall des Landgrafen, kam gerade in hohem Tempo durch das Burgtor geritten. Das verhieß nichts Gutes. Der Marschall – nicht zu verkennen in seinem gelben Wappenrock mit dem langgehörnten schwarzen Bock – sollte eigentlich noch mit dem alten Landgrafen beim Hoftag in Fulda sein oder auf der Rückreise von dort. Aber nicht nur die unerwartete Ankunft des Marschalls war es, die Ulrichs Wachsamkeit weckte. Von Goldacker kam nicht allein.

Anfangs befürchtete Ulrich noch, durch einen Zauber genarrt zu werden. Doch mit jedem Schritt, den er sich näherte, wurde die Gewissheit größer. Sibylla! Nach all den Jahren! Wie war das möglich, wieso kam sie hierher, und das ausgerechnet in Begleitung des Marschalls? Ein böser Verdacht brandete in ihm auf. Hatte Goldacker sie als *seine* Gespielin mitgebracht? Er konnte schließlich nicht wissen, was Ulrich mit ihr verband. Unbewusst umklammerte seine Rechte den Griff des Dolches. Nun schien auch sie ihn entdeckt zu haben. Sie sprang vom Pferd und heftete ihren Blick auf ihn. Und die Art, wie sie ihn ansah, zerstreute jeden Anflug von Eifersucht.

Herrmann von Goldacker drehte sich kurz zu Sibylla um, befahl ihr, zu warten, bis sie gerufen würde, ließ sich im Gehen einen Becher reichen, den er auf einen Zug leerte, und lief direkt auf Ulrich zu.

»Schlechte Neuigkeiten, Maltitz«, sagte er knapp und atemlos, mit finsterer Miene. »Haltet Euch bereit. Ihr werdet sicher gleich gerufen.«

Ulrich wollte sich jetzt nicht den Kopf zerbrechen über diese Neuigkeiten. Schlechte Nachrichten machten zumeist schnell die Runde. Damit würde er sich befassen, wenn es so weit war und man nach ihm rief.

Rasch lief er auf Sibylla zu, die ihn immer noch ansah, ohne sich zu rühren. Beinahe zehn lange Jahre waren vergangen, seit sie sich in Prag zum letzten Mal gesehen hatten. Aber nun kam es ihm vor, als läge diese ungestüme Begegnung nur einen Lidschlag zurück. Einen Moment lang erforschte er ihr Gesicht, und als er darin keine Abwehr sah, riss er sie an sich – ungeachtet aller Blicke, die er damit auf sich zog. Er sog den Duft ihrer schwarzen Haare nach Staub und Sonne ein und presste ihren Körper an sich, um sich zu überzeugen, dass sie kein Geist war, kein Traum, sondern aus Fleisch und Blut. Dann zog er sie mit sich in den Arkadengang des Palas', hinter eine Säule, und küsste sie leidenschaftlich.

Irgendwann fiel ihm ein, dass sie einen langen Ritt durch die Hitze dieses Sommertages hinter sich hatte.

»Warte, du musst durstig sein …« Er beugte sich hinter der Säule vor, bis er eine Magd sah, und befahl, etwas zu trinken zu bringen.

»Ich werde Ärger auf der Burg bekommen, wenn die Mägde meinetwegen laufen müssen«, wandte Sibylla leise ein.

»Heißt das, du bleibst?«, fragte er und hielt den Atem an.

»Das kommt darauf an … Wir werden wahrscheinlich bald aufbrechen müssen.« Sie zögerte einen winzigen Moment und strich verlegen die schwarzen Locken zurück. »Aber wenn Ihr wollt ... wenn Ihr *mich* noch wollt ... bleibe ich diesmal bei Euch.«

Sie sah den Zweifel in seinem Gesicht.

»Es sieht nicht so aus, als würde Freiberg je zurückerobert«, beantwortete sie die wortlose Frage. »Stattdessen steht ein neuer Krieg bevor, hier, in Thüringen. Da dachte ich, ganz gleich, wo wir kämpfen, der Feldscher braucht immer Hilfe ...«

Wieder umfasste er ihren Kopf mit beiden Händen und bedeckte ihr Gesicht mit Küssen.

»Es kommt mir vor wie ein Traum ...«, flüsterte er, immer noch fassungslos. »Wie ein Traum nach all den Jahren ...«

Vorsichtig löste sie sich von ihm. »Vielleicht wollt Ihr lieber eine Jüngere, die Euer Lager teilt«, wandte sie nüchtern ein.

Sie zählte nun fast dreißig Jahre – ein Alter, in dem die meisten Frauen durch die harte Arbeit und die vielen Schwangerschaften verlebt und verbraucht waren. Ihr Körper war zwar noch mädchenhaft schlank; nach der Brutalität der rheinischen Söldner, die sie vor ihrer Ankunft in Freiberg durchleiden musste, konnte sie keine Kinder empfangen. Doch eine Frau von dreißig war alt, da ein Mädchen mit zwölf Jahren als heiratsfähig galt.

Ulrich ignorierte ihren Einwand.

»Ich habe nie eine Frau so begehrt wie dich«, raunte er ihr ins Ohr. Am liebsten hätte er sie in einen dunklen Winkel gezogen und ihr auf der Stelle den Rock hochgeschoben. Davon hielt ihn nur noch der Teil seines Verstandes ab, der ihm sagte, dass er wohl gleich zu Friedrich gerufen würde. Ruhelos und fordernd strichen seine Hände über ihre Brüste, während er ihren Hals und ihren Nacken küsste. Selbst durch die zwei Lagen Stoff von Kleid und Unterkleid konnte er spüren, wie sich ihre Brustwarzen verhärteten.

»Ich will wissen, wie es dir ergangen ist«, flüsterte er heiser. »Ich will dich spüren, deine Hände auf meiner Haut fühlen.

Ich will deine Stimme hören ... wie du singst ... wie du lachst ... wie du vor Lust stöhnst, wenn ich dich berühre ... und diese kleinen spitzen Schreie, wenn ich in dich stoße ...«
Allein die Vorstellung brachte ihn beinahe um den Verstand. Glücklich schlang sie ihre Hände um seinen Nacken. »Liebster!«, flüsterte sie – so wie damals in Prag.
Aber diesmal klang nicht Abschied aus ihren Worten, sondern unbändige Freude über das Wiedersehen. Alle ihre Bedenken waren fortgewischt – ob er sie noch begehrte und dass es keine glückliche Liebe zwischen einem Ritter und einer Gauklerin geben konnte. Alle Demütigungen der letzten Jahre schienen vergessen.
Was kümmerte es sie in diesem Augenblick, ob der Anführer ihrer Spielmannsgruppe noch Anspruch auf sie erhob und dass es Unzucht war, ohne das Sakrament der Ehe das Lager zu teilen? Kampf stand bevor, vielleicht waren ihrer aller Tage gezählt. Und so wollte sie die letzte Zeit, die ihr vielleicht auf Erden bemessen war, mit dem Mann verbringen, dem ihre ganze Liebe gehörte.

Ein Diener hatte sich unbemerkt genähert und hüstelte überdeutlich. Ulrich drehte sich zu ihm, ohne die Hände von Sibylla zu nehmen. Er wusste, was der Mann gleich sagen würde, und es wäre ungerecht, ihn dafür zu schelten. Er erfüllte nur seinen Auftrag.
Der Diener war nach Kräften bemüht, sich nichts von seinem Befremden darüber anmerken zu lassen, dass hier ein Ritter am helllichten Tage die Regeln der Tugend und der Maze vernachlässigte. Dieser Maltitz war zwar nicht der Einzige unter den Edelleuten, der es damit nicht so genau nahm. Nur hatte er *ihn* noch nie dabei gesehen, dass er quasi in aller Öffentlichkeit die Finger nicht von einem liederlichen Weibsbild lassen konnte. Denn das war die Schwarzhaarige ohne Zweifel angesichts dessen, wie sie sich gerade aufführte und dass sie ihr

Haar unbedeckt trug, obwohl sie gewiss keine Jungfrau mehr war. Aber es stand ihm nicht zu, über das Treiben der Ritter zu richten, und wenn er klug war und seine Stellung behalten wollte, ließ er sich besser nichts von seinen Gedanken anmerken.

»Herr von Maltitz, Fürst Friedrich wünscht Euch zu sehen«, richtete der Diener aus. »Die ...« – er suchte nach einer Bezeichnung, die den Ritter nicht wütend stimmen würde – »... Frau ... soll ebenfalls kommen.«

Die Runde war auffallend klein: Friedrich, seine Frau und Herrmann von Goldacker warteten bereits in der Kammer. Die ältere Elisabeth, die Gemahlin des alten Landgrafen, betrat kurz nach Ulrich und Sibylla den Raum und versuchte, die Gesichter derer zu erforschen, die um sie herumsaßen.

»Die schlechten Neuigkeiten sind schnell erzählt«, begann Friedrich düster.

»Der König fordert Thüringen von meinem Vater zurück. Zwei Komture des Deutschritterordens werden in wenigen Tagen hier eintreffen, um in seinem Auftrag die Wartburg zu übernehmen. Außerdem wird der König nächsten Monat einen Feldzug gegen Thüringen beginnen.«

Die jüngere Elisabeth wurde kreidebleich und schlug die Hand vor den Mund, um einen Entsetzensschrei zu unterdrücken. Mit aufgerissenen Augen starrte sie auf ihren Mann. Auch ihrer Mutter war jegliche Farbe aus dem Gesicht gewichen.

»Diesmal meint er es ernst ...«, sagte sie in die Stille hinein.

»Diesmal will er dich nicht nur aus dem Land vertreiben, sondern dich vollends vernichten.«

Sie lehnte sich zurück, ihre Hände umklammerten einen Psalter. »Was unternehmen wir?«

»Zuerst sollte uns Goldacker erzählen, was er noch weiß«, schlug Ulrich nüchtern vor, der sich immer noch fragte, warum ausgerechnet Sibylla zu diesem Kreis hinzugerufen worden war. Was wusste sie? Warum hatte er sie vorhin nicht danach gefragt?

Nun ja, zumindest auf die letzte Frage kannte er die Antwort. Nach Friedrichs auffordernder Geste begann der Marschall vom Hoftag zu berichten, während er seine stechend blauen Augen über die Runde wandern ließ.

»Der König beruft sich auf den Vertrag Eures Vaters mit Adolf von Nassau über die Abtretung Thüringens. Er überschüttete den Landgrafen mit bitteren Verwürfen, hielt ihm den Bruch des Kaufvertrages vor und machte ihn für die Widersetzlichkeit seiner Söhne – also Eure und die Eures Bruders – verantwortlich. Der Landgraf musste einen feierlichen Eid darauf leisten, dass Thüringen nach seinem Tod an die Krone fällt. Als Bürgschaft dafür nahm der König Euerm Vater den Schwur ab, binnen acht Tagen die Wartburg den beiden Ordensrittern zu übergeben.«

Und wer die Wartburg hat, dem gehört Thüringen, dachte Ulrich.

»Doch es reicht dem König nicht, Euch nur zu enterben«, fuhr Herrmann von Goldacker nüchtern fort. »Er will nächsten Monat gegen Euch zu Felde ziehen. Das wird er wohl heute oder morgen auf dem Hoftag offiziell verkünden. Aber ich dachte mir, jeder Tag zählt, damit wir uns vorbereiten können. Außerdem« – mit einem zynischen Lächeln sah er auf Sibylla – »gibt es noch ein pikantes Detail, das diese Frau in Erfahrung gebracht hat. Sie soll selbst berichten.«

Sibylla trat vor und kniete nieder. Sie sah Friedrichs Blick auf sich gerichtet, der durch nichts verriet, ob er sie erkannte. Doch jetzt musste sie wohl nicht mehr fürchten, dass er nach ihr verlangte. Sie wusste, dass er mit einer thüringischen Edelfrau verheiratet war, an der ihm viel lag. Selbst falls er seine Frau betrog – und das taten die meisten Fürsten, wie sie oft genug erlebt hatte –, würde er sich dafür wohl eher eine Jüngere suchen.

»Ich gehöre ... gehörte ... zu einer Gruppe von Spielleuten, die beim Hoftag vor den hohen Gästen auftrat«, begann sie. »Einer der Edelleute des Königs ließ uns bei einem Fest in seinen privaten Räumen musizieren. Zu später Stunde, nach etlichen Bechern Wein, prahlte er vor seinen Gästen mit Einzelheiten über den geplanten Feldzug. Der König baue fest darauf, dass sich die Eisenacher gegen das Haus Wettin wenden werden, wenn er ihnen Reichsfreiheit verspricht. Dazu seien bereits Unterhändler an die Bürgerschaft ausgesandt.« Sibylla sah keinen Grund zu gestehen, wie sie an diese Information gekommen war. Als der Gastgeber begehrliche Blicke auf sie warf, hatte der Anführer ihrer Gruppe sie gezwungen, sich dem Mann hinzugeben und ihn dabei auszuhorchen. Sibyllas teuer erkauften Informationen bot er umgehend für bare Münze dem thüringischen Marschall an. Es war keine Seltenheit, dass sich Spielleute, die von Burg zu Burg zogen und vor hohen Herren auftraten, ihr Geld auch durch Spionage verdienten. Ihr Anführer hatte Sibylla dazu bei jeder sich bietenden Gelegenheit benutzt. Dem zu entkommen, war ein weiterer Grund, trotz aller Gefahr bei Ulrich zu bleiben.

Wenn Ulrich sie noch wollte.

Kriegsvorbereitungen

Mir bleibt keine Wahl, als sofort Truppen aufzustellen«, verkündete Friedrich in das Schweigen hinein, nachdem Sibylla hinausgeschickt worden war. Niemand in dieser Runde erwog auch nur ansatzweise die Möglichkeit, dass er sich dem Habsburger ergeben oder freiwillig erneut ins Exil gehen könnte. Offenkundig war der König fest entschlossen, das Haus Wettin auszulöschen. Und Albrecht von Habsburg war ein Gegner, den man überaus ernst nehmen musste. Er verfügte über eine große Streitmacht, war klug, tatendurstig und ein außergewöhnlicher Kämpfer. Er würde nicht aufgeben, bevor er restlos gesiegt hatte.

Hier geht es jetzt nicht nur um Thüringen oder die Mark Meißen, dachte Ulrich beklommen. Von nun an geht es um unser aller Leben und Tod. Es war *eine* Sache, eine Fehde mit diesem oder jenem Adligen zu führen oder eine Stadt zu verteidigen. Aber ein Heer gegen den von Gott gesalbten habsburgischen König aufzustellen war so ungeheuerlich, dass sogar ihm mulmig zumute wurde.

Wie sollte das enden? Gab es für sie überhaupt noch eine andere Aussicht als den Tod? Mit einem Mal fiel ihm die Alte ein, die ihm auf der Prager Burg zugeraunt hatte: »Hütet Euch vor dem Einäugigen!« Er hatte sie bis eben vergessen, doch plötzlich war ihm, als stünde sie unsichtbar hinter ihm. Hastig bekreuzigte er sich.

»Ulrich, reitet mit Markus von Freiberg und noch ein paar Vertrauten los, sammelt alle Kämpfer aus den Orten, die uns noch in Meißen gehören, und führt sie hierher. Ich« – Friedrich verzog den Mundwinkel leicht nach unten – »werde wohl persönlich meinen Bruder aufsuchen müssen, um ihn dazu zu bringen, jeden Zwist beizulegen und sich uns anzuschließen. Schließlich geht es auch um *sein* Erbe.«

Um dieses Familientreffen beneide ich ihn nicht, dachte Ulrich. Die aus der Not geborene Einheit der Brüder war erneut zerbrochen, als Diezmann einige Zeit später tatsächlich die Lausitz verkaufte – an den Erzbischof von Magdeburg, der sie umgehend für viel Geld dem Markgrafen von Brandenburg überließ.

»Bleibt die Frage: Was machen wir mit den zwei Komturen? Was machen wir mit Eisenach?«, unterbrach Friedrich Ulrichs Gedanken. »Wir müssen verhindern, dass mein Vater den Ordensbrüdern die Burg ausliefert. Wie können wir das, ohne gegen den Befehl des Königs zu verstoßen und uns den Zorn des Deutschritterordens zuzuziehen? Wisst Ihr, wen der König zu uns sendet?«

Die letzte Frage war direkt an Herrmann von Goldacker gerichtet.

Auf dem schmalen Gesicht des Marschalls zeichnete sich ein kaltes Lächeln ab. »Das ist die einzige gute Nachricht, die ich Euch bringen kann. Er schickt den Komtur von Speyer, Berthold von Gepzenstein, einen auf Ausgleich bedachten Mann, und Helwig von Goldbach.«

Für einen Moment löste sich die Anspannung bei Friedrich, deutlich hörbar atmete er auf. »Das … könnte uns einen Weg aufzeigen.«

Helwig von Goldbach, inzwischen Komtur vom Rotenfurt, entstammte einer Familie thüringischer Ministerialer. Er hatte noch vor Jahresfrist gemeinsam mit Friedrich Urkunden bezeugt und war bereit zu Kompromissen, wenn sich dadurch Blutvergießen vermeiden ließ.

»Euer Vater wusste keinen Ausweg, als der König diesen Eid von ihm forderte«, fuhr Herrmann von Goldacker fort. »Doch ihm ist klar, dass er nach seiner Rückkehr Ärger mit Euch bekommen wird, und er fürchtet sich vor der Konfrontation. Vor *jeder* Konfrontation, wie Ihr wisst.«

Der für seine Kaltblütigkeit berüchtigte Marschall konnte es wagen, in dieser Runde derart unverblümt zu sprechen.

Er mochte manchem unheimlich sein, aber Friedrich vertraute auf seine Loyalität. Vor zwei Jahren hatte Goldacker als Heerführer des Landfriedensaufgebotes gegen den Burggrafen von Kirch genug Entschlossenheit und militärische Durchsetzungskraft bewiesen, um den Grafen, unter dessen Übergriffen ein ganzer Landstrich litt, binnen weniger Wochen in die Knie zu zwingen und seine Burgen zu schleifen.

»Also suchte der Landgraf meinen Rat«, sagte Goldacker und verschwieg taktvoll, dass Albrecht von Wettin tränenüberströmt zu ihm gekommen war. Allein der Anblick des weinenden Greises hätte genügt zu verstehen, dass dieser Mann einem so unerbittlichen Herrscher wie dem Habsburger nichts entgegenzusetzen hatte. Es kostete Goldacker erhebliche Mühe, langes Zureden und diesen und jenen Becher Wein, bis sich der Landgraf endlich halbwegs gesammelt hatte und zu der alten Verschlagenheit zurückfand, mit der er sich jedes Mal aus den Abgründen herauszuwinden suchte, in die ihn seine Wankelmütigkeit immer wieder stürzte. So wurden sie sich einig, dass hier nur eine List helfen konnte.

»Im Auftrag Eures Vaters sprach ich unter vier Augen mit den Ordensrittern«, berichtete der Marschall weiter. »Goldbach und Gepzenstein sind bereit, in Eisenach Quartier zu nehmen und dort zunächst zu den Wirkungsstätten der heiligen Elisabeth zu pilgern. Eine großzügige Spende an beide Komtureien sollte uns ihre Geduld zusichern, wenn Euer Vater sie dann mit Ausflüchten hinhält.«

»Gut!« Friedrich atmete erleichtert auf.

Doch Goldacker war noch nicht fertig. »Außerdem sollten wir uns den Abt von Fulda gewogen erhalten, der ein gutes Wort einlegte«, erklärte er ungerührt. »Euer Vater hat ihm dafür den See unterhalb der Wildecker Burg versprochen.«

Dass sie die Ordensritter und Abt Heinrich bestechen mussten, um die Übergabe der Wartburg zu verhindern, störte Friedrich wenig. Handsalbung war noch das harmloseste Mittel, das ihm blieb. Die Komture des Deutschritterordens waren hochangesehene Männer mit einem mächtigen und einflussreichen Ordensbund hinter sich. Es hätte unabsehbare Folgen, sie mit Waffengewalt aufhalten zu wollen. Doch die Burg und damit Thüringen zu übergeben, kam nicht in Frage. Dann könnte er sich auch gleich in den Gewahrsam des Königs begeben.

»Ich übernehme es, meinen Gemahl dabei zu unterstützen, die Komture hinzuhalten«, meldete sich scheinbar ruhig die ältere Elisabeth zu Wort.

Jeder im Raum wusste, was das bedeutete. Sie würde den alten Mann nach seiner Rückkehr wie ein Kind bewachen müssen, ihn nicht aus den Augen lassen, ihm wieder und wieder gut zureden, wenn ihn das Wehklagen und Jammern überkam, ihm die Argumente ins Ohr flüstern, mit denen er die Ordensritter von der Burg fernhalten konnte, und dafür sorgen, dass er dieses Spiel durchstand. Müde strich sich Elisabeth über die Augen.

Dann richtete sie sich auf und sah direkt zu ihrem Schwiegersohn.

»Wenn das vorbei ist …«, sagte sie mit fordernder Stimme, »wenn das durchgestanden ist, *musst* du ihn dazu bringen, dass er abdankt! Es kann nicht Gottes Wille sein, dass jemand über ein Land herrscht, der in solchem Maße dazu unfähig ist.«

Sie holte tief Luft und streckte die Hände mit gespreizten Fingern von sich. »Der Herr im Himmel ist mein Zeuge, ich war wirklich geduldig und habe getan, was ich vermochte. *Aber ich kann es nicht mehr mit ansehen!* Bring ihn dazu, dass er endlich abdankt und sich nach Erfurt zurückzieht, wohin er sich schon lange wünscht! Dieser Mensch hat genug Schaden angerichtet!«

Der unerwartete Ausbruch der Landgräfin sorgte für beklommenes Schweigen im Raum.

Ich bin es leid, dachte Elisabeth bitter. All die Jahre habe ich damit vergeudet, diesem willenlosen Greis Halt geben und ihn lenken zu wollen. Mein ganzes Glück habe ich dafür geopfert! Und was habe ich erreicht? Nichts! Mein Leben ist verflossen, ich werde in ein paar Jahren vierzig sein und habe jegliche Hoffnung auf Glück aufgegeben.

Am liebsten wäre sie hinausgerannt, weil sie ihre Tränen nicht länger zurückhalten wollte. Nur der Gedanke an Friedrich und ihre Tochter hielt sie davon ab. Er brauchte sie jetzt als starke Verbündete, da es für ihn um alles oder nichts ging. Und seine junge Frau, die unübersehbar tausend Ängste litt angesichts dessen, was sie erwarten mochte, durfte nicht noch mehr verstört werden, sonst bekam sie doch noch Fieber so wenige Wochen nach der Niederkunft.

Aber sie wird lernen müssen, ihren Mann in den Kampf zu verabschieden, dachte Elisabeth.

Friedrich ahnte, was in der Frau vorging, die er immer noch bewunderte; er erkannte das Flackern in ihrem Blick und die Verzweiflung, die hinter ihren Worten stand.

»Darüber reden wir, wenn es so weit ist«, entschied er.

Was Elisabeth da forderte, war eine unschöne Sache. Er konnte nur hoffen, dass sein eigener Sohn später nie auf den Gedanken kam, den Vater von seinem Platz zu verdrängen. Doch nun konnte er nicht mehr umhin, auch diese Sünde auf sich zu laden. Er hätte es längst tun sollen! Zu oft hatte er den Älteren schon zu Verträgen und Eiden gezwungen, und nicht einen davon hatte Albrecht gehalten.

Nur galt es jetzt erst einmal, die näherliegenden Dinge zu besprechen.

»Wir brechen gleich morgen früh auf, um unsere Streitmacht zu sammeln. Ihr« – er sah auf seine Frau und deren Mutter – »seid hier in Sicherheit. Marschall, ich vertraue Euch das Kommando über die Burg, das Leben meiner Frau, meiner Tochter und der Landgräfin an.«

Herrmann von Goldacker nickte nur. Er war kein Mann vieler Worte.

Ulrich von Maltitz hingegen gab sich alle Mühe, die Skepsis aus seinem Gesicht zu verbannen. Er selbst sah nicht die geringste Aussicht auf Erfolg angesichts der habsburgischen Übermacht. Doch er wusste auch keine andere Lösung. Wie hätte die aussehen sollen? Verhandlungen? Exil? Dafür war es zu spät. Wenn Friedrich schon vor Jahren Bereitschaft gezeigt hätte, sich mit einer kleinen, unbedeutenden Grafschaft für den Verlust der Mark Meißen abzufinden …

Doch das war für ihn undenkbar – nicht nur wegen des kaiserlichen Blutes, das in ihm floss, sondern auch, weil er von dem Drang beseelt war zu beweisen, dass er ein besserer Herrscher war als sein im ganzen Land verrufener Vater.

Also blieb nur der Kampf. Er war ein Ritter, und das Kämpfen war seine Aufgabe. Doch wenigstens würde Sibylla diesmal an seiner Seite bleiben. Wenn erst diese Beratung zu Ende war, dann würde er sie in seine Kammer führen und mit ihr das Wiedersehen feiern, bis der Morgen graute. Er konnte es kaum erwarten.

»Ich habe Angst«, gestand die jüngere Elisabeth ihrem Mann, als die anderen gegangen waren.

Er nahm ihre eiskalten Hände zwischen seine. »Das musst du nicht. Goldacker ist ein tüchtiger Mann. Er würde sein Leben geben, um dich und unser Kind und deine Mutter zu schützen.«

»Ich habe ja auch nicht um mich Angst, sondern um dich!«, sagte sie, Tränen in den Augen.

Das war nur die halbe Wahrheit. Sie fürchtete sich auch vor dem Marschall mit den kalten blauen Augen, der weder Gnade noch Milde zu kennen schien. Seine bloße Gegenwart genügte, um sie zum Frösteln zu bringen. Doch das behielt sie lieber für sich, um nicht zurechtgewiesen oder für schwach gehalten zu werden.

Friedrich zwang sich, ruhig zu bleiben. Alles in ihm drängte danach, etwas zu tun, um dem Unheil gewappnet gegenüberzutreten zu können. Doch seine junge Frau hatte ihn noch nie in den Krieg ziehen sehen. Die Jahre ihrer Ehe waren genau genommen beinahe die einzigen in seinem Leben, in denen er nicht zum Kampf aufbrechen musste. Bisher.

»Gott wird Seine schützende Hand über uns halten«, versuchte er Elisabeth zu beruhigen.

»Ja«, flüsterte sie und bemühte sich krampfhaft, ihre Tränen zurückzuhalten. »Vielleicht sollte ich besser gleich in die Kapelle gehen und beten.«

Er gab ihr einen Kuss auf die Stirn. Mit seinen Gedanken war er schon weit fort, noch bevor sie den Raum verlassen hatte. Der Augenblick des Friedens, den sie noch vor weniger als einem halben Tag in dieser Kammer erlebt hatten, war hoffnungslos vorbei. Von nun an wurde sein Leben wieder vom Kampf bestimmt. Und noch nie war er zu einem Kampf mit solch ungewissem Ausgang angetreten.

Markus – inzwischen als Sergent in Friedrichs Diensten – war von Ulrich über die Lage und seinen Auftrag informiert worden und packte sein Bündel zusammen. Dabei wusste er missbilligende Blicke aus zwei Augenpaaren auf sich gerichtet.

»Musst du fort?«, fragte der sechsjährige Franz, der sich sein Brot als Küchenjunge auf der Wartburg verdiente. Doch weil er noch so klein und es schon spät war, hatten ihn die anderen schlafen geschickt.

Markus ließ sich auf die Bank in der Gesindekammer nieder und klopfte auf den Platz neben sich, um ihn einzuladen, sich zu ihm zu setzen. Er mochte den Jungen vom ersten Moment an, als er ihm begegnet war. Damals war ihm der Kleine vor die Füße gepurzelt und hatte Rotz und Wasser geheult. Markus erkannte rasch die Ursache seines Kummers und zog dem Widerstrebenden einen großen Splitter aus dem nackten Fuß. Seitdem genoss er die grenzenlose Bewunderung des Jungen und verbrachte gern Zeit mit ihm, wenn es seine Pflichten erlaubten.

Dabei musste er oft daran denken, wie es wohl seinem Sohn ergehen mochte, der inzwischen sogar schon etwas älter als sein kleiner Freund auf der Wartburg sein musste. Ob er wohl gesund war, ein fröhlicher und kräftiger Bursche? Welchen Namen hatte Änne ihm gegeben? Nicht einmal das wusste er –

geschweige denn, ob sie und der Junge überhaupt noch lebten.

Wenn er mit Franz zusammensaß, war ihm fast so zumute, als würde er Zeit mit seinem Sohn verbringen. Es ergab sich bald, dass auch die Mutter des Jungen seine Nähe suchte, eine der Mägde auf der Burg. Und irgendwann kam sie in sein Bett. Jetzt aber starrte ihn Lena missmutig an, während er ihrem Sohn geduldig zu erklären versuchte, warum er fortmusste und dass er nicht sagen konnte, wann er wiederkam. Schicksalsergeben richtete er sich darauf ein, dass sie ihn mit Vorwürfen überschütten würde. Dabei flogen seine Gedanken schon fort von hier, fort von Thüringen zu seinen Freiberger Gefährten. Wem von ihnen würde er bald wiederbegegnen?

Er hatte richtig vermutet. Kaum dass der Junge eingeschlafen war, setzte sich Lena neben ihn.

»Kannst du es nicht einrichten, dass sie dich hierlassen? Es müssen schließlich auch ein paar Männer bleiben, um die Burg zu verteidigen«, begann sie. »Das ist es doch, was du kannst!«

»Das hier ist nicht meine Burg«, entgegnete er geduldig.

»Du warst bloß so schnell einverstanden, weil du nicht bei mir bleiben willst! Du magst nur meinen Jungen, aber nicht mich«, warf sie ihm beleidigt vor.

»Nicht ich bin in dein Bett gekommen, sondern du in meines«, erinnerte er sie. »Und ich habe dir von Anfang an gesagt, dass ich dich nicht heiraten kann.«

»Ja, wegen *ihr!*«, giftete sie.

Normalerweise war Lena eine freundliche junge Frau, die seine Zärtlichkeiten ebenso genoss, wie sie ihm bereitwillig welche schenkte. Doch dieses heikle Thema brachte sie stets aus der Fassung. So heftig war sie allerdings noch nie geworden.

»Wegen dieser Frau, der du immer noch nachtrauerst! Mach mir doch nichts vor, du rufst manchmal im Schlaf nach ihr!

Aber sie ist weit weg, und du wirst sie nie bekommen! Wer weiß, ob sie überhaupt noch lebt! Und ich bin hier ... und ich lebe und will dich ...«

»Lena«, versuchte Markus sie zu beschwichtigen. »Es ist nicht so, dass ich mich darum reiße, in den Kampf zu ziehen, nur um euch hier allein zu lassen. Ich habe Order des Fürsten. Und ich werde die Hoffnung nicht aufgeben, dass sich doch noch alles fügt und ich zurück nach Freiberg kann. Dort ist meine Heimat.«

»Zurück zu *ihr!*«, schrie Lena unter Tränen. »Zu dieser *Änne!*« Wütend starrte Markus sie an, dann stand er auf und nahm ohne ein weiteres Wort sein Bündel.

Gern hätte er sich auf freundliche Art von Franz' Mutter verabschiedet, bevor er in den Krieg zog. Doch er konnte es nicht ertragen, dass sie diesen Namen aussprach, den er ihr nie genannt hatte.

Auch wenn er nun sicher Christian stören würde, der vermutlich gerade auf seinem Strohsack ausgiebig Abschied mit einer der jungen Mägde feierte – diese Nacht würde er in seiner Kammer schlafen.

DIE BEFRIEDETE STADT

Seht nur, was für ein schöner Mann!«
»Und so jung!«
»Er sieht aus wie ein Engel!«
»Oder wie der heilige Georg!«
Von links und rechts erklangen entzückte Rufe aus der Menschenmenge, die wie befohlen ein Spalier für den Einzug des neuen Burgvogtes in Freiberg bildete. Vorn standen die angesehenen Bürger, dahinter Knechte, Mägde und einfache Stadtbewohner. Vor allem die Mädchen und Frauen unter den Zuschauern des festlichen Spektakels machten aus ihrer Begeis-

terung kein Hehl. Graf Reinold von Bebenburg hieß der neue Herrscher über Stadt und Burg, wie die Ausrufer verkündet hatten, ein Neffe des königlichen Landrichters. Mit einem strahlenden Lächeln nahm der Graf die begeisterten Rufe entgegen, während er mit seinem Gefolge durch die Erlwinsche Gasse zur Burg ritt. Lange blonde Locken umrahmten sein ebenmäßiges junges Gesicht, sein Gewand war farbenprächtig.

»Das Ebenbild eines Edelmannes«, seufzte eine junge Magd mit schmachtendem Blick. »Unter dem werden wir es bestimmt besser haben als unter seinen Vorgängern.«

»Schlimmer kann's ja kaum noch werden«, knurrte skeptisch eine ältere Frau neben ihr.

Die Vorgänger des neuen Burgherrn, der vor Jahren schon getötete Graf von Isenberg und auch sein plötzlich verstorbener Nachfolger, waren für ihre Wutausbrüche gefürchtet, die jedes Mal dazu führten, dass irgendjemand durchgeprügelt oder ins Verlies geworfen wurde. Doch nach zehn Jahren Besetzung schien Freiberg befriedet, zumal ein beträchtlicher Teil der königlichen Truppen abgezogen worden war. Es gab längst keinen Widerstand mehr in der Stadt. Die kampfgeschulten Anhänger Markgraf Friedrichs hatten Freiberg schon vor Jahren verlassen, um sich dem Wettiner anzuschließen, die anderen arrangierten sich mit den neuen Herren oder verhielten sich still. Dass weder Ratsherren noch Bürgermeister etwas zu sagen hatten, daran hatten sich die Bewohner der Stadt gewöhnen müssen.

Die meisten Freiberger hatten die Hoffnung längst aufgegeben, dass Fürst Friedrich jemals zurückkehren würde, der dem Vernehmen nach nun sein Glück in Thüringen gefunden zu haben schien. Nachdem sich der vorige Burgvogt die Truhen mit Silber gefüllt hatte, ließ er zwar seine Bewaffneten weiterhin frei gewähren, ob sie nun stahlen, willkürlich beschlagnahmten und plünderten. Doch ansonsten duldete er, dass sich das städtische Leben trotz der Armut der meisten Bewohner seit der Eroberung der Stadt durch Adolf von Nassau einigermaßen normalisierte.

Nur wenige gab es noch, die im Verborgenen versuchten, den Bedrängten zu helfen: Conrad Marsilius und Änne, Pater Clemens, der Waffenschmied Heinrich von Frauenstein, Veit Haberberger …

Im »Schwarzen Ross« war ein unlängst zurückgekehrter alter Kämpfer der Burgmannschaft, den niemand mehr für gefährlich hielt, weil er einen Arm eingebüßt hatte, als Pferdeknecht eingestellt worden. Mit ein paar Gassenjungen und einem gewieften Schmuggler organisierte er insgeheim ein Netz, um diesen oder jenen heimlich aus der Stadt zu schleusen, der in Gefahr geraten war. Ansonsten herrschte Friedhofsruhe in Freiberg.

Würden nun freundlichere Zeiten für die Silberstadt anbrechen, wie so mancher Bewohner beim Anblick des jungen neuen Vogtes hoffte?

»Kommt, wir haben genug gesehen«, meinte Conrad Marsilius und lud den Hüttenmeister, den Waffenschmied und Pater Clemens zu einem Trunk in sein Haus. Offiziell, um mit ihnen die Aufnahme seines Sohnes in die Klosterschule zu feiern, wo der Junge Lesen, Schreiben und die lateinische Sprache erlernen sollte, um später einmal eine Ausbildung zum Medicus absolvieren zu können.

Natürlich war Meister Marsilius stolz auf das Talent des Achtjährigen und sein unerschöpfliches Interesse an allem, was mit Heilen zusammenhing, wenngleich Stolz eine Sünde war. Aber er wollte mit dieser Gesellschaft auch Änne etwas von ihrem Kummer ablenken, der es schwergefallen war, ihren Sohn fortzugeben. Es fühlte sich beklemmend an, wenn er nun mit ihr allein im Haus war. Vor allem jedoch gab es Neuigkeiten, die besprochen werden mussten. Diese drei Männer waren fast die Einzigen hier in Freiberg, vor denen er offen reden konnte und die wenigstens insgeheim noch auf die Rückkehr von Markgraf Friedrich warteten. Die anderen hatten die Hoffnung längst aufgegeben.

Änne schenkte den Gästen Wein ein, dann setzte sie sich ans Fenster, um das Tageslicht für Näharbeiten zu nutzen. Marsilius würde sie zwar nicht hinausschicken, wie andere Ehemänner es täten, um mit ihren Freunden ungehemmt reden und trinken zu können. Schließlich war sie all die Jahre eine Mitverschworene gewesen, während diese vier und ihre Verbündeten heimlich den Widerstand gegen die Besatzer organisierten. Doch sie konnte nicht einfach die Hände in den Schoß legen, wenn so viel Arbeit zu tun war. Außerdem fühlte sie sich wohler, wenn sie sich über die Flickereien beugen konnte. Niemand sollte an ihrem Gesicht erkennen, was wirklich in ihr vorging. Und vorheucheln mochte sie diesen Männern nichts, dafür achtete sie sie zu sehr.

»Nikol Weighart hat mir eine Nachricht zukommen lassen«, eröffnete Marsilius das Gespräch. Das Haar des alten Arztes war inzwischen schlohweiß geworden, sein Gesicht etwas schmaler, doch in seinem Wesen hatte er sich kaum verändert. Abgesehen davon, dass er mit den Jahren noch knurriger und mürrischer geworden war. Aber das hatte wohl auch mit der Hoffnungslosigkeit in der Stadt zu tun, die ihnen allen zusetzte.

»Geht es ihm gut?«, erkundigte sich Heinrich von Frauenstein. Der immer noch muskelstrotzende und wegen seiner Erfahrung geschätzte Waffenschmied war froh, wieder von dem einstigen Bürgermeister zu hören. »Zehn Jahre im Exil … und keine Aussicht auf Rückkehr …«

»Den Gedanken daran kann er nun ganz vergessen«, sagte Marsilius bitter.

Er legte eine Pause ein, bevor er mit der Hiobsbotschaft herausplatzte: »Fürst Friedrich zieht gerade seine letzten bewaffneten Getreuen aus der Mark Meißen ab.«

Erschrocken ließ der Waffenschmied den Becher sinken. Fassungslosigkeit breitete sich auf seiner Miene aus.

»Er lässt uns also ganz im Stich? Er gibt die Mark Meißen auf?«

»Der König hat ein Heer aufgestellt und schickt es gegen ihn nach Thüringen. Dafür braucht Friedrich jeden verfügbaren Mann«, berichtete Marsilius, was er wusste.

»Ich kann mir nicht vorstellen, dass er diese Konfrontation überlebt«, erklärte der inzwischen fast kahle Schmelzmeister düster. »Wenn der Habsburger das ernst meint, hat Friedrich keine Chance. Dann können wir nur noch ein Gebet für sein Seelenheil sprechen.«

»Und für das Seelenheil seiner Getreuen«, stimmte der Arzt voll Bitterkeit zu. »Der Hauptmann der Wache und Christian, dieser Rotschopf, der nun schon fast ein erwachsener Mann geworden ist, kamen vor ein paar Tagen nach Rochlitz und haben alle von unseren Leuten mitgenommen, die dort noch zur Burgmannschaft gehörten.«

Markus! Änne zuckte zusammen, als Meister Conrad so beiläufig von dem Mann sprach, den sie aus ihrem Herzen und ihren Gedanken nicht verbannen konnte. Prompt stach sie sich mit der Nadel und ließ den Beinling, den sie gerade ausbesserte, sinken, um einen rasch herausquellenden Blutstropfen von der Fingerkuppe zu saugen. Dabei fühlte sie Marsilius' argwöhnischen Blick auf sich, nahm die Flickarbeit hastig wieder auf und beugte sich darüber.

Also lebte Markus noch! All die Jahre hatte sie immer wieder an ihre letzte Begegnung denken müssen, als er Gefangener auf Freiheitsstein war und sie ihm unter Todesgefahr die klaffenden Wunden genäht hatte. Eine sanfte Berührung mit den Fingerspitzen war damals die einzige Möglichkeit gewesen, ihn unter den Augen der königlichen Burgbesatzung ihre Liebe spüren zu lassen. Lange hatte sie nicht gewusst, ob er die Flucht aus Freiberg überlebt hatte, und war immer tiefer in Verzweiflung geraten, während sein Kind in ihrem Leib heranwuchs. Bis irgendwann die Magd des Haberbergers an den Brotbänken darüber tratschte, dass der Hauptmann der Wache, dieser Maltitz und sogar der leibhaftige Markgraf bei ihrem Herrn aufgetaucht seien.

Doch seitdem waren schon wieder acht Jahre verstrichen – eine lange Zeit für jemanden, dessen Broterwerb der Kampf war. Immer wieder hatte sie sich bekümmert gefragt, ob er vielleicht nicht längst gefallen und begraben war.

Also lebte er noch. Sie war erleichtert und zu Tode besorgt zugleich. Denn allem Anschein nach ritt er nun in einen Krieg, in dem es kein Entrinnen gab. Am liebsten wäre sie hinausgerannt, um sich die Augen aus dem Kopf zu weinen und für sein Leben zu beten.

»Wir sollten in unsere Gebete auch diese Stadt einschließen«, meinte währenddessen der Waffenschmied und trank seinen Becher in einem Zug leer, bevor er weitersprach. »Nun können wir nur hoffen, dass der neue Vogt wirklich solch ein Ausbund an Güte und Freundlichkeit ist, wie das Weibsvolk vorhin jubelte.«

»Er ist durch und durch böse«, entfuhr es Änne.

Als die Männer sie verwundert anblickten, atmete sie tief ein und versuchte, den Schauder abzuschütteln, den der Anblick jenes Mannes bei ihr hinterlassen hatte. Dann begriff sie, dass sie den anderen wohl eine ausführlichere Erklärung schuldete.

»Er hat etwas an sich, das mir Angst macht ...«, versuchte sie ihr Gefühl in Worte zu fassen, ohne in dieser Runde von Eingebungen zu sprechen und dafür gescholten zu werden.

»Etwas in seinen Augen ...«

»Ich stimme ihr zu«, meinte zu aller Überraschung Pater Clemens. Der Geistliche, der inzwischen älter wirkte, als er war, bekreuzigte sich. »Ich bin – unserem Herrn sei Dank – noch keinem Dämon begegnet. Aber dieser neue Vogt ist von einem ... Schatten umgeben, der mir unheimlich ist.«

Wie aufs Stichwort klopfte es von draußen heftig an die Tür.

Jemand rief: »Der Medicus soll auf die Burg kommen, auf der Stelle!« Sofort richteten sich alle Blicke besorgt auf Conrad Marsilius. Der Arzt stand auf, ohne sich etwas von seinen Gefühlen anmerken zu lassen. Ruhig griff er nach dem Kasten mit seinen Instrumenten und sah zu den drei Männern am Tisch. »Ich wäre euch dankbar, wenn ihr so lange hierbliebet und meiner Frau Gesellschaft leistet.«
Dann ging er hinaus.

Als der Arzt zurückkehrte, saßen alle noch wie bei seinem Aufbruch in der Kammer, als wäre inzwischen keine Zeit verstrichen: die Männer mit besorgten Mienen am Tisch, Änne auf der Fensterbank über eine Näharbeit gebeugt. Nun starrte sie ihn an, kreidebleich.
»Ihr habt recht, er ist ein Teufel in Menschengestalt«, sagte Marsilius mit brüchiger Stimme und stellte seinen Kasten achtlos ab. Er ließ sich auf die Bank fallen und rieb sich mit den Händen müde über das Gesicht. Schleppend, immer noch nach Worten suchend, berichtete er von dem Grauenvollen, was er gerade auf der Burg erlebt hatte.
»Ich bin dorthin gerufen worden, um den Bader zu retten. Den alten Hinrich, der gleich vorn im Badergässchen seine Stube hat. Weil er den neuen Vogt beim Rasieren geschnitten hat, ließ der ihm die Hand abschlagen, sofort und ohne Gerichtsprozess. Dabei war es nur ein winziger Kratzer! Als ich ankam, um mich um den Stumpf zu kümmern, war es schon zu spät. Hinrich ist mir unter den Händen verblutet. Und noch während ich dort war, ließ dieser Teufel eine der Mägde – ein blutjunges Ding – wegen einer Lappalie fast zu Tode peitschen. Die Unglückliche hängt jetzt dort immer noch in Stricken. Nur der Allmächtige weiß, ob sie durchkommt. Der Vogt verbot mir, ihr zu helfen. Er ist kaum auf der Burg angekommen, und schon fließt Blut ...«
Der Arzt zögerte einen Moment, bevor er weitersprach. »Ihr

hättet ihn dabei sehen sollen! Das Entzücken in seinen Augen, als das Mädchen vor Schmerzen schrie ... Sein Lächeln ... Und dann ging er weiter und lächelte immer noch.«

Beschwörend sah er von einem zum anderen.

»Wir werden jetzt wohl viel zu tun bekommen. Aber wir müssen vorsichtiger denn je sein. Das wird ein Tanz auf dem Seil über einen Abgrund.«

Dann richtete er den besorgten Blick auf Änne. »Du wirst von nun an nicht mehr auf die Burg gehen. Ganz gleich, was geschieht!«

November 1306 auf der Wartburg

*S*ollte noch einmal jemand auch nur einen einzigen Tropfen Wasser vergeuden, verliert er eine Hand!«

Herrmann von Goldacker ließ seinen gnadenlosen Blick über die versammelte Burgbesatzung schweifen. Er wusste, dass die meisten den Atem anhielten, bis er sein Urteil verkündete.

»Zehn Hiebe und zwei Tage nichts zu essen.«

Der Übeltäter, ein Stallknecht, der aus Unachtsamkeit einen Eimer Wasser verschüttet hatte, atmete auf. Er hatte mit einer noch schlimmeren Strafe gerechnet. Nicht nur wegen der berüchtigten Strenge des Marschalls, sondern vor allem, weil Wasser eine große Kostbarkeit geworden war.

Seit Wochen belagerten die Eisenacher die Wartburg, um deren Auslieferung an den König zu erzwingen und im Gegenzug den Status einer reichsfreien Stadt zu erhalten. Zwar hatten der Marschall und die Landgräfin vorsorglich die Vorratskammern füllen lassen, bevor die Eisenacher sämtliche Wege zur Wartburg blockierten. Doch schneller als die Vorräte an Lebensmitteln wurde ihnen das Wasser knapp. Es gab keinen Brunnen hier oben, nur eine Zisterne – die Schwachstelle der ansonsten uneinnehmbaren Festung.

Die Eisenacher verzichteten deshalb auch auf direkte Angriffe. Sie ließen bewaffnete Trupps durch die Gegend streifen, die verhindern sollten, dass auf Schleichwegen Proviant auf die Wartburg geschafft wurde, und warteten einfach, bis die Belagerten früher oder später angesichts der Wasserknappheit aufgeben würden.

»Ich will, dass jeder Regentropfen aufgefangen wird, bevor er auf den Boden trifft«, fuhr Goldacker ungerührt fort. »So kann sich jeder selbst seine Ration verdienen.«

Dann gab er dem Stallmeister einen Wink, damit dieser persönlich dem Knecht die zehn Hiebe verpasste. Der Junge riss sich zusammen, sosehr er konnte. Er würde hier oben, wo die Menschen seit Tagen schon mit immer kleineren Rationen auskommen mussten, kein Mitleid bekommen. Im Gegenteil, er konnte noch froh sein, dass ihn Goldacker nicht zu einer Prangerstrafe verurteilt hatte, denn dann würde er von den wütenden Burgbewohnern wohl mehr als nur zehn Hiebe bekommen. Auch der Stallmeister war erbost, denn er hielt sich mit dem Ochsenziemer nicht zurück. Der Bursche wimmerte unter den Schlägen und biss die Zähne zusammen, um nicht laut aufzuschreien. Das würde die Umherstehenden nur zu gehässigen Kommentaren veranlassen. Die Striemen brannten fürchterlich, aber die Scham in ihm kaum weniger. Ein Eimer Wasser war viel, wenn alle dursteten.

Als der unachtsame Stallknecht die Strafe empfangen hatte und jeder wieder an seine Arbeit ging, schritt Herrmann von Goldacker auf die Landgräfin zu, die das Geschehen im Hof mit regloser Miene verfolgt hatte. Elisabeth forderte ihn mit einer Handbewegung auf, sie in den Palas zu begleiten.

»Wenn wir nicht bald Nachricht erhalten, dass Hilfe kommt, bereite ich mit ein paar entschlossenen Männern einen Ausfall vor«, sagte er mit gedämpfter Stimme.

Sie wussten beide, dass dies eine hoffnungslose Aktion war,

der Verzweiflung entsprungen. Selbst wenn es Goldacker gelingen sollte, die Bewaffneten vorübergehend in die Flucht zu schlagen, die den Weg zur Wartburg verriegelten – aus der an der Weggabelung gelegenen Burg würde sofort Verstärkung nachrücken und sie niedermachen, bevor sie auch nur einen Sack Korn oder ein Fass Wasser nach oben geschafft hätten.

»Eine Woche können wir uns noch halten«, wandte sie ein, nachdem sie sich vergewissert hatte, dass niemand sonst sie hören konnte. »Wenn es regnet oder schneit, sogar noch etwas länger. Mein Schwiegersohn *wird* zu Hilfe kommen.«

Vor zwei Wochen schon hatte sie Boten mit Briefen zu Friedrich gesandt, in denen sie die verzweifelte Lage auf der Burg schilderte und ihn um Hilfe bat. Doch sie wussten nicht einmal, ob sich einer der Boten unbemerkt durchgeschlagen hatte, geschweige denn, wie lange er nach Friedrich suchen musste.

Anfangs hatten sie noch Nachrichten vom Verlauf des Feldzuges bekommen, der ganz anders als erwartet begann: Statt sein Heer nach Thüringen zu führen, hatte der König es kurzentschlossen nach Böhmen abschwenken lassen, als er erfuhr, dass der junge König Wenzel III. ermordet worden war. Albrecht von Habsburg verhinderte, dass die Böhmen Heinrich von Kärnten zum König wählten, und ließ seinen Sohn Rudolf auf den Thron setzen. Dann erst richtete er wieder sein Augenmerk auf die Strafexpedition gegen die rebellischen Wettiner. So hatten Friedrich und Diezmann Zeit gewonnen, um weitere Anhänger um sich zu scharen. Doch seit Wochen schon waren die Belagerten auf der Wartburg ohne Nachricht. Jetzt hing alles davon ab, wie klug Elisabeth die Vorräte einteilte, Goldacker die Disziplin der Burgmannschaft aufrechterhielt und wann Hilfe kam.

»Er ist sicher schon auf dem Weg hierher«, versuchte sie den Marschall und vor allem sich selbst zu beruhigen. »Ich fühle es.«

Vor der Kammer wartete eine der jungen Mägde auf Elisabeth. Sie wirkte ängstlich und unentschlossen, ihre Hände krallten sich in den Stoff des Leinenkleides. Als sie den Blick der Markgräfin auffing, warf sie sich vor ihr auf die Knie.

»Hoheit ...«

Angesichts der hochroten und verzweifelten Miene ahnte Elisabeth schon, was sie gleich zu hören bekommen würde, und verbarg nur mit Mühe ihren Zorn. Schließlich konnte die junge Frau nichts dafür.

»Was ist, Lena?«, fragte sie ungeduldig.

»Hoheit, ... der hohe Herr ...«

Lenas Stimme wurde mit jedem Wort leiser, unter ihren gesenkten Lidern traten Tränen hervor.

»Hat er dir befohlen, für ihn den Rock zu heben?«, vermutete Elisabeth kühl.

Beschämt nickte die Magd.

»Und hast du gehorcht?«

Erschrocken sah Lena hoch.

»Aber nein, Hoheit! Deshalb bin ich doch hier. Ich weiß mir nicht ein noch aus ... Ich soll heute Nacht zu ihm kommen. Gott befiehlt, dass wir gehorchen ... aber ich darf Euch nicht hintergehen ... und es ist Sünde!«

Nun liefen ihr die Tränen über die Wangen, während ihre Hände immer noch das Leinen kneteten, das an dieser Stelle schon ganz zerknittert war.

Lenas Bestürzung war echt; nur fragte sich Elisabeth, ob diese von der Vorstellung rührte, zu dem alten Mann ins Bett steigen zu müssen, oder ob sie sich vor ihrem Zorn fürchtete. Denn ein Muster an Keuschheit war die Magd – wie die meisten – nicht gerade, auch wenn sie in letzter Zeit nur noch Augen für diesen Freiberger gehabt hatte, der nun mit Friedrich in den Kampf gezogen war.

»Darin musst du nicht gehorchen«, beruhigte Elisabeth sie. »Geh in die Gesindekammer und sieh zu, dass du dem Land-

grafen in den nächsten Tagen nicht unter die Augen kommst.«
Sie würde die hübsche Elsa zu ihm schicken, die für ein paar
Pfennige sicher nur zu gern unter Albrechts Decke kroch.
Dann wäre der alte Narr wenigstens beschäftigt und richtete
nicht noch mehr Unheil an.

Dankesworte stammelnd, knickste Lena und wischte sich die
Tränen ab.

»Und hör gefälligst auf, mit Blicken um dich zu werfen«,
ermahnte die Landgräfin die junge Frau. »Sonst wirst du
immer wieder neuen Ärger mit den Männern bekommen!«
Ihr Gemahl war schließlich nicht der Einzige, der fremden
Röcken nachstieg, wenn ihn der Hafer stach.

Nachdenklich beobachtete Herrmann von Goldacker die
Landgräfin, als diese vor der Kemenate mit einer verheulten
Magd sprach. Was sollte er tun, wenn die Woche verstrichen
war, ohne dass Hilfe kam, um die Burg zu entsetzen? Aus
militärischer Sicht war es nicht nur tollkühn, sondern eher
ein Todeskommando, einen Ausfall zu wagen. Doch für diese
Frau würde er alles riskieren. Ohne ihre Klugheit und Besonnenheit wäre die Lage unter der Burgbesatzung noch kri-
tischer, als sie ohnehin schon war.

Disziplin ließ sich mit Gewalt durchsetzen. Die Leute fürchteten ihn, und das war gut so. Mit Nachsicht kam man nicht weit
in diesen Zeiten, und da seine alten Kampfgefährten Rudolf
von Vargula und Gunther von Schlotheim mit den Jahren
ihren Biss eingebüßt hatten, musste er eben hart genug für alle
drei sein. Doch die Menschen auf der Burg ängstigten sich
schon genug angesichts der Lage. Es war besser, wenn sie freiwillig gehorchten und ihren Beitrag leisteten. Das taten sie vor
allem dank Elisabeth.

Was für eine Frau!, dachte er nicht zum ersten Mal. Die wür-
dige Nachfahrin der Kaisertochter, die hier einst als Landgräfin geherrscht hatte!

Leider unerreichbar für ihn. Aber solche Gedanken führten zu nichts. Also ging er lieber zum Schwertfeger, obwohl seine Waffe bereits scharf war, und legte sich einen Plan zurecht, wie er die Landgräfin, ihre Tochter und deren Kind unbemerkt von der Wartburg schaffen konnte, sollte keine Hilfe kommen. Er rechnete fest damit, dass sich die ältere Elisabeth nicht ohne weiteres dazu bereit erklären würde. Sie war wild entschlossen, Eisenach und Thüringen ihrem Schwiegersohn zu bewahren. Notfalls musste er über die Tochter und deren Kind Druck auf sie ausüben, damit sie ihm folgte.

Goldacker empfand keinerlei Skrupel bei diesem Gedanken. Skrupel durfte er sich nicht erlauben.

Als die Landgräfin die Kemenate betrat, saß ihre Tochter auf einer der Fensterbänke nahe dem Feuer, mit einem aufgeschlagenen Psalter auf dem Schoß, ohne darin zu lesen. Schon ein flüchtiger Blick verriet ihr, was in der Jüngeren vorging. Und das gefiel ihr ganz und gar nicht.

»Lasst uns allein!«, befahl sie.

Die Amme sprang sofort auf, verneigte sich, nahm das Kind auf den Arm und huschte hinaus. Elisabeth zog die Augenbrauen hoch und sah zu den Hofdamen, die überrascht nach einem tiefen Knicks der Amme folgten.

»Gibt es Nachrichten von meinem Gemahl?«, fragte die jüngere Elisabeth voller Sorge.

Statt einer Antwort sagte ihre Mutter streng: »Ich möchte, dass du mir genau zuhörst. Ich weiß, dass du dir Sorgen machst; ich weiß, dass du Angst hast. Aber du musst jetzt aufhören, dich zu fürchten!«

Die Jüngere beugte sich entrüstet vor. »Ich soll aufhören, mich zu fürchten? Wie stellt Ihr Euch das vor, Mutter? Soll ich in den Tag hineinleben, als sei nichts geschehen? Sticken und für mein Kind Schlaflieder summen, als seien wir nicht umschlossen von Hunderten Bewaffneter? Jede Burg im Umkreis von zehn Meilen ist mit Männern besetzt, die uns übelwollen, die Eisenacher schreien nach unserem Blut, unsere Vorräte schwinden, und ich weiß nicht, wie lange die Amme noch genug Milch für meine Tochter hat!«

Bei den letzten Worten hatte sie fast geschrien, bis ihre Stimme brach und in ein Schluchzen überging.

»Hör auf!«, rief ihre Mutter ungewohnt hart.

»Selbst wenn wir alle hier hungern und dürsten – deine Tochter wird die Letzte sein, der es an etwas mangeln wird. Das weißt du genau. Und die Eisenacher fordern nicht unser Leben, sondern die Wartburg, weil diese Narren glauben, es ginge ihnen unter dem Habsburger besser.«

Zumindest hoffe ich, dass sie nicht nach unserem Blut lechzen, dachte Elisabeth sarkastisch. Ihr Gemahl und auch Diezmann hatten es geschafft, die Wettiner bei den Stadtbewohnern gründlich verhasst zu machen. Wenngleich sie selbst als mildtätig galt und manch dankbarer Bettler sie schon mit der Heiligen verglich, deren Namen sie trug und die vor weniger als hundert Jahren hier Wunder gewirkt hatte, so konnte niemand sicher sein, am Ende nicht doch von einer aufgebrachten Menge erschlagen zu werden – sofern einen nicht ein verirrtes Geschoss traf oder sie alle hier schlichtweg verdursteten.

»Du hast einen Fürsten geheiratet, der darauf angewiesen ist, dass ihm seine Frau treu und tapfer zur Seite steht«, redete sie ihrer Tochter ins Gewissen. »Beklage nicht die schwere Zeit, sondern preise Gott, dass du bisher in Frieden leben durftest. Dein Mann hat fast sein ganzes Leben lang kämpfen müssen. Also zeige dich seiner würdig.«

Sie legte den Kopf leicht in den Nacken, bevor sie mit Nachdruck sagte: »Wenn du einmal Fürstin werden willst, dann benimm dich auch wie eine Fürstin!« Dann holte sie tief Luft und fuhr etwas ruhiger fort: »Friedrich wird kommen und uns helfen. Aber er wird sich von dir abwenden, wenn er erfährt, dass du feige warst zu jener Zeit, als er deinen Mut am meisten gebraucht hätte.«

Elisabeth wusste, dass diese Worte ihre Tochter bis ins Innerste treffen würden, und sie fühlte sich schlecht dabei. Doch sie hatte versucht, sich den Mann aus dem Herzen zu reißen, den sie liebte, damit ihre Tochter ihm zu seinem Erbe verhalf. Mit wundem Herzen hatte sie nicht nur zugesehen, sondern sogar dazu beigetragen, dass er sich stattdessen in ihre Tochter verliebte. Sollte das alles ein Fehler gewesen sein?

Wenn ihre Tochter sich jetzt als zu schwach erwies, war ihr eigenes Opfer umsonst gewesen. Hätte sie am Ende doch nicht verzichten sollen? Hätten Friedrich und sie fortführen sollen, was in Prag zwischen ihnen begonnen hatte?

Lange Zeit herrschte Schweigen zwischen Mutter und Tochter. Jede starrte vor sich hin, die eine zum Fenster, die andere ins Feuer.

Bis schließlich die Jüngere leise sagte: »Ich habe verstanden. Was soll ich tun?«

IN EINER SCHLUCHT SÜDLICH VON EISENACH

*I*st es nicht geradezu unheimlich hier?«, sagte Christian leise zu Markus, der neben ihm stand und versuchte, sein Pferd zur Ruhe zu bringen.

Obwohl die Dämmerung gerade erst hereinbrach, fiel kaum noch ein Lichtstrahl in die tiefe Schlucht. Nebelschwaden zogen zwischen den Felswänden entlang und verhüllten die Kuppen der Berge. Wer weiß, was für schreckliche Wesen hier zwischen riesigen Wurzeln, uralten Bäumen und unter den mit Rauhreif überzogenen welken Blättern leben mochten!

Auch die Pferde schienen das zu spüren und waren außergewöhnlich unruhig. Oder witterten sie Wölfe und anderes Raubgetier?

Christian, inzwischen fast groß wie Markus, mit breiten Schultern und ersten Bartstoppeln, schniefte unbehaglich und wischte sich die triefende Nase mit dem Ärmel ab. Doch Markus sah sich nur missmutig um und bewegte seine durchgefrorenen Zehen in den Stiefeln.

»Unheimlich? Vor allem unheimlich kalt.« Mit skeptischem Blick auf den Rotschopf murrte er: »Du wirst uns mit deinem Zähneklappern noch verraten. Das ist ja bis nach Eisenach zu hören. Und so einer will mal Gassenjunge gewesen sein! Verzärteltes Bürschlein!«

Das Gelingen ihres Planes hing davon ab, dass niemand den Reitertrupp entdeckte. Allerdings hing das Gelingen ihres Planes *auch* davon ab, dass die Verstärkung rechtzeitig zu ihnen stieß und sich nicht in den Wäldern um Eisenach verirrte. Der Herzog von Braunschweig hatte sofort zugesagt, seinem Schwager zu Hilfe zu eilen, um die Wartburg freizukämpfen, und sollte jeden Augenblick eintreffen.

Einen halben Tag lang warteten sie hier schon, zu Untätigkeit verbannt. Es war ein eiskalter Novemberabend, aber Feuer durften im provisorischen Heerlager nicht entfacht werden. Es war schwierig genug, die wettinische und die braunschweigische Streitmacht in dieser Schlucht nahe Eisenach zusammenzuführen, ohne dass sie bemerkt wurden.

»Von wegen – verzärteltes Bürschlein!«, protestierte Christian erwartungsgemäß. »Ich bin ein Kämpfer Markgraf Friedrichs!«

»Ein Kämpfer, der noch gar nicht groß zum Kämpfen gekommen ist«, hielt Markus ihm ironisch vor.

»He, Sibylla«, rief der Rotschopf die Vertraute aus Freiberger Tagen heran, die mit dem Tross reiste und gerade ein paar Schritte entfernt Brot an die Männer austeilte. Das eiskalte Bier, das sie zuvor ausgeschenkt hatte, war nicht sonderlich geeignet, einen Frierenden durchzuwärmen.

Lächelnd wandte sie sich zu Christian um. »Willst du noch mehr Kunststücke lernen? Ich dachte, du bist jetzt Soldat!«

Sie deutete auf den Beutel an ihrem Gürtel, in dem sie Jonglierbälle, bunte Bänder und andere Gauklerutensilien aufbewahrte. »Probier's mal mit fünf Bällen – davon werden die Finger warm!«

Sibylla wirkte glücklich. Ihr schien es gleichgültig zu sein, wo sie waren, ob die Sonne auf sie herabbrannte oder sie in einer dunklen Schlucht froren – wenn nur Ulrich von Maltitz in ihrer Nähe war. Da jeder im Trupp wusste, dass sie die Geliebte von Friedrichs engstem Vertrauten war, und sich niemand mit dem Meißnischen Ritter anlegen wollte, wurde sie respektvoller behandelt, als es bei einer Gauklerin üblich war. Doch die Männer mochten sie auch so, weil sie ihnen mit ihren Liedern, Geschichten und Kunststückchen die Zeit vertrieb und sie auf andere Gedanken brachte.

Nur Markus war nicht nach Scherzen zumute. Noch vor zwei Wochen hätte er nie damit gerechnet, so bald schon wieder vor Eisenach zu stehen. Dieser Feldzug nahm merkwürdige Wendungen.

Als die Nachricht sie erreichte, dass König Albrecht sein Heer erst nach Böhmen führte statt gegen die Wettiner, hatte Friedrich die gewonnene Zeit sofort genutzt, um gemeinsam mit seinem Bruder im Pleißen- und im Osterland weitere Truppen zu sammeln und Leipzig und weitere wichtige Orte zu sichern. Damals war Markus froh um jede Meile gewesen, die sie Freiberg näher kamen, während alte und nie begrabene Hoffnungen in ihm aufflackerten. Unentwegt waren sie ostwärts gezogen, ohne auf das Heer des Königs zu treffen.

Doch es stand schlimm in den einst wettinischen Gebieten. Niedergebrannte Häuser und Scheunen, geplünderte Dörfer kündeten von der Erbarmungslosigkeit, mit der Albrechts Befehlshaber regierten, der Truchsess Heinrich von Nortenberg und der königliche Landrichter Engelhard von Bebenburg. Die Menschen fürchteten sich. Immer mehr Städte hatten aus Angst vor den Gefolgsleuten des Königs widerstandslos die

Tore geöffnet, um nicht niedergebrannt oder bis aufs Letzte ausgeplündert zu werden.

Aber dann erreichte sie der Hilferuf der Landgräfin von Thüringen. Friedrich war hin- und hergerissen. Aus militärischer Sicht hätte er die östlichen Gebiete nicht verlassen dürfen, zumal die Hauptmacht des königlichen Heeres wegen des zeitig hereingebrochenen Winters inzwischen abgezogen war. Nur ein Teil überwinterte unter dem Befehl Heinrichs von Nortenberg. Der einstige Markgraf von Meißen hätte diese Lage nutzen müssen, um seine wiedergewonnenen Positionen zu sichern und auszubauen. Doch Frau und Kind konnte er nicht ihrem Schicksal überlassen. Also gab er die schon eroberten Posten auf und kehrte zurück nach Thüringen – sehr zum Verdruss von Markus, der insgeheim gehofft hatte, endlich Änne wiederzusehen. Stattdessen stand er nun hier, unterhalb der Wartburg, und wartete darauf, dass sie den Berg hinaufstürmten.

Wie es wohl Lena und Franz dort oben erging?

Markus fragte sich, was ihn mehr stören würde: wenn Lena ihn in ihrer Eifersucht erneut mit Vorwürfen überhäufte oder wenn sie sich ihm freudestrahlend an den Hals warf. Solange sie und der Junge wohlauf waren, wäre es ihm am liebsten, sie ginge ihm künftig aus dem Weg.

Bald gab er es auf, darüber nachzugrübeln. Falls die Verstärkung aus Braunschweig nicht bald kam und sie sich allein durchschlagen mussten, konnten sie froh sein, wenn die Hälfte von ihnen überlebte.

Markus war gerade bei diesem Gedanken angelangt, als plötzlich Bewegung ins Lager kam. Pferde wieherten, Männer sprangen auf und liefen beiseite, um Platz zu machen für die Neuankömmlinge, die dicht hintereinander in die Schlucht drängten, bis das Durcheinander perfekt schien. Dann teilte sich die Menge, um einen stämmigen, kraftvoll wirkenden Mann im roten Wappenrock mit zwei übereinandergesetzten goldenen Löwen durchzulassen.

Heinrich von Braunschweig war um einiges fülliger geworden, seit Markus ihn vor Jahren in Prag gesehen hatte, sein
Haar war ergraut, doch der Welfenfürst strahlte immer noch
die gleiche lärmende gute Laune aus wie damals.

»Das ist doch eine Sache so ganz nach meinem Geschmack!«
Mit ausladenden Schritten und fröhlicher Miene stapfte der
Herzog von Braunschweig auf Friedrich zu. Er umarmte ihn,
klopfte ihm mit seiner fleischigen Pranke auf den Rücken und
packte ihn dann bei den Oberarmen.

»Nun schau nicht so ernst, Schwager! Zusammen befehligen
wir jetzt mehr als dreihundert Ritter. Das wird ein Kinder-
spiel! Noch bevor sich die Eisenacher morgen früh den Schlaf
aus den Augen reiben, hältst du wieder Frau und Kind in den
Armen.«

Er lachte lauthals, dann grinste er Friedrich belustigt an. »Vielleicht zeugst du zur Feier des Sieges den nächsten Sohn? Deine Frau soll sich ein Beispiel an deiner Schwester nehmen –
die hat mir brav Jahr für Jahr ein Kind geschenkt. Ein Pracht-
weib! Ich habe es keinen Tag bereut, sie gefreit zu haben. Sie
lässt dir übrigens ergebene Grüße ausrichten.«

Allmählich entspannten sich Friedrichs Züge. Der unbeküm-
merten Ausstrahlung des lebens- und rauflustigen Herzogs
von Braunschweig konnte auch er sich nicht ganz entziehen.
Der Mann seiner Schwester war schon zu Lebzeiten eine Legende. Er ließ keine Gelegenheit aus, in einem Kampf mitzu-
mischen, war ständig in Geldnöten und stiftete trotzdem ein
Kloster nach dem anderen, um Vergebung für seinen ansonsten nicht übermäßig frommen Lebenswandel zu finden. Seine
Beliebtheit erklärte sich wohl auch durch die unzähligen Geschichten darüber, wie er mit fröhlicher Unbekümmertheit
über jedes Hindernis hinwegrollte, das sich ihm in den Weg
stellen wollte.

»Ich bin nur froh, dass du mich nicht Bruder genannt hast«,
ging Friedrich auf den Ton des anderen ein und verzog zy-

nisch den Mundwinkel. »In letzter Zeit hatte ich wenig Glück mit Männern, die mich Bruder nannten.«

Dann wurde seine Miene wieder ernst. »Und ich weiß es zu schätzen, dass du mir mit deinen Männern beistehst – gegen den König.«

Der Herzog prustete verächtlich. »Der Habsburger! Vor dem habe ich keine Angst.«

Friedrich geleitete seinen Schwager zu einer verlassenen Jagdhütte, die ihnen bis zum Angriff als Unterkunft dienen würde. Männer und Pferde standen nun so dicht beieinander, dass sie Mühe gehabt hätten, sich durch das Gewühl zu arbeiten, wenn nicht jedermann den beiden Fürsten ehrfurchtsvoll Platz gemacht hätte.

»*Das* ist der berühmte Welfe?«, flüsterte Christian Markus zu und grinste. »Sieht aus wie ein wahrer Spaßvogel.«

Markus gab dem Jüngeren eine Kopfnuss angesichts solcher Respektlosigkeit. »Er ist ein Fürst, kein Narr wie du!«

Dennoch konnte sich Markus den Gedanken nicht verkneifen, dass Christian wohl so unrecht nicht hatte. Einen größeren Gegensatz als zwischen diesen beiden Verbündeten konnte man sich kaum vorstellen. Friedrich war hochgewachsen, sehnig und strahlte seit dem Aufbruch zum Feldzug eine gewisse Düsternis aus, der stämmige Heinrich hingegen wirkte wie ein Mann, der alle Freuden des Lebens genoss.

Skeptisch sah Markus auf den bewölkten Himmel. Wenn sie in der Nacht nicht wenigstens etwas Sternenlicht bekämen, würde man schon bald die Hand vor Augen nicht mehr sehen. Dann fiel sein Blick auf einen hageren Jungen, der für einen Pagen oder Knappen auffallend gut gekleidet war und kein Auge von Friedrich ließ. Obwohl Markus ihn vor acht Jahren zum letzten Mal gesehen hatte, erkannte er ihn sofort.

Herzog Heinrich zog seinen mit Fehwerk verbrämten Tasselmantel mit der Rechten enger um sich, weil ihn fröstelte. Doch das tat seiner guten Laune keinen Abbruch.

»Ich habe jemanden mitgebracht!«, rief er und winkte den Jungen heran, der in einigem Abstand gewartet hatte.

»Mein Herr Vater! Es freut mich, Euch zu sehen«, sagte dieser ernsthaft und verneigte sich elegant.

Friedrich war überrascht; die Freude überwog den Schrecken, der ihn im ersten Moment überkam. Glücklich packte er den hochaufgeschossenen Dreizehnjährigen bei den Armen und zog ihn näher zu sich. »Mein Sohn!«

»Ich habe ihn vorzeitig zum Knappen ernannt«, verkündete der Herzog von Braunschweig zufrieden. »Der Junge macht sich gut mit dem Schwert. Kommt ganz nach dem Vater. Da dachte ich, soll er mit dabei sein, wenn wir uns sein künftiges Erbe zurückholen. So kann er außerdem den Rest der Familie kennenlernen.«

Friedrich konnte sich an seinem gleichnamigen Erstgeborenen nicht sattsehen. Sie kannten sich kaum – genau genommen würden sie sich hier erst kennenlernen müssen. Soweit sich das in der Dämmerung erkennen ließ, hatte sein Sohn das gleiche dunkle Haar wie er selbst. Die Art, wie er blickte, erinnerte Friedrich an seine verstorbene Mutter, die Kaisertochter Margarete.

»Ich bin schon begierig darauf, dich mit dem Schwert zu erleben«, sagte er und lächelte dem Jungen zu, der sehr ernst und angespannt wirkte. »Aber das verschieben wir auf morgen, wenn wir wieder uneingeschränkte Befehlsgewalt über die Feste haben. Dann kannst du auch gleich deine Stiefmutter beeindrucken. Jetzt geh und lass dir etwas zu essen geben. Ich kann mich nicht erinnern, in deinem Alter je so mager gewesen zu sein.«

Er winkte Markus heran, der wie meistens in seiner Nähe war. »Sorge dafür, dass mein Erstgeborener zu Kräften kommt. Wenn ich ihn so ansehe, scheint mir ziemlich übertrieben, was man von der guten Küche am Hof des Herzogs von Braunschweig erzählt.«

Ein schwaches Lächeln huschte über das Gesicht des Jungen, dann verneigte er sich höflich vor seinem Vater und seinem Oheim und folgte Markus.

»Sosehr ich mich freue, den Jungen wiederzusehen – ich weiß nicht, ob es klug war, ihn mitzubringen«, meinte Friedrich leise zu seinem Braunschweiger Schwager, als er, Heinrich und auf seine Aufforderung hin auch Ulrich von Maltitz sich in der Jagdhütte einen Platz suchten.

Kaltes Fleisch und ein Krug Wein standen bereits auf dem grob gezimmerten hölzernen Tisch. Ohne aufgefordert zu werden, schenkte Ulrich Wein aus.

»Wieso?«, fragte der Welfe verwundert, der nach einem bemerkenswert kurzen Tischgebet bereits sein Essmesser gezogen hatte, um eine Scheibe Fleisch aufzuspießen. »Er schlägt sich wirklich gut. Es war kein Gefallen von mir, ihn vorzeitig zum Knappen zu machen.«

Der Herzog biss in den Braten und schloss für einen Moment genießerisch die Augen. »Der Waffenmeister sagt, solch ein Talent sei ihm lange nicht unter die Augen gekommen. Und seit der Junge weiß, dass wir zu seinem Vater reiten, nutzt er jede Gelegenheit, um zusätzlich zu üben.«

Der Braunschweiger grinste. »Er will dich unbedingt beeindrucken. Und warum soll er nicht dabei sein, wenn du dir die Wartburg zurückholst? So Gott keine anderen Pläne hat, wird er sie einmal erben.«

»Dir ist bewusst, dass der König meine Linie auslöschen will?«, mahnte Friedrich leise. »Mir wäre wohler, ich wüsste meinen Sohn unerkannt an einem sicheren Ort.«

»Ach was!«, widersprach der Welfe ungerührt, mit vollen Backen kauend. »Wenn der Habsburger ihn finden will, findet er ihn früher oder später auch so. Und wo sollte er sicherer sein als unter dem Schutz so vieler kampferprobter Getreuer?«

Friedrich blickte zu Ulrich, der sofort verstand und nickte. Ab morgen würde er sich persönlich um die Sicherheit des Jungen kümmern und ihm nicht von der Seite weichen, auch wenn diesem das vermutlich kaum gefallen würde.

Wenig später füllte sich die kleine Jagdhütte mit Männern, die Kriegsrat halten wollten. Neben den beiden fürstlichen Schwägern, Ulrich und dem Marschall des Welfen waren noch drei thüringische Edelleute gekommen. Neugierig musterte der Herzog von Braunschweig die drei Ritter, über die ihm schon eine Menge zu Ohren gekommen war.

Der Älteste musste dem blau-weißen Wappenrock zufolge Rudolf von Vargula sein, der Enkel des gleichnamigen Schenken, der die heilige Elisabeth nach Thüringen geleitet hatte. Er entstammte einem Geschlecht verdienstvoller Hofbeamter. Im Moment allerdings wirkte er eher müde und unentschlossen, seine Augen wanderten unter verquollenen Lidern unstet hin und her.

Der Mann mit der Schäferschere im Wappen konnte nur Truchsess Gunther von Schlotheim sein. Wie Heinrich wusste, entstammte Schlotheim einer sehr begüterten Familie. Doch als er vor zwölf Jahren energisch dagegen protestierte, dass der alte Landgraf Thüringen an Adolf von Nassau verkaufen wollte, hatte Albrecht ihm den Großteil seines Besitzes weggenommen. Wackerer Mann, dachte Heinrich. Allerdings wird er uns im Kampf nicht viel nutzen. Der Truchsess hatte einen Arm verloren. Mühevoll versuchte er mit der Linken, seinen Tasselmantel auf den Schultern zurechtzurücken, bis ihm der dritte Thüringer half, der gerade erst zu ihnen gestoßen war. Dessen Wappen kannte Heinrich nicht, wohl aber den Namen des schon durch seine Größe respekteinflößenden Recken: Albrecht von Sättelstedt, von dem es hieß, dass er noch nie in einem Turnier aus dem Sattel gehoben worden sei. Auf ihn richteten sich gerade alle Blicke, denn er brachte Nachricht aus Eisenach.

Während Vargula und Schlotheim in den letzten Wochen Friedrich auf dem Feldzug begleitet hatten, war Sättelstedt hiergeblieben und wusste als Einziger in dieser Runde, was in der Stadt geschehen war.

»Um es vorweg zu sagen: Eisenach zu nehmen, wird ein sehr schwieriges und wahrscheinlich auch ein sehr blutiges Unterfangen«, begann er. »Die Bürger haben in den letzten Wochen die Stadtbefestigungen gründlich verstärkt. Übrigens mit ausdrücklicher Erlaubnis des Königs. Sämtliche wettinischen Vasallen sind aus der Stadt vertrieben worden, was nun unser Heer um ein paar sehr zornige Kämpfer bereichert. Das Letzte, was ich gesehen habe, ist, wie eine ganze Meute von Ruchlosen Euer Stadthaus zerstört hat, Vargula.«

»Ist meine Familie in Sicherheit?«, fragte Rudolf von Vargula erschrocken.

»Sie sind oben auf der Burg, wie Eure auch, Schlotheim.«

»Wer sind die Anführer?«, erkundigte sich der Truchsess zähneknirschend.

»Als Sprecher der Bürgerschaft spielen sich zwei reiche Kaufleute auf, Heinrich Hellgreve und Theodor Tute. Die Eisenacher berufen sich auf die Deutschordensritter und den Befehl des Königs. Doch Hellgreve und Tute haben die Meute nicht mehr im Griff. Es gab Übergriffe; sie haben einen unserer Männer und mehrere Knechte erschlagen, als die verhindern wollten, dass die Häuser zerstört wurden.«

Der hünenhafte Sättelstedt, der den Kopf ein Stück einziehen musste, um nicht an das Hüttendach zu stoßen, suchte nach einer Möglichkeit, die Stadtbefestigungen zu skizzieren. Um die Umrisse in den Boden zu ritzen, war es zu dunkel, selbst wenn inzwischen im Schutz der Hütte ein Kienspan entzündet worden war. Also schob er die Becher beiseite und malte mit Holzkohle ein abgerundetes Dreieck auf den rauhen Tisch, das die Umrisse Eisenachs darstellen sollte.

»Alle Stadttore haben nun wehrhafte, massive Vorwerke.« Mit

kleinen Kreuzen markierte er die Lage der Tore. »Die beiden Haupttore haben neue Vortore, mit starken Mauern und überdachten Wehrgängen. Wo die Wehrmauer noch am ehesten zu erreichen wäre, zwischen Predigertor und Frauenkirche, ist vor dem Stadtgraben noch ein zusätzlicher Wallgraben angelegt worden. Sogar die beiden Türme der Marienkirche wurden abgerissen, die bis an die Mauer reichen, damit die Wehrgänge nicht unterbrochen werden.«

»Was ist mit der Klemme?«, warf Friedrich ungeduldig ein. Als er den fragenden Blick seines Schwagers sah, erklärte er diesem: »Eine Zwingburg an der nördlichen Ringmauer. Sie hat einen unabhängigen Zugang zur Stadt. Mein Großvater ließ sie einst anlegen.«

Sättelstedt hob bedauernd die Schultern und holte tief Luft. »Euer Vater hat sie kurz nach Eurer Abreise den Eisenachern verkauft, und die haben sie mit Freuden sofort abgerissen.«

Mit Friedrichs Beherrschung war es schlagartig vorbei. Wütend ließ er die Faust auf den Tisch krachen und stieß einen zornigen Laut aus.

»Wir müssen nicht Eiscnach stürmen, wir wollen doch nur auf die Wartburg – vorerst ...«, versuchte Ulrich ihn zu beschwichtigen.

»Genau! Machen wir die Belagerer zu Belagerten!«, schlug Heinrich fröhlich vor. »Wir blockieren die Tore, und du kannst derweil in aller Ruhe hochreiten, deine Frau und dein Kind umarmen und den nächsten Sohn zeugen.«

Zu den thüringischen Rittern gewandt, fragte er: »Welche Wege muss man kontrollieren, um freien Zugang zur Wartburg zu haben?«

Sättelstedt markierte mit schwarzen Kreuzen rund um Eisenach die Kette der Burgen, die größtenteils im Erbfolgekrieg vor einem halben Jahrhundert angelegt worden waren.

»Diese Burg hier« – er wies auf ein Kreuz unterhalb des angedeuteten Frauentores – »müssen wir einnehmen. Dann ist der Hauptweg frei; der einzige Weg, auf dem auch ein Gespann mit Proviant, Wasser oder Bier hochkommt. Um alles andere können wir uns später kümmern.«

»Und wie stark besetzt ist die Stadtburg?«

Der Turnierheld grinste. »Nicht stark genug, damit sie einen Ausfall wagen können. Sie haben doch alle wettinischen Ritter aus der Stadt vertrieben. Geblieben sind nur etwa zwei Dutzend, die sich ihre Dienste gut von den Eisenachern bezahlen lassen.«

Wenig später stand der Plan fest.

Zwei Drittel ihrer Streitmacht wurden gebraucht, um die Stadttore Eisenachs zu blockieren. Waren die Stadtbewohner erst eingeschlossen, würden vierzig bis fünfzig Kämpfer noch diese Nacht die Burg vor dem Frauentor stürmen. Sobald die Burg gefallen und die Weggabelung frei war, sollte eine Gruppe von vierzig Reitern mit den beiden Fürsten und Friedrichs Sohn zur Wartburg emporstürmen.

Ulrich würde die Einnahme der Frauenburg befehligen und suchte dafür Freiwillige. Jedem war klar, dass dies der gefährlichste Teil der Unternehmung war.

»Christian und ich könnten als Gaukler um Einlass bitten«, schlug Sibylla vor, die am Rande stand und Ulrich nicht aus den Augen gelassen hatte.

»Wir lenken sie ab. Oder ihr nutzt den Augenblick, in dem sie uns hereinlassen.«

Ulrich zögerte. Sibyllas Vorschlag war gut und könnte ihnen eine Menge Toter ersparen. Doch er schickte sie äußerst ungern auf eine solch gefährliche Mission.

»Ich passe schon auf sie auf, Herr«, verkündete Christian großspurig.

Seine Worte beruhigten Ulrich tatsächlich ein wenig.

»Gut«, entschied er. Wenn es jemand schaffte, den Hals immer wieder im letzten Moment aus der Schlinge zu ziehen, dann der Rotschopf. »Ihr beide versucht es. Wer meldet sich noch freiwillig?«

Markus war der Erste, der vortrat. Er wollte bei seinen beiden Freunden aus Freiberger Tagen sein. Und wenn er ehrlich war, so verspürte er auch wenig Lust, oben Lena gegenüberzutreten. Ein paar seiner Rochlitzer Gefährten gesellten sich zu ihm, Wilhelm, Gero und die anderen befreiten Geiseln zuerst, dazu drei Dutzend Thüringer.

Zufrieden winkte Heinrich von Braunschweig einen Geistlichen aus seinem Gefolge heran. »Sprecht ein Gebet, Pater, und gebt uns Euern Segen für das Gelingen unseres Vorhabens!«, forderte er ihn auf. Die Männer und auch Sibylla knieten nieder, um den Segen zu empfangen.

»Und nun los!«, trieb Ulrich wenig später diejenigen voran, die sich unter sein Kommando begeben hatten. In ausreichendem Abstand, um nicht entdeckt zu werden, folgten sie Sibylla und Christian. Jetzt hing alles von ihnen ab.

DIE RÜCKKEHR

Ungeduldiges, lautes Klopfen weckte Herrmann von Goldacker aus dem Schlaf. Sofort griff er nach dem Schwert und riss die Tür auf. Davor stand einer seiner Wachen.

»Feuer auf der Frauenburg! Und Berittene kommen den Berg herauf.«

»Wie viele?«, blaffte der Marschall, während er nach seinen Stiefeln griff.

»Viele. Vierzig oder fünfzig«, antwortete der Mann.

Friedrich!, dachte Goldacker erleichtert. Er hat es wirklich geschafft!

Der Marschall rechnete nicht ernsthaft damit, dass es Feinde sein könnten. Kein vernünftiger Mensch käme auf den Gedanken, die Wartburg frontal anzugreifen. Parlamentäre würden nicht nachts und nicht in so großer Zahl kommen. Wenn er selber hierher durchbrechen wollte, würde er auch die Frauenburg einnehmen und sich dann nach oben durchschlagen.

Dennoch musste er sich vergewissern, dass es sich nicht um eine List handelte. Er zwängte sich in den Gambeson, streifte nur den Wappenrock über und gürtete mit tausendfach geübten Griffen das Schwert.

»Alarmiere die Männer!«, befahl er, bevor er den Hof überquerte und in das obere Geschoss des Torhauses der Vorburg stieg. Von hier aus blickte man genau auf Zugbrücke und Schanze. Der Morgen dämmerte bereits. Bald würden die ersten Sonnenstrahlen hinter den Bergen hervorbrechen.

Das Erste, was er sah, war Rauch, der von der Burg südlich des Eisenacher Frauentores aufstieg. Ein Trupp Berittener näherte sich, so schnell es bei der Steigung und dem gewundenen Weg möglich war. Angestrengt starrte er hinab, kniff die Lider ein wenig zusammen, als könnte er so besser sehen, und verfluchte in Gedanken die Dunkelheit und die nachlassende Sehkraft seiner Augen. Sein naturgegebenes Misstrauen erlosch erst, als er Friedrichs Schimmel und das Banner des Reiters vor ihm erkannte: die zwei goldenen Löwen auf rotem Grund.

Der Welfe war zu Hilfe gekommen. Dem Allmächtigen sei gedankt!, dachte Goldacker.

Unten versammelte sich die Wachmannschaft, mehr oder minder verschlafen. Die Kälte jedoch trieb die Müdigkeit rasch aus den Gesichtern – zusammen mit der Nachricht von dem sich nähernden Reitertrupp, die sofort die Runde machte.

Bei einem Blick aus dem nach hinten gerichteten Fenster sah der Marschall, wie die Markgräfin mit wehendem Schleier den Hof überquerte und einer Magd Befehle erteilte. Als ob sie es geahnt hätte!, dachte er angesichts ihres trotz der frühen Morgenstunde perfekt sitzenden Gebendes. Vielleicht war sie in der Kapelle gewesen, um zu beten.

Das Klappern der Hufe auf den hölzernen Bohlen lenkte seine Aufmerksamkeit wieder nach vorn. Schon hielten die ersten Reiter vor der hochgezogenen Brücke.

»Willkommen daheim, mein Fürst!«, rief Goldacker hinab und legte die Hand aufs Herz, bevor er sich verbeugte. »Und auch Ihr fühlt Euch willkommen geheißen auf der Wartburg, Herzog Heinrich!«

»Das würde ich ja, wenn Ihr mich jemals einlasst, Goldacker!«, rief der Welfenfürst an Friedrichs Seite grinsend. Er kannte den thüringischen Marschall nicht gut genug, um zu wissen, dass dessen kaum erkennbares Lächeln schon so etwas wie einen Ausbruch ungehemmter Fröhlichkeit darstellte.

Herrmann von Goldacker bemerkte gleich, dass der Trupp unterwegs mit Feinden zusammengestoßen sein musste. Ein Mann hielt sich den Arm, aus dem ein Pfeilschaft herausragte, ein anderer trug frische Blutspuren auf dem Gesicht.

Oder waren diese vierzig etwa alle, die den Kampf um die Frauenburg überlebt hatten? Dann musste es bedenklich große Verluste gegeben haben. Niemand würde es wagen, mit nur vierzig Mann die Wartburg entsetzen zu wollen.

Nun, er würde gleich erfahren, was vorgefallen war. Während die Zugbrücke herabgelassen und das Gitter des Torhauses hochgezogen wurde, stieg er eilig die Treppe hinab, um den Burgherrn und seine Männer persönlich in Empfang zu nehmen. Stallburschen rannten herbei und nahmen den Rettern die Pferde ab, der Stallmeister selbst führte Friedrichs Schimmel fort, um ihn trockenzureiben. Im Handumdrehen war der Hof voll von Menschen. Wer vom Gesinde und der Besatzung nicht damit beschäftigt war, die Pferde zu versorgen, kniete nieder.

»Wie schön, Euch wieder bei uns zu wissen, Durchlaucht!«, begrüßte Goldacker den Erstgeborenen des alten Landgrafen. Friedrich nickte ihm zu und rief in die Runde: »Die Frauenburg wurde eingenommen und niedergebrannt, Eisenach ist umzingelt. Mehrere Gespanne mit Proviant und Wasser sind unterwegs hierher.«

Jubel und Segenssprüche klangen von allen Seiten durch den kalten Morgen. Die Landgräfin hatte sich inzwischen durch die Menschenmenge gearbeitet und reckte den beiden Fürsten zwei edelsteingeschmückte Becher entgegen.

»Unser letzter Wein, und er gebührt unseren Rettern«, sagte sie und blickte freudestrahlend zu Friedrich auf. Dann begrüßte sie den Welfen mit einem tiefen Knicks.

»Geliebter Schwager! Willkommen in Thüringen!«

Der Herzog von Braunschweig – ganz in seinem Element – überhäufte sie mit Komplimenten. Doch Elisabeth entging nicht, dass Friedrichs Aufmerksamkeit abgelenkt war. Er sah sich suchend um, bis sein Blick an einem hochaufgeschossenen Jungen hängenblieb. Die Ähnlichkeit war unverkennbar, so dass Elisabeth sofort wusste, wen sie vor sich hatte. Im nächsten Augenblick verstand sie das Erschrecken ihres Schwiegersohnes.

»Hol den Feldscher, rasch!«, befahl sie der erstbesten Magd, die in ihrer Nähe kniete, um die hohen Herren zu begrüßen.

Friedrichs Sohn war verwundet. Zwar hatte er es geschafft abzusitzen, anscheinend ohne dass jemand seine Verletzung bemerkte, doch nun war sie nicht zu übersehen. Dicht über dem Knöchel ragte ein Pfeil aus seinem Bein; sein Schuh war mit Blut bedeckt, das aus der Wunde rann.

Der Junge stützte sich immer noch auf sein Pferd, das unruhig schnaubte, hatte die Zähne zusammengebissen und blickte etwas verloren um sich.

Schon war sein Vater bei ihm. »Wann ist das geschehen?«, fragte er bestürzt.

»Als wir auf diese Streife gestoßen waren«, brachte der Junge heraus, den Schmerz mühevoll unterdrückend.

»Und du bist einfach weitergeritten, mit dem Pfeil in der Wade?«, fragte Friedrich, erstaunt und voller Sorge.

Der Dreizehnjährige zwang sich zu einem schiefen Lächeln. »Wir hätten ja schlecht halten und nachsehen können.«

»Maltitz hat uns den Weg freigeschlagen, so dass wir zunächst unangefochten an der Burg vorbeikamen«, erklärte Friedrich hastig seiner Schwiegermutter und dem Marschall. »Doch auf halber Strecke trafen wir auf einen feindlichen Suchtrupp. Ein unglücklicher Zufall. Es gelang uns, sie niederzumachen, aber offensichtlich nicht alle.«

Elisabeth sah, dass sich der Junge kaum noch aufrecht halten konnte. Sie blickte kurz um sich, ob der Wundarzt schon in Sicht war, lächelte und sagte: »Da lernen wir uns also unter solchen bedauerlichen Umständen kennen ... Ich bin deine Stiefgroßmutter.«

Gebieterisch winkte sie zwei Ritter heran. »Tragt den jungen Fürsten in meine Kammer! Rasch! Und jemand soll Ausschau halten, wo endlich dieser Taugenichts von einem Feldscher bleibt!«

Friedrichs Sohn wollte zunächst abwehren, sah dann aber seine Zwangslage ein und ließ sich von den Rittern helfen, die sich seine Arme um ihre Schultern legten. Auf dem Weg zum Palas fiel ihm ein Junge von vielleicht sechs oder sieben Jahren auf, der immer verzweifelter unter den Neuangekommenen herumfragte: »Markus? Habt ihr Markus gesehen?«

»Von der Frauenburg ist noch keiner zurück«, rief jemand.

Am liebsten wäre der einstige Markgraf von Meißen seinem Sohn sofort gefolgt. Der Allmächtige behüte uns davor, dass der Junge als Friedrich der Lahme in die Geschichte eingeht, dachte er kummervoll. Der Pfeil steckte beängstigend nahe der Achillessehne. Sobald er die allernötigsten Dinge geregelt hatte, würde er nach seinem Sohn sehen. So lange wusste er ihn bei Elisabeth in guten Händen.

Der Anblick seiner Frau lenkte ihn für einen Augenblick von den schlimmsten Befürchtungen ab.

»Willkommen zurück, mein Gemahl«, begrüßte ihn die jüngere Elisabeth allen Regeln für höfisches Benehmen gemäß und sank in einen Knicks. Das verwunderte ihn; er hätte gedacht, dass sie ihm erleichtert um den Hals fallen würde, auch wenn das nicht das Betragen war, das man von einer Dame ihres Standes erwartete. Also erwiderte er ihren Gruß freundlich und erforschte ihre Züge, die ungewohnt zaghaft wirkten. Dann schien sie sich zusammenzureißen und meinte, zaghaft lächelnd: »Unserer Tochter geht es gut. Ihr werdet staunen, wie sie gewachsen ist. Sie schläft, aber wenn Ihr es wünscht, lasse ich sie sofort holen.«

»Lassen wir sie schlafen«, entschied er und gab seiner Frau einen flüchtigen Kuss auf die Stirn. Er spürte ihre Enttäuschung und erklärte deshalb rasch: »Mein Sohn ist bei uns, er ist verwundet. Ich will zuerst nach ihm sehen.«

Auf den Zügen der jüngeren Elisabeth wechselte die Anspannung rasch zu Betroffenheit bei der Nachricht von dem verletzten Stiefsohn, den sie nun zum ersten Mal sehen würde.

»Ist der Wundarzt schon bei ihm?«, fragte sie besorgt.

In all dem Durcheinander schien niemand zu bemerken, dass endlich auch der alte Landgraf aus dem Palas gekommen war. Gestützt auf einen Diener, stand er vor dem Tor. Das dünne weiße Haar wehte um seinen Schädel, und mit mürrischer Miene und halb zusammengekniffenen Lidern starrte er auf seinen Erstgeborenen. Dann machte er kehrt und humpelte ohne ein Wort zurück in seine Kammer.

Friedrich sah ihn gerade noch im Eingang verschwinden und unterdrückte den Impuls, dem Vater nachzueilen und ihn den Regeln der Höflichkeit entsprechend zu begrüßen. Sein eigener Sohn war ihm jetzt wichtiger. Und sein störrischer Vater hätte es durchaus über sich bringen können, den Sohn zu beglückwünschen, der sich hierher durchgekämpft hatte, um die Belagerung zu durchbrechen und Rettung für die Eingeschlossenen zu bringen. Wenn er stattdessen wortlos und mit finsterer Miene davonschlurfte, bedeutete das nur, dass der nächste Ärger mit dem unberechenbaren Greis bevorstand. Dafür hatte Friedrich jetzt weder Zeit noch Geduld.

»Habt ihr Markus gesehen?«
Immer verzweifelter kämpfte sich der kleine Franz durch die Menschenmenge auf dem Burghof, bis ihn jemand am Ohr schnappte und zu sich zog.
»Hast du nichts zu tun, du Tagedieb?!«, schnarrte der dritte Aufseher des Küchenmeisters, ein strenger Mann, den alle Küchenjungen wegen seines dünnen Kinnbartes heimlich nur »Ziegenbart« nannten. »Ab zu den Töpfen mit dir!«
Der Gehilfe riss so heftig am Ohr des Jungen, dass dieser kaum zu nicken wagte.
»Ja, Meister«, schniefte er gehorsam und wurde losgelassen. Er wischte sich mit dem Ärmel die Nase ab und trabte los Richtung Küche. Weil er den Blick des Küchenaufsehers auf sich wusste, riskierte er es gar nicht erst, vorher abzubiegen und weiter nach seinem großen Freund zu suchen. Doch kaum hatte er das Gebäude betreten, machte er kehrt und spähte vorsichtig hinaus. Vom Ziegenbart war weit und breit nichts zu sehen. Also huschte er wieder nach draußen und rannte los. Vielleicht traf er noch einen von den Reitknechten im Stall, die mit Fürst Friedrich gekommen waren.
Franz atmete erleichtert auf, als er unangefochten ins Stallgebäude geschlüpft war. Wenn ihn jemand dabei ertappte, dass er die Arbeit versäumte und einem Befehl nicht gehorchte, würde es so gewaltig Prügel setzen, dass er eine Woche nur auf dem Bauch schlafen konnte.
Rasch sah er sich im Dämmerlicht des Stalls um. Hier war immer noch jede Menge los: Die Stallburschen versorgten die neu eingetroffenen Pferde, ein paar der Reitknechte waren erwartungsgemäß dabei, den anderen vom Kampf dieser Nacht

zu erzählen. Franz schlängelte sich zu einem lustigen Blond-
schopf durch, mit dem er schon ab und an einen Streich ausgeheckt hatte.

»Weißt du, wo Markus ist?«, fragte er ihn und ließ kein Auge
von dem Größeren.

»Der war bei denen, die unten die Burg stürmen wollten«, antwortete der Bursche, plötzlich ungewohnt ernst. »Machst dir
Sorgen um ihn, hm? Es heißt, die hätten da unten ziemliche
Verluste gehabt … Es ist noch keiner von dort zurück; sie
müssen erst die Toten und Verletzten bergen.«

Als er die Verzweiflung auf dem Gesicht des Jungen sah, fügte
er rasch hinzu: »Ihm wird schon nichts passiert sein, Kleiner.
Geh und sprich brav ein Gebet, dann wird sich alles fügen.
Den haut so schnell keiner tot …«

Franz verschwamm der Blick. Er starrte geradeaus und versuchte, die Tränen wegzublinzeln. Dabei entging ihm, dass der
junge Reitknecht plötzlich beunruhigt über ihn hinwegsah.
Im nächsten Moment krallte sich eine Hand hart in die Schulter des Sechsjährigen. Er wurde jäh herumgezerrt und sah den
wutschnaubenden Ziegenbart vor sich.

»Hab ich mir's doch gedacht, dass du dich immer noch herumtreibst!«, brüllte der Küchenaufseher. Mit seiner Rechten holte er aus und verpasste Franz eine Ohrfeige, die ihn zu Boden
schleuderte.

Der blonde Stallknecht trat rasch vor den Jungen, dessen Wange wie Feuer brannte. »Der Stallmeister hat nach ihm rufen
lassen«, mischte er sich tapfer ein, während seine Gedanken
auf der Suche nach einer glaubhaften Ausrede durcheinander-
wirbelten.

»Und was will wohl der Stallmeister von einem Nichtsnutz
wie diesem?«, höhnte der Ziegenbart, schon voller Vorfreude,
dass nun dank seiner Aufmerksamkeit zwei Faulpelze für
ihre Lügen und Versäumnisse bestraft wurden und nicht nur
einer.

»Befehl des Ritters von Maltitz«, mischte sich plötzlich eine bekannte Stimme gelassen ein.

Erleichtert sah Franz auf und rieb sich rasch die Tränen von den Wangen. Vor ihnen stand Christian, der rothaarige junge Freund von Markus, und sah hochnäsig auf den Küchengehilfen herab. Rasch verkniff sich Franz ein Grinsen. Wie der Rotschopf schaute, würde es wohl gleich eine kleine Vorführung geben.

Christian trat einen Schritt auf den Ziegenbart zu, so dass er nur noch eine Handbreit von dessen Gesicht entfernt war. Und da er beinahe einen Kopf größer als der Aufseher war, wirkte es ziemlich bedrohlich, wie er auf diesen herabsah und ihm direkt in die Augen starrte.

»Die Helden von der Frauenburg haben Hunger und Durst. Ihr wollt sie doch nicht warten lassen, nachdem sie ihr Leben für unseren Fürsten und für euch alle hier oben riskiert haben?«

»Natürlich nicht!« Ängstlich wich der Ziegenbart zurück und kam gar nicht auf den Gedanken, sich zu fragen, ob die Helden wohl im Stall essen wollten und weshalb Franz weder Brot noch einen Bierkrug bei sich trug.

»Wusste ich's doch«, meinte Christian jovial. »Guter Mann!« Der Ziegenbart atmete auf – jedoch zu früh.

»Hoppla!«, rief Christian und hatte ihn schon am Halsausschnitt der Kotte gepackt. »Beinahe wäret Ihr gestolpert.«

Er zog ihn zu sich und setzte ein gutmütiges Lächeln auf. Das, zusammen mit seiner Größe und Muskelkraft, brachte den anderen davon ab, etwas einzuwenden.

Dann tat der junge Soldat mit dem roten Haar verwirrt. »Was sucht *Ihr* eigentlich im Stall, Meister? Serviert Ihr jetzt persönlich noch den Pferden der hohen Herren?«

Für einen Moment ließ er die Kotte locker, so dass der Ziegenbart gestürzt wäre, hätte Christian nicht rasch wieder fest zugepackt.

Am liebsten würde er den Wichtigtuer zwischen die Pferde-äpfel werfen. Doch er sah, dass Franz in Nöten war und der Ziegenbart den Jungen früher oder später für die Schmach büßen lassen würde. Also verzichtete er auf den Spaß, so schwer es ihm auch fiel. Er ließ den anderen los, putzte ein bisschen an dessen Schulter herum, als habe sich dort Stroh festgesetzt, und verabschiedete ihn mit höflichem Gruß in die Küche. Den Kopf in den Nacken gezogen, schritt der Ziegen-bart davon, ohne sich noch einmal umzudrehen.

»Ich schicke Euch den Küchenjungen, wenn der Herr von Maltitz seine Dienste nicht mehr benötigt«, rief Christian ihm nach. Dann half er Franz auf und musterte ihn und den Blond-schopf kritisch.

»Ich weiß nicht, was ihr zwei schon wieder angestellt habt, und will es auch gar nicht wissen. Aber es wird noch ein schlimmes Ende mit euch nehmen. Ich kann schließlich nicht dauernd als Retter in der Not zur Stelle sein«, schimpf-te er mit gespielter Strenge, ohne sich das Grinsen verknei-fen zu können. Zu gut erinnerte er sich an seine eigenen Streiche. Dagegen waren diese beiden geradezu Unschulds-engel.

»Danke!«, meinte der Stallbursche erleichtert. »Mir ist auf die Schnelle einfach keine Ausrede eingefallen, um den Kleinen zu schützen.«

»Ja, abgesehen von der ausgefallenen Idee, dass der Stall-meister einen Küchenjungen braucht«, zog Christian ihn auf. Dann legte er Franz den Arm auf die Schulter.

»Ab mit dir in die Küche! Sonst verdienst du wirklich Ärger.«

»Wo ist Markus?«, fragte der Junge und starrte ihn ängstlich an. Diese Frage hatte Christian insgeheim befürchtet.

»Es sind noch nicht alle zurück von der Frauenburg. Du wirst noch ein bisschen warten müssen, Kleiner«, sagte er leichthin und schob ihn Richtung Stalltür. Christian verschwieg, dass auch er sich große Sorgen um Markus machte. Als er ihn das

letzte Mal gesehen hatte, steckte dieser noch mitten im Kampfgewühl.

Die Landgräfin von Thüringen saß am Bett von Friedrichs
Sohn, als der besorgte Vater die Kammer betrat. Einmal mehr
überraschte ihn Elisabeth, sogar nach so vielen Jahren. Allem
Anschein nach hatte sie dem Verletzten selbst Beinling und
Schuh heruntergeschnitten und das verkrustete Blut um die
Wunde herum aufgelöst. Einer der mit Stickereien verzierten
Ärmel ihrer hellblauen Kotte hatte kleine Blutspritzer abbe-
kommen.

Gerade wrang sie ein blutiges Leinentuch über einer Schale
mit rötlich verfärbtem Wasser aus und sah aufmunternd zu
ihrem Großsohn. Dessen rechter Fuß war bis über den Knöchel entblößt; die Pfeilspitze ragte fast eine Handspanne heraus, auf der anderen Seite der Schaft.

»Wo ist der Feldscher?«, fragte er verwundert.

»Nicht aufzufinden«, sagte die Landgräfin, müde und zornig
zugleich. »Wie es aussieht, hat er sich heimlich von der Burg
gestohlen – mitsamt seinen Instrumenten.«

Sie strich mit dem Handgelenk eine Haarsträhne zurück, die
sich aus ihrem Gebende gestohlen hatte. Allein diese kleine
Geste sagte Friedrich, wie müde und besorgt sie war.

»Am besten, wir durchtrennen den Pfeil dicht über der Wunde, bevor wir ihn herausziehen«, meinte sie.

»Wirst du das aushalten?«, fragte sie den verletzten Markgra-
fensohn.

»Mir bleibt wohl keine Wahl«, entgegnete dieser mit gequäl-
tem Lächeln und zuckte scheinbar gleichgültig die Schultern.

»Gib mir Mohnsaft!«, herrschte Elisabeth eine der Kammerfrauen an, die mehr oder weniger bleich ein paar Schritte entfernt standen.

»Du musst das nicht selbst tun«, redete Friedrich ihr zu.
»Sibylla ist geschickt in derlei Dingen.«

Dann jedoch fiel ihm ein, dass die Nachhut und auch Ulrichs Geliebte noch nicht zurückgekommen waren.

»Jemand soll einen Trupp zur Frauenburg schicken. Wir brauchen Ulrich und Sibylla. Sofort!«, befahl er einer der Hofdamen, die knickste und hinaushastete.

»So lange können wir nicht warten«, entschied Elisabeth, nachdem sie sorgfältig zehn Tropfen Mohnsaft abgezählt und in einen Becher Wein geträufelt hatte.

»Wir werden wohl meine erste Vorführung mit dem Schwert vor Euren Augen um ein paar Tage verschieben müssen, Vater«, meinte der junge Friedrich beklommen, während er den Becher entgegennahm.

Sein Vater legte ihm aufmunternd die Hand auf die Schulter und lächelte. »Wenn es sein muss, bin ich ein geduldiger Mann.«

Der verletzte Knappe setzte sich auf, um zu trinken.

»Warum haben die Eisenacher das getan? Warum hassen sie uns?«, fragte er nach dem zweiten Schluck und richtete die Augen auf seinen Vater.

»Sie hassen nicht dich, sondern vor allem deinen Großvater«, erklärte Friedrich. Es hatte kein Sinn, darum herumzureden.

»In früheren Jahren war er ein tapferer Kämpfer. Er hat viele Gefechte geführt, um das Land von Raubgesindel zu befreien. Doch dass er Thüringen verkauft hat, können sie ihm nicht verzeihen.«

»Außerdem hat der König den Eisenachern Reichsfreiheit versprochen. Dem können sie nicht widerstehen«, ergänzte Elisabeth kühl. »Mühlhausen und Nordhausen haben als reichsfreie Städte gute Geschäfte gemacht und sind zu so viel Wohlstand gekommen, dass sie sogar dem König Geld leihen konnten.«

»Ist es etwa besser für sie, nur einen Herrn zu haben?«, fragte der junge Friedrich zweifelnd, bevor er den Becher austrank.

»Das kommt auf den Herrn an«, erwiderte sein Vater sarkastisch. »Die Leipziger dachten auch, es ginge ihnen besser als reichsfreie Stadt. Inzwischen sehnen sie sich zurück nach dem Schutz des Hauses Wettin.«

Elisabeth beobachtete, wie der Mohnsaft bei ihrem Patienten seine Wirkung tat; dem Jungen fielen die Augen zu. Sie warf einen kritischen Blick auf ihre Hofdamen, befand keine für tapfer genug, das zu tun, was nun bevorstand, und sah zu Friedrich.

»Hilfst du mir?«, bat sie. Vor Sorge bemerkte sie nicht, dass sie auf die höfische Anrede verzichtete, obwohl sie nicht allein in der Kammer waren.

Friedrich wusste sofort, was zu tun war.

Er sprach ein stummes Gebet, dann umklammerte er beide Enden des Pfeils mit festem Griff, damit sich der Schaft so wenig wie möglich bewegte, während Elisabeth ihn mit der Schere aus ihrem Nähkorb dicht über der Wunde abschnitt. Die obere Hälfte ließ sie achtlos zu Boden fallen, den anderen Teil zog Friedrich mit einem Ruck aus der Wunde, die sofort wieder zu bluten begann. Der Verletzte ächzte und verlor das letzte bisschen Farbe aus dem Gesicht. Rasch legte ihm Elisabeth ein nasses Tuch auf die Stirn und schob ihm die Hand in den Rücken, um ihn aufzurichten und ihm noch mehr Wein einzuflößen. Dann ließ sie ihn vorsichtig zurücksinken und wartete, dass er einschlief. Unbewusst griff Friedrich nach der Hand seines Sohnes.

»Das Schlimmste hat er überstanden«, flüsterte Elisabeth, als sie sicher war, dass ihr Patient schlief. »Hauptsache, die Wunde entzündet sich nicht.«

Sie drehte sich zu ihren Kammerfrauen um. »Lasst uns allein und findet endlich diese Sibylla!«, befahl sie ungeduldig.

Erst als die Frauen nach einer Verbeugung hinausgehastet waren, gestand sie ihre Ratlosigkeit ein.

»Ich bin mir nicht sicher, welches Mittel das beste gegen eine

Entzündung ist. Dieser Wundarzt – ich lasse ihn hängen, sollte er sich mir jemals wieder vor meine Augen wagen! – hatte verschiedene Mixturen. Aber es hätte schlimmer kommen können. Vielleicht wird er sogar wieder richtig laufen können, wenn alles gut verheilt.«

Friedrich schloss für einen Moment die Augen. Er wollte nicht zu Ende denken, dass sein Sohn vielleicht eine bleibende Verletzung davongetragen hatte.

»Du solltest jetzt nach Frau und Tochter sehen«, mahnte Elisabeth, auch wenn sie sich dazu überwinden musste. »Ich wache bei deinem Sohn und lasse dich rufen, sobald er wieder zu sich kommt.«

Friedrich zögerte.

»Wie hat sie sich gehalten?«, fragte er seine Schwiegermutter. Als er sah, dass Elisabeth ihre Worte sorgfältig abwägen wollte, forderte er: »Ich will die Wahrheit!«

»Niemand ist anfälliger für Furcht als eine Mutter mit einem Säugling. Das darfst du ihr nicht vorwerfen«, antwortete Elisabeth mit Bedacht. »Sie fürchtet um dein Kind, nicht um sich selbst.«

»Früher oder später wird der König den Eisenachern Truppen als Verstärkung schicken und die Wartburg erneut belagern«, erklärte Friedrich leise. »Bevor es so weit kommt, lasse ich sie und das Kind fortbringen, nach Reinhardsbrunn. Im Kloster wird sie Schutz und Frieden finden. Kann ich dich hier dem Schutz Goldackers anvertrauen?«

Die Landgräfin lächelte kaum erkennbar. »Ich fürchte nicht, was kommen mag, und ich fürchte auch diesen Marschall nicht so wie deine Frau. Er ist ein zuverlässiger Mann und wird tun, was nötig ist.«

ZURÜCK ZUR FRAUENBURG

Als Christian eine Hofdame aufgeregt über den Burghof irren sah, lief er ihr entgegen. Es war dieses hochnäsige schwarzhaarige Ding, das er vor Jahren auf dem Hoftag in Nürnberg zum ersten Mal gesehen hatte. Damals war sie in Begleitung der Landgräfin von Thüringen gekommen, die unaufgefordert in die Kammer Fürst Friedrichs stürmte, nachdem jener hatte erfahren müssen, dass Albrecht von Habsburg die Mark Meißen König Wenzel von Böhmen überließ. Das kleine Edelfräulein hatte auf ihn, den Straßenjungen mit dem verkrüppelten Fuß, verächtlich herabgesehen, während sie gemeinsam vor der Kammer warten mussten. Jetzt war er ein tapferer Soldat, dem die Mädchen nur so nachliefen, während sie mit einem Höfling verheiratet worden war, der kaum noch einen Zahn im Mund hatte und für seine ständig schlechte Laune berüchtigt war. Und Wenzel von Böhmen war tot, genau wie sein Sohn. So ändern sich die Zeiten, dachte Christian wie so oft, wenn er sie sah.

Doch jetzt war nicht der Moment für Gehässigkeit. Falls ihr aufgetragen war, was er vermutete, kam das seinen Absichten entgegen. Denn langsam begann er sich Sorgen zu machen. Markus und Sibylla müssten längst hier sein.

Die Schnippische nahm sein wortloses Angebot an und blieb vor ihm stehen.

»Weißt du, wo der Ritter von Maltitz und die Gauklerin sind?«, fragte sie mit ihrer üblichen Hochnäsigkeit. »Meine Herrin und Fürst Friedrich suchen nach ihnen.«

»Sie müssen noch unten in der Frauenburg sein«, gab Christian Auskunft, ohne sich etwas von seiner Unruhe anmerken zu lassen, aber auch ohne sein typisches freches Grinsen. »Wenn Ihr wünscht, reite ich los und hole sie.«

»Ja, tu das«, meinte sie erleichtert und gönnte ihm sogar einen herablassenden Blick. »Sie werden dringend hier gebraucht.

Der Sohn des Fürsten ist verwundet. Am Fuß«, fügte sie hinzu, als sie den erschrockenen Blick des jungen Mannes sah. Normalerweise hätte sie kein Wort mehr als nötig an jemanden wie ihn verschwendet. Aber so konnte sie die Angelegenheit wohl noch dringender machen und beweisen, dass sie mehr wusste als er.

Sofort lief Christian zum Stall und ließ sich von dem blonden Knecht, den er gerade erst vor einer Bestrafung gerettet hatte, sein Pferd wieder satteln. Dann hielt er Ausschau nach Albrecht von Sättelstedt. Der Hüne war kaum zu übersehen, er stand bei der Zisterne und scherzte mit einer der jungen Mägde, die ihn bewundernd anstarrten.

Christian bat ihn um Erlaubnis, loszureiten.

»Ich komme mit«, entschied der Ritter nach kurzem Zögern. »Die anderen müssten wirklich allmählich hier sein.« Rasch rief er noch ein paar Männer zusammen.

Mittlerweile war die Sonne aufgegangen. Doch der Nebel im Tal schränkte immer noch die Sicht ein. Während Christian sein Pferd den gewundenen Pfad hinablenkte, wanderten seine Gedanken zurück zur nächtlichen Eroberung der Frauenburg.

Sibyllas List war aufgegangen: Sie und Christian hatten in der Nacht als Gaukler Einlass gefunden und die Besatzung unterhalten. Bald stahl sich der Rotschopf unter einem Vorwand aus der Halle, überrumpelte die zwei nachlässigen Wachen am Tor und öffnete die Burg für die Kämpfer unter Ulrichs Kommando.

Friedrichs Männer hatten das Überraschungsmoment auf ihrer Seite. Der blutige Kampf, der sofort in der Halle und auf dem Burghof entbrannte, neigte sich bald zugunsten der Meißner. Als die größte Gefahr vorbei war und sich fast die komplette Burgbesatzung ergeben hatte, schickte Ulrich alle entbehrlichen Männer unter dem Kommando Sättelstedts los. Sie sollten Friedrich Rückendeckung geben, der wie verabredet losgeritten war, als die Palisaden der Frauenburg in Flammen standen und somit die größte Verwirrung herrschte. Christian war dieser Gruppe zugeteilt worden, weil er wegen seiner Rolle als Gaukler weder Waffen noch Rüstung trug.

So wusste er nicht, was seitdem dort unten alles geschehen war, und hatte nun mehr Gelegenheit, als ihm lieb war, sich Sorgen um das Schicksal seiner Freunde zu machen.

Als sie die zur Hälfte niedergebrannte Burg erreichten, kräuselten sich von den Überresten der Palisaden nur noch da und dort ein paar dünne Rauchfäden empor. Rußflocken hatten sich über alles gelegt und die Kleider und Gesichter der Männer mehr oder weniger geschwärzt.

Die Gefangenen hockten waffenlos und gut bewacht in der Mitte des Hofes. Ein paar Schritte weiter ließ sich ein halbes Dutzend Kämpfer notdürftig die Wunden verbinden, während vier andere die Toten nebeneinanderlegten. Zu seiner Erleichterung erkannte Christian schon von weitem, dass kein Frauenkörper dabei war.

Also lebte Sibylla noch. Aber warum versorgte dann nicht *sie* die Verletzten? Er stieg vom Pferd und ging auf die Toten zu.

Bitte, Herr, lass nicht Markus oder den Herrn von Maltitz dort liegen!, betete er stumm. Diesen beiden Männern verdankte er, dass er nicht als Bettler sein Dasein fristen musste, sondern trotz seines verkrüppelten Fußes als vollwertiger Kämpfer angesehen wurde.

Keiner der beiden gehörte zu den Toten; dafür ein anderer Vertrauter aus vergangenen Tagen: der alte Wilhelm, der die Gruppe der Freiberger in Rochlitz angeführt hatte. Die anderen waren Männer, die er hier in Thüringen schätzen gelernt hatte. Schaudernd bekreuzigte er sich und sprach ein Gebet für die Seelen der Toten. Dann sah er sich weiter um und entdeckte schließlich Markus, der gerade mit einer Hand und den Zähnen ein Stück Leinen über einer blutenden Wunde am Arm zurecht-zurrte. Erleichtert lief Christian zu ihm und übernahm es, den Verband um den Oberarm des Freundes zu knoten.

»Von Maltitz und Sibylla werden oben dringend gebraucht«, sagte er und wies mit dem Kopf Richtung Wartburg. »Weißt du, wo sie stecken?«

Markus zuckte mit den Schultern und sah sich um. »Keine Ahnung. Gehen wir sie suchen!«

Ich hoffe, wir stören sie nicht, dachte er. Nichts löste die An-spannung nach einem Kampf so gut, wie kraftvoll in eine Frau zu stoßen, die einen bereitwillig empfing. Das wusste jeder von ihnen. Doch inzwischen sollten die beiden miteinander fertig sein. Wenn Friedrichs Sohn verletzt und der Feldscher geflohen war, dürfte das wohl dringlich genug sein, um zu stören.

Hinter ihnen gab gerade Albrecht von Sättelstedt den anderen Männern Befehl, die Gefangenen zum Frauentor zu führen, damit die Männer des Herzogs von Braunschweig mit den Eisenachern über den Freikauf verhandeln konnten.

Markus und Christian warfen nur einen kurzen Blick zu ihnen und betraten das Haupthaus aus Fachwerk, dessen eine Seite durch das Feuer in Mitleidenschaft gezogen worden war. Die Halle war leer. Die beiden verständigten sich mit einem Blick und gingen die Treppe hinauf, während Markus versuchte, den pochenden Schmerz seiner Wunde zu ignorieren. Wo mochten Ulrich und Sibylla stecken? Sie durchsuchten eine Kammer nach der anderen, ohne jemanden zu finden, abgesehen von zwei Toten und einer vollkommen verängstigten Magd, die sie hinaus auf den Burghof schickten.

Auch im Dachgeschoss war niemand. Also klommen sie die knarrende hölzerne Stiege wieder hinab.

»Keller?«, fragte Markus knapp, und Christian nickte.

Diese Treppe war aus Stein und führte zu einer Tür, die einen Spaltbreit offen stand. Markus wollte sicherheitshalber anklopfen, doch mitten in der Bewegung hielt er inne. Er hätte nicht sagen können, was es war, doch etwas hier weckte seine durch jahrelangen Kampf geschulten Instinkte. Er tauschte mit Christian einen Blick, dann stieß er die Tür mit aller Kraft auf.

Angesichts der Szenerie, die sich ihnen darbot, war er froh, nicht angeklopft zu haben. Das hätte sowohl Ulrichs als auch Sibyllas Tod bedeutet. Ein Mann in einem einfachen Kettenhemd hielt Sibylla an sich gepresst, seine Linke zwischen ihren Brüsten, die halb aus dem zerrissenen Halsausschnitt des Kleides klafften, mit der Rechten drückte er die Spitze seines Dolches gegen ihren Leib. Zwei andere hielten mit Schwertern Ulrich von Maltitz in Schach, der mit vor Hass flackernden Augen waffenlos vor ihnen auf dem Boden kniete.

Durch die Störung abgelenkt, blickten nun alle auf die Eindringlinge. Ulrich reagierte sofort und verließ sich darauf, dass seine Männer genauso dachten wie er. Er packte die blanke Klinge eines seiner Gegner, zog daran mit einem kraftvollen Ruck und warf sich gegen ihn, während Markus den angriff, der ihm am nächsten stand, und niederstreckte. Zugleich sprang Christian und riss den zu Boden, der Sibylla in seiner Gewalt hatte.

Einen Atemzug später waren die beiden tot, die Ulrich bedroht hatten, der Dritte lag röchelnd am Boden. Blut spritzte ihm aus einer Wunde am Hals.

Sibylla war auf die Knie gefallen, lehnte an einem der umherstehenden Fässer und blickte mit wirr ins Gesicht hängenden Haaren starr geradeaus. Zaghaft umfasste Christian ihre Schultern, um ihr aufzuhelfen, besorgt und mit schlechtem Gewissen. Er hatte versprochen, auf sie aufzupassen. Aber während er heimlich die Tore geöffnet hatte, musste er sie allein in der Halle lassen. Wahrscheinlich hatten die drei begriffen, dass sie eine Spionin war, und wollten sich an ihr rächen.

Ulrich richtete sich auf. Sein Wappenrock war blutverschmiert, von seiner rechten Hand troff Blut.

»Geht voraus!«, sagte er zu Markus, der nach dem kurzen, aber heftigen Kampf schwer atmend neben ihm stand. »Wir kommen gleich nach.«

Markus wollte widersprechen, aus Sorge und weil sie Order von Friedrich hatten. Doch Ulrich brachte ihn mit einer Handbewegung zum Schweigen.

Ulrich fühlte sich wie aus Blei, während er die paar Schritte hinüber zu Sibylla ging, als sie allein waren. Auf seiner Suche nach ihr war er den Dreckskerlen dazwischengekommen, als sie über seine Liebste herfallen wollten. Um zu verhindern, dass sie ihr sofort die Kehle durchschnitten, hatte er die Waffen niedergelegt. So beschlossen die drei, sie nacheinander vor seinen Augen zu schänden.

Das hätte er nie mit angesehen, auch wenn er keine Ahnung hatte, was er getan hätte, wären Markus und der Rotschopf nicht im letzten Augenblick aufgetaucht. Er war kurz davor gewesen, mit bloßen Händen beide Klingen der Männer zu packen, die ihn bedrohten.

Seine rechte Handfläche war zerschnitten und blutete, doch das ignorierte er. Er kniete an Sibyllas Seite nieder und presste sie an sich.

»Es ist vorbei«, sprach er auf sie ein. »Es ist vorbei.«

Sanft strich er ihr das Haar zurück, stellte ein Bein auf, stemmte sich hoch und zog sie mit sich. »Sieh hin! Sie sind tot.«

Er drehte sie zu den Leichnamen der beiden Männer, die eben noch über sie hatten herfallen wollen. Dann hob er den Dolch auf, mit dem der Schwerverwundete bis vor wenigen Augenblicken Sibylla bedroht hatte, und hielt ihn ihr mit dem Heft nach vorn entgegen.

»Tu es selbst!«, forderte er sie auf, und sein unerbittlicher Tonfall ließ keine Widerrede zu.

Sie griff nach der Waffe, langsam, und sah auf den Mann, der zu ihren Füßen verblutete und sie dabei verächtlich anstarrte. Ihr war, als könnte sie immer noch seine dreckige, rauhe Hand auf ihren Brüsten spüren – und zugleich die dreckigen Hände all jener Männer, die einst in Adolf von Nassaus Heerlager vor Chemnitz über sie hergefallen waren.

Unter Ulrichs hartem Blick beugte sie sich hinab und beendete mit einem raschen Schnitt das Röcheln des Sterbenden.

»Gehen wir weg von hier«, bat sie mit brüchiger Stimme. »Ich muss deine Hand verbinden.«

Sibylla war dankbar dafür, dass sie nicht wie die Vögel einfach zur Wartburg hinauffliegen konnten, sondern einen Weg mit vielen Windungen benutzen mussten. So blieb ihr Zeit, sich zu sammeln. Ulrich hatte sie vor sich aufs Pferd genommen, und sie lehnte sich an ihn, um so viel wie möglich von seiner Körperwärme abzubekommen.

Dass sie dazu noch in der Lage war! Um Haaresbreite wären sie beide in diesem Keller gestorben, nachdem die Männer sie aufs schlimmste erniedrigt hätten.

Gott musste ihnen Markus und Christian als Rettung in der Not geschickt haben, sonst würden ihre Leichname schon erkalten. Ob Er ihr vergab, dass sie ein Leben genommen hatte? Ob Er dieses Leben aufrechnete gegen die vielen, die sie gerettet hatte?

Sie verspürte nicht einmal Reue, sondern eher Verwunderung darüber, dass sie Ulrichs Aufforderung ohne Widerspruch nachgekommen war. Indem sie es tat, besiegte sie für sich nicht nur diesen Mann, der sie umbringen wollte, sondern auch all jene, die sie damals nahe Chemnitz fast zu Tode geschunden hatten. Vorhin, im Keller, hatte sie nach so vielen Jahren auf einmal deren Hohngelächter wieder gehört. Nun waren die schrecklichen Stimmen fort. Ulrich schien das gewusst zu haben.

Sie fror, ihre Zähne schlugen klappernd aufeinander, und sie hätte nicht sagen können, ob es die Kälte oder der Nachhall des Entsetzens war, das sie gerade durchlebt hatte. Doch so stark und ruhig, wie Ulrich sie festhielt, hatte sie das Gefühl, dass aus seinem Körper nicht nur Wärme, sondern auch neue Kraft in ihren floss.

Nach zwölftägiger Belagerung der Stadttore Eisenachs beschloss der Herzog von Braunschweig, mit seinen Männern zurück in den Harz zu reiten. »Das wird den Städtern Lehre genug sein, noch einmal ihren eigenen Fürsten auf *seiner* Wartburg zu belagern!«, meinte er. Der Sohn Friedrichs sollte mit ihm reiten. Dank Sibyllas Pflege heilte die Wunde des Jungen gut ab, ohne sich zu entzünden. Ob er aber bald wieder gehen konnte, ohne das Bein nachzuziehen, war noch nicht abzusehen. Der lebenslustige Welfe ließ keinen Tag vergehen, ohne seinen Schützling mit freundlichem Spott aufzuziehen. Doch bevor er alles zum Aufbruch vorbereiten ließ, nahm er seinen Schwager ungewohnt ernst beiseite.

»Du hast da diesen Rotschopf unter deinen Wachen, diesen kecken Freiberger. Vielleicht solltest du den mit mir schicken.« Friedrichs Miene verdüsterte sich. Doch er musste zugeben, dass er sich schon ähnliche Gedanken gemacht hatte. Wenn jemand seinen Sohn davon überzeugen konnte, das man sich auch hinkend durchs Leben kämpfen konnte, dann der einstige Freiberger Gassenjunge mit dem verkrüppelten Fuß.

So kam es, dass sich Christian am Abend von Markus, Sibylla und den auf der Wartburg gewonnenen Freunden verabschieden musste, nicht zu vergessen die Verehrerinnen, die er unter den unverheirateten Mägden hatte.

»Pass gut auf den jungen Fürsten auf«, gab Markus ihm mit auf den Weg, als sie endlich allein waren.

Christian zeigte sein unbekümmertes Grinsen. »Klar! Aber du weißt, dass du den Bock zum Gärtner machst, wenn du ausgerechnet *mich* auf jemanden aufpassen lässt?«

»Bursche! Kannst du nicht ein einziges Mal im Leben ernst bleiben?«, schimpfte Markus und verdrehte die Augen.

Ihm war nicht nach Scherzen zumute. Es kam ihm vor, als würde er mit Christian schon wieder einen Teil seiner Freiberger Erinnerungen verlieren – wie bereits so viele in den letzten Jahren. Als ob er einen Teil von sich selbst verlieren würde.

»Gott schütze dich! Ich denke, wir sehen uns bald wieder – auf diesem oder jenem Schlachtfeld.«

»Auf diesem oder jenem Schlachtfeld«, echote der Rotschopf, immer noch grinsend. »Zu kämpfen wird es genug geben in nächster Zeit.«

Nachdem die Braunschweiger feierlich verabschiedet worden waren, atmete Friedrich tief durch. Bevor er sich dem nächsten Kampf stellen konnte, war noch eines zu tun.

Der alte Landgraf

*M*ein eigener Sohn!« Fassungslos schüttelte Landgraf Albrecht den Kopf, dass die schütteren weißen Haare flogen. »Mein eigener Sohn richtet den Dolch auf mich, um sich sein Erbe zu erschleichen!«

»Vater, seht her: Ich führe keine Waffe gegen Euch«, widersprach Friedrich – ruhig, aber energisch, und breitete die Arme aus. »Keine Waffe außer der Vernunft! Schaut der Wahrheit ins Auge. Ihr seid nicht länger in der Lage, das Land zu führen. Eisenach hat sich mit militärischer Gewalt gegen Euch gewandt. Ebenso wenig seid Ihr in der Lage, ein Heer aufzustellen und zu führen. Übergebt mir die Regierungsgeschäfte und zieht Euch an einen Ort Eurer Wahl zurück, um in Ruhe und Frieden den Lebensabend zu verbringen.«

»Ich *bin und bleibe* der Herrscher über Thüringen!«

Albrecht ließ seine dürre, von bläulichen Adern durchzogene Faust auf den Tisch krachen. Dabei stieß er einen halb gefüllten Becher um. Der Wein spritzte über den Tisch und rann zu Boden, eine rote Spur hinterlassend.

Niemand achtete darauf oder hob den Becher auf. Sie waren nur zu dritt in der Kammer: Friedrich, Albrecht und dessen Frau, die ältere Elisabeth.

Der alte Landgraf stemmte sich hoch und funkelte seinen Sohn drohend an. »Warum hat Gott mir nur einen solch missratenen Sohn beschert? Nach Macht gierst du, wie deine Mutter, die hochnäsige Stauferin! Willst den eigenen Vater vertreiben! Aber ich lasse mich nicht vertreiben!«

Störrisch sah er auf seinen Sohn, der ein paar Schritte auf den Vater zuging und unmittelbar vor dem Tisch stehen blieb, hinter dem sich Albrecht, halb aufgerichtet, die Arme aufgestützt, verschanzt hatte.

»Ihr seid schon lange nicht mehr der Herrscher Thüringens«, hielt ihm Friedrich scharf und mitleidlos vor. »Erinnert Euch an den Eid, den Ihr dem König in Fulda gabt! Außerdem ist es nur eine Frage der Zeit, bis Ihr von hier mit Waffengewalt vertrieben werdet. Der Graf von Weilnau ist mit einem Teil des königlichen Heeres bereits unterwegs hierher. Nordhausen, Mühlhausen, Erfurt schicken Truppen, um den Eisenachern zu helfen. Wir können die Stadt nicht mehr abriegeln, seit Euer welfischer Schwiegersohn mit seinen Männern zurück in den Harz geritten ist. Und da Ihr so einfältig wart, in Eurer ewigen Gier nach Geld den Stadtbewohnern auch noch die Klemme zu überlassen, ist unsere militärische Lage ziemlich aussichtslos.«

Friedrich verschränkte die Arme vor der Brust und lehnte sich leicht zurück, während er seinem Vater unerbittlich in die Augen blickte.

»Wollt Ihr wirklich noch einmal Truppen in den Krieg führen, Vater? In einen Kampf ziehen, den Ihr nicht gewinnen könnt? Wollt Ihr *gegen den König* Krieg führen? Bevor Ihr antwortet, Vater, malt Euch den Moment aus, da Ihr Albrecht von Habsburg erneut gegenübertreten müsst: diesmal in Ketten als Kriegsbeute des Grafen von Weilnau oder mit ausgebreiteten Armen vor ihm auf dem Boden liegend, während er Euch für den Eidbruch vor allen Fürsten des Reiches maßregelt.«

Diese unerbittlichen Worte brachten den Landgrafen zum Schweigen. Elisabeth und Friedrich konnten sehen, wie es in dem alten Mann arbeitete, wie Furcht, Wut und Ratlosigkeit einander abwechselten.

Es siegte die Furcht – die Furcht vor der unabwendbaren Niederlage und dem Zorn des Königs. Die Erinnerung daran, wie ihn der einäugige Herrscher in Fulda vor versammeltem Hofstaat erniedrigt und ihm gnadenlos Bedingungen diktiert hatte, stand auf einmal wieder lebendig vor den Augen des betagten Landgrafen. Schaudernd schlug er ein Kreuz. Nein, dem Habsburger, diesem Teufel in Menschengestalt, wollte er nicht noch einmal gegenübertreten müssen!

»Überlasst mir den Krieg und den König«, setzte Friedrich ruhiger nach. »Übertragt die Regierungsgeschäfte an mich und zieht Euch nach Erfurt zurück, das Euch als einzige Stadt noch wohlgesinnt ist. Ihr bekommt eine Leibrente auf Lebenszeit und dürft den Landgrafentitel weiterführen.«

Albrecht stieß den angehaltenen Atem aus und blickte hilfesuchend zu seiner Frau. Die sah ihn so streng an, dass ihm ganz schwach zumute war. Kraftlos ließ er sich auf seinen Stuhl fallen.

»Tut es! Dann müsst Ihr nie mehr dem König begegnen«, argumentierte nun auch Elisabeth. »Die ganze Feindseligkeit des Habsburgers wird Euer Erstgeborener auf sich ziehen.« Den alten Mann schauderte.

Friedrich wies unerbittlich auf das Pergament, das einige Weinspritzer abbekommen hatte. »Unterschreibt! Tut das

Einzige, das Euch noch bleibt, um es mit Ehre und Würde zu beenden.«

Als Albrecht zögernd nach der Feder griff, sah er, dass sein Sohn zur Tür gehen wollte.

»Müssen wirklich noch mehr Männer dabei sein?«, fragte er weinerlich.

»Ihr wisst genau, dass es dazu angesehener Zeugen bedarf«, erhielt er zur Antwort.

Albrecht warf die Feder von sich, als sei sie plötzlich glühend heiß geworden. »Nein!«

Nun verlor Friedrich die Geduld. Statt den Marschall und den Truchsess hereinzurufen, kehrte er zurück an den Tisch und beugte sich zu seinem Vater hinab, ihm direkt in die Pupillen sehend.

»Genügt es Euch nicht, dass Ihr das gesamte Erbe Eures erlauchten Vaters verspielt habt? Dass man Euch jetzt schon den Entarteten nennt? Wenn Ihr nicht wollt, dass die Menschen noch nach Generationen Euren Namen verfluchen, dann unterschreibt!«, befahl er schroff. »Und zwar jetzt gleich, bevor der Graf von Weilnau vor der Burg steht und Euch an den Füßen hinausschleifen lässt!«

Der wird mir nichts tun, den habe ich gekauft, dachte Albrecht, in sich hineinkichernd. Aber der gnadenlose Blick seines Sohnes brachte ihn dazu, die Hand zögernd wieder nach der Feder auszustrecken.

»Ihr dürft Euch aussuchen, wen von der Dienerschaft Ihr mitnehmen wollt, mein Gemahl«, brach Elisabeth das Eis.

»Du wirst doch mit mir nach Erfurt gehen?«, fragte der alte Landgraf verunsichert. Elisabeth blickte zu ihrem Schwiegersohn und wusste, dass er das Gleiche dachte wie sie: Sie wurde hier auf der Burg gebraucht. Aber sie durften den unberechenbaren Albrecht nicht ohne Aufsicht fortschicken.

Wer weiß, was dem wankelmütigen und hinterlistigen Alten sonst einfallen mochte: Unterhändler an den König schicken, dem Weilnauer das Blaue vom Himmel versprechen, vielleicht auch ein heimliches Bündnis mit seinem jüngeren Sohn Diezmann gegen Friedrich …

Sie mussten mit allem rechnen. Also blieb der Landgräfin keine Wahl, als den alten Mann zu begleiten und ihn nicht aus den Augen zu lassen. Es wäre viel zu riskant, sich dabei auf die Treue einer Magd oder eines Gefolgsmannes zu verlassen.

»Gewiss, mein Gemahl«, sagte sie mit gezwungenem Lächeln und unterdrückte ein Schaudern.

Vor ihr entstand ein Bild ihres künftigen Lebens, das sie mit Grauen erfüllte. Sie suchte Friedrichs Blick, der die Verzweiflung in ihren Augen erkannte. Aber er sagte kein Wort, sondern wandte sich ab und ging zur Tür, um die Zeugen für die Unterschrift hereinzurufen. Ihr blieb kein Ausweg.

Warum nur hatte sie sich damals überreden lassen, den alten Landgrafen zu heiraten, wo es doch so viele andere Bewerber um ihre Hand gegeben hatte? Um Thüringen zu retten? Das war ihr in all den Jahren nicht gelungen. Nun *konnte* sie Thüringen retten, indem sie den Weg frei machte für einen besseren Regenten. Doch der Preis dafür war Hoffnungslosigkeit.

Während Elisabeth von Verzweiflung überrollt wurde, entstand vor dem müden Geist des alten Landgrafen ein ganz anderes Bild: Statt sich auf dieser kalten, zugigen Burg mit täglich neuen Hiobsbotschaften herumzuplagen, saß er in seinem behaglichen Stadthaus in Erfurt am Kamin, in das Fell des Bären gehüllt, den sein Vater in jungen Jahren erlegt hatte, und ließ sich von allen Seiten verwöhnen. Ach, die Köstlichkeiten der Erfurter Bäcker! Und die wunderbar gewürzten Würste! Der Räucherschinken! Das Geselchte! Schon bei den Gedanken daran lief ihm das Wasser im Munde zusammen, da doch hier in den letzten Wochen Schmalhans Küchenmeister gewesen war. Und Elsa würde zu seinen Füßen hocken und ihm das weichgesottene Fleisch in kleine Stücke schneiden, damit es sich besser kauen ließ mit den letzten Zähnen, die ihm noch geblieben waren.

Oder diese Näherin mit den wohlgerundeten Hüften. Niemand würde ihn mehr mit Schreckensmeldungen belästigen. Mochten sie doch Krieg führen um, mit oder gegen Thüringen, das Pleißenland und die Mark Meißen – es ging ihn nichts mehr an. Sollten sich seine undankbaren Söhne mit dem Habsburger herumschlagen!

Aber die würden erst einmal aufeinander losgehen, wenn Diezmann erfuhr, dass sein älterer Bruder gerade die Herrschaft über Thüringen übernommen hatte, obwohl sein Vater dem Jüngeren die Regentschaft zugesichert hatte. Albrecht kicherte in sich hinein bei der Vorstellung, wie die beiden Streithähne übereinander herfielen.

Und seine Gemahlin würde das Kommandieren auf der Burg aufgeben müssen. Er wusste genau, wie sehr sie es verabscheute, mit ihm nach Erfurt zu gehen. Aber das hatte sie nun davon! Geschah ihr ganz recht, der Hure!

Die vier Männer, die die Übergabe der Herrschaft über Thüringen bezeugen sollten, waren auf Friedrichs Ruf hin so schnell in der Kemenate, dass Albrecht sich erneut beleidigt fühlte. Also hatten sie schon hinter der Tür gelauert und wussten, worüber hier gesprochen wurde. Wie demütigend! Er sah von einem zum anderen und stieß nur auf unerbittliche Blicke.

Der Marschall mit seinen eiskalten Augen, der Truchsess und der Schenk – alles seine Männer, seit so vielen Jahren! Und sie alle schwiegen. Hielt denn niemand mehr zu ihm? Von dem Maltitzer konnte er sowieso kein Mitleid erwarten, der wich ja keinen Schritt von Friedrichs Seite.

Beleidigt kritzelte Albrecht seinen Namen auf das Pergament, warf die Feder unwirsch beiseite und rief nach einem Diener.

»Gehen wir, Gemahlin«, meinte er gehässig und bot Elisabeth seinen Arm, auch wenn sie ihn mehr stützte als er sie. »Der neue Herrscher Thüringens muss mit seinen Vasallen die Kriegslage besprechen.«

Es kostete Elisabeth alle Kraft, den Raum zu verlassen, ohne noch einmal Friedrichs Blick zu suchen.

Sie hatte mit hohem Einsatz gespielt. Ihr Schwiegersohn konnte seinen Sieg feiern. Doch für sie war das Spiel nun zu Ende.

Friedrich atmete tief durch, als sein entmachteter Vater die Tür hinter sich geschlossen hatte. Die Dienerschaft war angewiesen, sofort zu packen, damit Albrecht noch am gleichen Tag die Wartburg verließ – ehe er es sich anders überlegte oder bevor die Burg wieder umzingelt war. Das war nur eine Frage von Tagen. Von allen Seiten rückten Truppen an, um den Eisenachern zu helfen. Die niedergebrannten Palisaden der Frauenburg wurden bereits durch neue ersetzt – auf Befehl des Grafen von Weilnau, wie Friedrich durch seine Spione wusste. Müde strich er sich über das Kinn und wehrte ab, als ihm Ulrich von Maltitz, Herrmann von Goldacker, Rudolf von Vargula und Gunther von Schlotheim gratulieren wollten. Alle vier waren vor ihm als neuem Herrscher von Thüringen niedergekniet. Ungeduldig forderte er sie auf, sich zu erheben.

»Wie es aussieht, muss ich meine Regentschaft mit einem Kriegsrat beginnen«, sagte er und lud die Männer mit einer Geste zum Tisch.

Schlotheim schenkte Wein aus, Goldacker entrollte eine Karte des Geländes um Eisenach. Ulrich von Maltitz hob seinen Becher. »Auf den neuen Regenten Thüringens! Gott schütze Euch und dieses Land!« Die anderen taten es ihm nach.

Mit einem erzwungenen Lächeln nahm Friedrich ihre Glückwünsche entgegen. Er war erleichtert, nun die Geschicke selbst in die Hand nehmen zu können, doch er verspürte keinen Triumph. Freude oder gar Glück wollte sich nicht einstellen.

Für die Landgrafschaft Thüringen hatte er teuer bezahlt: mit dem Hass der Eisenacher, der Verwundung seines Sohnes und dem Verlust von Elisabeth, die nun in Erfurt ausharren musste, obwohl er sie hier dringend als Burgherrin und Ratgeberin gebraucht hätte.

Außerdem würde wohl bald ein nicht zu unterschätzender Gläubiger seine Rechnung aufmachen: sein Bruder Diezmann, der sich als Erbe Thüringens wähnte.

»Genug der Formalitäten!«, wehrte er ab und trank den vier Männern zu, auf deren Klugheit und Kampfgeschick er nun mehr denn je vertrauen musste. Dann ließ er sich auf dem Stuhl nieder, auf dem eben noch sein Vater gehockt hatte.

»Es brennt an allen Ecken und Enden. Ich werde nicht mehr lange hier bleiben können, auch wenn ein neuer Kampf um Thüringen bevorsteht.«

Niemand war überrascht von diesen Worten.

»Ich muss zurück in die Mark Meißen. Jeder Tag zählt. Goldacker – kann ich die Wartburg unter Euerm Kommando zurücklassen?«

Der Marschall bestätigte, ohne zu zögern oder auch nur eine kleine Regung erkennen zu lassen.

»Zuvor will ich meine Frau und meine Tochter in Sicherheit an einem geheimen Ort wissen«, gab Friedrich bekannt.

Sehr vernünftig, dachte Goldacker, der schon überlegt hatte, wie er diese heikle Sache ansprechen sollte. Wenn es hier hart auf hart kam, würde die jüngere Elisabeth – im Gegensatz zu ihrer Mutter – keine Hilfe sein, sondern zusätzliche Schwierigkeiten bedeuten.

»Wünscht Ihr, dass ich sie mit ein paar Getreuen sicher geleite?«, erbot sich der Marschall.

»Bleibt hier und verteidigt die Burg. Ich werde sie selbst begleiten und dann gleich weiter ostwärts reiten. Sobald wir Gewissheit haben, dass mein Vater sicher in Erfurt angekommen und untergebracht ist, brechen wir auf.«

Der Auszug des alten Landgrafen erfolgte in zeremonieller Festlichkeit. Das Gesinde und die Burgmannschaft, die sich in aller Eile auf dem Burghof aufzustellen hatten, waren eher überrascht als betrübt. Sie alle hatten mehr oder weniger unter dem launenhaften Regenten gelitten. Doch ob bessere Zeiten anbrechen würden unter seinem Sohn, der für seine Entschlossenheit bekannt war?

Viele von ihnen hatten Familienangehörige in Eisenach, das von dem Welfen und dem Wettiner bekriegt worden war; andere fürchteten, dass die Belagerung der Burg bald wieder aufgenommen und nun mit mehr Nachdruck betrieben werden könnte. Also bemühten sich die meisten, keinerlei Regung zu zeigen, wünschten dem alten Mann und seiner Gemahlin höflich Glück auf den Weg und beteten für sich selbst um bessere Zeiten.

Markus hielt Ausschau nach Lena, um sich von ihr zu verabschieden. Franz hatte ihm schon Lebewohl gesagt und sich mit dem Eselchen, das er ihm geschnitzt hatte, über die Trennung hinwegtrösten lassen. Doch sie schenkte ihm keinen Blick.

Als sie am Abend zuvor von ihrer bevorstehenden Abreise erfuhr, hatte sie ihn unter Tränen angefleht, sie zu heiraten.

»Bitte tu es, und wenn es nur um des Jungen willen ist!«, hatte sie geschluchzt. »Ich will nicht nach Erfurt. Der alte Landgraf verlangt … dass ich sein Lager teile …«

Die Vorstellung, dass Lena ihren Leib dem Greis überlassen musste, erschütterte Markus mehr als erwartet nach dem Streit, den sie vor seinem Weggang gehabt hatten. Doch er war überzeugt, dass Elisabeth das verhindern würde. Die Landgräfin hatte ein strenges Auge auf alles, was um sie herum geschah, und würde dergleichen nicht dulden.

Sollte er aus Mitgefühl auf Lenas Bitte eingehen? Sollte er ein heiliges Gelübde ablegen, das sie bis ans Ende ihrer Tage aneinanderketten würde? Er könnte damit weder verhindern, dass sie und Franz nach Erfurt zogen, noch ihr Schutz vor dem alten Fürsten bieten, da sein Platz in Friedrichs Gefolge war.

»Es wäre eine Lüge«, hatte er zu ihr gesagt. »Und schon morgen muss ich vielleicht wieder in den Kampf ziehen. Als Witwe wärest du genauso schutzlos.«

»Du willst es nicht, du willst mich nicht! Dann reite doch los, in den Tod!«, hatte sie ihn angeschrien. »Reite nach Freiberg, zu *ihr!*«

Es waren diese letzten Worte, die Markus endgültig davon abhielten, auf ihre verzweifelte Bitte einzugehen. Nein, er konnte Lena nicht heiraten. Er würde warten, bis er Änne haben konnte.

Nach Albrechts Auszug ließen sich der neue Landgraf und seine Gemahlin in aller Form huldigen. Da nun wieder ausreichend Wasser, Bier, Wein und Proviant auf der Burg vorhanden war, gab Friedrich Befehl, ein Festmahl für die gesamte Burgbesatzung auszurichten, mit dem gleichzeitig sein vorübergehender Sieg über die Belagerer gefeiert werden sollte.

So zeitig es möglich war, ohne unhöflich zu wirken, verließ er mit seiner Frau das Fest. Sie hatten den ganzen Abend über kaum Zeit für ein persönliches Wort gehabt. Jeder musste seine Rolle spielen und die Glückwünsche und Gebete höflich über sich ergehen lassen.

Als sie endlich in der Kammer allein waren, hielt die junge Fürstin Abstand, als stünde eine unsichtbare Wand zwischen ihr und ihrem Mann. Unübersehbar beschäftigte sie etwas, das ihr schwer zu schaffen machte. Ihre Finger zuckten unruhig, sie nahm mehrmals Anlauf zu sprechen, bis sie sich schließlich überwand und fragte: »Bist du unzufrieden mit mir, weil du mich auch fortschickst, so wie deinen Vater?«

Friedrich zog erstaunt die Augenbrauen hoch.

»Ich will dich und unsere Tochter in Sicherheit wissen«, erklärte er ihr beschwichtigend. »Krieg zieht auf, hier und in der Mark Meißen. Ich werde ein Heer in den Kampf führen, vielleicht sogar an mehreren Fronten zugleich kämpfen müssen. Dabei will ich nicht durch die Sorge darum abgelenkt sein, ob es euch gutgeht oder ob euch jemand als Geiseln nimmt, um mich zur Aufgabe zu zwingen.«

»Geiseln?« Erschrocken sah ihn Elisabeth an.

»Das hatte ich nicht bedacht«, gestand sie zögernd ein. »Wie … Ihr seht, bin ich in Kriegsdingen unerfahren. Auch wenn ich mich bemühe, meine Pflichten zu erfüllen und Euch treu zur Seite zu stehen.«

Dass sie nun die höfische Anrede benutzte, obwohl sie unter sich waren, zeigte Friedrich noch deutlicher als ihre zaghafte Miene, welche Kluft sich auf einmal zwischen ihnen auftat.

Sie ist eben sehr jung, dachte er zum ersten Mal nach langer Zeit wieder. Und sie ist eine Frau. Ich kann nicht von ihr erwarten, dass sie sich auf dem Schlachtfeld und mit dem Krieg auskennt. Das ist nicht die Welt für eine Frau. Nur wenige haben die Größe und Kraft ihrer Mutter.

Er wollte die Kluft zwischen ihnen nicht vertiefen. Vielleicht war dies ihre letzte gemeinsame Nacht. Also trat er zu ihr, nahm ihre Hände zwischen seine und küsste ihre Fingerspitzen. Dann ging er zum Bett und hielt ihr einladend eine Hand entgegen.

RITT DURCH DIE DUNKELHEIT

*E*s war mitten in der Nacht, als die Eskorte des alten Landgrafen aus Erfurt zurückgehetzt kam und den Marschall mit der Nachricht alarmierte, dass sie auf dem Heimweg eine unliebsame Entdeckung gemacht hatten. Goldacker zögerte keinen Augenblick, angesichts der Dringlichkeit an den von ihm aufgestellten Leibwachen vorbei zur Kammer des neuen Landgrafen zu stürmen und lautstark anzuklopfen.

»Die Streitmacht des Königs ist im Anmarsch hierher. Ihr müsst mit Eurer Gemahlin und dem Kind sofort die Burg verlassen, Hoheit!«, rief er durch die Tür.

Friedrich war auf der Stelle wach und erfasste die Lage binnen eines Herzschlages. »Sorgt dafür, dass wir sofort aufbrechen können!«, wies er an, noch bevor er im letzten Schein der Glut nach seinen Kleidern griff.

Aus dem Schlaf gerissene Mägde und Kammerfrauen traten ein, entzündeten Kerzen, legten Holz auf die fast erloschene Glut des Kamins und begannen, in aller Eile zu packen. Die meisten Truhen standen schon für die Abreise bereit, doch nun wies Friedrich an, nur das Nötigste zu Bündeln zu rollen, damit sie schnell und beweglich ohne großes Gepäck reisen konnten. Die übrigen Sachen konnte seine Frau später immer noch holen lassen. Jetzt erst einmal mussten sie so rasch wie möglich an den anrückenden Feinden vorbeikommen.

»Beeile dich!«, herrschte Elisabeth die Kammerzofe an, die beginnen wollte, ihr die langen Haare zu flechten. Kurzentschlossen drehte sie die Strähnen selbst zu einem Knoten und ließ diesen nur rasch unter dem Gebende feststecken.

Die Amme nahm vorsichtig den schlummernden Säugling aus der Wiege und hüllte ihn in warme Decken.

Es war immer noch stockdunkle Nacht, und es goss in Strömen, als sie den Burghof betraten. Ulrich kam ihnen entgegen und führte sein Pferd und Friedrichs schon gesattelt am Zügel.

Etwas länger dauerte es, bis die Frauen bereit waren aufzusitzen. Die Amme, die vor Aufregung und Kälte zitterte, presste das Kind des neuen Landgrafen an sich und ließ sich unbeholfen aufs Pferd helfen. Da sie nicht reiten konnte und außerdem den Säugling festhalten musste, nahm Ulrich von Maltitz sie vor sich in den Sattel.

Herrmann von Goldacker trat heran, um den Fürsten zu verabschieden und Befehle entgegenzunehmen.

»Ihr habt das Kommando über die Wartburg«, sagte dieser.

»Haltet sie, solange Ihr dazu in der Lage seid. Es kann sein, dass ich Euch bald schon weiter östlich auf dem Schlachtfeld benötige. Wenn eintrifft, was ich befürchte, brauche ich jeden guten Mann. Deshalb ist mir lieber, Ihr kämpft mit mir in der Mark Meißen, wenn ich Euch rufen lasse, als dass Ihr auf der Wartburg fallt.«

Der ansonsten so unerschütterliche Marschall blinzelte; Uneingeweihte mochten meinen, dies sei vom Regen. Doch Friedrich und auch Ulrich erkannten darin sein Erstaunen.

»Ich werde an Eurer Seite stehen, wann und wo Ihr mich braucht, mein Fürst«, antwortete er. »So lange tue ich, was ich kann, um die Wartburg für Euch zu halten.« Er verneigte sich und trat einen Schritt zur Seite, dann gab er Befehl, das Tor zu öffnen und die kleine Reiterschar passieren zu lassen.

Friedrich und Markus ritten voran durch die Dunkelheit und den strömenden Regen, um schon kurz unterhalb des Tores den besten Seitenpfad auszuwählen, auf dem sie sich Richtung Tenneberg nahe Gotha durchschlagen wollten, ohne dem Feind zu begegnen. Diesen Ort hatten sie auf der Burg als Ziel angegeben, doch in Wirklichkeit wollte der Landgraf seine junge Frau im Kloster Reinhardsbrunn in Sicherheit bringen.

Den beiden Männern an der Spitze folgte Ulrich mit der eingeschüchterten Amme, danach die junge Landgräfin und drei Ritter als Geleitschutz. Den Schluss des kleinen Reitertrupps bildeten die Knappen, Sibylla und als Letzter der hünenhafte Albrecht von Sättelstedt.

Es goss immer noch wie aus Kannen, die Amme schlotterte vor Kälte, und so geschah, was überfällig war: Das aus dem Schlaf gerissene Kind, das nun durch die kalte, verregnete Nacht getragen wurde, statt ruhig in der Wiege zu schlummern, begann lauthals zu schreien. Ulrich musste zugeben, dass die Amme ihr Bestes tat, die kleine Elisabeth zu beruhigen. Obwohl sie sich spürbar unwohl auf dem Pferderücken fühlte und Scheu dabei verspürte, sich an den Ritter zu lehnen, wiegte sie ihren Schützling an der Brust, flüsterte dem Kind beruhigende Worte zu und sang leise. Doch auch lauter Gesang wäre in dem Geschrei untergegangen, mit dem die Kleine gegen den nächtlichen Ausritt protestierte.

»So unternimm doch etwas!«, meinte Ulrich hilflos zu der jungen Frau. Er hatte selbst keine Ahnung, wie dieser Notlage beizukommen war. Wenn das Kind nicht gleich Ruhe gäbe, würden sie vielleicht entdeckt – oder sie waren es schon, und die Feinde näherten sich dem verräterischen Geschrei.

»Was soll ich denn tun, Herr?«, wehklagte die Amme, kaum weniger hilflos als er. »Sie gibt jetzt nicht eher Ruhe, bevor sie zu trinken bekommt.«

Friedrich vor ihnen hatte das Dilemma mitbekommen und hob den Arm zum Zeichen dafür, dass alle ihre Pferde zum Stehen bringen sollten.

»Sitzt ab und führt die Pferde weg vom Pfad!«, befahl er. »Die Amme soll meiner Tochter zu trinken geben.«

»Mein Fürst! Das kostet uns zu viel Zeit!«, wandte Albrecht von Sättelstedt besorgt ein. »Wir riskieren, dass sie uns entdecken. Je eher wir die Wartburg und Eisenach hinter uns lassen, umso sicherer sind wir.«

»Wir werden nicht weit kommen, wenn jemand meine Tochter weinen hört«, entgegnete Friedrich in einem Ton, der keinen Widerspruch duldete.

Die Knappen führten die Pferde in dem strömenden Regen zu einem Fleckchen fast ohne Bewuchs, die Männer bildeten einen schützenden Ring um die Frauen, und während sie sich krampfhaft bemühten, nicht auf die Amme zu starren, legte diese das Kind an die linke Brust. Sofort hörte die kleine Elisabeth auf zu weinen und trank gierig. Dann ließ die Amme sie auch an der anderen Seite trinken, nahm das Kind hoch, klopfte auf seinen Rücken, bis es kräftig aufstieß, und redete leise auf es ein.

»Sie schläft gleich ein, Herrin«, wisperte sie dann, zu Elisabeth gewandt.

»Wir können weiter«, meinte die junge Mutter zu ihrem Mann. Der sah sie zweifelnd an.

»Wirst du das schaffen? Sollen wir nicht lieber hier warten, bis der Morgen graut? Ich will nicht, dass euch unterwegs etwas zustößt in der Dunkelheit. Das … ist es nicht wert.«

»Wir können reiten«, wiederholte Elisabeth fest. »Du sollst nicht unseretwegen Thüringen verlieren.«

Friedrich gab das Zeichen, und alle saßen wieder auf.

Sie erreichten das Kloster Reinhardsbrunn unangefochten, wenngleich völlig erschöpft. Wegen der Frauen und vor allem wegen des Säuglings hatten sie unterwegs mehrfach Rast einlegen müssen, so dass sie fast einen ganzen Tag bis zu ihrem Ziel brauchten. Doch auf Friedrichs Weisung hin hielten sie nirgendwo in einer Herberge oder Schankwirtschaft; er wollte möglichst wenig Aufmerksamkeit erregen.

Der Abt hieß die überraschend eingetroffenen Gäste willkommen und versicherte, unter Gottes und seinem Schutz seien die Gemahlin und die Tochter des neuen Landgrafen, die er selbst getauft hatte, sicher.

Während die Amme bereits im Gästehaus dabei war, ihren Schützling in trockene Sachen zu kleiden und ihm die Brust zu geben, blickte Elisabeth auf ihren Gemahl und biss sich auf die Unterlippe. Sie wusste, er wollte sofort weiterziehen, ostwärts in den Krieg. Und jedermann – er selbst sicher zuerst – erwartete, dass sie die Männer beherrscht und mit tapferen, höflichen Worten in den Kampf ziehen lassen würde, wie es sich für eine Fürstin geziemte.

Schon sammelte sie alle Kraft, um diese Pflicht zu erfüllen, ohne zu weinen oder ihm um den Hals zu fallen und ihn anzuflehen, bei ihr zu bleiben. Das war es, wonach ihr zumute war, weshalb sich ihr Herz zusammenkrampfte und in ihrer Kehle ein dicker Kloß zu stecken schien. Aber wenn sie das zeigte, würde er sie zurechtweisen und sich vielleicht sogar von ihr abwenden. Sie wollte ihn nicht enttäuschen.

Mitfühlend sah Friedrich auf seine junge Frau, die in ihren durchnässten Kleidern vor Kälte schlotterte. Er zog die Überraschte an sich und spürte, wie sie seine Wärme und seine Umarmung genoss. Dann strich er ihr eine blonde Strähne aus dem Gesicht, die sich beim Ritt gelöst hatte, und küsste sie.

»Bleib hier ohne Furcht und bitte Gott um Beistand in unserem Kampf!«

Er zögerte einen Augenblick, dann fügte er hinzu: »Du wirst mich jetzt wahrscheinlich lange Zeit nicht sehen. Lass dich nicht davon entmutigen! Meine Gedanken sind bei dir und unserem Kind.«

Noch einmal küsste er sie, trat zu seiner Tochter und streichelte ihre Wange. Danach verließ er den Raum mit großen Schritten, ohne sich umzudrehen.

Elisabeth sah ihm nach; für den Moment erleichtert darüber, dass er ihr eine Abschiedszeremonie vor aller Augen ersparte. Doch im nächsten Augenblick schien ihr die Trennung das Herz zu zerreißen. Sie sah auf ihre Tochter und kämpfte den Gedanken nieder, ob diese wohl je ihren Vater kennenlernen würde.

Dann zwang sie sich dazu, tief durchzuatmen und die Tränen zurückzudrängen. Zuerst musste sie dafür sorgen, dass Feuer in der Kammer gemacht wurde. Und danach würde sie sofort in die Kapelle gehen und beten, damit ihr Mann heil aus dem Kampf zurückkehrte.

Friedrich und seine Begleiter folgten dem Abt und den Mönchen zur Abendmesse, um Gottes Führung bei den bevorstehenden Kämpfen zu erbitten. Auf das Spätmahl verzichteten sie. Sie führten ausreichend Proviant mit sich, und Friedrich hatte nicht die Ruhe, sich an den Tisch zu setzen und mit der in einem Kloster gebotenen Geduld und Demut zu essen.

Alles in ihm drängte danach, aufzubrechen und Gotha so schnell wie möglich hinter sich zu lassen. Er musste ostwärts und bei Jena alle Kämpfer sammeln, die ihm vorübergehend nach Thüringen gefolgt waren. Der Gedanke beherrschte ihn immer mehr, dass die Lage in den östlichen Landen mit jedem Tag bedrohlicher wurde.

Sein Gefühl täuschte ihn nicht. Kurz bevor sein kleiner Trupp die Lobdeburg nahe Jena erreichte, preschte ihnen ein Reiter entgegen.

»Das Pleißenland und die Mark Meißen stehen in Flammen!«, rief der Bote. »Und das Heer des Königs versammelt sich südlich von Leipzig, keine fünfzig Meilen von hier!«

MAI 1307 IN FREIBERG

Wegen Verrats am König zum Tod durch den Strang verurteilt wird Conrad Marsilius, Medicus zu Freiberg.«

Mit weittragender Stimme verkündete der Ausrufer das Urteil, das als nächstes vollstreckt werden sollte. Unruhe kam in der Menge auf, die zum Oberen Markt geströmt war, um der Hinrichtung von drei angesehenen Männern beizuwohnen, allesamt der Verschwörung gegen den König für schuldig befunden. Eigens für das Halsgericht hatten die Zimmerer in aller Eile ein Podest mit dem Galgen auf dem Marktplatz errichten müssen. Der Vogt hatte angewiesen, die Toten statt auf dem Richtplatz vor der Stadt drei Tage lang zur Abschreckung auf dem Obermarkt hängen zu lassen.

Veit Haberberger und Heinrich von Frauenstein waren bereits gehenkt worden. Ihre Leichname mit den vom Todeskampf verzerrten Gesichtern hingen schwankend unter dem dicken

Balken, über den die Schlingen geworfen worden waren. Nun war die Reihe an Conrad Marsilius.

Barfuß, in zerrissener Kotte, mit Folterspuren im Gesicht und auf der halb entblößten Brust trat er einen Schritt vor und blickte starr geradeaus. Auf ein Stück blauen Himmels sah er an diesem kühlen Maimorgen und auf das Kreuz von St. Petri. Er wollte nicht in die Gesichter der Menschen vor ihm schauen, die gekommen waren, um seinen Tod mitzuerleben, er wollte weder Mitleid noch Häme sehen und schon gar keine Tränen. Schließlich hatte er all die Jahre gewusst, worauf er sich einließ, und ein solches Ende in Kauf genommen.

Solange nur sein Sohn in Sicherheit in der Lateinschule des Franziskanerklosters war und seine Frau als unverdächtig galt, wollte er sich mit dem unvermeidlichen Tod abfinden.

Durch einen derben Stoß in die Rippen wurde Marsilius aufgefordert, die Leiter hinaufzusteigen. Er lehnte es ab, sich dabei stützen zu lassen. So gut es ging mit auf dem Rücken gefesselten Händen, erklomm er die vier Sprossen. Der Henkersknecht trat zu ihm, legte ihm die Schlinge um den Hals und zog den Knoten straff. Das rauhe Hanfseil scheuerte und stachelte auf Conrads nackter, blutig geschlagener Haut.

Das Gemurmel der Menge vor ihm schwoll an, ein paar miserable Musikanten lärmten.

»Hängt ihn auf, den Verräter!«, brüllte jemand von hinten.

»Ja, lasst ihn endlich baumeln«, stimmte ein Betrunkener lauthals zu.

»Gnade für Meister Marsilius!«, schrie eine Frau aus der Mitte der Menschenmenge, und mehrere Stimmen wiederholten ihren Ruf.

Der neue Burgvogt, jung und mit langen blonden Locken, der mit seinen engsten Vertrauten auf dem Podest Platz genommen hatte, ließ durch ein Handzeichen zwei Dutzend Bewaffnete ausschwärmen, um jeglichen Aufruhr im Keim zu ersticken.

Pater Clemens trat zu dem Verurteilten.

Conrad Marsilius atmete auf vor Erleichterung darüber, dass man ihm die Möglichkeit gab, ein letztes Gebet zu sprechen und sich seine Sünden vergeben zu lassen, und dass ihm ausgerechnet der Freund und Mitverschwörer diesen Trost spendete.

Der Priester von St. Marien hatte trotz aller Gefahr beim Vogt persönlich vorgesprochen und ihn um Gnade für die angesehenen Männer gebeten, an deren Ehrbarkeit kein Zweifel bestünde und deren Arbeit für Freiberg und auch die Burgbesatzung unverzichtbar sei. Doch er war auf taube Ohren gestoßen. So blieb ihm nur, das gönnerisch vorgetragene Angebot anzunehmen, den Verurteilten bei der Hinrichtung beizustehen. Der drohende Unterton in den Worten des jungen Vogtes ließ keinen Zweifel daran, dass auch der Geistliche unter Verdacht stand.

Ein letztes Mal sah Pater Clemens dem alten Arzt ins Gesicht, wissend und voller Mitgefühl. »Der Herr wird dich mit offenen Armen empfangen«, sagte er, bevor er beiseitetrat.

Marsilius schloss für einen Moment die Augen. Dann richtete er seinen Blick wieder auf den blauen Himmel.

Vielen von denen, die dort unten standen und ihn anstarrten, hatte er mit seiner Heilkunst geholfen. Er hatte sie am Krankenbett aufgesucht, ihre gebrochenen Knochen gerichtet oder sie mit seinen Arzneien vorm Fiebertod gerettet. Sie alle kannten ihn, und umso mehr störte es ihn, dass sie gleich seinen im Todeskampf zuckenden Körper begaffen würden. Er war Arzt, er wusste genauso gut wie der Henker bis ins letzte Detail, wie sein Tod ablaufen würde.

So fühlte er sich durch die Vorstellung zusätzlich erniedrigt, dass die Leute dort unten gleich sehen würden, wie sich im Todeskampf seine Blase und sein Gedärm entleerten. Falls er es nicht schaffte, so ins Leere zu springen, dass ihm ein Halswirbel brach und er sofort tot war, würden sie alle auch noch Augenzeugen davon werden, wie sich durch den Blutstau sein Glied ein letztes Mal aufrichtete.

Zwar sollte er sich lieber Sorgen um sein Seelenheil als um solche Einzelheiten machen, doch das detailreiche Wissen seines Berufsstandes kam ihm dabei in die Quere. Außerdem hielt er sich mit diesen Überlegungen davon ab, nach Änne und Clementia Ausschau zu halten, die ganz vorn standen und sich vermutlich die Augen ausweinten. Bei ihrem Anblick würde es ihm wohl schwerfallen, weiter so gelassen zu erscheinen. Wenigstens standen sie dort unbehelligt von den Schergen des Vogtes, und das beruhigte ihn. Er hatte sie gleich entdeckt, als er zusammen mit seinen Schicksalsgefährten hierhergeführt worden war.

»Lasst Meister Conrad frei!«, schrillte erneut von weiter hinten eine Frauenstimme. Sofort fielen ein paar andere ein.

Aus dem Augenwinkel sah Marsilius, dass der Vogt – wie stets äußerst elegant gekleidet und mit Duftwasser besprenkelt, so dass der intensive Geruch bis zum Galgen drang – sich leicht vorbeugte und den Arm hob, um die Schreier zur Ruhe zu bringen. Doch das wurde von der zunehmend aufgebrachten Menge ignoriert. Daraufhin zogen drei Dutzend Bewaffnete ihre Schwerter. Der Anblick der blanken Klingen ließ die Wutschreie augenblicklich ersterben. Nur ein vielstimmiges Murmeln und Wispern wehte über den Platz. Der Vogt richtete sich auf, lächelte und erhob die Hand.

Schlagartig wurde es still.

Sein Lächeln musste einnehmend auf jemanden wirken, der ihn nicht kannte. Doch die Menschen auf dem Obermarkt wussten, das nun alles möglich war – von der Begnadigung bis zum Befehl, dem Verurteilten erst die Augen auszustechen, ihm die Zunge herauszureißen und ihn dann zu vierteilen, statt ihn aufzuknüpfen.

»Die Verbrechen dieses Mannes stehen außer Zweifel!«, rief

der junge Vogt selbstgefällig in die Runde. »Sein Tod soll denen zur Abschreckung dienen, die sich erdreisten, sich gegen den König zu verschwören.«

Niemand wagte es nach diesen Worten, noch seinen Protest hinauszuschreien. Die Furcht war zu groß, mit der gleichen Anklage als Nächster zum Galgen gezerrt zu werden. Nur aus der Mitte der Menschenmenge erscholl erneut eine Frauenstimme. »Lasst Gnade walten für Marsilius!«

»Ich höre den Ruf um Gnade«, verkündete der königliche Burgvogt mit abgründigem Lächeln. Er verschränkte die Arme vor der Brust und kostete die wachsende Spannung aus.

»Jedermann hier soll wissen: Wir stehen im Krieg. Im Krieg gibt es keine Gnade für die Feinde des Königs. Doch angesichts seiner früheren Verdienste als Stadtphysicus bin ich geneigt, das Urteil abzumildern.«

Ein hundertfaches Aufstöhnen kam aus der Menge – aus Erleichterung oder auch aus Enttäuschung darüber, den grimmigen Arzt nicht hängen zu sehen. Wieder hob der Vogt den Arm, um Ruhe zu erzwingen.

»Danke Pater Clemens!«, sagte er zu Marsilius, dessen Gesicht nicht die erwartete Freude und Unterwürfigkeit zeigte, sondern reglos blieb. Doch der Vogt wusste, das würde sich mit seinen nächsten Worten ändern.

»Danke Pater Clemens«, wiederholte er und lächelte selbstzufrieden, während er auf die Reaktion des Arztes auf seine nächsten Worte lauerte, »und deinem Weib für die … leidenschaftliche Fürsprache.«

Conrad Marsilius fuhr so heftig herum, dass er beinahe von der Leiter gestürzt und doch noch zu Tode gekommen wäre.

»Was hast du getan, Weib?«, schrie er hasserfüllt zu Änne.

»Was hast du getan?! Ich verfluche dich!«

Nachträglich betrachtet, schien das Verhängnis mit der Ankunft des blonden Burgvogtes seinen neuerlichen Lauf genommen zu haben, der so oft lächelte, während er die grausamsten Befehle gab, und der es liebte, seine Kleider mit Duftwasser zu benetzen.

Und seit der Krieg im Land mit neuer Wucht entflammt war, spitzte sich auch die Lage in der Silberstadt zu. Je mehr Orte in Flammen aufgingen, umso mehr Notleidende und obdachlos Gewordene suchten hier Zuflucht. Täglich erreichten neue Schreckensmeldungen Freiberg. Bis kurz vor Dresden waren alle wettinischen Besitzungen niedergebrannt oder verwüstet, Dörfer, Mühlen, Meierhöfe … Nicht einmal Kirchen blieben verschont. Die Überlebenden – den Hungertod vor Augen, geschunden, verstümmelt – hofften auf Schutz und Hilfe hinter den wehrhaften Stadtmauern Freibergs.

Conrad Marsilius, schon lange kein Ratsherr mehr, und Pater Clemens wurden täglich mit den schlimmen Folgen konfrontiert, die dieser Krieg mit sich brachte. Mehrfach hatten sie vor dem Rat Vorschläge unterbreitet, wie man den Bedürftigen helfen und eine Hungersnot in der Stadt verhindern konnte. Ihre Worte verhallten ungehört.

Also ließen sie sich bei Vogt Reinold melden, um an dessen Vernunft zu appellieren. Dass sie bei ihm auf Barmherzigkeit nicht hoffen durften, war ihnen klar. Einen halben Tag lang mussten sie auf der Burg warten, bis sie endlich vorgelassen wurden. Doch der Graf schnitt ihnen schon nach den ersten Sätzen mit einer Handbewegung das Wort ab.

»Der Abschaum, von dem Ihr redet, Pater, verdient weder Hilfe noch Nachsicht«, sagte er herablassend, während er sein Übergewand zurechtzupfte. »Das sind Anhänger des abtrünnigen Wettiners, mit dem unser König Albrecht von Habsburg – Gott preise ihn dafür! – nun endgültig aufgeräumt. Es sind Verräter am König. Jedem Einzelnen von ihnen gebührt der Tod.«

»Hoher Herr, verzeiht mir gütigst diesen Einwand, aber wir reden hier nicht von bewaffneten Kämpfern«, wagte der Pater zu widersprechen. »Es sind einfache Bauern, denen die ganze Habe niedergebrannt und das Vieh abgestochen wurde, Frauen, die mit ihren Kindern auf dem Arm hierher flüchteten und nicht wissen, wie sie die Kleinen vorm Hungertod retten sollen. Ich appelliere an Eure Barmherzigkeit, wie Gott sie uns allen gebietet.«

»Außerdem müssen wir Vorkehrungen treffen, damit angesichts des Krieges nicht noch in der Stadt eine Hungersnot ausbricht«, fügte Marsilius hinzu. »Eure Männer sollen schließlich nichts entbehren.«

Der Vogt, der eben noch gelangweilt seine Fingernägel betrachtet hatte, neigte den Kopf leicht zurück und fixierte den Medicus.

»Verstehe ich das richtig, alter Mann? Du sagst mir ins Gesicht, dass Korn und Fleisch für meine Männer knapp werden könnten, weil das wettinische Verräterpack durchgefüttert werden muss?«

Er legte die Fingerspitzen beider Hände aneinander und setzte sein gefürchtetes Lächeln auf. Marsilius und Pater Clemens hielten den Atem an.

»Nun, wenn ihr beide meint, dafür seien die Vorräte groß genug in der Stadt, bringt mich das auf den Gedanken, mit diesen Reserven etwas zur Stärkung des königlichen Heeres zu leisten. Ich werde Befehl geben, damit meine Männer umgehend in den Mühlen, in den Ställen und in den Bürgerhäusern ein Dutzend Wagenladungen Korn, Vich und Wein requirieren. Das wird Freibergs Beitrag zur Niederschlagung der Rebellen. Der König wird sich meiner dankbar erinnern, sobald er den Krieg gewonnen hat.«

Fassungslos sahen sich die beiden Bittsteller an.

»Meinen innigen Dank für diesen Vorschlag!« Mit einem lässigen Wedeln seiner ringgeschmückten Hand beendete der Vogt die Audienz.

Die nun folgenden Plünderungen der königlichen Besatzer waren der sprichwörtliche Tropfen, der in Freiberg das Fass zum Überlaufen brachte. Seit Wochen schon kursierten Gerüchte, dass Markgraf Friedrich in Leipzig ein Heer aus Freiwilligen sammle, um das blutige Treiben des königlichen Statthalters und seiner Truppen im Pleißenland, im Osterland und in der Mark Meißen aufzuhalten. Und immer mehr Freiberger – vor allem Burschen und junge Männer, da die Überlebenden der früheren Stadtwache längst fort waren – beschlossen, die Stadt heimlich zu verlassen und sich dem einstigen Markgrafen anzuschließen.

Das war nicht einfach und auch nicht ungefährlich. Die königlichen Wachen an den Stadttoren hatten Order, genau zu prüfen, wer von den Männern, die die Stadt verließen, in kampftüchtigem Alter und bewaffnet war. Wer in Verdacht geriet, sich dem wettinischen Aufgebot anschließen zu wollen, wurde auf der Stelle dem Henker überantwortet. Der Vogt hatte dazu das Kriegsrecht ausgerufen.

Nachdem gleich am Anfang auf einen Schlag ein halbes Dutzend junger Männer gehenkt worden war, die von sich aus und ohne gut durchdachte Vorsichtsmaßnahmen aufgebrochen waren, organisierte es die im Verborgenen agierende Gruppe, dass die Freiwilligen bewaffnet und aus der Stadt geschleust wurden. Der kampferfahrene einarmige Stallknecht aus dem »Schwarzen Ross«, eine Bande älterer Gassenjungen und der Anführer einer Schmugglerbande nahmen die Sache nun in die Hand.

Heinrich von Frauenstein und der frühere Burgschmied fertigten heimlich Schwerter, Dolche und Messer für sie. Währenddessen sammelte Veit Haberberger unter den gleichgesinnten Schmelzhüttenbesitzern Silber, das er durch zuverlässige Boten Friedrich überbringen ließ, damit dieser sein Heer ausrüsten konnte.

Sie sollten nie erfahren, wer sie verraten hatte, als Marsilius, Heinrich von Frauenstein und der Haberberger wieder einmal zusammensaßen – weniger, um Pläne zu schmieden, sondern einfach, um sich unbelauscht ihre Sorgen von der Seele reden zu können.

Änne war bei ihnen, schenkte Wein aus und verlor sich in Gedanken. Ob Markus unter denen war, die sich mit Markgraf Friedrich bei Leipzig sammelten?

»Und wir können nichts weiter unternehmen«, sagte der Haberberger gerade und ließ die Hand kraftlos auf den Tisch sinken. »Das ist das Schlimmste. Was waren das noch für Zeiten, als der junge Hauptmann der Wache die Geiseln aus dem Verlies holte! Ich glaube, sie rätseln heute noch auf der Burg, wie die Männer entkommen sind.«

Bei der Erinnerung daran konnte er sich ein wehmütiges Lächeln nicht verkneifen. Dabei entging ihm, dass sich sowohl Meister Conrads als auch Ännes Gesicht verfinsterten, wenn auch aus sehr verschiedenen Gründen.

»Tun sie nicht. Der blonde Teufel hat's herausgefunden«, widersprach der Waffenschmied. »Er hat davon gehört und seinen Wachen so lange eingeheizt, bis sie den Durchschlupf entdeckten. Der Schwarzschmied hat es mir erzählt. Er musste ein Gitter fertigen, mit dem Christians Pfad nun verschlossen ist.«

»Das ist schlecht«, meinte der Haberberger. Er hatte die Worte kaum ausgesprochen, als Lärm vor der Tür sie aufhorchen ließ. Jeder der drei Männer unterdrückte dem Impuls, aufzuspringen und fortzulaufen.

»Wir sitzen hier ganz einfach beieinander, ein paar angesehene Männer beim Wein«, murmelte Marsilius beschwörend.

Schon wurde die Tür aufgestoßen, und ein halbes Dutzend Bewaffneter stürmte herein.

»Was führt euch hierher?«, fragte Marsilius ruhig, als rechne er damit, zu einem Krankenbesuch gerufen zu werden.

Der Anführer des Trupps antwortete nicht, sondern sah sich nur kurz in der Kammer um.

»Verhaftet die Aufrührer!«, befahl er seinen Leuten. Conrad Marsilius stemmte sich hoch und wollte protestieren. Sofort stürzten sich zwei Bewaffnete auf ihn und warfen ihn zu Boden. Änne schrie auf und presste sich an die Wand. Es kostete sie alle Kraft, nichts zu sagen oder irgendwie einzugreifen, denn jeder Versuch hätte Marsilius nur geschadet. Doch niemand schien sie zu beachten.

Den drei einstigen Ratsherren wurden die Hände auf den Rücken gebunden, dann stießen die Wachen sie hinaus.

»Durchsucht das Haus!«, befahl der Anführer zweien seiner Leute, die draußen gewartet hatten. »Aber gründlich!«

Sofort begannen die beiden, Bänke umzuwerfen und Truhen zu durchwühlen. Clementia, die hereingestürzt war, und Änne standen reglos dabei. Wider Erwarten blieb sogar die Magd diesmal stumm. Sie hatte begriffen, wie ernst es um ihren Meister stand.

Als sie endlich allein im Haus waren, sahen sie sich an. Clementia warf einen Blick aus dem Fenster. »Wir können nicht fort. Sie haben zwei Wachen an der Tür postiert.«

So schnell sie konnte auf ihren müden Füßen, humpelte sie zum hinteren Ausgang und kam gleich zurück. »Dort auch.«

Aber wen hätten sie alarmieren und um Hilfe für die Verhafteten bitten können? Wortlos begannen die Frauen, die umgeworfenen Bänke und Stühle aufzustellen und die Truhen wieder einzuräumen, deren Inhalt auf dem Boden verstreut lag, nachdem die Königlichen sich genommen hatten, was ihnen nützlich schien. Änne sammelte die Instrumente des Arztes auf, die in der ganzen Kammer umhergeworfen waren, und sortierte sie sorgfältig in den dafür bestimmten Kasten ein. Dann setzten sich die beiden Frauen gegenüber an den Tisch. Keine von ihnen hätte jetzt einfach schlafen gehen können.

»Ob sie den Meister wohl martern?«, fragte Clementia ungewohnt leise, nachdem sie eine ganze Weile so beieinandergesessen hatten.

Änne zuckte zusammen. Diesen Gedanken hatte sie bis eben zu verdrängen versucht. Ein Arzt war ein angesehener Mann, ebenso ein Schmelzmeister und ein Waffenschmied. Das sollte die drei schützen. Womöglich gab es nicht einmal einen konkreten Vorwurf gegen sie.

Die Tür wurde erneut jäh aufgerissen, zwei Bewaffnete polterten herein.

»Das Weib da soll auf die Burg kommen!«

Der Stämmigere von ihnen packte Änne am Arm, zog sie hoch und schob sie hinaus. Ihr blieb keine Gelegenheit, sich noch einmal nach Clementia umzusehen.

Ein paar späte Passanten wichen ängstlich aus, ohne den Blick zu heben, als Änne in der Dämmerung durch die Stadt geführt wurde. Wer konnte, verzog sich rasch in eine Nebengasse, um den Bewaffneten aus dem Weg zu gehen und nicht durch seine bloße Anwesenheit Verdacht zu erregen.

Es waren nur ein paar Schritte, bis sie den Obermarkt hinter sich gelassen hatten und in die Burggasse einbogen. Dennoch hatte Änne das Gefühl, von unzähligen Blicken beobachtet zu werden. Ob sich schon herumgesprochen hatte, dass Marsilius, der Haberberger und der Waffenschmied verhaftet waren?

Auf Rettung durfte sie nicht hoffen. Es gab niemanden mehr in der Stadt, der es mit den königlichen Wachen aufnehmen konnte. Und in der Burggasse, durch die sie nun geführt wurde, hatten die Ritter des Vogtes ihr Quartier.

Markus!, dachte sie verzweifelt, als ob sie ihn herbeiwünschen könnte. Doch selbst wenn er hier wäre – er könnte nichts tun.

Änne wurde nicht in die Halle und auch nicht nach oben in eine der Kammern geschafft, sondern zu ihrem Entsetzen sofort zu den Kellergewölben. Dort hatte der Vogt das neue Verlies einrichten lassen, in das mehr Gefangene passten als in das im Bergfried.

Ihr Inneres schien zu Eis zu erstarren, während sie alle Kraft darauf richtete, einen Fuß vor den anderen zu setzen. Bereits von der Treppe aus konnte sie das Klatschen von Schlägen und gellende Schmerzensschreie hören. Es ließ sich nicht an der Stimme erkennen, wer da gequält aufschrie und stöhnte, doch bei jedem Laut zuckte sie zusammen. Änne merkte nicht, dass ihr die Tränen über die Wangen liefen. Stumm betete sie, die Qual der Gefangenen möge ein Ende finden.

Ein Schrei hallte durch die Mauern, der ihr das Blut in den Adern gefrieren ließ. Der Gestank von verbranntem Fleisch drang bis zur Treppe. Ihr wurde übel; nur mit Mühe würgte sie wieder hinunter, was sie im Magen hatte.

Der Stämmige gab ihr einen Stoß die letzten Stufen hinab. Beinahe wäre Änne gestürzt, hätte sie sich nicht an der Wand abgefangen.

Als sie vom Treppenabsatz in den linken Gang geführt wurde, musste sie bei dem Anblick, der sich ihr bot, erneut die Übelkeit niederkämpfen. In der Mitte des Verlieses lag ein Mann zusammengekrümmt auf dem Boden, blutüberströmt, in zerrissener Kleidung und mit qualvoll verzerrtem Gesicht.

Conrad Marsilius war fast nur noch an seinem Bart zu erkennen, in dem verkrustetes Blut klebte. Sein linkes Auge war zugeschwollen, aus einer aufgeplatzten Augenbraue lief ihm Blut übers Gesicht, Peitschenstriemen überzogen seine Brust und seinen Rücken. Neben ihm stand Ordulf, der Folterknecht, ein Berg aus Fleisch und Muskeln. In der Hand hielt er ein rotglühendes Eisen.

Änne rannte drei, vier Schritte, kniete sich neben ihren Mann und strich hilflos über sein Gesicht. »Meister Conrad!«, flüsterte sie verzweifelt und schluchzte auf.

»Besuch für dich, Medicus«, hörte sie hinter sich die vergnügte Stimme des Burgvogtes.

Ruckartig drehte sich Änne in diese Richtung. Graf Reinold saß auf einem Stuhl, hatte lässig die Beine übereinandergeschlagen und hielt sich mit abgespreizten Fingern eine Duftkugel unter die Nase.

Wie ein Schwall traf Änne über all dem Kerkergestank nach Moder, Schweiß und Exkrementen der aufdringliche Geruch, mit dem der Graf seine Kleider parfümierte. Ein brutaler Stoß von Ordulf in den Rücken ließ sie vornüber zu Boden stürzen.

»Erweise deinem Herrn gefälligst den Respekt, Weib!«, schnauzte der Folterknecht.

Zitternd vor Kälte und Entsetzen, lag Änne mit ausgebreiteten Armen auf dem schmutzigen Boden und wagte nicht, sich zu rühren.

Was erwartete dieser Teufel von ihr? Was konnte sie tun, um Marsilius zu helfen? Sollte sie um Gnade flehen? Sich aufrichten und sich verneigen oder zu seinen Füßen liegen bleiben?

Sie spürte den Blick des Vogtes auf sich und entschied, in ihrer unbequemen Lage zu verharren, solange er ihr nichts anderes befahl. Was sie auch sagte und tat oder nicht tat – es konnte alles falsch sein und zur Folge haben, dass ihr Mann oder auch sie im nächsten Augenblick getötet wurden.

Marsilius war es, der das Schweigen brach.

»Ich flehe Euch an, Herr, lasst mein Weib gehen. Sie hat nichts mit dem zu tun, was Ihr mir vorwerft!«

Seine Stimme klang rauh, er spie Blut aus.

»Dachte ich mir doch, dass dich die Anwesenheit deines Weibes gesprächiger macht«, antwortete der Vogt erfreut. »Soll ich sie Ordulf überlassen? Oder meinen Wachen als Zeitvertreib?«

Änne wurde von dem Folterknecht auf die Knie gezerrt. Der Fleischberg drückte ihr eine Hand auf die Schulter, mit der anderen näherte er das glühende Eisen ihrem rechten Auge. Sie zuckte zurück, doch Ordulfs Linke packte sie im Nacken, und seine Rechte hielt ihr das Eisen weiter vors Gesicht. Bald glaubte sie, die Hitze würde ihr den Augapfel austrocknen.

»Sie ist unschuldig!«, schrie Marsilius und versuchte unter Qualen, wieder auf die Knie zu kommen.

»Natürlich ist sie das«, meinte der Vogt verächtlich. »Auch wenn man Weibern nie trauen darf – sich in Verschwörungen zu verstricken, das dürfte ihren Verstand bei weitem überfordern.«

Er musterte Änne mit leicht zur Seite geneigtem Kopf. »Das soll mich aber nicht davon abhalten, sie für dein Verbrechen mit zu bestrafen, wenn ich dazu Lust verspüre.«

»Gnade!«, flehte Marsilius und stöhnte auf. »Bitte, lasst sie gehen, Herr! Sie ist unschuldig!«

Der Vogt gab seinem Folterknecht ein Zeichen, das Eisen wegzuziehen. Änne sackte in sich zusammen.

»Es heißt, die Rothaarigen seien im Bett besonders heißblütig. Ich könnte sie gleich hier vor deinen Augen besteigen. Wie würde dir das gefallen, alter Mann?«

»Lasst sie gehen, und ich gestehe, was Ihr hören wollt«, ächzte Marsilius zu Ännes Bestürzung.

»Ich gestehe … Ich bin ein heimlicher Anhänger des Hauses Wettin … Ich habe keine Mitverschwörer und Mitwisser … Aber ich habe mich in Gedanken gegen den von Gott gewollten König gewandt …«

»Wusste ich es doch!« Der Graf lächelte und zog die Augenbrauen hoch.

»Ihretwegen nimmst du das Todesurteil in Kauf? Ich bin gerührt.« Er streckte die Beine aus und räkelte sich in seinem Stuhl. »Ich habe es gar nicht nötig, mir eine Frau mit Gewalt gefügig zu machen, auch wenn ich es jederzeit könnte«, meinte er abfällig. »Sie wird freiwillig alles tun, damit ich zufrieden bin – aus Furcht, und um dich vor dem Galgen zu retten. Nicht wahr, Weib?«

»Das wird sie nicht!«, brüllte der Arzt, als Änne zitternd nickte. Dabei musste sie an die Hure denken, der der Vogt vor ein paar Tagen Ohren und Nase abschneiden ließ, weil er mit ihr nicht zufrieden gewesen war.

»Du hast die Wahl, Weib: Du kannst ungehindert nach Hause gehen, und dein Mann kommt morgen an den Galgen. Oder du erwartest mich oben in meiner Kammer.«

»Das tust du nicht!«, schrie Marsilius Änne an. »Hörst du, ich verbiete es dir, auf diese Art um mein Leben zu betteln!«

»Das ist nun mal die Art, auf die junge, hübsche Frauen um das Leben ihrer Männer bitten«, belehrte ihn der Vogt. »Vielleicht sehnt sie sich sogar danach, endlich einmal einen kraftvollen Mann zwischen den Schenkeln zu haben. Wenn ich mit ihr fertig bin, wird sie mich auf Knien anflehen, wieder in mein Bett kommen zu dürfen.«

»Das tust du nicht!«, schrie Marsilius noch einmal, und seine Stimme brach. Mit schmerzverzerrtem Gesicht griff er sich an die Seite und sackte zusammen.

»Schaff sie hoch!«, befahl der Vogt dem Mann, der Änne hierhergeführt hatte. »Du bringst sie gemäß ihrem eigenen Wunsch zum Tor oder in meine Kammer.«

Zu Änne gewandt, sagte er: »Entweder du wartest dort auf mich, und zwar auf Knien, nackt und mit unbedecktem Haar, oder du bist morgen Witwe.«

Lässig wedelte er mit der Hand zum Zeichen, die Frau des Gefangenen fortzuschaffen.

»Ordulf soll dich nach Komplizen befragen«, hörte Änne den Grafen sagen, während sie mit zittrigen Beinen die steilen Stufen hinaufstieg. »Wenn du danach noch lebst, kannst du dir ausmalen, was ich mit deinem Weib anstelle. Das soll deine größte Qual und Strafe sein, alter Mann: zu wissen, dass sie mich freiwillig zwischen ihre Schenkel lässt und um mehr flehen wird.«

Vertrieben und verstossen

*W*as hast du getan, Weib?«, schrie Conrad Marsilius unter dem Galgen hasserfüllt zu Änne, während ihm der Henkersknecht die Schlinge abnahm.

»Was hast du getan?! Ich verfluche und verstoße dich!«

Von einem Moment zum anderen bildete sich trotz des Gedränges ein Halbkreis um die Frau des Medicus. Erschrocken rückten die Menschen von ihr ab, als könnte der Fluch des alten Arztes versehentlich sie gleichfalls treffen. Clementia hinter ihr wurde ungewöhnlich still. Dann begann sie in aller Eile, das Ave-Maria herunterzuhaspeln. Änne stand starr und steif da. Marsilius hatte sie verflucht. Der Alptraum ihrer Kindheit war zurückgekehrt.

Mit einem Mal fühlte sie sich wieder so hilflos und schlecht wie damals im Haus ihres Vormunds. Jenzin hatte es ihr Tag für Tag vorgehalten: Sie stammte aus einem verfluchten Geschlecht. Und nun hatte sie selbst einen Fluch auf sich geladen, der umso stärker wirken musste, da er von einem Menschen kam, den sie hatte retten wollen.

In die Stille hinein rief der Vogt: »Der Begnadigte soll gefälligst etwas mehr Dankbarkeit zeigen, sonst lasse ich ihn doch noch hängen!«

Marsilius erhielt einen Stoß in den Rücken, der ihn unsanft die Leiter hinab und auf die Knie beförderte.

»So ist es recht!«

Zufrieden verkündete Graf Reinold laut über die Menge auf dem Marktplatz hinweg: »Statt durch den Strang vom Leben zum Tode befördert zu werden, soll der Verräter Conrad Marsilius mit Ruten gestrichen und danach auf Lebenszeit aus der Stadt verbannt werden. So ist es mein Wunsch und Befehl. Sollte er sich jemals wieder innerhalb der Bannmeile blicken lassen, gilt er als vogelfrei. Wer ihm hilft, den erwartet die gleiche Strafe.«

Ordulf zerrte dem Medicus die zerrissene Kotte nun ganz vom Leib. Nur noch mit der Bruche bekleidet, wurde der weißhaarige Arzt an einen Balken gebunden – und zwar so, dass er direkt auf seine beiden toten Freunde sah, mit denen er noch am Abend zuvor an einem Tisch gesessen hatte.

»Vierzig Hiebe!«, befahl der Vogt unter dem Johlen der Menge.

Heilige Mutter Gottes, erbarme dich! Sie schlagen ihn tot! Das war alles, was Änne noch denken konnte. Wortlos musste sie zusehen, wie der Mann gedemütigt und geschunden wurde, der ihr einst das Leben gerettet und ein Zuhause geboten hatte. Sie sank auf die Knie und schlug die Hände vors Gesicht. Den Blick des Vogtes fühlte sie wie Feuer auf ihrer Haut brennen, glaubte, seinen aufdringlichen Geruch immer noch an sich kleben zu haben wie Pech und Schwefel.

»… vierzehn … fünfzehn … sechzehn …« Die Menge zählte längst mit, mancher aus Schadenfreude, andere voller Bangen, ob der alte Meister Conrad das überleben würde. Die Musikanten begleiteten jeden Hieb mit schrillen Pfeifentönen. Ein Mann rechts neben ihr hievte sich ein Kind auf die Schulter, damit es auch alles sehen konnte.

»… neununddreißig … vierzig!«

War Marsilius tot?

Reglos hing er in den Stricken und stürzte zu Boden, als Ordulf die Fesseln löste. Jemand schickte einen Knecht los, der einen Bottich am Brunnen füllte und das kalte Wasser über den Geschundenen goss. Marsilius zuckte. Das genügte als Lebenszeichen, er wurde wieder auf die Beine gestellt. Je ein Bewaffneter griff ihm links und rechts unter die Arme und zerrte ihn die Stufen des Podestes hinab. Die Menge teilte sich vor ihnen, und die beiden Männer schleiften den Halbtoten über den Markt, Richtung Erlwinsche Gasse, zum Tor.

»Ja, jagt ihn fort!«, brüllte jemand neben Änne. »Er hat schon immer zu denen gehört, die sich dem König widersetzen! Er ist schuld am Blutbad in Freiberg!«

»Genau! Jagt ihn fort!«, stimmte ein anderer ein. »Und seine Hure gleich mit!«

Abwehrend legte Änne die Arme um den Kopf, doch sonst rührte sie sich nicht. Sollen sie mich doch totschlagen, am besten gleich, dachte sie dumpf.

Wie sollte sie jetzt noch leben – hier und mit der Schuld, die sie auf sich geladen hatte? Wie sollte sie leben mit dem Wissen, dass ihr Mann halbtot fortgeschleift wurde und trotzdem ihre Hilfe nicht wollte? Er hatte sie verflucht und würde sie davonjagen, wenn sie zu ihm ginge. Das hatte ihr sein hasserfüllter letzter Blick verraten, bevor er unter den Hieben zusammengebrochen war.

Ein Bewaffneter trat an ihre Seite. Änne ließ die Arme sinken und sah auf.

Hatte der Vogt befohlen, sie doch noch ins Verlies zu werfen? Ihr Ohren und Nase abzuschneiden? Musste sie wieder in seine Kammer und dort mit sich geschehen lassen, was ihm an Widerwärtigkeiten nur einfiel, und dabei auf Befehl auch noch lächeln?

Alles war möglich angesichts der Unberechenbarkeit dieses Teufels.

Sie würde wohl nie wieder lächeln können, ohne sich daran zu erinnern, wie sie – nackt und vollkommen ausgeliefert – am Rande des Abgrunds balanciert war, um Marsilius und sich selbst das Leben zu retten.

Als der Graf endlich fertig war, hatte er sie als letzte Demütigung einfach aus dem Bett geworfen und durch die Nacht nach Hause geschickt. Die hastig zusammengerafften Kleider musste sie vor seiner Kammer anziehen, unter den Augen seiner grinsenden Leibwachen.

Aber der Soldat sollte jetzt wohl nichts weiter tun, als ihr die

Meute vom Hals zu halten, bis sie sich verlaufen hatte. Offenbar wollte der Herr der Stadt, dass sie – zu seinem Vergnügen – mit ihrer Schande weiterlebte.

Die Hälfte der Gaffer war inzwischen in einem johlenden Zug dem Verbannten bis zum Stadttor gefolgt, die anderen gingen wortlos, betend oder mit einem mitleidigen Blick auf die Frau des Arztes nach Hause.

Als der Platz fast leer war, kniete Änne immer noch dort im Schmutz. Clementia war längst fort. Sie packte bestimmt im Haus ein paar Sachen zusammen, um ihrem Herrn heimlich nachzulaufen und ihm Kleider, Essen, Geld und seine kostbaren Instrumente zu bringen.

Nicht einmal das darf ich, dachte Änne bitter. Ich kann mich nicht um seine Wunden kümmern, obwohl er mich gepflegt hat, als ich krank war. Durfte sie überhaupt noch sein Haus betreten, nachdem er sie verstoßen hatte?

Der Bewaffnete neben ihr schien nach einiger Zeit offenbar nicht so recht zu wissen, was er tun sollte, drehte sich noch einmal suchend um und ging dann einfach.

Jemand trat zu Änne. In Erwartung neuen Unheils sah sie hoch und erblickte Pater Clemens.

»Komm mit mir, meine Tochter. Lass uns gemeinsam beten für das Seelenheil der beiden Toten und das Leben deines Mannes.«

Mit einem Anflug von Dankbarkeit stand sie auf. In die Kirche. Dass sie wenigstens an diesem Ort noch geduldet wurde! Dann zuckte sie zusammen, weil ihr mit schrecklicher Klarheit etwas wieder bewusst wurde.

»Werdet Ihr mir die Beichte abnehmen, Pater? Ich ... habe gegen Gottes Gebot verstoßen ... und ich bereue aus tiefstem Herzen ...«

Noch ein Schritt. Und noch einer. So verzweifelt wie einst Sibylla durch den Schnee quälte sich nun Conrad Marsilius über das Feld westlich von Freiberg, nur in entgegengesetzter Richtung. Der fast zu Tode geschundene Mann nahm das letzte bisschen Kraft zusammen, um die Stadt hinter sich zu lassen, aus der er mit Hohn und Schimpf verjagt worden war. Die hartnäckigsten seiner Verfolger waren endlich umgekehrt.

Am liebsten würde er sich in den Staub sinken lassen und einfach liegen bleiben. Doch wie auch Sibylla damals wusste er, dass er nie wieder aufstehen würde, wenn er jetzt der Schwäche nachgab. Er würde hier auf dem Weg verrecken wie krankes Vieh, der Geruch des Blutes von seinen offenen Wunden Aasfresser und Gewürm anlocken.

Als er sicher war, dass sich kein Mensch mehr in seiner Nähe befand, schleppte er sich hinüber zum Bach, der nach der Schneeschmelze reichlich Wasser führte. Vorsichtig stieg er hinein und streckte sich der Länge nach im Wasser aus, so gut es ging. Er ächzte erst vor Schmerz, dann vor Erleichterung, als das kalte Wasser die Blutkrusten aufweichte und die Wunden kühlte.

Die Versuchung war groß, einfach nachzugeben und sich treiben oder auf den flachen Grund sinken zu lassen. Aber er wusste, dass er die Haut nicht zu sehr aufweichen durfte.

Eine in einiger Entfernung aus Richtung Freiberg auftauchende Gestalt beschleunigte Meister Conrads Entscheidung, die schmeichelnde Kühle des strömenden Wassers zu verlassen. Vorsichtig stieg er aus dem Bach und verkroch sich im Gestrüpp nahe dem Ufer. Als die Blätter und Zweige über seine offenen Wunden strichen, trieb ihm der Schmerz Tränen in die Augen. Er legte sich flach auf den Boden und wagte nicht, den Kopf zu heben, um zu sehen, ob Gefahr drohte.

»Meister Conrad, kommt heraus!«, erscholl eine vertraute Stimme. »Ich bin es, bringe Verbandszeug und Kleider.«

Clementia! Noch nie war er so froh gewesen, die Magd zu sehen, die ihm viele Jahre lang treu gedient hatte. Aber es beschämte ihn zutiefst, dass er sich ihr in diesem Zustand und nahezu unbekleidet zeigen sollte.

Die Scham überwog die Freude. Reglos blieb er liegen.

Doch die starrsinnige Clementia ließ sich nicht beirren. Er hörte Blätter rascheln, Zweige wurden auseinandergeschoben.

»Nun kommt schon heraus, Meister!«, bat sie, als sie vor ihm kauerte. »Ihr braucht Hilfe.«

»Ich bin nicht mehr dein Meister«, sagte er, unendlich müde und erschöpft. »Und falls dich jemand hier erwischt, wirst du es bitter büßen müssen.«

»So weit lasse ich es nicht kommen«, meinte sie und prustete verächtlich. »Es sei denn, Ihr bleibt noch lange in diesem Gestrüpp hier liegen und lasst mich weiter davor hocken wie eine Bäuerin, die auf das Feld des Dorfherrn scheißt!«

Ihr derber Scherz brachte ihn dazu, trotz aller Not aufzulachen. Er rappelte sich vorsichtig hoch, verließ das Gebüsch und sah sich nach einem dankbaren Blick auf Clementia nach einem Platz in der Nähe um, wo niemand sie entdecken konnte. Wortlos deutete die Magd auf das Wäldchen einen Steinwurf von ihnen entfernt. Er hätte zuvor nicht gedacht, es bis dahin noch aus eigener Kraft zu schaffen, aber nun humpelte er los, gefolgt von Clementia, die ungewöhnlich still war.

Im Schutz einer Gruppe Birken ließ sich der alte Mann vorsichtig auf den Boden sinken. Nun erst sah er seiner treuen Helferin ins Gesicht.

So hatte er sie noch nie erlebt.

»Meister«, flüsterte sie fassungslos mit tränenüberströmtem Gesicht. Während er vor ihr hergegangen war, hatte sie die Wunden auf seinem Rücken genau betrachten können.

Sie schniefte und wischte sich Nase und Wangen mit dem Ärmel ab. Dann kramte sie übermäßig geschäftig in dem Bündel, das sie mitgebracht hatte.

»Hier sind Kleider für Euch, Brot, ein Stück Schinken, Euer

Medizinkasten, etwas zum Verbinden, Schafgarbentinktur ... Himmelherrgottsakrament, wo steckt die verfluchte Schafgarbe?«

Gerührt von ihrer Sorge, griff er nach den rauhen Händen der Magd. »Es ist gut, Clementia! Da ist sie doch.«

»Hab ich dich!«, meinte sie unwirsch zu dem Krüglein und begann erneut zu schluchzen. »Jetzt werde ich Euch verbinden, und dann gehen wir fort von hier.«

»Hilf mir, die Wunden zu versorgen. Danach gehst du zurück!«, widersprach er. »Sonst werden sie nach dir suchen. Hüte das Haus für mich, für bessere Zeiten ... Die werden bald anbrechen, so Gott will.«

»Aber wie wollt Ihr denn ohne mich zurechtkommen? Wohin wollt Ihr in diesem erbärmlichen Zustand?«

»Ich gehe nach Rochlitz. Nikol Weighart wird mir weiterhelfen. Als Medicus werde ich in keiner Stadt mehr arbeiten dürfen, und für die Wanderschaft bin ich zu alt. Aber wenn Friedrich zur Schlacht ruft, wird er für seine Männer jemanden brauchen können, der mit Knochensäge und Kautereisen umzugehen weiß.«

Mit einem Mal verspürte Conrad Marsilius einen Bärenhunger. Dankbar griff er nach dem Brot, das Clementia mitgebracht hatte. Zwischen den einzelnen Bissen gab er der Magd Anweisungen, wie sie die Wunden auf seinem Rücken behandeln sollte, und lobte sie für ihre Umsicht. Dann schickte er sie noch einmal zurück zum Bach, um ein paar Blutegel zu sammeln und sie auf seine schlimmsten Blutergüsse zu setzen.

Eine Rippe schien angebrochen, so wie es sich anfühlte. Dagegen konnte er jetzt nichts tun, das musste mit der Zeit heilen.

»Bis Rochlitz ist es viel zu weit, dorthin kommt Ihr nie zu Fuß, so schlecht, wie es Euch geht!«, protestierte Clementia erneut, während sie vorsichtig an den Blutegeln zupfte. Als sich die vollgesogenen Tiere von der Haut gelöst hatten, wickelte sie ihm einen Verband um den Oberkörper, damit die offenen Wunden nicht brandig wurden und die Kotte nicht scheuerte. Mit Schaudern dachte er daran, wie er später die festgeklebten Verbände wieder abnehmen musste.

»Ich hole Euch Euer Pferd, dann reitet Ihr. Wenn alles gutgeht, seid Ihr schon morgen bei Meister Weighart«, schlug Clementia vor.

Er hatte ein Pferd im Stall! Das hätte er beinahe vergessen über all dem, was ihm seit der Nacht widerfahren war.

»Du kannst es nicht holen, das fällt auf. Bitte den Schielenden darum und gib ihm, was er dafür verlangt.«

Der Anführer der Schmugglerbande würde schon einen Weg finden, den Wallach so schnell wie möglich hierherzubringen. Clementia nickte grimmig. »Das versteckte Silber haben sie nicht gefunden, als sie das Haus durchwühlten. Das hat sie ganz schön wütend gemacht.«

Sie verzog das Gesicht zu ihrem altbekannten, inzwischen zahnlosen Grinsen, schlug den Saum ihres Kleides hoch und nestelte zwischen den Falten einen kleinen Beutel hervor.

»Hier, Ihr werdet es brauchen.«

Marsilius nahm einen Teil des Silbers aus dem Beutel und gab ihr diesen zurück, eine ganze Pfennigschale voll. »Das behalte als Reserve für dich und den Knecht. Danke für alles! Gott schütze dich!«

»Gott schütze Euch, Meister!«

Es fiel der alten Magd sichtlich schwer, zu gehen. Doch andererseits sah sie nun eine Aufgabe vor sich, die keinen Aufschub duldete: dafür zu sorgen, dass Marsilius sein Pferd erhielt. Dem schielenden Schmugglerkönig, dem würde sie schon Beine machen!

Änne blieb lange in St. Marien. Die Beichte erwies sich als schwierige Angelegenheit, auch für Pater Clemens, der die junge Frau weder leichtfertig verurteilen noch leichtfertig freisprechen wollte.

Und wohin hätte sie auch gehen sollen? Sie hatte keine Bleibe mehr. Sollte sie zurück zu Jenzin? Sollten der Hohn ihres Vormunds und seiner Frau ihre Buße sein? Da konnte sie sich auch gleich als Hure auf der Burg verdingen. Es schien sowieso jeder in der Stadt zu wissen, auf welche Art sie Gnade für ihren Mann erwirkt hatte.

Der Gedanke an den Burgvogt ließ sie erneut frösteln. Sie fühlte sich von sich selbst angewidert und von dem, was sie alles hatte tun müssen. Zum wiederholten Mal fragte sie sich, ob es für sie leichter gewesen wäre, wenn sie sich hätte wehren dürfen, statt freiwillig seinen widerwärtigsten Anweisungen zu gehorchen.

Wäre das weniger Sünde?

Wenn es nach ihrem Herzen ginge, nicht nach ihrem Verstand, würde sie sich sofort nach Leipzig durchschlagen, um sich Markgraf Friedrich und seinen Anhängern anzuschließen. Sicher gäbe es dort etwas Nützliches zu tun für sie mit ihren Erfahrungen bei der Pflege Verwundeter. Und die Menschen, die dort – den Tod vor Augen – ihre Hilfe brauchten, würden sie bestimmt nicht zurückweisen.

Doch es bestand keinerlei Aussicht, als Frau allein lebend über diese Entfernung durch Kriegsgebiet zu kommen, wo an allen Ecken und Enden gekämpft wurde und kaum ein Ort von den Soldaten des Königs verschont blieb.

Stattdessen hatte ihr Pater Clemens etwas vorgeschlagen, worauf sie selbst nie gekommen wäre. Dabei schien ihr dies jetzt der einzige logische Ausweg.

»Ich werde mit der Äbtissin des Büßerinnenklosters sprechen und ein gutes Wort für dich einlegen, meine Tochter«, sagte er.

Das Kloster. Die Büßerinnen. Die würden sie vielleicht aufnehmen und sie nicht angewidert fortjagen. Dort würde sie ein Dach über dem Kopf haben, dort war sie vor dem Vogt sicher, und dort konnte sie versuchen, vor dem Allmächtigen

Vergebung zu finden für die Sünde, die sie auf sich geladen hatte.

Es war nicht weit von der Marienkirche zum Kloster der reuigen Sünderinnen, nur über den Unteren Markt und dann noch ein paar Schritte.

Bevor Änne losging, um dort um Aufnahme zu bitten, verharrte sie noch einmal vor dem prachtvollen goldenen Portal von St. Marien und blickte auf das steinerne Bildnis der Heiligen Jungfrau direkt über dem Eingang. Nie zuvor war ihr das Antlitz der Gottesmutter, die dort mit dem Jesuskind auf dem Schoß thronte, so streng und unerbittlich vorgekommen.

»Maria, Gnadenreiche, erbarme dich meiner«, flüsterte sie.

Doch nichts rührte sich.

»Da ist die Hure des Burgvogtes«, johlte hinter ihr eine rauhe Stimme.

»Wie wär's, wenn du mir auch die Zeit ein bisschen vertreibst?«, fragte eine zweite Stimme. »Oder nimmst du nur feine Herren?«

Sie zog den Kopf ein und rannte los, während die beiden Unbekannten laut lachten.

Das Hohngelächter und die Furcht vor den Männern trieb Änne in ihrem panischen Lauf auf den vertrauten Weg zu Marsilius' Haus. Wie von Hunden gehetzt rannte sie hinein und schlug die Tür hinter sich zu.

Sie lehnte sich gegen die Wand und versuchte, ihren Atem zu beruhigen und nachzudenken.

Als Nonne durfte sie keinen persönlichen Besitz haben, und die Dinge im Haus gehörten ohnehin Marsilius, nicht ihr. Aber ihre Kleider durfte sie wohl mitnehmen anstelle einer Klostermitgift, als Spende für Bedürftige.

Leise wie ein Einbrecher durchschritt sie das Haus, in dem sie mehr als zehn Jahre gelebt hatte. Clementia war nicht da, was

Änne kaum überraschte. Die alte Magd war bestimmt längst unterwegs, um Meister Conrad zu helfen. Richtig, der Kasten fehlte, den sie erst gestern Abend wieder ordentlich eingeräumt hatte.

Im Licht, das durch die Fensterluke schien, sah sie etwas Glänzendes auf dem Boden. Rasch bückte sie sich und hob es auf – es war das schmale, besonders scharfe Messer, das Marsilius benutzte, um ins Fleisch zu schneiden. Ein Familienerbstück und sein wichtigstes Instrument.

Sie musste es gestern wohl in der Dunkelheit und in dem ganzen Unglück übersehen haben. Ihr erster Impuls war, loszurennen und es ihm zu bringen.

Was für ein dummer Gedanke.

Ein Geräusch aus der Küche ließ sie zusammenfahren. War Clementia schon zurück? Sie legte das Messer behutsam auf den Tisch, dann ging sie los, um nachzusehen.

Bei dem Anblick verschlug es ihr zunächst die Sprache. Der neue Knecht lümmelte dort, die Beine auf dem Tisch, vor sich den Krug Wein, den sie für das Pfingstfest aufgespart hatte, und den Rest des Schinkens, der ebenfalls für die Festtage bestimmt war.

Der Knecht, ein kräftiger junger Kerl von zwanzig Jahren, der erst vor vier Wochen seine Arbeit in diesem Haushalt aufgenommen hatte, nachdem der vorige gestorben war, fühlte sich keineswegs ertappt, als sie die Küche betrat. Statt aufzuspringen und mit schlechtem Gewissen sofort wieder an seine Arbeit zu gehen, weil ihn die Meisterin beim Diebstahl entdeckt hatte, sah er sie herausfordernd an und schnitt sich eine weitere Scheibe vom Schinken.

»Was soll das bedeuten?«, fuhr sie ihn an. »Und wo hast du eigentlich gestern gesteckt?«

Gerade erst war ihr bewusst geworden, dass er sich den ganzen Abend lang nicht hatte blicken lassen – obwohl sich wahrlich genug Schlimmes ereignet hatte und sie Hilfe gebraucht hätten.

»Das geht dich nichts an!«, blaffte er zurück.

Änne riss die Augen auf, als sie die respektlose Antwort des Knechtes vernahm.

»Du hast hier nichts mehr zu suchen, Hure! Der Meister hat dich verstoßen, er selbst ist weg ... und jetzt gehören all die feinen Dinge mir.«

Höhnisch schwenkte er den Arm durch den Raum. »Also verschwinde aus diesem Haus! Es sei denn, du lässt mich auch mal ran ... Gleich hier in der Küche.«

Das eindeutige Grinsen des Burschen war es, das bei Änne alle Dämme brechen ließ.

»Du warst es!«, schrie sie fassungslos. »Du hast Meister Conrad verraten! Du bist schuld an allem ...!«

»Und es hat sich für mich gelohnt.«

Er hatte die Worte noch nicht zu Ende gesprochen, als Änne schon auf ihn losging. All ihre angestaute Wut brach sich nun Bahn. Sie stürzte sich auf den Verräter und brachte ihn durch ihren Schwung samt dem Schemel zu Fall. Beide rappelten sich schnell wieder auf. Änne griff nach dem schweren Bratspieß, um sich den Knecht auf Distanz zu halten. Sie hatte keine Ahnung, was sie als Nächstes tun würde bei diesem ungleichen Kräftemessen, aber das war ihr vollkommen egal.

»Das wird dir gleich leidtun«, drohte er finster und nahm das Messer vom Tisch. Sie packte den eisernen Spieß mit beiden Händen und ließ den Mann nicht aus den Augen.

Im nächsten Augenblick griff er an. Änne hieb ihm mit aller Kraft den Spieß gegen den Arm. Es knackte, der Knecht stieß ein lautes Geheul aus und ließ das Messer fallen.

Doch der Schmerz mobilisierte auch bei ihm neue Kräfte. Er warf sich gegen Änne, wuchtete sie mit seinem Körper an die Wand, umklammerte mit der Linken ihre Kehle und drückte langsam zu.

»Wie fühlt sich das an?« Seine Finger drückten fester, während er ihr das Knie in den Leib rammte.

Änne röchelte, vor ihren Augen tanzten Sterne, bis alles schwarz wurde.

Dann plötzlich ließ der Druck nach, und sie bekam wieder Luft.

Jemand stützte sie am Arm, führte sie zum Tisch, ließ sie sich niedersetzen.

Erst allmählich konnte sie wieder sehen, und noch länger dauerte es, bis sie begriff, was geschehen war.

Otto, früher einmal Kämpfer der Burgwache, nun mit seinen fast siebzig Jahren Pferdeknecht beim Wirt des »Schwarzen Rosses« und einer derjenigen, der die Freiwilligen aus der Stadt schmuggelte, musste unbemerkt in die Küche gekommen sein.

Zu ihren Füßen lag reglos der Knecht, ein Messer im Rücken. Das zog Otto nun heraus und wischte es am Kittel des Toten ab. »Zur Hölle mit dir, Verräterseele!«, knurrte er.

Besorgt wandte er sich Änne zu. »Geht es wieder? Da bin ich wohl gerade noch im rechten Moment gekommen.«

Sie starrte ihn nur an, ohne einen Gedanken fassen zu können.

»Ich bin gerade zurück aus Leipzig, hörte, was auf dem Markt los war, und dachte mir, ich schau nach dem Rechten hier für den Fall, dass dir einer übelwill.«

Es war keine Respektlosigkeit, dass Otto sie so vertraulich anredete. Sie kannten sich noch aus der Zeit, als Adolf von Nassaus Heer Freiberg belagerte und sie mit Sibylla im Prägehaus der Burg Verletzte behandelt hatte. Er war einer von ihnen gewesen. Gleich nach dem ersten Angriff hatten sie ihm einen Arm amputieren müssen.

Von seinen grauen Kopfhaaren war nun nicht eines mehr übrig, der weiße Bart des Kahlkopfes und sein fehlender Arm ließen ihn dem flüchtigen Beobachter als harmlosen alten Mann erscheinen. Deshalb hatte er auch als fast Einziger von Markus' Männern vor ein paar Jahren in die Stadt zurückkehren können. Doch der genau gezielte Stich in die Niere, mit dem er den Knecht getötet hatte, bewies, dass er sein Handwerk nicht verlernt hatte.

»Danke«, sagte sie benommen und legte sich die Hand an die schmerzende Kehle, die sich immer noch wie zugeschnürt anfühlte.

»Hier, trink, das hilft!«, meinte er aufmunternd, nahm den Krug vom Tisch und goss ihr Wein in den Becher.

Das ist der Festtagswein für Meister Conrad!, wollte sie protestieren. Dann erst wurde ihr schlagartig bewusst, dass weder Meister Conrad noch sie das Pfingstfest in diesem Haus verbringen würden.

Der alte Otto sah ihr wohl an, was ihr gerade durch den Kopf ging. »Was wirst du nun tun?«, fragte er und musterte sie mit prüfendem Blick.

»Ich … Pater Clemens meint … zu den Büßerinnen ins Nonnenkloster«, stammelte sie. »Ich wollte nur mein Bündel holen.«

Verwundert starrte der Kahle sie an. »Ob die wohl Verwendung für jemanden haben, der mit dem Bratenspieß auf Kerle losgeht?«, fragte er zweifelnd. In seinen Augen funkelte es spöttisch.

»Was bleibt mir denn sonst?«, fragte Änne zurück und zuckte mit den Schultern. Bis eben noch hatte sie diesen Plan für gut befunden. Jetzt allerdings kamen ihr erhebliche Zweifel.

»Deshalb bin ich hier«, erklärte er. »Die anderen schicken mich. Wir konnten nichts für Conrad Marsilius tun, wir konnten dir diese Nacht nicht helfen.«

Die Beschämung darüber stand ihm unverkennbar ins Gesicht geschrieben. »Aber ich will verdammt sein, wenn wir dir jetzt nicht helfen!«

Änne wartete ohne Hoffnung darauf, was er nun sagen würde.

»Marsilius hat Hilfe, er wird sicher durchkommen. Aber du kannst hier nicht bleiben. So viel steht fest.«

Der Kahlkopf holte tief Luft und sah sie an. »Ich soll dir einen Vorschlag machen. Wenn du willst, nehmen wir dich mit nach Leipzig, zu Markgraf Friedrich. Es heißt, die große Schlacht gegen das Heer des Königs steht unmittelbar bevor. Wir würden uns alle wohler dabei fühlen, wenn wir wissen, dass du dort hinter der Linie stehst und dich nach dem Kampf um diejenigen von uns kümmerst, die es erwischt hat. So wie früher, auf Freiheitsstein. Du hast das Herz auf dem rechten Fleck, um das zu wagen.«

Er lächelte ihr aufmunternd zu. »Es wird dort für dich auch nicht gefährlicher als hier. Du hast doch längst darüber nachgedacht, nicht wahr? Ins Kloster gehen kannst du immer noch, wenn das überstanden ist. Aber jetzt erst einmal brauchen wir dich dort. Wir alle, die einst unter dem Kommando unseres Hauptmannes kämpften.«

Die Ruhe des Klosters? Oder die Schrecken einer Schlacht mit ungewissem Ausgang?

Änne entschied sich auf der Stelle. Statt ihrer Kleider packte sie alles an Leinenstreifen und Tinkturen zusammen, was sich im Haus noch finden ließ. Und dazu das kleine Messer des Medicus.

Marsilius schaffte es zu Pferd tatsächlich, am nächsten Tag kurz vor Einbruch der Dämmerung Rochlitz zu erreichen.

Sein Körper schmerzte noch schlimmer als tags zuvor, und wie er in den Sattel gekommen war, hätte er nicht mehr sagen können. Aber wenigstens hatte er das Gefühl, mit seinen Kleidern ein Stück seiner Würde zurückgewonnen zu haben.

In der Stadt unterhalb der Burg fragte er sich zum Silberschmied durch, weil er wusste, dass Nikol Weighart bei seinem Schwager untergekommen war, der den gleichen Beruf wie er ausübte.

Nachdem er dem Knecht erst mit einem Rüffel klarmachen musste, dass er trotz seines üblen Aussehens kein Strauchdieb war, fand er die ganze Familie bei der Abendmahlzeit vor.

Katharina erkannte ihn als Erste – trotz der Blutergüsse, Schwellungen und blutigen Wunden in seinem Gesicht. Die Frau des einstigen Bürgermeisters sprang auf vor Schreck und Überraschung und stieß dabei beinahe die Bank um. Der grau und mager gewordene Nikol folgte ihr und stürzte ihm entgegen, voll Freude und Sorge zugleich.

Conrad wehrte mit zittrigen Händen ab, als ihn der alte Freund aus vergangenen Tagen umarmen wollte.

»Ich … bin verletzt …«, sagte er und stützte sich gegen einen Balken, um vor Erschöpfung nicht umzufallen. »Ich brauche eure Hilfe.«

Fassungslos folgten Nikol, Katharina, ihr Bruder und dessen Familie den Worten von Marsilius, als dieser berichtete, wie die Dinge derzeit in Freiberg standen und was ihm widerfahren war.

Währenddessen wurde dem Neuankömmling aufgetafelt. Er konnte sich stärken und trank reichlich vom kräftig gebrauten Bier, um seine Schmerzen und seine Erinnerungen zu betäuben.

Dann nahm sich Katharina seiner Verletzungen an. Ohne auf Conrads Protest und seine Einwände hinsichtlich der Schicklichkeit zu achten, zog sie ihn vorsichtig aus, weichte die verkrusteten Verbände ab, besah wortlos Brandwunden, Striemen und die dunklen Blutergüsse.

»Ihr seid der Arzt, Conrad. Sagt mir, was zu tun ist«, bat sie schließlich. Sie hatte in der Familie schon oft Kranke zu pflegen gehabt, aber das Ausmaß dessen, was sie hier sah, ließ sie zögern.

Es dauerte bis tief in die Nacht, bis alle Wunden versorgt waren und alles erzählt war – alles bis auf eines. Auf die freundlich gemeinte und besorgte Frage nach Änne reagierte der Arzt so abweisend, dass Nikol und seine Frau begriffen, dies war ein heikler Punkt, über den er kein Wort verlieren würde. Also ließen sie das Thema fallen.

Katharina nötigte Marsilius einen weiteren Becher Bier auf in der Hoffnung, dass dies ihm wenigstens etwas Schlaf verschaffen würde.

Als sie und ihr Mann endlich zu Bett gingen, konnte sie trotz des anstrengenden Tages nicht schlafen. Zu viele aufwühlende Erinnerungen und Bilder wirbelten durch ihren Kopf.

Irgendwann kurz vor Tagesanbruch hörte sie ein Geräusch im Haus, eine leise Stimme. Sprach Marsilius im Fieber? In Sorge um den Kranken stand sie leise auf, warf sich ein Tuch um die Schultern und ging in die Richtung, aus der das Gemurmel kam.

Sie hatte richtig vermutet, es war Marsilius. Doch er sprach nicht im Fieber. Er kniete vor dem Hausaltar, hatte eine Kerze entzündet und betete. Durch den Türspalt konnte sie im flackernden Licht sehen, wie er in qualvoller Haltung die gefalteten Hände hob, obwohl ihm diese Bewegung große Schmerzen bereiten musste.

Weil sie nicht wagte, zurückzugehen und sich dabei durch ein Geräusch zu verraten, blieb ihr nichts anderes übrig, als den gramerfüllten Worten des Freundes zu lauschen.

»Himmlischer Vater, steh mir bei! Ich bereue. Ich habe unermessliche Schuld auf mich geladen. So große Schuld, dass ich sie nicht mehr tilgen und mir nicht vergeben kann, selbst wenn Du mir vergeben solltest. *Ich* trage die Mitschuld an dem Krieg, der nun tobt. In meiner Vermessenheit habe ich geglaubt, mich dem früheren König widersetzen zu können. Hätte ich die Ratsherren nicht aufgewiegelt, wäre Freiberg vielleicht ein Blutbad erspart geblieben.

So habe ich die Schuld am Tod vieler Menschen auf mich geladen. An meinen Händen klebt Blut. Doch in meiner Verblendung beharrte ich und widersetzte mich auch dem nächsten König, den Du der Krone als würdig empfandest. Dafür hat mich nun die Strafe ereilt, die Strafe für meinen Hochmut und meine Anmaßung, Deinen Willen in Frage zu stellen. Aber selbst das heilte meinen Starrsinn nicht, und ich habe eine weitere unerlässliche Sünde auf mich geladen ...«

Marsilius stöhnte qualvoll auf. Katharina war drauf und dran, in die Kammer zu stürzen und ihn aufzufangen, sollte er zusammenbrechen. Dann begriff sie, dass er vor Verzweiflung stöhnte, nicht wegen der schmerzenden Wunden.

»Allmächtiger Vater im Himmel, großes Leid habe ich Deiner Tochter Änne zugefügt. Und ich bin immer noch voll ungerechten Zorns auf sie, obwohl ich weiß, dass sie Schlimmes auf sich genommen hat, um mein Leben zu retten. Aus Eigensinn habe ich sie dem Mann weggenommen, der sie heiraten wollte. Zur Buße schwieg ich, als sie sein Kind trug, und nahm es als meines an. Doch ich konnte die Vorstellung nie bezwingen ... dass sie glücklich in seinen Armen gelegen hat ... so glücklich, wie ich sie nie machen konnte. Nie hat sie mich in all den Jahren so angesehen wie jenen anderen, den Jüngeren.

Und als sie vorletzte Nacht dieses Opfer auf sich nahm, diese Todsünde, und ihren Leib und ihre Seele in Gefahr brachte, um mich vorm Galgen zu bewahren ... da fraßen der Neid und die Eifersucht meine Seele und mein letztes bisschen Selbstachtung auf. Ich sah sie vor meinen Augen, die ganze qualvolle Nacht lang, in den Armen dieses lachenden Teufels, der sie sich zu Willen zwang ... Doch statt Mitgefühl und Ohnmacht verspürte ich nur Hass. Weil er jung war und sie bei ihm lag ...

Rette meine Seele, Allmächtiger Vater im Himmel ... und die Seele Deiner Tochter Änne ...«

Im schwachen Schein der Kerze konnte Katharina sehen, wie Tränen über das faltige Gesicht von Conrad Marsilius rannen.

Skeptisch sah Ulrich von Maltitz aus dem schmalen Fenster hinab auf den Hof der markgräflichen Burg am Mühlgraben der Pleiße.

Leipzig glich einem Heerlager. Doch den größten Zustrom in die vor Menschen überquellende Stadt bildeten nicht bewaffnete, gut ausgebildete Kämpfer, sondern Bauernfamilien, die kaum mehr als das nackte Leben hatten retten können und hierhergeflüchtet waren, um hinter den starken Stadtmauern Schutz zu finden.

Das Land stand in Flammen. Selbst von hier aus konnte Ulrich sehen, wie am Horizont an mehreren Stellen Rauchwolken emporstiegen.

Leipzig hatte sich wieder unter den Schutz des einstigen Markgrafen Friedrich gestellt. Nun sammelten sie hier alle kampfbereiten Männer, um dem königlichen Heer entgegenzutreten und – so Gott wollte – dem Grauen ein Ende zu bereiten. Unten auf dem Burghof waren ein paar gestandene Kämpfer dabei, den Freiwilligen den Umgang mit den Waffen beizubringen. Die meisten von denen, die sich ihnen angeschlossen hatten, waren im Kampf ungeübte Bauern und Stadtbürger. Von den pleißenländischen und osterländischen Edelleuten waren nur wenige mit ihren Rittern gekommen. Die Mehrzahl von ihnen stand auf der Seite des Königs.

Man kann es ihnen nicht einmal vorwerfen, dachte Ulrich bitter. Das Pleißenland und das Osterland waren Königsland – sie hielten also getreu ihrem Eid zu ihrem Lehnsherrn Albrecht von Habsburg.

Eine größere Gruppe Reiter mit farbenprächtigen Wappenröcken und Bannern, deren Spitze gerade durch das Tor drängte, zog Ulrichs Blicke auf sich.

»Goldacker und die Herren von Lobdeburg!«, rief er.

Unverkennbar unter den thüringischen Rittern ragte die hünenhafte Gestalt Albrechts von Sättelstedt heraus.

Erleichterung zog über das Gesicht Friedrichs, der mit gerunzelter Stirn bis eben noch auf das Pergament gestarrt hatte, das ein Bote schon vor einer ganzen Weile gebracht hatte. Er legte das Schreiben zur Seite und befahl dem Boten, der an der Seite wartete: »Rufe meinen Bruder, Markus von Freiberg und alle militärischen Ratgeber zu mir!«

Diezmann kam als Erster. Er und sein älterer Bruder hatten vor wenigen Wochen im südlich von Leipzig gelegenen Kloster Pegau ein Schutz- und Trutzbündnis gegen den königlichen Gegner geschlossen.

Not schafft Verbündete, dachte Ulrich beim Anblick der Brüder. Mit den Jahren waren sie sich äußerlich immer ähnlicher geworden, auch wenn Friedrich größer und sehniger war. Je düsterer und verschlossener der Ältere wirkte, umso offener trug Diezmann seinen Zynismus zur Schau.

Ginge es nach den Plänen des Habsburgers, wäre das Haus Wettin in einer Woche ausgelöscht. So blieb den Brüdern gar keine andere Wahl, als alle Differenzen beizulegen und die Frage, wer Thüringen regieren solle, auf später aufzuschieben – falls es überhaupt ein Später für sie gab. Das wurde mit jedem Tag fraglicher, denn der König hatte in den letzten Wochen massive Verstärkung für seinen Statthalter Heinrich von Nortenberg in Bewegung gesetzt, der mit einem Teil der Truppen hier überwintert hatte. Gewaltige Hilfskontingente aus Schwaben, Rheinländern, Böhmen, Bayern und Österreichern rückten an, so dass die beiden Wettiner beschlossen, ihr Heer im stark befestigten Leipzig zu sammeln, das nicht nur durch seine Mauern und die Burg geschützt war, sondern auch durch die Sumpfwiesen von Pleiße und Elster. Außerdem verfügte die Bürgerschaft von Leipzig über eine gut ausgebildete und bewaffnete Stadtwache.

»Grübelst du immer noch über den Verrat des Pegauer Abtes?«, fragte Diezmann und deutete mit verächtlicher Miene auf das Pergament.

»Der Pfaffe wird dafür bezahlen, ich schwör's bei meiner unsterblichen Seele!«

Schon kurz nach ihrer Abreise war Pegau in die Hände der Königstruppen gefallen. Und wie es hieß, versorgten der Abt und die Mönche die Söldner bereitwillig mit Proviant und Vorräten.

Bevor Friedrich etwas entgegnen konnte, betraten Herrmann von Goldacker und die Herren von Lobdeburg den Saal.

»Wir bringen gute Neuigkeiten!«, rief Goldacker, noch bevor er niederkniete.

»Gott segne Euch dafür!«, erwiderte Friedrich.

Auch Ulrich atmete auf. Angesichts der Lage konnten sie wahrlich ein paar aufmunternde Nachrichten vertragen.

»Wir haben den Grafen von Weilnau gefangen genommen, die erneute Belagerung der Wartburg ist aufgehoben. Um Thüringen müsst Ihr Euch also vorerst keine Sorgen machen«, verkündete der Marschall. Ein ungewohntes, schmales Lächeln zog über sein Gesicht mit den stechend blauen Augen.

»Und so dachten mein Vater und ich, wir kommen Euch mit ein paar unserer besten Männer zu Hilfe«, ergänzte Hartmann von Lobdeburg. »Wir bringen vierzig Ritter.«

Froh schritt Friedrich auf die Verwandten seiner Frau zu und schloss sie in seine Arme. »Ihr seid uns von ganzem Herzen willkommen!« Er wies an, den neu Eingetroffenen zu essen und zu trinken zu bringen.

»Stärkt euch, aber lasst uns keine Zeit verlieren. Wir müssen beraten. Einer meiner Kundschafter ist gerade aus dem königlichen Heerlager zurückgekommen.«

Auf sein Zeichen hin trat Markus näher und berichtete, was er – nach langer Zeit wieder einmal als königlicher Soldat verkleidet – bei seinem Erkundungsgang erfahren hatte.

»Tag für Tag trifft mehr Verstärkung für das königliche Heer ein. Sie lagern in Lucka, einem kleinen Marktflecken zwanzig Meilen südlich von hier, zwischen Pegau und Altenburg. Seine Schanzanlagen wurden im Nu überrannt, der Ort ist zum größten Teil zerstört. In den verbliebenen Häusern haben Nortenbergs Befehlshaber Quartier genommen, mehrere Nachbardörfer gingen in Flammen auf. Nortenberg selbst sitzt auf Burg Breitenhain, die er kampflos übernommen hat.«

Keiner der beiden Fürsten kommentierte diesen Punkt. Die Herren von Colditz, die diese Burg nahe Lucka kommandierten, standen kompromisslos auf der Seite des Königs.

»Die königliche Reiterei ist mehr als doppelt so stark wie unsere, selbst wenn ich die thüringischen Ritter einrechne«, berichtete Markus weiter. »Doch nach allem, was ich gehört habe, wollen sie nicht gen Leipzig reiten und die Stadt belagern, sondern uns in einer offenen Feldschlacht vernichten.«

Friedrich sah in die Runde seiner Ratgeber und militärischen Anführer.

»Sie wollen eine offene Schlacht? Die sollen sie haben. Wir ziehen ihnen entgegen.«

Fassungslos starrte Ulrich seinen Lehnsherrn an. Hatte Friedrich den Verstand verloren? Oder war er so besessen davon, nicht aufzugeben, dass er kaltblütig Hunderte Menschenleben opfern würde? Fieberhaft überlegte er, wie er seine Gedanken aussprechen konnte, ohne in den Verdacht zu geraten, ein Verräter oder Feigling zu sein.

»In einem Gelände wie der Ebene von Lucka kann eine überlegene Reiterei ihre Schlagkraft voll entfalten«, begann er und zwang sich dabei zur Ruhe. »Was wollen wir dem entgegensetzen? Bauern zu Fuß und mit Heugabeln bewaffnet? Ein paar verängstigte Stadtbürger mit Spießen?«

»Die Bauern werden ihren Zweck schon erfüllen«, meinte Diezmann herablassend. »Bei Euch hingegen habe ich meine

Zweifel, Maltitz, wenn ich Euch so reden höre. Werdet Ihr alt? Oder haben Euch die Jahre auf der Wartburg verweichlicht?«

Ulrich hatte Mühe, angesichts dieser Beleidigung nicht auf den einstigen Markgrafen der Lausitz loszugehen und ihn zu einem Zweikampf herauszufordern, der ihm ohnehin nicht gewährt würde. Sein alter Hass gegen den Mann loderte auf, dem er wegen seiner Unzuverlässigkeit und Launenhaftigkeit zutiefst misstraute, auch wenn sie in Großenhain und Rochlitz zusammen gekämpft hatten. Wütend ballte er die Hände zu Fäusten, ehe er sie wieder öffnete und zum Fenster wies.

»Ihr wisst, ich würde jederzeit mein Leben für Euch geben«, rief er seinem Lehnsherrn zu. »Doch seht Euch die Männer da unten auf dem Burghof an! Die meisten sind Bauern, Knechte oder einfache Bürger, die noch nie in ihrem Leben eine Waffe gegen jemanden gerichtet haben. Sie würden in einer offenen Feldschlacht keinen Wimpernschlag lang überleben!«

»An der Treue und Tapferkeit meines Freundes Maltitz besteht keinerlei Zweifel«, wies Friedrich seinen Bruder scharf zurecht, bevor er sich Ulrich zuwandte.

»Ich will mich nicht länger in Leipzig verkriechen und von den Türmen der Burg aus tatenlos zusehen, wie sie das Land niederbrennen«, erklärte der einstige Markgraf von Meißen hart. »Ich will die Entscheidung, so oder so. Das ist besser, als widerstandslos zu sterben. Alles ist besser, als nichts zu tun.«

Einen Augenblick lang herrschte Stille.

Dann räusperte sich Herrmann von Goldacker. »Nortenberg wird nicht damit rechnen, dass wir angreifen, weil wir zahlenmäßig und auch von der Bewaffnung her unterlegen sind. Daraus sollten wir einen Vorteil schlagen.«

»Der Platz für das Lager ist klug gewählt, auf leicht erhöhtem

Gelände, geschützt durch ein paar Wasserläufe und sumpfige Niederungen«, erklärte Markus den Neuankömmlingen aus Thüringen, die mit dem Territorium zwischen Altenburg und Pegau nicht so genau vertraut waren.

Auch das noch – gegen den Hügel anstürmen!, dachte Ulrich bitter. Er kannte das Gelände und hätte das eigene Lager ebenfalls genau an dieser Stelle errichten lassen, die sich gut verteidigen ließ.

»Ein paar einheimische Führer sind bereit, uns sicher und unbemerkt hindurchzugeleiten.«

»Wir müssen den Gegner überrumpeln«, schlug Diezmann vor. »Wir greifen im Morgengrauen an, stürmen mit der gesamten Reiterei direkt in ihr Lager und machen sie nieder, noch bevor sie nach den Waffen greifen und sich rüsten können.«

»Wir werden aufreiten, verhandeln und uns dann nach allen Regeln der ritterlichen Ehre mit ihnen schlagen, falls die Verhandlungen nichts fruchten!«, widersprach Friedrich seinem Bruder scharf. »Ich will, dass so viele Edelleute wie möglich gefangen genommen werden. Dann *muss* der König mit uns verhandeln, wenn Nortenberg es nicht will. Darum geht es!«

Sie diskutierten lange, um alles zu berücksichtigen, das ihre Aussichten auf Erfolg erhöhte.

Wir haben eine Chance – wenn auch nur eine geringe, dachte Ulrich schließlich wider Erwarten. Oder ließ er sich von Friedrichs wilder Entschlossenheit blenden?

»Ich führe die thüringische Reiterei ins Feld, mein Bruder die meißnische«, beendete Friedrich den Kriegsrat. »Ruft das Leipziger Aufgebot zusammen. Morgen früh sollen sich alle Kämpfer zur Messe auf dem Markt einfinden. Danach brechen wir auf. Der Herr wird uns beistehen.«

Sobald es ihm möglich war, ohne unhöflich zu wirken, bat Ulrich um Erlaubnis, den Raum verlassen zu dürfen. Friedrich sah ihn mit hochgezogenen Augenbrauen an, doch nach kurzem Zögern nickte er zustimmend.

Ohne Umwege ging Ulrich in seine Kammer. Wie vermutet, lag Sibylla dort in seinem Bett und schlief. Sie hatte fast die ganze letzte Nacht hindurch zusammen mit dem Feldscher die Verwundeten versorgt, die in die Stadt geflutet kamen, und war erst am Morgen völlig erschöpft zurückgekommen und ins Bett gesunken.

Sie wachte nicht auf, als er die Tür hinter sich schloss, rührte sich nicht einmal. Vorsichtig, um sie nicht zu wecken, legte er sein Schwertgehänge ab, setzte sich auf den Schemel am Fenster und betrachtete seine schlafende Geliebte.

Sie lag auf dem Bauch, hatte ein Bein leicht angezogen, wie er an den Konturen der Decke erkennen konnte, die er über sie gelegt hatte, den rechten Arm neben den Kopf gebettet. Eine Haarsträhne ringelte sich ihr über die Wange. Ihr Gesicht war ihm zugewandt, es schien völlig ruhig und entspannt.

Er sog den Anblick in sich auf wie Kraft zum Leben, während er reglos auf seinem Schemel saß. Mit einem Mal fröstelte ihn. Es war ein Gefühl, als wäre jemand über sein Grab gegangen.

Fast im gleichen Augenblick schlug Sibylla die Augen auf. Sie entdeckte ihn, lächelte und richtete sich verschlafen auf. Doch sie spürte sofort, dass er ernster wirkte als sonst, wenn sie miteinander allein waren. Ihr Lächeln erlosch, besorgt erforschte sie sein Gesicht.

»Ist es wegen des Familiengutes?«, fragte sie und zog sich fröstelnd die Decke enger um den nackten Körper. Ulrich hatte vor einiger Zeit Nachricht bekommen, dass auch sein angestammter Familiensitz wegen seiner bekannten Treue zum Haus Wettin niedergebrannt worden war. Obwohl er Jahre nicht dort gewesen war und die Gemahlin in Sicherheit auf ihren eigenen Ländereien wusste, traf ihn diese Nachricht härter als erwartet.

»Ein Haus kann man wieder aufbauen«, sagte er. »Solange sich die Dienerschaft und die Pächter in Sicherheit bringen konnten ...«

»Also ziehen wir morgen in die Schlacht?«

Er verzog leicht spöttisch den Mundwinkel. »Und du behauptest, *nicht* die Zukunft lesen zu können?«

Als sie schwieg und ihn nur ansah, überkam ihn das dringende Bedürfnis, einen Gedanken auszusprechen, der seit langem in ihm wühlte.

»Was ich dir jetzt sage, habe ich noch niemandem anvertraut«, begann er und strich sich müde das schulterlange Haar zurück. Ihr Lächeln erlosch. Aufmerksam blickte sie in seine dunklen Augen.

»Dieser Krieg rast wie ein schreckliches Feuer über die Mitte des Königreiches. Thüringer kämpfen gegen Thüringer, Pleißenländer gegen Pleißenländer, Freiberger gegen Freiberger – weil die einen dem König die Treue halten, wie es Gottes Ordnung fordert, und die anderen dem Hause Wettin. Du weißt, ich werde keinen Schritt von Friedrichs Seite weichen, weil ich ihm einen Lehnseid geschworen habe und weil ich in ihm einen aufrechten Mann sehe, der von gierigen Königen um sein rechtmäßiges Erbe gebracht werden soll. Und doch frage ich mich ... ob wir nicht schuld sind an diesem Krieg, an all dem Leid.«

Sibylla sah ihn erstaunt an.

»Wir haben keine Wahl!«, sagte sie leidenschaftlich. »Die Menschen, die von ihren Feldern und Höfen vertrieben wurden, konnten nicht wählen. Und auch nicht die Freiberger, als Adolf von Nassau sofort begann, die Stadt zu beschießen. Die Freiwilligen, die morgen mit uns in den Kampf ziehen, die kämpfen nicht in erster Linie gegen den König, den sie noch nie zu Gesicht bekommen haben, oder für Friedrich, sondern um ihre Frauen und Kinder, ihr Korn und ihr Vieh vor den Mordbrennern zu schützen.«

Einen Augenblick lang herrschte Schweigen zwischen ihnen. Dann stieg Sibylla aus dem Bett, immer noch die Decke um sich raffend. »Wenn wir morgen früh in die Schlacht aufbrechen, kümmere ich mich jetzt besser mit dem Feldscher darum, dass ein Karren mit allem beladen wird, was wir für die Verwundeten brauchen.«

»Nein, bleib!«

Mit zwei Schritten war Ulrich bei Sibylla und schlang seine Arme um sie. Er presste sie an sich, als wolle er sie nie wieder loslassen. Dann hob er sie hoch und legte sie aufs Bett. Sie sagte kein Wort, als er sich die Kleider vom Leib zerrte, sondern sah ihn nur sehnsüchtig an und streckte ihm die Arme entgegen. Er küsste sie hart, umklammerte ihre Brust, dass sie vor Schmerz und Lust aufstöhnte, und vergrub seine Hand zwischen ihren Beinen, die sie bereitwillig öffnete. Dann liebte er sie mit aller Kraft, mit einer beinahe verstörenden Intensität, wie er sie lange nicht geliebt hatte. So, als wäre es das letzte Mal.

Vor der Schlacht

Ottos kleine Freiberger Gruppe brauchte mehrere Tage, um an den königlichen Truppen vorbei nach Leipzig vorzudringen. Das Elend, das ihnen unterwegs begegnete, ließ Änne ihre eigene Verzweiflung beinahe vergessen. Schließlich lebte sie noch und hatte heile Glieder.

Bald glaubte Änne, den Anblick der zerstückelten Leiber allerorten nicht mehr ertragen zu können. Der Geruch von Rauch und kalter Asche in zerstörten und verlassenen Dörfern, von verwesenden Leichen, die niemand begrub, war allgegenwärtig. Gelegentlich trafen sie da und dort auf jemanden, der überlebt hatte, weil er sich mit dem Vieh noch rechtzeitig in den Wald retten konnte. Mancherorts berichteten die Bewohner stolz, wie sie ein paar der Angreifer in eine Falle gelockt und mit Forken und Sensen umgebracht hatten.

Sie ließen unterwegs alle Vorsicht walten, um den Königlichen aus dem Weg zu gehen. Der kampferfahrene Otto hatte Änne beim Aufbruch aus der Stadt einen langen, schmalen Dolch gegeben und ihr beigebracht, wie sie ihn einsetzen konnte, sollte es nötig werden. Es wurde nötig.

In einem scheinbar verlassenen Dorf waren ein halbes Dutzend Männer versteckt, um denen aufzulauern, die sich nach Leipzig durchschlagen wollten. Zum Glück hatte Otto mit diesem Hinterhalt gerechnet, und so schafften es die Freiberger, die Männer in einem kurzen, blutigen Kampf zu überwinden.

Sie erreichten Leipzig am Vormittag. In der Stadt herrschte ein unbeschreibliches Durcheinander. Häuser, Gassen und Plätze waren voll von Menschen. Verzweifelte Mütter hatten sich mit ihren Kindern ein Lager unter freiem Himmel suchen müssen, vor den Klöstern und Kirchen prügelten sich die Hungernden um ein bisschen Suppe. Überall standen Freiwillige herum, die versuchten, sich ihre künftigen Heldentaten auszumalen und einander Mut zu machen.

»Zur markgräflichen Burg!«, brüllte Otto, um sich seinen Leuten in dem Getöse verständlich zu machen. Rücksichtslos bahnte er sich und den anderen den Weg.

Je näher sie der gewaltigen Zwingburg kamen, umso mehr Bewaffnete strömten ihnen entgegen. Doch es waren nur wenige Ritter unter ihnen. Will Friedrich mit einem Heer von Bauern in den Krieg ziehen?, dachte Änne bestürzt. Als sie den mit Bewaffneten dicht gefüllten Burghof betraten, glaubte sich Änne in den Tag zurückversetzt, als sie einst auf dem Hof von Freiheitsstein gestanden hatte, um auf Befehl Ulrichs von Maltitz dem Feldscher zu helfen. Jetzt fühlte sie sich genau so fremd in all dem Gewimmel, doch nicht mehr so hilflos.

»Geh dort hinein!« Otto wies auf ein schmales Gebäude links von ihnen. »Dort kümmert man sich um Verletzte. Ich schätze, sie werden froh sein über jede Hand, die hilft. Wir suchen inzwischen nach unserem Hauptmann.«

Markus! Mit klopfendem Herzen hatte Änne längst heimlich Ausschau nach ihm gehalten. Aber jemanden in diesem Gewimmel zu finden, schien unmöglich. Von Otto wusste sie, dass Markus zusammen mit Ulrich von Maltitz an Friedrichs Seite gekämpft hatte und nun hier in Leipzig war. Mehr hatte sie nicht zu fragen gewagt.

Wahrscheinlich hatte er nach all den Jahren Frau und Kinder und sie längst vergessen. Es gab mindestens hundert gewichtige Gründe, warum sie sich ihn aus dem Kopf schlagen sollte. Vor allem aber drei.

Marsilius. Den Fluch. Und den Vogt.

Das Leben als ehrbare Frau, das sie bisher geführt hatte, war vorbei. Nun blieb ihr als Einziges, zu versuchen, diesem oder jenem Verwundeten zu helfen oder beim Sterben beizustehen. Vielleicht würde Gott ihr das einmal zugutehalten, wenn er am Tag des Jüngsten Gerichts über sie befand.

Änne drückte ihr Bündel fester an sich, nickte Otto und den anderen zum Abschied zu und trat durch die Tür.

Nach dem grellen Sonnenlicht mussten sich ihre Augen erst an das Halbdunkel des Raumes gewöhnen. Der Geruch nach Blut und Schweiß und das Stöhnen und Wimmern der Verletzten schienen sie erneut zurückzuversetzen in die Zeit auf Freiheitsstein.

»Steh hier nicht herum!«, ermahnte sie ein noch recht junger Mann mit einem Feuermal auf der linken Gesichtshälfte und tief umschatteten Augen, der gerade einem Mann – der Kleidung nach ein Knecht – einen klaffenden Schnitt am Arm nähte. »Bist du verletzt?«

»Nein. Ich will helfen.«

»Dann kümmere dich um den da!«, sagte er schroff und wies

mit dem Kinn auf einen mageren, sommersprossigen Burschen von zwölf oder vierzehn Jahren neben sich, der eine übel aussehende, eiternde Wunde an der Schulter hatte.

Offenbar rechnete der Feldscher damit, dass sie sich erschrocken abwenden und das Weite suchen würde und er sich wieder ungestört seiner Arbeit zuwenden konnte. Verblüfft sah er, wie Änne sich neben dem Jungen niederließ, ihr Bündel auseinanderknotete und Leinenstreifen und Tinkturen herausholte.

»Wie ist das passiert?«, fragte sie den Sommersprossigen, um ihn davon abzulenken, dass sie gleich den Eiter aus seiner Wunde herauspressen musste.

»Königliche Streife«, brachte er lakonisch zwischen zusammengebissenen Zähnen hervor. »Die haben gedacht, die kriegen mich. Von wegen!«

Der Zustrom an Hilfesuchenden riss nicht ab. Dabei steht die Schlacht erst bevor, dachte Änne. Doch endlich hatte sie wieder das Gefühl, nützlich zu sein. Bald schien all das, was vor weniger als einer Woche in Freiberg geschehen war, unwirklich und in weiter Ferne zu liegen – wie aus einer längst vergangenen Zeit und einem ganz anderen Leben.

Markus wollte die Zeit bis zur Dämmerung nutzen, um den ungeübten Kämpfern noch dies oder jenes im Umgang mit den Waffen beizubringen. Vor allem mussten sie lernen, die Furcht zu überwinden, wenn ihnen der Feind direkt gegenüberstand. Doch bevor er eine Gruppe zusammenrufen konnte, entdeckte er in der Nähe des Tores ein vertrautes Gesicht aus Freiberger Tagen: Otto, der einst zu seiner Burgwache gehört hatte. Und wie es aussah, brachte er noch mehr Freiwillige aus der Silberstadt.

Mit langen Schritten lief er dem alten Gefährten entgegen und umarmte ihn.

»Was bist du für ein Fuchs, dass du es immer wieder unbehelligt hierherschaffst!«, meinte er erleichtert, während er ihm auf die Schulter hieb. »Wir sind froh über jeden Mann!«

»Unbehelligt ist vielleicht nicht das richtige Wort«, entgegnete Otto grinsend. »Wir hatten unterwegs ein paar kleine Raufereien mit den Königlichen, die aber zu unseren Gunsten endeten.«

Nun wandte sich Markus den sechs jungen Begleitern des Kahlen zu. Auf den ersten Blick erkannte er keinen von ihnen, aber das war kein Wunder: Als er fortmusste aus Freiberg, konnten diese hier nicht älter als fünf oder sechs Jahre alt gewesen sein. Die Züge des einen kamen ihm vertraut vor.

Und als der ihn angrinste, hatte er keinen Zweifel mehr.

»Paul! Bist du von zu Hause ausgerissen, oder weiß dein Vater, dass du hier bist?«, fragte er den Nachbarsjungen, hin- und hergerissen über dieses unverhoffte Wiedersehen.

»Er weiß es und hat mir seinen Segen gegeben«, versicherte Paul ernsthaft. Dann hob er seine rechte Hand. »Ich werde dir nie vergessen, was du gewagt und auf dich genommen hast, um mir die Hand zu retten«, sagte er. »Deshalb wollte ich hierher.«

Auch ein zweites Gesicht kam Markus vage bekannt vor. »Bist du ein Sohn des Waffenschmieds?«

»Sein Neffe«, stieß der Junge zornig hervor, und Markus vermutete, dass er gleich den Grund für diesen Zorn erfahren würde.

»Hör zu, es gibt schlechte Neuigkeiten aus Freiberg«, begann Otto. »Übrigens, wir haben Änne mitgebracht.«

»Änne?!« Markus glaubte, sich verhört zu haben.

Tausend Gedanken schossen ihm durch den Kopf – und vor allem eine Frage.

»Ja«, bestätigte Otto. Sein faltenzerfurchtes Gesicht verdüsterte sich, bevor er in knappen Worten von dem Halsgericht in Freiberg zu erzählen begann.

»Meldet euch bei Maltitz«, sagte Markus, kaum dass der einarmige Kämpe zu Ende berichtet hatte. Er ließ ihn stehen und bahnte sich mit langen Schritten den Weg durch die Menschenmenge zu dem Gebäude, in dem der Feldscher Verwundete behandelte.

»Ich suche eine Frau namens Änne, Änne von Freiberg«, rief Markus. Der junge, übermüdete Feldscher sah kaum auf.

»Wer soll das sein?«, knurrte er, während er einen Verband festknotete. »Sieh dich doch um, es wimmelt hier von Hilfsbedürftigen.«

»Sie ist nicht verletzt, hoffe ich zumindest. Sie ist heute erst angekommen und soll hier helfen …«

»So ein schmales Ding? Die ist gerade rausgegangen, um Wasser zu holen.«

Sofort stürzte Markus wieder hinaus und blickte sich suchend um. Menschen um ihn herum drängten, schubsten und lärmten. Er trat einen Schritt beiseite, um einen Mann einzulassen, der eine bewusstlose Frau auf den Armen hielt.

Und dann entdeckte er sie. Schwer beladen mit zwei Eimern Wasser war Änne auf dem Weg zum Lazarett. Von weitem wirkte es, als hätte sie sich überhaupt nicht verändert – immer noch zierlich und mädchenhaft, aber viel schlichter gekleidet als damals bei Conrad Marsilius, als er sie zum letzten Mal gesehen hatte. Sie trug ein einfaches Kleid, statt der fein gefältelten Haube hatte sie wie eine Bäuerin oder Magd ein graues Leinentuch um den Kopf geknotet – fast wie zu jener Zeit, als sie noch Jenzins Mündel gewesen war. Nur ihr Gesicht schien ihm noch schmaler geworden zu sein. Und an ihrem Hals konnte er verblassende Würgemale erkennen.

Plötzlich zuckte sie zusammen, blieb stehen, setzte die Eimer ab und blickte suchend um sich – bis sie ihn sah und erstarrte. Mit ein paar Schritten war Markus bei ihr und sah ihre grünen Augen fassungslos auf sich gerichtet.

»Änne!«

Freudestrahlend umfasste er ihre Schultern, um sie von oben

bis unten anzuschauen. Gar nicht sattsehen konnte er sich an ihr. Ihr Gesicht leuchtete auf, er spürte ihren Impuls, ihm um den Hals zu fallen. Doch dann erlosch das Leuchten, sie rührte sich nicht und sah zu Boden.

Markus erriet, was in ihr vorging, und wollte gar nicht erst Verlegenheit oder Wortlosigkeit zwischen ihnen aufkommen lassen. Also nahm er einfach ihren Kopf in seine Hände und küsste sie vor aller Augen. Dann zog er sie an sich und strich mit seinen Händen stark und beruhigend über ihren Rücken.

»So lange habe ich auf dich warten müssen!«

Ihre ersten Worte waren leise, kaum zu hören. »Und ich habe mich so nach dir gesehnt!«

Bewegt griff er wieder nach ihren Schultern, um ihr ins Gesicht sehen zu können, ohne sie loszulassen. »Erzähl mir von unserem Sohn! Es ist doch ein Junge, nicht wahr? Lebt er?«

»Ja«, antwortete sie, lachend und weinend zugleich, während sie sich die Tränen aus den Augen wischte. »Er ist schon richtig groß geworden und sehr klug … Er hat deine Augen, und sein Haar hat fast das gleiche Braun wie deines … Stell dir vor, er lernt Lesen und Schreiben …«

»Du hast ihn ins Kloster gegeben?«

Das traf ihn hart. Er hatte sich immer vorgestellt, sein Sohn würde einmal ein Kämpfer werden, so wie er.

»In die Klosterschule, zum Lernen, nicht um einmal die Gelübde abzulegen«, erklärte sie hastig. »Dort ist er in Sicherheit. Ich hätte ihn doch nicht mit hierherbringen können!«

Natürlich war es Marsilius' Entscheidung gewesen. Doch sie wollte jetzt nicht an ihn denken. Zögernd deutete sie auf die Eimer. »Ich muss zurück zu den Verwundeten …«

»Rühr dich nicht fort von dort!«, beschwor Markus sie. »Ich habe noch etwas Wichtiges zu erledigen. Sobald ich kann, komme ich zu dir!«

Noch einmal gab er ihr einen Kuss, drehte sich um und lief los.

Innerlich zerrissen, sah ihm Änne nach, bis sie ihn aus den Augen verlor.

Änne war überglücklich und zugleich furchtbar verzweifelt. Sie liebte Markus immer noch so sehr, dass es weh tat. Doch würde er sie noch wollen, wenn er hörte, was geschehen war? Was sie getan hatte? Durfte sie überhaupt in seiner Nähe sein, wenn sie ihn nicht mit dem auf sie gelegten Fluch beladen wollte?

Sosehr sie sich wünschte, dass Markus zurückkam, so sehr fürchtete sie sich davor. Sie musste es ihm sagen … und dann würde er vor ihr zurückschrecken wie vor einer Aussätzigen.

Änne zwang sich, nicht dauernd zur Tür zu starren, während sie sich um Verletzte kümmerte. Plötzlich stand Markus vor ihr.

»Komm mit!«, forderte er sie ohne Erklärungen auf.

Das Herz schlug ihr bis zum Hals, während sie die Hände in den Eimer tauchte, um sie abzuspülen, und ihm dann folgte. Was würde nun geschehen?

Er nahm sie bei der Hand, um sie im Gedränge nicht zu verlieren, führte sie in die übervolle Halle und sorgte dafür, dass sie einen Platz an einem der Tische bekam. Die Art und Weise, wie ihn die bewaffneten Männer grüßten, zeigte, dass er hier den gleichen Respekt genoss wie einst in Freiberg auf Freiheitsstein.

Änne konnte kaum ein Auge von ihm lassen, während er ihr etwas zu essen und zu trinken besorgte. Sein braunes Haar war etwas länger als sonst, er trug keinen Bart mehr, aber seine letzte Rasur musste zwei, drei Tage her sein angesichts der dunklen Stoppeln.

»Setz dich hin, iss und trink!«, forderte er sie lächelnd auf.

Änne wusste nicht, was sie tun oder sagen sollte. Weil sie fürchtete, dass er wieder ging, wenn sie gegessen hatte, wurden ihre Bissen immer kleiner, obwohl ein Stück trockenes

Brot am Morgen ihre einzige Mahlzeit an diesem Tag gewesen war.

Doch irgendwann war der letzte Krümel aufgegessen, der Becher bis auf den Boden leer getrunken. Verlegen strich sie mit den Händen über den Rock.

»Ich werde jetzt wohl wieder gehen müssen …«, sagte sie leise und stand auf. Ihr Körper fühlte sich an wie aus Blei.

Mit einem Ruck stand er auf und war sofort neben ihr, seine Antwort war fast wie ein Schrei. »Ich lasse dich nicht noch einmal gehen!«

Jäh packte er sie bei den Schultern und drehte sie zu sich. »Hörst du, Änne? Ich lasse dich nicht noch einmal gehen!«

Wie bei ihrem ersten Wiedersehen auf dem Burghof nahm er ihren Kopf zwischen seine Hände und küsste sie, dass ihr schwindlig wurde. Für diesen einen Augenblick alles vergessend, stellte sie sich auf die Zehenspitzen, schlang die Arme um seinen Nacken und erwiderte seinen Kuss.

Ein paar Männer um sie herum brachen in fröhliche Rufe über das Liebesglück des Freiberger Sergenten aus. Verlegen und schuldbewusst löste sich Änne von ihm.

»Komm mit«, flüsterte er ihr ins Ohr und wollte sie mit sich ziehen.

Schlagartig erloschen all ihr neugewonnener Mut und ihre Hoffnung. Sie ließ die Arme sinken und blieb stehen, als seien ihre Füße an den Boden genagelt. »Ich muss dir etwas sagen … Du darfst nicht … Ich …«

Nach Ottos knappem Bericht ahnte er, was sie sagen wollte, und fiel ihr ins Wort.

»Änne – was immer du mir sagen willst, was immer geschehen ist in all den Jahren … es spielt keine Rolle mehr!«, beschwor er sie, und er meinte diese Worte ernst. »Hörst du: Es spielt keine Rolle!«

Leiser, aber eindringlich fuhr er fort: »Morgen früh ziehen wir in die Schlacht, und niemand weiß, wer von uns morgen Abend noch am Leben sein wird. Unser ganzes Leben, unsere ganze Liebe haben wir bisher vergeudet mit verpassten Gelegenheiten! Als wir aus Freiberg fortgehen und heiraten wollten … Als ich dich weg von Marsilius und zu Fürst Friedrich mitnehmen wollte … Immer hat sich irgendetwas Furchtbares ereignet, das unser Zusammensein verhinderte. Aber heute nicht! Dieser Abend – und wenn es mein letzter ist – gehört uns.«

Unvermittelt senkte er die Stimme noch mehr und blickte ihr in die Augen, um vorsichtig anzufügen: »Vorausgesetzt, du willst mich überhaupt …«

Fassungslos starrte sie ihn an. Ob *sie ihn* wollte? War nicht viel eher die Frage, ob *er sie* noch wollte? Doch in seinem Gesicht stand nicht der geringste Zweifel.

Änne atmete tief durch. »Ich will dich. Aus ganzem Herzen.« Ihre Augen leuchteten, wie es noch kein Mann außer diesem je bei ihr gesehen hatte. Dann ließ sie sich von ihm fortziehen.

Markus führte sie in eine Kammer, die als Schlafstätte für sechs Sergenten diente. Jetzt war sie leer und würde es wohl vorerst auch bleiben. Die Männer, mit denen er sich diese Unterkunft teilte, würden entweder zur Beichte gehen oder beim Bier zusammensitzen, um sich vor der Schlacht gegenseitig Mut zuzusprechen.

Markus zog die Tür zu und legte den Riegel vor. Jetzt wollte er nur eines: jeden Augenblick, der ihm bis zum Aufbruch noch blieb, mit Änne genießen, sie lieben und ihren Körper kennenlernen.

Sie stellte sich auf die Zehenspitzen, um ihm entgegenzukommen, als er sie erneut küsste. Mit einer raschen Bewegung schob er ihr Kopftuch herunter und fuhr mit seinen Händen durch die hellen, wie Kupfergold glänzenden Haare. So lange hatte er davon geträumt!

Er löste sich kurz von ihr, um den Anblick in sich aufzunehmen und zu genießen. Dann küsste er sie erneut, spürte, wie sie ihre Lippen öffnete. Spielerisch stieß seine Zunge gegen ihre Zähne, wurde eingelassen, der Kuss heftiger.

Seine Nackenhärchen richteten sich auf, als ihre Hände zärtlich über seinen Haaransatz und die Halswirbel strichen. Sanft biss er ihr ins Ohrläppchen, während seine Hände wie von selbst zu ihren Brüsten wanderten, ermutigt durch ihr begehrliches Stöhnen.

Mittlerweile war sein Verlangen so groß, dass er glaubte zu zerspringen. Er hätte sie sofort an die Wand drücken und im Stehen nehmen können.

Doch das wollte er nicht. Das einzige Mal, als sie wie Mann und Frau zusammen waren, blieb ihnen nur eine kurze, hastige Vereinigung im Stall vergönnt. Diesmal wollte er sie endlich ohne Kleider sehen, jeden Zoll ihres Körpers liebkosen und genießen.

Er nahm ihre schmale Hand, führte sie unter den Gambeson und legte sie auf sein hartes, aufgerichtetes Glied.

»Fühle, wie sehr ich dich begehre«, raunte er mit heiserer Stimme und hoffte, weder die Beherrschung noch den Verstand zu verlieren.

Durch das Leinen der Bruche spürte sie sein Verlangen – und zog die Hand wieder weg. Doch nicht vor Schreck oder Scham, wie er einen Augenblick lang befürchtete, sondern um sich mit schnellen, entschlossenen Bewegungen Kleid und Unterkleid abzustreifen.

Dann stand sie vollständig entblößt vor ihm, und um seine Beherrschung war es endgültig geschehen.

Mit bebenden Fingern half sie ihm, sich aus dem Gambeson zu schälen, löste die Knoten der Nestelbänder, die Riemen, die seine Schuhe hielten, und zog dann leise lachend an seinen Ärmeln, als er sich verheddert. Rasch war auch er entkleidet.

»Änne … Liebste …«, stammelte er. »Ich kann jetzt nicht warten … oder besonders sanft zu dir sein …«

Er hatte sich vorgenommen, behutsam zu sein angesichts der Würgemale und dessen, was Otto angedeutet hatte. In ihren Augen hatte er einen Moment lang etwas aufflackern sehen, das wohl damit zu tun haben musste. Doch seine Erregung und ihr entschlossenes Vorgehen machten alle guten Vorsätze zunichte.

Sie trat zu ihm und schmiegte ihren nackten Körper an seinen.

»Komm!«, sagte sie leise. »Ich habe so lange auf dich gewartet. Nun will ich nicht länger warten.«

Sie lag kaum auf dem Umhang, den er über den Strohsack gebreitet hatte, als er schon in sie glitt. Vor Erleichterung stöhnte er auf. Dann begann er, sich in ihr zu bewegen, während seine Lippen ihren Hals liebkosten. Mit jedem Stoß holte er heftiger aus, und als sie seinem Rhythmus folgte und sich ihm dabei entgegenwölbte, glaubte er vor Glück zerspringen zu müssen.

Bald konnte auch sie ihr lustvolles Stöhnen nicht mehr dämpfen, und als er sich in sie ergoss, schrien sie zusammen ihre Lust, ihre Erfüllung und die Verzweiflung der letzten Jahre aus sich heraus.

Schweißnass ließ er sich auf sie sinken und genoss die innige Verbundenheit, bis er spürte, dass er aus ihr glitt.

Bis eben noch hatte Änne die Augen geschlossen, nun sah sie ihn an. In ihr waren so intensive Gefühle aufgebrodelt, dass sie geglaubt hatte, es nicht aushalten zu können und sterben zu müssen. Und vielleicht war ja auch gerade die alte Änne gestorben … und zu neuem Leben geboren worden.

Behutsam rollte er sich von ihr, griff über ihren Körper hinweg nach dem Umhang und legte ihn um sie. Es war kalt in den Mauern der markgräflichen Burg. Der Stoff reichte nicht, um ihren

Leib ganz zu bedecken, und so betrachtete er ausgiebig die Linien ihres schmalen Körpers, um sich jede Einzelheit einzuprägen. Den linken Arm schob er unter ihren Nacken, mit den Fingerkuppen seiner rechten Hand umkreiste er zärtlich ihre Brüste. Sie lächelte in sich hinein und schwieg immer noch.

Einen Moment lang ging ihm der Gedanke durch den Kopf, dass die meisten anderen Frauen, die er gehabt hatte, jetzt irgendetwas Banales gesagt hätten. Er liebte sie auch für diese Stille. Ihm war, als könne jeder von ihnen die Gedanken des anderen lesen.

»Du bist meine Liebe, mein Leben«, raunte er ihr ins Ohr. Sie blickte ihn an, öffnete leicht den Mund – und dann sah er Tränen aus ihren Augen rinnen.

»Ich war noch nie so glücklich.«

Er beugte sich über sie und küsste sie lange und zärtlich, diesmal nur ein sanftes Spiel der Lippen, während er ihre Tränen fortwischte.

»So viele Jahre haben wir verloren …«, sagte sie mit wehmütigem Lächeln und strich mit den Fingerkuppen über die Narben, die sich auf seiner Brust kreuzten.

»Uns bleibt der Rest des Lebens – wie lang er auch sein mag.«

Durch die schmale Fensterluke fiel kaum noch Licht in die Kammer. Markus stand auf, legte den Umhang über Änne und erkannte an ihrem Blick, dass sie fürchtete, er würde nun gehen. Lächelnd suchte er in seinen Sachen nach dem Feuereisen und entzündete ein Licht. Dann legte er sich wieder zu ihr, schlug den Umhang beiseite und betrachtete ihren Körper, der im Schein der Flamme zu leuchten schien.

Wieder wurde sein Blick von den verblassenden Würgemalen und Blutergüssen gefangen, und er fühlte sich von dem Wunsch erfüllt, sie in seine Arme zu reißen und nie wieder loszulassen, sie zu beschützen. Er hatte sie davor nicht bewahren können, und wenn er morgen fiel, wäre sie wieder allein. Es gab keinen sicheren Ort, weder für sie noch für ihn. Aber er wollte unbedingt jede schlimme Erinnerung in ihr auslöschen.

Auf ihren Armen zeigte sich Gänsehaut, deshalb strich er mit seinen kräftigen, warmen Händen darüber. Er küsste die Beuge zwischen Hals und Schulter, ließ seine Zunge um die Spitzen ihrer Brüste kreisen, neigte den Kopf tiefer und liebkoste ihren Bauch.

Sie reagierte auf jede seiner Zärtlichkeiten und begann, mit ihren schmalen Händen auch seinen Körper zu erkunden. Bald spürte er, wie seine Lust von neuem erwachte.

Diesmal zögerte er den Moment bewusst hinaus, bis er in sie eindrang, liebkoste zuvor ihre empfindlichste Stelle, freute sich, als sie die Beine öffnete, um ihn zu empfangen, ließ sie bitten und betteln, doch endlich zu ihr zu kommen, kreiste in ihr … bis er sich nicht länger zurückhalten konnte und sie erneut über alle Grenzen trieb und ihr zuckendes Fleisch ihn umschloss.

Was immer der morgige Tag bringen mochte – das hier konnte ihnen keiner mehr nehmen. Engumschlungen lagen sie beieinander, bis von draußen das Hornsignal zum Aufbruch in die Schlacht erscholl.

31. Mai 1307,
Ebene bei Lucka südlich von Leipzig

*E*r greift schon an? Hat mein Bruder vollends den Verstand verloren? Er reitet uns alle ins Verderben!«

Entsetzt schrie Friedrich seine Fassungslosigkeit heraus.

»Fürst Diezmann greift an! Er hat seine Reiterei schon mitten hinein in das gegnerische Lager geschickt!«, rief der

Bote, der von der Vorhut zu ihnen zurückgeprescht war, und wiederholte damit aufs Wort, was er eben schon berichtet hatte.

Sie waren gerade dabei, das Waldgebiet vor der Ebene von Lucka zu verlassen. Vor ihnen breitete sich eine karge Wiese aus, im Abstand von zwei Pfeilschussweiten auf einer leichten Anhöhe befand sich das königliche Heerlager. Und das hektische Treiben dort bestätigte die Nachricht.

Zum ersten Mal in all den Jahren, in denen er in Friedrichs Diensten stand, sah Ulrich dermaßen unverhohlene Wut über das Gesicht seines Lehnsherrn zucken.

Bis eben noch war alles wie geplant verlaufen: Unangefochten hatten sie sich von Norden her dem königlichen Lager genähert, wobei Ortskundige sie an den sumpfigen Niederungen vorbeiführten. Auf dem letzten Stück Wegstrecke teilten sie ihr Heer an einer Weggabelung, um schneller voranzukommen. Die meißnischen Truppen unter Diezmanns Kommando marschierten im östlichen Bogen, Friedrich mit dem thüringischen Kontingent von Westen her. Auf der Ebene vor Lucka wollten sie sich wieder vereinen und in geordneter Formation aufstellen.

Nun machte der allen Plänen zuwiderlaufende Vorstoß Diezmanns nicht nur ihre Absicht zunichte, zu dieser Schlacht aufzureiten, wie es die Regeln des ritterlichen Kampfes vorschrieben, mit dem Anführer des gegnerischen Heeres zu verhandeln und die Schlacht für den nächsten Morgen zu vereinbaren – spät genug, um den Pferden und Kämpfern nach dem anstrengenden Marsch von zwanzig Meilen eine Pause zu gönnen, früh genug, bevor ihnen der Proviant in dem ohnehin schon ausgebluteten Landstrich knapp wurde.

Sie hatten diese Schlacht schnell schlagen wollen und müssen. Aber doch nicht, noch bevor sie richtig angekommen waren! Menschen und Pferde waren erschöpft und durstig, der Tross immer noch irgendwo hinter ihnen unterwegs.

Das Schlimmste aber: Noch fehlte die Verstärkung durch die braunschweigischen Reiter. Durch Boten wussten sie, dass das welfische Kontingent auf dem Weg zu ihnen sein musste. Doch bis Herzog Heinrichs Männer eintrafen, waren sie alle hier vielleicht schon tot.

Friedrichs Hengst spürte die Unruhe seines Reiters und stampfte nervös, bis ihn sein Herr mit starker Hand zur Ruhe brachte.

Doch sosehr ihn auch Zorn und Fassungslosigkeit erfüllten – Friedrich war ebenso wie Ulrich von Maltitz und Herrmann von Goldacker sofort klar, dass ihnen nach Diezmanns unvorhergesehenem Angriff nichts anderes blieb, als sofort mit den eigenen Leuten nachzusetzen. Sonst würde das meißnische Kontingent, das der Jüngere anführte, zwischen den feindlichen Zelten aufgerieben. Und das konnten sie sich angesichts ihrer kräftemäßigen Unterlegenheit nicht leisten.

Zu dritt verständigten sie sich mit ein paar knappen Worten.

»Alle Reiter mit gepanzerten Pferden nach vorn!«, brüllte der thüringische Marschall und ritt zwei Längen vor, um den nachfolgenden Rittern Platz zu machen.

Drei von ihnen gruppierten sich um Goldacker und das thüringische Banner mit dem rot-weiß gestreiften Löwen auf blauem Grund.

Ulrich von Maltitz, Albrecht von Sättelstedt und Markus rückten als Friedrichs persönliche Leibgarde zu diesem auf.

In langer Reihe bis zum äußersten Ende der Wiese standen nun die Panzerreiter nebeneinander. Dahinter formierten sich die einfachen Reiter und das Fußvolk, die bei diesem ersten Angriff noch nicht zum Einsatz kommen sollten.

Der einstige Markgraf von Meißen ließ sich von seinem Knappen den Schild am linken Arm befestigen, mit dem er auch die Zügel hielt, und hob die Rechte zum Zeichen für den Angriff seiner Reiterei.

»Stürmt durch das Lager, danach eine Kehre! Wenn wir schnell sind, schaffen wir es zweimal durch das Lager, ehe die Haufen aufeinandertreffen! Danach zurück hierher und erneut Linie bilden!«, schrie er. Dann stülpte er sich den Helm über und legte die Lanze ein.

Auch Ulrich setzte den Helm über die Kettenhaube und ließ sich von seinem Knappen eine Lanze reichen.

Von nun an war er nicht nur beinahe blind, abgesehen von dem wenigen, was er durch die schmalen Schlitze sehen konnte, sondern auch so gut wie taub.

Gott schütze dich, dachte er beim Anblick des Knappen und ertappte sich erneut bei dem Wunsch, dass dem Jungen ein längeres Leben beschieden sein mochte als jenem Roland, der in Freiberg hingerichtet worden war.

Mit dem nächsten Atemzug verwünschte er den unzuverlässigen Diezmann, dessen Vorgehen in seinen Augen an Verrat grenzte. Entweder er hatte die Beherrschung über sich und seine Männer verloren oder den Verstand.

Friedrich und die Männer an seiner Seite ritten in einer Linie an, erst langsam, dann immer schneller werdend.

Je näher sie dem königlichen Lager kamen, umso deutlicher zeigte sich, dass Diezmanns Angriff das gegnerische Heer völlig überrascht haben musste.

Die Reiter unter thüringischem Banner befanden sich nun schon in Pfeilschussreichweite, doch von gegnerischen Bogenschützen war noch nichts zu spüren.

Stattdessen rannten im königlichen Lager Männer ziellos durcheinander, die meisten nicht einmal vollständig gerüstet. Auf der Erde lagen bereits die ersten Toten, Verwundete wälzten sich auf dem Boden, Ritter hasteten zu den Koppeln, teilweise nur im Gambeson, noch ohne Kettenhemd und Plattenpanzer. Etliche Zelte waren eingestürzt, unter den Leinwänden Begrabene versuchten, sich zu befreien.

Jetzt erst formierten sich die königlichen Bogenschützen.

Augenblicke später scheute Ulrichs Pferd, weil ein Pfeil gegen den eisernen Stirnschutz geprallt war, fand aber rasch in seinen Tritt zurück. Dann war das gegnerische Lager erreicht.

Die Reiterformation gliederte sich auf. Nun musste sich jeder einzeln den Weg durch das Chaos bahnen und sich darauf verlassen, dass sein Pferd allen Hindernissen auswich.

Ulrichs Lanze splitterte; er warf den nutzlosen Rest weg und zog das Schwert für den Nahkampf.

Für den Bruchteil eines Momentes beneidete er Markus, der anstelle des ritterlichen Topfhelmes nur einen Kalottenhelm und Kinn- und Halsschutz aus Ringgeflecht trug. Volle Sicht zu haben schien ihm gerade mehr wert als der zusätzliche Schutz, den die eisernen Helmplatten boten. Doch darüber nachzudenken blieb keine Zeit.

Alles um ihn, was weiter als drei Schritt entfernt war, verschwamm, das Blut raste ihm durch die Adern, während seine Sinne ganz darauf gerichtet waren, feindlichen Klingen, Streitkolben, Spießen, Hufen auszuweichen und im Sattel zu bleiben, während er seinen Hengst durch das Getümmel vorwärtstrieb und immer wieder mit dem Schwert ausholte. Wenn sie diesen Angriff überleben wollten, durften sie nicht stehen bleiben.

In hohem Tempo schlugen sich die wettinischen Reiter durch die Reihen, um sie herum Kampfgebrüll, blitzende Waffen, schwirrende Pfeile, stürzende Pferde, Blut ...

Bis sie das Lager durchquert hatten.

Ulrich blinzelte, um den Staub aus den Augen zu bekommen, und merkte jetzt erst, wie ihm der Schweiß an den Schläfen hinabbrann.

Dicht gefolgt von den anderen Panzerreitern, galoppierte er zusammen mit Friedrich, Goldacker und Markus in einem weiten Bogen um das königliche Lager herum.

Nun formierten sich die Reiter in mehreren Reihen hintereinander und warteten auf das Signal für die nächste Attacke, die sie diesmal gemeinsam mit Diezmanns Männern führen würden.

»Sie greifen an? Haben die Wettiner den Verstand verloren?«
Heinrich von Nortenberg starrte auf den jüngsten seiner Bannerführer, der völlig aufgelöst und offenkundig in aller Hast
vom königlichen Lager zur Burg Breitenhain geritten war, um
dem Statthalter Meldung zu machen. Er trug noch nicht einmal
Kettenhemd und Plattenrock, sondern nur den halb geschlossenen Gambeson.
»Ja!«, bestätigte der Überbringer der Neuigkeit schwer atmend.
»Wie aus dem Nichts sind sie aufgetaucht und sofort gegen uns
geritten – als seien ihnen die Pferde durchgegangen.«
Heinrich von Nortenberg war normalerweise ein Mann von
beträchtlicher Gelassenheit; sehnig und hochgewachsen, mit
dunklem Haar, hätte er rein äußerlich Friedrichs Zwillingsbruder sein können. Jetzt allerdings war er doppelt erbost –
dass ihn die Wettiner überrumpelt hatten und dass seine eigenen Männer so offenkundig versagten.
Wütend stemmte der Statthalter die Hände in die Seiten. »Das
Pack hat sich von denen über den Haufen reiten lassen?«
Der junge Bannerführer zuckte zurück und kniete vorsichtshalber nieder – mit einiger Verspätung.
»Es … ging alles sehr schnell«, stammelte er, immer noch
schwer atmend. »Inzwischen steht die Verteidigung sicher
schon. Die Bogenschützen konnten etliche von denen aus
dem Sattel schießen. Als ich losritt, um Euch zu informieren,
war der erste Angriff bereits vorbei, sie sammelten sich zum
zweiten …«
»Von wie vielen Gegnern reden wir?«, blaffte Nortenberg.
»Die können doch nicht mehr als vier, fünf Dutzend Ritter
aufbieten!«
»Das lässt sich nicht genau einschätzen, Herr«, beeilte sich
der Ritter zu antworten. »Von der östlichen Flanke kamen

vielleicht drei Dutzend gepanzerte Reiter unter meißnischem Banner, von Westen ebenso viele unter thüringischem. Das Fußvolk haben wir noch gar nicht zu sehen bekommen ...«

»Wenn sie überhaupt welches haben außer ein paar Bauern und Lumpenpack, das sich in die Hosen scheißt, wenn es Mann gegen Mann geht«, knurrte Nortenberg und winkte seinen Knappen heran, um sich in die Rüstung helfen zu lassen. Um das Fußvolk machte er sich keine Sorgen; das waren keine ernstzunehmenden Gegner. Die würden schon davonrennen, wenn seine Männer in ihrer Nähe nur finster blinzelten.

Eigentlich sollte er sich auch um die wettinischen Ritter keine Sorgen machen. Im Pleißenland und im Osterland stand der Adel treu zum König, die Mark Meißen war befriedet, die Lausitz brandenburgisch ... Also konnte Friedrich höchstens ein kleines thüringisches Aufgebot mitgebracht haben, unter Goldacker, seinem Eisenacher Marschall. Und natürlich dieser Maltitz, der durfte nicht fehlen.

Aber wenn die wettinischen Brüder sofort angriffen, ohne zu verhandeln, dann waren sie entweder völlig verzweifelt oder planten etwas, das er bei seinen Überlegungen nicht berücksichtigt hatte. Und das gefiel ihm nicht. Schließlich hatte er den ganzen Winter über in diesem lausigen Landstrich Zeit gehabt nachzudenken, ob, wann und wie sie etwas gegen ihn unternehmen oder sich am Ende doch kampflos ergeben würden. Dass Diezmann und Friedrich gemeinsam gegen ihn ritten, war schon Wunder genug. Er hätte nicht damit gerechnet, dass der Jüngere aus seinem Mauseloch hervorkam – und schon gar nicht, dass er sich auf die Seite seines älteren Bruders stellte, den Nortenberg als den eigentlichen Feind betrachtete.

Was hatte er übersehen, als er über den Gegner nachgegrübelt und versucht hatte, seine Gedanken zu erraten?

Was planten sie?

Ungeduldig fauchte Nortenberg seinen Knappen an, weil der es vor lauter Aufregung nicht schnell genug schaffte, ihm die Schnallen der Kettenkapuze am Hinterkopf zu schließen. Dann scheuchte er einen Reisigen hinaus. »Was stehst du hier herum? Verschwinde und sorge dafür, dass mein Hengst gerüstet und gesattelt wird!«

Nach einer hastigen Verbeugung sah der Knecht zu, dass er fortkam.

Der Statthalter packte das Schwertgehänge mit seiner schwieligen Rechten und ging zusammen mit den Männern seiner Leibwache hinunter auf den Hof – nicht gerade übertrieben langsam, aber auch nicht so eilig, wie er gelaufen wäre, hätte ein ernstzunehmender Gegner angegriffen.

Wahrscheinlich war alles schon vorbei, bevor er das kurze Stück zum Lager zurückgelegt hatte. Friedrich und Diezmann mussten tatsächlich den Verstand verloren haben. Wenn er ankam, waren sie vielleicht schon tot.

Doch bevor Heinrich von Nortenberg in den Sattel stieg, meinte er nachdenklich zu dem Anführer seiner Leibwache: »Ich hätte nicht gedacht, dass Diezmann so tollkühn ist – und Friedrich so ehrlos.«

Die Stimmung des königlichen Statthalters wandelte sich von Nachdenklichkeit zu bodenlosem Zorn, als er und seine engsten Vertrauten das Heerlager erreichten. Keine Rede davon, dass ihm seine Gefolgsleute stolz die eroberten Banner des Feindes und die abtrünnigen wettinischen Fürsten tot oder in Ketten zu Füßen warfen! Stattdessen musste er schon auf den ersten Blick erkennen, dass der gegnerische Angriff erhebliche Verluste gebracht hatte.

Zu Dutzenden lagen Leichname und Pferdekadaver zwischen den größtenteils eingestürzten Zelten. Was ihn aber noch mehr aufbrachte, war das heillose Durcheinander unter den Männern. Keiner seiner Befehlshaber hatte es fertiggebracht, das

Heer in Kampfbereitschaft zu versetzen. Etliche waren immer noch dabei, die Rüstung anzulegen; die eigene Reiterei hatte sich überhaupt noch nicht formiert.

Einzig die Bogen- und Armbrustschützen standen in drei Reihen hintereinander. Doch sie konnten vorerst nichts anderes tun, als zu warten – der erste und auch zweite Angriff waren vorüber, die Gegner längst außer Reichweite ihrer Pfeile und Bolzen.

Gerade formierte sich das Aufgebot der pleißnischen Reichsstädte unter Friedrich von Schönburg, seinem Anführer. Doch die Panzerreiterei war immer noch nicht kampfbereit.

»Eine Schande, was die paar Mann gegen euch undisziplinierten Haufen ausrichten konnten!«, schnauzte Nortenberg den Quartiermeister an, der ihnen als Erster entgegenritt. »Gnade euch Gott, wenn ihr es nicht schafft, den paar Rebellen den Garaus zu machen!«

Nortenberg ließ das Signal zum Sammeln geben.

»Reiter nach vorn, Fußvolk dahinter!«, brüllte er. »Zeigen wir dem Verräterpack, wie eine ordentliche Schlacht geschlagen wird!«

Auf sein Zeichen hin schwärmten mehrere Sergenten aus, um seine Befehle weiterzugeben. Dann ritt er zum höchsten Punkt der Anhöhe, stülpte sich den Helm über und sah zu, wie sich sein Heer vor ihm aufstellte.

»Reiter nach vorn, Fußvolk dahinter!«, schrie zur gleichen Zeit auch Friedrich und gab das Zeichen, damit sich seine Reiterei in einer Linie und mehreren Reihen hintereinander aufstellte. Auch seine Sergenten schwärmten aus, um mit farbigen Wimpeln den Befehl weiterzugeben. Knappen ritten heran, um den Rittern neue Lanzen zu bringen, nachdem die anderen beim Angriff gesplittert waren.

Das meißnische Kontingent Diezmanns stand nun unmittelbar neben ihnen.

Unter dem Kommando der Banner- und Lanzenführer formierten sich leichte Reiterei und Fußvolk.

Unverkennbar kam nun nach der ersten Verwirrung Ordnung in das gegnerische Heer, das sich vor ihnen über die ganze Breite des Feldes aufstellte und an Stärke deutlich überlegen war.

Auf der Anhöhe, unmittelbar hinter den Reihen der königlichen Reiter und des Fußvolkes, konnte Ulrich von Maltitz einen Reiter auf einem Rappen mit blau-weiß gestreifter Couvertüre sehen. Das musste Heinrich von Nortenberg sein, der Anführer des gegnerischen Heeres und königliche Statthalter für das Oster- und das Pleißenland.

Ulrich wünschte sich, Friedrich würde wie Nortenberg hinter der Streitmacht bleiben und den Kampf von dort aus lenken, statt sich ganz vorn ins Gefecht zu stürzen. Aber einen solchen Vorschlag würde der Markgraf beleidigt zurückweisen.

Mit Stolz und Bitterkeit zugleich erinnerte sich Ulrich an die Worte, die Friedrich am Morgen während der Messe auf dem Leipziger Marktplatz unter dem Jubel der Menschenmenge ausgerufen hatte. Gewappnet würden er und sein Bruder vor der Streitmacht herziehen, als Erste die Feinde angreifen und dort zu finden sein, wo der Streit am gefährlichsten entbrenne …

Gott schütze ihn, Gott schütze uns alle, damit wir diesen Tag überleben!, dachte er. Und wenn wir diesen Tag überleben – sorge dafür, dass Diezmann einen guten Grund dafür nennen kann, warum er uns verraten hat!

Die ersten beiden Angriffe überlebt zu haben, verdankte Ulrich neben seinem Kampfgeschick vor allem der Verwirrung des Feindes. Diesmal jedoch standen die Chancen deutlich schlechter, denn jetzt würden die beiden Heere aufeinanderprallen. Zusammen mit Sättelstedt und Markus musste er Friedrich schützen, der mit dem rot-weiß gestreiften thüringischen Löwen auf blauem Grund an Wappenrock und Couvertüre die geballte Aufmerksamkeit des Feindes auf sich ziehen würde.

Vermutlich hatten der König oder sein Statthalter sogar eine Belohnung für diejenigen ausgesetzt, die ihnen Friedrichs und Diezmanns Kopf bringen würden.

Ulrich zügelte seinen Hengst, der schon lospreschen wollte, bevor das Signal gegeben wurde.

Ich hatte ein gutes Leben, ging ihm durch den Kopf, abgesehen von der bitteren Niederlage in Freiberg. Ich durfte einem tapferen Herrn dienen und eine wunderbare Frau lieben. Allmächtiger Vater im Himmel, bitte halte Deine schützende Hand über Friedrich und Sibylla!

»Angriff!«, brüllte Heinrich von Nortenberg und hob sein Schwert. Jetzt machen wir euch Rebellen den Garaus, dachte er mit unverhohlener Genugtuung angesichts der zahlenmäßigen Unterlegenheit des Gegners. *Das* ist das Ende des Hauses Wettin.

»Angriff in dichter Linie!«, schrie Friedrich von Wettin und hob die Lanze.

Nun liefen die vorderen Pferde so eng nebeneinander in einer Linie, dass sich die Knie der Reiter berührten, und wurden immer schneller bis zum Streckgalopp. Die Durchschlagskraft einer solchen Formation war noch höher. Doch bis sie sich nach dem Aufprall auflöste, hatten die Ritter keine Gewalt mehr über ihre durchgehenden Pferde.

Tausende Hufe schleuderten Erdklumpen empor. Die Reiter galoppierten durch einen Pfeilregen, bis sie mit dem gegnerischen Heer frontal zusammenprallten.

Lanzen splitterten. Schwerter klirrten. Pferde wieherten grauenvoll und überschlugen sich. Männer stürzten, verwundet oder tödlich getroffen, mit den Füßen noch in den Steigbügeln und von den durchgehenden Pferden mitgeschleift. Wer es schaffte, wieder auf die Beine zu kommen, kämpfte zu Fuß weiter.

Im Ungewissen

Wie das Heer hatte sich auch der Tross geteilt. Änne und Sibylla, die sich vor der Messe auf dem Leipziger Marktplatz gefunden und glücklich über das Wiedersehen umarmt hatten, waren auf Ulrichs Betreiben dem Kontingent unter thüringischem Banner zugewiesen, in dem auch Markus ritt. Der junge Feldscher mit dem Feuermal, dem Änne noch am Vortag geholfen hatte, folgte Diezmann.

Sie waren mit Dutzenden Ochsengespannen immer noch in einem Waldstück unterwegs, als ihnen ein magerer Junge mit wedelnden Armen entgegengerannt kam.

»Kommt schnell! Die Schlacht ist schon im Gange!«, schrie er. Sibylla und Änne sahen sich bestürzt an. Weil der Tross langsamer war als die Reiterei und auch das Fußvolk, hatten sie den Anschluss verloren und wussten nicht, was vorn geschah. Aber niemand hätte damit gerechnet, dass das Gefecht schon begann, bevor auch nur ein provisorisches Lager errichtet war.

»He, du! Was erzählst du da? Wieso kämpfen sie schon?«, rief Sibylla dem Jungen zu. »Wir sind noch nicht einmal angekommen!«

Mit strengem Blick brachte sie das Bürschlein dazu, vor ihr stehen zu bleiben, statt weiter an den Karren entlangzurennen und herumzuschreien.

»Ähm ... ich weiß nicht genau, was passiert ist ... Aber sie kämpfen vorn schon. Erst stürmte nur die Reiterei los, jetzt auch das Fußvolk. Alles, was noch nachrückt, rennt sofort hinterher. Und ihr müsst euch beeilen ... Sicher kommen bald die ersten Verwundeten ...«

Zumindest die, die noch auf eigenen Füßen laufen können, dachte Änne. Die anderen bleiben auf dem Schlachtfeld, bis der Kampf vorbei ist, jemand sie findet und hierherträgt … oder bis sie sterben.

Sibylla und Änne verständigten sich mit einem Blick; sie dachten beide das Gleiche. Also holten sie sich von dem Karren mit der Feldapotheke die wichtigsten Utensilien und liefen nach vorn.

»Ihr da, kommt mit und helft uns!«, befahl Sibylla vier kräftigen jungen Burschen, der Kleidung nach Bauern, die ihnen als Helfer zugeteilt waren, um Verwundete zu tragen.

Endlich, nach einer Achtelmeile, ließen sie den Wald hinter sich und traten atemlos hinaus auf die Ebene.

Das Stück Wiese unmittelbar vor ihnen war fast verlassen. Nur ein paar Meldereiter hielten sich in der Nähe des thüringischen Banners in Bereitschaft, das in den Boden gepflanzt war. Ein halbes Dutzend Knechte kümmerten sich um die Pack- und Marschpferde der Ritter.

Von der Schlacht um Leben und Tod weiter vorn ließen nur ein paar Staubwolken und das Aufblitzen von Helmen im Sonnenlicht etwas erahnen. Das Rauschen des Flusses neben ihnen war lauter als die Kampfgeräusche, die über die Entfernung noch hierher zu ihnen drangen. Schon gar nicht ließ sich von hier aus etwas über den Verlauf der Schlacht erkennen – nur, dass sie in vollem Gange war.

Ein Priester, der von Leipzig aus mit ihnen gelaufen war, ein rundlicher Mann mit weißem Haarkranz, trat schwer atmend zu den beiden Frauen.

»Heute ist der Tag der heiligen Petronilla«, sagte er. »Sie wird den Männern beistehen.«

Bedächtig ließ er sich auf die Knie nieder und begann zu beten. Alles, was er brauchte, um den Sterbenden das letzte Sakrament zu spenden, hatte er sorgfältig vor sich ins Gras gebettet.

Änne und Sibylla arbeiteten, so schnell sie konnten, um ihr provisorisches Lazarett einzurichten: Sie füllten die Eimer mit Wasser, legten die Messer und Verbände zurecht, schürten ein Feuer im Kohlebecken, damit sie später die Kautereisen erhitzen konnten …Und dann konnten sie nur noch warten. Für einen Moment standen sie nebeneinander, jede in Gedanken bei dem Mann, den sie liebte.

Sibylla konnte nicht die Erinnerung an den Tag zuvor mit Ulrich verbannen – wie verzweifelt er sie in die Arme gerissen und wie er ihr seine geheimsten Gedanken anvertraut hatte. Gott steht den Tapferen bei, versuchte sie sich selbst Mut zuzusprechen. Er hat so viele Kämpfe lebend überstanden, all die Jahre lang … Er ist ein bewährter Ritter, er wird auch diesmal aus der Schlacht zurückkehren!

Ulrichs Selbstzweifel sollten getilgt sein nach den Worten, die Markgraf Friedrich am Morgen bei der Messe auf dem Marktplatz gerufen hatte: dass die Männer für ihre Frauen und Kinder, für ihr Leben und ihre Freiheit in den Kampf ziehen würden. Es schien Sibylla, als hätte der Fürst ihre Antwort vom Vortag gehört.

Änne konnte das Warten bald nicht mehr ertragen. Um sich nicht ganz und gar in Ängsten zu verlieren, Markus könnte verletzt oder gar schon tot sein, fasste sie sich ein Herz, trat zu dem weißhaarigen Priester und bat ihn, ihr von der heiligen Petronilla zu erzählen.

Der Geistliche sah die Sorge auf dem Gesicht der jungen Frau und beschloss, diesmal angesichts dessen, was gerade in zwei Pfeilschussweiten Abstand von ihnen vor sich gehen mochte, lieber nicht in allen grausigen Einzelheiten zu erzählen, wie die Märtyrerin einst in Rom starb. Petronilla als Schutzpatronin der Pilger und Reisenden anzurufen, schien ihm ebenso unpassend. Also erzählte er, wie Petrus sie von einem Fieber geheilt hatte. Bald würden diese beiden Frauen hier so viel Leid und Blut sehen, so viele vor Schmerzen Schreiende und

Sterbende, dass ihnen jede Geschichte von Heilung Trost spenden mochte.

»Ihr Name bedeutet: die Kleine aus dem Geschlecht der Petronier«, begann er und sah Änne freundlich an. »Sie mag wohl deine Statur gehabt haben, meine Tochter. Die braven Christenmenschen wenden sich an sie, damit sie Heilung vom Fieber bringe.«

Dann wird sie bald viel zu tun bekommen, dachte Änne beklommen. Selbst wer mir heute nicht unter den Händen verblutet, kann immer noch am Wundfieber sterben.

»Ich bin Medicus. Wo ist der Feldscher?«

Zu Tode erschöpft war Conrad Marsilius dem Heer hinterhergehumpelt und fragte sich nun durch, vorbei an den Trosskarren mit Zeltplanen, dem Kriegs- und Küchengerät und den durcheinanderlaufenden Menschen. Er hatte es in der Nacht doch nicht mehr bis nach Leipzig geschafft und musste sich mit seinem Pferd zum Schlafen ein Versteck kurz vor der Stadt suchen. Gleich am Morgen hatte er das nächstgelegene Stadttor passiert und war mitten in einen gigantischen Aufruhr geraten. Die Glocken von St. Thomas läuteten ununterbrochen, jedermann strömte zum Markt. Ihm blieb gar keine Wahl, als sich mit der Menge treiben zu lassen.

Obwohl er ganz am Rand des Menschenauflaufs stand, konnte er vom Rücken seines Zelters aus gut sehen, was auf dem Marktplatz vor sich ging. Ein Gottesdienst unter freiem Himmel fand statt – und zugleich eine Heerschau.

Der ganze Platz war voll von Bewaffneten, die niederknieten, um den Segen der Priester zu empfangen. Vorn die Kämpfer zu Fuß, dahinter Hunderte Berittene: Ritter, Sergenten und Reisige. Einen eigenen Haufen bildete das Aufgebot der Leipziger Wachen und wehrhaften Bürger.

Zwei prachtvoll gerüstete Reiter zogen alle Blicke auf sich. Einen von ihnen erkannte der Medicus sofort: Friedrich, der einstige Markgraf von Meißen. Die Gestalt neben ihm musste sein Bruder Diezmann sein; die Ähnlichkeit war unverkennbar.

Als das »Amen« aus unzähligen Stimmen verhallt war, lenkte Fürst Friedrich seinen Hengst ein paar Schritte vor und hob sein Schwert. Nun wurde es auf dem Platz so still, dass auch Marsilius auf seinem Beobachtungsposten am Rande die weittragende Stimme des Wettinerfürsten hören konnte.

»Seid eingedenk eurer Väter und Großväter Tugend und Tapferkeit!«, rief dieser den Männern zu, die mit ihm in den Kampf auf Leben und Tod ziehen würden. »Vergesst nie, dass ihr für euer Haus und Hof, für Gottes und der Heiligen Kirche Ehre streiten werdet! Für das Land, in dem ihr geboren und erzogen seid, für eure Weiber und Kinder, ja für euer Leben und eure Freiheit! Ich will euch nicht mit Worten aufhalten noch beschweren, als hätte ich an der Tugend und Tapferkeit meiner redlichen Bürger und Kriegsleute etwa Zweifel oder Misstrauen … Ich und mein Bruder wollen gewappnet vor euch herziehen. Wir wollen als Erste die Feinde angreifen, und wo der Streit am gefährlichsten sein wird, werdet ihr uns finden!«

Der Eindruck, den diese Worte hinterließen, war überwältigend. Das Gedränge danach war es auch. Da Marsilius kein besonders guter Reiter und von der Folter geschwächt war, verlor er die Gewalt über seinen Zelter, der angesichts des Lärms und des Gedränges immer unruhiger wurde und schließlich scheute. Als Nächstes fand sich Conrad Marsilius mit pochendem Hinterkopf, brennenden Wunden auf seinem Rücken und Würgereiz im Magen liegend in einer Schankwirtschaft wieder, in die ihn ein paar mitleidige Seelen getragen hatten.

Den Kasten mit seinen medizinischen Instrumenten hatten sie mitgebracht, was den Arzt ebenso erfreute wie verwunderte.

Dafür musste er bald darauf feststellen, dass sowohl sein Pferd als auch sein Geldbeutel verschwunden waren. Es machte ihn verlegen, den Wirtsleuten nicht einmal einen Hälfling zum Dank für ihre Mühe geben zu können. Außerdem überkam ihn ein gewaltiger Hunger durch den Duft, den die im Kessel vor sich hin köchelnde Suppe mit Zwiebeln, Lauch und Majoran verbreitete. Doch er wollte nicht um ein Frühmahl bitten, das er nicht bezahlen konnte. So tief bin ich gesunken, dachte er bitter: vom geachteten Gelehrten, Ratsherrn und Familienoberhaupt zu einem Vogelfreien und Bettler.

Er flüchtete geradezu aus der Schankwirtschaft, um den gutgemeinten Einwänden der Wirtin zu entkommen, in diesem Zustand und seinem Alter könne er unmöglich in den Krieg ziehen.

Dem Heer zu folgen, war anhand der tiefen Spuren, die die vielen Füße, Hufe und Räder im Boden hinterlassen hatten, nicht schwierig.

Vom Wegrand pflückte sich der Arzt etwas Sauerampfer, um den knurrenden Magen zu beruhigen, trank aus dem Bach, blieb einen Augenblick erschöpft liegen und quälte sich dann wieder hoch, fest entschlossen, sich von seinem Vorhaben nicht abbringen zu lassen.

Irgendwann war er so nah heran, dass er ein paar gedämpfte Rufe und das Wiehern von Pferden hören konnte. Ein Stück voraus schien der Wald zu enden.

Gleich ist es geschafft, dachte er, blieb stehen und atmete tief durch. So gut es ging, klopfte er den Staub von dem Gelehrtengewand, das ihm Clementia gebracht hatte, fuhr mit den Fingern durch Bart und Kopfhaar, wusch sich Hände und Gesicht in dem Wasserlauf links des Weges, griff erneut nach dem Kasten und bemühte sich, eine würdevolle Miene aufzusetzen. Nach einer Achtelmeile hatte er den Tross eingeholt.

»Ich bin Medicus, lasst mich durch. Wo ist der Feldscher?« Die ersten beiden Männer, die er fragte, zuckten nur mit den

Schultern, der Dritte wies nach vorn und brüllte: »He, ihr da! Macht Platz! Verstärkung für den Feldscher!«

Marsilius wurde durchgelassen. Nach ein paar Schritten konnte er die Stelle sehen, die für das Lazarett unter freiem Himmel ausgewählt war: ein halbwegs ebenes Stück Wiese, ganz am äußeren Rand des Heerlagers oder dessen, was noch ein Heerlager werden sollte. Hier standen nur Pferde auf einer provisorischen Koppel und mehrere Ochsengespanne vor halb entladenen Karren. Ein paar junge Burschen kümmerten sich um die Tiere oder gingen zwei Marketenderinnen zur Hand. Das meißnische Banner mit dem schwarzen Löwen auf gelbem Grund flatterte an einer in den Boden gerammten Lanze. Der Feldscher – ein noch junger Mann mit einem Feuermal und tief umschatteten Augen – erhitzte gerade ein Kautereisen und fuhr einen Knappen an, der neben dem Leichnam seines Ritters kniete und am ganzen Leib zitterte. »Reiß dich zusammen und hilf mir lieber, damit der hier nicht auch noch stirbt! Los, knie dich auf seine Brust und halte ihn fest!«

Doch der Junge war dazu nicht in der Lage. Wie abwesend starrte er auf den Toten vor sich und schien den Befehl gar nicht zu hören.

Marsilius räusperte sich und trat auf den Feldscher zu.

»Conrad Marsilius, Medicus aus Freiberg«, stellte er sich vor und übernahm es selbst, den Verwundeten festzuhalten, damit der junge Wundarzt seine Arbeit tun konnte.

»Euch schickt der Himmel!«, brachte dieser hervor, bevor er das glühende Messer auflegte. »Es gibt hier mehr als genug Arbeit für uns.«

Mit dem Kinn deutete er auf das Dutzend Verletzte hinter sich, die an Baumstämme gelehnt oder auf den Boden gelegt worden waren.

Marsilius richtete sich mit steifem Oberkörper auf und ging zu ihnen, um sich einen Überblick zu verschaffen, wer seine Hilfe am dringendsten benötigte und wer überhaupt Aussicht hatte zu überleben. Dann beauftragte er ein paar von den neugierig glotzenden Burschen, Wasser zu holen, Leinenstreifen zu besorgen und ihm bei diesem oder jenem Handgriff zu helfen.

Bald war der Arzt völlig in seine Arbeit vertieft. Doch so schnell er auch Aderpressen anlegte, Wunden ausbrannte und verband, gebrochene Knochen richtete und schiente, von Pferdehufen zermalmte Glieder amputierte – rasch wurde ihm ebenso wie dem jungen Feldscher klar, dass sie den Zustrom derer, die ihre Hilfe brauchten, niemals würden bewältigen können.

Von Blut und Wasser war der Boden, auf dem Änne kniete, bereits zu einem dunkelroten Morast geworden. Aus dem Augenwinkel bekam sie mit, dass wieder ein Knappe kam und einen Verletzten oder Toten hierherschleppte. Bitte, lass es nicht Markus sein!, dachte sie angesichts der Gestalt mit dem blutverschmierten Kettenpanzer. Und nicht Ulrich! Sie wollte hinüber zu Sibylla sehen, doch das Stöhnen des thüringischen Ritters vor ihr zog ihre Aufmerksamkeit auf sich.

»Halte meine Hand! Dann werde ich mich weniger fürchten ...«, ächzte er und sah sie flehend an. Sie wussten beide, dass er angesichts seiner Bauchverletzung nicht überleben konnte. Warum sollte sie ihm weitere Schmerzen zufügen? Entweder sie ließ ihn jetzt verbluten, oder er würde sich tagelang in Schmerz- und Fieberkrämpfen winden, bevor er starb. Sie legte das Kautermesser beiseite und griff nach seinen Händen. Mit einem Blick bat sie den Priester herbei, der ihr gegenüber neben dem Schwerverletzten niederkniete, ohne darauf zu achten, dass seine Kutte von Schlamm und Blut durchtränkt wurde.

»So ist es besser ...«, murmelte der Sterbende. »Vater, werdet Ihr mir zu einem guten Tod verhelfen und meine Sünden von mir nehmen?«

Noch bevor sich Änne dem Nächsten zuwenden konnte, stürzte einer der Jungen, die zwischen den einzelnen Abschnitten des Lagers hin und her rannten und Nachrichten überbrachten, zu ihr.

»Eine von euch Frauen soll zum anderen Ende des Lagers kommen! Der Feldscher braucht Verstärkung, bei Fürst Diezmann gibt es zu viele Verwundete vom ersten Angriff.«

Änne ließ die Hände des Mannes sinken, der gerade vor ihren Augen gestorben war, und wollte sich aufrichten.

»Noch mehr als hier?«, fragte sie zweifelnd.

»Ja! Dabei ist dort sogar ein Medicus, der hilft. Aber sie kommen nicht nach.«

Die Knie wurden ihr auf einmal zittrig. »Ein Medicus? Weißt du seinen Namen?«, fragte sie, und etwas schien ihr die Kehle zuzuschnüren.

»Keine Ahnung. Er sagt, er sei aus Freiberg«, meinte der Junge, immer noch atemlos. »Kommst du nun?«

Änne taumelte vor Erschöpfung und Schrecken zugleich. Marsilius! Ihn wollte und konnte sie nicht sehen.

Was sollte sie tun? Weggehen von hier, um ihn ja nicht wiederzutreffen? Um seinem erneuten Fluch zu entgehen? Um ihn nicht wissen zu lassen, dass sie Markus gefunden hatte?

Das Schicksal hatte sie eingeholt.

»Ich gehe schon«, mischte sich Sibylla ein, die begriffen hatte, von wem die Rede sein musste. Sie legte Änne eine Hand auf die Schulter. »Du hast hier mehr als genug zu tun.«

»Warte!«

Zögernd griff Änne nach Meister Conrads Messer und gab es dem Jungen, der schon losrennen wollte.

»Bring ihm das. Es gehört ihm.«

Nun, da Marsilius hier war, durfte sie es nicht behalten. Und wenn ihre Arbeit hier getan war, würde sie sofort weggehen müssen. Sie war verflucht und verstoßen … und eine Ehebrecherin. Und was das Schlimmste war: Sie bereute die letzte Nacht nicht. Das würde der Allmächtige ihr nicht verzeihen. Sibylla umarmte Änne. »Wir sehen uns nachher. Gott schütze dich!«

»Dich auch!«Änne schniefte und wischte sich mit dem Ärmel übers Gesicht, bevor sie neben dem nächsten Verwundeten niederkniete.

»Woher hast du das?«, fuhr Marsilius den Jungen an, als der ihm das Messer überbrachte. Er hatte es auf den ersten Blick erkannt, es war ohne jeden Zweifel seines, ein Erbstück, seit Generationen in seiner Familie in Ehren gehalten. Jedes Detail stimmte – der sanfte Schwung der schmalen Klinge, der Griff, der so gut in seiner Hand lag, der Kratzer dicht über der Klinge … Und es hatte im Kasten gefehlt.

»Eine Frau hat es mir gegeben. Sie meint, es gehöre Euch«, stammelte der Bursche verwundert. Er hatte Dank erwartet, keine schroffen Fragen.

Clementia?, fragte sich Marsilius. War sie etwa hier? Zuzutrauen wäre es ihr, auch wenn er ihr befohlen hatte, in Freiberg zu bleiben. Aber wann hatte sie sich schon jemals um seine Befehle gekümmert, wenn sie anderer Meinung war?

»Wie sieht sie aus?«, fragte er den Jungen ungeduldig.

»Eben wie eine Frau aussieht …«, meinte der schulterzuckend. Ihm schienen sie alle gleich, nur manche dicker, andere dünner. »Mager. Nicht groß. Sie kümmert sich drüben um die Verletzten …«

Marsilius zuckte zusammen. Er wollte nicht an sie und die Geschehnisse der letzten Tage denken, nicht einmal an ihren Namen. Doch nun ließ es sich nicht vermeiden. Und da diese Schlacht nach allem, was er wusste, sah und ahnte, wahrscheinlich kaum zu ihren Gunsten enden würde, war es wohl besser, er machte seinen Frieden mit Gott und der Welt … und mit Änne.

»Geh zu ihr und richte ihr etwas aus. Es ist wichtig, hörst du?«, beschwor er den Jungen, der ihn neugierig ansah.

»Sag ihr … dass ich den Fluch von ihr nehme …«

Immer mehr Verwundete kamen vom Schlachtfeld – mittlerweile kaum noch Ritter, die von ihren Knappen buchstäblich aus dem Kampf herausgehauen wurden, sondern Männer vom Fußvolk, die entweder mit dem verletzten Freund über der Schulter oder um sich selbst zu retten, dem Getümmel entflohen waren. Nur durch sie erfuhr Änne etwas darüber, was auf dem Kampffeld geschah.

»Die Schlacht frisst sich fest«, berichteten irgendwann zwei Soldaten, die einen dritten mit einer klaffenden Wunde am Oberschenkel brachten, bevor sie zurück in das blutige Handgemenge rannten.

Und irgendwann sickerte der Satz durch, vor dem sich alle gefürchtet hatten: »Wir verlieren.«

Der weißhaarige Priester schlug ein Kreuz, blickte über all die toten oder vor Schmerz schreienden und stöhnenden Männer und humpelte zu Änne.

»Geh jetzt besser«, sagte er. »Du hast getan, was du konntest. Das hier wird nun gleich kein Platz mehr für eine Frau sein.«

Änne sah auf. Für einen Moment schienen all die Schmerzenslaute um sie herum zu verstummen. Sie konnte plötzlich wieder die Vögel in den Zweigen singen hören – wie ein Geräusch aus einer anderen Welt.

Dann sah sie erneut das Grauen und die Angst in den Augen der Verwundeten, die verzweifelte Bitte, sie hier nicht allein sterben zu lassen. Sie starrte an dem Geistlichen vorbei und schüttelte den Kopf.

Sie würde fortgehen, sie musste fortgehen. Vielleicht konnte sie sich irgendwo weit weg bei einem Wundarzt oder Apotheker als Magd verdingen.

Aber nicht, bevor sie hier ihre Arbeit getan hatte.

BITTERER SIEG

*W*ir verlieren!«

Ulrich schrie diese Worte Friedrich zu, obwohl der ihn unter dem Helm kaum hören konnte. Er gab Sättelstedt ein Zeichen, dass sie versuchen mussten, Friedrich lebend aus der am heißesten umkämpften Zone herauszuschaffen. Dass dieser bis jetzt beinahe unverletzt überlebt hatte, grenzte an ein Wunder. Sie alle hatten mehr oder weniger schlimme Wunden davongetragen, doch daran durften sie jetzt keinen Gedanken verschwenden, solange sie sich noch auf den Pferden halten konnten.

»Wir gewinnen.«

Zufrieden blickte Heinrich von Nortenberg von seinem Hügel aus auf das Schlachtfeld, dessen Zentrum sich endlich langsam von ihm weg zum hinteren Wald zu bewegen schien. Die Wettiner wichen zurück, Elle um Elle, verbissen kämpfend, aber seine Männer gewannen die Oberhand. Das wurde auch Zeit!

Er lehnte sich im Sattel zurück und strich seinem Rappen verspielt über das Fell.

Etwas Grelles zog Nortenbergs Aufmerksamkeit auf sich, noch bevor ihn seine beiden Begleiter darauf aufmerksam machen konnten. Ruckartig wandte er den Kopf in die Richtung, in der die Sonne bereits zu sinken begann. Der Anblick ließ ihn in der Bewegung erstarren, er öffnete den Mund, doch er brachte kein Wort heraus.

Es blitzte und funkelte, die untergehende Sonne brachte von hinten Helme und Kettengeflecht einer heranrückenden Reiterschar zum Leuchten, deren flatterndes Banner er im Gegenlicht nicht identifizieren konnte.

Wer, um alles in der Welt, war das?

Wessen Streitmacht drängte jetzt von der Flanke her auf das Schlachtfeld?

»Die Braunschweiger!«, brüllte Ulrich erleichtert, als er durch die Lichtreflexe auf die heranrückende Verstärkung aufmerksam wurde. Das konnte nur Herzog Heinrich mit seinen Männern sein.
»Sie seien gesegnet!«

Rasch wendete sich das Blatt. Ohnmächtig musste Nortenberg zusehen, wie seine Reiterei und seine Fußtruppen niedergewalzt wurden. Durch die Verstärkung befreit, kämpften nun auch die wettinischen Truppen mit neu erwachter Kraft.
Immer mehr von seinen Männern liefen in heilloser Flucht auf ihn zu und rannten links und rechts an ihm vorbei, ohne auf seinen Befehl zu hören und aufs Schlachtfeld zurückzukehren.
Friedrich von Schönburg bemühte sich nach Leibeskräften, in aller Eile das Aufgebot der pleißnischen Reichsstädte zu sammeln und zur nahen Burg Breitenhain zu führen. Das Fußvolk war in Auflösung begriffen, die Mehrzahl der Ritter zu Boden gestreckt oder in Gefangenschaft geraten. Nun rissen auch seine beiden Begleiter die Pferde herum und flohen zur Burg.
Heinrich von Nortenberg warf ihnen keinen einzigen Blick nach. Es hatte für ihn keinen Sinn zu fliehen. Mit dieser Niederlage war er in Ungnade gefallen und konnte dem König nicht vor Augen treten. Ihm blieb nur eines.
Unbeweglich verharrte der königliche Statthalter mit seinem Rappen auf dem Hügel, während an ihm vorbeiströmte, was einmal das königliche Heer des Pleißen- und des Osterlandes gewesen war. Bald sah er wie erwartet einen Ritter mit schwarzweißem Wappenrock auf sich zukommen. Gelassen nahm Nortenberg seinen Helm ab und klemmte ihn unter den Arm.

Ulrich von Maltitz hätte sich beinahe mitreißen lassen von denen, die die flüchtenden königlichen Truppen verfolgten. Doch nachdem er sich vergewissert hatte, dass Friedrich in Sicherheit war, richtete er seinen Blick auf den einzelnen Reiter, der in all dem Chaos auf dem Hügel verharrte.

Ruhig ritt er auf den Wartenden zu, bemüht, sich weder etwas von seiner Erleichterung noch von seinem Triumph ansehen zu lassen. Und schon gar nicht von seinem Schmerz. Sein linker Arm tat höllisch weh; der Huf eines sich aufbäumenden Pferdes hatte ihn getroffen. Die Rippen schmerzten ihm vom Aufprall einer feindlichen Lanze, die am Plattenrock zersplittert war, sein rechter Kettenfäustling war über dem Handrücken zerschnitten und von Blut verfärbt.

Unmittelbar vor dem anderen zügelte Ulrich seinen Hengst, so dass sie sich von Angesicht zu Angesicht gegenüberstanden.

»Heinrich von Nortenberg, königlicher Statthalter für das Pleißenland«, stellte sich der hochgewachsene Mann auf dem Rappen gelassen vor, beinahe hochmütig. »Ich ergebe mich Euch auf Ehre und Gewissen.«

»Ulrich von Maltitz. Bitte begleitet mich.« Mit einem knappen Nicken zollte er dem anderen seinen Respekt, dann wendete er und ritt zusammen mit seinem Gefangenen zu Friedrichs Lager.

Sie schwiegen beide; die Männer, die inzwischen den Kampf eingestellt hatten, wichen unaufgefordert beiseite, um ihnen Platz zu machen. Doch kurz bevor sie das Lager mit dem thüringischen und dem meißnischen Löwen erreicht hatten, beugte sich Nortenberg leicht vor und sah seinem Gegner direkt ins Gesicht.

»Und was glaubt Ihr, Maltitz, mit diesem Sieg erreicht zu haben? Ist Euch nicht bewusst, dass der heutige Tag Euch und Euren Herrn endgültig dem Untergang weiht? Nun wird der König alles, was er an Truppen aufbieten kann, gegen Euch werfen und nicht eher ruhen, bis das Haus Wettin und seine Anhänger restlos vernichtet sind, ausgelöscht bis auf den letzten Spross. Wenn Ihr Kinder habt, Maltitz, dann bringt sie lieber außer Landes. Dort sind sie in Sicherheit – vielleicht …«

Mit unbewegter Miene nahm Friedrich die Glückwünsche seines besiegten Gegners entgegen, ließ Nortenberg in eines der inzwischen aufgestellten Zelte geleiten und wies an, ihm etwas zu essen und zu trinken zu bringen.

»Schickt einen Boten nach Leipzig und kündet vom Ausgang der Schlacht!«, befahl er Herrmann von Goldacker. »Wir marschieren morgen zurück.«

Er zögerte einen Moment, dann fügte er hinzu: »Schickt auch einen Boten zu meiner Gemahlin, damit sie erfährt, dass ich lebe.«

Aus den Vorräten des königlichen Lagers ließen Friedrich und Diezmann Bier und Proviant an die Kämpfer verteilen. Die Siegesrede fiel knapp aus, was niemanden störte. Wer überlebt hatte, war erschöpft oder verletzt; die meisten Freiwilligen, die noch nie zuvor hatten kämpfen müssen, waren so überwältigt von dem Grauen, dass sie sich nur noch auf schnellstem Wege betrinken wollten. Männer und Knappen wurden ausgeschickt, um das Kampffeld nach Überlebenden abzusuchen. Nun würden der Feldscher und der Priester noch mehr zu tun bekommen.

Ulrich beschloss, sich zu Sibylla durchzufragen. Sie würde jetzt zwar keine Zeit für ihn haben, aber wenigstens sollte sie wissen, dass er noch lebte.

Zu seiner Enttäuschung traf er bei den thüringischen Verwundeten nur Änne, die nichts um sich herum wahrzunehmen schien und vollends damit beschäftigt war, einem vor Schmerz schreienden Bauern, der vier Finger einer Hand verloren hatte, den Stumpf zu vernähen. Vielleicht spürte sie Ulrichs Gegenwart, denn plötzlich sah sie zu ihm auf.

»Sibylla wurde nach hinten gerufen, mein Herr, zu Fürst Diezmanns Männern«, beschied sie ihm und strich sich eine Haarsträhne zurück, die sich unter dem Kopftuch gelöst hatte.

Für einen Moment flackerte in ihm die Erinnerung auf, wie sie
vor Jahren während der Belagerung Freibergs auf dem Wehrgang die Pfeilspitze aus seinem Bein gezogen hatte, während
ein Feuerregen auf sie niederging und ihr Kopftuch ansengte.
Genauso müde, zerbrechlich und doch entschlossen angesichts
des Grauens um sie herum wirkte sie jetzt. Er konnte Markus
gut verstehen, dass der bereit war, sich ihretwegen in Schwierigkeiten zu bringen.

Ulrich dankte Änne und lehnte ihr Angebot ab, sich um die
Wunde an seiner Hand zu kümmern. Darum würde er später
Sibylla bitten.

Änne sah ihn an und öffnete den Mund, dann senkte sie den
Blick und arbeitete schweigend weiter.

Ulrich wusste, was sie hatte fragen wollen. Doch er stapfte
wortlos davon, ohne sich noch einmal umzusehen, denn er
wusste die Antwort auf ihre Frage nicht und wollte die junge
Frau nicht ängstigen. Er selbst war schon genug in Sorge um
Markus. Er hatte ihn aus den Augen verloren, kurz nachdem
sie beim dritten Angriff auf das gegnerische Heer geprallt waren und Friedrich gegen ein halbes Dutzend Männer auf einmal verteidigen mussten.

Die Feuer wiesen ihm den Weg zu Sibylla.

Er entdeckte sie schon von weitem und sah, dass sie bei seinem
Anblick erleichtert aufatmete.

Ulrich ging zu ihr, strich kurz mit den Lippen über ihr Haar
und küsste ihre Schläfe. »Später«, sagte er leise. Sie würde wohl
noch die ganze Nacht zu tun haben, und seine Verletzungen
waren nicht so schlimm wie die der Männer, die hier vor seinen Füßen fast verbluteten. Sibylla lächelte ihm zu und wies
mit dem Kopf zur Seite. »Ein guter Freund aus Freiberger Tagen ist gekommen!«

Von Maltitz sah in die Richtung und glaubte seinen Augen nicht zu trauen: Um Jahre gealtert, mager und mit nun vollkommen weißem Haar, stand dort Conrad Marsilius, knurrte wie in alten Zeiten, scheuchte ein paar Helfer herum, beschimpfte die Wehklagenden als Simulanten und strahlte bei alldem wie eh und je die Autorität eines erfahrenen Arztes aus, während er einem blutüberströmten Mann eine Aderpresse anlegte.

Der Ritter beschloss, ihn vorerst in Ruhe seine Arbeit tun zu lassen. Morgen würde er mit dem einstigen Freiberger Ratsherrn auf das Wiedersehen anstoßen und ihn nach Neuigkeiten aus der Silberstadt befragen.

Durch die zunehmende Dunkelheit ging Ulrich zurück zu dem Zelt, in dem Friedrich und Diezmann mit dem bestens gelaunten Herzog von Braunschweig auf den Sieg anstießen. Eingedenk der Worte Nortenbergs war ihm nicht nach einer Siegesfeier zumute. Außerdem konnte er die Spannung zwischen Friedrich und Diezmann beinahe mit Händen greifen. Offenkundig stand der Disput über den unplanmäßigen ersten Angriff noch aus, und Ulrich spürte wenig Verlangen, dabei zu sein. Die Gefahr schien ihm zu groß, die Beherrschung zu verlieren, denn er konnte Diezmanns Anblick einfach nicht mehr ertragen. Also zog er sich bald wieder unter dem Vorwand zurück, sich um seine Wunden kümmern zu müssen. Albrecht von Sättelstedt bat mit der gleichen Begründung, ihm folgen zu dürfen.

»Ich glaube, den nahenden Ausbruch brüderlicher Freundschaft erspare ich mir lieber«, raunte der hünenhafte Sättelstedt Ulrich zu. »Eine Schlacht am Tag genügt mir.«

Plötzlich deutete der thüringische Turnierheld auf eine Gestalt ein paar Schritte vor ihnen.

»Wenn das keine Überraschung ist! Der Feuerschopf aus Freiberg! Sag, Kleiner, hat dich der Herzog von Braunschweig mit hierhergeschleift?«

»Ich habe ihm keine Wahl gelassen, Herr«, antwortete Christian mit dem üblichen frechen Grinsen, während er sich mit ausladender Geste vor den Rittern verbeugte. »Und wie Ihr wisst, kann ich sehr überzeugend sein.«

»Jetzt wird mir klar, vor wem die Königlichen in Wirklichkeit weggerannt sind«, spottete Sättelstedt ausgelassen.

So froh Ulrich auch war, den einstigen Freiberger Gassenjungen wiederzusehen, noch dazu allem Anschein nach unverletzt – ein Gedanke ließ ihn zusammenzucken.

»Hat der Herzog etwa Friedrichs Sohn mitgebracht? Du solltest doch bei ihm bleiben!«

»Nein, er ist in Sicherheit«, beruhigte Christian ihn. »Und er braucht mich nicht mehr. Er ist ein tapferer Junge, der gut damit zurechtkommt. Wir geben die Hoffnung nicht auf, dass die Verletzung doch noch ganz verheilt.«

Damit schien das Thema für den Rotschopf beendet; der Ausgang der Schlacht beschäftigte ihn viel mehr.

»Wir haben etliche Dutzend Ritter gefangen genommen«, berichtete er stolz und wandte sich direkt Ulrich zu. »Sechs davon durfte ich persönlich vom Schlachtfeld geleiten. Nun muss der König mit uns verhandeln! Was glaubt Ihr, Herr, wie lange es noch dauert, bis wir endlich wieder in Freiberg einziehen?«

Sättelstedt ersparte Ulrich die Antwort.

»Nicht, bevor wir dem wahren Helden von Lucka einen ordentlichen Rausch verschafft haben!«, meinte er leutselig und hieb dem Rotschopf kräftig auf die Schulter. »Komm, mein junger Freund, dort vorn gibt es was zu trinken. Wir sind beide noch viel zu nüchtern für solch einen Tag! Ulrich, was ist mit Euch? Kommt mit, Ihr seht mir für einen Sieger recht missgestimmt aus!«

»Später«, versicherte Ulrich. »Erst will ich die Rüstung ablegen. Es war ein langer Tag.«

»Oh, danach werdet Ihr Euch leicht wie eine Feder fühlen«, sagte Sättelstedt und grinste. Kettenhemd, -beinlinge und Plattenpanzer wogen fast so viel wie ein halber Mann.

Vielleicht werde ich alt, dass ich jeden Knochen einzeln spüre, dachte Ulrich, während er sich auf die Suche nach seinem Knappen begab.

Er fand den Jungen schluchzend hinter dem Zelt, vor sich einen leblosen Körper. Es war Rolands bester Freund unter den Knappen, jener junge Thüringer, der sich manchmal etwas überheblich gab, in Wirklichkeit aber ein tapferer Kämpfer zu werden versprach. Daraus würde nun nichts mehr werden. Sein Kopf war an der Schläfe zerschmettert.

Roland versuchte beim Anblick seines Herrn, sich die Tränen vom Gesicht zu wischen. Aber mit seinem blutverschmierten Ärmel machte er das Ganze nur noch schlimmer. Ulrich kauerte sich neben ihn. Er legte dem Jungen eine Hand auf die Schulter, dann sagte er: »Tragen wir ihn zu den anderen Toten.«

Im Zelt der Heerführer waren jetzt nur noch Friedrich von Wettin, sein Bruder Diezmann, Heinrich von Braunschweig und Herrmann von Goldacker, der sich mittlerweile als Leibwache für alle drei Fürsten verantwortlich fühlte, auch wenn er ausreichend Männer um das Zelt postiert hatte. Trotz der abendlichen Kühle geriet der Marschall allmählich ins Schwitzen unter Gambeson und Rüstung, denn es schien nur noch eine Frage von Augenblicken, bis sich die unübersehbare Spannung zwischen den beiden Wettinern entlud.

Diezmann war es, der das Thema zur Sprache brachte, gleich nachdem Maltitz und Sättelstedt das Zelt verlassen hatten.

»Erspar mir endlich deine selbstgerechte Miene und deinen stummen Vorwurf!«, fuhr er seinen älteren Bruder an.

»Schließlich hat alles zu einem guten Ende gefunden. Wenn ich nicht mit meinen Männern das Lager überrannt und schon die Hälfte der Gegner ausgeschaltet hätte, bevor es richtig losging, wäre keiner von uns mehr am Leben gewesen, als unser Schwager endlich mit der Verstärkung kam.«

Friedrich, zu seiner vollen Größe aufgerichtet, lehnte sich kaum merklich zurück und kniff die Lider leicht zusammen.

»Bist du sicher, dass du dieses Gespräch nicht lieber unter vier Augen führen willst?«, fragte er und fixierte seinen Bruder, während er den Becher abstellte.

»Nein, wieso?«, meinte der andere mit provokanter Lässigkeit und schlug die Beine übereinander. »Ich übernehme die Schuld, an deiner Ehre wird nicht gekratzt – und der Sieg ist unser. Einer muss der Schurke sein. Sei froh, dass ich diese Rolle übernehme, während du weiter den Helden spielen darfst!«

Friedrichs Unterkiefer malmte, seine Augen blitzten zornig auf.

Herrmann von Goldacker trat sicherheitshalber einen Schritt näher, um sich bei Bedarf zwischen die Brüder werfen zu können. Der Herzog von Braunschweig richtete sich auf und wollte etwas sagen, doch Diezmann kam ihm zuvor.

»Spiel nicht den Einfältigen!«, fuhr er Friedrich an. »Immer edel, immer von hoher Gesinnung! Ich kann mir so viel Edelmut nicht leisten. *Wir* können uns so viel Edelmut nicht leisten. Und ich will es auch nicht. Nortenberg verdient keine ehrliche Schlacht. Und es muss ein Exempel statuiert werden für alle, die zum König übergelaufen sind. Warum soll ein Verräter wie der Abt von Pegau nicht schon im diesseitigen Leben für seine Missetat büßen?«

»Was meinst du damit?«

Friedrichs Gesichtszüge erstarrten, während er einen halben Schritt auf seinen Bruder zutrat.

Diezmann verzog das Gesicht zu einem überheblichen Lächeln.

»Ich werde nicht warten, bis sein himmlischer Dienstherr ihn für seinen Verrat zur Rechenschaft zieht. Zwei Dutzend meiner Männer sind längst unterwegs, um Rache zu üben.«

»Du vergreifst dich an einem *Kloster?*«

Heinrich von Braunschweig protestierte entsetzt, während Friedrich für diesen Augenblick sprachlos war. Ein Angriff auf einen Geistlichen war bereits eine unverzeihliche Sünde – aber erst auf ein ganzes Kloster!

Aschfahl geworden, packte Friedrich seinen Bruder am Wappenrock und zog ihn zu sich hoch. Keiner der beiden anderen Männer griff ein.

»Du mit deinem Edelmut!«, verteidigte sich Diezmann wütend, ohne sich von der aggressiven Geste beeindrucken zu lassen. »Du hast doch stets deinen Nutzen davon gehabt, dass ich die Sünde auf mich nahm!«

Er senkte die Stimme und zischte seinem Bruder so leise ins Ohr, dass nur dieser ihn hören konnte: »Hast du dich nie gefragt, warum unser Neffe Friedrich Tuta so bedauernswert jung und plötzlich starb? Und mit einem Mal war die Mark Meißen dein. Du hast mir nie dafür gedankt!«

Ruckartig ließ Friedrich den Wappenrock seines Bruders los, als würde er sich die Hände an dem Tuch verbrennen, und wich zurück. Voller Abscheu spie er die nächsten Worte aus.

»Genieße deinen Sieg – solange du noch kannst!«

Bevor er hinausstürmte, gab er dem thüringischen Marschall das Zeichen, ihm zu folgen.

»Goldacker, sucht Euch Eure besten Kämpfer und schickt sie, so schnell es geht, nach Pegau. Ihr müsst Diezmanns Männer aufhalten!«

Der Mann mit den leuchtend blauen Augen nickte und stapfte los.

ZEHN SCHRITTE

*E*ndlich hatte Ulrich von Maltitz Plattenrock und Kettenpanzer abgelegt. Im Schein einer Fackel begutachtete er im Zelt seine Verletzungen und befand, mit ein paar kräftigen Blutergüssen und der Wunde an der Schwerthand glimpflich davongekommen zu sein. Er ging wieder nach draußen, um Ausschau nach Sättelstedt und Christian zu halten. Doch bevor er sich der lautstarken Runde am Feuer so weit genähert hatte, dass er erkannt und dazugerufen wurde, zog er sich wieder zurück. Markus saß nicht bei ihnen, und der würde sich das Wiedersehen mit seinem jungen Freiberger Schützling gewiss nicht freiwillig entgehen lassen.

Ulrich winkte einen Mann im waidblauen Kittel zu sich, der mit einem Bündel Armbrustbolzen an ihm vorbeilief, und ließ ihn Christian holen.

»Hast du Markus gesehen? Beim dritten Angriff verlor ich ihn aus den Augen, und unter den Verwundeten konnte ich ihn bisher auch nicht entdecken.«

Christians fröhliche Miene wurde schlagartig ernst.

»Ich suche ihn«, sagte er, griff nach den Waffen, die er abgelegt hatte, nahm sich eine Fackel und lief Richtung Kampffeld, das von Hunderten reglosen Körpern bedeckt war.

Ulrich beschloss, damit aufzuhören, sich wie ein angeschossener Hirsch durch das Lager treiben zu lassen. Zuerst würde er nachschauen, ob sein tüchtigster Sergent inzwischen doch noch zu den Verwundeten gebracht worden war. Dann würde er Sibylla holen und mit ihr ins Zelt gehen. So viel auch noch zu tun war – irgendwann musste sie schlafen. Morgen früh, wenn das Feld bei Tageslicht weiter nach Verletzten abgesucht werden würde, gab es mehr als genug Arbeit für sie.

Er war sich nicht sicher, ob er nach diesem Tag noch zu großen Taten im Bett fähig war. Doch um nach all dem Tod um sich herum wirklich wieder ins Leben zurückzukehren, musste er jetzt eine Frau unter sich spüren, ihre weiche Haut, ihren warmen Körper, das Schlagen ihres Herzens. Nicht irgendeine, sondern Sibylla.

Es war längst Nacht, und Änne war mittlerweile so am Ende ihrer Kräfte, dass ihr die Hände zitterten und sie nicht einmal mehr einen festen Knoten binden konnte. Der alte Priester erkannte, wie es um sie bestellt war, und kam zu ihr.

»Geh jetzt und ruh dich aus, meine Tochter!«, ermahnte er sie freundlich. »So nutzt du keinem mehr. Und du wirst morgen alle Kraft brauchen.«

Änne wusste, dass es sinnlos war zu widersprechen. Am liebsten wäre sie auf der Stelle umgesunken. Schlafen! Eine Woche schlafen! Doch wie sollte sie Ruhe finden, wenn sie nicht wusste, ob Markus noch lebte?

Niemand, den sie gefragt hatte, konnte ihr etwas über seinen Verbleib sagen; er war weder unter den Verwundeten, die zu ihr gebracht worden waren, noch bei den Toten, die am Rand des Feldes nebeneinanderlagen.

Auch bei Sibylla schien er nicht aufgetaucht zu sein; die hätte ihr das sicher durch einen der flinken Botenjungen ausrichten lassen.

Aber wenn er noch lebte, wäre er doch vorbeigekommen oder hätte ihr wenigstens eine Nachricht geschickt!

Gequält richtete sie sich auf. Ihr Rücken fühlte sich an, als würde er in der Mitte durchbrechen. Bevor sie sich einen Schlafplatz suchte, irgendwo neben einem der Trosskarren, wollte sie nur noch eines: sich das Blut von den Händen spülen.

Vor Erschöpfung taumelnd, lief sie die wenigen Schritte zum Fluss, kauerte nieder und tauchte die Arme in das Wasser, das langsam an ihr vorbeisprudelte. Das Mondlicht warf ein paar helle, flirrende Reflexe auf den Wellen; dies und das Geräusch des strömenden Wassers ließ sie in einen Dämmerzustand sinken, in dem sie nichts mehr um sich herum wahrnahm – außer, wie die Kälte ihre Arme hinaufstieg. Und dann sah sie, nur für den Bruchteil eines Momentes, ein grausiges Bild vor Augen: Markus' blutverschmiertes Gesicht zwischen Toten auf dem Schlachtfeld.

Entsetzt schrie sie auf und wäre beinahe vornüber ins Wasser gestürzt. Im letzten Moment fing sie sich noch und richtete sich auf – zu hastig; ihr wurde schwindlig.

Der Pater, der ihr besorgt nachgeschaut und den Aufschrei gehört hatte, war nicht schnell genug bei ihr, um zu verhindern, dass sie bewusstlos ins Gras am Ufer fiel. Er war ein wenig erfahren in der Krankenpflege, wagte es aber nicht, sie zu berühren, weil sie eine Frau war. Aufmerksam und etwas ratlos suchte er nach einem Anzeichen dafür, dass sie noch lebte, bis er ihre Lider flattern sah. Hastig rief er einen stämmigen Pferdeknecht herbei, dessen Nase mehrfach gebrochen und dadurch merkwürdig gekrümmt war – wohl das Resultat ein paar deftiger Schlägereien.

»Sie muss dringend schlafen«, murmelte der Pater. »Bette sie vorsichtig irgendwohin, wo niemand sie stört.«

Mühelos hob der Knecht die schmale Gestalt auf und trug sie auf seinen Armen zu einem der Karren. Weil er wusste, dass sie seit Beginn der Schlacht mit aller Kraft versucht hatte, den verwundeten Kämpfern, zu denen auch einige seiner Freunde zählten, das Leben zu retten, legte er sie behutsamer ins Gras, als es sonst seine Art war. Ihre Hände fühlten sich eiskalt an, also hielt er Ausschau nach etwas, womit er sie zudecken konnte. Schließlich brachte er mit einigem Nachdruck den Kärrner dazu, ihm ein verfilztes Schaffell zu leihen.

Geb's Gott, dass sie morgen früh wieder aufwacht, dachte der Knecht, während er Änne unbeholfen das Fell um die Schultern legte. Ohne sie werden noch mehr Männer sterben.

Ulrich ging zunächst zu dem Platz, wo die verletzten Männer von Friedrichs Streitmacht versorgt wurden. Unter ihnen waren drei seiner Sergenten, mit denen er ein paar Worte wechselte, doch nicht Markus. Dann sah er, dass sich nicht mehr Änne um die Verwundeten kümmerte, sondern ein paar ältere Frauen aus dem Tross. Er atmete auf und verzog das Gesicht zu einem leichten Grinsen. Während er sich Sorgen um Markus gemacht hatte, lag der wahrscheinlich längst in den Armen seiner Geliebten.

Ulrich vermutete, dass sein Lehnsherr streng reagieren würde, wenn er erfuhr, dass einer seiner Gefolgsleute mit dem Eheweib eines anderen Mannes schlief – noch dazu mit der Frau eines Mannes, der treu zu ihm gestanden hatte. Doch nach allem, was er wusste und ahnte, war dieser Fall wohl etwas komplizierter. Außerdem gönnte er dem Freund das Glück. Und wie sollte er richten, der selbst die Ehe brach, obwohl er seine Frau seit Jahren nicht mehr gesehen hatte und auch nicht das Bedürfnis danach verspürte?

Erleichtert lenkte er seine Schritte in die Richtung, in der er Sibylla wusste. Es war noch eine Viertelmeile bis zum anderen Ende des Lagers; dort, wo das gelbe Banner mit dem schwarzen meißnischen Löwen aufgepflanzt war. Alle paar Schritte saßen Männer am Feuer beieinander und feierten den Sieg. Aus den eroberten Vorräten des königlichen Heeres hatte der Küchenmeister freigiebig austeilen lassen.

Ulrich hörte Gelächter, Prahlereien, bierselige Gesänge ... Etwas abseits von den Feiernden knieten sich zwei Männer gegenüber und stützten sich schluchzend gegenseitig, aus einem Zelt hörte er ein schmerzerfülltes Stöhnen, aus einem anderen unverkennbar die Geräusche eines leidenschaftlichen Liebesaktes.

Das lenkte seine Gedanken sofort wieder zu Sibylla, und er beschloss, es nicht bei einer Umarmung vor dem Einschlafen zu belassen. Allem Anschein nach war er doch nicht zu müde ...

Trotz der Erschöpfung fühlte er Begehren in sich aufsteigen. Nein, er wollte sie ganz, am liebsten sofort. In Gedanken streifte er ihr schon die Kleider ab, stellte sich vor, wie er ihre Brüste mit beiden Händen umklammerte und ihre Lippen auf seinen fühlte. Sosehr es ihn jetzt danach drängte, in ihrem Schoß zu versinken – diesmal würde er nichts von den Zärtlichkeiten auslassen, die sie besonders in Wallung brachten: weder die Küsse auf ihren Nacken noch das sanfte Spiel seiner Zunge um ihre Brustwarzen. Wenn sie dann vor Verlangen stöhnte, würde er sie auf den Bauch drehen, mit den Lippen ganz langsam von oben nach unten über ihre Wirbelsäule streichen, was sie jedes Mal fast um den Verstand brachte, sie bei den Hüften packen …

Laute Schreie rissen ihn aus seinen Phantasien.

Im ersten Augenblick vermutete er eine der üblichen Streitereien unter Betrunkenen, doch im nächsten schon sagte ihm seine Kampferfahrung, dass hier etwas Ernsthafteres vor sich ging. Die Schreie klangen zu bedrohlich.

Noch während er dorthin rannte, woher der Lärm erscholl, hörte er Waffen klirren. Mit dem Schwert in der Hand bahnte er sich den Weg durch die aufgescheuchten und nun ebenfalls Waffen ziehenden Männer im Lager, direkt auf die Stelle zu, an der die meisten Feuer brannten. Als er sehen konnte, was geschah, rannte er noch schneller. Am Waldrand war eine Gruppe meißnischer Kämpfer in ein blutiges Scharmützel verwickelt, allem Anschein nach mit Versprengten, die sich zu einem Angriff aus dem Hinterhalt gesammelt hatten.

Dann glaubte er für einen Herzschlag lang zu erstarren. In der Mitte der Szenerie sah er, wie sich der alte Marsilius schützend vor eine Frau warf und durch einen Schwerthieb zu Boden sank. Und noch während Ulrich weiterrannte, so schnell er nur konnte, stieß einer der Angreifer seine Waffe Sibylla in die Brust.

Ulrich schrie auf wie ein waidwundes Tier. Triumphierend sah sich der Angreifer um. Im nächsten Augenblick war Ulrich heran und schlug ihm mit einem einzigen Schwerthieb den Kopf von den Schultern. Dann sank er auf die Knie und zog Sibyllas Körper in seine Arme, ohne auch nur einen Blick auf den enthaupteten Leichnam zu verschwenden.

Sie lebte noch. Aber sosehr er sich auch mühte, das Blut mit seinen Händen aufzuhalten, das aus ihrem Körper rann – der Verstand sagte ihm, dass ihr nur noch wenige Augenblicke blieben.

»So holt doch einen Feldscher!«, schrie er, ohne den Blick von Sibylla abzuwenden.

Mit seinen blutverschmierten Händen bettete er ihren Kopf auf seinen Schoß. »Verlass mich nicht, Liebste, verlass mich nicht!«, flehte er sie an und spürte ein ungewohntes Brennen in den Augen.

Sie richtete den Blick auf ihn und versuchte ein klägliches Lächeln. »Ich verlasse dich nicht … Liebster. Ich werde … auf dich warten.«

Die Worte mussten sie die letzte Lebenskraft gekostet haben.

Ihre Augen brachen, ihr Kopf sank in seinem Schoß kraftlos zur Seite.

Sein Verstand weigerte sich zu akzeptieren, was er sah: dass seine Geliebte tot war, getötet, als er nur noch zehn Schritte von ihr entfernt war, ohne dass er es hatte verhindern können.

Es konnte nicht sein, dass sie tot war, ihm für immer entrissen, dass er nie wieder ihre Stimme hören, ihr Lachen, das Leuchten in ihren dunklen Augen sehen würde. Das durfte einfach nicht sein!

Nichts von seiner Umgebung nahm Ulrich wahr. Erinnerungen zogen vor seinen Augen vorbei. Wie er sie zum ersten Mal gesehen hatte, damals in jener eiskalten Winternacht in Freiberg, als sie völlig zerschunden und entkräftet die Nachricht vom anrückenden Heer Adolfs von Nassau brachte. Wie sie gemeinsam auf der Mauer von Freiheitsstein standen und mit ansehen mussten, wie die königliche Armee in die Stadt flutete. Wie sie zu ihm gekommen war, als er – verzweifelt, verwundet und ohne jeglichen Lebensmut – gefangen in einem Huthaus vor Freiberg war, um ihn mit dem Geschenk ihres Körpers zurück ins Leben zu holen. Wie sie sich ihm in ihrer ersten gemeinsamen Liebesnacht vorbehaltlos hingegeben hatte. Ihr leidenschaftliches und zugleich verzweifeltes Wiedersehen in Prag. Und wie sie in Begleitung Goldackers auf die Wartburg gekommen war, zurück zu ihm.

Ulrich von Maltitz starrte in den Himmel, als würde Gott ihm eine Antwort geben, eine Erklärung für diese Ungerechtigkeit und Grausamkeit. Seine Schultern zuckten, als das Schluchzen über ihn kommen wollte.

Er warf den Kopf in den Nacken und stieß einen unmenschlich klingenden Schrei aus, der weit in die Nacht hinaushallte.

Es dauerte eine Zeit, bis jemand es wagte, sich Ulrich zu nähern, der reglos dort kniete, Sibyllas Leichnam in den Armen haltend.

Schließlich ergriff einer der älteren Ritter die Initiative, ein meißnischer Lanzenführer. Er trat zu ihm und räusperte sich. Ulrich sah zwar zu ihm auf, doch er erweckte nicht den Eindruck, dass er begriff, was der andere sagte.

»Wir haben alle Angreifer erwischt. Sieben sind tot. Wollt Ihr die anderen sehen, Maltitz?«

Vorsichtig bettete Ulrich die Tote auf den Boden, als könnte sie noch etwas spüren. Dann richtete er sich unendlich langsam auf. Ohne ein Wort folgte er dem Älteren ein paar Schritte zur Seite, wo die Gefangenen von den Männern festgehalten wurden, die sie überwältigt hatten.

»Es waren ein Dutzend Geflohene, die sich zurückgeschlichen hatten, um das Lager zu überfallen. Erst schnitten sie den Verwundeten die Kehlen durch, dann fielen sie über die Helfer her«, erklärte der Ritter, voller Zorn und Abscheu, aber auch Scham darüber, dass der Angriff zu spät entdeckt worden war.

»Der alte Medicus wollte sie retten ...«, sagte er und deutete hilflos auf Sibylla.

Marsilius war blutüberströmt, doch sein Gesicht wirkte im

Tod friedlicher als zu Lebzeiten. Ulrich wandte den Blick von ihm ab und musterte wortlos und mit unbewegter Miene die Gefangenen.

»Das ist unsere Rache für den feigen Angriff auf unser Lager!«, brüllte einer von ihnen hasserfüllt und spie Maltitz vor die Füße.

»So haben wir es euch heimgezahlt!«, bekräftigte genauso voller Hass der Gefangene neben ihm. »Für jeden Toten in unserem Lager sollen zehn von euch verrecken!«

Mit einer einzigen Bewegung zog Ulrich seinen Dolch und stieß ihn dem Anführer ins Herz.

Dann schritt er die Reihe ab und erstach einen nach dem anderen, ohne ein Wort zu sagen. Als der Letzte tot zu seinen Füßen fiel, drehte er sich um und ging zurück zu Sibyllas Leichnam. Den blutigen Dolch ließ er neben sich ins Gras fallen, sackte in die Knie und hob erneut den Körper seiner toten Liebsten hoch, um ihn an sich zu pressen und in den Armen zu wiegen.

Der Morgen danach

Anne wurde wach, weil jemand sie kräftig an der Schulter rüttelte und auf sie einsprach. Ohne zu wissen, wo sie war, tauchte sie benommen aus dem Schlaf auf und sah vor sich das bärtige Gesicht eines stämmigen Mannes mit mehrfach gebrochener Nase; einer der Pferdeknechte, erinnerte sie sich.

»Du kannst nicht länger schlafen; du wirst gebraucht. Uns verbluten die Männer unter den Händen!«, rief er.

Schlagartig kamen die Erinnerungen zurück.

Die Schlacht. Marsilius' Messer. Der Fluss. Und Markus … das Traumbild!

Sie hatte keine Ahnung, wie sie vom Fluss hierhergekommen war, neben einen der Karren, ein ganzes Stück vom Wasserlauf entfernt. Aber sie musste wohl lange geschlafen haben, denn die Sonne war über dem Feld von Lucka bereits aufgegangen, auch wenn sie hinter grauen Wolken verborgen blieb.

Mit einem Ruck setzte Änne sich auf und wollte aufstehen, aber der Knecht hielt sie an der Schulter fest.

»Langsam, Kleine … Du bist uns gestern ziemlich plötzlich weggekippt. Wir brauchen dich bei Kräften. Hier, iss etwas und trink!«

Unbeholfen, doch unverkennbar besorgt, drückte er ihr einen Kanten Brot in die Hand und stellte eine halbvolle Kanne Bier neben sie.

Änne wurde bewusst, dass sie am Vortag kaum zum Essen gekommen war. Gehorsam biss sie ab, auch wenn sie glaubte, keinen Bissen hinunterzubekommen, und trank etwas nach, um schlucken zu können. Dabei merkte sie, wie hungrig und durstig sie war. Der Knecht hatte wohl recht – so dringend sie auch nach Markus suchen wollte, sie würde sich nicht lange auf den Beinen halten, wenn sie nicht etwas aß.

Nun nahm sie auch den Lärm und die Geschäftigkeit des Lagers wahr: Männer, die Zelte abbauten und Karren beluden, Pferde zum Fluss führten, um sie zu tränken …

Von der Seite zogen weiße Rauchschwaden zu ihr herüber. Irgendwer hatte wohl nasse Holzscheite ins Feuer gelegt.

Und dann rief das Stöhnen eines Verwundeten, der nach Wasser ächzte, ihr ins Bewusstsein, dass sie dringend zu tun hatte.

Eine Frau kniete mit besorgter Miene neben ihm nieder und gab ihm vorsichtig etwas zu trinken. Der weißhaarige Priester saß an der Seite eines Mannes mit einer Kopfwunde und sprach beruhigend auf ihn ein.

Hastig steckte Änne den letzten Bissen Brot in den Mund und ließ sich von dem Knecht aufhelfen. Als sie stand, konnte sie erkennen, dass mindestens noch drei Dutzend Verletzte darauf warteten, versorgt zu werden. Einige hatten die Hände auf die Wunden gepresst, andere trugen provisorische Verbände. Dahinter lagen in einer langen Reihe dicht nebeneinander die Toten.

»Ich ... suche jemanden«, sagte sie zu dem Knecht und wehrte seine Hand ab, die sie stützen wollte. »Ich ... muss nachschauen. Dann helfe ich dem Feldscher.«

Jetzt erst fiel ihr auf, dass der junge Wundarzt wieder hier war und nicht mehr im meißnischen Lager von Fürst Diezmann. Ob sich Sibylla dort allein um die Verletzten kümmerte? Mit zittrigen Beinen stakste sie los.

Sie wusste, dass sie die Männer im Stich ließ, die hier auf sie warteten und ihre Hilfe dringend brauchten. Doch sie musste erst Gewissheit haben.

Der Magen verkrampfte sich ihr, als sie die Reihe der Toten abschritt. Es waren mehrere Männer darunter, die sie kannte, doch nicht derjenige, nach dem sie mit bangem Herzen Ausschau hielt.

»Die Toten können warten, die Lebenden hier brauchen deine Hilfe!«, rief der Feldscher ungeduldig.

Der Pferdeknecht griff ein und nahm sie am Arm. »Sag mir, nach wem du suchst. Ich höre mich für dich um. Und glaub mir, selbst bei all dem Elend hier – was in Diezmanns Lazarett passiert ist, das willst du nicht sehen.«

Ohne auf ihr Widerstreben zu achten, zog er sie mit sich zu den Verwundeten. Von Ängsten zerrissen, begann Änne ihre Arbeit, während das Lager abgebrochen wurde.

»Änne?«

Sie wollte gerade Wasser vom Fluss holen und erkannte die Stimme nicht, die nach ihr rief. Als sie sich umdrehte, um nach dem Rufer Ausschau zu halten, kam ihr zunächst auch dessen Gesicht fremd vor. Doch an dem missgestalteten Fuß und an den roten Haaren erkannte sie Christian, den sie zum letzten

Mal gesehen hatte, als er noch ein halbwüchsiger Gassenjunge gewesen war und mit einem tollkühnen Handstreich Markus zur Flucht von der Burg verhelfen wollte. Jetzt stand er vor ihr als erwachsener Mann, der Kleidung und Ausrüstung nach sogar ein Soldat in wettinischen Diensten, mit breiten Schultern und mehr als einen Kopf größer als sie. Nur seine Haarfarbe und die vielen Sommersprossen erinnerten noch an den Burschen, der die verrücktesten Streiche gespielt hatte. Sein typisches freches Grinsen war verschwunden, und etwas an der Art, wie er Änne ansah, ließ sie mitten in der Bewegung erstarren. Ohne ihn aus den Augen zu lassen, setzte sie die Eimer ab.

»Hast du Markus gesehen?«

Er war es, der fragte, nicht sie. »Ich habe das ganze Feld nach ihm abgesucht ... Da ist er nicht.«

»Dann besteht Hoffnung, dass er noch lebt«, sagte sie leise und wischte sich mit dem Ärmel über die Wange.

»Du weißt von der Sache in Diezmanns Lager?«

Ihr fragender Gesichtsausdruck sagte ihm, dass ihr noch niemand etwas davon gesagt hatte.

»Heute Nacht gab es einen Überfall auf das Krankenlager dort. Ein paar entflohene Königliche sind heimlich zurückgekommen und haben allen Verwundeten die Kehlen durchgeschnitten.«

Änne fuhr zusammen. »Sibylla und Marsilius! Ist ihnen etwas zugestoßen?«

Christians Gesicht verfinsterte sich noch mehr.

Misstrauisch sah der Knecht, wie die Gehilfin des Wundarztes dem rothaarigen Soldaten weinend in die Arme fiel. Ob sie etwa dessen Liebste war? Oder gar seine Frau? Dabei hatte er schon in Erwägung gezogen, sie zu fragen, ob sie ihn zum Mann nehmen würde. Sie schien allein zu sein, und sie war tüchtig. Vielleicht ein bisschen zu zart für harte Arbeit ... Andererseits: Was sie in der Nacht gesehen und getan hatte, das hätte auch manch Stärkeren umgeworfen.

Aber sie und der Rotschopf wirkten nicht vertraut wie Mann und Frau. Waren sie Bruder und Schwester? Also konnte er sie vielleicht doch mit sich nehmen. Wenn sich eine so junge Frau wie sie allein in einem Heerlager aufhielt, dann wurde es höchste Zeit, dass sie einen Mann bekam, selbst wenn es nur ein Knecht war.

Aber weshalb war sie allein? Ob etwas nicht mit ihr stimmte? Nun, das sollte er besser vorher herausfinden.

Verschwitzt, staubbedeckt und übernächtigt kehrte Goldacker an der Spitze seiner Männer von der Mission zurück, zu der ihn Friedrich geschickt hatte. Das fürstliche Zelt stand noch.

Allerdings war Diezmanns Banner schon fort, und auch dessen Pferd vermochte der Marschall nicht zu entdecken. Offenkundig war der Jüngere mit den Überlebenden seiner Streitmacht bereits nach Leipzig aufgebrochen.

Auch vom Herzog von Braunschweig und seinen Männern war nichts zu sehen.

Herrmann von Goldacker saß ab, warf die Zügel einem Knappen zu und stapfte zum Zelt. Die Männer, die ihn begleitet hatten, stiegen ebenfalls aus den Sätteln; ihre Mienen waren finster, keiner sagte ein Wort.

Friedrich stand allein in der Mitte des Zeltes und erließ es Goldacker mit einer Handbewegung, vor ihm niederzuknien. Er erkannte die Botschaft bereits an dessen Miene.

»Wir sind zu spät gekommen, mein Fürst«, berichtete der Marschall düster. »Als wir Pegau erreichten, brannte nicht nur das Kloster, sondern auch die ganze Stadt. Ein ungünstiger Wind hat das Feuer hinüber getrieben. Wir konnten nichts tun. Damit nicht noch Verdacht auf Euch fällt, kehrten wir um, bevor jemand unsere Wappenröcke erkennen konnte.«

Friedrich reagierte unerwartet schweigsam. Er stützte eine Hand gegen den Pfahl in der Mitte des Zeltes, griff sich mit der anderen in den Nacken und legte den Kopf weit zurück – als gäbe es etwas Besonderes in der Spitze des Zeltes zu sehen. Lange stand er reglos, ohne ein Wort zu sagen. Dann ließ er die Hände sinken, um sie sogleich vor der Brust zu verschränken.

»Ein Kloster geschändet. Eine Stadt niedergebrannt ...«

Tiefe Falten kerbten sich über der Nasenwurzel in sein Gesicht.

»Soll mein Bruder noch die Siegesmesse in Leipzig feiern, sofern der Allmächtige nicht beschließt, ihn für diesen Frevel auf der Stelle zu richten«, meinte er bitter und sah Goldacker direkt in die Augen.

»Sagt mir, Marschall: Was ist übler? Wenn ich als Mörder meines Bruders in die Geschichte eingehe? Oder als jemand, der solchen Frevel tatenlos geduldet hat?«

Goldacker verzog keine Miene.

»Ich verstehe«, sagte er nur und nickte kaum sichtbar. »Es wird kein Verdacht auf Euch fallen.«

»Vor dem Herrn werde ich diese Sünde auf mich nehmen – auch wenn Ihr die Waffe führt«, erwiderte Friedrich leise. »Ihr habt mein Wort. Und nun geht und lasst Euch und Euren Getreuen etwas zu essen bringen.«

Es war offensichtlich, dass er allein sein wollte. Also verneigte sich der Marschall und ging hinaus zu den Männern, die mit ihm nach Pegau geritten waren.

Wie Markus auf dem Schlachtfeld überlebt hatte, wusste er selbst nicht. Irgendwann beim dritten Angriff war sein Pferd gestürzt und nicht wieder hochgekommen. Er hatte den Sturz einigermaßen unverletzt überstanden und kämpfte zu Fuß weiter. Mit dem Schwert wütete er durch die gegnerischen Truppen, bis ihn ein wuchtiger Schlag ins Kreuz bewusstlos zu

Boden gehen ließ. Entweder hielt ihn der Angreifer für tot, oder er wurde von anderen Kämpfern abgelenkt. Dass der einstige Hauptmann der Wache zwischen all den stampfenden Pferden nicht zermalmt wurde, grenzte an ein Wunder.

Er kam erst wieder zu sich, als die Sonne schon aufgegangen war. Mit Mühe versuchte er, die Benommenheit abzuschütteln.

Um ihn herum lagen unzählige Tote, irgendwo weiter weg schrie ein Mann vor Schmerz und bat darum, erlöst zu werden. Mitten im Schrei verstummte er.

Nun hörte Markus Schritte und leises Klirren von Metall. Da er nicht wusste, wer die Schlacht gewonnen hatte, hielt er es für besser, sich tot zu stellen. Nach dem Kampf gingen üblicherweise Männer vom Fußvolk über das Feld, um die eigenen Verwundeten fortzutragen, wenn sie Aussicht hatten zu überleben, nach Gegnern von edler Herkunft zu suchen, für die man als Gefangene Lösegeld fordern konnte, und alle anderen abzustechen.

Zu seinem Glück hatte er sein Schwert zur Hälfte unter dem Körper begraben, ohne sich dabei zu verletzen. Sonst hätte es schon längst jemand als Trophäe an sich genommen. Sich so wenig wie möglich bewegend, zog er den Dolch und umklammerte den Griff, bereit zuzustoßen, sollte sich jemand ihm nähern.

Doch die Schritte entfernten sich wieder. Von weitem hörte er, wie jemand mit einem Ritter stritt, der ebenso wütend wie lauthals behauptete, dass der König ein ansehnliches Lösegeld für ihn zahlen würde.

Also haben wir gesiegt?, fragte sich Markus, immer noch benommen. Er stemmte sich hoch und sah sich um.

Zwei Dutzend Schritte von ihm entfernt graste ein Grauschimmel. Markus kannte das Tier, es gehörte einem von Friedrichs Lanzenführern. Er wunderte sich nicht lange darüber, wieso noch niemand den Hengst zur Koppel geführt hatte, sondern ging gemächlich darauf zu. Das Pferd hörte auf zu fressen und zuckte mit den Ohren, doch es lief nicht weg. Beruhigend strich Markus ihm über den Hals und zog sich in den Sattel.

Das wettinische Heerlager war bereits zur Hälfte abgebrochen, als Markus dort ankam.

Nahe dem Kampffeld, auf dem Scharen von Krähen versammelt waren, hatten mehrere Dutzend Männer – der Kleidung nach Bauern oder Knechte – die Arbeit als Totengräber begonnen. Priester begleiteten sie, um die Erde zu weihen, die nun Hunderte von Toten aufnehmen musste. Am Vortag hatten sie noch gegeneinander gekämpft, nun würden sie Seite an Seite ruhen bis zum Tag der Wiederauferstehung.

Nur einige Gefallene von besonderem Rang sollten mit nach Leipzig geführt und dort bestattet werden. Ein Bote mit welfischem Wappenrock ritt heran und verkündete lauthals, dass Herzog Heinrich soeben die nahe gelegene Burg Breitenhain eingenommen hätte, wohin sich etliche Anführer des pleißenländischen Heeres geflüchtet hatten. Es seien nun noch mehr Männer von Rang in Gefangenschaft geraten, und die würden sicher nach Leipzig geleitet werden.

Markus hatte gedacht, dass es trotz des Gewimmels um ihn herum einfach wäre, Änne zu finden. Doch im Krankenlager unter thüringischem Banner konnte er sie nicht entdecken. Ob ihr etwas geschehen war? Oder war sie auf das Kampffeld geschickt worden, um nachzusehen, wen dort schnelle Hilfe noch retten konnte?

Er ging zu dem jungen Wundarzt, bei dem er sich erst vor zwei Tagen in Leipzig nach ihr erkundigt hatte. Jahre schienen seitdem vergangen.

Der Feldscher scheuchte gerade ein paar Helfer los, Wasser vom Fluss zu holen, befahl der Frau, dem Mann neben ihr mit der hässlichen Bauchwunde auf keinen Fall etwas zu trinken zu geben, und kniete dann neben einem jungen Burschen nieder, dessen Bein völlig zermalmt war und der kein Lebenszeichen mehr von sich gab, während ihm eine Aderpresse angelegt wurde. Der Feldscher zog ihm die Lider hoch, legte die Finger an die Halsschlagader, um nach einem Puls zu fühlen, dann zuckte er müde mit den Schultern und nahm die Aderpresse wieder ab.

»Schafft ihn zu den anderen«, wies er zwei Knechte an und zeigte mit dem Kopf in die Richtung, wo die Toten nebeneinanderlagen.

»Ich suche Änne«, sprach Markus ihn an. Diesmal musste er nicht erst erklären, wen er meinte.

»Die ist dorthin gegangen«, erwiderte der junge Mann und wies mit dem Arm die Richtung. »Wo gestern das zweite Lazarett war. Bring sie gleich hierher, ich brauche sie dringend.« Ungeduldig lief Markus in die genannte Richtung. Das dortige Lazarett schien abgebrochen worden zu sein, was ihn verwunderte. Im Gegensatz zu dem üblichen Gedränge war an dieser Stelle nun ein leerer Platz, soweit er es aus der Ferne sehen konnte. Und dann entdeckte er ihre schmale Gestalt mit krampfhaft verschlungenen Händen vor einer Reihe Toter.

»Änne!«, rief er.

Kreidebleich fuhr sie zu ihm herum und starrte ihn an wie einen Geist. An ihrem Blick erkannte er, dass sie ihn für tot gehalten hatte. Änne sah aus, als würde sie gleich umfallen, aber etwas an ihrer Miene war merkwürdig. Ein bisschen mehr Freude hatte er schon erwartet.

Jemand trat von der Seite zu ihnen, eine Gestalt, die abseits auf einem umgefallenen Baumstamm gesessen hatte und die er erst jetzt wahrnahm und erkannte.

Christian! Doch auch der junge Freund wirkte ungewohnt düster. Was war hier passiert?

Dann sah er ihn: Conrad Marsilius, in einer Reihe mit vielen

Toten, denen samt und sonders die Kehlen durchgeschnitten worden waren.

»Sibylla ... ist auch tot«, erklärte Christian beklommen, und seine Augen begannen verräterisch zu glänzen.

»Wie ist das geschehen?«, fragte Markus erschüttert.

Ihm war klar gewesen, dass er an diesem Tag noch etliche von seinen Freunden und Gefährten unter den Toten finden würde – doch nicht diese beiden! Sie hätten hier in Sicherheit sein müssen!

»Ein paar versprengte Königliche haben das Krankenlager überfallen«, berichtete Christian. »Marsilius warf sich vor Sibylla, um sie zu schützen. So starben beide. Und das Schlimmste ist: vor Ulrichs Augen! Er war nur noch zehn Schritte entfernt, aber auch er hätte sie nicht retten können. Er ... hat ihren Leichnam mit ins Zelt genommen und will ihr in Leipzig ein anständiges Begräbnis ausrichten. Mach vorerst besser einen Bogen um ihn, er ist nicht mehr er selbst.«

Vergeblich versuchte sich Markus vorzustellen, wie Ulrich von Maltitz wohl jetzt am Tod seiner Liebsten tragen mochte. Dann sah er zu Änne, die immer noch kreidebleich und reglos dastand.

»Ich ... kann jetzt überhaupt nichts mehr fühlen ...«, gestand sie mit hochgezogenen Schultern. »Weder Freude, dass du noch lebst, noch Trauer um ihn ... Dabei hat er viele Jahre sein Bestes getan, um mich zu schützen ...«

»Er war ein tapferer Mann«, sagte Markus leise. »Noch mit seinem letzten Atemzug versuchte er, jemanden zu retten.«

Er trat zu Änne und legte ihr behutsam den Arm um die Schultern. So erschöpft er selbst war, er hatte die Leere in ihren Augen erkannt. Was sie in den letzten Tagen durchgestanden hatte, reichte wohl, das Innere eines Menschen auszubrennen: das Halsgericht in Freiberg, ihre Verhaftung, was immer sie bei dem Burgvogt erlebt haben mochte ... verstoßen und verflucht zu werden ... das Übermaß an Leid, das sie hier zu sehen bekam und zu mildern versucht hatte ... Sie musste gedacht haben, auch er sei gefallen. Und dann der jähe, gewaltsame Tod Sibyllas und des alten Arztes.

Es hatte inzwischen leicht zu regnen begonnen, und Markus sah, dass Änne fror, obwohl es nicht kalt war. Vorsichtig zog er sie näher zu sich, um sie mit seinem Körper zu wärmen und ihr Halt zu geben. Wahrscheinlich hatte sie noch nicht einmal begriffen, dass sie nun Witwe war. Aber ob das überhaupt etwas bedeutete, nachdem ihr Mann sie bereits verstoßen hatte? Markus wusste es nicht. Und es wäre unrecht gegenüber Conrad Marsilius, in diesem Moment etwas anderes als Zorn und Trauer über seinen Tod zu empfinden.

Sie brauchte Zeit, um das alles zu verwinden. Jedem ginge es so, aber ganz besonders jemandem, der so voll tiefer Gefühle war wie sie, auch wenn die meisten Menschen sie nur für eine junge Frau hielten, die still und schüchtern war, wie es von Frauen eben erwartet wurde.

Doch er kannte auch eine andere Änne: nicht schweigsam und eingeschüchtert, nicht müde und erschöpft, nicht überwältigt von Entsetzen und Grauen. Sondern die Änne, die mutig in die von Gegnern besetzte Burg gegangen war, um ihm unter Todesgefahr seine Wunden zu verbinden, die jahrelang in der besetzten Stadt ein gefährliches Spiel durchgehalten hatte, um anderen zu helfen. Die Änne, die leidenschaftlich und vorbehaltlos liebte und seine Liebe voller Glück empfangen hatte. Diese Änne sollte wiederkehren.

Dafür würde er sorgen.

WARTEN

𝒟ie Schlacht von Lucka war gewonnen.

Der große Dankgottesdienst in St. Thomas gefeiert. Die Toten beigesetzt. Das Blut von den Kettenhemden gescheuert und aus den Wappenröcken gewaschen. Ulrich von Maltitz versah seinen Dienst wie eh und je. Nur der Ausdruck in seinen Augen verriet denen, die ihn kannten, wie tief ihn Sibyllas Tod erschütterte. Es war kein Leben mehr in seinem Blick, nicht eine Gefühlsregung. Nur die blanke Pflichterfüllung schien ihn noch aufrecht zu halten.

Missbilligend beobachtete Friedrich seinen Vertrauten. Nicht, dass dieser ihm direkten Grund zur Klage gegeben hätte. Aber er konnte den erloschenen Blick des Freundes kaum mehr ertragen. Manchmal wusste er nicht, ob er ihn bedauern oder beneiden sollte, weil er offensichtlich diese Frau so geliebt hatte, wie er, Friedrich, noch nie geliebt hatte.

Für einen Moment ertappte sich der Fürst bei der Überlegung, ob er wohl ähnlich empfunden hätte, wäre Sibylla je in sein Bett gekommen. Dass diese Frau anders als die meisten war – mutig, stark und klug –, hatte er rasch erkannt; sein Interesse an ihr war nicht nur durch ihre Schönheit geweckt worden.

Ob er einen Boten nach Eisenach senden und seine Frau bitten sollte, hierherzukommen? Er hatte sie so lange nicht gesehen. Es war nicht nur die Sehnsucht nach weiblicher Gesellschaft im Bett, die ihn zu dieser Überlegung trieb. Wahrscheinlich würden die meisten Frauen, ob ehrbare oder Mägde, auf einen bloßen Blick hin bereitwillig das Lager mit dem Sieger von Lucka teilen. Doch er hatte schon so viele Sünden auf sich geladen – sogar ein Brudermord würde bald hinzukommen –, da sollte er nicht noch die Ehe brechen.

Wie mochte es Elisabeth inzwischen ergangen sein? Wie kam sie allein auf der Wartburg zurecht? Natürlich würde sie sofort zu ihm reisen, wenn er sie darum bat. Ob sie vielleicht sogar darauf wartete? Auf seine Botschaft hin hatte sie ihm in einem Schreiben mit höflich gesetzten Worten zu seinem Sieg gratuliert und ihn um Erlaubnis gebeten, das Kloster verlassen und auf die Wartburg zurückkehren zu dürfen, um dort ihre Pflichten zu erfüllen.

Nach den ersten Sätzen fühlte er sich beinahe enttäuscht von der fürstlichen Distanziertheit, die aus ihren Worten sprach. Doch dann rief er sich in Erinnerung, dass sie glaubte, er erwarte ein solches Gebaren von ihr. Ihr mit zierlicher Schrift selbst angefügter Nachsatz hatte ihm verraten, wie es wirklich um sie stand: »Mein liebster Gemahl, ich bete jeden Tag, dass wir bald wieder vereint sein können.«

Deutlicher hätte sie kaum werden dürfen. Hatte er sie unterschätzt?

Allmächtiger, sie ist so jung, dachte er. Wie lange kann ich sie noch allein lassen, ohne ihre Liebe zu verlieren? Ohne sie zu verlieren? Friedrich überraschte sich bei dem Gedanken, dass er am liebsten auf der Stelle losreiten würde, um ungeachtet aller fürstlichen Etikette in ihre Kammer zu stürmen, ihr die Kleider vom Leib zu ziehen und sie in seine Arme zu reißen.

Doch das war nicht mehr als ein schöner, flüchtiger Gedanke. Er konnte jetzt nicht für eine ganze Woche fort; er durfte seine Männer hier nicht alleinlassen, wo jeden Tag die alles entscheidende Nachricht eintreffen konnte, auf die er schnell und entschlossen reagieren musste.

Würde der König mit ihm über die Auslösung der Gefangenen und die thüringische und meißnische Frage verhandeln? Oder aber eine gewaltige Streitmacht in Bewegung setzen, angeführt von ihm selbst, einem der erfahrensten Feldherren, den das Land je gesehen hatte?

Die Schlacht von Lucka hatte schon Hunderte von Menschenleben gekostet. Doch die nächste militärische Konfrontation wäre ungleich härter. Deshalb musste er den Gedanken verwerfen, seine Frau hierherzubitten. Es war zu gefährlich.

Würde er Elisabeth je wiedersehen? Jetzt bereute er es, ihr vor dem Aufbruch aus dem Reinhardsbrunner Kloster nur einen flüchtigen Kuss gegeben zu haben.

Dass Elisabeth und er eine gute Ehe führten, hätte er jederzeit ohne Zögern und aus ehrlichem Herzen bejaht. Doch liebte er sie so, wie Ulrich Sibylla geliebt hatte? Wohl nicht, gestand er sich ein. Wenn er das alles hier lebend überstand und zu einem guten Ende gebracht hatte, sollte er vielleicht Elisabeth mit anderen Augen betrachten und sie als Gefährtin ernster nehmen.

Mit einem Mal verspürte er den dringenden Wunsch, ihr ein Geschenk zu machen. Etwas, worüber sie sich wirklich freute. Doch was? Woher? Jetzt, in all den Kriegswirren, würden wohl kaum Händler mit besonders kostbaren Waren nach Leipzig kommen.

Nikol Weighart, der einstige Bürgermeister von Freiberg, fiel ihm ein, der in dem Ruf stand, einer der geschicktesten Silberschmiede des Landes zu sein. Bei ihm würde er einen Ring für Elisabeth in Auftrag geben. Vielleicht mit böhmischen Granatsteinen, die sie besonders gern mochte, eingefasst von einem Löwen, dem Wappentier Thüringens und der Mark Meißen? Auf dem Reif aber, und das war ihm das Wichtigste, sollten seine und ihre Initialen eingeschlagen werden, und dazu die Worte: In Liebe. Auf ewig. Sie würde verstehen, dass dies nicht nur eine höfische Floskel war.

Doch bevor er einen Boten mit diesem Auftrag losschickte, war etwas noch Dringenderes zu tun. Friedrich ließ seinen Beichtvater zu sich bitten.

»Ich möchte meinen letzten Willen von Euch niederschreiben lassen, Pater. Und Euch einen Brief an meine Frau zu treuen Händen übergeben, den sie – und niemand sonst! – erhalten soll, falls mir etwas zustößt.«

Dies war im Moment alles, was er tun konnte, um Elisabeth wissen zu lassen, wie viel sie ihm bedeutete.

»Dagegen, was nun bevorsteht, wird uns Lucka wie ein Spazierritt vorkommen«, verkündete Christian seinen Freunden; allerdings wirkte er dabei eher prahlerisch als besorgt oder beängstigt.

Das abendliche Mahl in der markgräflichen Burg von Leipzig war bereits vorüber, er saß wie bei jeder sich bietenden Gelegenheit mit Otto, Änne, Gero und den anderen Freibergern zusammen, um zu plaudern, Erinnerungen aufleben zu lassen und Pläne zu schmieden, wann und wie sie wohl Freiberg zurückerobern konnten.

Markus war unbemerkt zu ihnen getreten und knurrte: »Bursche, hör auf, anderen Leuten Angst einzujagen!«

Dem prahlerischen Rotschopf ging einfach zu oft die Phantasie durch – und sein Gauklertemperament ebenso. Insgeheim fühlte sich Markus zwar nach wie vor belustigt von Christians Eskapaden, und er hatte nicht vergessen, dass er dem Jungen sein Leben verdankte und was dieser für ihn gewagt hatte. Doch es schwirrten schon genug Gerüchte durch die Stadt.

Sie mussten sich darauf einstellen, dass Albrecht von Habsburg nun alles gegen sie warf, was er an Truppen aufbieten konnte. Solange die Unterhändler noch nicht vom König zurückgekehrt waren, war es besser, den Leuten nicht jetzt schon Furcht vor einer noch größeren und diesmal womöglich vernichtenden Schlacht einzuflößen. Und es gab einen Hoffnungsschimmer, wie er aus den vertraulichen Besprechungen mit Friedrich und seinen militärischen Beratern wusste. Doch davon durfte er hier nichts verlauten lassen.

Die anderen rückten zusammen, um ihm Platz zu machen.

»Was meinst du, Hauptmann, wann holen wir uns endlich Freiberg zurück?«, fragte Otto, und in den von unzähligen Fältchen umgebenen Augen des Kahlkopfes blitzte es. »Unter deinem Kommando würde ich mich trotz meiner Jahre noch einmal als Burgwache anwerben lassen, falls du mich nimmst. Dann räumen wir in der Stadt auf mit all dem Verräterpack!«

»Dafür werden wir jeden einzelnen Mann brauchen. Auf einen wie dich können wir gar nicht verzichten«, versicherte ihm Markus, ohne sich zu setzen.

Ihm war nicht entgangen, dass ein Schatten über Ännes Gesicht fiel, als von der Rückkehr nach Freiberg die Rede war. Offensichtlich rechnete sie nicht damit, wieder dorthin ziehen zu dürfen. Darüber musste er mit ihr reden. Er war sowieso gekommen, um sie aus dieser Runde zu holen, weil er eine Überraschung für sie hatte.

Auf sein Zeichen hin stand sie auf, wenngleich mit fragendem Blick, verabschiedete sich von den anderen und folgte ihm, zwei Schritte Abstand haltend.

Markus und Änne zeigten ihre Liebe vorerst nicht offen, auch wenn sie kein Geheimnis war. Schließlich hatte er sie hier bei ihrem ersten Wiedersehen vor aller Augen auf dem Burghof geküsst. Doch darüber verlor keiner der Männer ein Wort – aus Respekt, aus Verständnis oder um sich keinen Ärger einzuhandeln. Sie alle wussten, dass in einer Nacht vor der Schlacht besondere Umstände herrschten und viele sonst eherne Regeln außer Kraft gesetzt waren.

Doch inzwischen hatte sich herumgesprochen, dass Änne frisch verwitwet war, und so verzichteten sie im Beisein anderer auf Vertraulichkeiten, um ihr boshaften Klatsch zu ersparen. Außerdem hatte Friedrich unmissverständlich geäußert, er erwarte, dass sein Sergent auch in moralischer Hinsicht ein Vorbild sei und wenigstens eine Schamfrist verstreichen lasse, bevor er der jungen Witwe eines Verbündeten den Hof mache.

Deshalb hatte Markus Änne trotz seines Verlangens und obwohl viel zu bereden wäre, nicht wieder mit in die Kammer genommen. Er konnte nicht erwarten, dass seine Gefährten weiterhin bereitwillig ihren Schlafplatz räumten und darüber auch noch den Mund hielten. Durch ein ausgeklügeltes Tauschgeschäft mit etlichen Zwischenstationen und unter Einsatz fast seiner gesamten Ersparnisse war es ihm nun endlich gelungen, eine winzige Kammer aufzutreiben, die er sich mit Änne teilen konnte. Dorthin führte er sie jetzt.

»Für uns allein!«, sagte er erwartungsvoll.

Mit einem Blick erfasste sie den winzigen Raum, in dem er ein Lager aus frischem Stroh aufgeschüttet hatte. Dann zog er die Tür hinter sich zu. Sie lächelte, wirkte dabei aber eher hilflos und verunsichert. Der tote Marsilius steht viel stärker zwischen uns, als es der lebendige je vermocht hatte, dachte Markus enttäuscht. Doch er ließ sich nichts von diesem Gedanken anmerken, sondern beschloss, sofort in die Offensive zu gehen, um Einwände und Bedenken gar nicht erst bei ihr aufkommen zu lassen. Also zog er sie an sich und küsste sie, erstickte jeden Zweifel durch die innige Berührung seiner Hände und gab sein Bestes, sie mit seinen Zärtlichkeiten von ihren Zweifeln abzulenken.

Es war das erste Mal nach der Schlacht, dass sie sich liebten, und trotz aller Leidenschaft verspürte Markus bei Änne diesmal eine Spur von Scheu und Zurückhaltung, die sie bei ihren vorangegangenen zwei Liebesbegegnungen nie gezeigt hatte.

Auch diesmal sagte sie nichts, als sie danach aneinandergeschmiegt lagen, während ihnen das Blut von der Hitze der Vereinigung durch die Adern pulsierte. Doch er spürte genau, dass ihre Gedanken weit wegwanderten … zu einem Haus in Freiberg und zu einem Grab in Leipzig.

Es hat keinen Zweck, weiter darüber zu schweigen, sagte sich Markus. Er drehte sich auf die Seite, stützte sich auf einen Arm und strich sanft mit einem Finger über ihre Wange, ihren Hals … Geduldig, ohne innezuhalten, wanderte seine Fingerkuppe über ihre Züge, bis sie schließlich die Augen aufschlug und ihn ansah.

»Mir ist, als könnte ich jeden deiner Gedanken von deinem Gesicht ablesen«, sagte er leise. Dann lächelte er. »Wäre ich nicht selbst dabei gewesen, würde ich nie glauben, dass du jahrelang die königlichen Burgwachen in die Irre führen und ihnen das harmlose Weib vorspielen konntest.«

»Vor dir muss ich mich nicht verstellen«, sagte sie zögernd, ohne auf seinen Ton einzugehen. »Du bist der einzige Mensch, vor dem ich mich nicht verstellen muss.«

Sie schmiegte sich enger an ihn und starrte gedankenversunken nach oben. »Alle erwarten, dass man als Frau stets sittsam schweigt, gehorcht und seine Arbeit tut. Anscheinend hat noch nie jemand darüber nachgedacht, dass wir Frauen die viele Arbeit gar nicht schaffen könnten, wenn wir nicht Verstand und Kraft hätten, nur eine andere Kraft als die der Männer.«

Änne begann zu frösteln und zupfte am Laken, um es sich enger um die Schultern zu ziehen. Bereitwillig gab ihr Markus mehr von der Decke und zog sie noch näher an sich, um sie zu spüren und zu wärmen.

»Von klein auf musste ich immerzu schweigen«, sprach sie weiter. »Weil Jenzin mich sonst verprügelt hätte ... Um Marsilius nicht zu enttäuschen ... Um die Burgwachen hinters Licht zu führen ... Um den Sterbenden nach der Schlacht nicht noch mehr Angst zu machen, weil ich wusste, wann und wie sie sterben würden ... Und nun, um dich nicht vor Fürst Friedrich in Schwierigkeiten zu bringen.«

»Er wird bald erlauben, dass wir heiraten, dann müssen wir uns nicht mehr verstecken«, beruhigte er sie und wurde mit einem Mal sehr ernst.

»Im Moment scheint mir, du versteckst dich nicht vor Friedrich, sondern vor deinem toten Mann.«

Sie zuckte bei seinen Worten wie ertappt zusammen und versuchte erst gar nicht zu widersprechen.

»Er hat den Fluch von dir genommen. Meinst du nicht, er hätte gewollt, dass du glücklich bist?«, redete Markus auf sie ein. »Und in Sicherheit? Lass uns morgen zusammen nach St. Thomas gehen, eine Kerze für ihn anzünden und ein Gebet für seine Seele sprechen.«

Er ließ unerwähnt, dass Marsilius sich die Umstände zunutze gemacht hatte, um sich die junge Frau ins Ehebett zu holen, obwohl er wusste, wem sie versprochen war. Wie er den alten Mann kannte, war er mit sich selbst darüber hart ins Gericht gegangen. Es hatte keinen Sinn, wegen der verlorenen Jahre zu hadern. Niemand vermochte sie ihnen zurückzugeben.

»Ich kann es kaum erwarten, unseren Sohn zu sehen«, gestand er und griff nach einer ihrer Haarsträhnen, um sanft mit der Spitze über ihren Körper zu streichen. »Erzähl mir von ihm.«

Ein Leuchten zog über ihr Gesicht. »Wenn ich ihn anschaue, entdecke ich immer mehr von dir in seinen Zügen. Er ist sehr aufgeweckt, ein bisschen wie Christian, als der noch ein Junge war. Und klug. Er hat Talent zum Heilen.«

Dann fragte sie verunsichert: »Stört es dich, dass er ein Medicus werden soll statt ein Kämpfer? Das ist es, womit er aufgewachsen ist …«

Ich werde ihm sowieso nie sagen dürfen, dass ich sein Vater bin, dachte Markus. Der Makel, ein Bastard zu sein, noch dazu im Ehebruch gezeugt, würde dem Jungen viele Lebenswege versperren.

»Das wird er selbst entscheiden können«, sagte er stattdessen und lächelte ihr aufmunternd zu. »Aber es wundert mich nicht, dass er Talent zum Heilen hat. Schließlich entstammt seine Mutter einem langen Geschlecht außergewöhnlich begabter Heilerinnen …«

»Was weißt du darüber?«, fragte sie. »Jenzin hat mir immer nur gesagt, ich stamme aus einem verfluchten Geschlecht … Ich weiß, dass meine Vorfahren die Begründer Freibergs waren, Christian und Marthe. Aber er hat mir immer nur vorgehalten, mit ihnen und allen ihren Nachfahren hätte es ein schlimmes Ende genommen, und so würde es mir auch gehen.«

»Dieser Ratte darf man doch kein Wort glauben«, widersprach Markus entschieden. »Ja, mehrere von deinen Vorfahren starben gewaltsam, weil sie sich zu viele Feinde gemacht hatten. Aber die einfachen Menschen haben sie in guter und dankbarer Erinnerung behalten. Das ist es, was zählt.«

»Woher willst du das alles so genau wissen?«, fragte sie skeptisch.

»Weil ich mich als Hauptmann der Wache von Freiheitsstein Christians Erbe verpflichtet fühle. Wir werden es fortsetzen, mit unseren Söhnen und Töchtern.«

Zärtlich sah er sie an und legte seine Hand an ihre Wange.

»Du musst dich nicht vor einem schlimmen Ende fürchten. Ich bin jetzt an deiner Seite.«

Er beugte sich ganz nah zu ihr und raunte: »Keinen einzigen Tag will ich mehr verstreichen lassen, ohne dich bei mir zu haben.«

Nun lächelte sie auch, zog seinen Kopf zu sich herab und küsste ihn; erst ganz sanft, dann inniger. Es dauerte nicht lange, bis aus dem zärtlichen Kuss eine leidenschaftliche Umarmung wurde. Und diesmal hielt Änne nichts von sich zurück.

Unruhige Wochen gingen ins Land. Längst waren die welfische Streitmacht Herzog Heinrichs und die meisten der thüringischen Ritter unter dem Kommando Herrmann von Goldackers abgezogen. Aber Leipzig glich immer noch einem Heerlager.

Nicht nur aus Eitelkeit legte niemand die Waffen ab. Die Überlebenden der Schlacht von Lucka erzählten in den Gassen und Schankstuben von ihren Taten oder erschreckten Mädchen und Bürgersfrauen mit grausigen Details, um Eindruck zu schinden.

Eine Nachricht sorgte für besondere Aufregung in der Stadt – die vom Tod des Fürsten Diezmann. Man hatte seinen von einem Dolch durchbohrten Leichnam in der Kirche St. Thomas gefunden. Vom Täter fehlte jede Spur.

Es dauerte keinen Tag, bis das Gerücht die Runde machte, dies sei die Strafe für den gotteslästerlichen Überfall seiner Männer auf Kloster Pegau und die Zerstörung der Stadt. Sofort verstummte das Gerede, wurde höchstens noch zu einem leisen Wispern unter guten Freunden. Wer wollte sich schon einmischen in eine Angelegenheit zwischen Gott und einem Fürsten?

Also wandten sich die Gespräche in den Wirtshäusern wieder dem Hauptthema dieser Tage zu: dass der schlachterprobte Albrecht von Habsburg nun ein großes Heer sammelte, um höchstpersönlich und mit allen verfügbaren Männern gegen Friedrich anzutreten. Vom Rheinland her rücke er mit seiner gewaltigen Streitmacht vor und solle bereits im Norden Thüringens stehen.

Unterhändler, die mit ihm ein Treffen über den Austausch der ranghohen Gefangenen vereinbaren wollten, seien gar nicht oder unverrichteter Dinge zurückgekehrt, behaupteten Männer, die auf der Burg ein und aus gingen oder zumindest so taten. Die Lage schien aussichtslos.

Mit dem Sieg von Lucka und seinen Gefangenen solle Fürst Friedrich lieber versuchen, möglichst ehrenvolle Bedingungen auszuhandeln, um wenigstens einen Teil des wettinischen Besitzes für sein Haus zu bewahren, bevor er in der nächsten Schlacht völlig vernichtet wurde, meinten die Leute in den Schankstuben.

Dann kam das Gerücht auf, dass das königliche Heer irgendwo in Nordthüringen zum Stehen gekommen sei. Niemand wusste den Grund dafür, bis die Nachricht eintraf, der junge König von Böhmen, Rudolf von Habsburg, erst vor einem Jahr von seinem mächtigen Vater gegen die Ansprüche Heinrichs von Kärnten auf den Thron gesetzt, sei plötzlich gestorben. Also müsse König Albrecht wohl schon wieder mit seinem Heer nach Böhmen eilen, damit ein anderer seiner Söhne die Krone bekam, bevor er sich endgültig dem rebellischen Wettiner zuwenden konnte. Es schien, sie hatten noch einmal eine Gnadenfrist gewonnen.

»Unsere Spione berichten, dass der Habsburger sein Heer im Eilmarsch durch wettinisches Land über Naumburg nach Eger führen will«, eröffnete Ulrich von Maltitz die Lagebesprechung auf der Leipziger Burg.

»Lassen wir sie durchziehen, und vermeiden wir jede Begegnung«, schlug Friedrich nach kurzem Überlegen vor. »Wir können keinen zweiten Angriff wagen. Diesmal ist es ein so deutlich überlegenes Heer, dass wir nicht einmal daran denken dürfen.«

»Der König wird uns jetzt nicht von sich aus angreifen. Er muss sein Heer für Böhmen schonen. Mag sein, er bekommt den Thron nicht ohne Waffengang. Das hat für ihn Vorrang«, schätzte Ulrich die Situation ein. Also würden sie einfach warten.

Sie alle hatten gewisse Hoffnung geschöpft aus Dingen, die der welfische Herzog angedeutet hatte, aus geheimen Nachrichten, die Heinrich von Kärnten seinem Schwager zukommen ließ, den Bemerkungen, die sich ein paar angetrunkene Böhmen lautstark in einer Schankwirtschaft hatten entlocken lassen, ohne zu wissen, dass der Mann mit den braunen Locken neben ihnen jedes Wort verstand …

Der Ritter, der als Erster von der kleinen Gruppe das Tor zur markgräflichen Burg passierte, war nicht nur alt, sondern allem Anschein auch schwer von der Gicht geplagt. Er lehnte es nicht einmal ab, sich von einem seiner beiden jüngeren Begleiter aus dem Sattel helfen zu lassen.

»Melde mich sofort bei Fürst Friedrich!«, befahl er, kaum dass er abgesessen hatte.

»Verzeiht, edler Herr … Ich kenne Euer Wappen nicht. Wen soll ich melden?«, fragte verlegen der Knappe, an den er sich gewandt hatte.

»Niklas von Haubitz. Gesandter des Königs von Böhmen.«

»Haubitz!« Freude zuckte über das zumeist ernste Gesicht Friedrichs. Mit ausgebreiteten Armen ging er dem Kampfgefährten aus alter Zeit entgegen und umarmte ihn fest und herzlich.

»Welcher Wind hat Euch vom Krankenlager hoch und hierher nach Leipzig getrieben, mein alter Freund?«

Das faltenzerfurchte Gesicht des weißhaarig gewordenen Ritters, der die letzten Jahre am Hof des Herzogs von Kärnten zugebracht hatte, strahlte vor Freude. »Kein Wind, sondern der neue König von Böhmen! Und da dachte ich, die Neuigkeiten überbringe ich am besten persönlich. Das wollte ich mir nicht nehmen lassen.«

»Mein Schwager Heinrich von Kärnten?«, fragte Friedrich lächelnd mit hochgezogenen Augenbrauen. »Es stimmt also, was mir gestern meine Spione aus Prag berichteten? Heinrich ist der neue König von Böhmen?«

»Er ist es. Und er bietet Euch ein Schutz- und Trutzbündnis gegen Habsburg an.«

»Gesegnet seiet Ihr für solche Neuigkeiten!«

Friedrich gab einem Pagen einen Wink, damit dieser für den Neuankömmling einen Stuhl in die Nähe des Kamins rückte, und befahl, sofort etwas zu essen und zu trinken zu bringen.

Doch bevor Niklas von Haubitz sich setzte, schritt er auf seinen alten Kampfgefährten Ulrich von Maltitz zu.

»Ich hätte nicht gedacht, dass wir uns in diesem Leben noch einmal sehen, mein Freund«, sagte er bewegt, bevor er ihn in die Arme schloss.

»Aber da es geschieht, wird Gott wohl noch einen besonderen Plan haben«, antwortete Ulrich. Zum ersten Mal seit Sibyllas Tod trat wieder etwas Leben in seine Augen.

»Bedeutet dein Kommen das, was ich gerade denke?«, fragte er begierig, aber auch etwas skeptisch. Dem alten Freund fiel jede Bewegung unübersehbar so schwer, dass es für ihn eine

Quälerei gewesen sein musste, den Weg von Prag hierher im Sattel zu bewältigen.

Niklas von Haubitz grinste verwegen. »Die heißen Quellen in Böhmen wirken Wunder gegen das Reißen. Sie und die Aussicht, eine alte Scharte auszuwetzen. Seite an Seite mit dir, mein Freund. Und mit dir«, sagte er, nun zu Markus gewandt.

»Ihr werdet hier noch weitere Bekannte aus Freiberger Tagen finden«, antwortete dieser. »Auch jemanden, der ganz sicher ein paar Tinkturen zubereiten kann, damit Ihr Euch besser fühlt.«

»Das Apotheker-Mündel?«, fragte Niklas lächelnd.

Markus nickte und war um Ulrichs willen froh, dass der alte Ritter nicht nach Sibylla fragte.

Ächzend lehnte sich Niklas von Haubitz zurück, trank mit geschlossenen Augen von dem Wein und stellte dann den Becher ab.

»Genug der Plaudereien, Ihr wollt zunächst das Wichtigste hören«, meinte er, zu Friedrich gewandt. »Also noch einmal ganz offiziell: Euer Schwager Heinrich von Kärnten bietet Euch als König von Böhmen ein Trutz- und Schutzbündnis gegen Habsburg an.«

Die Erleichterung unter den Männern schien beinahe mit den Händen greifbar zu sein.

»Albrecht findet keine Unterstützung mehr bei den Reichsfürsten. Er musste sein Heer aus Böhmen zurückziehen«, berichtete Haubitz weiter.

»Jetzt trifft doch noch ein, was Ihr erhofft hattet, als wir damals aus Altenburg fliehen mussten«, sagte Friedrich und schüttelte beinahe ungläubig den Kopf. Dabei hatten sowohl sein Kärntner als auch sein Braunschweiger Schwager angedeutet, dass derlei Dinge in Bewegung waren.

»Ja«, bekräftigte Niklas von Haubitz. »Was Adolf von Nassau nicht gelungen ist, nämlich ein mitteldeutsches Königsland zu schaffen, das nimmt unter Albrecht von Habsburg Ausmaße an, die die Fürsten nicht länger tolerieren. Man stelle sich vor: die Steiermark und Österreich, Thüringen, Pleißen, das Osterland, die Mark Meißen und dann noch Böhmen in habsburgischem Besitz! Das lassen sie nicht zu.«

Friedrich atmete tief durch und sah zu seinem Freund Ulrich. Doch Niklas hatte sich wie ein guter Geschichtenerzähler den wichtigsten Punkt für den Schluss aufgehoben. »Im August trifft sich die Allianz der Gegner Habsburgs in Prag. Ihr seid eingeladen, sich ihr anzuschließen. Mehr noch: Der König von Böhmen möchte Euren Sohn als Erben einsetzen für den Fall, dass er ohne männlichen Nachfolger stirbt, und ihm einen Teil der Prager Burg übertragen.«

Bei diesen Worten wurde Friedrich fast schwindlig. Für einen Moment schloss er fassungslos die Augen. All die Jahre hatte er allein für seine Ansprüche kämpfen müssen. Nun endlich bekam er Rückendeckung!

»Das ändert alles!«, brachte Ulrich von Maltitz hervor, kaum weniger überwältigt von diesen Aussichten als der einstige Markgraf von Meißen. »Der König kann sein Heer nicht mehr gegen Euch schicken. Er wird nun auch keine Verbündeten mehr hier finden. Der thüringische und osterländische Adel wird *Euch* huldigen!«

Friedrich blickte in die Runde seiner Vertrauten und fasste sofort einen Entschluss. »Wir setzen die königlichen Offiziere auf freien Fuß. Aber nicht die einheimischen Edelleute, die wir in Lucka gefangen genommen haben! Denen bieten wir die Freiheit im Austausch gegen die Städte und Burgen, über die sie herrschten. Sie nehmen ihre Lehen aus meiner Hand – so machen wir aus Feinden Vasallen.«

»Kühn gedacht!«, rief Niklas von Haubitz. »Damit wäre die Lage im Pleißen- und im Osterland rasch bereinigt. Die Thüringer werden Euch ebenfalls als Herrscher anerkennen, denn sie dürften nun nicht mehr darauf hoffen, dass ihnen der König zu Hilfe kommt.«

Triumphierend blickte der alte Kämpe zu seinen Gefährten aus alter Zeit. »Und dann tun wir endlich, wofür ich mich noch einmal in den Sattel gequält habe: Wir holen uns Freiberg zurück!«

Auffordernd sah er zu Ulrich und Markus. »Ich hoffe doch, ihr habt dafür schon einen Plan?«

Markus konnte sich ein Grinsen nicht verkneifen, als er sagte: »Selbstverständlich.«

WO ALLES BEGANN

Vier Reiter lenkten ihre Pferde den Hügel hinauf und blickten auf Freiberg, das vor ihnen lag – die Stadt, die für jeden von ihnen mit besonders intensiven Gefühlen und Erinnerungen verbunden war.

»Ich sehe alles wieder vor meinen Augen, als sei es erst gestern gewesen«, meinte Niklas von Haubitz mit brüchiger Stimme. Ulrich von Maltitz und Markus wussten genau, wovon er sprach, denn in ihnen stiegen die gleichen Bilder auf: brennende Geschosse, die Nacht für Nacht auf die Stadt niedergingen, ihr verzweifelter Versuch, den Strom der Feinde aufzuhalten, der sich durch das Erlwinsche Tor ergoss, der Kampf um den letzten Schildwall, die Schreckensszenen, die sie von der Burg aus sehen mussten. Und die Hinrichtung der sechzig im blutroten Schnee auf dem Obermarkt.

Morgen würden sie sich die Stadt zurückholen.

Markus räusperte sich und wies mit ausgestrecktem Arm nach vorn. »An diesem Mauerabschnitt brechen wir durch.«

»Die Mauern sind stark«, wandte Friedrich von Wettin nüchtern ein. Sie führten keine Wurfmaschinen mit sich und hatten weder Zeit noch ausreichend Leute für eine Belagerung.

»Genau an dieser Stelle, zwischen dem zweiten und dem dritten Turm westlich des Erlwinschen Tores«, bekräftigte Markus.

»Neben dem Roten Hirschturm«, sagte Niklas von Haubitz nachdenklich, der einst ganz in der Nähe dieses Mauerabschnittes sein Quartier gehabt hatte. »Es entbehrt nicht einer gewissen Symbolhaftigkeit. Diese Stelle ist genauso nah am Tor wie jene, durch die sich die Königlichen damals in die Stadt geschlichen haben, sozusagen ihr Spiegelbild.«

»Wir werden nicht hineinschleichen, sondern hineinstürmen. Morgen holen wir uns die Stadt im Handstreich zurück«, versicherte Markus unbeirrt.

Als er bei ihrer ersten Beratung darüber, wie Freiberg einzunehmen sei, diese Worte ausgesprochen hatte, erntete er vorwurfsvolle Blicke angesichts von so viel Optimismus, der gewaltig nach Prahlerei klang – sehr untypisch für den einstigen Hauptmann der Freiberger Burgwache. Doch schon bei seinen nächsten Worten ging die Skepsis der anderen in Staunen über.

»Kaum, dass die Stadt blutig eingenommen war, machten sich ein paar tapfere Leute Gedanken darüber, wie sie den Anbruch des Tages beschleunigen können, an dem Ihr als rechtmäßiger Herrscher zurückkehrt«, berichtete er damals den Verblüfften. »Es ist ein Geschenk der Freiberger Maurerinnung. Niemand außer den Beteiligten und ein paar Eingeweihten weiß davon.«

Dann enthüllte er das Geheimnis. Als die Maurer die Schäden an den Wehranlagen ausbessern mussten, die während der Belagerung entstanden waren, hatten sie zwischen dem Kalkturm und dem Roten Hirschturm die stark beschädigte Mauer fast völlig abzutragen und neu zu errichten. Sie verwendeten dabei absichtlich falschen Mörtel; eine Mischung, die nicht bindet.

»Das erspart uns viel Zeit und Blut«, meinte Friedrich dankbar, als sie nun diesen Teil der Wehranlagen von fern betrachteten.

Auf Friedrichs Zeichen wendeten die Männer ihre Pferde und

ritten ein Stück zurück, ihrer Streitmacht entgegen, die erst nach Einbruch der Dämmerung hinter dem Judenberg eintreffen und dort von den Türmen der Stadt aus nicht zu sehen sein würde.

Ulrich schwenkte ab, um den immer noch lebenden, inzwischen steinalten Menachim Ben Jakub aufzusuchen. Er bat ihn, dafür zu sorgen, dass niemand von seiner Gemeinde die Nachricht von der Ankunft des Markgrafen und seiner Bewaffneten in die Stadt tragen würde. Der hochbetagte Rabbi fand sich sofort bereit dazu und rief gleich nach Ulrichs Weggang die Männer seiner Gemeinde zusammen, um zu erklären, was er von ihnen erwartete. Währenddessen traf sich Niklas von Haubitz mit Bergmeister Friedemar. Der versprach, dafür zu sorgen, dass die Zuverlässigen unter seinen Leuten am nächsten Tag nicht einfuhren, sondern sich in ihren Huthäusern bereithielten und auf das vereinbarte Zeichen warteten, um einzugreifen.

Friedrich, Niklas und Markus wurden von ihrer Streitmacht erwartet, die in ausreichendem Abstand vor der Stadt rastete, um nicht entdeckt zu werden.

Die Freiberger hatten sich bereits gruppiert, bereit zum Aufbruch zu ihrer besonderen Mission: der einarmige Otto, Gero und all jene, die bei der Eroberung der Rochlitzer Burg mitgeholfen hatten. In ihrer Mitte stand der fröhlich grinsende Christian neben einem Fremden mit auffälligem Silberblick. Es war ein hageres Männlein mit nur noch wenigen Zähnen, das aber den Eindruck erweckte, mit allen Wassern gewaschen zu sein.

»Er wird uns unauffällig in die Stadt bringen und ein paar Zimmerer hierherführen«, stellte Otto den Fremden vor, nachdem er und die anderen die Zurückgekehrten begrüßt hatten.

Der Schielende riss sich die Kappe vom Kopf und verbeugte sich schwungvoll vor Friedrich.

»Zu Euren Diensten, Durchlaucht! Was immer Ihr in die Stadt hinein- oder herausgeschmuggelt haben wollt – verlasst Euch ganz auf mich!«

»Ich hoffe, du suchst dir ein anderes Gewerbe, wenn die Stadt wieder unter meiner Regentschaft steht«, meinte Friedrich, eher belustigt als streng. Von Markus wusste er, dass dieser Mann hier seinen Anhängern unschätzbare Dienste geleistet hatte.

Verdutzt schaute der Schielende auf und verzog das Gesicht zu einer Grimasse. »Hm. Schwierig. Hättet Ihr ein Angebot für mich, Hoheit?«

Das ganz sicher, wenn er so gut ist, dachte Friedrich. Es gab immer irgendwo geheime Botschaften zu befördern oder feindliche Pläne auszuspionieren.

»Wir werden sehen«, meinte er und wünschte dem Freiberger Vorauskommando Glück bei seinem riskanten Vorhaben. Von diesen Männern würde es abhängen, ob sie nicht nur die Stadt, sondern auch die Burg im Handstreich nehmen konnten.

Markus, der die Gruppe kommandierte, drehte sich suchend nach Änne um.

Sie war ganz damit beschäftigt, mit ihrem Essmesser Wurzeln klein zu hacken, die sie unterwegs gesucht und ausgegraben hatte.

Als sie seinen Blick auffing, lächelte sie, während sie das zerkleinerte Wurzelwerk in einen Leinenbeutel füllte.

»Das wird ein süffiges Bier!«

Änne kam eine besondere Aufgabe bei der geplanten Eroberung Freibergs zu. Doch sie würde sich getrennt von den anderen in die Stadt wagen müssen, weil der Schmugglerkönig schon Mühe hatte, so viele Bewaffnete unbemerkt durch die Tore zu bringen. Sie musste einfach darauf vertrauen, dass niemand sie in ihrer einfachen Kleidung beachtete und erkannte. Bei den Wirtsleuten im »Schwarzen Ross« sollte sie außerdem noch manches in Erfahrung bringen, das sich als nützlich erweisen konnte, und dem Vorauskommando Nachricht zukommen lassen.

So war jetzt für sie und Markus der Moment des Abschieds vor dem nächsten Kampf gekommen.

Er zog sie nur kurz an sich und legte seine Hand zärtlich an ihre Wange. Vor den anderen wollte er keine große Abschiedsszene. Mit Gottes Hilfe würde Freiberg morgen um diese Zeit befreit sein. Bis dahin musste er auf seine Gefährten und sein eigenes Kampfgeschick vertrauen – und auf Ännes Klugheit.

»Gib acht!«, flüsterte Änne. Noch bevor Markus etwas Beschwichtigendes einwenden konnte, fügte sie hinzu: »Auf den Ritter von Maltitz …«

Beunruhigt sah er ihr kurz ins Gesicht, dann nickte er und rief seine Männer zusammen, um sich mit ihnen in die Stadt schleusen zu lassen.

Am nächsten Morgen, gleich nach Sonnenaufgang, sattelte Ulrich von Maltitz sein Pferd. Ihm kam der erste wichtige Auftrag für diesen denkwürdigen Tag zu. Er hatte sich geradezu darum gerissen, was Friedrich skeptisch stimmte. Der Fürst hatte weder Zweifel am Mut seines Freundes noch an dessen Kampfgeschick – wohl aber an Ulrichs Willen zu überleben seit Sibyllas Tod.

»Du willst es wirklich wagen – allein?«, fragte er ihn noch einmal, bevor er aufbrach.

»Ja«, erwiderte Ulrich fest. »Zwölf Jahre habe ich auf diesen Augenblick gewartet. Das schulde ich mir selbst.«

Nach kurzem Zögern schloss Friedrich ihn in die Arme. »Gott schütze dich, mein Freund!«

Gelassen ritt Ulrich auf das Erlwinsche Tor zu. Die Unruhen in der Mark Meißen hatten sich herumgesprochen, so dass das Tor besser als in normalen, friedlichen Zeiten bewacht war, aber längst nicht so stark wie damals, als noch zweitausend Soldaten die Stadt besetzt hielten. In den Wochen vor und nach der Schlacht von Lucka waren weitere Bewaffnete aus Freiberg abgezogen worden.

Niemand wagte es, Ulrich aufzuhalten oder gar nach seinem Begehr zu fragen. Immerhin war er nur ein einzelner Ritter, dafür aber mit kostbaren Waffen, einem teuren Kettenhemd aus dicht miteinander verflochtenen Ringen, und er führte ein eigenes Wappen. Es fiel natürlich auf, dass jemand von solchem Rang ohne Begleitung kam und weder einen Knappen noch Diener oder ein Packpferd mit sich führte. Doch das finstere Gesicht des Fremden und sein kalter Blick erstickten jede Frage. Wie sollte ihnen auch ein Einzelner gefährlich werden?

Bereits vom Tor aus konnte man auf die Burg blicken, die sich am gegenüberliegenden Ende der Stadt und dieses Straßenzuges erhob. Ruhig lenkte Ulrich seinen Hengst durch die Erlwinsche Gasse, vorbei an den Häuschen der Handwerker mit den überkragenden Stockwerken, zum Burglehen, wo diejenigen Ritter ihre Quartiere hatten, die nicht auf der Burg wohnten.

Jede Einzelheit hier kam ihm bekannt vor, jede Gasse war voller Erinnerungen. Überall entdeckte er noch die Spuren des Kampfes. Viele Häuser waren nur notdürftig instand gesetzt. Die Gassen quollen über von Unrat, auf Schritt und Tritt begegnete er Bettlern und Verkrüppelten, die ihn um eine milde Gabe anflehten.

Ulrich spürte, dass er beobachtet wurde: Mägde, die ängstlich dem finster blickenden Reiter auswichen, Soldaten, die versuchten, Abstand zu halten, um nicht irgendeinen unliebsamen Befehl entgegennehmen zu müssen, Ritter, die überlegten, welcher Familie wohl sein Wappenrock mit den schwarzweißen Balken zuzuordnen sei.

Und wenn Markus' Plan bisher aufgegangen war, dann beobachteten ihn auch viele heimliche Verbündete aus dem Verborgenen und warteten auf das Zeichen, um loszuschlagen.

Für Burgvogt Reinold von Bebenburg schien dieser Morgen vorerst noch ein Morgen wie jeder andere – etwas düster vielleicht angesichts des wolkenverhangenen Himmels, aus dem es nun auch noch nieselte. Allerdings begann der Tag mit einem Ärgernis, denn ein Drittel der Burgwachen waren nicht pünktlich zum Dienst erschienen.

Mit stoischer Miene ritt Ulrich über jene Stelle vor dem Burgtor, wo er einen der bittersten Momente seines Lebens hatte durchleiden müssen.

»Wenn das Pack nicht schleunigst anrückt, setzt es Hiebe, und sie büßen ihren Sold für die ganze Woche ein!«, hörte er schon von draußen jemanden über den Burghof brüllen.

Der Erboste konnte nicht wissen, dass mehrere Dutzend seiner Männer absolut dienstuntauglich im »Schwarzen Ross« lagen und auch heute nicht mehr antreten würden – dank Ännes starkem Schlafmittel, das die Wirtsleute dem Bier beigemischt hatten. Säuberlich verschnürt, schliefen die Zecher dort ihren Rausch aus.

Maltitz passierte das Tor, ohne aufgehalten zu werden.

»Zum Burgvogt! Es eilt!«, blaffte er einen Soldaten an, der ihm entgegenkam, während er absaß.

Der Mann musterte ihn und setzte zu einer Frage an, doch Ulrich schnitt ihm das Wort ab. »Vertrauliche Botschaften! Die übermittle ich persönlich.« Der Soldat sah zögernd um sich und fand Rettung in seinem Vorgesetzten, der auf sie zutrat.

»Ich melde Eure Ankunft«, kündigte jener mit misstrauischer Miene an.

Ulrich wurde bis zur Tür der Kammer des Burgkommandanten geführt und aufgefordert zu warten. Zwei Leibwachen standen davor: gut bewaffnet, groß gewachsen und muskulös,

soweit sich das trotz der Gambesons und Kettenhemden einschätzen ließ. Der Burgvogt schien beträchtliche Angst um
seine Sicherheit zu haben. Oder er war ein vorsichtiger Mann.
Von drinnen war ein leiser Disput zu hören, dann wurde die
Tür aufgerissen. In der Mitte der Kammer stand ein noch junger Mann mit auffallend sorgfältig frisierten blonden Locken
und musterte ihn neugierig.

»Botschaften? Von wem? Und wer seid Ihr überhaupt, geheimnisvoller Ritter?«, fragte der Blonde gekünstelt, der einen
aufdringlichen Geruch von Duftwasser verbreitete.

»Ulrich von Maltitz«, stellte sich der Ritter knapp vor. »Ihr
seid wahrscheinlich zu jung, um mein Wappen zu kennen.«

»Umso mehr habe ich von Euch gehört«, erwiderte der Blonde lächelnd. »Bewohntet Ihr nicht einst diese Kammer?«

»Man hat Euch falsch informiert. Ich überließ sie der Witwe
meines Vorgängers und begnügte mich mit bescheideneren
Räumen.«

»Wie edel! Aber es hat Euch nichts genutzt. Am Ende musstet
Ihr unten im Schnee knien und die Schlüssel zur Burg übergeben, nicht wahr, Maltitz?«

»Nein«, widersprach Ulrich, und nun betonte er jedes Wort.
»Am Ende stehe ich hier und fordere Euch im Namen Markgraf Friedrichs auf, mit sofortiger Wirkung Burg und Stadt
zu übergeben.«

Reinold von Bebenburg neigte den Kopf leicht zur Seite und
lachte gekünstelt. »Warum sollte ich das tun?«

»Um einer schändlichen Niederlage zu entgehen? Um Euren
Männern den Tod zu ersparen und unschuldigen Freibergern
ebenso, die sterben könnten, wenn es zum Kampf kommt?
Um selbst zu überleben?«, schlug Ulrich als Antwort vor.

Er stand immer noch in der Tür, die beiden Leibwachen des
Grafen links und rechts neben sich. Aus dem Augenwinkel
bekam er mit, wie einer von ihnen die Waffe ziehen wollte,
und legte sofort die Hand an den Dolch.

»Nicht doch!«, wies der Graf mit vorwurfsvoll hochgezogenen Augenbrauen seine Leibwache zurecht. Dann forderte er Ulrich mit einer gezierten Geste auf, einzutreten und sich zu setzen.

»Ihr amüsiert mich, und das schon so früh am Morgen, Maltitz! Solch gute Unterhaltung bekam ich hier lange nicht mehr geboten. Doch verzeiht meine Frage: Wie wollt Ihr die Stadt einnehmen? Mit welcher Streitmacht? Niemand sollte besser wissen als Ihr, dass es dazu schon zehntausend Mann braucht. Und bei allen bescheidenen, vorübergehenden Erfolgen Eures wettinischen Freundes – das dürfte seine Möglichkeiten bei weitem übersteigen.«

»Ihr verkennt Eure Lage«, erwiderte Ulrich gelassen. »Gleich ertönt das Geläut von St. Marien. Wenn Ihr bis dahin nicht Eure Kapitulation erklärt habt, beginnt Fürst Friedrich mit dem Angriff und wird die Stadt noch heute erobern. Daran besteht kein Zweifel. Es liegt allein in Eurer Hand, ob dabei Blut fließt. Deshalb sandte er mich hierher.«

Hastige Schritte näherten sich, jemand stürzte in die Kammer und warf sich vor dem Grafen auf die Knie.

»Hoher Herr! Eine Streitmacht ist in Anmarsch! Sie rückt vom Süden her an, vom Judenberg Richtung Erlwinsches Tor!«

Reinolds Gesicht verzerrte sich für einen Augenblick.

»Passt auf ihn auf! Aber bringt ihn nicht um!«, befahl er den Leibwachen und deutete auf Ulrich. Gleichgültig ließ es dieser geschehen, dass sich die beiden links und rechts neben ihm aufbauten, während der Graf aus der Kammer stürmte. Gemächlich folgte er ihm, die Wachen dicht hinter sich.

»Das ist eine Lüge! Das ist unmöglich!«, schrie Reinold von Bebenburg mit sich überschlagender Stimme, während er hinunter zum Burghof rannte, um dann den Bergfried hinaufzusteigen. Die Glocken von St. Marien begannen ohrenbetäubend zu läuten.

Als der Vogt endlich die oberste Ebene des Turmes erreicht hatte, zuckte er zusammen: Von Süden her rückte tatsächlich eine Streitmacht auf die Stadt zu. Doch dann atmete er auf, und die ihm eigene Arroganz gewann wieder die Oberhand. Diese Streitmacht war längst nicht so groß, dass er sich Sorgen machen müsste. Mit den paar Mann würden seine Leute spielend fertig.

»Alarmiert alle Kämpfer, versperrt die Stadttore!«, brüllte er, um das Glockengeläut zu übertönen. »Die Hälfte aller Kämpfer zum Erlwinschen Tor, der Rest verteilt sich auf den Wehrgängen! Haltet Ausschau, ob noch mehr von anderen Seiten anrücken.«

Sofort liefen ein paar Männer los, um seine Befehle weiterzuleiten. Zufrieden registrierte Ulrich, dass die Burg bald zum größten Teil von Bewaffneten entblößt war.

Die Glocken von St. Marien läuteten immer noch, als Friedrich seine Truppen westlich des Erlwinschen Tores in Stellung brachte. Er und seine Männer konnten sehen, wie das Tor verschlossen wurde. Damit war klar, dass der Graf nicht kapitulierte und sie kämpfen mussten.

Auf sein Zeichen hin rannten im Schutz zweier Schildwälle Männer vor und warfen Reisigbündel in den Graben, um ihn an einer Stelle zwischen dem Kalkturm und dem Roten Hirschturm aufzufüllen. Zweige, Strauchwerk, Steine, Stämme – alles, was sie in der Nacht gesammelt hatten, fand dafür Verwendung.

Auf den nächstgelegenen Türmen wurden Bogenschützen zusammengezogen. Friedrich ließ seine eigenen Schützen vortreten und mit gezieltem Beschuss antworten

Dann wurde die Ramme herangefahren, die die aus der Stadt geschleusten Freiberger Zimmerer in der Nacht gebaut hatten: ein dicker Baumstamm, verzurrt auf einem Gestell mit Scheibenrädern. In faustbreite Kerben waren Balken eingelegt, die seitlich über den Stamm hinausragten, so dass viele Männer gleichzeitig anpacken und den schweren Rammbock gegen das Mauerwerk krachen lassen konnten.

Beim ersten Versuch bebte und wackelte die Mauer, beim zweiten lösten sich die ersten Steine, beim dritten fiel das Mauerwerk auf sechs Schritt Breite prasselnd auseinander. Hastig sprangen die Männer an der Spitze der Ramme beiseite, um nicht von herabstürzenden Steinen erschlagen zu werden.

Für einen winzigen Augenblick herrschte Stille, dann flammte Jubel auf, und mit lautem Gebrüll stürmten die unberittenen Kämpfer zur Bresche. Sie kletterten über die Steine und nahmen sofort den Kampf mit den königlichen Wachen auf, die das Erlwinsche Tor schützen sollten.

Die Angreifer waren in der Überzahl; bald hatten sie sich zum Tor durchgeschlagen, öffneten es und ließen die Zugbrücke herab.

Kaum war der Weg frei für Pferde, stürmte die Reiterei in die Stadt, Friedrich und Niklas von Haubitz mit erhobenen Schwertern an der Spitze. Was sich ihnen an Gegnern in den Weg stellen wollte, wurde niedergeritten.

Aus den Häusern kamen immer mehr mit Äxten, Keilhauen und Knüppeln bewaffnete Freiberger und schlossen sich der wilden Reiterschar an.

Während die Glocken von St. Marien immer noch ohrenbetäubend läuteten, verfolgte Graf Reinold fassungslos vom Bergfried aus, wie die Gegner in die Stadt stürmten.

Alles Gekünstelte an seinem Gehabe fiel von ihm ab. Blanke Wut verzerrte jetzt seine Gesichtszüge.

»Die Mauer ist durchbrochen. Sie kommen! Sie kommen direkt auf die Burg zu! Hunderte!«, schrie einer seiner Männer entsetzt.

»Das sehe ich, Tölpel! Die Zugbrücke hoch! Das Fallgitter runter!«, befahl der junge Vogt mit sich überschlagender Stimme. Er bedeutete den beiden Leibwachen, in seiner Nähe zu bleiben.

Maltitz, der fast vergessen schien, machte sich ein Vergnügen daraus, den dreien zu folgen, die wohl gleich eine herbe Enttäuschung erleben würden, wenn sie wieder den Burghof betraten.

Ulrichs Wunsch bewahrheitete sich. Markus und seine Männer hatten gute Arbeit geleistet.

Das Gesicht des Grafen Reinold erstarrte, als er den Burghof voller Leute sah, die eindeutig nicht zu seinen Soldaten gehörten, während jene tot oder verletzt waren, die unter seinem Kommando standen.

Hasserfüllt schaute er auf die Fremden, die ihn teils wütend anstarrten, teils fröhlich grinsten. Bestimmt zwei Dutzend seiner Wachleute waren tot, andere kampfunfähig, während die Angreifer offensichtlich nur geringe Verluste erlitten hatten.

Ulrich dagegen blickte zufrieden auf seine Freiberger Kämpfer, die in einem kurzen, aber hitzigen Gefecht die Burgbesatzung überwältigt hatten. Markus schien unverletzt und wirkte sehr zufrieden.

Sie hatten sich in verschiedenen Verkleidungen in der Nähe der Burg verborgen gehalten und den richtigen Moment abgewartet, um die Wachen zu überrumpeln, die auf der Burg geblieben waren. Die genaue Kenntnis der geheimen Gänge und Verstecke kam ihnen dabei zugute.

»Gut gemacht!«, rief Ulrich zu Markus hinüber, der sich mit einem Grinsen und einer leichten Verbeugung für das Lob bedankte. Im nächsten Augenblick zog das Donnern einer sich nähernden Reiterschar die Aufmerksamkeit aller auf sich.

»Verschließt das Tor!«, schrie der junge Graf panisch.

Aber es war niemand mehr da, der ihm gehorchen konnte. Einzig seine Leibwachen wollten losrennen, aber einer wurde von Ulrich aufgehalten, der ihm einfach die Faust gegen das Kinn wuchtete, so dass er taumelte. Dem anderen trat Markus mit seinem blutverschmierten Schwert in der Hand entgegen. Doch der zu erwartende Zweikampf blieb aus, weil genau in diesem Moment die Reiter auf den Burghof preschten.

Reinold von Bebenburg erstarrte.

»Übergebt mir freiwillig das Siegel und die Schlüssel zur Burg, und ich gewähre Euch freien Abzug«, rief Friedrich dem Vogt zu. »Zögert nicht und verlasst Freiberg lieber auf der Stelle! Die Stadtbewohner sind nicht besonders gut auf Euch zu sprechen.«

So einfach trete ich nicht ab, dachte der in seiner Eitelkeit getroffene Vogt. Vorher schicke ich deinen Getreuen Maltitz in die Hölle. Das ist meine persönliche Rache für die Niederlage. Und es wird meinen Ruf wiederherstellen.

»Ich weiche nicht freiwillig. Gewährt Ihr mir die Gnade eines Zweikampfes. Mit ihm!« Reinold wies auf Ulrich.

Markus trat einen Schritt vor. Mit diesem Burgvogt hatte er noch eine sehr persönliche Rechnung offen – wegen Änne. »Erlaubt Ihr, dass ich diesen Kampf übernehme?«, fragte er Friedrich.

»Ich weiß nicht, wer der Bursche ist, der sich das erdreistet«, empörte sich Graf Reinold. Dann zuckte er gleichgültig mit den Schultern. »Aber ich töte ihn gern, wenn ich erst mit Maltitz fertig bin.«

»Ihr solltet diesen Kämpfer ernst nehmen«, mahnte Friedrich. »Er war hier in Freiberg der am meisten gesuchte Gegner eines Eurer Vorgänger.«

Ein zynisches Lächeln breitete sich auf dem Gesicht des Grafen aus. »Ich beginne zu ahnen, um wen es sich handelt. Das macht es doppelt schön, ihn zu töten.«

Der Burghof war mittlerweile zur Hälfte mit wettinischen Berittenen gefüllt. Der Rest der Reiterei kämpfte noch in der Stadt, um die letzten Gegner zu töten oder gefangen zu nehmen, die von den Türmen kamen und sich nicht sofort ergeben wollten.

Zusammen mit den Berittenen bildeten nun Markus' Männer – sofern sie nicht Gefangene zu bewachen hatten – einen Ring um Ulrich und den blondgelockten jungen Vogt.

Der Meißner Ritter hatte Helm und Kettenhaube abgenommen, weil sein Gegner auch keinen Kopfschutz trug.

Die Kontrahenten umkreisten einander, abwartend, prüfend, jeder nach einer Schwäche des anderen Ausschau haltend. Ulrich hatte keine Ahnung, wie dieser eitle junge Kerl wohl kämpfen mochte. Doch er würde ihm nicht den Gefallen tun und ihn unterschätzen. Blitzschnell holte Ulrich zu einem gewaltigen Oberhau aus, doch sein Gegner band die Klinge an, wechselte durch und griff selbst an.

Rasch zeigte sich, dass Maltitz einen der besten Schwertkämpfer vor sich hatte, gegen die er je angetreten war. Graf Reinold schien jede Bewegung des Gegners vorauszuahnen, und es dauerte ungewöhnlich lange, bis Ulrich dem Jüngeren eine Wunde am linken Arm beibringen konnte.

Fast im gleichen Augenblick traf ihn die Klinge des anderen am Bein – genau dort, wo Ulrich bei der Verteidigung der Stadt nur wenige Schritte von hier entfernt von einem Pfeil getroffen worden war. Es war weniger der Schmerz von der vernarbten Wunde als die Erinnerung, die Ulrich jede Beherrschung vergessen ließ. Mit kurzen, schnellen Hieben schlug er auf den Gegner ein, der nun kaum noch dazu kam, selbst auszuholen.

Zurückweichend, stolperte der Graf und stürzte zu Boden. Mit einem Schritt war Ulrich bei ihm und setzte ihm die Spitze des Schwertes an die Halsgrube unterhalb des Adamsapfels.

»Übergebt Ihr Siegel und Schlüssel?«

»Ja«, murrte der Besiegte mit hochroter Miene.

Reglos sah Ulrich zu, wie der Graf sich aufrappelte, missbilligend sein vom Schlamm auf dem Hof verschmutztes Obergewand betrachtete, sich umdrehte und auf seine Leibwachen zuging. Trugen die den Schlüssel? Oder sollten sie ihn holen?

Graf Reinold musste leise einen Befehl gegeben haben, denn im nächsten Augenblick zogen beide blitzschnell Schwerter und Langdolche und stürzten sich auf Ulrich.

Den traf der Angriff nicht völlig unerwartet. Doch gegen vier Klingen hätte er keine Chance gehabt, hätte nicht sofort Markus eingegriffen, der beschlossen hatte, das Ungleichgewicht nach solch ehrlosem Verhalten aufzuheben.

Beinahe gleichzeitig überwältigten sie ihre Gegner. Voller Hass sah Markus auf den jungen Burgvogt, erahnte dessen Vorhaben, schrie warnend »Maltitz!« und stürzte auf den Blonden zu. Doch dessen Messer flog schon.

Ulrich schaffte es nicht mehr auszuweichen. Die schmale Klinge bohrte sich in seinen Hals.

Von Maltitz ging in die Knie und versuchte instinktiv, das Blut aufzuhalten, das aus der Wunde sprudelte. Nur verschwommen bekam er mit, dass Markus dem Vogt den Schwertknauf ins Gesicht wuchtete und ihm damit Wangen- und Nasenknochen zerschmetterte. Vor Schmerz aufheulend, sank der Graf zu Boden.

»Entscheidet Ihr über sein Leben oder seinen Tod!«, rief Markus wütend zu Friedrich hinüber, der erschrocken auf seinen tödlich verletzten Freund starrte.

»Keine Gnade für den Meuchelmörder!«, entschied Friedrich sofort.

Niklas von Haubitz lenkte seinen Hengst ein paar Schritte auf den besiegten Burgvogt zu. »Steh auf, ehrloser Bastard!«, fauchte er ihn an.

Reinold von Bebenburg schien zu ahnen, was nun kommen würde. Er nahm die Hände von seinem blutüberströmten Gesicht und richtete sich trotzig auf.

Niklas zog sein Schwert und schlug ihm mit einem machtvollen Hau den Kopf ab.

Das war er seinem alten Freund Ulrich schuldig.

»Holt Änne!«, rief Markus in der Runde, während er Ulrich

stützte. Sofort preschte einer der Reiter los; Markus bekam nicht einmal mit, wer es war. Er wagte es nicht, das Messer herauszuziehen, aber er konnte den Blutfluss auch nicht eindämmen. So riss er sich einen Ärmel ab und drückte ihn vorsichtig gegen die Wunde.

Friedrich saß ab und kniete an Ulrichs Seite nieder.

»Es kommt gleich Hilfe«, sagte er leise zu ihm. Dann befahl er: »Bringt ihn hoch in die Kammer! Aber vorsichtig!«

»Nein!«, widersprach Ulrich leise. »Ich will hier sterben, auf dem Hof von Freiheitsstein. Ich will den Himmel dabei sehen.«

Niklas ließ sich nun ebenfalls an der Seite seines Freundes nieder. Er hielt etwas in seinen Händen: die Schlüssel zur Burg, die er vor Ulrichs Augen Friedrich überreichte, und einen silbernen Ring mit drei Türmen – den Siegelring des Burgkommandanten von Freiheitsstein. Nach einem kurzen Blick auf den Markgrafen steckte er ihn Ulrich an den Finger.

Änne konnte zu ihrem Entsetzen nicht viel für Ulrich tun. Er hatte schon zu viel Blut verloren. Während das letzte bisschen Leben aus ihm herausfloss, kam der eilig herbeigerufene Pater Clemens, um dem Sterbenden das letzte Sakrament zu gewähren.

Dann bat Ulrich Friedrich, Niklas von Haubitz und Markus erneut an seine Seite.

»Ich hatte einen guten Lehnsherrn. Und ich hatte einen guten Tod«, sagte er leise, mit immer schwächer werdender Stimme. Er flüsterte einen Namen und lächelte bei seinem letzten Atemzug.

Die drei Männer, unterschiedlich im Rang und doch durch gemeinsam bestandene Kämpfe verbunden, sprachen ein Gebet für Ulrichs Seele.

Änne wurde gebeten, dafür zu sorgen, dass der Tote gewaschen, in saubere Kleider gehüllt und in der Kapelle aufgebahrt wurde.

Den Tränen nah, lief sie los und suchte sich Unterstützung.

Friedrich blickte auf die schweren, großen Schlüssel, die er immer noch hielt. Dann gab er sie Markus.

»Ich denke, der richtige Mann hält sie nun in der Hand. Ich wüsste keinen Besseren«, sagte er und ging, um aufzusitzen und an der Spitze seiner Kämpfer auf den Marktplatz zu reiten. Verblüfft starrte Markus ihm nach. Hatte Friedrich ihm gerade das Kommando über Freiheitsstein erteilt?

Die Glocken von St. Marien und St. Petri läuteten gemeinsam, während sich der Freiberger Obermarkt füllte.

An der Westfront des Platzes, die Kirche hinter sich und dem Dinghaus gegenüber, standen die Kämpfer Markgraf Friedrichs, teils zu Pferde, teils zu Fuß, noch mit den Spuren des Kampfes auf ihrer Kleidung und an den Waffen. Schweigen herrschte, bis die Glocken verstummten.

Friedrich lenkte seinen Hengst ein paar Schritte nach vorn – nicht weiter weg von seinen Männern als eine halbe Länge. Er wusste, dass alle nun auf eine feierliche Ansprache warteten. Es war ihm nic schwergefallen, eine Menge mit kühnen Sätzen mitzureißen und zu begeistern. Doch jetzt war ihm nicht nach pathetischen Worten zumute. Vielleicht, weil er so viele Jahre auf diesen Moment gewartet hatte? Weil dieser Sieg so teuer erkauft worden war?

Er sah in die Gesichter der Menschen vor sich, die alle etwas von ihm erwarteten – Dankbarkeit jene, die zu ihm gehalten hatten, Milde jene, die dem König die Treue geschworen hatten. Müde sahen sie aus, erschöpft wie seine Männer nach dem Kampf, einige verwundet, mit Tränen in den Augen. Sie waren wohl Sieger. Nur wirkten sie nicht so.

Aber er sah auch die Hoffnung in ihren Augen.

Aufrecht im Sattel sitzend, mit beiden Händen die Zügel haltend, begann er zu sprechen, und jedes seiner Worte hallte über den Platz.

»Die Menschen dieser Stadt haben unter grausamer Herrschaft schwer gelitten. Jeder Quadratzoll dieses Platzes ist durchtränkt vom Blut jener tapferen Männer und Frauen, die Freiberg und seine Bewohner verteidigten. Wir haben heute einen Sieg errungen, von dem viele von euch lange Jahre träumten. Doch dieser Sieg ist hart erkämpft – mit eurem Blut, mit dem meiner Männer, meiner Getreuen, meiner Freunde … Gedenken wir ihrer!«

Er legte eine Pause ein. Das leise Murmeln gesprochener Gebete wehte zu ihm herüber.

»Nicht nur die Menschen dieser Stadt haben furchtbar gelitten, sondern auch die Stadt selbst. Trümmer, Brandlöcher, zerstörte Mauern und Häuser sind ihre Wunden und Narben. Beginnen wir mit der Heilung! Freiberg war stets nicht nur für seinen Silberreichtum bekannt, sondern auch für die Tatkraft seiner Bewohner. Lasst uns die Wunden heilen, die Häuser und Mauern wieder aufbauen, die Trauernden trösten! Als Markgraf von Meißen stelle ich Freiberg fortan wieder unter meine Regentschaft und meinen Schutz. Die Bürger sind aufgerufen, einen neuen, vertrauenswürdigen Rat zu wählen. Und ich hebe das willkürliche Urteil auf, mit dem der einstige Bürgermeister Nikol Weighart, ein tapferer und ehrbarer Mann, aus dieser Stadt verbannt wurde.«

Ein begeistertes »Ja!« ertönte aus der Menge, das sich in den Reihen fortpflanzte.

»Ebenso hebe ich das Willkürurteil auf, mit dem der Medicus Conrad Marsilius verbannt wurde. Er war ein aufrechter Kämpfer und hat sein Leben in Lucka auch für euch hier geopfert. Sein Mut und der seiner Witwe sind über jeden Zweifel erhaben.«

Erstauntes Gemurmel kam auf. Die Nachricht vom Tod des Arztes hatte sich noch nicht bis in die Stadt herumgesprochen.

»Gute Ratsherren und einen klugen Bürgermeister müsst ihr euch selbst wählen. Ein gerechter Herrscher will ich euch sein.

Und ich ernenne hiermit einen Burgkommandanten aus euren eigenen Reihen: Markus, den früheren Hauptmann der Wache, einen tapferen und erfahrenen Kämpfer. Seine Männer, kampferprobt und aus dieser Stadt, sollen euch fortan wieder schützen.«

Ein paar Begeisterte – allen voran Christian – stimmten Hochrufe für den neuen Kommandanten an, der das aber kaum wahrnahm, weil er Ausschau nach Änne hielt. Die starrte ihn entgeistert an, bis sich ihre Überraschung allmählich in Freude verwandelte.

»Die Stadt soll von neuem erblühen«, fuhr Friedrich fort.

»Mancher von euch wird sich fragen, wie. Das Land ist ausgeblutet nach Jahren des Krieges, die Schatztruhen sind leer und die Silberkammer auf Freiheitsstein geplündert. Mancher wird sich fragen, wie Gerechtigkeit aussehen mag in dieser neuen Zeit, die wir heute beginnen. Ich kann Treue nur mit Worten lohnen, nicht mit Silber. Und ich will heute Verrat nicht mit noch mehr Tod strafen. Genug Blut ist geflossen.«

Es war nun so still auf dem Platz, dass man eine Nadel hätte fallen hören.

»Morgen halte ich auf Freiheitsstein Gericht. Jedermann kann vorbringen, was ihm auf dem Herzen liegt, und Klage erheben gegen den, der ihm Schaden zugefügt hat. Ich werde jene bestrafen, die sich am Elend der anderen bereichert haben. Ihre Strafe wird nicht der Tod sein, sondern der Verlust ihres gesamten Vermögens. Dieses Silber soll dazu dienen, die Stadt wieder zum Blühen zu bringen und den Notleidenden zu helfen.«

In den Reihen der Bürger kam an einer Stelle Unruhe angesichts dieser ungewöhnlichen Ankündigung auf. Friedrich sah, wie sich ein dürrer, hochgewachsener Mann in schwarzem Gelehrtengewand davonschleichen wollte. Doch ein paar Leute traten ihm in den Weg.

»Willst wohl rasch dein verstecktes Silber in Sicherheit bringen, Jenzin?«, brüllte eine dicke, alte Magd.

Die Leute um sie herum murrten oder lachten zustimmend. Irgendjemand stellte dem Hageren ein Bein, und er stürzte zu Boden.

»Hochmut kommt stets vor dem Fall«, kommentierte die alte Magd und stemmte belustigt die Hände in die Seiten. »Er *ist* nicht nur eine gottverdammte Ratte, jetzt kriecht er auch noch so!«

Die Menschen um sie herum lachten. Das Gelächter schwoll rasch an und erfasste bald die ganze Menge. Friedrich begriff, dass sich dieser Mensch besonders verhasst gemacht haben musste. Und auf einmal ahnte er, wen er da auf allen vieren im Schmutz knien sah.

Geduldig wartete er, bis das befreiende Lachen allmählich wieder versiegte. Dann rief er: »Mein Quartiermeister sagt, die Vorratskammern auf Freiheitsstein seien gut gefüllt. Also öffnen wir sie und feiern!« Es schien, als ob ganz Freiberg bei diesen Worten juble.

Der Markgraf von Meißen gab seinen Männern das Zeichen, zurück zur Burg zu reiten. Auf dem Weg dorthin winkte er Markus an seine Seite und räusperte sich.

»Wir sollten Pater Clemens noch einmal bemühen.«

Fragend sah Markus ihn an. Als er die nächsten Worte des Markgrafen hörte, konnte er sich trotz der Feierlichkeit des Augenblicks ein Grinsen nicht verkneifen.

»Ein Burgkommandant sollte besser nicht in Sünde mit seiner Liebsten leben, sondern unter dem Segen der Kirche mit ihr vereint sein.«

Auf dem Burghof begannen umgehend die Vorbereitungen für das Fest. Tausend Dinge waren zu erledigen, jeder wollte mit jedem reden, Christian begann schon wieder, Possen zu reißen. Markus hatte den Kern seiner neuen Burgwache rasch rekrutiert. Das waren die Männer, mit denen er in den letzten Jahren gemeinsam gekämpft hatte: Gero und die anderen befreiten Geiseln, Christian, Otto und der junge Paul …

Alle, die von seiner alten Mannschaft noch am Leben waren, und die neu hinzugekommenen Kämpfer, die ihn heute dabei unterstützt hatten, die Burg im Handstreich zu erobern. Doch wo steckte Änne?

Allmählich begann Markus, sich Sorgen zu machen, dass auf der so eilig angesetzten Hochzeit die Braut fehlen würde.

Ob er Christian oder Otto losschicken sollte, um sie zu suchen? Hatte sie etwa heimlich die Stadt verlassen, um irgendwo in der Fremde unterzukriechen?

Doch dann sah er sie zu seiner großen Erleichterung auf sich zukommen.

»Ich möchte dir jemanden vorstellen«, sagte Änne und trat zur Seite.

Lächelnd schob sie ihm einen Jungen mit braunen Locken entgegen, der ihn mit bewundernden Augen anstarrte.

EPILOG

Kurz vor Weihnachten 1310 in Freiberg

Drei Reiter näherten sich dem Tor der Burg Freiheitsstein. Ihre Gesichter und Wappenröcke waren mit schneebestäubten Umhängen verhüllt, so dass niemand sie erkennen konnte.

»Wir bringen eine dringende Botschaft für den Burgkommandanten«, rief einer von ihnen, während sie absaßen.

Stallburschen rannten ihnen entgegen und übernahmen die Pferde, ein anderer Junge flitzte los, vermutlich, um den Burgherrn von der Ankunft dreier Unbekannter zu informieren.

Die Neuankömmlinge sagten kein Wort, während sie den verschneiten Burghof überquerten und dabei die Mauern und Wehrgänge genau musterten. Niemand von ihnen zog die Gugel zurück, um sein Gesicht zu erkennen zu geben. Am Eingang zum Palas trat ihnen ein Bewaffneter entgegen, verneigte sich und wies einladend zur Treppe.

»Der Kommandant erwartet Euch.«

Gemeinsam gingen sie hinauf, doch vor der Tür ließen zwei von ihnen dem Dritten, dem größten unter ihnen, respektvoll den Vortritt. Als er die Kammer betrat, war sein Gesicht immer noch verhüllt. Deshalb konnte er seine Verwunderung kaum verbergen, als der Burgkommandant, der nur von der Ankunft dreier geheimnisvoller Boten informiert sein konnte, sich tief vor ihm verbeugte und seine Frau ihn mit einem Knicks und den Worten empfing: »Hoheit! Willkommen auf Freiheitsstein!«

»Ich sehe voller Staunen, dass es nicht möglich ist, unerkannt Eure Burg zu betreten«, gestand Friedrich beeindruckt und ließ Markus und Änne aufstehen. »Woran haben mich Eure Leute erkannt?«

»Am Pferd«, erwiderte Markus grinsend. »Meine Stallburschen haben ein waches Auge dafür.«

Nun wegen seines Ranges von seinem Lehnsherrn mit der höfischen Anrede angesprochen zu werden, daran hatte er sich immer noch nicht recht gewöhnen können.

Änne reichte dem Fürsten den Willkommenstrunk aus dem feinsten Silberbecher, der sich auf Freiheitsstein finden ließ; eine Treibearbeit von Nikol Weighart, der nach seiner Rückkehr nach Freiberg erneut zum Bürgermeister gewählt worden war. Dann teilte sie heißen Würzwein an Friedrichs Begleiter aus, die inzwischen ebenfalls die Kopfbedeckungen abgestreift und den Schnee von den Umhängen geschüttelt hatten. Nun erkannte Markus auch sie: Es waren die Brüder Tylich und Theodor von Honsberg.

»Nehmt Platz«, lud er sie ein. »Das Mahl ist geordert, ein Bad wird gerichtet, wenn Ihr es wünscht.«

Bevor er sich selbst setzte, wandte er sich erneut dem Landgrafen von Thüringen und Markgrafen von Meißen zu: »Zuerst lasst Euch von mir gratulieren – zur Geburt Eures Sohnes und zur Anerkennung Eurer Ansprüche durch den König!«

Erneut zog Friedrich verblüfft die Augenbrauen hoch.

»Haben das Euch auch die Stallburschen verraten?«

Es war noch keine Woche her, dass der neue König, Heinrich von Luxemburg, ihm in Prag ganz offiziell Thüringen, die Mark Meißen, das Pleißen- und das Osterland zugesprochen hatte. Als vor zweieinhalb Jahren der ehrgeizige Albrecht von Habsburg von seinem Neffen Johann ermordet worden war, sah sich Friedrich nicht nur seines größten Gegners entledigt, sondern konnte auch die Zeit bis zur Wahl eines neuen Königs nutzen, um seine Positionen auszubauen und zu festigen. Mit dem Friedensschluss von Prag vor wenigen Tagen galt er auch ganz offiziell wieder als anerkannter Herrscher über die Länder, um die er so hart und lange hatte kämpfen müssen.

»Nein, das weiß ich von einem Fahrensmann aus Böhmen, einem Geschichtenerzähler«, gestand Markus. »Ich ließ ihn zu mir rufen, weil ich wissen wollte, ob nun endlich wahr geworden ist, wofür wir so lange gekämpft haben. Ihr habt es tatsächlich geschafft, die Länder wieder unter wettinischer Herrschaft zu vereinen, über die einst Euer erlauchter Großvater regierte!«

»Nun ja, fast alle«, schränkte Friedrich mit gespielter Bescheidenheit ein. Er zog einen Mundwinkel zynisch herab und sagte lässig: »Den Rest hole ich mir noch, zuerst vom Brandenburger.«

Ja, das ist dir zuzutrauen!, dachte Markus. Es wird wohl nie Ruhe um dich geben. Er spürte Ännes bangen Blick auf sich und wusste genau, was sie sich fragte: Ob Friedrich ihn nun auffordern würde, ihn erneut in den Kampf zu begleiten.

Es klopfte, eine Magd brachte verführerisch duftenden Braten und Brotscheiben, die als Unterlage für das Fleisch dienten.

»Seid nochmals willkommen und lasst es Euch schmecken!«, sagte der Burgkommandant zu seinen Gästen.

Gespannt wartete er auf Friedrichs Tischgebet. Würde darin von Gottes Beistand bei bevorstehenden Kämpfen die Rede sein? Doch das Gebet war kurz und unverfänglich, dann wurde kräftig zugelangt. Also fragte Markus direkt.

»Was führt Euch von Prag aus hierher? Eure Gemahlin wird sicher schon sehnsüchtig auf Euch warten, um die hohen Feiertage mit Euch zu verbringen.«

»Ja, das wird sie«, sagte Friedrich, und bei dem Gedanken an Elisabeth verspürte er Sehnsucht, sie und den Sohn wiederzusehen, den sie ihm kurz vor seiner Abreise geboren hatte. Doch als er weitersprach, erlosch sein Lächeln. »Ich wollte hier in Freiberg ein Gebet für die Seele meines Freundes Ulrich von Maltitz sprechen und in St. Marien eine Kerze für ihn entzünden. Es schien mir ... der richtige Zeitpunkt.«

»Wir waren heute morgen an seinem Grab«, ließ sich Änne vernehmen. »Gemeinsam mit Nikol Weighart und seiner Frau Katharina.«

Sie zögerte einen Moment, ehe sie sagte: »Er würde sich freuen zu hören, dass Ihr nun endlich als rechtmäßiger Herrscher über dieses Land anerkannt seid. So lange hat er dafür an Eurer Seite gekämpft ...«

»Ja«, stimmte Friedrich zu und lehnte sich zurück. »Vor fünfzehn Jahren hat es begonnen – mit dem Anschlag von Altenburg. Und jetzt ...« Er schien in Erinnerungen zu versinken. Dann sah er Änne an, deren prüfenden Blick er auf sich wusste.

»Keine Sorge, der Burgkommandant von Freiberg wird hier benötigt«, beantwortete er lächelnd ihre stumme Frage. Er tauchte seine Finger in die Schale, die ihm gereicht wurde, und trocknete sie ab. »Und ich weiß, dass er auf Euern klugen Rat zählen kann. Doch nun berichtet, wie geht es Euch und Euern Kindern?«

»Unser Ältester möchte an einer Universität die Heilkunst erlernen«, berichtete Änne stolz. »Er wird einmal ein guter Arzt, da bin ich mir sicher.«

»Er wird das Erbe seiner Mutter fortführen«, ergänzte ihr Mann mit Nachdruck.

»Und die anderen?«, erkundigte sich Friedrich. »Auf dem Weg über den Burghof sah ich zwei Zwerge, die sich noch kaum auf den Füßen hielten, aber schon mit etwas aufeinander einschlugen, das sie wohl für Schwerter hielten. Der eine ein Rotschopf, dessen Gesicht mir merkwürdig vertraut vorkam, der andere könnte wohl Eurer sein.«

Er gab sich keine Mühe, seine Belustigung zu verbergen. Erschrocken sprang Änne auf und lief zum Fenster, um hinauszuschauen. Ihr Zweitgeborener und Christians Sohn, die beide fast im gleichen Alter und unzertrennliche Freunde waren, mussten wohl wieder einmal der Kinderfrau entschlüpft sein.

»Keine Sorge, es standen ein paar Knappen bereit, um im Notfall einzugreifen«, beruhigte Friedrich sie lächelnd und wandte sich wieder dem Kommandanten zu: »Es beruhigt mich zu erleben, dass Ihr hier doch nicht alles seht. Mir wurde es schon fast unheimlich.«

Die Wärme des Feuers, das gute Essen und der heiße Würzwein taten ihre Wirkung. Entspannt lehnten sich die vier Männer am Tisch zurück, während Änne ihnen nachschenkte.

»Wenn es an der Zeit ist, nehme ich Euren Jüngsten gern an meinen Hof, um ihn ausbilden zu lassen«, meinte Friedrich zu Markus, der sich für die Ehre bedankte. »Und auch den Nächsten«, fügte der Markgraf an.

»Diesmal wird es ein Mädchen!«, widersprach Änne und strich mit einem verlegenen Lächeln über die Wölbung ihres Leibes.

»In diesen Dingen solltet Ihr nicht mit ihr streiten. Ihr hättet keine Chance«, versicherte Markus grinsend.

Friedrich schenkte Änne ein freundliches Lächeln. Dann wurde sein Gesicht wieder ernst. Er zögerte; es schien, als müsse er sich erst überwinden, die nächsten Worte auszusprechen.

»Ulrich erzählte mir einmal, dass Ihr manchmal Dinge träumt ... Schreckliche Dinge, die sich bewahrheiten.«

Nun sah er Änne direkt in die Augen. »Habt Ihr diese Träume immer noch?«

Die Antwort kam ohne Zögern. »Nein. Schon lange nicht mehr.«

»Die Stadt blüht auf«, sagte Markus und lächelte in sich hinein. »Wer hätte gedacht, dass wir einmal so glückliche und friedliche Zeiten erleben?«

»Und wer weiß schon, wie lange sie währen«, fügte Änne hinzu. »Genießen wir jeden Augenblick.«

GLOSSAR

auflässig: (im Bergbau) verlassen, aufgegeben (Grube)

Bruche: eine Art Unterhose, an der die Beinlinge befestigt wurden

Buckler: kleiner runder Metallschild

Consuln: in alten Freiberger Urkunden auch Bezeichnung für Ratsherren

Couvertüre (hier): heraldisch gekennzeichnete Bedeckung für das Pferd des Ritters

Fahrt: (im Bergbau) Leiter

Gambeson: gepolstertes Kleidungsstück, das unter dem Kettenhemd getragen wurde

Gezähe: Werkzeug der Bergleute

Grubenstock: Gebälk zum Abstützen der Stollen

Hälfling: halber Pfennig

Handsalbung: »freundliche Umschreibung« jener Zeit für Bestechung

Haspel: u. a. Hebevorrichtung im Bergbau

Häuer (auch: Hauer): Bergmann, der in der Grube Erz abbaut

Huthaus: Gebäude auf einer Grube

Kalottenhelm: halbkugelförmiger Helm ohne Gesichtsschutz, zumeist durch Kettengeflecht ergänzt

Komtur: ranghoher Angehöriger der Deutschritter-, Johanniter- oder Templerordens; Leiter einer Verwaltungseinheit

lange Schicht der Bergleute: wenn Bergleute durch ein Grubenunglück umkommen oder verschüttet werden und nicht mehr aus dem Schacht geborgen werden können

Mark Silber: im Mittelalter keine Wert-, sondern eine Gewichtsangabe; in Meißen wog eine Mark Silber etwa 233 Gramm

Maze: ritterliche Tugend, am ehesten noch mit »Maßhalten« zu übersetzen

Mineure: zum »Unterminieren« einer Burg eingesetzte Männer, bevorzugt Bergbaukundige, die einen Tunnel zur einzunehmenden Festung gruben

Ministerialer: unfreier Dienstmann eines edelfreien Herrn, als Ritter oder für Verwaltungsaufgaben eingesetzt, teilweise auch in bedeutenden Positionen

Mundloch: (im Bergbau) Eingang zum Stollen

Orden der predigenden Brüder: ursprüngliche Bezeichnung des Mönchsordens, der später als Dominikanerorden in die Geschichte einging

Osterland: Ende des 12. Jahrhunderts zwischen der Landgrafschaft Thüringen und der Mark Meißen geschaffene territoriale Einheit – das Land östlich der Saale, südlich von Leipzig

Palas: Wohn- und Saalbau einer Burg oder Pfalz

Pfennigschale: Behältnis zur Aufbewahrung von Münzen. Zu der im Roman geschilderten Zeit waren sogenannte Hohlpfennige in Umlauf; verschiedene Motive wurden mit einem Stempel in kleine Silberscheiben geprägt. Diese Münzen waren so dünn, dass sie bei loser Aufbewahrung schnell zerbrochen wären. Später erhielten die Hohlpfennige den Namen »Brakteaten«; die Behältnisse aus Kupfer oder Messing heißen seitdem Brakteatenschalen.

Pistill: Stößel

Pleißenland: Reichsterritorium um Altenburg, das im 13. Jahrhundert überwiegend von den Wettinern regiert wurde und später in deren Territorialbesitz überging

Punze: Werkzeug des Silberschmiedes, Stäbchen aus Eisen

Reisige: bewaffnete Reitknechte

Scheidebank: Ort, wo reichhaltiges Erz und taubes Gestein voneinander getrennt wurden. Diese Arbeit übernahmen in der Vergangenheit oft Frauen und Kinder.

Schwertleite: feierliche Aufnahme in den Ritterstand, für lange Zeit die deutsche Form des Ritterschlages

Sergent: berittener Kämpfer, mehr oder weniger gepanzert, der nicht dem Ritterstand angehörte

Sohle: (im Bergbau) untere Begrenzung der Strecke (Grube)

Skapulier: in der Ordenstracht der Mönche Überwurf

Stadtphysicus: von der Stadt bestellter Amtsarzt

Tassel: paarige, zumeist scheibenförmige Schmuckstücke aus Metall, an denen die Mantelschnur des halbkreisförmigen Tasselmantels befestigt war

Tribok (auch: Trebuchet oder Blide): Wurfmaschine mit Schleuderarm und Gegengewicht, im Mittelalter bei Belagerungen verwendet

Trippen: hölzerne Sohlen, die unter die Schuhe gebunden wurden, damit der Träger trockenen Fußes über schlammige oder schmutzbedeckte Straßen und Wege kam

Truchsess: oberster Hofbeamter, hat die Aufsicht über das Personal und die Tafel

Zaine: dünn geschlagene Silberstreifen, aus denen Pfennige geschnitten wurden

DANKSAGUNG

Unzählige Menschen haben dazu beigetragen, dass dieses Buch geschrieben und mit vielen historischen Details bereichert werden konnte und nun in die Hände der Leser gelangt. Eventuelle Fehler sind mir zuzuschreiben, nicht ihnen.

Bei meinen umfänglichen Recherchen bin ich vor allem Dr. André Thieme vom Institut für Sächsische Geschichte und Volkskunde Dresden zu Dank verpflichtet, der mir in vielen Detailfragen Auskunft und wichtige Hinweise geben konnte.

Ein weiterer besonderer Dank geht an Matthias Hilmar Herzer nach Eisenach, der mich mit Wappenrollen, biografischen Daten und vielen anderen Details geradezu überhäufte. Er war es auch, der vor Jahren schon die Idee hatte, die Schlacht von Lucka siebenhundert Jahre später nachzugestalten, und dies im Mai 2007 zusammen mit der Reenactmentgruppe »Die Freidigen« und mehreren hundert Beteiligten wahr werden ließ.

Mein Dank gilt außerdem:

Katja und Thomas Friedrich, gute Freunde und Mitglieder der Interessengemeinschaft »Mark Meißen 1200«, die mit ihrem praktischen Wissen über den Lebensalltag im Mittelalter die Rohfassung des Manuskriptes begutachteten,

Angela Kießling im Wissenschaftlichen Altbestand der Universitätsbibliothek der TU Bergakademie Freiberg, die mir Quellen zugänglich machte, die ich allein nie gefunden hätte,

Gabi Meißner für ihre Tipps in Sachen Heilpflanzen,

Matthias Voigt, Karsten Scherner und Eric Mertens von der Schule für Historischen Schwertkampf »Pax et Codex« in Landsberg bei Halle, die mir sämtliche Zweikämpfe choreografierten und mit ihrem Fachwissen dafür sorgten, dass meine Helden im Kampf überleben konnten – zumindest die meisten über lange Zeit …

Ralf Jung, André Wiegand und Ronny Langer von der Interessengemeinschaft »Mark Meißen 1200«, die ich beim Mittelalterlager zur Erstürmung der Brandenburg in Thüringen tagelang über Belagerungsstrategien und Pfeilschussreichweiten ausfragen konnte,

Thomas Krause von der Reenactmentgruppe »Die Freien von der Karlshöhe«, der mir viele wertvolle Hinweise über mittelalterliche Reiterformationen und den Kampf zu Pferde gab und dessen Gruppe genau an jenem Tag die Deutschen Meisterschaften der Ritterschaften gewann, an dem ich das Manuskript zu diesem Buch beim Verlag ablieferte. Glückwünsch!

Dr. Rainer Sennewald und Dr. Manfred Jäkel für diverse bergbautechnische und geologische Details,

Dr. Manfred Lawrenz für sein Wissen über Freibergs mittelalterliche Verteidigungsanlagen,

Dr. Michael Düsing für seine akribischen Forschungen zum jüdischen Leben in der Bergstadt Freiberg,

Dr. Werner Lauterbach für seine Ausführungen zur Geschichte der Freiberger Straßennamen,

Hans Friebe für seine Hinweise zum sächsischen Münzwesen jener Zeit,

Katharina Wegelt für die kritische Lektüre halbfertiger Manuskriptfassungen und manche Anregung,

Jana Zschunke, die zuverlässig dafür sorgt, dass meine Website gut aussieht und regelmäßig aktualisiert werden kann,

meinem Agenten Roman Hocke und seinem Team

und Dieter Schräber für den historischen Stadtplan von Freiberg.

Von ganzem Herzen danken möchte ich der Verlagsgruppe Droemer Knaur. Deren Mitarbeiter waren es, die mir als einer völlig unbekannten Autorin vor erst wenigen Jahren ein Manuskript abnahmen und dafür sorgten, dass daraus ein erfolgreiches Buch mit bisher drei Fortsetzungen wurde. Sie wollen nun auch diese Geschichte hier unter die Leser bringen. Es sind unzählige, jeder im Verlag hat Anteil daran. Deshalb möchte ich keine Namen aufzählen. Ich könnte jemanden vergessen.

Vor allem aber danke ich all den Lesern und Buchhändlern, die mit ihrer Begeisterung für meine Romane diesen Erfolg erst möglich gemacht haben und mich auch bei der Arbeit an dieser Geschichte beflügelten und vorantrieben.

BONUSMATERIAL

Zum Buch & zur Autorin

HISTORISCHER HINTERGRUND – DAS SAGEN DIE QUELLEN UND GESCHICHTSBÜCHER

Solch ein dramatisches Auf und Ab wie in diesem Buch kann sich doch nur ein Romanautor ausdenken, mag mancher Leser nun vermuten. Irrtum! Die hier erzählten jähen Schicksalswendungen haben sich tatsächlich im Leben Friedrich des Freidigen zugetragen und sein Wirken bestimmt: vom Traum um die Kaiserkrone bis zur völligen Entmachtung und dem Exil, der enttäuschten Hoffnung nach der Wahl seines Schwagers Albrecht von Habsburg bis zur Rückeroberung der Mark Meißen und der anderen wettinischen Länder, über die sein Großvater Heinrich der Erlauchte einst herrschte. Mit meinem Roman folge ich so genau wie möglich den tatsächlichen historischen Begebenheiten.

Die von mir aus sächsischer Perspektive geschilderten zwölf Jahre vom Ende des 13. bis Anfang des 14. Jahrhunderts werden durch zwei markante Eckdaten in der deutschen Geschichte begrenzt, wenngleich diese im allgemeinen Geschichtsbewusstsein wenig bekannt sind.

Zum einen wurde 1297 tatsächlich erstmals ein deutscher König von seinen Fürsten abgewählt. Zum anderen fiel 1307/08 die Entscheidung zugunsten des Partikularstaates anstelle einer starken Zentralgewalt für das künftige Deutschland. Dem ermordeten Albrecht von Habsburg folgte Heinrich VII. von Luxemburg auf den Thron, und weder er noch seine Nachfolger versuchten je noch einmal, was der Habsburger und sein Vorgänger in Angriff genommen hatten.

Was wäre, wenn …?

Wenn der Plan der beiden Könige Adolf von Nassau und Albrecht von Habsburg aufgegangen und es ihnen gelungen wäre, um die Wende zum 14. Jahrhundert ein starkes Königsland im Heiligen Römischen Reich Deutscher Nation zu etablieren?

Genau dies ist der Hintergrund meiner Geschichte, bei der ich die Ereignisse so detailgetreu rekonstruiert habe, wie es die lückenhaften und oft widersprüchlichen Quellen und die Erzählstruktur eines Romans möglich machen.

Adolf von Nassau fehlte letztendlich der Rückhalt zur Durchsetzung seines Vorhabens. Aber sein Nachfolger, der überaus tatkräftige Albrecht von Habsburg, stand kurz davor, das Königreich vom Patrikularstaat zur Zentralgewalt umzuwandeln. Österreich und die Steiermark regierte er ohnehin, sein Königsland umfasste 1307 – auch durch die rücksichtslose Entmachtung des Hauses Wettin – Thüringen, die Mark Meißen, das Osterland und das Pleißenland, sein Sohn regierte Böhmen …

Man stelle sich dieses riesige Gebiet einmal vor!

Ist es die »Schuld« Friedrichs des Freidigen, dass das Heilige Römische Reich Deutscher Nation in viele Fürstentümer geteilt blieb?

Doch nicht der Sieg bei Lucka – die größte Schlacht jener Zeit auf deutschem Territorium – war es letztlich, der das Haus Wettin vor der völligen Vernichtung bewahrte, sondern die Ermordung des Habsburgers durch seinen Neffen Johann am 1. Mai 1308.

Nun kann man – wie meine Romanfigur Dittrich Beschorne sagen würde – trefflich darüber streiten, wie die Entwicklung verlaufen wäre, hätte Albrecht von Habsburg sein Ziel erreicht.

Die Geschichte entschied anders. Genauer gesagt: Die Fürsten entschieden anders und bildeten in jenem Jahr 1307 eine antihabsburgische Koalition, um die Macht des zu mächtig gewordenen Königs zu beschneiden.

Natürlich wäre auch eine andere Sicht der Dinge möglich als bei mir dargestellt – mit Adolf von Nassau als tragischem Helden, der kühn auf die Stärkung des Reiches hinarbeitete, und dem Wettiner als rücksichtslosem Partikularfürsten. Schließlich haben sich Friedrich und seine Verbündeten gegen den König gestellt – ein im Denken jener Zeit grobes Vergehen gegen die von Gott gewollte Ordnung.

Doch was in meinen Augen unter anderem gegen Adolf von Nassau spricht, ist die Grausamkeit, mit der er sein Heer zweimal hintereinander Thüringen verwüsten ließ. Unter diesem Vorzeichen ist es verständlich, dass die Freiberger ihn nicht einließen und – ebenso wie später die Leipziger – ihre Hoffnungen auf Friedrich von Wettin setzten. Allerdings will ich nicht unerwähnt lassen, dass solche Grausamkeiten für die damalige Kriegsführung mehr oder weniger typisch waren. Es gab damals wie heute keinen »sauberen« Krieg. Die Wehrlosen, die Zivilbevölkerung, sind immer die am härtesten Betroffenen.

Nicht nur die in meinem Buch erwähnten oder geschilderten Ereignisse der »großen Politik« – beispielsweise die Verschwörung der Fürsten gegen Adolf von Nassau in Prag, die Hoftage in Nürnberg und Fulda, das Hin und Her um die Wartburg 1306 und 1307 – haben tatsächlich stattgefunden.

Auch mit anderen Handlungssträngen folge ich der Geschichte. So entkam Friedrich tatsächlich nur knapp einem Attentat in Altenburg und begann die Rückeroberung der Mark Meißen in Großenhain und Rochlitz. Nur Finsterwalde als Versöhnungsort der wettinischen Brüder ist nicht belegt, wenngleich möglich. Die Quellen nennen nur die Lausitz ohne nähere Angaben.

Viele Details zur Belagerung der Silberstadt Freiberg und ihrer Einnahme finden sich in der von Andreas Möller 1653 niedergeschriebenen ältesten erhaltenen Freiberger Stadtchronik wieder und wurden von mir aufgegriffen. Der Obere Wasserrechenturm, durch den sich zunächst dreißig Männer des Königs in die Stadt hineingeschlichen haben, stand nur wenige Schritte von dem Haus entfernt, in dem ich wohnte und große Teile dieses Buches geschrieben habe. Auch die Stelle, an der

1308 Friedrich der Freidige durchgebrochen sein soll, als er die Stadt zurückeroberte, ist in der Chronik benannt, ebenso der Bürgermeister Nikol Weighart. Es hat ihn also wirklich gegeben, und die Möller-Chronik berichtet, dass er nach der Rückeroberung Freibergs dieses Amt wieder übernahm.

Die Namen der Freiberger Ratsherren in meinem Roman finden sich alle in Urkunden jener Zeit, auch wenn nur bei Jenzin der Beruf mit »Apotheker« angegeben wird. Gleiches gilt für die im Personenverzeichnis mit einem Stern gekennzeichneten Ritter aus dem Umfeld des Markgrafen.

Ulrich von Maltitz entstammte einem Geschlecht, das eng mit Freiberg und dem Hause Wettin verbunden war. Eine seiner weiblichen Vorfahren heiratete einen frühen Freiberger Burgvogt, seine Schwester wurde die dritte Frau von Friedrichs Großvater Heinrich dem Erlauchten. Er taucht häufig als Zeuge in Urkunden Markgraf Friedrichs auf, bis sich seine Spur Anfang des 14. Jahrhunderts verliert. Der echte Ulrich von Maltitz war wohl etwas älter als die Romangestalt, und dass er bei der Verteidigung Freibergs dabei war, ist meiner Phantasie entsprungen, auch wenn es so gewesen sein könnte.

Tatsächlich in der Möller-Chronik genannt wird jedoch Niklas von Haubitz als derjenige, der in letzter Minute noch das Heer der Verteidiger nach Freiberg führte, bevor die Streitmacht Adolfs von Nassau die Stadt umschloss. Zugegeben, zehntausend Belagerer mögen vielleicht übertrieben sein; man weiß es nicht. Doch die zweitausend Mann Besatzung werden in einer Chronik erwähnt.

Sicher nicht authentisch, aber schon in einer alten Quelle wiedergegeben ist die Rede Friedrichs vor der Schlacht auf dem Leipziger Marktplatz, die ich hier fast wörtlich übernommen habe.

Um die in diesem Buch erzählten Begebenheiten ranken sich auch viele Sagen, die ich hier anklingen lasse. Zum Beispiel von der Einnahme Freibergs nach Verrat durch einen Hans Lobetanz.

Eine weitere Sage mit möglicherweise realem Ursprung berichtet, wie 1296 ein Regiment bei Freiberg versinkt – auf dem vom Bergbau durchfahrenen »Dürren Schönberg«, der diesen Namen aber erst später erhielt.

Eine Sagengestalt, von der wir nicht wissen, ob es sie gegeben hat, ist der Haberberger. Überliefert ist jedoch, dass die Freiberger Grubenbesitzer und Hüttenmeister den ins Exil getriebenen Markgrafen mit Silber bei der Rückeroberung des Landes unterstützt haben.

Die bekannteste Freiberger Sage zu diesem Themenkreis ist die von den »Drei Kreuzen« ein Stück stadtauswärts von Freiberg, der Legende nach drei Ratsherren gewidmet, die 1296 durch Adolf von Nassau als Geiseln genommen und hingerichtet worden waren.

Heute wissen wir, dass diese drei großen, die Landschaft prägenden Kreuze eine bergmännische Andachtsstätte aus vorreformatorischer Zeit sind.

Aber vielleicht stimmt auch ein Teil der Geschichte. Es wäre töricht, dies nicht auf irgendeine Art in den Roman einzubeziehen – und sei es nur als Andeutung.

Ob nach der Einnahme der Stadt tatsächlich sechzig angesehene Bürger oder Edelleute auf dem Obermarkt enthauptet wurden, ist nicht belegt, wird aber in den Chroniken als Gerücht wiedergegeben.

Tatsächlich zugetragen hat sich, dass der Freiberger Johann oder Hannemann Lotzke 1295 bei einem Überfall in Altenburg den Markgrafen Friedrich durch Einsatz seines Lebens vor dem Tod bewahrte. Das berichtet uns eine Urkunde vom Mai 1297, in der der Statthalter für die Mark Meißen, Heinrich von Nassau, ein Bußgeld für die Ermordung dieses Bürgers zugestand.

Auch die thüringischen Recken Rudolf von Vargula, Gunther von Schlotheim, Albrecht von Sättelstedt und Herrmann von Goldacker sind recht populäre Gestalten, die tatsächlich lebten.

Die Schlucht südlich von Eisenach, in der sich Friedrich und sein ebenfalls sagenumwobener Schwager Heinrich von Braunschweig mit ihren Truppen getroffen haben, heißt heute deshalb »Landgrafenschlucht«.

Allerdings trafen sie sich dort nicht, um auf Betreiben der Landgräfin Elisabeth von Lobdeburg-Arnshaugk den alten Landgrafen zu beseitigen, wie die Sage erzählt, sondern um die Eingeschlossenen zu befreien. Den Rücktritt seines unberechenbaren Vaters, der tatsächlich als »Albrecht der Entartete« in die Geschichte einging, hat Friedrich Anfang Januar 1307 durch einen Vertrag erzwungen. Anders als in meinem Roman verließ Albrecht jedoch die Wartburg nicht sofort, sondern erst etwas später, um sich in Erfurt niederzulassen und dort sein Leben zu beschließen.

Albrecht der Entartete gilt als schlechtester unter allen wettinischen Herrschern: unzuverlässig, wankelmütig, schwach. Vielleicht war er einfach überfordert? Man hat ihm außerdem schon zu Lebzeiten sehr verübelt, dass er – völlig untypisch für einen Fürsten – wirklich die Frau heiratete, an der sein Herz hing, obwohl sie als Ministerialentochter eine gesellschaftlich völlig unbedeutende Stellung hatte.

Eine populäre thüringische Sage ist auch der »Taufritt nach Tenneberg«. Doch diese Legende ist so pathetisch überhöht, dass ich sie auf den möglichen realen Kern reduziert habe. Lieber verliere er ganz Thüringen, als seine Tochter dürsten zu lassen, soll Friedrich ausgerufen haben, als sie sich vor den Verfolgern verstecken mussten, damit die Amme das weinende Kind stillen konnte. Nun ja …

Wo schulde ich dem Leser noch Aufklärung über Dichtung und Wahrheit?

Es ist nicht ganz sicher, ob der Herzog von Braunschweig-Grubenhagen bei der Schlacht von Lucka dabei war, aber recht wahrscheinlich. In Eisenach war er ja seinem Schwager auch zu Hilfe gekommen.

Die Geschehnisse nach der Schlacht von Lucka musste ich im Roman aus dramaturgischen Gründen etwas raffen. Kloster und Stadt Pegau wurden nicht unmittelbar nach der Schlacht, sondern im Juli 1307 niedergebrannt, Diezmann starb erst im Dezember. Auskunft darüber gibt die Zeittafel am Ende des Buches. Mit berittenen Boten lassen sich eben Neuigkeiten bei weitem nicht so schnell übermitteln wie heute per Internet.

Dass Friedrich den Befehl zur Ermordung seines Bruders erteilte, habe ich ihm untergeschoben. Es gibt widersprüchliche Berichte über die Ermordung Diezmanns. Die populärste Version besagt, er sei in der Leipziger Thomaskirche zur Strafe für die Plünderung des Klosters Pegau erdolcht worden. Möglich ist aber auch, dass er eines natürlichen Todes starb.

Friedrich hat vom Tod seines in vielerlei Hinsicht unzuverlässigen Bruders profitiert. Danach gelang ihm schließlich, wovon er wohl all die Jahre geträumt hatte: Er brachte die Länder, über die sein Großvater Heinrich der Erlauchte einst regierte, wieder unter die Herrschaft des Hauses Wettin. Er führte dann die Titel Landgraf von Thüringen, Markgraf von Meißen, Pfalzgraf von Sachsen, Markgraf von Landsberg und Herr über das Pleißner Land.

Doch dazu stand er bald nach Lucka schon wieder im Kampf, erst mit den thüringischen Städten, dann mit dem Markgrafen von Brandenburg.

Den Beinamen »der Freidige«, den ich hier schon nenne, erhielt er erst nach seinem Tode. Bekannter wurde er durch den berühmten »Dresdner Fürstenzug« als »Friedrich der Gebisse« – wieder eine Sage, aber genug davon!

Erzählenswert ist sein Ende: Bei einem Pfingstspiel 1321 über die klugen und die törichten Jungfrauen soll er in so große Aufregung darüber geraten sein, dass die Sünden nicht vergeben wurden, dass er einen Schlaganfall erlitt und bis zu seinem Tod im November 1323 gelähmt blieb.

War es das schlechte Gewissen angesichts seiner eigenen Sünden, das ihn so aufbrachte? Seine Frau Elisabeth pflegte ihn bis zu seinem Tod, regierte an seiner Stelle und schaffte es, ihrem Sohn das Erbe zu erhalten, bis er volljährig war. Eine bemerkenswerte Leistung für die junge Frau in dieser Zeit.

Friedrichs Erstgeborener ging tatsächlich als »Friedrich der Lahme« in die Geschichte ein, auch wenn wir nicht wissen, woher dieser Beiname rührt. Er galt als tapferer Kämpfer und starb sehr jung mit einundzwanzig Jahren in der Schlacht bei Zwenkau im Januar 1315.

Übrigens: Der hier »Christians Pfad« genannte Fluchtweg aus dem Bergfried der Freiberger Burg ist in den 1980er Jahren bei archäologischen Grabungen tatsächlich entdeckt worden!

Wer mehr über die Entstehung Freibergs, über Christian und Marthe erfahren möchte, dem seien meine Romane »Das Geheimnis der Hebamme«, »Die Spur der Hebamme«, »Die Entscheidung der Hebamme« und »Der Fluch der Hebamme« ans Herz gelegt.

Für alle diejenigen, die Schritt für Schritt nachvollziehen wollen, wo meine Freiberger Romanfiguren lebten und kämpften, hat Dieter Schräber vom hiesigen Erzgebirgszweigverein einen Stadtplan für das Freiberg jener Zeit rekonstruiert. Dabei hat er einfließen lassen, was uns alte Quellen dazu sagen, von den Straßenzügen, den neununddreißig Türmen bis hin zur damaligen Gestalt der Kirchen. Im heutigen Freiberg lässt sich vieles davon nachempfinden. Doch die Stadt ist 1484 beim letzten großen Stadtbrand völlig niedergebrannt und erst danach neu aufgebaut worden.

Mai 1292: Adolf von Nassau wird zum König gewählt. Er verpfändet das Pleißenland an König Wenzel II. von Böhmen und plant, die Mark Meißen als erledigtes Reichslehen einzuziehen.

April 1294: Albrecht der Entartete, Landgraf von Thüringen, verkauft im direkten Verstoß gegen das Reichslehnsrecht und die Verträge mit seinen Söhnen Friedrich und Diezmann Thüringen an König Adolf von Nassau. Das Recht auf Nießbrauch auf Lebenszeit bewahrt er sich.

Dezember 1295: Friedrich von Wettin, Markgraf von Meißen, wird zu Verhandlungen mit dem König nach Altenburg beordert und entkommt dort kurz nach seiner Ankunft nur knapp einem Mordanschlag durch königliche Soldaten.

Januar 1296: Das Heer des Königs beginnt mit der Belagerung Freibergs, nachdem es auf dem Weg dorthin Thüringen zum zweiten Mal in Folge verwüstet hat.

Februar 1296: Freiberg wird durch Verrat eingenommen. Friedrich von Wettin übergibt dem König die letzten drei Städte, die er noch in seinem Besitz hatte, und geht ins Exil.

Juni 1297: Bei der Krönung des böhmischen Königs Wenzel II. beginnen die Gegner Adolf von Nassaus, eine Fürstenkoalition zu bilden, die zu seinem Sturz führen soll. Angeführt wird diese durch Albrecht von Habsburg und den Mainzer Erzbischof Gerhard II.

Februar 1298: In Wien schließen die Gegner Adolfs von Nassau ein Bündnis.

April 1298: Friedrich von Wettin und sein Bruder Diezmann, der Markgraf der Lausitz, beginnen mit der Rückeroberung der Mark Meißen. Zuerst erobern sie Großenhain und Rochlitz. Sie nehmen Heinrich von Nassau, den Vetter des Königs und sein Statthalter für die Mark Meißen, gefangen.

23. Juni 1298: Die Kurfürsten wählen Adolf von Nassau ab

und schaffen damit einen Präzedenzfall in der deutschen Geschichte.

24. Juni 1298: Albrecht von Habsburg wird zum König gewählt. Unmittelbar danach ernennt er Wenzel II. von Böhmen zum Statthalter für die Mark Meißen, das Pleißen- und das Osterland.

2. Juli 1298: In der Schlacht bei Göllheim stirbt Adolf von Nassau im Kampf gegen die Truppen Albrecht von Habsburgs.

November 1298: Auf dem Hoftag in Nürnberg lehnt es Albrecht von Habsburg ab, die Mark Meißen an das Haus Wettin zurückzugeben.

Ende 1299: Friedrich von Wettin söhnt sich mit seinem Vater Albrecht dem Entarteten, dem Landgrafen von Thüringen, aus.

24. August 1300: Friedrich heiratet in Gotha Elisabeth von Lobdeburg-Arnshaugk, die Tochter der gleichnamigen Frau seines Vaters.

1301: Diezmann verkauft die Lausitz für 6000 Mark Silber an den Erzbischof von Magdeburg, der sie umgehend an den Markgrafen von Brandenburg verkauft.

Juni 1305: Nach dem Tod des böhmischen Königs Wenzel II. fällt die Mark Meißen an König Albrecht von Habsburg zurück.

Juli 1306: Der König beordert Albrecht den Entarteten zum Hoftag nach Fulda, um Thüringen künftig zum Kronland zu machen. Albrecht muss einen Eid schwören, dass Thüringen nach seinem Tod an das Reich fällt. Die Wartburg soll binnen acht Tagen an zwei Deutschordenskomture übergeben werden. Friedrich und Diezmann erscheinen nicht und werden enterbt und in Acht geschlagen.

August 1306: Albrecht von Habsburg eröffnet einen Kriegszug gegen Thüringen und die Stellungen der Wettiner im Osterland. Zugleich belagern die Eisenacher die Wartburg.

Oktober 1306: Albrecht von Habsburg nimmt Borna ein, zieht sich dann wegen des früh einsetzenden Winters nach Österreich zurück. Ein Teil des königlichen Heeres unter Heinrich von Nortenberg überwintert im Osterland.

Januar 1307: Friedrich erobert die Wartburg und bringt seinen Vater Albrecht den Entarteten dazu, abzudanken und ihm die Landgrafschaft Thüringen zu überschreiben. Kurz darauf muss Friedrich von der Wartburg fliehen.

31. Mai 1307: Friedrich und Diezmann sammeln in Leipzig ein Heer aus Bürgern, Bauern und meißnischen Adligen, um die königlichen Besatzer zu vertreiben. Vermutlich auch unterstützt von den Truppen des Herzogs von Braunschweig-Grubenhaben, besiegen sie in einer Schlacht bei Lucka die habsburgische Übermacht.

Juli 1307: Albrecht von Habsburg rückt mit einem noch größeren Heer gegen die Wettiner vor. Der plötzliche Tod seines Sohnes Rudolf, im Jahr zuvor zum König von Böhmen ernannt, zwingt ihn dazu, nach Eger umzuschwenken. Unterdessen wurde bereits Heinrich von Kärnten zum neuen böhmischen König gewählt.

September 1307: Heinrich von Kärnten und Friedrich der Freidige schließen ein Schutz- und Trutzbündnis gegen Habsburg. Wenig später besetzt Friedrich das Pleißenland und erobert Freiberg zurück.

Dezember 1307: Diezmann stirbt in Leipzig – möglicherweise durch ein Attentat. Friedrich übernimmt die Herrschaft über die Mark Meißen und Thüringen und begründet die wettinische Macht neu.

1. Mai 1308: König Albrecht von Habsburg wird von seinem Neffen ermordet.

1310: Friedrich der Freidige wird durch König Heinrich VII. von Luxemburg mit der Mark Meißen und der Landgrafschaft Thüringen belehnt. Das bedeutet zugleich die offizielle Aufgabe der königlichen Ansprüche auf die Mark Meißen und Thüringen.

Interview mit Sabine Ebert

Frau Ebert, wie war die Trennung von Marthe und der Weg hin zu Änne und Sybilla für Sie? Ist es Ihnen schwergefallen, Abstand zu der Hauptfigur Ihrer früheren Bücher zu bekommen?

Sabine Ebert: Gern hätte ich erst die Geschichte von Marthe und ihren Freunden zu Ende erzählt. Schließlich sind mir die Figuren vertraut, und den weiteren Verlauf der Handlung habe ich ja schon im Hinterkopf. Aber dann zog mich die Dramatik der historischen Hintergründe von »Blut und Silber« rasch in den Bann. Ich stand allerdings vor der Aufgabe, Figuren zu entwickeln, die anders sind als Marthe und ihr Umkreis.

Wie hat sich die innere Freiheit beim Schreiben vom ersten Buch zum heutigen Buch, das ja zuvor schon als Hardcover erschienen ist, entwickelt? Ist der Erwartungsdruck für Sie gestiegen, oder können Sie die äußeren Ansprüche von sich fernhalten?

Sabine Ebert: Beim Schreiben des ersten Romans hatte ich die Zweifel, die wahrscheinlich jeder Autor kennt: Werde ich einen Verlag finden? Werden die Leser es mögen? Werde ich es überhaupt fertig bekommen? Zumindest die erste Frage stellt sich ja nun nicht mehr, jedenfalls für die nächsten Jahre, und ich hoffe, dass das so bleibt. Aber der Druck, dass ich jetzt kein völlig unbekannter Autor mehr bin und mit jedem neuen Buch gleich ein Bestseller von mir erwartet wird, ist schon gewaltig. Der Sprung zum Hardcover war noch einmal eine Hürde. Das hemmt mich beim Schreiben, treibt mich andererseits aber auch voran.

Trotz einer neuen Hauptfigur sind Sie ja der Stadt Freiberg treu geblieben und knüpfen mit Ihren Hauptpersonen auch indirekt ein bisschen an liebgewonnene Helden aus der

Sabine Ebert bei der Lesung aus »Blut und Silber« anlässlich der Buchpremiere in Freiberg (Foto: Eckardt Mildner)

»Hebammen«-Reihe an. War die Recherche für dieses Buch, das Einfinden in die Zeit hundert Jahre später, ein leichter oder ein schwieriger Einstieg für Sie?

Sabine Ebert: Ich musste mit den Recherchen völlig von vorn beginnen. Mehr als einhundert Jahre später ist ja alles anders: die Waffen, die Mode, die Kampftechniken, die historischen Persönlichkeiten, die politischen Hintergründe. Für die Zeit um 1300 ist die Quellenlage deutlich besser, so dass ich mich viel konkreter an den historischen Ereignissen »entlanghangeln« konnte. Allerdings sind die Quellen auch lückenhaft und oft widersprüchlich, so dass es viel Zeit und Überlegungen kostete, das Puzzle mit so vielen fehlenden Teilen zusammenzusetzen. Das Geschehen muss ja irgendwie logisch und nachvollziehbar für den Leser sein.

Sabine Ebert, »beschützt« von einem Ritter der Mittelaltergruppe »Mark Meißen 1200«, beim Signieren anlässlich der Buchpremiere von »Blut und Silber« (Foto: Verlagsgruppe Droemer Knaur / Patricia Keßler

Was ist Ihr persönlicher Zugang oder Aufhänger gewesen zu sagen: In dieser Zeit schreibe ich weiter?
Sabine Ebert: Die Dramatik dieser Geschichte, der wirklichen historischen Ereignisse.

Wenn Sie schreiben: Tauchen Sie ab in die Zeit Ihrer Romane? Und falls ja, der Wechsel in die Gegenwart – wie funktioniert der für Sie am besten?
Sabine Ebert: Beim Schreiben versenke ich mich ganz in die Zeit und die Psyche meiner Figuren; ich begleite sie Schritt für Schritt. Aber wenn ich dann vom Schreibtisch aufstehe, bin ich sofort wieder in der Gegenwart.

Änne und Sybilla, die Hauptfiguren aus »Blut und Silber«, und Marthe aus der »Hebammen«-Reihe – was zeichnet für Sie diese drei Frauen aus und was verbindet sie miteinander?
Sabine Ebert: Sie sind – zumindest zu Beginn der Geschichte – ganz unten in der Gesellschaft und als Frau sowie durch ihre Berufe in besonderem Maße ausgeliefert. Aber sie lassen sich nicht unterkriegen. Und sie nutzen ihr Wissen und Können, Menschen auch in Situationen zu helfen, wo andere wegschauen oder weglaufen würden. Wenn es hart auf hart kommt, zeigen sie mehr Mut, als man ihnen zutrauen würde.

Und Sie selbst, wo sehen Sie sich – eher eine Änne oder Sybilla? Was haben diese Figuren, was Sie selbst auch haben – oder eben nicht?
Sabine Ebert: Ich denke, man kann sich als moderne Frau nicht ins Mittelalter »transportieren«. Vieles, was uns heute selbstverständlich ist – Selbstbestimmung, um es auf den Punkt zu bringen –, kommt im Mittelalter einfach nicht vor.

Gibt es überhaupt Menschen, an die Sie Ihre Romanfiguren anlehnen, historische Personen, oder wie inspirieren Sie sich,

Die Mittelaltergruppen »Mark Meißen 1200« und »Die Freien von der Karlshöhe« (Foto: Verlagsgruppe Droemer Knaur / Patricia Keßler)

wie schaffen Sie diese so gut gezeichneten und sehr überzeugend nahen Figuren?
Sabine Ebert: Bei den historischen Persönlichkeiten lasse ich mich davon leiten, was wir über ihr Tun wissen. Charakterbilder in den alten Chroniken wurden ja immer durch den Auftraggeber positiv oder negativ überzeichnet. Bei den erdachten Figuren überlege ich, wie jemand von bestimmter Herkunft und mit bestimmten Charaktereigenschaften im Kontext seiner Zeit handeln würde.

Und wenn Sie die Männer vor Ihrem inneren Auge Revue passieren lassen, wer wäre Ihre Wahl – Christian, Markus ...
Sabine Ebert: Und Lukas nicht zu vergessen! Muss man sie nicht alle drei lieben?

Wie hat sich Ihr Leben nun verändert, seitdem Marthe und jetzt Änne und Sybilla in Ihr Leben getreten sind – ist die Mittelalterszene ein Teil Ihrer inneren Heimat geworden?

Sabine Ebert: Mein Leben hat sich völlig verändert. Jetzt gebe ich Interviews, statt als Journalistin welche zu führen, und stehe zumindest in Sachsen ziemlich in der Öffentlichkeit, was schon irgendwie anstrengend ist. Andererseits lebe ich immer noch in einer gemütlichen Freiberger Dachwohnung, und mein Freundeskreis ist auch geblieben. Ein paar neue Freunde sind hinzugekommen – aus der Mittelalterszene. Mit der bin ich übrigens erst durch Fanpost in Verbindung gekommen, nachdem das erste Buch erschienen war, und wir haben uns

Harfenspieler Stefan Weyh verzaubert die Besucher der Buchpremiere von »Blut und Silber« mit seiner mittelalterlichen Kunst. (Foto: Eckardt Mildner

auf Anhieb verstanden. So ein Mittelalter-Wochenende bei einer Burgbelagerung ist nicht nur eine gute Gelegenheit zum Fachsimpeln, sondern lässt mich auch wunderbar entspannen. Lehrreich und inspirierend.

Und zu guter Letzt: Verraten Sie uns Ihre Rituale beim Schreiben dieses Buches? Gibt es Musik, die Sie hören, besondere Stifte oder Papier, Gummibärchen …
Sabine Ebert: Ich brauche Stille, Zurückgezogenheit, ein paar Blumen und eine brennende Kerze auf dem Tisch.

BEGEISTERTE PRESSESTIMMEN

»Ihr [Sabine Eberts] neues Werk setzt der hohen Qualität ihrer drei vorangegangenen Romane noch mal eins oben drauf. ›Blut und Silber‹ hat die Wucht eines großen, exzellent erzählten Hollywood-Blockbusters! Das deutsche ›Königreich der Himmel‹. Kampf, Leidenschaft, große Gefühle, bittere Niederlagen, hervorragende Charaktere, perfekte Recherche. Mehr kann man von einem historischen Roman nicht erwarten.«   *denglers-buchkritik.de, Alex Dengler*

»Eines der Bücher, die man nicht mehr aus der Hand legt. (…) Sabine Ebert ist die Ikone der Mittelalterszene.«
Frankfurter Allgemeine Sonntagszeitung

»Ein packender historischer Roman, der gleich mit eindrucksvollen und spannenden Szenen in die Geschehnisse springt. […] Präzise recherchiert und mit einem zeitlichen Überblick am Ende ausgestattet, führt der Roman in das späte 13. und frühe 14. Jahrhundert und lässt die Wirrungen der Politik, die Grausamkeiten des Krieges, die Intrigen an den Höfen der Fürsten und die Unvollkommenheit der Liebe vor den Augen des Lesers auferstehen.«
Karfunkel – Zeitschrift für erlebbare Geschichte

»Ein hervorragendes Beispiel sorgfältig konzipierter, präzise recherchierter und dargestellter Histofiktion. Sabine Ebert hat äußerst geschickt fiktive Figuren und die Spielhandlung in die historischen Gegebenheiten integriert.«   *Literaturzirkel.eu*

»Eines hat Sabine Ebert […] immer ausgezeichnet: das Interesse für historische Zusammenhänge und eine große Genauigkeit.«   *Sächsische Zeitung*

»Sabine Ebert bestickt sich zu jedem neuen Buch, das sie geschrieben hat, ein passendes Gewand. Streng nach Überlieferung. Mindestens genauso akribisch schmückt die Freibergerin historische Fakten und Tatsachen zu fesselnden Romanen aus. Ihr Stoff heißt Mittelalter.«   *Chemnitzer Morgenpost*

»[Ein] Historienroman, der seiner Gattung Ehre macht.«
Freie Presse

LESETIPPS

LASSEN SIE
SICH ENTFÜHREN
INS KAISERREICH BARBAROSSAS ...

SABINE EBERT

Das Geheimnis der Hebamme

ROMAN

Weil sein Sohn tot geboren wurde, will Burgherr Wulfhart der jungen Hebamme Marthe Hände und Füße abschlagen lassen. Nur mit knapper Not gelingt ihr die Flucht aus ihrem Dorf. Um zu überleben, schließt sie sich einer Gruppe fränkischer Siedler an, die ostwärts in die Mark Meißen ziehen, um sich dort in noch unerschlossenem Gebiet ein neues, besseres Leben aufzubauen. Anführer der Siedler ist der Ritter Christian, der mehr und mehr von Marthe und ihrem Heilwissen fasziniert ist. Doch dies erregt auch die Aufmerksamkeit von Christians erbittertstem Feind, einem einflussreichen Ritter in Diensten des Meißner Markgrafen Otto von Wettin. Da wird in Christians Dorf Silber gefunden …

KNAUR TASCHENBUCH VERLAG

Die Fortsetzung von »Das Geheimnis der Hebamme«!

SABINE
EBERT

Die
Spur
der
Hebamme

ROMAN

Mark Meißen im Jahre 1173: Marthe und ihr Mann Christian könnten glücklich und zufrieden im durch den Silberbergbau erblühten Christiansdorf leben, doch da erreichen sie schlimme Neuigkeiten: Heinrich der Löwe ist von seiner Pilgerfahrt ins Heilige Land zurückgekehrt, und mit ihm Christians ärgster Feind. Erneut ist der Meißner Markgraf Otto von Wettin in die Kämpfe gegen den mächtigen Herzog von Sachsen und Bayern verwickelt. Und er ernennt ausgerechnet Christians Feind zum Vogt des Silberdorfes.

Christian will seine Frau in Sicherheit bringen. Doch sie wird von einem fanatischen Medicus denunziert und muss sich vor einem Kirchengericht verantworten. Verzweifelt sucht Christian nach ihr, aber sie scheint spurlos verschwunden …

KNAUR TASCHENBUCH VERLAG

Die Geschichte von Marthe und Christian geht weiter …

SABINE EBERT

Die Entscheidung der Hebamme

ROMAN

Hoftag in Magdeburg 1179: Kaiser Friedrich Barbarossa ist entschlossen, Heinrich dem Löwen den Prozess zu machen. Das bedeutet Krieg. Christian und Marthe müssen damit rechnen, dass er auch ihr Dorf in der Mark Meißen erreicht. Bald darauf nimmt Markgraf Otto von Wettin Christian als einen seiner Heerführer mit in den Kampf. Währenddessen steht Marthe in Christiansdorf vor einer ganz anderen Herausforderung: Otto hat für die Zeit des Kriegszuges seinem machtbesessenen ältesten Sohn das Kommando über die Christiansdorfer Burg übertragen. Diesem sind Christian, Marthe und ihre Anhänger schon lange ein Dorn im Auge. Mit Mut und Schläue versuchen die Dorfbewohner, sich gegen den gnadenlosen Albrecht zu behaupten. Doch viel muss geschehen, bis Christians Traum wahr wird und aus dem Dorf eine Stadt: Freiberg.

KNAUR TASCHENBUCH VERLAG

Der lang erwartete vierte Teil der »Hebammen«-Reihe

SABINE EBERT

Der Fluch der Hebamme

ROMAN

Freiberg 1189: Fast fünf Jahre sind seit Christians Tod vergangen. Marthe und Lukas leiden immer noch unter dem Verlust des Geliebten und Freundes und müssen ihre Gefühle füreinander neu bestimmen. Doch das ist nicht die einzige Sorge, die ihr Leben überschattet, denn es naht der Tag, an dem der grausame Albrecht, der älteste Sohn des Markgrafen Otto, die Regentschaft über die Mark Meißen übernehmen wird. Marthe und Lukas können nicht fliehen: Sie müssen Christians Vermächtnis erfüllen – und sich um die mittlerweile fast erwachsenen Kinder kümmern. Die sechzehnjährige Clara soll heiraten, obwohl sie heimlich in den jüngeren Sohn des Markgrafen verliebt ist, und Thomas träumt davon, sich Kaiser Barbarossas Kreuzzug ins Heilige Land anzuschließen …

KNAUR TASCHENBUCH VERLAG

Der Countdown läuft!

SABINE
EBERT

Der Traum
der
Hebamme

ROMAN

erscheint im Oktober 2011

Freuen Sie sich heute schon auf den ergreifenden Abschluss
der grandiosen Saga um die Hebamme Marthe im Herbst
2011!

KNAUR TASCHENBUCH VERLAG

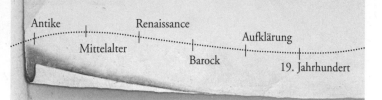